J. RIZZI

DER BROCKHAUS IN FÜNFZEHN BÄNDEN

DER BROCKHAUS

in fünfzehn Bänden

Zwölfter Band

Roh – Ser

F. A. BROCKHAUS
Leipzig · Mannheim

Redaktionelle Leitung: Marianne Strzysch, Dr. Joachim Weiß

In Band 15 ist die Redaktion vollständig genannt.

Einbandgestaltung: James Rizzi

Einbandtypographie: Jürgen Sauerhöfer

Herstellung: Günter Schwab

Typographische Konzeption: Norbert Wessel

Satz: Bibliographisches Institut & F. A. Brockhaus AG
(PageOne Siemens Nixdorf)
und Mannheimer Morgen Großdruckerei
und Verlag GmbH

Druck: Neue Stalling GmbH, Oldenburg

Bindearbeit: Großbuchbinderei Lachenmaier, Reutlingen

Papier: 120 g/m² holzfrei, mattgestrichen, chlorfrei
der Papierfabrik Aconda Paper S. A., Spanien

Die Deutsche Bibliothek – CIP-Einheitsaufnahme
Der **Brockhaus**: in 15 Bänden /
[red. Leitung: Marianne Strzysch; Joachim Weiß]. –
Leipzig; Mannheim: Brockhaus.
Bd. 12. Roh–Ser. – 1999
ISBN 3-7653-2362-4

ISBN für das Gesamtwerk 3-7653-2350-0
Band 12: 3-7653-2362-4

Printed in Germany

Rohan [rɔ'ã], **1)** Henri, Fürst von Léon, Herzog von R. (seit 1603), *Blain (bei Nantes) 21. 8. 1579, †Königsfelden (Kt. Aargau) 13. 4. 1638; Führer der Hugenotten gegen Richelieu, später sein Oberbefehlshaber, u. a. in Graubünden. R.s Memoiren (hg. 1644) sind eine wichtige zeitgenöss. Quelle.

2) Louis René, Prinz von R.-Guéménée, *Paris 25. 9. 1734, †Ettenheim (Ortenaukreis) 17. 2. 1803; wurde 1778 Kardinal, 1779 Fürstbischof von Straßburg; war 1785 in die →Halsbandaffäre verwickelt; verließ 1790 Frankreich.

Rohbau, der erste Abschnitt einer Bauausführung, der den konstruktiven (tragenden) Teil des Gebäudes sowie Schornsteine, Brandwände, Treppen und Dachkonstruktion umfasst. Nach Vollendung wird der R. durch die Baubehörde geprüft (Rohbauabnahme).

Christian Rohlfs: »Gasse in Ascona« (um 1930; Hagen, Karl-Ernst-Osthaus-Museum)

Rohbilanz (Summenbilanz, Umsatzbilanz), Gegenüberstellung der Soll- und Habensummen aller Hauptbuchkonten zur Vorbereitung des Jahresabschlusses.

Henri, Herzog von Rohan (zeitgenössische Darstellung)

Rohde, Erwin, klass. Philologe, *Hamburg 9. 10. 1845, †Heidelberg 11. 1. 1898; befreundet mit F. Nietzsche; wandte die Methoden der vergleichenden Religionswiss. erstmals auf die antiken Überlieferungen an und stellte der dunklen chthon. Seelenreligion die helle olymp. Götterwelt gegenüber.

Roh|ertrag (Bruttogewinn, Rohgewinn), das Ergebnis des Produktionsprozesses ohne Berücksichtigung aller Aufwendungen; in Handelsbetrieben die Differenz zw. Warenverkaufspreis (inklusive Mehrwertsteuer) und der eingesetzten Warenmenge (bewertet mit dem Wareneinstandspreis). Der auf einen Artikel bezogene R. ergibt seine Handelsspanne, die Summe aller artikelbezogenen R. den **Warenrohgewinn (Warenbruttogewinn).**

Rohkost, vitamin-, mineralstoff- und ballaststoffreiche, jedoch kalorien- und fettarme, meist auch eiweißarme, ungekochte pflanzl. Kost.

Rohlfs, 1) Christian, Maler und Grafiker, *Niendorf (Holstein) 22. 11. 1849, †Hagen 8. 1. 1938; malte zunächst stimmungsvolle realist. Landschaften und gelangte nach 1900 zu expressionist. Gestaltung; schuf meisterhafte Blumen- und Landschaftsaquarelle. Während des Nationalsozialismus waren seine Werke als »entartet« verfemt.

2) Gerhard, Afrikareisender, *Vegesack (heute zu Bremen) 14. 4. 1831, †Rüngsdorf (heute zu Bonn) 2. 6. 1896; bereiste 1861–64 Marokko und 1865–67 als erster Europäer Afrika von Tripolis bis zum Golf von Guinea (Lagos); erkundete 1873–74 die Libysche Wüste.

Werke: Reise durch Marokko, … (1868); Quer durch Afrika, 2 Bde. (1874/75); Kufra (1881).

Gerhard Rohlfs (Afrikareisender)

3) Gerhard, Romanist, *Berlin 14. 7. 1892, †Tübingen 12. 9. 1986; Prof. in Tübingen und München, bed. Vertreter der Sprachgeographie; erarbeitete eine histor. Grammatik der italien. Sprache und ihrer Mundarten; Mitarbeit am Sprach- und Sachatlas Italiens und der Südschweiz.

Ernst Röhm

Rohling, aus der Gießerei oder Schmiede kommendes rohes Werkstück zur Weiterverarbeitung.

Röhm, Ernst, Politiker (NSDAP), *München 28. 11. 1887, † (ermordet) ebd. 1. 7. 1934; ab 1919 am Aufbau von NSDAP und SA, 1923 am Hitler-Putsch beteiligt; 1928–30 in Bolivien; seit 1931 Stabschef der SA, seit 1933 Reichsmin.; wollte die SA im Rahmen einer »2. Revolution« zum Kern eines nat.-soz. Volksheers machen. Unter dem Vorwurf, einen Putsch geplant zu haben **(R.-Putsch),** ließ Hitler R. und andere SA-Führer in der Nacht vom 30. 6. bis zum 1. 7. 1934 verhaften und erschießen. Ziel war es, den Störfaktor SA auszuschalten, Hitlers Macht zu festigen und die Reichswehr von der Sorge vor einem Konkurrenten zu befreien. Gleichzeitig wurden auch andere Missliebige (u. a. G. Strasser, K. von Schleicher) ermordet.

📖 LONGERICH, P.: *Die braunen Bataillone. Geschichte der SA. Hannover 1989.*

Éric Rohmer

Rohmer [rɔ'mɛːr], Éric, eigtl. Maurice Scherer, frz. Filmregisseur und -kritiker, *Tulle 21. 3. 1920. Charakteristisch für seine Filme ist der Verzicht auf einen dramat. Handlungsverlauf und die sensible Beschreibung von Seelenzuständen; u. a. »Meine Nacht bei Maud« (1969), »Claires Knie« (1970), »Pauline am Strand« (1982), »Frühlingserzählung« (1989) und »Wintermärchen« (1992).

Rohrdommel (Größe bis zu 76 cm)

Roh|öl, ungereinigtes, nicht raffiniertes →Erdöl; auch nicht raffiniertes Öl aus Ölschiefer, Braun- und Steinkohlenteer.

Rohr (Röhre), *Technik:* zylindr. Hohlkörper, im Allg. mit im Verhältnis zum Durchmesser dünner Wandstärke, hergestellt aus Metall, Steinzeug, Ton, Zement, Glas, Kautschuk, Kunststoff u. a.; ein Bestandteil von Leitungen für Flüssigkeiten, Dämpfe, Gase, Fluid-Feststoff-Gemische; Stahl-R. dient auch als Konstruktionselement.

Herstellung von Stahl-R.: Nichtdichte **Schlitz-R.** biegt man maschinell aus Blech und verbindet die Naht durch Falzen, Nieten oder Heftschweißen. Dichte **geschweißte R.** entstehen aus rechteckigen Blechtafeln, die man zu Zylindern mit gerader achsparalleler Fuge einrollt, biegt oder presst. **Nahtlose R.** stellt man u. a. her durch Gießen in Formen mit Kernen oder Lochpressen eines erhitzten Blocks, Ausbohren zylindr. Werkstücke bei dickwandigen R., Schmieden eines gelochten Blocks, Walzen nach versch. Verfahren.

Heinrich Rohrer

Herstellung von R. aus anderen Materialien: Kupfer, Messing wie nahtlose Stahl-R.; Blei, Zinn durch Pressen des flüssigen Metalls durch ein Mundstück; Beton, Stahlbeton durch Guss-, Stampf-, Rüttel- oder Schleuderverfahren; Keramik durch Pressen des plast. Tonteiges, Trocknen, Brennen, Glasieren, auch Sintern; Glas durch Aufwickeln eines Strangs flüssigen Glases auf einen rotierenden Dorn oder durch Ziehen durch eine kreisrunde Öffnung mit hohlem Kern; Kunststoffe durch Extruder (Strangpressen) oder Schweißen; glasfaserverstärkte Kunststoffe im Wickelverfahren.

Rohracher, Hubert, österr. Psychologe, *Lienz 24. 4. 1903, † Kitzbühel 18. 12. 1972; seit 1943 Prof. in Wien; entdeckte die mechan. Mikroschwingungen des menschl. Körpers.

Rohrblatt, aus Schilfrohr (heute z. T. auch aus Kunststoff) gefertigtes Blättchen im Mundstück versch. Blasinstrumente, z. B. Klarinette (einfaches R.), Oboe, Fagott (doppeltes R.); bewirkt period. Unterbrechung des Luftstroms und damit die tonbildenden Luftschwingungen in der Schallröhre.

Rohrdommel (Große R., Botaurus stellaris), über das nördl. Eurasien verbreitete, bis zu 76 cm große Art der Reiher; bewohnt Schilffelder, in denen sie durch Färbung (hellbraun mit dunklen Längsstreifen) und Haltung (Hals lang aufgerichtet, Schnabel nach oben zeigend) gut getarnt ist.

Röhre, →Rohr.

Röhrenblüten, die radiären Einzelblüten der →Korbblütler.

Röhrenmäuler (Solenostomidae), zu den Büschelkiemern gehörende Fischfamilie im Ind. Ozean. Das Weibchen trägt die Eier in einer aus den Brustflossen gebildeten Tasche.

Röhren|öfen, Industrieöfen, bei denen Rohrsysteme in einem mit feuerfesten Materialien ausgekleideten Ofenraum installiert sind. Die kontinuierlich vom Einsatzmaterial durchströmten Rohre werden mit Gas- oder Heizölbrennern beheizt.

Röhrenpilze, die →Röhrlinge.

Röhrenzähner (Röhrchenzähner, Tubulidentata), Ordnung der Huftiere mit der einzigen Art →Erdferkel.

Rohrer, Heinrich, schweizer. Physiker, *Buchs (Kt. St. Gallen) 6. 6. 1933; seit 1963 am IBM-Forschungslaboratorium in Rüschlikon (bei Zürich); entwickelte mit G. Binnig das Rastertunnelmikroskop. Hierfür erhielten beide 1986 den Nobelpreis für Physik, zus. mit E. Ruska.

Rohrfeder, ein aus Rohr geschnittenes Schreibgerät mit gespaltener Spitze; schon im Altertum in Gebrauch, heute zum Zeichnen verwendet.

Rohrkolben (Typha), einzige Gattung der zu den Einkeimblättrigen gehörenden R.-Gewächse; ausdauernde Sumpfpflanzen mit vom Wind bestäubten Blüten. Mitteleurop. Arten sind z. B. **Breitblättriger R.** (Typha latifolia), bis zu 2,5 m hoch mit 10–20 mm breiten Blättern, und **Schmalblättriger R.** (Typha angustifolia), bis zu 1,5 m hoch, Blätter bis zu 10 mm breit, Kolben rotbraun; an Sümpfen, Teichen und Flussufern.

Rohrleitung (Rohrnetz), aus Rohren zusammengesetztes System zur Fortleitung von Flüssigkeiten, Dämpfen und Gasen (→Pipeline), auch zum Transport fester Körper wie Rohrpostkapseln, Späne, Staub, Betongemisch, von Aufschlämmungen wie Kohlenstaub in Wasser und zur Verlegung elektr. Leitungen. R. für Flüssigkeiten werden an höheren Stellen entlüftet, R. für Dämpfe und Gase an tieferen Stellen entwässert. Zur Verbindung der Rohre untereinander dienen z.B. Schweiß-, Flansch-, Muffen- und Schraubverbindungen, Formstücke, Rohraufhängungen, -stützungen und -schellen. Als Absperr- und Regelorgane dienen Armaturen, z.B. Ventile und Schieber. Zur Kenntlichmachung erhalten R. nach DIN bestimmte Farbanstriche (Übersicht).

Rohrleitung: Farbanstriche

grün	für Wasser	blau	für Luft
braun	für brennbare Flüssigkeiten	gelb	für Gas
		grau	für Vakuum
rot	für Dampf	violett	für Laugen
orange	für Säuren		

Röhrlinge (Röhrenpilze, Boletales), Ordnung der Ständerpilze; meist große, dickfleischige Hutpilze, auf deren Hutunterseite sich eine leicht vom Hutfleisch ablösende Röhrenschicht mit der Fruchtschicht befindet. Die meisten R. sind gute Speisepilze (→Steinpilz, →Maronenröhrling, Birkenpilz), wenige sind ungenießbar (Gallen-R.) oder giftig (Satanspilz). Charakteristisch ist bei vielen R. die Blaufärbung des Fruchtfleisches nach Verletzung. Bild Maronenröhrling

Rohrpost, pneumat. Förderanlage für zylindr. Behälter, in denen Kleinteile (Schriftstücke, Medikamente o.Ä.) in Rohrleitungen transportiert werden. Die R.-Büchsen von 2,5–12,5 cm Durchmesser werden in einer Rohrleitung durch Saug-, seltener Druckluft mit einer Geschwindigkeit zw. 5 und 15 m/s befördert.

Rohrsänger (Acrocephalus), Gattung brauner, unterseits hellerer →Grasmücken; sie errichten hochwandige Nester zw. Pflanzenstängeln. Der 20 cm lange **Drossel-R.** (Acrocephalus arundinaceus) und der 13 cm lange **Teich-R.** (Acrocephalus scirpaceus) bewohnen die Schilfgürtel stehender Gewässer. Der **Sumpf-R.** (Acrocephalus palustris) lebt in Flussniederungen und Getreidefeldern. Der gestreifte **Schilf-R.** (Acrocephalus schoenobaenus) trägt im Balzflug einen knarrenden Gesang mit kanarienähnl. Trillern vor. Der **Seggensänger** (Acrocephalus paludicola) brütet in Mitteleuropa nur vereinzelt. Alle R. ziehen im Winter in das trop. Afrika oder Südasien.

Rohrwerk, Zungenstimmen in der →Orgel.

Rohrzucker, →Saccharose.

Rohseide, gehaspelte, noch nicht entbastete, harte, glanzlose, spröde Naturseide von gelblich weißer bis gelber Farbe; auch Gewebe daraus.

Rohstoff|abkommen, internat. Verträge zur Regulierung des Weltrohstoffhandels durch Quotenregelung, →Bufferstocks und Abnahmegarantien. R. verfolgen das Ziel, die Versorgung mit Rohstoffen zu sichern, die Rohstoffmärkte und -preise und damit die Exporterlöse (v.a. der Entwicklungsländer) zu stabilisieren. Bisher geschlossene R. (z.B. für Zucker, Kaffee oder Kakao) sowie Bemühungen um Preisindexierung und Schaffung von der →OPEC vergleichbaren Kartellen auch für andere Rohstoffe waren ebenso wenig erfolgreich wie der 1989 zw. Ind.- und Entwicklungsländern vereinbarte **Internat. Rohstoff-Fonds (Gemeinsamer Fonds)** für 18 ausgewählte Rohstoffe (ohne Erdöl). Der Exporterlösstabilisierung dient das STABEX im Rahmen der Lomé-Abkommen zw. EU und Entwicklungsländern.

Rohrkolben: Breitblättriger Rohrkolben (Höhe bis zu 2,5 m)

Rohstoffe, allg. Bez. für diejenigen Bestandteile der Natur, die vom Menschen gezielt angeeignet und genutzt werden; im betriebswirtsch. Sinne Ausgangsmaterialien, die im Fertigungsprozess in die Zwischen- und/oder Endprodukte eingehen oder als Hilfsstoffe verbraucht werden. R. werden häufig als **(natürliche) Ressourcen** bezeichnet. Zu den R. zählen v.a. Erdöl, Erze, Kohle, landwirtsch. Erzeugnisse, Holz, Fisch, aber auch Wasser, Boden und Luft sind von entscheidender Bedeutung. Meist wird zw. regenerierbaren oder organ. R. und nichtregenerierbaren mineral. R. (Bodenschätze) unterschieden. Volkswirtschaftlich beeinflussen die jeweils vorhandenen Mengen und die Preise der R. konjunkturelle Abläufe in Ind.ländern; als überwiegende Einnahmequelle zahlr. Entwicklungsländer stellen sie oft deren Existenzgrundlage dar. Ziel der Rohstoffpolitik unter ökolog. Aspekt ist eine bessere R.-Nutzung durch sparsame Verwendung, Recycling, Substitution und eine längere Lebensdauer von Produkten.

📖 Barsch, H. *u.* Bürger, K.: *Naturressourcen der Erde u. ihre Nutzung. Gotha* ²*1996.*

Rohrsänger: Schilfrohrsänger (oben) und Teichrohrsänger (Größe jeweils 13 cm)

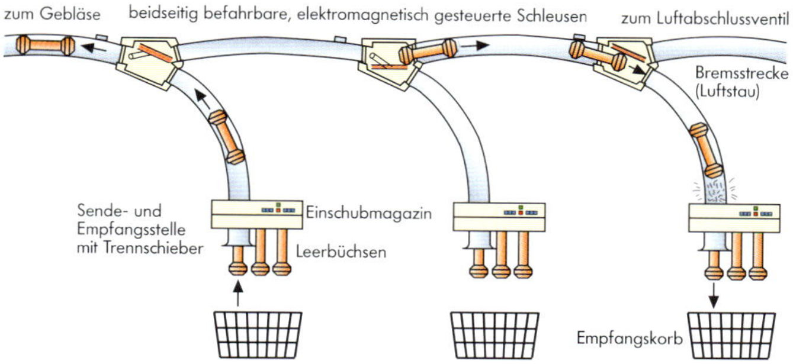

Rohrpost: schematische Darstellung des Fördervorgangs

Roh Tae Woo

Detlev Karsten Rohwedder

Marika Rökk

Rokoko: Joseph Anton Feuchtmayer, »Der Honigschlecker« (um 1750; Birnau, Wallfahrtskirche Sankt Maria)

Roh Tae Woo, südkorean. General und Politiker, * bei Taegu 4. 12. 1932; spielte 1979 beim Staatsstreich Chun Doo Hwans eine bedeutende Rolle. Als Chef der militär. Geheimpolizei (1980/81) war er mitverantwortlich für die Niederschlagung der Studentenrebellion von Kwangju. 1981 schied er aus der Militärführung aus. 1981–85 war R.T.W. mehrfach Min. und 1988–93 Staatspräsident. 1996 verurteilte ihn ein Gericht wegen Hochverrat und Korruption zu einer mehrjährigen Haftstrafe.

Rohwedder, Detlev Karsten, Jurist, Industriemanager, * Gotha 16. 10. 1932, † (ermordet) Düsseldorf 1. 4. 1991; Staatssekretär im Bundeswirtschaftsministerium (1969–78), Vorstandsvors. der Hoesch AG (1980–90) und der Treuhandanstalt (ab Aug. 1990); fiel einem Attentat der Rote-Armee-Fraktion (RAF) zum Opfer.

ROI, Abk. für → **R**eturn **o**n **I**nvestment.

Roissy-en-France [rwasiãˈfrãs], Gemeinde im Dép. Val-d'Oise, Frankreich, nordöstlich von Paris, 2100 Ew.; 1974 wurde der Großflughafen Charles-de-Gaulle in Betrieb genommen.

Rokitansky, Carl Freiherr von, Pathologe, * Königgrätz 19. 2. 1804, † Wien 23. 7. 1878; gilt mit R. Virchow als Begründer der modernen patholog. Anatomie.

Rokitnosümpfe, alter Name für → Polesien.

Rökk, Marika, Tänzerin, Schauspielerin und Sängerin ungar. Herkunft, * Kairo 3. 11. 1913; spielte in zahlr. Filmen unter der Regie ihres Mannes G. Jacobi (»Gasparone«, 1937; »Die Frau meiner Träume«, 1944); nach 1945 in Operettenfilmen, Musicals (»Hallo Dolly«, 1968; »Csardasfürstin«, 1973) und Fernsehshows.

Rokoko [von frz. → Rocaille] *das, bildende Kunst:* die Spätphase des Barock als Ausdrucksform des späten Absolutismus, etwa zw. 1720 und 1780. Ursprungsland des R. ist Frankreich, wo mit dem Stil der → Régence Größe und Pathos des Barock dem Gefälligen, Eleganten wichen; das Höfisch-Repräsentative wandelte sich zum Intim-Persönlichen, das v. a. in einer verfeinerten Wohnkultur zum Ausdruck kam. Ein anmutiger, verspielter Dekorationsstil (Louis-quinze) löste die dynam. Formensprache des Barock ab. Architektur wird kulissenhaft, mit reliefartig modellierter Oberfläche gestaltet. Die künstler. Akzente verlagerten sich vom Außenbau auf den Innenraum, der von einem lockeren Schmuckwerk übersponnen und durch Spiegel verfremdet wurde. Die Rocaille wurde zum Grundmotiv der Dekoration. Durch die Stichwerke v. a. von J. A. Meissonier und F. de Cuvilliés d. Ä. wurde der Stil in ganz Europa verbreitet. Größere Gesamtanlagen der R.-Architektur entstanden in der frz. Provinz (Nancy: Place Stanislas; Straßburg: Palais Rohan). In Dtl., wo sich seit etwa 1750 der Klassizismus parallel zum R. entwickelte, sind u. a. das Münchner Residenztheater und Schloss Sanssouci in Potsdam Zeugnisse der R.-Kunst. – Dem intimen Charakter entspricht eine Blüte des Kunstgewerbes und der Kleinkunst, als dessen neue Gattung die Porzellan-

Rokoko: Jean Honoré Fragonard, »Die Schaukel« (1767; London, Wallace Collection)

plastik entstand, die im R. gleichzeitig ihren Höhepunkt erlebte (J. J. Kändler für die Manufaktur Meißen, F. A. Bustelli für die Manufaktur Nymphenburg). Galante Themen, mytholog. und Schäferszenen bestimmten auch die Malerei (A. Watteau, J. H. Fragonard, F. Boucher), Stillleben (J.-B. S. Chardin) und Porträtkunst wurden gepflegt; die Pastellmalerei kam in Mode (R. Carriera, M. Quentin de la Tour). Eine eigene Variante des R. entstand unabhängig von Frankreich in Venedig, v. a. in der Malerei (S. Ricci, F. Guardi, G. B. Tiepolo). – Während das Louis-quinze in Frankreich eine aristokrat. Profankultur darstellt, findet das R. in Süd-Dtl. im Kirchenbau höchste Vollendung (D. Zimmermann, Wies; Brüder Asam, Abteikirche Weltenburg; J. B. Neumann, Vierzehnheiligen; J. M. Fischer, Rott am Inn, Plastik von I. Günther; Wallfahrtskirche Sankt Maria in Birnau, Plastik von J. A. Feuchtmayer). Weitere BILDER Boucher, Bustelli, Kändler, Watteau

Literatur: Unter R.-Literatur wird die zierlich-graziöse, spielerisch-frivole, galante Gesellschaftsdichtung verstanden, die ihre vollkommenste Ausbildung in der Spätzeit des höf. Klassizismus in Frankreich fand. In Dtl. zeigen die Dichtungen der Anakreontik, der Empfindsamkeit und die Schäferdichtung wesentl. Elemente des R.; Höhepunkt sind hier C. M. Wielands Dichtungen.

📖 BAUER, H. *u.* SEDLMAYER, H.: *R. Struktur u. Wesen einer europ. Epoche. Köln 1992.*

Rokossowski, Konstantin Konstantinowitsch, Marschall der Sowjetunion (1944) und Polens (1949), * Welikije Luki 21. 12. 1896, † Moskau 3. 8. 1968; seit 1919 Mitgl. der KPdSU; 1937–41 inhaftiert; leitete im 2. Weltkrieg 1942–45 militär. Operationen, 1949–56 Oberbefehlshaber der poln. Armee und poln. Verteidigungsmin., 1950–56 Mitgl. des Politbüros der Vereinigten Poln. Arbeiterpartei; verlor als Exponent des stalinist. Kurses nach dem »Poln. Oktober« (1956) seine Ämter in Polen.

Roland (Rolandsäule), überlebensgroße Bildsäule aus Holz oder Stein (meist barhäuptiger Mann mit bloßem Schwert in der Hand) auf Markt- oder Hauptplätzen vieler Städte, bes. in N-Dtl. (13.–18. Jh.). Ursprung und Bedeutung sind umstritten; wahrscheinlich Sinnbild städt. Privilegien oder der Gerichtsbarkeit.

Roland (Hruodlandus, italien. Orlando), Markgraf der Breton. Mark, † bei Roncesvalles 15. 8. 778. Nach Einhards »Vita Caroli Magni« fiel R., als die Nachhut Karls d. Gr. von den Basken in den Pyrenäen aufgerieben wurde. Der Sagenkreis um Karl d. Gr. macht ihn zu seinem Neffen und zu einem seiner zwölf Paladine (→ Rolandslied).

Rolands|eck, Stadtteil von → Remagen.

Rolandslied, Heldengedicht um → Roland, dessen erste überlieferte Form die altfrz. »Chanson de Roland« ist (entstanden um 1100 in Nordfrankreich). In mhd. Reimpaare wurde das R. um 1170 vom Regensburger Pfaffen Konrad übertragen. Im R. sind die Gegner Karls d. Gr. die Sarazenen. Roland deckt den Rückzug des siegreichen Heeres, wird aber von seinem Stiefvater Ganelon an den noch unbesiegten Sarazenenkönig Marsilius verraten. Er gerät mit der Nachhut im Tal von Roncesvalles in den Pyrenäen in einen Hinterhalt und fällt nach hartem Kampf, da er sich weigert, mit seinem Horn Olifant das Hauptheer zu Hilfe zu rufen. Der zurückgekehrte Karl vernichtet alle Sarazenen und hält ein Strafgericht über Ganelon. Stoff oder Personen des R. tauchen häufig in span. und engl. Romanzen, in altfrz. Ritter- und Heldenromanen des 13./14. Jh. auf, eigenständige Bearbeitungen sind die satirisch-kom. Epen von L. Ariosto und M. M. Boiardo.

Rolf Krake, sagenhafter dän. König, → Hrolf Krake.

Rolland [rɔˈlã], Romain, frz. Schriftsteller, * Clamecy (Dép. Nièvre) 29. 1. 1866, † Vézelay (Dép. Yonne) 30. 12. 1944; lebte 1886–89 in Rom; 1903–12 Prof. für Musikwiss. in Paris; begann sein literar. Werk mit den Dramenzyklen »Les tragédies de la foi« (3 Tle., 1897–99) und »Théâtre de la révolution« (3 Tle., 1898–1902) sowie Biographien bed. Persönlichkeiten (»Ludwig van Beethoven«, 1903; »Das Leben Tolstois«, 1911). Erster großer Erfolg war der Entwicklungsroman »Johann Christof« (10 Bde., 1904–12), der von dem Gedanken der dt.-frz. Verständigung getragen ist. Mit Ausbruch des 1. Weltkriegs siedelte R. in die Schweiz über (bis 1937) und engagierte sich für den Pazifismus. Nach Kriegsende wirkte er weiter für seine Ziele u. a. mit der Zeitschrift »Europe« und dem Roman »Clérambault« (1920). Dann trat er gegen Faschismus, Nationalsozialismus und den drohenden Krieg auf; umfangreiche Korrespondenz, Tagebücher, Autobiographie; von dem weiteren belletrist. Werk ist v. a. der Roman »Die verzauberte Seele« (6 Bde., 1922–33) zu nennen. 1915 erhielt R. den Nobelpreis für Literatur.

Romain Rolland

Roll-back [ˈrəʊlbæk; engl. »zurückdrängen«] *das,* Bez. für das vom ehem. amerikan. Außenmin. J. F. Dulles (1953–59) unter Abkehr von der Politik des Containments propagierte außenpolit. Konzept der USA mit dem Ziel, die kommunist. Macht in den Ländern Mittel- und Osteuropas rückgängig zu machen.

Rollbahn, svw. Rollweg (→ Flughafen).

Rolle [rɔl], Bezirkshauptort im Kt. Waadt, Schweiz, am N-Ufer des Genfer Sees, 3 800 Ew.; Weinbau; Fremdenverkehr; Schloss (13. Jahrhundert).

Rolle, 1) *Mechanik:* drehbare Scheibe oder Walze, zählt zu den einfachen Maschinen. Während die **feste R.** nur zur Umkehrung einer Kraftrichtung dient (aufzuwendende Kraft $\boldsymbol{F}$ = Last $\boldsymbol{L}$), benutzt man **lose R.** in Verbindung mit festen R. zur Verkleinerung einer aufzuwendenden Kraft, z. B. beim Heben von Lasten durch Vergrößerung ihres Weges; die aufzuwendende Arbeit bleibt konstant (→ Flaschenzug).

2) *Soziologie:* (soziale Rolle) die Summe von Erwartungen an das soziale Verhalten eines Menschen, der eine bestimmte soziale Position innehat; ein gesellschaftlich bereitgestelltes Verhaltensmuster, das in bestimmten Situationen ausgeführt werden kann oder muss. Der Widerspruch, der sich aus unterschiedl. R.-Erwartungen (Familien-, Berufs-, Geschlechts-, Freizeit-R.) ergeben kann, wird **Rollenkonflikt** genannt.

3) *Sport:* v. a. im Bodenturnen eine ganze Drehung vor- oder rückwärts um die Breitenachse des Körpers, Beine angehockt, Oberkörper gebeugt.

4) *Theater, Film, Fernsehen:* a) von einem Schauspieler, Sänger, Tänzer darzustellende Gestalt; b) der dem einzelnen Darsteller zugeteilte Text. Frü-

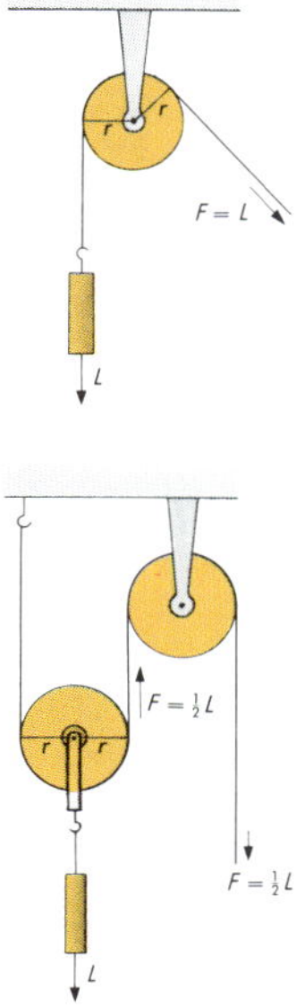

Rolle 2): Last ***L*** und aufzuwendende Zugkraft ***F*** an der festen Rolle (***F*** = ***L***) und an der Kombination aus loser und fester Rolle (unten); durch die Kombination aus loser und fester Rolle wird die Zugkraft (bei gleichen Rollenradien *r* halbiert ($\boldsymbol{F} = \frac{1}{2}\boldsymbol{L}$)

her war der Schauspieler oft auf ein **Rollenfach** spezialisiert, z. B. jugendl. Held, Naive; moderne Regie und Schauspielerausbildung vermeiden solche Festlegungen. In der Opernpraxis bestimmen neben Stimmlage auch Umfang und Klangfarbe einer Stimme deren Eignung für ein Rollenfach.

Rollen, 1) *Flugzeugtechnik:* 1) jede Bewegung eines Flugzeuges am Boden; 2) Drehbewegung eines Flugzeugs um seine Längsachse.

2) *Schifffahrt:* die Bewegung des Schiffes, die sich aus dem Schlingern (um die Längsachse) und dem Stampfen (um die Querachse) zusammensetzt.

3) *Umformtechnik:* Biegen von Draht, Rohr o. Ä. durch Einführen in ein Werkzeug mit gekrümmter Wirkfläche.

Georg Rollenhagen (Holzschnitt nach einer zeitgenössischen Vorlage)

Rollenhagen, Georg, Schriftsteller, *Bernau 22. 4. 1542, †Magdeburg 20. 5. 1609; Rektor und Prediger, schrieb bürgerlich-moralist. Schuldramen (»Spiel vom reichen Manne und armen Lazaro«, 1591). Das Tierepos »Der Froschmeuseler« (1595) erweitert die grch. Geschichte vom Froschmäusekrieg (→Batrachomyomachie) zu einer Parodie bes. der Reformationsgeschichte.

Rollerblades ['rəʊləbleɪdz, engl.] (Inlineskates, Inliner), Rollschuhe für **Inlineskating:** das Gleiten auf Rollschuhen, deren vier (bei Rennskates fünf) Rollen unter dem Schuh nicht paarweise, sondern in einer Reihe angebracht sind; mit Stopper zum Bremsen; die vier Polyurethanrollen sind je mit zwei getrennten Kugellagern ausgestattet (→Rollhockey).

Rollfeld, auf Flughäfen die gesamte von Luftfahrzeugen nutzbare Fläche.

Rollfilm, auf eine Spule gewickelter unperforierter Aufnahmefilm für Mittelformatkameras (R.-Kamera); gängige R. sind **R. 120** und **R. 220** für zwölf bzw. 24 Aufnahmen von 6 × 6 cm.

Rollhockey [-hɔkɪ], dem Eishockey und Hockey verwandtes Mannschaftsspiel mit je fünf Spielern und fünf Auswechselspielern auf Rollschuhen; Spielfeld: Asphalt-, Beton-, Holz- oder Kunststofffläche; der 155 g schwere Vollball soll mit dem Schläger in das gegner. Tor getrieben werden, Spielzeit 2 × 25 min effektiv. Das **Rollerhockey** wird auf Rollerblades betrieben.

Rolling Stones ['rəʊlɪŋ stəʊnz], brit. Rockgruppe, gegr. 1962, neben den Beatles erfolgreichste Vertreter der Rockmusik; Leitbild rebell. Jugendlicher. Mittelpunkt ist der Sänger Mick (Michael P.) Jagger (*1943), weitere Mitgl.: Keith Richards (*1943; Gitarre), Brian Jones (*1942, †1969; Gitarre), ersetzt durch Mick Taylor (*1949) und für ihn ab 1975 Ron Wood (*1947), der Schlagzeuger Charlie Watts (*1941) und bis 1992 Bill Wyman (*1941; Bass).

Sonny Rollins

Rollins ['rəʊlɪnz], Sonny, eigtl. Theodore Walter R., amerikan. Jazzmusiker (Saxophonist), *New York 7. 9. 1929; gehört neben J. Coltrane zu den erfolgreichsten Tenorsaxophonisten des Hardbop; schrieb auch Filmmusik und Jazzstandards.

Rollkunstlauf, dem Eiskunstlauf in Technik und Regeln weitgehend entsprechender Rollsport. Disziplinen sind Einzel-, Paarlauf, Rolltanz und Formationslaufen (nur Kür), die übrigen jeweils mit Pflicht- bzw. Kurzprogramm und Kür. Die Bewertung erfolgt wie beim Eiskunstlauf (jedoch internat. bis 10 Punkte).

Rollkurve, *Mathematik:* die →Zykloide.

Roll|loch, *Bergbau:* eine steil bis senkrecht gebohrte, aus dem Gestein herausgesprengte Verbindung zw. Sohlen unter Tage zur Abwärtsförderung von Haufwerk, zur Wetterführung u. a.

Rollo (Hrolf), Normannenführer, Graf von Rouen (seit 911), †um 930; Anführer der Normannen im Gebiet der unteren Seine, mit dem er 911 von Karl III. belehnt wurde. R. nahm das Christentum an. Er begründete die Dynastie der Herzöge der Normandie.

Roll-on-roll-off-Schiff [rəʊl'ɔnrəʊl'ɔf-; engl., eigtl. »Rolle-hinauf-rolle-hinunter-Schiff«] (Ro-Ro-Schiff), Frachtschiff mit klappbaren Laderampen am Heck, Bug oder an der Seite, über die rollende Ladungseinheiten an und von Bord gelangen. Auch Autofähren mit durchlaufenden Fahrzeugdecks werden im Roll-on-roll-off-Betrieb be- und entladen (Ro-Ro-Fähren). BILD Schiff

Roll-over-Kredit [rəʊl'əʊvə-; engl. to roll over »herumdrehen«], mittel- bis langfristiger Großkredit, der von der kreditgebenden Bank durch kurzfristige Einlagen refinanziert wird; bes. auf dem →Euromarkt. Der Zinssatz wird regelmäßig an den Markt angepasst.

Rollschuhe, Spezialschuhe mit vier Rollen (Rädern) aus Kunststoff (früher aus Holz, Metall oder Hartgummi), die in Präzisionskugellagern ruhen und für Sportzwecke mit hochschäftigem Schuhwerk fest verbunden sind; meist mit Stopper zw. den Vorderrädern. Eine Weiterentwicklung stellen die Inlineskates (Rollerblades) dar, zu denen auch die zum Tanzen benutzten **Diskoroller** mit 3 cm breiten Rollen gehören.

Rolls-Royce plc [rəʊlz'rɔɪs piel'si:], brit. Hersteller von Flugzeugtriebwerken, Sitz: London; hervorgegangen aus der 1906 von Charles Stewart Rolls (*1877, †1910) und Frederick Henry Royce (*1863, †1933) gegründeten Rolls-Royce Ltd., die neben Flugzeugtriebwerken auch Luxuskraftfahrzeuge der Marken »Rolls-Royce« und »Bentley« herstellte. Nach deren Konkurs (1971) wurde die Triebwerkproduktion in der R.-R. plc unter staatl. Regie fortgesetzt, der Kfz-Bereich abgetrennt und unter der Firma **Rolls-Royce Motor Cars Limited** privatisiert (Sitz: Crewe). 1998 wurde diese Firma von der Volkswagen AG übernommen, wobei das Recht auf Nutzung des Namens »Rolls-Royce« an die Bayerische Motorenwerke AG fiel.

Rollstuhlsport, Sportarten, die Behinderte (z.B. Querschnittgelähmte) im Rollstuhl ausführen können, v.a. in der Leichtathletik, im Fechten, Bogenschießen, auch Ballspiele (mit angepassten Regeln). Aus den 1948 ins Leben gerufenen Stoke-Mandeville-Spielen entwickelte sich die Behindertenolympiade (→Paralympics).

Rolltreppe (Fahrtreppe), Stetigförderer in Form einer Treppe zur Personenbeförderung. Die immer horizontal bleibenden Stufenprofile sind beweglich an endlos umlaufenden Ketten befestigt und werden auf beiden Seiten mit Rollen in Schlitzen geführt. Die Stufen entstehen und verschwinden infolge des kurvenförmigen Verlaufs der Schlitze. Der Antrieb erfolgt mit Elektromotoren.

Rollwerk, *bildende Kunst:* Ornamente, deren Enden schneckenartig eingerollt sind, v.a. an Spruchbändern, Wappenschilden und Kartuschen; in der Schule von Fontainebleau um 1530/40 ausgebildet und im Florisstil weiterentwickelt.

Rom (italien. Roma), **1)** Provinz in der Region Latium, Italien, 5352 km², (1995) 3,774 Mio. Einwohner.

2) Hauptstadt der Rep. Italien, Verw.sitz der Region Latium und der Prov. R., am Tiber, 20 km vor der Küste, 2,661 Mio. Ew.; Sitz der Reg., des Parlaments und des Papstes (→Vatikanstadt). R. ist polit. und kulturelles Zentrum Italiens; zwei staatl. Univ. (gegr. 1303 und 1985), private Univ. (gegr. 1945), Hochschulen für Medizin, Wirtschaft und Handel, Musik, bildende Künste, dramat. Kunst und Tanz, Akademie der schönen Künste, Akademie für Wiss. und schöne Literatur, Dt. Archäolog. und Dt. Histor. Inst., österr. und schweizer. Kulturinst., →Villa Massimo; päpstl. Hochschulen (→Gregoriana, vier weitere Univ.) u.a. päpstl. Institutionen (bes. die Päpstl. Akademie der Wiss.); internat. Behörden, u.a. Sitz der FAO; Bibliotheken: Nationalbibliothek, Vatikan. Bibliothek und Archiv, →Bibliotheca Hertziana und die 1971 gegr. Dt. Bibliothek; Museen: Antikensammlungen des Vatikans, der Kapitolin. Museen, des Thermenmuseums; Archäolog. Nationalmuseum, Palazzo Massimo; Gemäldegalerien: Vatikan. Pinakothek, Galleria Borghese, Galleria Nazionale, Galleria d'Arte Moderna u.a. Bed. Bühnen und Theater, botan. Gärten, Zoo, Observatorium, Planetarium, modernes Sportstättenviertel um das Olympiastadion. – Wichtigste Ind.zweige sind Maschinenbau, graf. Gewerbe, Erdölraffinerie, chem., elektron., Bekleidungs- und Nahrungsmittelind.; bed. Filmateliers; Modezentrum; Börsen- und Handelsplatz, internat. Fachmessen. – Im Eisenbahn- und Luftverkehr ist R. wichtigster Knotenpunkt Italiens, zwei Flughäfen, darunter der internat. Flughafen Leonardo da Vinci in Fiumicino. Als Seehäfen dienen neben Civitavecchia auch Fiumicino und Anzio. Zwei U-Bahn-Linien.

Stadtbild: Grundriss und Stadtbild der noch heute von der Aurelian. Mauer begrenzten Innenstadt spiegeln die Baugeschichte von fast zweieinhalb Jt. wider. R. ist auf mehreren Hügeln erbaut (die sieben klass. Hügel sind: Palatin, Kapitol, Quirinal, Viminal, Esquilin, Caelius, Aventin), die heute z.T. nicht mehr sichtbar sind. Der Tiber, der R. von N nach S durchfließt, trennt die Vatikanstadt und den Stadtteil Trastevere vom Zentrum. Durch großzügige Straßendurchbrüche wurden die alten, als archäolog. Zonen von jeder Bebauung ausgeschlossenen Ruinenstätten in eine einheitl. Gesamtwirkung einbezogen.

Mittelpunkt der Stadt ist das Forum Romanum mit den Kaiserforen (→Forum). Auch im Straßenverlauf (die Via del Corso folgt der Via Flaminia) und in Platzanlagen (Piazza Navona) prägen noch Teile des antiken das moderne Rom. Im W des Forum Romanum erhob sich das →Kapitol; die Reiterstatue des Mark Aurel (Original seit 1990 im Kapitolin. Museum) hat erst Michelangelo auf dem heutigen Kapitolsplatz aufstellen lassen. Gut erhalten ist das →Kolosseum, daneben der Ehrenbogen für Konstantin von 315, während vom Circus maximus nur Reste vorhanden sind. Das →Pantheon steht auf dem ehem. Marsfeld, nahebei auf der Piazza Colonna die Mark-Aurel-Säule. An der →Via Appia zahlr. Grabbauten, u.a. das Grabmal der Caecilia Metella. Jenseits des Tiber ließ Hadrian 135 ff. seinen Grabbau errichten (die heutige →Engelsburg). Von der Grabanlage des Augustus wurde die →Ara Pacis Augustae wiederhergestellt. Großartig noch heute die Thermen des Diokletian (298 ff.; heute Kirche Santa Maria degli Angeli, erbaut nach Plänen Michelangelos) und die Thermen des Caracalla.

Seit dem 4. Jh. entstanden in R. frühchristl. Kirchenbauten, die die antike Form der →Basilika aufnahmen. Die ältesten sind San Giovanni in Late-

Rollwerk: Türkonsole am Marburger Schloss (1752)

Rom 2) Stadtwappen

Rom

Als Stammvater ihrer Stadt machten sich die Römer den aus dem brennenden Troja geflohenen homerischen Helden Aeneas zu Eigen. Den literarischen Höhepunkt des Mythos um den »Begründer des römischen Volkes« bildet das Versepos »Aeneis« des Dichters Vergil, der – zugleich an seinen Gönner Augustus gewandt – Aeneas' Vater Anchises den Auftrag in den Mund legt, der dem Selbstverständnis einer Weltmacht entspricht:

»Du aber, Römer, gedenk – dies ist der Kern deines Wesens – Völker kraft Amtes zu lenken und Ordnung zu stiften dem Frieden, Unterworf'ne zu schonen und niederzukämpfen Empörer!«

rano, San Paolo fuori le mura und die erste Kirche über dem Petrusgrab (alle 4. Jh.) sowie Santa Maria Maggiore (5. Jh., mit Mosaiken); als Zentralbau angelegt sind das Baptisterium San Giovanni in Laterano (4. Jh.) und San Stefano Rotondo (5. Jh.). Bed. Denkmäler frühchristl. Kunst sind in den Wandmalereien der →Katakomben erhalten. Im frühen MA. verfielen die antiken Bauten, soweit sie nicht in Kirchen umgewandelt worden waren (wie das Pantheon). Im 12./13. Jh. setzte eine rege Bautätigkeit ein. Roman. Kirchen aus dieser Zeit sind die Oberkirche von San Clemente (Unterkirche 6. Jh.), Santa Maria in Cosmedin und Santa Maria in Trastevere (mit Apsismosaiken). Die einzige größere got. Kirche ist Santa Maria sopra Minerva (vollendet 15. Jh.).

Nach dem Ende des päpstl. Exils in Avignon (1376) begann ein neuer Aufstieg. Die Päpste griffen mit der Anlage gerader Straßen und großer Plätze in das Stadtbild ein und schmückten die Stadt mit repräsentativen Bauwerken (u. a. Palazzo Venezia, Palazzo della Cancelleria), die bedeutendsten Künstler Europas waren in R. tätig. Mit dem Tempietto in San Pietro in Montorio schuf Bramante ein grundlegendes Werk der Hochrenaissance (1502). Von Papst Julius II. erhielt er den Auftrag zum Neubau der →Peterskirche. Weitere Bauwerke der Hochrenaissance sind die Villa Far-

Rom 2)

1

2

3

4

1 Die Aurelianische Mauer, mit deren Bau um 270 unter Kaiser Aurelian begonnen wurde, war 18,8 km lang und hatte 381 aus der Mauerlinie hervortretende Türme | **2** Der 1648–51 entstandene Vier-Ströme-Brunnen auf der Piazza Navona ist eines der Hauptwerke von Giovanni Lorenzo Bernini | **3** Blick über den 1656–67 nach Plänen von Giovanni Lorenzo Bernini angelegten Petersplatz mit den Kolonnaden und dem bereits 1586 von Domenico Fontana aufgerichteten Obelisken | **4** Das Trajansforum, das letzte und am besten erhaltene der Kaiserforen, wurde 113 eingeweiht; die 38 m hohe Trajanssäule wird seit 1588 anstelle der im Mittelalter verlorengegangenen Trajanstatue von einem Standbild des Apostels Petrus gekrönt nesina von B. Peruzzi und der Palazzo Farnese von A. de Sangallo (weitergeführt von Michelangelo), Santa Maria del Popolo (Apsis von Bramante, Chigi-Kapelle von Raffael). Mit der Kirche Il Gesù von G. da →Vignola (1568 ff.) begann das Zeitalter des Barock, dessen Hauptvertreter in Rom, G. L. Bernini, u. a. die Kolonnaden des Petersplatzes (1656–67) und den Vierströmebrunnen auf der Piazza Navona (1648–51) schuf. Aus späterer Zeit sind v. a. hervorzuheben: die Spanische Treppe (1723–25), das Ensemble der Fontana di Trevi (vollendet 1765), die Stazione Termini (vollendet 1950) und das Olympiagelände (1960) mit dem Palazzo dello Sport von P. L. Nervi. – Das histor. Zentrum von R., San Paolo fuori le mura und die Vatikanstadt wurden von der UNESCO zum Weltkulturerbe erklärt. Weitere BILDER Engelsburg, Freitreppe, Kolosseum, Pantheon, Peterskirche

Geschichte: R., nach der Legende am 21. 4. 753 von →Romulus gegr., entwickelte sich um 650 v. Chr. als etrusk. Stadtstaat aus Einzelsiedlungen. Das Wachstum der künftigen Metropole begann im 5./4. Jh. v. Chr. Mit dem bereits 507 v. Chr. geweihten Jupitertempel auf dem Kapitol war R. auch kult. Zentrum. Nach der Zerstörung durch die Kelten (387 v. Chr.) wurde R. wieder aufgebaut und erstmals ummauert. Diese Servian. Mauer umschloss bereits die sieben Hügel. Augustus teilte das stark angewachsene R. (750 000–1,5 Mio. Ew.) in 14 Regionen. Unter Nero brannte die Stadt 64 n. Chr. fast völlig ab; Aurelian ließ sie ab 271 zum zweiten Mal ummauern (Aurelian. Mauer). Nach der Erhebung Konstantinopels zur Hptst. des Röm. Reiches 330 und der Verlegung der Residenz der weström. Kaiser nach Mailand und Ravenna verlor R. seine polit. Bedeutung; es wurde mehrfach erobert und geplündert (410 Westgoten unter Alarich, 455 Wandalen unter Geiserich, 546 Ostgoten unter Totila). Zur neuen Ordnungsmacht in R. erhob sich im Früh-MA. das Papsttum, das jedoch nicht in der Lage war, R. vor äußeren Feinden zu schützen (ab 739 Bedrohung durch die Langobarden, 846 Plünderung durch die Sarazenen, 1084 durch die Normannen). Mit der →Pippinschen Schenkung 754/756 wurde der Papst weltl. Herrscher des Kirchenstaats mit R. als Hauptstadt. Ihr Schicksal wurde bis in die Neuzeit geprägt von der Kurie, von den Machtkämpfen der röm. Adelsgeschlechter (Tuskulaner, Crescentier, Orsini, Colonna, Frangipani, Savelli) und ab 800 vom westl. Kaisertum. Der Machtgewinn des Papsttums, die wachsende Bedeutung der Stadt als Wallfahrtsort und als diplomat. Zentrum des Abendlandes begründeten den Wiederaufstieg. Ansätze zur Befreiung von der päpstl. Stadtherrschaft (Arnold von Brescia 1145, Cola di Rienzo 1347) scheiterten. Mit der Übersiedlung der Päpste nach Avignon (1309–76) und der Pestepidemie 1348/50 ging die Bev. auf weniger als 20 000 Ew. zurück. Das Pontifikat Martins V. (1417–31) leitete das Renaissancepapsttum ein, das die Ausweitung päpstl. Verwaltung und einen gewaltigen kulturellen Aufschwung brachte, der auch durch die Truppen Karls V., die R. 1527/28 plünderten (Sacco di Roma), nicht aufgehalten wurde. – Nach der Napoleon. Zeit (1798 Röm. Rep., 1809 frz. Annexion) kehrte der Papst 1814 zurück. Pius IX. (1846–78) musste im Nov. 1848 vor den Truppen Garibaldis fliehen und kehrte 1850 mit frz. Hilfe zurück. Am 20. 9. 1870 wurden die frz. Truppen vertrieben und R. am 9. 10. zur Hptst. des Königreichs Italien ausgerufen. Der Papst blieb bis 1929 (Lateranverträge) als »Gefangener« im Vatikan. Bes. nach dem 1. Weltkrieg wuchs R. schnell (1 Mio. Ew. 1930). Unter B. Mussolini wurde es stark erweitert (erst jetzt wurden die Grenzen des antiken R. überschritten). Im 2. Weltkrieg zur »offenen Stadt« erklärt, von den dt. Besatzungstruppen (seit 10. 9. 1943) kampflos den Alliierten überlassen (4. 6. 1944), überstand R. den Krieg ohne große Schäden. Seit dem 2. 6. 1946 ist es Hptst. der Rep. Italien. In R. wurde am 25. 3. 1957 mit den Röm. Verträgen die EWG gegründet.

📖 HENZE, A. *u. a.: R. u. Latium. Stuttgart* [4]*1981.* – HIBBERT, C.: *R. Biographie einer Stadt. A. d. Engl. München 1987.* – KRAUTHEIMER, R.: *R. – Schicksal einer Stadt, 312–1308. A. d. Engl. München 1987.* – STÜTZER, H. A.: *Das antike R. Köln* [7]*1987.* – GREGOROVIUS, F.: *Geschichte der Stadt R. im Mittelalter vom 5.–16. Jh., 4 Bde. Neuausg. München* [2]*1988.* – COARELLI, F.: *R. Ein archäolog. Führer. A. d. Italien. Freiburg im Breisgau u. a.* [4]*1989.* – MATT, L. VON *u.* BARELLI, F.: *R. Köln* [11]*1992.*

ROM [Abk. für engl. **r**ead-**o**nly **m**emory »Nurlesespeicher«], *Datenverarbeitung:* →Speicher.

Rōm (dän. Rømø), größte dän. Nordseeinsel, 129 km², 800 Ew., mit dem nordschleswigschen Festland durch einen 9 km langen Straßendamm verbunden; heidebedeckte Dünenlandschaft, Fremdenverkehr.

Röm., Abk. für **Röm**erbrief (N. T.).

Roma (Roma Dea), göttl. Verkörperung der Stadt Rom, zugleich Schutzgottheit des Röm. Reiches; bewaffnet dargestellt, oft zus. mit der Kapitolin. Wölfin. BILD Apotheose

Roma [zu Romani rom »Mensch«], →Zigeuner.

Romadur [frz.] *der,* Weichkäse aus Schafs- oder Kuhmilch.

Romagna [-ɲɲa] *die,* histor. Landschaft in Norditalien, zw. Apenninkamm und Adriaküste, gehört heute zur Region →Emilia-Romagna. – Das im frühen MA. unter byzantin. Herrschaft verbliebene Gebiet kam durch die →Pippinsche Schenkung in den Besitz der Päpste, die sich aber gegen den Kaiser und das Selbstständigkeitsstreben der

Städte nur schwer durchsetzen konnten. 1509 wurde die R. in den Kirchenstaat eingegliedert.

Jules Romains

Romains [rɔ'mɛ̃], Jules, eigtl. Louis Farigoule, frz. Schriftsteller, *Saint-Julien-Chapteuil (Dép. Haute-Loire) 26. 8. 1885, †Paris 14. 8. 1972; Hauptvertreter des →Unanimismus, dessen dichterisch-philosoph. Konzeption er auf sein Hauptwerk, den Romanzyklus »Die guten Willens sind« (27 Bde., 1932–46), übertrug: Durch filmartige Montage von Vorgängen soll die Kollektivseele einer Stadt (Paris) und einer Epoche dargestellt werden. R. verfasste auch Gedichte und Schauspiele (bes. bekannt die Ärztesatire »Dr. Knock oder der Triumph der Medizin«, 1923). In politisch-philosoph. Schriften trat er für europ. Verständigung ein.

Roman [frz., von altfrz. romanz »in roman. Volkssprache (nicht in Latein) verfasste Erzählung«, zu lat. romanicus »römisch«] *der,* die neben Epos und Saga dritte dichter. Großform der →Epik. Der R. zeigt, im Ggs. zum →Epos, mehr die individuell gestaltete Einzelpersönlichkeit, die einer problematisch gewordenen Welt gegenübertritt. Im Ggs. zur Novelle wird nicht ein einzelnes herausragendes Ereignis dargestellt, sondern ein breiter Lebensausschnitt oder das Lebensganze einer Person, oft in Verbindung mit ihrer sozialen Umwelt. Der R. bedient sich (außer etwa im Vers-R. des Hoch-MA.) der Prosa und kann alle Darstellungsarten in sich aufnehmen, wie Bericht, Beschreibung, Gespräch, Monolog, Brief, wobei der Verfasser in ep. Objektivität zurücktreten oder sich als erklärender, reflektierender, ironisierender Sprecher einschalten kann. Stofflich (oft auch gehaltlich) unterscheidet man z.B. Abenteuer-R., Staats-R., Schelmen-R., Gesellschafts-R., histor. R., Kriegs-R., Heimat-R.; an formalen und strukturellen Eigenarten orientiert, sind Gliederungen u.a. nach den äußeren Erzählformen (Brief-R., Tagebuch-R.), den Erzählsituationen (z.B. Ich-R.) oder den erzählten Grundhaltungen, Aussageweisen, Zielsetzungen vorgenommen (religiöser, erbaul., didakt., satir., empfindsamer, idealist., realist., philosoph. Roman).

Geschichte: Der Name R. bezeichnet im hochmittelalterl. Frankreich zunächst jedes in der Landessprache geschriebene Werk, im Ggs. zum gelehrten Schrifttum in lat. Sprache. Seit dem 13. Jh. lässt sich eine Anwendung des Begriffs auf Erzählungen in Vers und Prosa nachweisen, Ende des 13. Jh. wird der Ausdruck auf die Prosaerzählung begrenzt. Der neuzeitl. Prosa-R. entstand aus der Auflösung der mittelalterl., häufig noch zum Epos gerechneten ritterl. Vers-R. (→Volksbücher; unter deren Einfluss auch F. Rabelais). Aus dem Ritter-R. (→Amadis von Gaula) erwuchs dessen Parodie im »Don Quijote« von M. de Cervantes Saavedra. An den spätgrch. R. (mit der für die Gattung lange kennzeichnenden Thematik von Erotik, Abenteuer, Exotik; z.B. bei Heliodor, Longus) knüpfen die heroisch-galanten und Schäfer-R. (→Schäferdichtung) an, gegen deren Geziertheit und Idealisierung sich der derbe Realismus der Schelmen-R. (pikareske R., in Dtl. v.a. J. J. C. von Grimmelshausen) wendet. Im 18. Jh. wurde der R. immer mehr zum wichtigsten Ausdrucksmittel des Bürgertums. Es entstanden neue R.-Formen: die Robinsonaden (D. Defoes →Robinson Crusoe, J. H. Campe), die später von den modernen Abenteuer-, See- und exot. R. abgelöst wurden, der empfindsame Brief- und Familien-R. (S. Richardson, J.-J. Rousseau, Goethes »Die Leiden des jungen Werthers«, 1774), der humorist. R. (H. Fielding, L. Sterne, C. M. Wieland, Jean Paul; später C. Dickens), der philosoph. R. (Voltaire, C. M. Wieland), der satir. R. (J. Swift) und der sentimentale Reise-R. (L. Sterne), der →Räuberroman und der Schauer-R. (→Gothic Novel). Im 19. Jh. wurden bes. gepflegt die auf Wieland und Goethe (»Wilhelm Meister«, 1795/96 und 1821) zurückgehenden Formen des Bildungs-R. und Entwicklungs-R., der geschichtl. R. (W. Scott) und der realist., später naturalist. R., der die zeitgenöss. Gesellschaft kritisch darstellt (Stendhal, H. de Balzac, G. Flaubert, É. Zola, N. W. Gogol, L. N. Tolstoi, F. M. Dostojewski); neben diesem bildete der psycholog. R. einen Schwerpunkt des R.-Schaffens. Als wichtige Sonderform entstand der Kriminal-R. (→Kriminalliteratur). Seit Ausgang des 19. Jh. machen sich im R. Wandlungen in der Formstruktur bemerkbar, die die Handlung immer stärker zurücktreten lassen, z.B. durch die Darstellung der Realität als Spiegelung des durch eine Person ausschnitthaft Wahrgenommenen bei H. James, die Bewusstseinskunst (→innerer Monolog) bei J. Joyce, die dem Film nachgebildete Montagetechnik bei J. Dos Passos, die Auflösung der Zeit- und Raumkontinuität bei M. Proust, die Darstellung existenzieller Weltentfremdung bei F. Kafka. Eine neue Wendung zum Experimentellen, zur Suche nach der Wirklichkeit mit den Mitteln der Sprache, unternahm der frz. →Nouveau Roman.

📖 *Dt. Romantheorien, hg. v.* R. Grimm, *2 Bde. Neuausg. Frankfurt am Main 1974.* – *Zur Struktur des R., hg. v.* B. Hillebrand. *Darmstadt 1978.* – *Theorie u. Technik des R. im 20. Jh., hg. v.* H. Steinecke. *Tübingen ²1979.* – *Handbuch des dt. R., hg. v.* H. Koopmann. *Düsseldorf 1983.* – *Romantheorie, hg. v.* E. Lämmert *u. a., 2 Bde. Frankfurt am Main 1984–88.* – Žmegač, V.: *Der europ. R. Tübingen ²1991.* – Lämmert, E.: *Bauformen des Erzählens. Stuttgart 58.–60. Tsd. 1993.* – Stanzel, F. K.: *Typische Formen des R. Göttingen ¹²1993.* – Lukács, G.: *Die Theorie des R. Neuausg. München 1994.* – Stanzel, F. K.: *Theorie des Erzählens. Göttingen ⁶1995.*

Roman ['ru:-], Johan Helmich, schwed. Komponist, *Stockholm 26. 10. 1694, † Gut Haraldsmåla (bei Kalmar) 20. 11. 1758; bedeutendster schwed. Komponist des 18. Jh.; wurde 1727 Kapellmeister am schwed. Hof; schrieb Orchesterwerke, Instrumentalkonzerte, Kirchen- und Kammermusik.

Romancero [-'θɛro, span.] *der,* → Romanze.

Roman de la rose [rɔ'mã dəla'ro:z] (Rosenroman), altfrz. allegor. Versroman, schildert die Suche nach einer Rose (als Symbol für den Gegenstand der Liebe). Der unvollendete erste Teil (4068 Verse), zw. 1230 und 1240 von Guillaume de Lorris verfasst, ist Höhepunkt und Ende der höf. Liebesliteratur; der zweite Teil (18000 Verse), zw. 1275 und 1280 von Jean de Meung, kehrt die Lehren des ersten um: Die Liebe ist nicht mehr vom höf. Sittenkodex bestimmt, sondern wird in ihrer Natur- und Instinkthaftigkeit dargestellt. BILD Abälard

Romanen, die Völker, deren Sprachen auf das Lateinische zurückgehen: Portugiesen, Spanier, Katalanen, Provenzalen, Franzosen mit Wallonen, Sarden, Italiener, Rätoromanen, Rumänen.

Romani, zusammenfassende Bez. für die Dialekte der Roma (→ Zigeuner). Nach Grundwortschatz und grammat. System gehören diese mit dem Sanskrit verwandten Dialekte zum indoiran. Zweig der indogerman. Sprache; die Trennung von verwandten Sprachen erfolgte um 1000 n. Chr. Der Zuwachs an Lehnwörtern erlaubt es, den Weg der Roma von Indien über Iran nach Kleinasien und von dort auf die Balkanhalbinsel zu verfolgen, die mit dem Raum im Karpatenbogen zur europ. Heimat der Roma wurde. Überall wurde das R. von der Sprache der jeweiligen Mehrheitsbevölkerung beeinflusst. Die von den versch. nationalen Gruppen gesprochenen R.-Dialekte unterscheiden sich so stark, dass eine Verständigung über Ländergrenzen hinweg oft erschwert wird.

Romanik [von lat. romanus »römisch«] *die,* Epoche der abendländ. Kunst des frühen MA. (um 950–1250), die auf die karoling. Kunst folgt und von der Gotik abgelöst wird. Zur Früh-R. rechnen u. a. die → ottonische Kunst und der → normannische Baustil; die Hoch-R. (in Frankreich 1000–1150, in Dtl. 1050–1150) wird in Dtl. auch als sal. Kunst bezeichnet, die Spät-R. auch als → staufische Kunst (1150–1250) oder als »Übergangsstil« (die Kunst der Stauferzeit in Dtl. und Italien zeigt spätroman. und frühgot. Stilformen, während in Frankreich bereits die Frühgotik vorherrscht).

Baukunst: Bei den Kirchenbauten (Basiliken) sind die einzelnen Teile, Schiffe, Vierung, Querhaus, Chorpartie und Türme, klar voneinander abgesetzt; charakteristisch sind Doppelturmfassaden im W (Caen, Saint-Étienne, um 1064–77, BILD) oder ein Westwerk (Sankt Pantaleon in Köln, 953–980, BILD), Vierungstürme sowie auch Türme am O-Abschluss (Dome in Speyer, um 1030 ff., und Worms, um 1150 ff.). Das Gesamtbild wirkt geschlossen. Der frühroman. Kirchenraum war flach gedeckt. Im späten 11. Jh. begann sich etwa gleichzeitig in Dtl., Frankreich und der Lombardei die Wölbung durchzusetzen (zunächst Kreuzgrat-, später Kreuzrippengewölbe; in Frankreich außerdem Tonnengewölbe, in einzelnen Landschaften, bes. in Aquitanien, auch Kuppeln). – Neben der kirchl. Baukunst besteht eine bed., weniger gut erhaltene Profanarchitektur: stauf. Kaiserpfalzen (Gelnhausen, 1180 vollendet, BILD; → Castel del Monte), Burgen und Stadtanlagen mit zahlr. Türmen (als Teil des Verteidigungsringes oder als Wohntürme: Regensburg, San Gimignano).

Die *Bildhauerkunst* steht in engem Zusammenhang mit der Sakralarchitektur. Neben das Relief (Bauplastik und Kleinplastik) traten im 11. Jh. Großplastiken (Kultbilder wie Madonnen, Kruzifixe, Kreuzigungsgruppen). Höhepunkte bilden die Tympanonreliefs (Vézelay, Sainte-Madeleine, seit 1096) und die Gewändefiguren der Portale; bes. vielfältig ist der Schmuck der Kapitelle. Zu den plast. Werken im Innenraum gehören u. a. auch Chorschranken und Taufsteine. Bes. im Rhein-Maas-Gebiet entstand eine bed. Goldschmiedekunst (Reliquienschreine, kirchl. Gerät) und Elfenbeinschnitzerei.

Romanik

Bernhard von Clairvaux wandte sich 1123 gegen die monströse Figurengestaltung an Kreuzgangkapitellen – der einzige erhaltene zeitgenössische Kommentar zu den Werken romanischer Bildhauer:

»Sodann in den Klöstern, … was hat dort jene lächerliche Missgestalt, jene auffallend hässliche Schönheit und schöne Hässlichkeit zu schaffen? Was tun die unflätigen Affen, die wilden Löwen, die widernatürlichen Kentauren, Halbmenschen, gefleckte Tiger, die kämpfenden Krieger, die ins Horn stoßenden Jäger? … Eine so große und seltsame Mannigfaltigkeit … tritt da zutage, dass man lieber im Marmor als im Buch liest, lieber den Tag damit zubringt, jedes einzelne Ding zu bewundern, als das Gesetz Gottes zu beachten. Bei Gott! Wenn ihr euch dieser Albernheiten nicht schämt, warum reuen euch nicht wenigstens die Kosten?«

Malerei: Von den großen Zyklen roman. Wandmalerei ist nur wenig erhalten (u. a. Saint-Savin-sur-Gartempe, frühes 12. Jh.); in Italien tritt das aus der byzantin. Kunst übernommene Mosaik z. T. an ihre Stelle (Palermo, Capella Palatina, 1131–43). Tafelmalerei in Form von Retabeln und Antependien ist erst aus dem 12. Jh. erhalten. Die → Buchmalerei hat einen Höhepunkt im 11./12. Jh. Wandteppiche z. T. großen Formats (Teppich von Bayeux; Abrahamteppich, zw. 1165 und 1190, Halberstadt) zeigen die gleiche strenge Stilisierung wie Wand- und

Romanik

1

4

2

3

5

| **1** Ausschnitt aus einer Anfang des 12. Jh. von dem Bildhauer Wiligelmus von Modena gestalteten Reliefplatte mit Szenen der Genesis an der Fassade der Kathedrale San Geminiano von Modena | **2** Die Anbetung der Könige, Ausschnitt aus dem Messbuch (Missale) des Robert de Jumièges (um 1016–30; Rouen, Bibliothèque municipale) | **3** Die um 1125–30 entstandene Westfassade der Hallenkirche Notre-Dame-la-Grande in Poitiers | **4** Das von Renier de Huy geschaffene Taufbecken aus Bronze gilt als ein Hauptwerk maasländischer Metallkunst (1107–18; Lüttich, Saint-Barthélemy) | **5** Die bis auf den Anfang des 12. Jh. zurückgehende ehemalige Klosterkirche Notre-Dame in Paray-le-Monial weist eine der reichsten Wandgliederungen der Romanik auf

Buchmalerei. Von der sehr bed. Glasmalerei sind wenige Beispiele erhalten, u. a. die Prophetenfenster im Augsburger Dom (1. Hälfte des 12. Jahrhunderts; BILD Glasmalerei).

📖 *Romanische Wandmalerei, Text v.* O. DEMUS, *Fotos v.* M. HIRMER. *Neuausg. München 1992. – Magisches Dunkel, beredtes Schweigen. Die R., Text v.* D. RUDLOFF, *Fotos v.* G. SCHÜTZ. *Grünenmatt*

1993. – *Die Kultur der Klöster, Beiträge v.* R. Grégoire *u. a. A. d. Frz. Neuausg. Stuttgart u. a. 1995.* – Petzold, A.: *Romanische Kunst. A. d. Engl. Köln 1995.* – *Die Kunst der R. Architektur, Skulptur, Malerei, hg. v.* R. Toman. *Köln 1996.*

romanische Sprachen, Sprachen innerhalb der indogerman. Sprachfamilie, die auf dem Boden des Röm. Reichs aus dem Lateinischen (Vulgärlatein) hervorgegangen sind. Es gibt heute neun r. S.: Portugiesisch, Katalanisch, Französisch, Okzitanisch (Provenzalisch), Sardisch, Spanisch, Italienisch, die rätoroman. Sprachgruppe, Rumänisch. Hinzu kommt das Ende des 19. Jh. ausgestorbene Dalmatische. Ferner gibt es zahlr. »Kleinsprachen« oder Varietäten der Romania, z. B. galicische Sprache, moldauische Sprache, Ladino. Eine Ausweitung des Sprachgebietes brachte die Zeit der Entdeckung und Kolonialisierung: Spanischsprachig wurde fast ganz Mittel- und Südamerika mit Ausnahme v. a. Brasiliens, das portugiesisch wurde, die frz. Sprache breitete sich in Louisiana und Kanada aus, hielt sich aber im Wesentlichen nur in der kanad. Prov. Quebec. Außerdem entstanden in Afrika, Asien und auf den Antillen auf der Grundlage der portugies., span. und frz. Sprache zahlr. Mischsprachen (Kreolsprachen).

Entwicklung: Das Lateinische differenzierte sich seit dem 5. Jh. in den versch. Teilen des Röm. Reichs. I. d. R. wird der Apenninkamm, die Linie La Spezia–Rimini, als Grenze zw. Ostromania (Mittel- und Süditalienisch, Rumänisch) und Westromania angesehen; die Westromania wird untergliedert in Galloromania (Norditalienisch, Französisch, Okzitanisch oder Provenzalisch) und Iberoromanisch (Katalanisch, Portugiesisch, Spanisch). Auch wird zw. Nord- und Südromanisch unterschieden (Grenzgebiet Poebene). Eine Besonderheit der r. S. war ihre Fähigkeit, ihren Wortschatz laufend aus dem Mittellatein, der Sprache von Kirche, Gelehrten, Rechtsprechung und Verwaltung, zu bereichern – mit Ausnahme des Rumänischen, für das das Kirchenslawische die Rolle des Kirchenlatein spielte. Bei der Entwicklung des Lateinischen zu den r. S. haben sich Lautstand und Syntax stark verändert, beim Nomen ist das Deklinationssystem weitgehend verloren gegangen, das Flexionssystem des Verbs ist ausgeprägter.

Romanismus *der,* Richtung in der niederländ. Malerei des 16. Jh. (etwa 1520–70), die sich an der italien. Hochrenaissance orientierte, vermittelt v. a. durch Künstlerreisen nach Italien und die Verbreitung von Stichen nach italien. Vorbildern; bed. Vertreter: J. Gossaert, B. van Orley, J. van Scorel, M. van Heemskerck.

Romanistik *die,* **1)** die Wiss. vom röm. Recht.

2) die Wiss. von den roman. Sprachen, Literaturen und Kulturen. Zum wiss. Begründer der roman. Philologie, wie die Bez. seinerzeit lautete, wurde Mitte des 19. Jh. F. Diez, der die Anfang des 19. Jh. von F. Bopp entwickelte vergleichende und histor. Methode anwandte und die sprachgeschichtl. Einheit der roman. Sprachen auf der Grundlage des gesprochenen Latein (Vulgärlatein) erkannte. Indem er Sprach- und Literaturwiss. miteinander verband, begründete Diez auch die roman. Literaturwiss. Seine Mittelalterforschungen sind vor dem Hintergrund der dt. Romantik und der Arbeit des Germanisten K. Lachmann zu sehen. Eher auf eine einzelne roman. Sprache waren Wissenschaftler roman. Länder ausgerichtet (z. B. in Frankreich G. Paris, P. Meyer, in Spanien R. Menéndez Pidal). Ende des 19. Jh. entstand das grundlegende grammat. Werk W. Meyer-Lübkes. Gegen die um die Jahrhundertwende stark positivistisch orientierte Sprachwiss. setzte sich in der R. bes. durch K. Voßler und L. Spitzer eine idealist. Auffassung durch. Beide untersuchten Sprache und Literatur vor dem Hintergrund kultureller Erscheinungen. Eine Wende der Sprachwiss. brachten Anfang des 20. Jh. die Arbeiten von F. de Saussure (Systemlinguistik). Die neueren Strömungen der funktionellen und strukturellen Sprachwiss. vertraten u. a. in Dtl. H. Lausberg und H. Weinrich. – Die roman. Literaturwiss. verselbstständigte sich im 20. Jh., v. a. seit den 1920er-Jahren. Die Erforschung einzelner, nunmehr auch neuerer Epochen und Autoren stand zunehmend im Vordergrund (K. Voßler, H. Morf, E. R. Curtius, E. Auerbach, H. Friedrich u. a.). In jüngerer Zeit wurden neben strukturalist. oder gesellschaftswiss. Akzentuierung oder Rezeptionsästhetik auch praxisbezogene landeskundl. Studiengänge eingeführt.

📖 Rohr, R.: *Einf. in das Studium der R. Berlin* [3]*1980.* – Tagliavini, C.: *Einf. in die roman. Philologie. A. d. Italien. Tübingen u. a.* [2]*1998.* – Gauger, H.-M. *u. a.: Einf. in die roman. Sprachwissenschaft. Darmstadt 1981.*

Romano, Giulio, italien. Maler, → Giulio Romano.

Romanow, russische Herrscherdynastie (1613–1730/62). Ahnherr ist der Moskauer Bojar A. I. Kobyla (Mitte des 14. Jh.). Der Aufstieg der Familie begann mit der Heirat des Zaren Iwan IV. mit der Bojarentochter Anastasia Romanowa. Ihr Großneffe Michail Fjodorowitsch R. wurde 1613 zum Zaren gewählt. Ihm folgten Alexei Michailowitsch, Fjodor III. Alexejewitsch und Peter I., d. Gr. Nach dem frühen Tod Peters II. (1730) und Elisabeth Petrownas (1762) blieb der Name R. bis 1917 in der Linie R.-Holstein-Gottorf durch Peter III. und seine Nachfahren erhalten.

📖 Almedingen, E. M.: *Die R.s. Die Geschichte einer Dynastie. A. d. Engl. Frankfurt am Main* [2]*1993.* –

2 B 15/12 E D C B

Summers, A. *u.* Mangold, T.: *Der Zarenmord. A. d. Engl. Neuausg. Bergisch Gladbach 1979.*

Romanshorn, Gemeinde im Kt. Thurgau, Schweiz, am Südufer des Bodensees, 8400 Ew.; Maschinenbau, Herstellung von Haushaltgeräten, Textil- und pharmazeut. Ind.; Fremdenverkehr; Autofähre nach Friedrichshafen.

Romantik [engl. romantic, frz. romantique, urspr. »romanhaft«] *die,* **1)** *allg.:* eine zum Gefühlvollen, zum Idealisieren, zum Wunderbaren, Märchenhaften und Fantastischen neigende Weltauffassung und -darstellung.

Romantik 2): Caspar David Friedrich, »Die Lebensstufen« (vor 1815; Leipzig, Museum der bildenden Künste)

2) eine geistes- und stilgeschichtl. Epoche, die zw. den Revolutionsjahren 1789 und 1848 das geistige Leben in Europa (und später den USA) maßgeblich bestimmte, wobei in den nat. Ausprägungen große Unterschiede auftraten. Gemeinsame Grundlage romant. Weltsicht war die Veränderung des sozialen Gefüges durch die Frz. Revolution. Die Romantiker waren sich der Diskrepanz zw. dem in der Frz. Revolution verkündeten Freiheitsideal und der tatsächlichen gesellschaftl. Realität bewusst. Eigentl. Raum menschl. Selbstverwirklichung wurde die innere Welt, aber auch eine verklärt gesehene Vergangenheit, in der die menschl. Gemeinschaft noch nicht auseinander gebrochen war. Im Gesellschaftlichen führte der romant. Subjektivismus zur Infragestellung sozialer Konventionen. In O-, SO- und S-Europa trug die R. wesentlich zum Erwachen des neuen Nationalgefühls bei, das die Loslösung von der Fremdherrschaft (Habsburgermonarchie, Osman. Reich) anstrebte. – Die Subjektivierung des Menschenbildes erforderte die Abkehr von den durch den Rationalismus bestimmten ästhet. Prinzipien der Aufklärung, eine Wendung, die allerdings bereits in der 2. Hälfte des 18. Jh. – u. a. durch J.-J. Rousseau und den dt. Sturm und Drang – vorbereitet worden war. Wesentliche Elemente romant. Kunstäußerung sind u. a. der Ausdruck subjektiven Empfindens, Darstellung der Sehnsucht nach dem Unendlichen (als dessen Chiffre die endl. Welt verstanden wurde), ein verfeinerter Sinn für das Individuelle, das als freieste Erscheinungsform des Unendlichen erfahren wurde, ausgeprägtes Naturgefühl, schöpfer. Freiheit des Dichters und die Entwicklung des Geschichtsbewusstseins. Innerer Zerrissenheit begegneten die Künstler mit melancholisch-sentimentaler Haltung (»Weltschmerz«) oder mit »romant. Ironie«, in der die Antinomie zw. Endlichem und Unendlichem Ausdruck fand.

In der *Literatur* sind diese Elemente am deutlichsten ausgeprägt. Da die romant. Literatur alle Einzelerscheinungen als Spiegel des Unendlichen versteht, sind die offenen Formen charakteristisch, die die Grenzen der Gattungen sprengen. Der künstler. Schaffensprozess selbst wird erstmals zum literar. Thema, der Literaturbegriff umfasst alle Bereiche von Kunst und Wissenschaft. Die Werke der ersten Romantikergeneration entstanden um 1800: In England fand sich die Lake School zusammen (W. Wordsworth, S. T. Coleridge u. a.), in Dtl. der Kreis der Jenaer Romantiker im Salon der Caroline von Schlegel (L. Tieck, die Brüder F. und A. W. Schlegel, Novalis, der durch sein Romanfragment »Heinrich von Ofterdingen«, 1802, mit der »blauen Blume« das Symbol der R. schuf, der Theologe F. Schleiermacher, der Philosoph F. W. J. von Schelling), etwas später die Heidelberger Romantiker (A. von Arnim, C. Brentano, J. und W. Grimm, J. von Görres). In Frankreich begann der Bruch mit den klassizist. Traditionen Anfang des 19. Jh. durch F. R. de Châteaubriands Rückbesinnung auf das Christentum, v. a. aber durch Madame de Staël, die die neuere dt. Literatur in Frankreich bekannt machte (aus frz. Sicht sind auch Goethe und Schiller romant. Autoren). Die zweite Generation der R. etablierte sich zw. 1810 und 1820: in England Lord Byron, P. B. Shelley, J. Keats, in Dtl. E. T. A. Hoffmann, J. von Eichendorff, in Frankreich um 1830 V. Hugo, A. de Musset. Bes. durch Byrons Dichtungen wurden die romant. Ideale nach Russland (A. S. Puschkin, M. J. Lermontow) und in die Ukraine (T. H. Schewtschenko) weitergetragen. In Italien war die R. eng mit dem →Risorgimento verknüpft (A. Manzoni), in Polen gewann die Literatur der R. überragende Bedeutung für die Bewahrung der nat. Kontinuität (A. Mickiewicz, J. Słowacki, Z. Krasiński); auch in Ungarn war das literar. Schaffen 1820–48 direkt mit dem Kampf um eine eigene

Nation verbunden (M. Vörösmarty, S. Petőfi). Das Großepos erlebte in der Gestaltung nat. Stoffe seine letzte Blüte (Mickiewicz, der Tscheche K. Mácha). Zeitlich verschoben erreichte die romant. Geisteshaltung auch die Literatur der USA (die Transzendentalisten R. W. Emerson und H. D. Thoreau; E. A. Poe).

Der Umbruch, den die R. insgesamt mit sich brachte, war folgenreich. Die Rückbesinnung auf die Vergangenheit führte zur Entdeckung der Volksdichtung und des Mythos (J. und W. Grimm), zur neuen Gattung des Kunstmärchens (W. Hauff, H. C. Andersen), der histor. Roman löste sich vom fantast. Hintergrund des Ritterromans und orientierte sich an wirkl. Ereignissen (W. Scott); die Beschäftigung mit den Nationalsprachen mündete in die Entstehung der philolog. Wiss. (u. a. Germanistik, Romanistik, Slawistik); das Interesse für andere Kulturen brachte bed. literar. Übersetzungen hervor (Tieck übersetzte z. B. Dante und M. de Cervantes Saavedra, A. W. Schlegel P. Calderón de la Barca und Shakespeare). Die Überschreitung festgefügter Gattungsgrenzen, die Verschmelzung der Künste, die Ästhetik des Fragmentarischen (angesichts der Antinomie von Endlichkeit und Unendlichkeit und der Unangemessenheit jeder endl. Aussage) u. a. wiesen den Weg in die künstler. Moderne.

In der *Musik* umfasst R. etwa den Zeitraum von 1820 bis 1910. Zw. der Spätklassik und den Anfängen der Neuen Musik entfaltete sich in dieser Epoche ein großer Reichtum an musikal. Stilerscheinungen, der nur annähernd in vier Stilphasen (Früh-, Hoch-, Spät-, Nach-R.) untergliedert werden kann. Die Musik wird als eine autonome Tonwelt gesehen, die bes. subjektive Gefühle und Stimmungen auszudrücken vermag. Satztechnisch knüpften die Romantiker z. T. an die vorklass. Musik (L. Spohr), z. T. an die Wiener Klassik an, so bes. F. Schubert, der (bei romant. Grundhaltung) die Klassik eigenständig fortsetzte (Früh-R.). Er wurde auch zum Schöpfer des neueren dt. Liedes. Nach C. M. von Weber und H. Marschner verblasste die dt. romant. Oper und verbürgerlichte (A. Lortzing). Die zweite romant. Generation (Hoch-R.; u. a. F. Chopin, R. Schumann, F. Mendelssohn Bartholdy) pflegte bes. die Instrumentalmusik (u. a. Klavier). In Frankreich begründete H. Berlioz die romant. Programmmusik. Zur Spät-R. zählen das spätere Werk von F. Liszt und R. Wagner sowie das von J. Brahms, H. Wolf und A. Bruckner. Neue Formen der Harmonik finden sich in den Werken der Komponisten der Nach-R. (G. Mahler, R. Strauss, H. Pfitzner, M. Reger).

Die *bildende Kunst* zw. 1790 und 1830 ist kein Stil im Sinne der vorangegangenen. Sie brachte keine allg. verbindl. Formen hervor, ist aber eng verbunden mit der zeitgenössischen geistesgeschichtl. Entwicklung; bes. die dt. Landschaftsmalerei drückt ein neues, sehr individuelles Naturgefühl aus, in dem Mensch und Natur eine innige Beziehung eingehen (P. O. Runge, C. D. Friedrich, J. A. Koch, C. P. Fohr, K. Blechen, C. G. Carus). Für die späteren dt. Romantiker wurden Sage und Märchen thematisch wichtig (L. Richter, M. von Schwind; auch bed. Buchillustrationen). In der engl. Landschaftsmalerei wirkte die malerisch-gefühlsansprechende Auffassung des 18. Jh. nach (W. Turner, J. Constable, R. Bonington). W. Blake und J. H. Füßli schufen eine dichterisch inspirierte romant. Kunst, deren Formen im Klassizismus wurzeln. In der frz. R. spielt die Landschaft keine beherrschende Rolle, für T. Géricault und E. Delacroix blieb die menschl. Gestalt entscheidend. Religiöse und histor. Themen wurden von den Nazarenern (in Verbindung mit romant. Landschaften bei J. Schnorr von Carolsfeld), später von den Präraffaeliten gestaltet. Nach 1830 blieb die romant. Haltung in der Malerei noch lebendig, doch verflachte zunehmend ihr geistiger Anspruch. In der Architektur sind romant. Tendenzen durch enge Verbindung des Baus mit der Landschaft und durch den Rückgriff auf die Geschichte (Neugotik) bestimmt. Durch die Hinwendung zur Architektur der Vergangenheit schuf die R. die Grundlagen der Denkmalpflege.

🕮 *Begriffsbestimmung der R., hg. v.* H. PRANG. *Darmstadt* [2]*1972.* – BAUMGART, F.: *Vom Klassizismus zur R. 1750–1832. Köln 1974.* – *R. Ein literaturwissenschaftl. Studienbuch, hg. v.* E. RIBBAT. *Frankfurt am Main 1979.* – BAUMGARTNER, A.: *Musik der R. Salzburg 1983.* – *Die literar. Frühromantik, hg. v.* S. VIETTA. *Göttingen 1983.* – JENSEN, J. C.: *Malerei der R. in Dtl. Köln 1985.* – *Die dt. R. Poetik, Formen u. Motive, hg. v.* H. STEFFEN. *Göttingen* [4]*1989.* – HOFFMEISTER, G.: *Dt. u. europ. R. Stuttgart* [2]*1990.* – *Aquarelle u. Zeichnungen der dt. R., bearb. v.* J. C. JENSEN. *Köln* [3]*1992.* – RUMMENHÖLLER, P.: *R. in der Musik. Neuausg. Kassel 1995.*

Romanze [altfrz., vgl. Roman] *die,* **1)** *Literatur:* episch-lyr. Gattung in der span. und portugies. Literatur, entspricht etwa der Ballade, gekennzeichnet durch trochäische Achtsilber mit gleich bleibender Assonanz. Der Ursprung der R. ist nicht geklärt; bis zum 15. Jh. wurde sie ausschl. mündlich tradiert und lebte auch in den folgenden Jh. in der mündl. Tradition weiter. Der erste Druck stammt von 1510, die erste Sammlung (»Cancionero de romances«) erschien 1548, viele weitere »Romanceros« folgten. Diese Volks-R. besingen Ereignisse der span. Geschichte, auch des karoling. und breton. Sagenkreises. Seit dem »Siglo de oro« (16./17. Jh.) nutzten die span. Lyriker die Form der R. und erweiterten ihre Themen (u. a. F. Gómez de

Quevedo y Villegas, L. de Góngora y Argote, Lope de Vega). In der Romantik wurde die Kunst-R. wieder beliebt für die Gestaltung mittelalterl. Stoffe (J. Zorilla y Moral), im 20. Jh. für zeitgenöss. Themen (J. Guillén, R. Alberti, F. García Lorca).

In Dtl. wurden Begriff und Gattung von J. W. L. Gleim mit den »Romanzen« (1756) eingeführt und zunächst synonym für »Kunstballade« verwendet, so auch im Sturm und Drang, bei G. A. Bürger, Goethe und Schiller. Auf den formal gebundenen volkstüml. Charakter hingewiesen zu haben, ist das Verdienst J. G. Herders, der mit seinen kongenialen Übersetzungen, insbesondere des R.-Zyklus »Der Cid« (1805), eine Blüte der romant. R.-Dichtung einleitete (F. Schlegel, L. Tieck, F. de la Motte Fouqué, C. Brentanos »R. vom Rosenkranz«, entstanden 1804–12, hg. 1852; H. Heines »Atta Troll«, 1847).

Ole Römer (Ausschnitt aus einem anonymen Ölgemälde, um 1710)

2) *Musik:* seit Ende des 15. Jh. in Spanien die Vertonung einer R. für eine Singstimme mit Instrumentalbegleitung; in Frankreich seit Mitte des 18. Jh. ein Liebeslied in Strophenform, auch in der Opéra comique verwendet. Die frz. R. beeinflusste die dt. R., die v. a. im 19. Jh. als Bestandteil des dt. Singspiels (z. B. C. M. von Weber) sowie als Lied für Solostimme mit Klavierbegleitung (z. B. C. Loewe, F. Schubert) und für Chor (z. B. J. Brahms) ihren Höhepunkt hatte; in der Instrumentalmusik seit F.-J. Gossec (1761) ein stimmungsvolles, frei gestaltetes Musikstück von schwärmer. Grundhaltung, bes. als langsamer Sinfoniesatz, Konzertstück für Violine und Orchester (L. van Beethoven) oder Klavierstück (R. Schumann).

Romanzero *der* (span. Romancero), Sammlung episch-lyrischer Volkslieder (Romanzen).

Rombach, Otto, Schriftsteller, * Heilbronn 22. 7. 1904, † Bietigheim-Bissingen 19. 5. 1984; schrieb kulturhistor. Romane: »Adrian, der Tulpendieb« (1936), »Der junge Herr Alexius« (1940), »Der gute König René« (1964), »Der Goldene Meilenstein« (1984).

Romeo und Julia, Trauerspiel von W. Shakespeare (1597), die trag. Geschichte vom Liebespaar aus verfeindeten Familien. Sie ist urspr. das Thema mehrerer italien. Novellen und wurde in den meisten europ. Literaturen behandelt. Nach Shakespeare schufen Opern: V. Bellini (1830), C. Gounod (1867), H. Sutermeister (1940), B. Blacher (1950); Sinfonien: H. Berlioz (1839), P. Tschaikowsky (1870); ein Ballett: S. Prokofjew (1940).

Römer [zu niederländ. roemen »rühmen«], meist grünl. Weinglas mit aus einem Faden gewickeltem, gerilltem oder glattem Fuß, zylindr., früher meist mit Nuppen besetztem Hohlschaft und kugeliger Kuppa; Name und Form kamen im 16. Jh. auf.

Römer, Rathaus von Frankfurt am Main, seit 1405 durch Um- und Ausbau älterer Gebäude entstanden; nach Kriegszerstörung im Innern weitgehend modern. Im Obergeschoss wurde der Kaisersaal rekonstruiert, in dem die Krönungsbankette stattfanden.

Römer, Ole (Olaf, Olaus), dän. Astronom, * Århus 25. 9. 1644, † Kopenhagen 19. 9. 1710; bestimmte 1675 die Lichtgeschwindigkeit aus den Verfinsterungen der Jupitermonde und baute das erste → Durchgangsinstrument.

Römerbrief, Abk. **Röm.,** im N. T. Brief des Apostels Paulus an die christl. Gemeinde Roms; verfasst um 56 in Korinth; grundlegendes Zeugnis der paulin. Theologie: die Freiheit des Christen von den Vorschriften des jüd. Gesetzes, die »Gerechtigkeit Gottes« (→ Rechtfertigung) und das in Tod und Auferstehung Jesu Christi verbürgte Heilsangebot Gottes an alle Menschen. Der R. beeinflusste entscheidend die Theologie M. Luthers.

Romero y Galdamez [-mεz], Oscar Arnulfo, salvadorian. kath. Theologe, * Ciudad Barrios (bei San Miguel) 15. 8. 1917, † (ermordet) San Salvador 24. 3. 1980; seit 1977 Erzbischof von San Salvador; setzte sich angesichts der zunehmenden Repression in El Salvador für die Einhaltung der Menschenrechte ein; wurde während eines Gottesdienstes von einem rechten Terroristen erschossen.

Römerstraßen, die Heer- und Handelsstraßen des Röm. Reichs, u. a. die Via Appia (Rom–Brindisi), die Via Flaminia (Rom–Rimini), die Via Aemilia (Rimini–Piacenza), die Via Cassia (Rom–Florenz) und die Via Aurelia (Rom–Pisa).

Römerzug (Romzug, Romfahrt), Heereszug der Röm. Könige von Otto I. bis Friedrich III. nach Rom zur Kaiserkrönung durch den Papst; die Reichsfürsten waren durch Lehnseid zur Heeresfolge verpflichtet; Maximilian I. erhob stattdessen eine allg. Reichssteuer.

Römhild, Stadt im Landkreis Hildburghausen, Thür., im südl. Vorland des Thüringer Waldes, 2 000 Ew.; ur- und frühgeschichtl. Steinsburgmuseum; Möbelbau, elektrotechn. und keram. Ind., Basaltbrüche. – Schloss Glücksburg (15./17. Jh.), Stadtkirche (1450–70) mit Grabmälern der Grafen von Henneberg aus der Werkstatt P. Vischers d. Ä. (1488) und H. Vischers d. J. (1507–12). – 1321 erstmals erwähnt.

Rominte *die* (poln. Błędzanka, russ. Krasnaja), linker Nebenfluss der Pissa, im Gebiet Kaliningrad (Königsberg), Russland, entspringt östlich der Seesker Höhen in Polen, mündet bei Gumbinnen; 80 km lang; durchfließt die **Rominter Heide** (260 km^2).

Römische Frage, der Konflikt zw. dem italien. Staat und der kath. Kirche, der auf die Weigerung des Hl. Stuhles zurückging, auf den →Kirchenstaat zu verzichten, als C. Cavour 1861 Rom zur Hptst. Italiens erklärt hatte. Napoleon III. griff zugunsten des Papsttums ein und hielt Rom 1860–70 besetzt; Einigung erst 1929 durch die →Lateranverträge.

römische Geschichte, die Geschichte der antiken Stadt Rom und des von ihr begründeten Staatswesens.

Anfänge und Königszeit (10./9. Jh. bis um 509 v. Chr.): Das Gebiet der späteren Stadt Rom weist seit dem 10./9. Jh. v. Chr. auf den Hügeln Palatin, Quirinal, Viminal und Esquilin eine kontinuierl. Besiedlung auf. Das Wirtschaftsleben war agrarisch primitiv, in der Sozialstruktur scheinen von Anfang an die Geschlechter (Gentes) eine bed. Rolle gespielt zu haben. Der antiken Überlieferung von der Gründung Roms am 21. 4. 753 v. Chr. sowie der Zahl und Geschichte der sieben Könige (Romulus, Numa, Pompilius, Tullus Hostilius, Ancus Marcius, Tarquinius Priscus, Servius Tullius, Tarquinius Suberbus) kommt kein histor. Wert zu.

Um 575 gerieten die röm. Hügelsiedlungen unter die Herrschaft etrusk. Könige, die sie zu einem Gemeinwesen unter zentraler Leitung verbanden (Name nach dem etrusk. Geschlecht der Rumach) und damit Rom als Stadtstaat im Rechtssinne konstituierten. Die alten Sippenhäupter verschmolzen mit dem etrusk. Adel zu einer neuen Aristokratie, die bald die Ratsfähigkeit in dem vom König berufenen Senat erhielt und sich zum Geburtsadel des Patriziats entwickelte. Die Patrizier wurden in drei Tribus, 30 Kurien und 300 Geschlechter gegliedert. Außerhalb dieser Ordnung standen die Plebejer. – Außenpolitisch wurde der latin. Stammesbund unterworfen (Sage von der Zerstörung Alba Longas); Kämpfe mit Nachbarstädten führten zur Beseitigung des Königtums (nach der Überlieferung 509 v. Chr. Vertreibung des letzten etrusk. Königs Tarquinius Superbus).

Die *römische Republik* (um 509 v. Chr. bis 27 v. Chr.): Nach der Beseitigung des Königtums wählten die röm. Patrizier aus ihrer Mitte zwei Jahresbeamte (Prätoren, später Konsuln genannt). Höchstes polit. Organ war der Senat. Der Ständekampf brachte den Plebejern um 450 die Kodifikation des Rechts im Zwölftafelgesetz, 363 (nach der Überlieferung 367) den Zugang zum Konsulat, 300 zu den Priesterämtern und 287 die rechtl. Gleichstellung der Plebiszite mit den Leges (→Lex). Die Grund besitzenden Patrizier und die vermögenden Plebejer verschmolzen zur Nobilität, ein Amtsadel, dem jeder angehörte, der selbst oder dessen Vorfahren eines der höchsten Ämter bekleidet hatten. Eine feste Ämterlaufbahn (»cursus honorum«) bildete sich heraus. – Trotz der Niederlage gegen die Kelten (»Gallier«) in der Poebene an der Allia (387; Besetzung Roms mit Ausnahme des Kapitols) konnte Rom in Kriegen gegen die Latiner, Etrusker und Samniten seinen Einfluss auf Mittelitalien ausdehnen (Latinerkrieg 340–338, Auflösung des Latin. Städtebundes; Samnitenkriege 328–304 und 298–290). Im folgenden Keltenkrieg (285–283) fiel der Ager Gallicus (Küste Umbriens) an Rom. Die Einnahme Tarents (272), der Anschluss von Rhegion (heute Reggio di Calabria; 270) und die Unterwerfung der Messapier (266) vollendeten die röm. Herrschaft in S-Italien. Durch die rechtlich versch. Bindungen der unterworfenen oder übergetretenen Völker und Städte durch Verträge, die Anlage von Kolonien und Gründung von Munizipien sicherte Rom seine Herrschaft über Italien.

Die erste außeritalische Auseinandersetzung erfolgte mit Karthago im 1. Pun. Krieg (264–241, →Punische Kriege), in dem Rom ganz Sizilien (228/227 Provinz) mit Ausnahme des verbündeten Königreichs Syrakus gewann. 237 wurden auch Sardinien und Korsika römisch (228/227 Provinz). Im 2. Pun. Krieg (218–201) zog Hannibal über die Alpen nach Italien und erschütterte die röm.

römische Geschichte: Die Völker Italiens um 500 v. Chr.

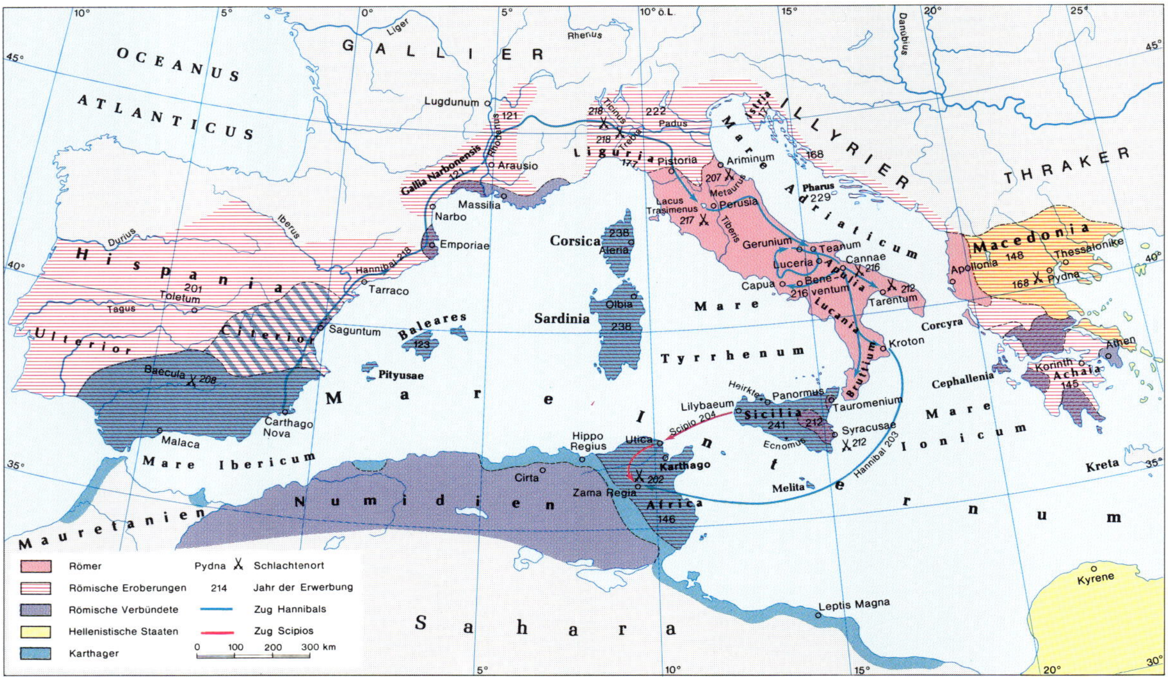

römische Geschichte: Der westliche Mittelmeerraum im 3./2. Jh. v. Chr.

Machtstellung; er wurde jedoch nach der Eroberung Spaniens durch Rom (206; 197 zwei röm. Provinzen) in Afrika durch Publius Cornelius Scipio Africanus d. Ä. bei Zama 202 vernichtend geschlagen. Im 2. Makedon. Krieg (200–197) besiegte Rom Philipp V. von Makedonien 197 bei Kynoskephalai und ließ 196 alle Griechen für frei erklären. Das Reich des Seleukidenkönigs Antiochos III. wurde im Frieden von Apameia 188 als Großmacht beseitigt. Roms Sieg im 3. Makedon. Krieg (172/171–168) endete mit der Zerschlagung Makedoniens in vier Republiken (ab 148 röm. Provinz). Karthago wurde trotz seiner Unterwerfung unter Rom im 3. Pun. Krieg (149–146) restlos zerstört (Einrichtung der Provinz Africa), ebenso Korinth nach dem gleichzeitigen Krieg zw. Rom und dem Achaiischen Bund. Kämpfe in Spanien (154–133) endeten mit der Zerstörung von Numantia (133). Das **Römische Reich (Imperium Romanum)** umfasste nun den gesamten Mittelmeerraum.

Die rapide Ausweitung des röm. Herrschaftsgebietes hatte schwere ökonom. und soziale Strukturkrisen hervorgerufen: Dezimierung und Besitzverlust des mittleren Bauerntums, wachsender Reichtum der Nobilität und des Ritterstandes (Equites), Latifundienwirtschaft mit großem Sklavenbedarf. 133 legte der Volkstribun Tiberius Sempronius Gracchus gegen den Willen der Senatsmehrheit ein Ackergesetz vor, das den Besitz an Staatsland (Ager publicus) beschränkte; er scheiterte ebenso wie sein Bruder Gaius Sempronius Gracchus, der 123/122 die Ackergesetzgebung mit der Forderung nach Verleihung des röm. Bürgerrechts an die italischen Bundesgenossen wieder aufnahm. In dieser Zeit kamen die Parteibez. Optimaten und Popularen auf. Das Versagen der Nobilität im Jugurthin. Krieg (111–105) und gegen die Kimbern und Teutonen (113–101) führte zum Aufstieg des nichtadligen Gaius Marius, der das Milizheer der Bauern durch eine Armee aus Berufssoldaten ersetzte, aber damit das Problem der Veteranenversorgung schuf. Die politisch benachteiligten Bundesgenossen erzwangen im Bundesgenossenkrieg (91–89) für sich das röm. Bürgerrecht. Als die Popularen und Anhänger des Marius sich gegen den Feldherrn Lucius Cornelius Sulla wandten, eröffnete dieser durch seinen Marsch auf Rom den Bürgerkrieg. Nach dem Sieg über Mithridates VI. von Pontos im 1. Mithridat. Krieg (89–84) und dem Ende des röm. Schreckensregiments der Popularen unter Lucius Cornelius Cinna (87–84) stellte Sulla (seit Dez. 82 Diktator; Rücktritt 79) die Herrschaft der Optimaten wieder her. Nach dem 3. Mithridat. Krieg (74–63) wurden die Provinzen Bithynien-Pontos und Syrien durch Gnaeus Pompeius, der sich unter Sulla ausgezeichnet hatte, eingerichtet. Zur gleichen Zeit hatten 73–71 der Sklavenaufstand des Spartakus sowie 65 und 63 die Versuche des Lucius Sergius Catilina, das Konsulat zu erlangen, Italien erschüttert. Da Pompeius mit seinen Forderungen auf Anerkennung seiner Maßnahmen und Versorgung seiner Veteranen auf Ablehnung stieß, verband er sich mit Cäsar und Marcus Licinius Crassus 60 zum **1. Triumvirat.** Dieses brachte Cäsar das Konsulat für 59 und das Prokonsulat für Gallien, das er 58–51 unterwarf.

Nach der Auflösung des Triumvirats näherte sich Pompeius dem Senat, um sich gegen Cäsar behaupten zu können; dieser eröffnete 49 durch den Übergang über den Rubikon den 2. Bürgerkrieg, der mit den Niederlagen der Pompeianer 48 bei Pharsalos, 46 bei Thapsus und 45 bei Munda (heute Montilla) endete. Cäsar war damit als Diktator und Konsul alleiniger Herr im Röm. Imperium; wegen seiner monarch. Machtstellung wurde er am 15. 3. 44 ermordet. Sein Großneffe und Adoptivsohn Gaius Octavius (Oktavian; →Augustus) wandte sich gegen den Konsul Marcus Antonius, verband sich aber 43 mit diesem und dem Cäsarianer Marcus Aemilius Lepidus zum **2. Triumvirat.** Die Triumvirn teilten das Reich unter sich auf und schlugen die Cäsarmörder 42 bei Philippi. Oktavian besiegte 36 Pompeius und zwang Lepidus zur Abdankung. Wegen der Beziehungen Antonius' zur ägypt. Königin Kleopatra VII. kam es 32 zum Krieg mit Oktavian, der ihn durch die Schlacht von Aktium (31) und die Einnahme Alexandrias (30) für sich entschied.

Kaiserzeit (27 v.Chr. bis 476 n.Chr.): Oktavian war nach dem Sieg bei Aktium röm. Alleinherrscher. Er verkündete die Wiederherstellung der Republik, wofür ihm der Senat 27 v.Chr. den Ehrennamen Augustus verlieh; die tatsächl. Führung lag jedoch bei ihm **(Prinzipat).** Rom entwickelte sich zur größten Finanz- und Handelsmetropole des Mittelmeerraumes. Der vom Princeps garantierte Friede (Pax Augusta) führte zur Konsolidierung des Reiches, zum Aufblühen von Kunst und Literatur. – Die Nachfolger des Augustus im julisch-claud. Haus (14–68), Tiberius, Gaius (gen. Caligula), Claudius und Nero, setzten die defensive Friedenspolitik außer in Germanien (14–16) und Britannien (43–47) fort. Caligula strebte als erster Kaiser nach Vergöttlichung; Claudius eröffnete Nichtitalikern den Zutritt zum Senat und organisierte den Ausbau der Hofämter durch Freigelassene. Die Prätorianerpräfekten (Sejan unter Tiberius und Tigellinus unter Nero) gewannen an Bedeutung, während der Einfluss des Senats zurückgedrängt und die Stellung des Kaisers gehoben wurden. Der Brand von Rom mit der dadurch veranlassten Christenverfolgung (64) und die zahlr. Hinrichtungen im Gefolge der Pison. Verschwörung (65) führten zu Aufständen der Kommandanten der Grenzheere, die das Willkürregiment Neros beseitigten. – Aus den Wirren des Vierkaiserjahres 68/69 ging Vespasian als Sieger hervor, der zum Begründer der 1. flav. Dynastie (69–96) wurde. Er ließ den jüd. Aufstand (66–70) niederwerfen. Domitian sicherte die Rhein- und Donaugrenze u.a. durch Einrichtung der Provinz Ober- und Untergermanien (um 90) und den Baubeginn des obergerman. und rät. Limes (etwa 83). Nach Domitians Ermordung bestimmte der Senat aus seinen Reihen Nerva zum Princeps, der bei der Nachfolgeregelung das Adoptionsprinzip **(Adoptivkaiser)** einführte. Unter Trajan (106–117) erreichte das Imperium seine größte Ausdehnung durch Einrichtung der Provinzen Dakien, Arabien, Mesopotamien, Armenien und Assyrien, die Hadrian außer Dakien und Arabien wieder aufgab. Mark Aurel sicherte die Reichsgrenzen in den Markomannenkriegen (166–175; 177/178–180). Die Aufgabe der Eroberungspolitik und der wirtsch. Niedergang als Folge von Pest und Krieg führten unter Commodus zu mehreren Verschwörungen.

Nach der Ermordung des Commodus konnte der Afrikaner Septimius Severus erst nach langem Bürgerkrieg eine neue Dynastie gründen (Severer 193–235). Sein Sohn Caracalla verlieh durch die Constitutio Antoniniana von 212 allen freien Reichsangehörigen das röm. Bürgerrecht. Das röm. Recht wurde zum Reichsrecht; an der Spitze der Verw. und Rechtsprechung standen als Prätorianerpräfekten Juristen, die die klass. röm. Jurisprudenz zum Abschluss brachten und den monarch. Absolutismus theoretisch begründeten.

Nach dem Ende der Severerdynastie begann mit der Erhebung des Thrakers Gaius Julius Verus Maximinus durch die Legionen die Zeit der rd. 40 stets vom Heer ausgerufenen **Soldatenkaiser.** Unter Gallienus kam es zur Bildung des gall. Sonderreichs im W (→Postumus) und des Reichs von Palmyra im O (beide 271–273 durch Aurelian beseitigt). Der Krieg mit den Sassaniden 231–233 setzte sich unter Gordian III. und Valerian fort (259/60 Gefangennahme Valerians). Die Kämpfe gegen Alemannen und Goten zwangen zur Aufgabe des Dekumatlandes (260) und der Provinz Dakien (270), während 277/278 die Rhein- und Donaugrenze gesichert werden konnten. Durch zahlreiche Reformen suchte Diokletian das Reich zu stabilisieren. Er schuf die Herrschafts- und Thronfolgeordnung der Tetrarchie, die jedoch 306 durch die Ausrufung Konstantins I., d. Gr., zum Augustus außer Kraft gesetzt wurde. Zugleich formten Diokletian und Konstantin I. den Prinzipat zum **Dominat** um (Ausgestaltung des Hofzeremoniells im hellenistisch-oriental. Sinne, Ausbau des Beamtenapparats, Trennung von Zivil- und Militärverw., Schaffung einer neuen Provinzial- und Steuerordnung). Das auf Zwang beruhende

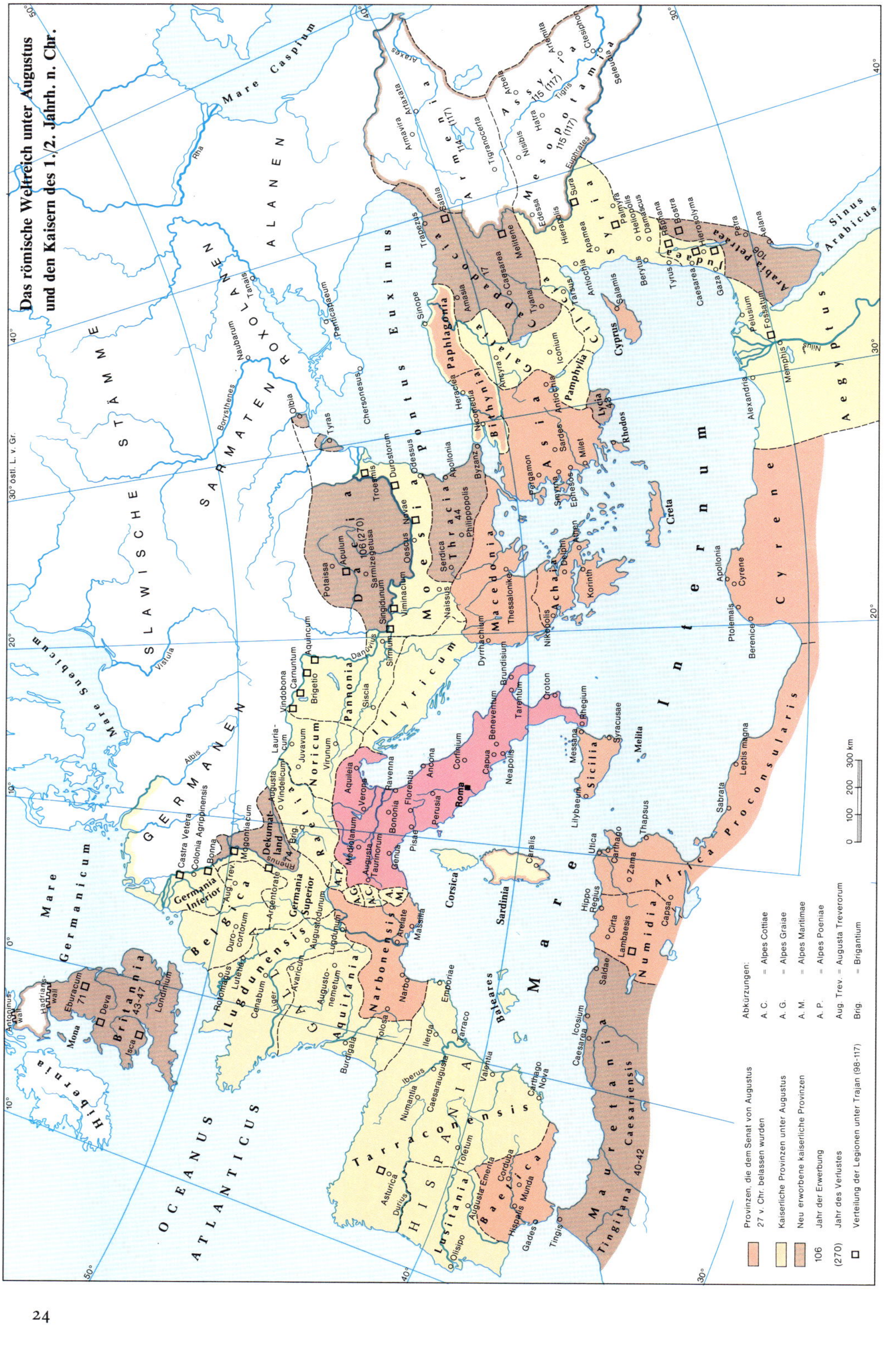
Das römische Weltreich unter Augustus
und den Kaisern des 1./2. Jahrh. n. Chr.
Provinzen, die dem Senat von Augustus 27 v. Chr. belassen wurden
Kaiserliche Provinzen unter Augustus
Neu erworbene kaiserliche Provinzen
106 Jahr der Erwerbung
(270) Jahr des Verlustes
Verteilung der Legionen unter Trajan (98-117)
Abkürzungen:
A. C. = Alpes Cottiae
A. G. = Alpes Graiae
A. M. = Alpes Maritimae
A. P. = Alpes Poeniae
Aug. Trev. = Augusta Treverorum
Brig. = Brigantium
0 100 200 300 km
Mare Internum
Pontus Euxinus
Mare Caspium
Oceanus Atlanticus
Mare Germanicum
Mare Suebicum
Sinus Arabicus
Germanen
Slawische Stämme
Sarmaten
Roxolanen
Alanen
Hispania
Tarraconensis
Lusitania
Baetica
Gallia
Aquitania
Lugdunensis
Belgica
Narbonensis
Germania Inferior
Germania Superior
Dekumatland
Britannia 43-47
Hibernia
Raetia
Noricum
Pannonia
Illyricum
Dacia 106 (270)
Moesia
Thracia 44
Macedonia
Achaia
Asia
Bithynia
Paphlagonia
Galatia
Cappadocia 17
Cilicia
Pamphylia
Lycia 43
Cyprus
Creta
Rhodos
Syria
Armenia 114-(117)
Assyria 115 (117)
Mesopotamia 115 (117)
Arabia petraea 106
Aegyptus
Cyrene
Africa Proconsularis
Numidia
Mauretania Caesariensis 40-42
Mauretania Tingitana
Sicilia
Sardinia
Corsica
Baleares
Melita
Roma

Die römischen Kaiser[1]	
Julisch-Claudisches Haus	
Augustus	27 v. Chr. bis 14 n. Chr.
Tiberius	14 - 37
Caligula	37 - 41
Claudius	41 - 54
Nero	54 - 68
Vierkaiserjahr[2]	
Galba	68 - 69
Otho	69
Vitellius	69
Flavier	
Vespasian	69 - 79
Titus	79 - 81
Domitian	81 - 96
Adoptivkaiser	
Nerva	96 - 98
Trajan	98 - 117
Hadrian	117 - 138
Antonius Pius	138 - 161
Mark Aurel	161 - 180
Lucius Verus	161 - 169
Commodus	(177) 180 - 192
Fünfkaiserjahr[2]	
Pertinax	193
Didius Iulianus	193
Pescennius Niger	193 - 194
Clodius Albinus	193 - 197
Severische Dynastie	
Septimius Severus	193 - 211
Caracalla	(198) 211 - 217
Geta	(209) 211 - 212
Macrinus	217 - 218
Diadumenianus	218
Heliogabal	218 - 222
Alexander Severus	222 - 235
Soldatenkaiser	
Maximinus Thrax	235 - 238
Gordian I.	238
Gordian II.	238
Pupienus	238
Balbinus	238
Gordian III.	238 - 244
Philippus Arabs	244 - 249
Decius	249 - 251
Trebonianus Gallus	251 - 253
Volusianus	251 - 253
Aemilianus	253
Valerian	253 - 260
Gallienus	253 - 268
Claudius II. Gothicus	268 - 270
Quintillus	270
Aurelian	270 - 275
Tacitus	275 - 276
Florianus	276
Probus	276 - 282
Carus	282 - 283
Carinus	283 - 285
Numerianus	283 - 284
Gallische Gegenkaiser	
Postumus	260 - 269
Laelianus	269
Marius	269
Victorinus	269 - 271
Tetricus	271 - 274
Palmyrenische Gegenkaiser	
Zenobia	270/271 - 272
Vaballathus	270/271 - 272
Tetrarchenzeit	
Diokletian	284 - 305
Maximian	286 - 305
Galerius	305 - 311
Constantius I. Chlorus	305 - 306
Flavius Severus	306 - 307
Maxentius	306 - 312
Licinius	308 - 324
Maximinus Daia	310 - 313
Kaiser von Konstantin bis Theodosius	
Konstantin I., der Große	306 - 337
Konstantin II.	337 - 340
Constantius II.	337 - 361
Constans	337 - 350
Julian Apostata	361 - 363
Jovian	363 - 364
Valentinian I.	364 - 375
Valens	364 - 378
Gratian	367 - 383
Valentinian II.	375 - 392
Theodosius der Große	379 - 395
Weström. Kaiser nach der Reichsteilung	
Honorius	395 - 423
Constantius III.	421
Johannes	423 - 425
Valentinian III.	425 - 455
Petronius Maximus	455
Avitus	455 - 456
Majorian	457 - 461
Libius Severus	461 - 465
Interregnum	465 - 467
Anthemius	467 - 472
Olybrius	472
Glycerius	473 - 474
Julius Nepos	474 - 475/480
Romulus Augustus	475 - 476

[1] Mit- und Gegenkaiser sind nur in Auswahl aufgeführt. – [2] der erste Kaiser der folgenden Dynastie ist mitzuzählen

Verwaltungs- und Militärsystem wurde durch die Bindung der Bauern an die Scholle (Kolonat), den Innungszwang der Handwerker, die Verpflichtung zu öffentl. Dienstleistungen sowie durch die persönl. Haftung der Dekurionen für die Steuerabgaben ihrer Gemeinden ergänzt. Konstantin I., der 330 Konstantinopel als zweite Hauptstadt gründete und zum Schöpfer der 2. flav. Dynastie wurde, tolerierte nach den Verfolgungen Diokletians das Christentum und entschied sich 325 für das →Nicänische Glaubensbekenntnis, das 380/381 unter Theodosius I., d. Gr., für alle Reichsangehörigen verbindlich wurde. 395 wurde das Reich unter die beiden Söhne des Theodosius, Honorius und Arcadius, in eine W- und eine O-Hälfte geteilt. Durch die Einfälle der Germanen, die 410 (Westgoten) und 455 (Wandalen) Rom plünderten und als Foederati eigene Staaten auf röm. Reichsboden gründeten, löste sich das Westreich unter schnell wechselnden Kaisern auf und endete mit der Entthronung (476) des Romulus Augustulus durch Odoaker und/oder mit der Ermordung (480) des Julius Nepos; vom Oström. Reich (Byzantin. Reich) wurde jedoch weiterhin Anspruch auf die Westhälfte erhoben.

📖 Heuss, A.: *R. G.* Braunschweig [5]*1983.* – Dahlheim, W.: *Geschichte der röm. Kaiserzeit.* München [2]*1989.* – Demandt, A.: *Die Spätantike. Röm. Geschichte von Diocletian bis Justinian, 284–565 n. Chr.* München *1989.* – Christ, K.: *R. G. Einführung, Quellenkunde, Bibliographie.* Darmstadt [4]*1990.* – Bleicken, J.: *Geschichte der röm. Republik.* München [4]*1992.* – Syme, R.: *Die Röm. Revolution. A. d. Engl. Neuausg.* München *1992.* – Höcker, C.: *Antikes Rom.* Köln *1997.* – *Die röm. Kaiser. Histor. Portraits von Caesar bis Iustinian,* hg. v. M. Clauss. München *1997.* – Weeber, K.-W.: *Alltag im alten Rom. Sonderausg.* Düsseldorf u. a. [3]*1997.*

römische Kunst, die Kunst der Römer und die unter ihrer Herrschaft entstandene Reichskunst. Die Erfolge Roms in den Pun. Kriegen führten im 2. Jh. v. Chr. zur Herausbildung einer einheitl. stadtröm. Kultur, die in den sich ständig vergrößernden Machtbereich weitervermittelt wurde. Da die r. K. in starkem Maß polit. Zwecken und

römische Kunst: Die Porträtbüste aus Marmor zeigt vermutlich Marcus Porcius Cato den Älteren (Ende des 2. Jh. v. Chr.; Paris, Louvre); der Ausschnitt aus einem Relief des »Großen Ludovisischen Schlachtsarkophags« stellt den Inhaber des Sarkophags als triumphierenden Feldherrn inmitten grausam niedergemetzelter Barbaren dar (um 260 n. Chr.; Rom, Museo Nazionale Romano)

staatl. Selbstdarstellung diente, blieb ihr eigentl. Zentrum Rom, wo die für das übrige Reichsgebiet maßgeblichen künstler. Ausdrucksformen entwickelt wurden. – Die r. K. ist bestimmt durch die Verschmelzung von italischen (bes. etrusk.) und grch.-hellenist. Elementen. In den Provinzen und Regionen blieben die bodenständigen Traditionen z. T. stark prägend. Während in vielen Bereichen die grch. Vorbilder lediglich tradiert wurden (Idealplastik, Ornament), gewann die r. K. eine eigenständige Bedeutung in Architektur, Porträt und Relief. Beginn und Ende einer eigtl. r. K. sind nicht scharf begrenzt; allg. bezeichnet man die Kunst der nachkonstantin. Zeit bis zum Tode Justinians I. (565 n. Chr.) als spätantike Kunst; in ihr vermischen sich bereits frühchristl. und byzantin. Elemente.

Baukunst: Sie bereicherte den Mittelmeerraum um zahlr. Bautypen, u. a. das geschlossene → Forum, die → Basilika, die → Thermen, das → Amphitheater, das röm. Theater mit halbrundem Zwischenteil und hohem Bühnenhaus, den → Podiumtempel, den → Triumphbogen, die Villa, ferner typ. Formen des Straßen-, Brücken- und Wasserleitungsbaus unter Anwendung des Hausteinbogens sowie des im 2. Jh. v. Chr. eingeführten Gussmauerwerks. Dieses erschloss neue Möglichkeiten auch für mehrstöckige Hochbauten, Wandgliederungen, weit gespannte Tonnengewölbe, Kuppeln, Voraussetzung für die großartigen Raumkörper der Kaiserthermen, Paläste und Kuppelbauten (Pantheon). Charakteristisch römisch ist weiter die Fähigkeit zur räuml. Organisation, die sich v. a. in axialer Ordnung ausdrückte. Das urspr. streng geschlossene röm. Atriumhaus wurde seit dem 1. Jh. v. Chr. um grch. Peristyle, Exedren, Loggien u. a. erweitert (sichtbar noch in Herculaneum und Pompeji). Die weitläufigen Paläste zeigen ausgeklügelte Raumfolgen (Hadriansvilla bei Tivoli), ebenso die Kaiserthermen (Trajans-, Caracallathermen in Rom). Die Diokletiansthermen und die Maxentiusbasilika in Rom gehen bereits zu einem Pathos der Einfachheit über, die noch die frühchristl. Kirchen des 5. und 6. Jh. prägte. – Auch in den Provinzen entstanden mächtige Bauwerke (z. B. Nîmes, »Maison Carrée«; Split, Palast des Diokletian; Gesamtanlage von Leptis Magna, Palmyra).

Bildhauerkunst: Die meisten der in röm. Zeit entstandenen freiplast. Werke sind mehr oder weniger freie Kopien grch. Originale. Eigenständige Leistung der r. K. ist die Porträtbüste; in der republikan. Zeit nüchtern und mit herben Zügen, erreicht sie unter Augustus einen Höhepunkt an Individualisierung. Auch das Relief erreicht die reife Form des röm. Klassizismus (→ Ara Pacis Augustae). Ende des 1. Jh. wurden im Porträt typ. Merkmale herausgearbeitet, dem verfeinerten Hofbildnis der 2. Hälfte des 2. Jh. (bes. bei den Antoninen) folgten im 3. Jh. Verzerrung nicht scheuende Charakterbildnisse (Caracalla). Entsprechend wurde beim histor. Relief die Situationsschilderung (Titusbogen in Rom) seit dem 2. Jh. ins Bedeutungshafte übersetzt (Trajanssäule in Rom, BILD Bildtafel Rom; Trajansbogen in Benevent; Mark-Aurel-Säule und Septimius-Severus-Bogen in Rom; sever. Fries in Leptis Magna). Im 3. Jh. füllen dicht gedrängte Figuren die tief zerklüftete Relieffläche (»Großer Ludovisischer Schlachtsarkophag«, um 260 n. Chr., Rom, Museo Nazionale Romano). Zunehmende Erstarrung zeigen die oft überlebensgroßen Kaiserstatuen und -köpfe aus dem 4.–6. Jh.

Auch in der *Malerei* herrschte zunächst der grch. Einfluss vor. Für die Wandmalerei überliefern die

Vesuvstädte (Pompeji, Herculaneum, Stabiae, Oplontis) die reichste und geschlossenste Übersicht (frühes 1. Jh. v. Chr. bis 79 n. Chr.). Die Bilder zeigen eine raumillusionist. Kunst (mit Ausnahme der Zeit von etwa 10 v. Chr. bis 40 n. Chr.), die Wände gleichen Bühnenfassaden und eröffnen Blicke in Gärten und Landschaften. Die Porträtmalerei ist nur aus dem Seitenzweig des ägypt. Mumienbildnisses bekannt. Tafel- und Leinwandbilder sind verloren gegangen. Das 4. Jh. bereitete mit neuer Intensität der Farbgebung spätantike und frühchristl. Malerei und Mosaikkunst vor.

Das weit verbreitete röm. *Kunsthandwerk* hat u. a. bed. Silberarbeiten (Hildesheimer Silberfund), Gläser (z. B. Diatretglas), Tongeschirr (Terra sigillata), Gemmen und Münzen hervorgebracht.

📖 Wheeler, M.: *R. K. u. Architektur. A. d. Italien. München u. a. 1969.* – Zanker, P.: *Klassizist. Statuen. Mainz 1974.* – *R. K., hg. v.* B. Andreae. *Freiburg im Breisgau u. a.* [4]*1982.* – Stützer, H. A.: *Kleine Geschichte der r. K. Köln 1984.* – *Die röm. Villa, hg. v.* F. Reutti. *Darmstadt 1990.* – *Italien – archäolog. Führer, hg. v.* E. Greco *u. a. A. d. Italien. Freiburg u. a. 1991.* – Zanker, P.: *Augustus u. die Macht der Bilder. Sonderausg. München* [3]*1997.*

römische Literatur, die lat. Literatur der Stadt Rom und des Röm. Reiches von etwa 240 v. Chr. bis etwa 500 n. Chr. Rom übernahm im 7. Jh. v. Chr. die Schrift von den unteritalischen Griechen, verwendete sie aber zuerst nur für prakt. Zwecke (»Zwölftafelgesetz«, 451/450). Die r. L. entstand aus bewusstem Anschluss an die Griechen.

Archaische Zeit und Vorklassik (etwa 240 bis etwa 100 v. Chr.): Livius Andronicus führte 240 ein grch. Drama in lat. Sprache auf. Naevius begründete durch Wahl röm. Stoffe die Tragödienform der »fabula praetexta« und das in Griechenland wenig gepflegte histor. Epos. Der vielseitige Ennius verwendete für das Epos erstmals den Hexameter. Wie Ennius, Pacuvius und Accius das Dreigestirn der Tragödie, so bildeten Plautus, Caecilius und Terenz das der Komödie. Um 140 blühte eine Komödienform mit röm. Milieu, die »fabula togata«. Eine fast rein röm. Literaturform war die Satire des Lucilius. Der eigentl. Begründer der lat. Prosa war Cato d. Ä. Das Ende der Epoche sah den Beginn einer lat. Rhetorik.

Klassik (etwa 100 v. Chr. bis 14 n. Chr.): Die Dichtergruppe der Neoteriker erhob nach dem Muster der alexandrin. Dichter die kleine, ausgefeilte Form zum Ideal. Ihr Hauptdichter war Catull. Lukrez stand mit seinem Lehrepos über die Philosophie Epikurs mehr für sich. Als dramat. Gattung wurde der Mimus durch Publilius und Laberius literaturfähig. Die Kunstprosa erreichte v. a. durch Cicero ihre Vollendung. Von vielen Geschichtswerken dieser Epoche sind nur Cäsars »Commentarii«, ferner Biographien des Cornelius Nepos und die kleineren Schriften Sallusts erhalten geblieben. Auf Varros Enzyklopädie der »freien Künste« beruht ein großer Teil des vom MA. übernommenen Bildungsgutes.

Die Dichter der augusteischen Zeit pflegten enge Bindungen an den Staat. Die augusteische Dichtung galt, durch hoch gestellte Gönner wie Maecenas, Messalla und auch Augustus gefördert, fortan als klassische röm. Dichtung. Ohne die hellenist. Vorbilder auszuschalten, griff sie auf die grch. Klassiker zurück; bezeichnend dafür wurde der Weg Vergils, der von der Kleinkunst über Bukolik und Lehrepos zum Heldenepos führte. Horaz erschloss der r. L. den Jambus und das äolische Lied und vollendete die Kunstform der Satire. Die Elegie erhielt durch Tibull, Properz und Ovid Vollendung und Abschluss. Ovids Epos »Metamorphosen« bürgerte den grch. Mythos als Ganzes in die r. L. ein. Einen letzten Höhepunkt klass. Prosa erreichte der Historiker Livius, dessen Werk das Bild der Geschichte Roms bis ins 19. Jh. tief beeinflusste.

Nachklassik (14 n. Chr. bis etwa 200): Die Dichtung, die unter Nero eine Nachblüte erlebte, pflegte die schon übernommenen Gattungen; nur Phaedrus erschloss mit der Fabelpoesie ein neues Gebiet. Bes. beliebt war die Epik, vertreten durch das Lehrepos des Manilius, die histor. Epen von Lukan und Silius und die mytholog. von Valerius Flaccus und Statius; die Satire pflegten Persius und Juvenal, das Epigramm Martial. Die Gattung des Romans ist mit Petronius vertreten. Seneca, bedeutend als Tragiker, v. a. als Prosaiker, stellte das Problem der sittl. Erziehung nach stoischen Vorstellungen in den Mittelpunkt seiner philosoph. Schriften. Quintilians groß angelegte Einführung in die Rhetorik ist eine Hauptquelle für die Kenntnis dieses Gebietes. Eine besondere Blüte erlebte die Fachliteratur (Naturgeschichte Plinius' d. Ä.). Unter den Historikern ist neben Velleius Paterculus und Curtius Rufus v. a. Tacitus zu nennen, dessen Art der Geschichtsschreibung richtungweisend für die folgenden Jahrhunderte wurde. Während die grch. Literatur, begünstigt durch Hadrians Philhellenismus, neuen Aufschwung nahm, trat die r. L. in den Hintergrund. Rom verlor seine Stellung als geistiger Mittelpunkt; die lyr. Dichtung trat fast ganz zurück, in der Prosa war die originellste Erscheinung der Afrikaner Apuleius, Verfasser von Romanen, Reden und philosoph. Schriften. Mit der Kaiserbiographie eröffnete Sueton eine zukunftsreiche Schriftgattung. Nur die Rechtsliteratur erreichte in den Jahrzehnten um 200 mit Gaius, Papinianus, Ulpianus und Paulus ihren Höhepunkt. Damals legte der sprachgewaltige Tertullian die Grundlage für das christl. Latein.

römische Musik: Das 230–240 n. Chr. entstandene Fußbodenmosaik aus einer römischen Villa in Nenning bei Trier zeigt die bei den Römern sehr beliebte Hydraulis (Wasserorgel)

Spätlateinische Literatur (3. Jh. bis 524): Der neue Aufschwung des geistigen Lebens seit etwa 350 äußerte sich v. a. im Sammeln und Auslegen der antiken Überlieferung. Es entstanden Werke wie die Kommentare zu Terenz und Vergil von Donatus und Servius, die auf Varro fußende Enzyklopädie der sieben freien Künste des Martianus Capella, ein wichtiges Unterrichtswerk des MA. Bed. lat. Autoren waren der Dichter Claudianus und der Historiker Ammianus Marcellinus, der an Tacitus anknüpfte; im Ganzen war die christlich bestimmte Literatur an Gehalt und darsteller. Kraft weit bedeutsamer (Dichtung von Ambrosius und Prudentius, ferner → frühchristliche Literatur). Die letzten, bes. durch ihre Nachwirkung wichtigen Werke der r. L. entstanden zur Zeit des Theoderich und Justinian: die philosoph. Schriften des Boethius, die Grammatik des Priscian und die Kodifikation des röm. Rechts im → Corpus Iuris Civilis. (→ Humanismus, → mittellateinische Literatur)

📖 *R. L., hg. v.* M. FUHRMANN *u. a. Frankfurt am Main 1974. – Das röm. Drama, hg. v.* E. LEFÈVRE. *Darmstadt 1978.* – SCHETTER, W.: *Das röm. Epos. Wiesbaden 1978.* – DIHLE, A.: *Die grch. u. latein. Literatur der Kaiserzeit. München 1989.* – ALBRECHT, M. VON: *Geschichte der r. L. von Andronicus bis Boethius. Mit Berücksichtigung ihrer Bedeutung für die Neuzeit, 2 Bde. München ²1994.* – BÜCHNER, K.: *Röm. Literaturgeschichte. Ihre Grundzüge in interpretierender Darstellung. Stuttgart ⁶1994.*

römische Musik, die Musik der Römer (von den Anfängen um 500 v. Chr. bis 476 n. Chr.); zeigt v. a. grch., daneben etrusk. Einflüsse. Auf die Etrusker gehen Metallblasinstrumente (Tuba, Lituus, Cornu, Bucina) zurück, die v. a. im Heer gespielt wurden. Bedeutsam war die Tibia, ein dem grch. Aulos verwandtes Rohrblattinstrument, das bei pantomim. Spielen geblasen wurde. Auch die solist. Gesangslyrik zur Kithara oder Lyra wurde durch die Römer übernommen (Catull, Horaz). Die zunehmende Zahl von Musikern aus den unterworfenen Ländern begründete ein hoch stehendes Virtuosentum und eine reiche Pflege von Haus-, Tafel-, Tanz- und Theatermusik. Bei den großen Schauveranstaltungen in den Amphitheatern wurden Massenchöre und riesige Bläserorchester, daneben auch die Hydraulis (Wasserorgel), eingesetzt. – Das spätantike lat. Musikschrifttum, das die grch. Musiktheorie tradierte, wurde vom Christentum übernommen und beeinflusste die Musik des abendländ. Mittelalters.

📖 WILLE, G.: *Einführung in das röm. Musikleben. Darmstadt 1977.*

Römische Protokolle, Vereinbarungen der leitenden Politiker Italiens, Österreichs und Ungarns vom 17. 3. 1934 zur Vertiefung der polit. und wirtsch. Zusammenarbeit.

römische Religion, Glaube und Kultus der Römer der Antike. In der ältesten Zeit war die r. R. eine bäuerl. Religion, deren Vegetationskulte vom Familienvater (»pater familias«) vollzogen wurden. Der sich im 6. Jh. v. Chr. herausbildende Stadtstaat stand unter etrusk. Herrschaft; die kapitolin. Götterdreiheit (Trias) Juno–Jupiter–Minerva, die die ältere Dreiheit Jupiter–Mars–Quirinus ablöste, folgte etrusk. Vorbild. Später wurden die etruskisch-röm. Gottheiten grch. Göttern gleichgesetzt, ohne dass die Vorstellung der olymp. Götterfamilie übernommen worden wäre. Sehr beliebt war der grch. Apoll, der als Gott der Weisheit verehrt wurde. Keine grch. Parallele hat → Janus. Neben diesen großen Göttern gab es viele lokale Gottheiten. Ebenfalls als Götter verehrt wurden das glückl. Geschick (Fortuna), der Sieg (Victoria) und die Eintracht (Concordia). Kollektive Gottheiten des Hauses waren die Penaten und die Laren. Wie sie waren auch die Geister der Verstorbenen, die Manen, den Menschen wohlgesinnt. Wichtigste Kulthandlung war das Opfer von Getreide, Wein oder Tieren. Mit dem Prinzipat des Augustus ergänzte der Kaiserkult die alte Religion; verehrt wurde zuerst der → Genius des Kaisers. Der Kaiser war der höchste Priester des Staates (Pontifex maximus). Seit dem 2. Jh. v. Chr. drangen östl. Kulte nach Rom vor, bes. der der → Kybele, vom 3. Jh. n. Chr. an der Kult des → Mithras und das Christentum, das 380 zur röm. Staatsreligion erklärt wurde.

📖 LATTE, K.: *Röm. Religionsgeschichte. München ²1967, Nachdr. ebd. 1992.* – HUNGER, H.: *Lexikon der grch. u. röm. Mythologie. Wien ⁸1988.* – MUTH, R.: *Einführung in die grch. u. röm. Religion. Darmstadt 1988.* – SIMON, E.: *Die Götter der Römer. München 1990.* – GIEBEL, M.: *Das Geheimnis der Mysterien. Antike Kulte in Griechenland, Rom u. Ägypten. Tb.-Ausg. München 1993.*

Römischer König, im Hl. Röm. Reich (bis 1806) seit 1125 der ständige Titel des noch nicht zum Kaiser gekrönten dt. Königs, seit 1508 des zu Lebzeiten eines Kaisers gewählten Nachfolgers.

römische Schule, eine zw. 1550 und 1620 in Rom wirkende Komponistengruppe (G. P. da Palestrina, G. M. und G. B. Nanino, F. und G. F. Anerio, F. Suriano, T. L. de Victoria, F. Guerrero, G. Allegri u. a.), die einen in Melodik, Rhythmik und Harmonik ausgeglichenen, auf Verständlichkeit und Klarheit des Textes achtenden Stil der mehrstimmigen geistl. Musik pflegte; er bestimmte die kath. Kirchenmusik bis ins 19. Jahrhundert.

römisches Recht, das Recht des antiken röm. Staates, wie es sich von der Mitte des 5. Jh. v. Chr. bis zur Mitte des 6. Jh. n. Chr. entwickelte. Es wurde seit dem hohen MA. zum gemeinen, im Lateinisch schreibenden Europa überall geltenden Recht und ist die Grundlage aller modernen Rechtsordnungen der westl. Welt.

Am Anfang der Entwicklung stand ein von Sitte und sakralem Brauch noch nicht geschiedenes Gewohnheitsrecht. Staatl. Recht wurde zum ersten Mal im Zwölftafelgesetz (451/450 v. Chr.) aufgeschrieben, um die Rechtssicherheit zu erhöhen und die Rechtsstellung der Plebejer gegenüber den Patriziern zu verbessern. In den folgenden Jahrhunderten wurde das Recht durch Volksgesetze und Plebiszite und v. a. durch die Rechtsschöpfung der Prätoren weiterentwickelt. Im Rahmen des »Amts-« oder »Honorarrechts«, das sie jährlich bei Antritt ihres Amtes im Edikt publizierten, bildeten die Prätoren das Zivilrecht (Ius civile, »bürgerl. Recht«) der rechtlich selbstständigen röm. Bürger fort und schufen daneben neu ein auch die Ausländer als Träger von Rechten und Pflichten anerkennendes »Ausländerrecht« (Ius gentium). Die frühe Kaiserzeit (1. Jh.–Anfang 3. Jh.), der »Prinzipat«, war die klass. Zeit der röm. Rechtswissenschaft. Das Recht wurde nun v. a. in Gutachten der Juristen und in der praktisch ausgerichteten Rechtsliteratur entfaltet, außerdem durch Senatsbeschlüsse sowie kaiserl. Edikte, Dekrete und Reskripte.

Die Ausdehnung des röm. Bürgerrechts auf fast alle Reichseinwohner durch Caracalla (212) und der Versuch der Kaiser Diokletian und Konstantin um 300, in einer Zeit allgemeinen Niedergangs, die Anwendung des röm. Rechts im ganzen Reich durchzusetzen, führten zur Zerstörung der hohen Rechtskultur. Das Recht verarmte zum Vulgarrecht. Die wachsende Rechtsunsicherheit suchte man durch Zitiergesetze und eine amtl. Sammlung der geltenden Kaiserkonstitutionen, v. a. im Codex Theodosianus (438), zu bekämpfen. Justinian I. (527–565) schuf eine umfassende Kodifikation, das →Corpus Iuris Civilis. Seine Texte waren nach dem Verfall des Röm. Reiches im Westen erhalten geblieben, wurden seit dem 11. Jh. wieder benutzt und seit Anfang des 12. Jh. in Bologna und in anderen italien. und südfrz. Städten zum Gegenstand eines aufblühenden Rechtsunterrichts gemacht (→Glossatoren). Das justinian. r. R. wurde im ganzen lat. Europa bekannt und fand als gemeines Recht zunehmend Eingang in die Geschäfts-, Rechts- und Gerichtspraxis (→Rezeption).

📖 KASER, M.: *Röm. Privatrecht. München ¹⁵1989.* – KUNKEL, W.: *Röm. Rechtsgeschichte. Köln u. a. ¹²1990.* – SÖLLNER, A.: *Einführung in die röm. Rechtsgeschichte. München ⁵1996.* – RAINER, J. M.: *Einführung in das röm. Staatsrecht. Darmstadt 1997.*

Römisches Reich, →römische Geschichte.

Römische Verträge, →Europäische Wirtschaftsgemeinschaft.

römische Ziffern, die im antiken Rom bis ins christl. Spät-MA. hinein gebräuchl. Zahlzeichen (→Ziffer).

römische Religion: Die drei Bronzestatuetten stellen die kapitolinische Trias Juno, Jupiter und Minerva (von links nach rechts) dar (3. Jh. n. Chr.; München, Prähistorische Staatssammlung)

Römisch-Germanisches Zentralmuseum, 1852 in Mainz gegr. Museum, enthält Sammlungen zur europ. Vor- und Frühgeschichte; Forschungsinstitut mit Verlag, Bildarchiv, Werkstätten und Laboratorien zur Untersuchung und Restaurierung archäolog. Funde des In- und Auslandes.

römisch-katholische Kirche, →katholische Kirche.

Rommé [frz. -'me; aus engl. rummy] *das,* Kartenspiel für meist 3–6 Teilnehmer (zwei Kartenspiele zu je 52 Blatt, dazu sechs Joker).

Erwin Rommel

Rommel, Erwin, Generalfeldmarschall (seit 1942), *Heidenheim an der Brenz 15. 11. 1891, †(Selbstmord) Herrlingen (heute zu Blaustein, bei Ulm) 14. 10. 1944; führte 1941–43 das dt. Afrikakorps (»Wüstenfuchs«), mit dem er u. a. bis Ägypten (El-Alamein) vordrang, dann eine Heeresgruppe in Italien und von Dez. 1943 bis Juli 1944 eine Heeresgruppe in Frankreich; sympathisiserte seit Frühjahr 1944 mit der Widerstandsbewegung (Rolle ungeklärt) und wurde von Hitler zum Selbstmord gezwungen.

📖 FRASER, D.: *R. A. d. Engl. Berlin 1995.*

Romney ['rɔmnɪ], George, engl. Maler, *Dalton-in-Furness (Cty. Cumbria) 15. 12. 1734, †Kendal (Cty. Cumbria) 15. 11. 1802; hatte in London mit Porträts in klassizist. Stil großen Erfolg; sein Modell Emma Hart wurde die spätere Lady Hamilton.

Rømø ['rœmø:], dän. Insel →Röm.

Romulus, der Sage nach der Gründer und erster König Roms. R. und Remus waren Zwillingssöhne des Mars und der Vestalin Rhea Silvia. Die Neugeborenen wurden ausgesetzt, jedoch von einer Wölfin gesäugt und von einem Hirten aufgezogen. Bei der Gründung Roms erschlug R. seinen Bruder im Streit, weil dieser spottend den entstehenden Mauerring übersprungen hatte. BILD Kapitolinische Wölfin

George Romney: »Lady Hamilton« (um 1785; San Marino, Calif., Huntington Library, Art Collections and Botanical Gardens)

Romulus Augustus, gen. Augustulus, weström. Kaiser (475–476), *nach 507/511; Gegenkaiser des Julius Nepos, wurde von Odoaker abgesetzt, womit das weström. Kaisertum endete.

Roncesvalles [rɔnθez'βaʎes] (frz. Roncevaux, bask. Orreaga), Dorf in Navarra, Spanien, in den W-Pyrenäen, Wallfahrtsort mit Augustinerabtei, gegr. 1130 zur Betreuung der Jakobspilger, die jahrhundertelang über den Pass von R. (1057 m ü. M.) nach Santiago de Compostela zogen. – Im Tal von R. wurde 778 die Nachhut Karls d. Gr. von den Basken geschlagen (→Rolandslied).

Ronchamp [rɔ̃'ʃã], Gemeinde im Dép. Haute-Saône, Frankreich, nordwestlich von Belfort, 3100 Ew.; nahebei die Wallfahrtskirche Notre-Dame-du-Haut (1950–54) von →Le Corbusier (BILD).

Ronda, Stadt in Andalusien, Prov. Málaga, 31500 Ew.; in maler. Lage beiderseits einer 160 m tiefen Schlucht; Kunsthandwerk (bes. Schmiedearbeiten), Möbelind., Pferde- und Stierzucht; Fremdenverkehr. – Maurisch geprägte Altstadt (Reste der arab. Mauern mit drei Toren); in der Neustadt älteste Stierkampfarena Spaniens (1785).

Ronde [frz. »Runde«] *die, Technik:* →Platine.

Rondeau [rɔ̃'do:, frz.] *das,* **1)** (Rondel, Ringelgedicht) textl. und musikal. Refrainform, v. a. im 13.–15. Jh.: zw. die (meist zwei) Refrainverse werden Zusatzverse derselben Endreime gesetzt.

2) in der frz. Clavecin-, Opern- und Ballettmusik entwickelte Form vokaler und instrumentaler Refrainkompositionen, in denen Refrain (in der Haupttonart) und Couplets (andere Tonarten berührend) abwechseln.

Rondell [frz.] *das,* **1)** *allg.:* runder Platz.

2) *Befestigungswesen:* vorspringender runder Festungsturm.

3) *Gartenbau:* rundes Zierpflanzenbeet.

Rondo [italien.] *das, Musik:* aus dem Rondeau hervorgegangener, rundläufig angelegter musikal. Formtypus, bei dem ein meist heiterer Hauptsatz nach wechselnden Zwischensätzen immer wiederkehrt; kommt als Einzelstück v. a. in der Klaviermusik und bes. als Schlusssatz von Konzerten, Sonaten, Sinfonien und Streichquartetten vor.

Rondônia, Staat in →Brasilien; Hptst.: Pôrto Velho; im SW des Amazonastieflandes. – 1943 aus Teilen der Staaten Amazonas und Mato Grosso gebildet, war bis 1981 Bundesterritorium.

Ronkalische Felder [nach dem Ort Roncaglia, 8 km östlich von Piacenza], Ebene auf dem rechten Ufer des Po, Italien; im MA. Sammelplatz der dt. Heere auf dem Weg nach Rom. Hier ließ Kaiser Friedrich I. Barbarossa 1158 die Hoheitsrechte des (Hl. Röm.) Reiches in Italien neu verzeichnen **(Ronkalische Beschlüsse).**

Rønne ['rœnə], Hauptort der dän. Insel Bornholm, 15200 Ew.; Hafen; Bornholmmuseum; keram. Industrie, Granitausfuhr, Fischverarbeitung; Schifffahrtsschule; Fremdenverkehr.

Ronneburg, Stadt im Landkreis Greiz, Thür., 6400 Ew.; Herstellung von Fahrzeugzubehör, Bauind.; 1950–91 Zentrum des ostthüring. Uranerzbergbaus, der durch die sowjetisch-dt. AG Wismut betrieben wurde. – Spätgot. Pfarrkirche und Schloss (um 1520). – 1304 als Stadt genannt.

Ronsard [rɔ̃'sa:r], Pierre de, frz. Dichter, *Schloss La Possonnière (bei Couture-sur-Loir, Dép. Loir-et-Cher) 11. 9. 1524 oder 1525, †Saint-Cosme-en-l'Isle (bei Tours) 27. 12. 1585; war 1560–74 Hofdichter unter den letzten Valois, Haupt der →Pléiade, schuf nach antikem Vorbild formvollendete Oden, Hymnen, Eklogen, Elegien und Sonette (u. a. den Zyklus »Les amours«, 1552, in der Nachfolge F. Petrarcas). Sein als Nationalepos geplantes Werk »La Franciade« (1572; Nachahmung der »Ilias«) blieb unvollendet.

Röntgen [nach W. C. Röntgen] *das,* Einheitenzeichen **R,** veraltete Einheit der Ionendosis (→Dosis): 1 R = 258 μC/kg.

Röntgen, Wilhelm Conrad, Physiker, *Lennep (heute zu Remscheid) 27. 3. 1845, †München 10. 2. 1923; Prof. in Hohenheim, Straßburg, Gießen und München; entdeckte 1895 die →Röntgenstrahlen (von ihm X-Strahlen gen.) und untersuchte ihre Eigenschaften. 1901 erhielt er den ersten Nobelpreis für Physik. INFO S. 32

📖 FÖLSING, A.: *W. C. R. Aufbruch ins Innere der Materie. München u. a. 1995.*

Wilhelm Conrad Röntgen (1901)

Röntgenastronomie, Teilgebiet der Astronomie, das sich mit der Beobachtung und Deutung der von kosm. Strahlungsquellen ausgesandten Röntgenstrahlung befasst. Wegen der absorbierenden Wirkung der Erdatmosphäre ist eine Beobachtung nur mithilfe von Höhenballons, Satelliten, Raketen und Raumsonden möglich. I. Allg. sind Röntgenstrahlen mit extrem energiereichen Prozessen im All verbunden, werden aber auch von sehr heißen Materiewolken ausgesandt, z. B. der Sonnenkorona oder dem intergalakt. Gas. Neben einer weichen Röntgenhintergrundstrahlung sind bislang zahlreiche, z. T. veränderl. oder pulsierende Röntgenquellen erfasst worden wie →Röntgensterne, Röntgenpulsare, Quasare, Supernovaüberreste und aktive Galaxien. Auch unsere Sonne ist eine Röntgenquelle, über die Reflexion ihrer Strahlung auch der Erdmond. – Die erste kosm. Röntgenquelle (Scorpus X-1 im Sternbild Skorpion) wurde 1962 entdeckt. 1970 wurde der Röntgensatellit Uhuru gestartet, der einige Hundert diskrete Röntgenquellen am Himmel fand. Zw. 1977 und 1980 folgten drei amerikan. Satelliten (HEAO 1 bis 3), deren zweiter (Einstein-Observatorium) erstmals ein abbildendes →Röntgenteleskop enthielt. Der 1990 gestartete Röntgensatellit →ROSAT führte die erste vollständige Durchmusterung des Himmels nach Röntgenquellen durch.

Pierre de Ronsard: Kupferstich des Lütticher Künstlers Theodor de Bry (um 1597)

Röntgenaufnahme, →Röntgenbild, →Röntgenuntersuchung.

Röntgenbehandlung (Röntgenbestrahlung), →Strahlentherapie.

Röntgenbild, durch Röntgenstrahlen entstandenes Abbild eines Objekts, bes. eines Teils des menschl. Körpers, das entweder auf fotograf. Weg auf Film **(Röntgenaufnahme)** oder auf einem Leuchtschirm **(Röntgenschirmbild)** sichtbar gemacht wird. Weitere BILDER Bronchien, Gallensteinkrankheit, Kontrastmittel u. a.

Röntgenbildverstärker (Röntgenbildwandler), bei der Röntgendurchleuchtung eingesetzter →Bildwandler.

Röntgendoppelsterne, →Röntgenstern.

Röntgenfluoreszenzanalyse, Abk. **RFA** (Röntgenfluoreszenzspektroskopie), Verfahren der Röntgenspektroskopie: Das Emissionsspektrum der durch Röntgenstrahlen ausgelösten Röntgenfluoreszenzstrahlung wird zur Analyse spektral zerlegt; Energie und Intensität der Röntgenlinien sind von Art und Menge der vorhandenen Atomart abhängig. Die R. dient als zerstörungsfreies Verfahren der chem. Analyse u. a. in der Toxikologie, Metallurgie und Archäologie, bes. zur Werkstoffprüfung.

📖 *R. Anwendung in Betriebslaboratorien, hg. v.* H. EHRHARDT. *Berlin u. a.* ^{2}*1989.*

Röntgengerät, allg. ein Gerät zur gezielten Anwendung von Röntgenstrahlen, v. a. zur Aufnahme von →Röntgenbildern. Hauptbestandteile

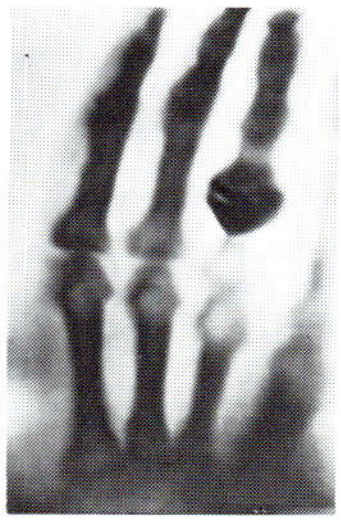

Röntgenbild: Eine der ersten Röntgenaufnahmen von W. C. Röntgen aus dem Jahr 1895 zeigt eine Hand mit Ring

Wilhelm Conrad Röntgen *flog kurz vor der Reifeprüfung wegen einer an die Tafel gemalten Lehrerkarikatur von der Schule. Es wurde erwirkt, dass er vor einer Kommission ein Privatabitur ablegen durfte. Statt des erkrankten Prüfungsvorsitzenden erschien ... der karikierte Lehrer – und der ließ ihn durchfallen. Zu Röntgens Glück nahm das Zürcher Polytechnikum auch Studenten mit entsprechendem Vorwissen ohne Abitur auf.*

sind: Hochspannungsquelle (Transformator und Gleichrichter) und →Röntgenröhre, bei medizin. Geräten zusätzl. Zeitschaltwerke, Röntgenfilter, Lagerungstisch für den Patienten, Einstellhilfen (Lichtvisier) und Filmkassette.

Röntgenkarzinom, Form des Strahlenkrebses (→Strahlenschäden).

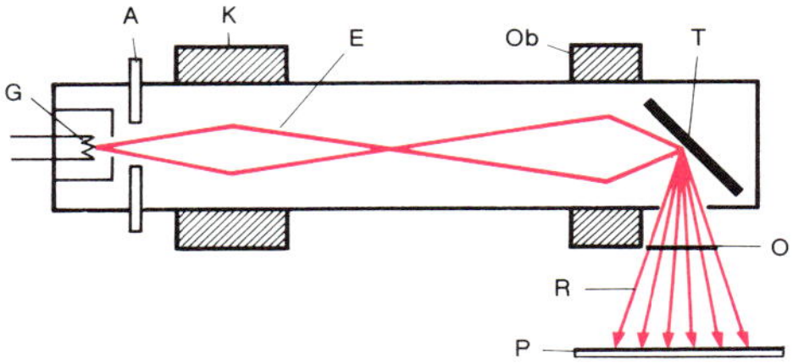

Röntgenmikroskop: schematische Darstellung eines Röntgenprojektionsmikroskops; A Anode, E Elektronenstrahl, G Glühkathode, K Kondensorlinse, O Objekt, Ob Objektiv, P fotografische Platte, R Röntgenstrahlung, T Target

Röntgenkater, →Strahlenschäden.

Röntgenkymographie, →Röntgenuntersuchung.

Röntgenlaser, spezieller →Laser, der kohärente Röntgenstrahlung emittieren soll. Als aktives Medium dienen hochionisierte Atome. Die Realisierung eines R. ist schwierig, da die Pumpenergie sehr hoch sein muss und die Optiken für den Röntgenbereich kaum ausreichen.

Röntgenlinse, →Röntgenoptik.

Röntgenmikroskop, Mikroskop zur vergrößerten Abbildung von Objekten mittels Röntgenstrahlung. Man unterscheidet zw. Geräten zur Erzeugung vergrößerter Schattenbilder durchstrahlbarer Objekte, bei denen eine durch Elektronenbeschuss eines Targets erzeugte nahezu punktförmige Röntgenlichtquelle Röntgenstrahlung aussendet, die nach dem Prinzip der Zentralprojektion von dem davor befindl. Objekt einen vergrößerten Schattenwurf auf einem in größerem Abstand befindl. Fluoreszenzschirm oder einer Fotoplatte erzeugt **(Röntgenschatten-** oder **Röntgenprojektionsmikroskop),** und **Röntgenfokussierungsmikroskopen,** bei denen mit Röntgenstrahlen Abbildungen entsprechend denen mit Lichtstrahlen bei gewöhnl. Mikroskopen erzeugt werden (→Röntgenoptik). Hierbei dienen z.B. fresnelsche →Zonenplatten als Abbildungselemente und Elektronensynchrotrone als monochromat. Röntgenstrahlungsquellen. – R. erlauben im Unterschied zu Elektronenmikroskopen auch die Untersuchung lebender Objekte.

Röntgenographie *die,* die Herstellung von dauerhaften Abbildungen mittels Röntgenstrahlen, die den abzubildenden Gegenstand durchdringen und nach Durchgang auf eine fotograf. Schicht **(Röntgenfilm)** fallen. Zur Erhöhung der Wirksamkeit ist der fotograf. Schicht eine Verstärkerfolie aufgepresst, eine Celluloidfolie mit einer hoch empfindl. Röntgenfluoreszenzschicht (z.B. Calciumwolframat), die durch ihre Fluoreszenzstrahlung mit zur Schwärzung der Fotoschicht beiträgt. Die R. mit sehr kurzer Belichtungszeit wird durch Röntgenblitzröhren ermöglicht. Hauptanwendungsbereich der R. ist die medizin. Diagnostik. In der Werkstoffprüfung wird die R. zum Aufsuchen verborgener Fehler im Material verwendet. Zu weiteren Anwendungsgebieten gehören die Kriminalistik (Waffensuche in Gepäckstücken, z.B. bei Flughafenkontrollen), die Prüfung von Baudenkmälern, Archäologie und Paläontologie.

Röntgenologie *die,* Lehre von den Röntgenstrahlen und ihren Anwendungen, in der Medizin Teilgebiet der Radiologie.

Röntgen|optik, Teilgebiet der Optik, das sich mit der Erzeugung von Abbildungen durch Röntgenstrahlen sowie der Konstruktion von Geräten für die Röntgenmikroskopie, Röntgenastronomie und Röntgenlithographie (→Lithographie) befasst. Da die Brechzahl aller Stoffe für Röntgenstrahlen nahezu den Wert 1 hat, ist eine Verwendung herkömml. Linsen nicht möglich. Als **Röntgenlinsen** dienen gekrümmte Kristalloberflächen, an denen die Röntgenstrahlen selektiv reflektiert werden, dünne Metallschichten auf Hohlspiegeln (Totalreflexion bei streifendem Einfall) sowie fresnelsche →Zonenplatten. Als **Röntgenspiegel** verwendet man Keramik-Metall-Multischichten.

Röntgenpulsare, Pulsare, die hauptsächlich im Bereich der Röntgenstrahlung des elektromagnet. Spektrums emittieren.

Röntgenrefraktionstopographie, *Werkstoffprüfung:* zerstörungsfreies Prüfverfahren für anisotrope Werkstoffe. Das Verfahren beruht auf der unterschiedl. Brechung von Röntgenstrahlen an Grenzflächen von Medien mit versch. Brechungsindizes. Je größer der Dichteunterschied zw. den sich berührenden Medien ist, desto stärker ist die Refraktionsintensität. Das Verfahren ist v.a. zur Untersuchung von Faserverbundwerkstoffen von

Röntgen, Wilhelm Conrad

Mit der Entdeckung der so genannten X-Strahlen entbrannte ein Presserummel, der dem bescheidenen Röntgen gar nicht recht war:

»Am ersten Januar verschickte ich die Separatabzüge, und nun ging der Teufel los! Die Wiener Presse blies zuerst die Reklametrompete und die anderen folgten. Mir war nach einigen Tagen die Sache verekelt; ich kannte aus den Berichten meine eigene Arbeit nicht wieder. Das Photographieren war mir Mittel zum Zweck, und nun wurde die Hauptsache daraus gemacht. Allmählich habe ich mich gerade an den Rummel gewöhnt, aber Zeit hat der Sturm gekostet, gerade vier volle Wochen bin ich nicht zu einem Versuch gekommen ...«

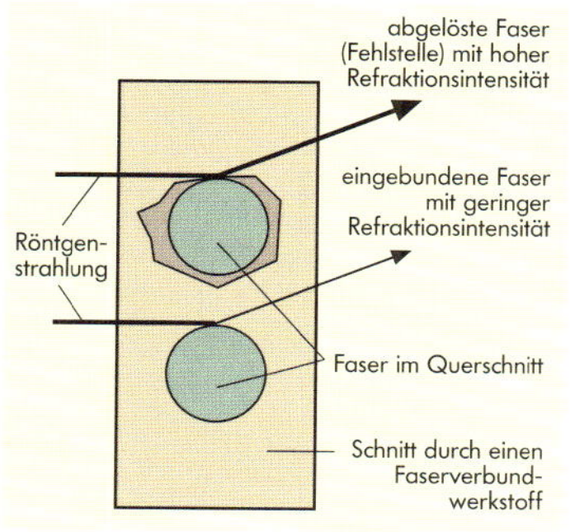

Röntgenrefraktionstopographie: schematische Darstellung des Prüfverfahrens bei der Fehlstellendiagnose eines Faserverbundwerkstoffs

Bedeutung, darüber hinaus aber auch zur Untersuchung von Keramiken u.a. porösen Werkstoffen.

Röntgenröhre, zur Erzeugung von Röntgenstrahlen verwendete Hochvakuumelektronenröhre, bestehend aus Wolframkathode, Wehnelt-Zylinder, metall. Anode **(Glühkathoden-R., Coolidge-Röhre).** Durch die Hochspannung (20–400 kV) zw. Anode und Kathode werden die aus der Kathode austretenden Elektronen stark beschleunigt, vom negativ geladenen Wehnelt-Zylinder gebündelt und treffen mit hoher Geschwindigkeit im möglichst punktförmigen Brennfleck (0,1 bis 1,5 mm Durchmesser) auf der Anode auf. Dabei geht die Intensität des Elektronenstrahls zu rd. 99 % in Wärme über und heizt die Anode auf (bis zu 2700 °C). Die Restenergie ruft im Anodenmaterial die Aussendung der Röntgenstrahlung in Form von Bremsstrahlung und charakterist. Eigenstrahlung der Atome hervor. Damit die vom Brennfleck radial abgestrahlte Röntgenstrahlung seitlich mit geringen Verlusten aus der R. austreten kann, ist die Auftreffffläche der Anode geneigt. Für sehr hohe Belastungen verwendet man gewöhnlich **Drehanoden-R.,** bei denen die Anode unter dem Elektronenstrahl rotiert, sodass der über die Anode wandernde Brennfleck eine Stelle nur jeweils kurzzeitig aufheizt. Die Durchdringungsfähigkeit (Energie, Härte) der Röntgenstrahlung wächst mit der Anodenspannung. **Diagnostikröhren** arbeiten mit kleinem Brennfleck und niedriger Spannung, **Therapieröhren** mit großem Brennfleck und hoher Spannung. Bei der R. für Strukturuntersuchungen wird die kontinuierl. Bremsstrahlung einer Wolframanode ausgenutzt. R. für spektroskop. Untersuchungen arbeiten mit der monochromat. Eigenstrahlung, meist mit Kupferanoden. Bei R. für hohe Belastung mit kleinem Brennfleck sind Fokussierung des Elektronenstrahls (z.B. Götze-Fokus) mit magnet. Linsen und Anodenkühlung erforderlich. **Hohlanoden-R.** dienen der Untersuchung von Hohlräumen, für Nah- und gynäkolog. Bestrahlung.

Röntgenspektroskopie, Sammelbez. für alle spektroskop. Verfahren, die die Anregung und Auswertung der charakterist. Eigenstrahlung der Atome (→Röntgenstrahlen) umfassen, um Einblicke in den inneren Bau der Atome zu gewinnen. Röntgenspektren werden durch Beugung an Kristallgittern bekannter Struktur gewonnen. Analog zur opt. Spektroskopie unterteilt man die R. in Emissions-, Absorptions- und Fluoreszenzspektroskopie (→Röntgenfluoreszenzanalyse). Das Gesetz über das Röntgenemissionslinienspektrum stellte H. →Moseley auf.

Röntgenstern, punktförmige kosm. Röntgenstrahlungsquelle (→Röntgenastronomie), bezeichnet mit dem lat. Namen des Sternbilds, in dem sie liegt, mit einem X (für Röntgenstrahlung) und fortlaufender Nummer. Die Entdeckung von Röntgenstrahlung bei einem Stern deutet gewöhnlich auf das Vorliegen eines engen Doppelsternsystems **(Röntgendoppelsterne)** hin, bei dem Materie von einem meist massereichen Stern mit ausgedehnter Atmosphäre auf die Oberfläche eines kleineren, aber sehr dichten Begleitsterns (meist ein Neutronenstern wie Hercules X-1 oder ein Schwarzes Loch) überströmt und dabei auf extreme Temperaturen aufgeheizt wird, was zur Aussendung von Röntgenstrahlung führt.

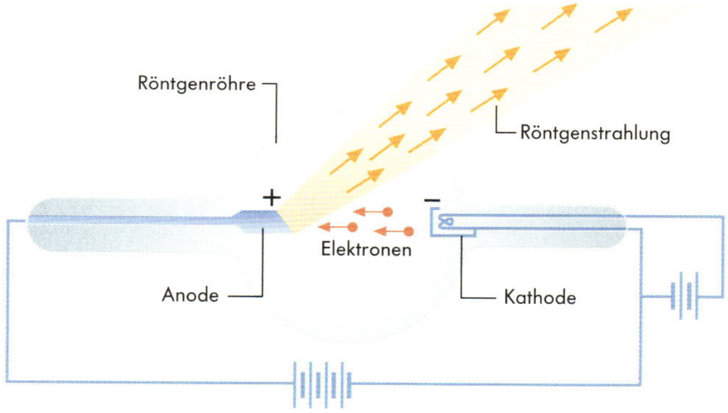

Röntgenröhre: Schema einer Glühkathodenröntgenröhre; die Röntgenstrahlung entsteht beim Aufprall der Elektronen auf die Anode

Röntgenstrahlen (X-Strahlen, engl. X-rays), elektromagnet. Strahlung mit kürzeren Wellenlängen als das Licht, die sich von den Gammastrahlen und dem elektromagnet. Bestandteil der kosm. Strahlung nur durch die Entstehungsweise unterscheidet. R. sind unsichtbar, erzeugen Fluoreszenz, schwärzen Fotoplatten und haben hohes Ionisationsvermögen. Ähnlich Lichtstrahlen zeigen sie Reflexion, Brechung, Beugung, Interferenz und Polarisation, haben aber im Unterschied zum Licht hohes Durchdringungsvermögen für die meisten Stoffe. Man unterscheidet in der Entstehungsweise die **Bremsstrahlung** mit kontinuierl. Spektrum, die von Elektronen infolge plötzl. Abbremsens beim Aufprall auf Materie ausgesandt wird, und die aus einzelnen Linien bestehenden

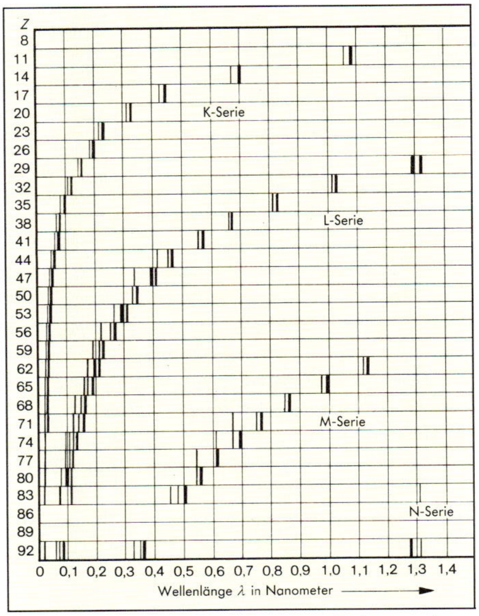

Röntgenstrahlen: Abhängigkeit der Wellenlänge λ der charakteristischen Röntgenstrahlung von der Kernladungszahl Z der Atome, von denen sie jeweils ausgestrahlt wird; K, L, M und N bezeichnen die Schalen, in die der Übergang erfolgt

charakterist. R. (Eigenstrahlung, Röntgenfluoreszenzstrahlung) der Atome, die, je nach Lage des Endzustands des strahlenden Elektrons, entsprechend der jeweiligen Schale mit K, L, M, N,... bezeichnet werden. Sie verschieben sich nach dem Moseley-Gesetz (→Moseley) mit steigender Ordnungszahl des emittierenden Atoms nach der kurzwelligen Seite hin. Auf Materie auftreffende R. lösen wiederum neue R. aus **(sekundäre R.),** daneben auch Elektronen **(Röntgenphotoeffekt).**

Technisch werden R. meist mit →Röntgenröhren erzeugt, wobei man überweiche (Wellenlängen 0,25–0,06 nm), weiche (0,06–0,02 nm), mittelharte (0,02–0,01 nm), harte (0,01–0,005 nm) und überharte (unter $5 \cdot 10^{-3}$ nm) R. unterscheidet. Sehr viel härtere (kurzwelligere) R. lassen sich mit Elektronenbeschleunigern (bis etwa 10^{-7} nm) erzeugen (→Synchrotronstrahlung). Angewandt werden die R. v.a. in der Medizin, Metallurgie, Kristallographie (Strukturanalyse) und chem. Analytik, wobei die unterschiedl. Durchdringung versch. Stoffe genutzt wird. Weitere Verfahren zur Strukturuntersuchung sind die →Röntgenstrukturanalyse, die →Röntgenspektroskopie und Röntgenmikroskopie. – Der Umgang mit R. unterliegt den VO des Strahlenschutzes. Zur Bestimmung der Dosis von R. dienen →Dosimeter. Zur medizin. Anwendung von R. →Röntgenuntersuchung, →Strahlenschäden, →Strahlentherapie.

🕮 ANGERSTEIN, W. *u. a.: Grundlage der Strahlenphysik u. radiolog. Technik in der Medizin. Leipzig* *⁴1987.* – KRIEGER, H. *u.* PETZOLD, W.: *Strahlenphysik, Dosimetrie u. Strahlenschutz, 2 Bde. Stuttgart* *¹⁻³1989–92. – Forschung mit R. Bilanz eines Jahrhunderts, 1895–1995, hg. v.* F. H. W. HEUCK *u.* E. MACHERAUCH. *Berlin u. a. 1995.*

Röntgenstrukturanalyse (Röntgenfeinstrukturuntersuchung), Analyse der Kristallstruktur mithilfe der Reflexion und Beugung von Röntgenstrahlen an den Gitternetzebenen (→Drehkristallmethode, →Laue-Verfahren, →Debye-Scherrer-Verfahren).

Röntgenteleskop, Spiegelteleskop mit abbildenden Eigenschaften im Spektralbereich der Röntgenstrahlung. Bei ihrer Realisierung muss man das Prinzip der Totalreflexion ausnutzen, weil Röntgenstrahlen, die unter kleinem Einfallswinkel auf eine Materieoberfläche auftreffen, vom Material absorbiert werden und die Brechzahl für Röntgenstrahlung beim Übergang vom Vakuum in Materie nahezu 1 ist, sodass Strahlen mit normalen Einfallswinkeln nicht reflektiert werden können. Die durch die Kombination von Parabol- und Hyperbolspiegeln konstruierten Spiegelanordnungen mit streifendem Strahleinfall werden nach dem Physiker Hans Wolter (*1911, †1977) **Wolter-Teleskop** genannt.

Röntgentherapie, →Strahlentherapie.

Röntgenuntersuchung, allg. die Untersuchung von Stoffen bzw. Körpern mit Röntgenstrahlen; i.e.S. die **Röntgendiagnostik,** d.h. die Untersuchung von Teilen des menschl. Körpers mit Röntgenstrahlen zu medizinisch-diagnost. Zwecken. Man unterscheidet: **Röntgenaufnahme,** das Erzeugen eines →Röntgenbildes, auf dem die unterschiedl. Röntgenstrahlabsorption von Knochen, Weichteilgeweben und lufthaltigen Organen sowie eingebrachte Kontrastmittel eine entsprechende Kontrastierung bewirken. Um scharf gezeichnete Röntgenbilder zu bekommen, sind je nach Organ →Röntgenstrahlen unterschiedl. Härte zu verwenden. Bei der Röntgenstereoaufnahme **(Röntgenstereographie)** werden zwei gleich große Röntgenbilder bei unveränderter Film- und Patientenposition angefertigt, indem man die Röntgenröhre zw. den Aufnahmen um einen Augenabstand verschiebt. Die gleichzeitige Betrachtung beider Aufnahmen mit einem Stereobetrachter vermittelt einen räuml. Eindruck, der z.B. die Lokalisierung von Schatten gebenden Objekten ermöglicht. Die **Tomographie** (Röntgenschichtaufnahme, Planigraphie) liefert durch koordinierte gegensinnige Bewegung von Röntgenröhre und -film um einen Drehpunkt im ruhenden Körper ein scharfes Bild der in Drehpunktebene gelegenen Körperschicht. Eine Weiterentwicklung ist die →Computertomographie. Bei der **Röntgenstratigraphie** werden Patient und Film bei fixierter Röntgenröhre koordiniert bewegt. Die **Röntgenkymographie** dient zur röntgenograph. Aufzeichnung von rhythm. Bewegungen (z. B. von Herz, Zwerchfell oder Magen). Die **Röntgendurchleuchtung** (Durchleuchtung, Röntgenoskopie) liefert ein direkt beobachtbares Bild des Körpers auf einem Leuchtschirm und ermöglicht damit eine unmittelbare Erfassung von Organveränderungen und -bewegungen, die Gewinnung eines räuml. Eindrucks durch Drehen des Patienten, die Lokalisation von Fremdkörpern u. a. sowie die Verfolgung von Eingriffen (z. B. beim Einführen eines Herzkatheters) am Patienten.

📖 MESCHAN, I.: *Röntgenanatomie. A. d. Amerikan. Stuttgart 1987.* – THURN, P. *u.* BÜCHELER, E.: *Einf. in die radiolog. Diagnostik. Stuttgart ^{9}1992.*

Röntgenverordnung, →Strahlenschutz.

Rooming-in [ruːmɪŋˈɪn, engl.] *das,* auf der Wochenstation Unterbringung des Neugeborenen im gleichen Raum mit der Mutter; fördert die Mutter-Kind-Beziehung.

Roon, Albrecht Graf (seit 1871) von, preuß. Generalfeldmarschall (1873), *Pleushagen (bei Kolberg, heute Kołobrzeg) 30. 4. 1803, †Berlin 23. 2. 1879; seit 1859 Kriegsmin.; veranlasste 1862 die Berufung Bismarcks zum MinPräs.; 1861–71 auch Marinemin., seit 1873 zugleich preuß. MinPräs., legte im Nov. 1873 alle Ämter nieder.

Roosevelt [ˈroːzəvɛlt, engl. ˈrəʊzvelt], **1)** Anna Eleanor, amerikan. Politikerin und Journalistin, *New York 11. 10. 1884, †ebd. 7. 11. 1962, ⚭ mit 2); 1946–51 Vors. der UN-Menschenrechtskommission.

2) Franklin Delano, 32. Präs. der USA (1933–45), Demokrat, *Hyde Park (N. Y.) 30. 1. 1882, †Warm Springs (Ga.) 12. 4. 1945, ⚭ mit 1); 1910 in den Senat von New York gewählt; Unterstaatssekretär für die Marine 1913–20; schied wegen Kinderlähmung 1921 für mehrere Jahre aus der Politik aus; 1928 zum Gouverneur von New York gewählt; gewann 1932 die Präsidentschaftswahlen, 1936 und (entgegen der amerikan. Tradition) 1940 und 1944 wieder gewählt. Innenpolitisch leitete R. das wirtschaftlich-sozialpolit. Reformprogramm des →New Deal ein, außenpolitisch propagierte er eine Politik der guten Nachbarschaft gegenüber Lateinamerika und bewirkte 1933 die Anerkennung der UdSSR. Im März 1941 setzte er das →Lend-lease-System durch. Nach anfängl. Neutralitätspolitik zu Beginn

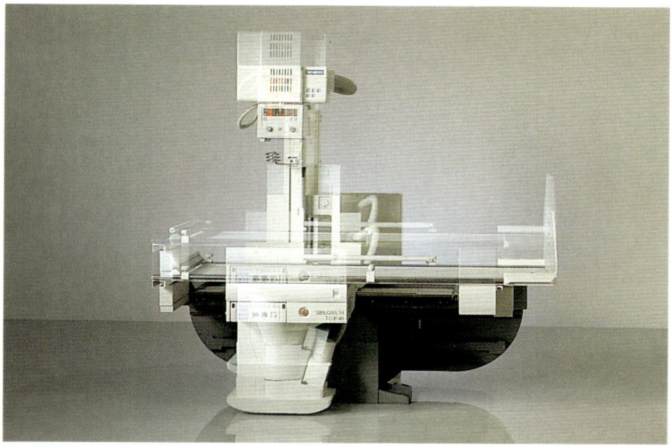

Röntgenuntersuchung
mit digitaler Bildverstärker-Fernsehtechnik

des 2. Weltkrieges verkündete R. am 14. 8. 1941 gemeinsam mit W. Churchill die Atlantikcharta und verbündete sich mit der Sowjetunion in der Anti-Hitler-Koalition (Abkommen vom 11. 6. 1942). Nach dem japan. Angriff auf Pearl Harbor (7. 12. 1941) wurden die USA zu einem entscheidenden Faktor für den Ausgang des Krieges. R. setzte sich diplomatisch für ein breites Bündnis gegen die Achsenmächte ein (u. a. auf den Konferenzen 1943 in Casablanca und Teheran sowie 1945 in Jalta). Sein Versuch, dieses Bündnis für die Nachkriegszeit als Kern einer neuen Weltordnung zu institutionalisieren, blieb umstritten. R. hatte erhebl. Anteil an der Gründung der UNO.

Albrecht Graf von Roon

📖 JUNKER, D.: *F. D. R. Macht u. Vision, Präsident in Krisenzeiten. Göttingen u. a. ^{2}1989.* – KIMBALL, W. F.: *The juggler. F. R. as wartime statesman. Princeton, N. J., 1991.*

Eleanor und **Franklin D. Roosevelt**

3) Theodore, 26. Präs. der USA (1901–09), Republikaner, *New York 27. 10. 1858, †Sagamore Hill (N. Y.) 6. 1. 1919; war 1897/98 Unterstaatssekretär der Marine; führte im Krieg gegen Spanien ein Freiwilligenregiment (»Rough Riders«). 1899

Theodore Roosevelt

wurde R. Gouverneur des Staates New York, 1900 Vizepräs. unter W. McKinley und nach dessen Ermordung 1901 Präsident. R. wurde 1904 wieder gewählt; 1908 lehnte er eine erneute Kandidatur ab. R. setzte den Plan des →Panamakanals durch und erweiterte die →Monroedoktrin, womit er in Südamerika starken Widerspruch weckte. 1905 vermittelte er den Frieden von Portsmouth im Russ.-Japan. Krieg und erhielt dafür 1906 den Friedensnobelpreis. Als ein Führer des Progressive Movement setzte er eine beschränkte Kontrolle der Großunternehmen und innenpolitische Reformen durch.

🕮 COOPER, J. M.: *The warrior and the priest. Cambridge, Mass., 1983.*

Elihu Root

Root [ru:t], Elihu, amerikan. Jurist und Politiker (Republikaner), *Clinton (N. Y.) 15. 2. 1845, †New York 7. 2. 1937; Kriegsmin. (1899–1904), Außenmin. (1905–09), 1910–25 erster Präs. der Carnegie-Stiftung für den Weltfrieden, 1910 Mitgl. des Ständigen Schiedshofs in Den Haag; erhielt 1912 den Friedensnobelpreis.

Rootsgebläse ['ru:ts-, engl.], von dem amerikan. Techniker J. D. Root um 1870 erfundener Drehkolbenverdichter mit lemniskatenförmigen, sich aufeinander abwälzenden Drehkolben, die über Zahnräder miteinander verbunden sind. Das R. arbeitet ohne innere Verdichtung, die Drehkolben sind einfache Verdränger; eine Verdichtung entsteht erst durch das Rückströmen des Gases aus dem Druckraum in den Förderraum.

Wilhelm Röpke

Röpke, Wilhelm, Volkswirtschaftler und Soziologe, *Schwarmstedt (Kr. Soltau-Fallingbostel) 10. 10. 1899, †Genf 12. 2. 1966; Prof. u. a. in Jena, Marburg und Genf; Vertreter des Neoliberalismus und der sozialen Marktwirtschaft; Mitbegründer der Mont Pélerin Society.

Rops, Félicien, belg. Grafiker und Maler, *Namur 7. 7. 1833, †Corbeil-Essonnes (bei Paris) 22. 8. 1898; schuf Lithographien für die von ihm herausgegebene satir. Wochenzeitschrift »Uylenspiegel« sowie Radierungen für Titelblätter und Buchillustrationen, die häufig einen dem Satanismus huldigenden Symbolismus zeigen.

Roquefort [rɔk'fɔ:r, frz.] *der,* frz. Edelpilzkäse aus Schafsmilch.

Roraima [span.; portugies. ru'rajma], **1)** *der,* Tafelberg im Bergland von Guayana, 2810 m ü. M., an der Grenze zw. Venezuela, Brasilien und Guyana.

2) Staat im N von →Brasilien; Hptst.: Boa Vista. – Wurde 1943 als wirtsch. Förderungsgebiet aus dem Bundesstaat Amazonien herausgelöst, bis 1989 Bundesterritorium.

Rorate *das* (Roratemesse, volkstüml. auch Engelamt), *kath. Kirche:* Messe zu Ehren Marias im Advent, ben. nach dem Introitus »R., caeli, desuper« (lat. »Tauet, Himmel, von oben«, Jes. 45, 8).

Røros ['rø:ru:s], Stadt in der Prov. Sør-Trøndelag, Norwegen, 628 m ü. M., im oberen Østerdal, 5400 Ew. – Altstadt (alte Holzhäuser) und Bergwerke (1644–1973 Kupfererzbergbau, bis 1953 auch Verhüttung) wurden von der UNESCO zum Weltkulturerbe erklärt.

Rorschach, Bezirkshauptort im Kanton St. Gallen, Schweiz, am S-Ufer des Bodensees; 9500 Ew.; Konservenherstellung, Aluminium- und Kunststoffverarbeitung, Textilind.; Hafen; Fremdenverkehr. – Ehem. Benediktinerkloster Marienberg (15./16. Jh.). – 850 erstmals erwähnt.

Rorschach-Test, ein von dem schweizer. Psychiater Hermann Rorschach (*1884, †1922) entwickelter Persönlichkeitstest. Die Testperson hat zehn teils schwarze, teils farbige symmetr. Kleckstafeln zu deuten (→projektive Tests).

Rosa, 1) João Guimarães, brasilian. Schriftsteller, *Cordisburgo (Minas Gerais) 27. 6. 1908, †Rio de Janeiro 19. 11. 1967; Arzt und (ab 1934) Diplomat, schilderte Natur und Menschen NO-Brasiliens; als Nationalepos gilt der Roman »Grande Sertão« (1956, dt.). – *Weitere Werke:* Sagarana (Erz.n, 1946); Corps de Ballet (Zyklus von vier Romanen und drei Erz.n, 1956); Das dritte Ufer des Flusses (Erz.n, 1962).

2) Salvator, italien. Maler, Radierer und Dichter, *Neapel 21. 6. oder 7. 1615, †Rom 15. 3. 1673; schuf großfigurige mythologische Darstellungen sowie Schlachten- und Landschaftsbilder von temperamentvoller, dramat. Gestaltung; schrieb Satiren, in denen er die zeitgenöss. Gesellschaft, Kunst und Dichtung angriff.

Rosacea [lat.] (Rosazea, Kupferfinnen), chron. Erkrankung der Gesichtshaut bei Erwachsenen mit Seborrhö. Symptome sind Hautrötung, Knötchen und Pusteln an Nase, Wangen und Stirn. Bildung einer Knollen- bzw. Pfundnase ist möglich.

Rosales Camacho [-ka'matʃo], Luis, span. Schriftsteller, *Granada 31. 5. 1910, †Madrid 27. 10. 1992; schuf ein umfangreiches lyr. Werk von neoklassizist. Formstrenge um Einsamkeit und Tod; auch Essays.

Rosalind, ein Mond des Planeten Uranus.

Rosario, Stadt in Argentinien, am steilen Ufer des Paraná; 1,096 Mio. Ew.; Erzbischofssitz; Univ., Museen, Planetarium; bed. Binnenhafen als Umschlagplatz für Erzeugnisse Mittel- und N-Argentiniens (bes. Getreide und Gefrierfleisch); Hüttenwerk bei San Nicolás, Erdölraffinerie bei San Lorenzo, Textil-, chem. u. a. Industrie.

Rosarium [lat.] *das* (Rosengarten), kunstvolle Anlage mit Rosensorten aus aller Welt.

Rosas, Juan Manuel de, argentin. Diktator, *Buenos Aires 30. 3. 1793, †Swaythling (bei Southampton) 14. 3. 1877; wurde 1829 Gouverneur der Prov. Buenos Aires, dehnte seine Macht auf die

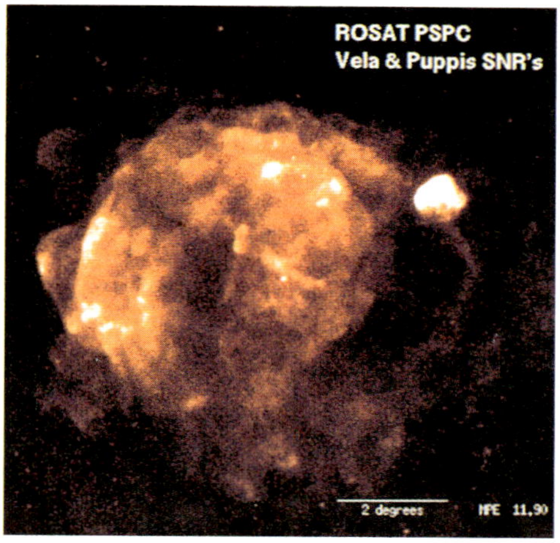

ROSAT: Das Spiegelsystem aus vier ineinander geschachtelten Wolter-Teleskopen ist das Hauptinstrument des Satelliten (links); die ROSAT-Aufnahme im weichen Röntgenbereich (0,06–0,02 Nanometer) zeigt die beiden Supernovaüberreste (SNR) Vela (groß in der Bildmitte) und Puppis (klein rechts oben)

übrigen Prov. aus und schuf die Grundlagen des argentin. Einheitsstaats; seit 1852 lebte er im Exil.

ROSAT [Kw. aus **Ro**entgen-**Sat**ellit], 1990 gestarteter dt. Forschungssatellit (mit brit. und amerikan. Beteiligung), der in einer 580 km hohen Umlaufbahn erstmals eine Durchmusterung des ganzen Himmels nach UV- und Röntgenquellen vornimmt sowie ausgewählte Röntgenquellen untersucht. Hauptinstrument des 4,7 m langen und 2,4 t schweren Satelliten ist ein →Röntgenteleskop, das aus vier ineinander geschachtelten Spiegeln vom Wolter-Typ besteht, mit einer Apertur von 83 cm, 2,4 m Brennweite und einem Auflösungsvermögen besser als 5 Bogensekunden. Bislang erfasste R. mehr als 150 000 neue kosm. Röntgenquellen, darunter Kometen, gewöhnliche Sterne, Röntgendoppelsterne, Supernovaüberreste, Galaxien und Galaxienhaufen sowie Quasare u.a. aktive Galaxien.

Rosbaud, Hans, österr. Dirigent, *Graz 22. 7. 1895, †Lugano 29. 12. 1962; setzte sich bes. für die zeitgenöss. Musik ein.

Roscelin von Compiègne [rɔˈslɛ̃, kõpjɛɲ], frz. Philosoph und Theologe, *um 1045, †nach 1120; im Universalienstreit ein Hauptvertreter des frühscholast. Nominalismus; Lehrer Abälards.

Roschdestwenski, Gennadi Nikolajewitsch, russ. Dirigent, *Moskau 4. 5. 1931; war u.a. 1974–77 Chefdirigent des Stockholmer Philharmon. Orchesters, 1978–81 des Londoner BBC Symphony Orchestra und 1981–83 der Wiener Symphoniker; wurde 1991 Chefdirigent der Stockholmer Sinfoniker, 1994 Leiter des künstler. Beirats des Moskauer Bolschoi-Theaters.

Roscher, Wilhelm Georg Friedrich, Volkswirtschaftler, *Hannover 21. 10. 1817, †Leipzig 4. 6. 1894; Prof. in Göttingen und Leipzig; Vertreter der älteren →historische Schule der dt. Nationalökonomie.

Roscommon [rɔsˈkɔmən] (irisch Ros Comáin), Cty. in der Rep. Irland, 2 463 km², (1991) 51 900 Ew.; Verw.sitz ist die Stadt R. (1 400 Ew.; Leichtindustrie).

Rose [lat.] (Rosa), Gattung der R.-Gewächse mit über 100 sehr formenreichen Arten und zahllosen Gartenformen. Die Wildarten kommen v.a. in den gemäßigten und subtrop. Gebieten der Nordhalbkugel, in Afrika bis Äthiopien, in Asien bis zum Himalaja und zu den Philippinen vor. Es sind meist sommergrüne Sträucher mit meist stacheligen Zweigen und unpaarig gefiederten Blättern. Die krugförmige Blütenachse wird bei der Reife zu einer →Hagebutte. Die wichtigsten einheim. Wildarten sind u.a.: **Feld-R.** (**Kriech-R.,** Rosa arvensis), in lichten Laubmischwäldern und an Waldrändern; kriechender oder kletternder Strauch mit langen, gebogenen Zweigen, Blüten weiß. **Hecken-R.** (Rosa corymbifera), bis 2,5 m hoher, in Gebüschen wachsender Strauch mit kräftigen, gekrümmten Stacheln; Blüten rosa bis weiß; Früchte (Hagebutten) orangerot, eiförmig, 15–20 mm lang. **Hunds-R.** (Rosa canina), in Hecken, Laubwäldern und an Wegrändern; bis 3 m hoher Strauch mit bogig überhängenden Zweigen; Blüten rosa bis weiß. **Samt-R.** (Unbeachtete R., Rosa sherardii), 0,5–2 m hohe, gedrungene, dickästige R. mit leuchtend rosa Blüten und weichstacheligen Hagebutten. **Wein-R.** (Rosa rubiginosa), bis zu 3 m hoher Strauch mit rundl. Fiederblättchen und rosa Blüten. **Zimt-R.** (Mai-R., Rosa majalis), in Auwäldern; bis 1,5 m hoher Strauch mit rotbraunen Zweigen; Blüten leuchtend rot. Eine

Gennadi Roschdestwenski

Wilhelm Roscher

Rose (von links): Weinrose (Höhe bis zu 3 m, Durchmesser der Blüten etwa 3 cm), Essigrose (Höhe bis zu 1,5 m, Durchmesser der Blüten 5–6 cm) und Gloria Dei (Höhe bis zu 1,5 m)

wichtige Stammart der heutigen Garten-R. ist die seit langem kultivierte **Essig-R.** (Rosa gallica); wächst meist in Laubwäldern und auf trockenen Wiesen; bis zu 1,5 m hoher Strauch; Blüten einzeln, etwa 6 cm groß, hellrot bis purpurfarben. Die **Zentifolie** (Provence-R., Rosa centifolia) hat zu mehreren zusammenstehende, gefüllte, nickende, wohlriechende Blüten in versch. Rottönen oder in Weiß. Eine Zuchtform davon ist die **Moos-R.** mit rosa Blüten; das moosartige Aussehen erhält sie durch die stark gefiederten Kelchblätter. Ebenfalls eine Zuchtform ist die **Damaszener-R.** (Rosa damascena); mit kräftigen, gekrümmten Stacheln und rosa bis roten, auch rot und weiß gestreiften, gefüllten Blüten. – Zu Beginn des 19. Jh. nahm die R.-Züchtung durch Kreuzungen der Gartensorten großen Aufschwung. 1824 wurde die **Tee-R.** (Rosa odorata) von China nach Großbritannien eingeführt; immergrüne oder halbimmergrüne Kletter-R. mit langen Trieben und hakenförmigen Stacheln; Blüten einzeln oder zu wenigen, weiß, blassrosa oder gelblich, halb gefüllt oder gefüllt, 5–8 cm im Durchmesser, mit starkem, teeartigem Duft. Die Tee-R. ist eine der Ausgangsformen der Teehybriden, die als Treib- und Schnittblumen große Bedeutung haben. Eine der bekanntesten Sorten ist **Gloria Dei** mit hellgelben, rosafarben überhauchten, leicht duftenden Blüten. Von den urspr. 4000 in Frankreich entstandenen Sorten der **Remontant-R.** sind noch rd. 100 in Kultur; meist von kräftigem Wuchs, mit meist vielen Stacheln und weißen, rosa oder roten, gefüllten, duftenden Blüten. Um 1810 entstanden die **Noisette-Kletter-R.** mit roten hakenförmigen Stacheln und gelben, weißen oder rosa Blüten (bes. bekannt ist die **Maréchal Niel** mit goldgelben, dicht gefüllten Blüten mit Teerosenduft). In der 2. Hälfte des 19. Jh. kamen die **Polyantha-R.** von meist niedrigem, buschigem Wuchs mit zahlr. kleineren Blüten auf. Kreuzungen der Polyantha-R. mit Teehybriden werden als **Floribunda-R.** (mit großen, edelrosenähnl. Blüten) bezeichnet. Weiterhin von gärtner. Bedeutung sind die **Strauch-R.** (2–3 m hohe, dichte Büsche bildende R.-Arten bzw. -Sorten, v.a. der Zentifolie und der Dünen-R.) und die **Kletter-R.,** zu denen eine umfangreiche Gartenrosengruppe gehört. Mit ihren langen Trieben sind sie zur Pflanzung an Spalieren und Pergolen gut geeignet. – Alle Sorten und Formen werden durch Okulation vermehrt.

Kulturgeschichte: Die R. ist wahrscheinlich in Persien heimisch und kam im 7. Jh. v. Chr. nach Griechenland und Italien. Den Germanen war nur die Wilde R. bekannt. Als Symbol der Liebe und als Sinnbild der Frau wird die R. schon seit der Antike geschätzt.

📖 HEINZ-MOHR, G. *u.* SOMMER, V.: *Die R. Entfaltung eines Symbols. Köln 1988.* – WOESSNER, D.: *R.n für den Garten. Stuttgart* [2]*1988.*

Peter Rosegger

Rosegger, Peter, österr. Schriftsteller, *Alpl (heute zu Krieglach) 31. 7. 1843, †Krieglach (Bez. Mürzzuschlag) 26. 6. 1918; Sohn eines Gebirgsbauern, bed. Schilderer der steir. Landschaft. Nach Gedichten in steir. Mundart veröffentlichte er u. a. die Romane »Die Schriften des Waldschulmeisters« (1875), »Heidepeters Gabriel« (1882), »Jakob der Letzte« (1888), die Erinnerungsbücher »Waldheimat« (1877), »Als ich noch der Waldbauernbub war« (Ausw., 3 Bde., 1900–02).

Roseg|gletscher, Gletscher der Berninagruppe, im Kt. Graubünden, Schweiz, 8,7 km^2 groß, 4,7 km lang, reicht bis ins **Rosegtal** (Landschaftsschutzgebiet).

Rosei, Peter, österr. Schriftsteller, *Wien 17. 6. 1946; schreibt Erzählungen (»Landstriche«, 1972; »Chronik der Versuche, ein Märchenerzähler zu werden«, 1979; »Der Mann, der sterben wollte, samt einer Geschichte von früher«, 1991; »Kurzer Regentag«, 1997) und Romane (»Bei schwebendem Verfahren«, 1973; »Wer war Edgar Allan?«, 1977; »Das schnelle Glück«, 1980; »Rebus«, 1990).

Rosemeyer, Bernd, Automobilrennfahrer, *Lingen (Ems) 14. 10. 1909, †bei Mörfelden-Walldorf (verunglückt bei Rekordrennen) 28. 1. 1938; ⚭ mit Elly Beinhorn; gewann 1936 die Großen Preise von Dtl. und Italien, war Europameister, dt. Straßen- und Bergmeister.

Rosenapfel, Galle der Rosengallwespe an Trieben von Rosen, auch Schlafapfel genannt (→ Gallwespen).

Rosenapfelbaum (Dillenie, Dillenia), Gattung der Dilleniengewächse; Bäume, selten Sträucher im südl. Asien und Australien mit meist großen lederartigen Blättern. Der **Indische R.** (Dillenia indica) hat große, weiße Blüten und apfelgroße, grüne, essbare Früchte.

Rosenbach, Ulrike, Künstlerin, *Salzdetfurth 29. 12. 1943; Schülerin von J. Beuys. Seit 1970 gestaltet sie v. a. Videoinstallationen (auch Videofilme) und Performances, deren Ideen von Emanzipationsproblemen der Frau getragen sind.

Rosenberg, 1) Alfred, Politiker (NSDAP), *Reval (heute Tallinn) 12. 1. 1893, †(hingerichtet) Nürnberg 16. 10. 1946; kam 1919 zur NSDAP; 1923 am Hitler-Putsch beteiligt; ab 1923 Leiter des »Völk. Beobachters«; 1930–45 MdR und 1933–45 Reichsleiter der NSDAP. In seinem antisemit. und kirchenfeindl. Hauptwerk »Der Mythus des 20. Jh.« (1930) forderte er einen neuen, rassegemäßen Glauben. Ab 1933 Leiter des Außenpolit. Amtes der NSDAP; als Leiter des Kulturraub-Kommandos »Einsatzstab Reichsleiter R.« (1940–45) und als Reichsmin. für die besetzten Ostgebiete (1941–45) im Nürnberger Hauptkriegsverbrecherprozess 1946 zum Tode verurteilt.

🕮 Iber, H.: *Christl. Glaube oder rass. Mythus. Die Auseinandersetzung der Bekennenden Kirche mit A. R.s »Der Mythus des 20. Jahrhunderts«. Frankfurt am Main u. a. 1987.*

2) Hilding, schwed. Komponist, *Bosjökloster (Verw.gebiet Malmöhus) 21. 6. 1892, †Stockholm 19. 5. 1985; bed. Vertreter der neueren schwed. Musik, der seit 1950 auch die Zwölftontechnik einbezog; schrieb u. a. Opern, Ballette, sieben Sinfonien, Konzerte, Kammermusik, Oratorien.

Ludwig Rosenberg

3) Ludwig, Gewerkschafter, *Berlin 29. 6. 1903, †Düsseldorf 23. 10. 1977; bis 1933 im Gewerkschaftsbund der Angestellten tätig, 1933–45 Lehrer in der brit. Arbeiterbildung und freier Journalist; seit 1959 stellv. Vors., 1962–69 Vors. des DGB.

Rosenbürstenhornwespe (Rosenblattwespe, Arge ochropus), etwa 1 cm große Blattwespe, die ihre Eier in steppnahtähnl. Anordnung (daher **Nähfliege**) an junge Rosentriebe legt.

Herbert Rosendorfer

Rosendorfer, Herbert, Schriftsteller, *Bozen 19. 2. 1934; Jurist; Verfasser meist humorvoller, skurriler Romane (»Die Goldenen Heiligen ...«, 1992), Erzählungen (»Eichkatzelried«, 1979) und Dramen. Die Biographie eines Münchener NS-Funktionärs erzählt R. in dem Roman »Die Nacht der Amazonen« (1989); schrieb auch Hörspiele, Drehbücher (u. a. zu TV-Krimiserien) sowie Essays. – *Weitere Werke:* Bayreuth für Anfänger (1984); Die große Umwendung. Neue Briefe in die chinesische Vergangenheit (1997, Roman).

Rosenfeld, Gerhard, Komponist, *Königsberg (Pr) 10. 2. 1931; studierte bei R. Wagner-Régeny, H. Eisler und L. Spies; schrieb Opern (u. a. »Das Spiel von Liebe und Zufall«, 1980; »Die Verweigerung«, 1990), Instrumentalwerke (Konzert für Cembalo und Streicher, 1988; »Pan« für Soloklarinette, 1989) und Vokalwerke.

Rosengarten, 1) (italien. Catinaccio) Felskette der Südtiroler Dolomiten, Italien, südöstlich vom

Rosengarten 1): Das Rosengartenmassiv mit den Vajolettürmen, der unmittelbar daran anschließenden Laurinswand und der 2981 m hohen Rosengartenspitze (von links) leuchtet (»blüht«) in der Dämmerung

Schlern, im Kesselkogel 3004 m ü. M., in der R.-Spitze 2981 m; Fremdenverkehr.

2) Gemeinde im Landkreis Harburg, Ndsachs., 11700 Ew., am S-Rand von Hamburg; Hochwildschutzpark Schwarze Berge. R. hat Anteil am Naturpark Harburger Berge; Freilichtmuseum.

Rosenkäfer: Goldgrüner Rosenkäfer (Länge 14–20 mm)

Rosengarten zu Worms (Der Große Rosengarten), zur Dietrich-Epik gehörendes mhd. Epos, in dem der gotisch-hunn. und der burgundisch-fränk. Sagenkreis einander gegenübergestellt sind. Der R. zu W. entstand vermutlich Mitte des 13. Jh. in Österreich.

Rosengewächse (Rosaceae), formenreiche zweikeimblättrige Pflanzenfamilie mit fast weltweiter Verbreitung; Bäume, Sträucher oder Stauden; Blüten radiär, meist mit fünfzähliger Blütenhülle und zahlreichen Staubblättern. Die R. lassen sich u. a. nach der unterschiedl. Gestaltung ihrer Früchte in folgende Unterfamilien gliedern: 1) **Spiräengewächse:** meist mit vielsamigen Balgfrüchten, z. B. beim Spierstrauch und Geißbart; 2) **Rosoideae:** mit einsamigen Nüsschen oder Steinfrüchten, die oft zu Sammelfrüchten vereinigt sind, z. B. bei der Kerrie, bei der Gattung Rubus mit Brombeere und Himbeere, bei der Erdbeere sowie bei der Rose; 3) **Apfelgewächse:** mit Scheinfrüchten wie beim Apfelbaum, Birnbaum, bei der Eberesche, Quitte, Mispel und beim Weißdorn; 4) **Mandelgewächse:** mit einsamigen Steinfrüchten, z. B. bei der Gattung Prunus mit Pflaumenbaum, Mandelbaum, Süßkirsche und Sauerkirsche.

Rosenheim 2) Stadtwappen

Rosenheim, 1) Landkreis im RegBez. Oberbayern, 1439 km², (1996) 226900 Einwohner.

2) kreisfreie Stadt und Verw.sitz von 1) in Bayern, an der Mündung der Mangfall in den Inn, 58900 Ew.; FH (Technik, Wirtschaft), Technikerschule; Museen (u. a. Holztechnikmuseum); Maschinenbau, Bekleidungs-, Kunststoff verarbeitende Ind.; Verkehrsknotenpunkt; Eisstadion. – Pfarrkirche Sankt Nikolaus (1881–83), Bürgerhäuser mit Laubengängen und Grabendächern (z. T. 15. und 16. Jh.). – In der 2. Hälfte des 13. Jh. angelegt, 1328 Marktrecht; seit 1864 Stadt.

Rosenholz, Hölzer versch. Herkunft, von rosenroter Farbe oder mit rosenartigem Geruch. Zur ersten Art gehören das **Echte** oder **Brasilian. R.,** das **Ostind. R.** oder **Botanyholz** und das **Afrikan. R.** (als Bubinga im Handel). Wohlriechende R. sind **Rhodiserholz** und **Jamaikarosenholz.**

Rosenkäfer (Cetoniinae), Unterfamilie der Blatthornkäfer, meist metallisch glänzend oder samtartig behaart. Häufigste mitteleurop. R. sind der **Goldgrüne R.** (Cetonia aurata) und der **Dunkelgrüne R.** (Potosia cuprea), dessen Larven sich in Waldameisennestern entwickeln. Die Männchen vieler trop. R. haben bizarre Kopfhörner, z. B. die bis über 10 cm langen **Goliathkäfer** (Goliathus).

Rosenkohl (Sprossenkohl, Brassica oleracea var. gemmifera), hochstängliger Gartenkohl mit rosenförm. Blattachselsprossen (Röschen); vitaminreiches Wintergemüse.

Rosenkranz (lat. Rosarium), *kath. Kirche:* betrachtendes Gebet zu Ehren Marias, bestehend aus einer Reihe von Gebeten, die symbolisch als »Kranz geistl. Rosen« aufgefasst werden; umfasst 15 Gebetsabschnitte (»Gesätze«), von denen jeder ein »Vaterunser«, zehn »Ave-Maria«, ein »Ehre sei dem Vater« und einen eingefügten Satz enthält, der ein Ereignis aus dem Leben Jesu und Marias schildert. Die einzelnen Gebete werden an einer aus Perlen zusammengesetzten Kette (ebenfalls R. gen.), die in einem Kreuz endet, durchgezählt. – Dem R. ähnl. **Gebetsschnüre** kennen auch der Hinduismus, Buddhismus und Islam.

Rosenkreuzer (früher Rosencreutzer), Bez. für versch. religiöse und weltanschaul. Bewegungen, ben. nach dem legendären Christian Rosencreutz (*1378 [?], †1484). Erstmals trat die R.-Bewegung im 17. Jh. als Reformbewegung innerhalb des dt. Protestantismus mit drei anonymen, im Freundeskreis um den Theologen J. V. Andreä entstandenen R.-Manifesten in die Öffentlichkeit. Grundanliegen war die umfassende Erneuerung (»Generalreformation«) von Kirche, Staat und Gesellschaft auf der Basis einer Harmonie von Naturwiss. (Pansophie) und christl. Glauben durch eine dem menschl. Wohl verpflichtete geheime Bruderschaft. Der R.-Gedanke wirkte im 18. Jh. stark auf die Freimaurerei. – In Dtl. sind bes. die »R.-Gemeinschaft« und die »Internat. Schule des Rosenkreuzes/Lectorium Rosicrucianum« aktiv.

📖 ADAMS, G.: *Das Rosenkreuzertum als Mysterium der Trinität. A. d. Engl. Stuttgart 1981.*

Rosenkriege, die engl. Thronfolgekriege zw. den beiden Plantagenet-Seitenlinien Lancaster (rote Rose im Wappen) und York (weiße Rose) 1455–85 (→Großbritannien und Nordirland, Geschichte).

Rosenlauigletscher, Gletscher in der Finsteraarhorngruppe der Berner Alpen, Schweiz, 6 km² groß, 4,1 km lang.

Rosenmontag, seit 1830 (erstmals in Köln) Bez. für den Fastnachtsmontag.

Rosenöl, aus den Blütenblättern der Damaszenerrose und deren Bastarden gewonnenes gelbes bis grünliches äther. Öl, das unterhalb 25 °C zu einer durchscheinenden Masse erstarrt. Da aus 10 kg Rosenblättern nur 2–3 g R. gewonnen werden, ist R. eines der teuersten Öle für die Parfümindustrie.

Rosenplüt (Rosenblüt), Hans, Dichter, *um 1400, †Nürnberg 1460; gen. der »Schnepperer«, neben Hans Folz der wichtigste Vertreter des volkstümlichen Fastnachtsspiels vor Hans Sachs; schrieb auch Schwänke, geistliche und moralische Gedichte sowie Lobsprüche.

Rosenroman, der →Roman de la Rose.

Rosenstock-Huessy [-'hysi], Eugen, Kulturphilosoph, Rechtswissenschaftler und Soziologe, *Berlin 6. 7. 1888, †Norwich (Va.) 23. 2. 1973; 1921 Gründer und Leiter der »Akademie der Arbeit« in Frankfurt am Main, 1923 bis zur Emigration 1933 Prof. in Breslau; Arbeiten v.a. zur Rechtsphilosophie, Betriebssoziologie und Erwachsenenbildung.

Rosenzweig, Franz, jüd. Theologe und Religionsphilosoph, *Kassel 25. 12. 1886, †Frankfurt am Main 10. 12. 1929; 1920 Mitbegründer und Lehrer des »Freien Jüd. Lehrhauses«, Frankfurt am Main. R. sah in der Verbindung von europ. Philosophie und traditioneller jüd. Theologie (→jüdische Philosophie) einen Weg, seinen Schülern die Ursprünge, das Wesen und die Praxis des Judentums zu erschließen; begann zus. mit M. Buber die Übersetzung der hebr. Bibel.

Werk: Stern der Erlösung (1921).

rosesches Metall [nach dem Apotheker Valentin Rose d.Ä., *1736, †1771], Legierung aus 50 % Wismut, 25 % Blei, 25 % Zinn (Schmelzpunkt 94 °C). Die Legierung wird v.a. für Schmelzsicherungen verwendet.

Rosette [frz. »Röschen«] *die, Kunstgeschichte:* eines der ältesten Ornamentmotive, aus einem stilisierten Blütenstern entwickelt; in allen Kulturen verbreitet.

Rosette [ro'zɛt] (arab. Raschid), Hafen- und Handelsstadt in Ägypten, oberhalb des westl. Hauptmündungsarmes des Nils **(R.-Arm),** 47200 Ew.; Tabakverarbeitung, Textilfabrik; Fischerei. – In R. wurde 1799 der **Stein von R.** aus schwarzem Basalt gefunden (J.-F. →Champollion).

Rosettenpflanze, Pflanze mit rosettenförmig angeordneten Grundblättern (z.B. Löwenzahn, Primel).

Rosinante [span.] *die,* bei M. de Cervantes Saavedra das Pferd des Don Quijote; danach Klepper, Schindmähre.

Rosinen [lat.-altfrz.], getrocknete Weinbeeren v.a. aus dem Mittelmeergebiet und aus Kalifornien. Man unterscheidet →Korinthen und →Sultaninen.

Rositten, Stadt in Lettland, →Rēzekne.

Roskilde ['rɔskɪlə], Hauptstadt des Amtes R. auf Seeland, Dänemark, am S-Ende des R.-Fjords, 51000 Ew.; Univ.; Wikingerschiffsmuseum (fünf aus dem R.-Fjord geborgene Wracks); Maschinenbau, Papier-, chem. Ind.; Hafen; Flugplatz. 6 km nördlich von R. auf einer Halbinsel des Fjords nat. Kernforschungszentrum **Risø.** – Dom (12./13. Jh.) mit Grabmälern dän. Könige und königl. Palais (18. Jh.), mehrere im 12. Jh. begonnene Kirchen. – 11.–15. Jh. Residenz der dän. Könige. Zum Frieden von R. 1658 →Dänemark (Geschichte).

Roslin [rus'li:n], Alexander, schwed. Maler, *Malmö 15. 7. 1718, †Paris 5. 7. 1793; lebte v.a. in Paris; gehörte zu den bedeutendsten Porträtisten des 18. Jh., wegen seiner Charakterisierungskunst bes. geschätzt.

Alexander Roslin: »Dame mit Schleier: Marie Suzanne Roslin« (1768; Stockholm, Nationalmuseum)

Rosmarin [lat. »Meertau«] *der,* Gattung der Lippenblütler mit zwei Arten im Mittelmeergebiet. Eine Charakterpflanze der mediterranen Macchie ist der **Echte R.** (Rosmarinus officinalis); immergrüner, 60–150 cm hoher Halbstrauch mit 2–3 cm langen, schmalen, am Rand umgerollten, ledrigen Blättern von würzigem Geruch; mit bläul. oder

Franz Rosenzweig

Rosmarin: Echter Rosmarin (Höhe 60–150 cm)

weißl. Blüten. Die Blätter werden als Küchengewürz verwendet.

Ross, 1) Sir (seit 1843) James Clarke, brit. Polarforscher, *London 15. 4. 1800, †Aylesbury 3. 4. 1862, Neffe von 2); begleitete 1819–27 Sir W. E. Parry und 1829–33 seinen Onkel John R. auf Nordpolarfahrten, erforschte auf einer Expedition ins Südpolargebiet (1839–43) das nach ihm ben. Rossmeer, entdeckte 1841 das südl. Victorialand und die Rossinsel.

Ronald Ross

2) Sir (seit 1834) John, brit. Polarforscher, *Inch (bei Stranraer, Dumfries and Galloway) 24. 6. 1777, †London 30. 8. 1856, Onkel von 1); entdeckte 1818 die nördl. Teile der W-Küste Grönlands. 1829–33 erforschte er mit seinem Neffen James R. die Küsten von King William Island und Boothia Felix, wo er 1831 den nördl. Magnetpol entdeckte.

3) Sir (seit 1911) Ronald, brit. Tropenmediziner und Bakteriologe, *Almora (Uttar Pradesh, Indien) 13. 5. 1857, †Putney Heath (heute zu London) 16. 9. 1932; wies den Kreislauf der Malariaplasmodien nach und erhielt hierfür 1902 den Nobelpreis für Physiologie oder Medizin.

Die **Rossbreiten** *weisen die höchsten Wassertemperaturen und den höchsten Salzgehalt in küstenfernen Gebieten auf. Da das Wasser sehr arm an Plankton ist, ist es auch sehr klar und hat eine tiefblaue Farbe. – Als die Reise nach Südamerika noch mit Segelschiffen bewältigt wurde, kam es häufig vor, dass in den Flauten und wechselnden Winden der Rossbreiten der Trinkwasservorrat zu Ende ging und vor allem die Pferde rasch verendeten.*

Rossbreiten, windschwache Zonen der subtrop. Hochdruckgürtel in 25–35° nördl. und südl. Breite auf den Meeren.

Rossellini, Roberto, italien. Filmregisseur, *Rom 8. 5. 1906, †ebd. 3. 6. 1977; ⚭ mit Ingrid Bergman; bed. Vertreter des Neorealismus; Filme: »Rom, offene Stadt« (1945), »Paisà« (1946), »Dtl. im Jahre Null« (1947), »Stromboli« (1949) u. a., später auch Dokumentar- und histor. Fernsehfilme.

Rossellino, 1) Antonio, italien. Bildhauer, *Settignano (heute zu Florenz) 1427, †Florenz 1479, Bruder von 2); schuf mit dem Wandnischengrab des Kardinals von Portugal (1461–66; Florenz, San Miniato al Monte) eines der bedeutendsten Grabmäler der Frührenaissance.

2) Bernardo, italien. Baumeister und Bildhauer, *Settignano (heute zu Florenz) 1409, †Florenz 23. 9. 1464, Bruder von 1); Mitarbeiter von L. B. Alberti, 1451–55 als Baumeister für die Peterskirche tätig, schuf 1460–63 den Domplatz in Pienza, die erste ausgeführte Stadtplanung der Renaissance. Als Bildhauer fand er die klass. Form für das florentinische Wandnischengrab (Grabmal Leonardo Bruni, Florenz, Santa Croce, 1444–50).

Rössener Kultur, nach dem Fundort Rössen (Ortsteil von Leuna, Sa.-Anh.) benannte jungsteinzeitl. Kulturgruppe in W- und Mittel-Dtl., die auf die jüngere bandkeram. Kultur folgt und in Siedlungs- und Wirtschaftsweise mit ihr verbunden ist.

Rossetti, 1) Christina Georgina, engl. Lyrikerin, *London 5. 12. 1830, †ebd. 29. 12. 1894, Schwester von 2); schrieb düster-schwermütige Erzählungen und Märchen sowie religiöse Lyrik.

2) Dante Gabriel, eigtl. Gabriel Charles Dante R., engl. Maler und Dichter, *London 12. 5. 1828, †Birchington-on-Sea (Cty. Kent) 9. 4. 1882, Bruder von 1); Mitbegründer der →Präraffaeliten. Mit seinen poet. Aquarellen, die in ihrer Flächigkeit und Farbgebung von mittelalterl. Glasmalereien und Miniaturen inspiriert sind, beeinflusste er W. Morris und das Arts and Crafts Movement; schuf Zeichnungen (u. a. nach Dantes »Divina Commedia«) und Gemälde. Im Stil des Symbolismus, zu dessen Wegbereitern R. gehört, verfasste er den Sonettzyklus »Das Haus des Lebens« (1870).

Rosshaar, Schweif- und Mähnenhaar des Pferdes mit hoher Biegeelastizität; rein oder in Mischung mit anderen Faserstoffen verwendet für v. a. Einlagestoffe, Polstermaterial.

Rossi, Aldo, italien. Architekt, *Mailand 3. 5. 1931, †bei Mailand 4. 9. 1997; 1976 Prof. in Venedig; entwickelte den Begriff der →rationalen Architektur (»Die Architektur der Stadt«, 1966). R. verwendet strenge, geometr. Architekturformen, die auf histor. Bezüge verweisen. Auf der Biennale in Venedig (1980) stellte er im schwimmenden »Teatro del mondo« die Typologie des Theaters vor. In Berlin Wettbewerbsentwurf für das Dt. Historische Museum (1987) sowie den »Berliner Block« Ecke Kochstraße/Wilhelmstraße (1986–88); Hotel in Fukuoka (1987); Centre d'art contemporain Vassivière bei Clermont-Ferrand (1991); Bonnefanten-Museum in Maastricht (1995).

Rössing, Bergbauort und eine der größten Uranerzminen der Erde, 65 km östlich von Swakopmund in der Wüste Namib, Namibia.

Rossini, Gioacchino, italien. Komponist, *Pesaro 29. 2. 1792, †Passy (heute zu Paris) 13. 11. 1868; war in Italien seit 1813 als Opernkomponist erfolgreich, lebte seit 1824 in Paris, wo er zwei Jahre die Italien. Oper leitete. R. ist einer der letzten und bedeutendsten Meister der Opera buffa mit ausgeprägtem Sinn für melod. Gestaltung und die musikal. Darstellung komischer Charaktere und Situationen.

Werke: Opern: Die Italienerin in Algier (1813); Der Barbier von Sevilla (1816); Aschenbrödel (1817); Die diebische Elster (1817); Wilhelm Tell (1829). – Stabat Mater (1832, umgearbeitet 1842); Orchester- und Chorwerke, Kammermusik.

📖 KEITEL, W. *u.* NEUNER, D.: *G. R. München 1992.* – OSBORNE, R.: *R. Aus dem Engl. Neuausg. München 1992.*

Gioacchino Rossini: Ausschnitt eines zeitgenössischen Punktierstichs

Ross|insel [nach J. C. Ross], Insel im →Rossmeer, Antarktis, 2 300 km², mit dem tätigen Vulkan Mount Erebus (3 794 m ü. M.). Die R. ist fast völlig vergletschert; am McMurdo-Sund mehrere Forschungsstationen.

Rossitten (russ. Rybatschi), Ostseebad im russ. Gebiet Kaliningrad (Königsberg), auf der Kur. Nehrung, 2 000 Ew.; biolog. Station der Russ. Akademie der Wissenschaft (bis 1945 Vogelwarte).

Rosskäfer, die →Mistkäfer.

Rosskastani|e (Aesculus), Gattung der R.-Gewächse in Nordamerika, SO-Europa und O-Asien; sommergrüne Bäume oder Sträucher mit fünf- bis neunzählig gefingerten Blättern und in aufrechten, endständigen Rispen (»Kerzen«) angeordneten Blüten; die Frucht ist eine ledrige Kapsel mit ein bis drei großen Samen mit breitem Nabelfleck. Die wichtigsten Arten sind **Pavie** (**Rotblühende R.,** Aesculus pavia), Baum oder Strauch mit hellroten Blüten und eirunden Früchten, und **Weiße R.** (**Gemeine R.,** Aesculus hippocastanum), bis 20 m hoher Baum mit weißen, rot und gelb gefleckten Blüten und stacheligen Kapselfrüchten.

Roßlau (Elbe), Stadt im Landkreis Anhalt-Zerbst, Sa.-Anh., an der Mündung der Rossel in die Elbe, 14 300 Ew.; Schiffswerft, chem. Ind. (Hydrierwerk im Nachbarort Rodleben), Maschinen- und Dieselmotorenbau, Möbelind.; Elbhafen. – R. entstand bei der seit 1215 bezeugten Burg, 1382 als Stadt genannt; war bis 1994 Kreisstadt.

Rossmeer [nach J. C. Ross], große Bucht des antarkt. Festlandes, zw. Victorialand und Marie-Byrd-Land. Den S bedeckt das rd. 540 000 km² große **Ross-Eisschelf** mit der 800 km langen, 20–50 m hohen Eiswand der **Rossbarriere.** Die Küstengebiete um das R. und die vorgelagerten Inseln (unter ihnen die →Rossinsel) zw. 160° und 150° westl. Länge unterstehen seit 1923 neuseeländ. Verwaltung (**Ross Dependency**).

Dante Gabriel Rossetti (Selbstporträt, 1847)

Roßtrappe, Granitfels im Unterharz, erhebt sich etwa 200 m über dem Bodetal oberhalb von Thale, Sa.-Anh., 437 m ü. M.; Ausflugsziel.

Rost, 1) *Botanik:* →Rostkrankheiten.

2) *Technik:* durch Feuchtigkeit auf Eisen entstehende poröse, braunrote Schicht, die im Wesentl. aus wasserhaltigen Eisenoxiden und Eisenoxidhydraten besteht. Da R.-Schichten luftdurchlässig sind, korrodieren die Eisenwerkstoffe auch unter dem R. weiter. Die R.-Bildung auf Eisen und Stahl durch Behandlung der Oberflächen zu verhindern (**R.-Schutz**) ist Teil des →Korrosionsschutzes. Vorbeugenden R.-Schutz ermöglichen R.-Schutzöle, Schutzanstriche mit Lacken und Farben (Menninge) oder metall. Schutzschichten (Verzinken, Verchromen u. a.). R. wird durch mechan. Bearbeitung oder durch chem. Umwandlung mittels **R.-Umwandlern** beseitigt.

Rost

Allen Rostschutzmaßnahmen zum Trotz verrostet in Deutschland jährlich etwa 1–2 % der Eisenmenge. Ein ungeschütztes Stahlteil verliert an der Luft jährlich eine Schicht von etwa 0,03 bis 0,08 mm Stärke, in aggressiver Umgebung (Industrieabgase usw.) etwa 0,08 bis 0,15 mm. In Meeresnähe ist die Rostrate mit bis zu 0,23 mm jährlich am höchsten.

Rostand [rɔˈstã], Edmond, frz. Dramatiker, *Marseille 1. 4. 1868, †Paris 2. 12. 1918; schrieb in klass. Metrik neuromant. Dramen, bes. erfolgreich

Aldo Rossi: Das Wohnhaus an der Ecke Kochstraße/Wilhelmstraße in Berlin, der »Berliner Block«, entstand 1986–88

Edmond Rostand

Walt W. Rostow

Rostock
Stadtwappen

war »Cyrano von Bergerac« (1897) über das Leben des gleichnamigen frz. Schriftstellers.

Rösten, 1) *Lebensmitteltechnik:* das Erhitzen pflanzl. Lebensmittel (z.B. Kaffee- und Kakaobohnen, Getreidekörner, Malz) ohne Zusatz von Fett oder Wasser auf ca. 300 °C, wobei sich dunkle, je nach Röstgrad kräftig bis bitter schmeckende Substanzen **(Röstbitter, Assamar)** bilden.

2) *Metallurgie:* das Erhitzen von zerkleinerten Erzen oder Erzkonzentraten unter Luftzutritt zur Überführung von Metallsulfiden, -arseniden und -antimoniden in Metalloxide (oxidierendes R.), Sulfate (sulfatisierendes R.) oder bei Zugabe von Chloriden der Alkali- oder Erdalkalimetalle in Metallchloride (chlorierendes R.). – In einem Arbeitsgang lassen sich beim **Röstreaktionsverfahren** Metalloxide und -sulfide durch oxidierende Schmelzen in das Rohmetall überführen; es wird vorzugsweise bei der Verhüttung von Zink- und Bleierz angewandt. Beim **Röstreduktionsverfahren** werden zuerst sulfid. Erze »totgeröstet« und in einem zweiten Arbeitsgang mit Reduktionsmitteln zum Rohmetall reduziert; es wird u.a. bei der Verhüttung von Kupfererzen angewandt.

Rostkrankheiten (Rost), durch Rostpilze hervorgerufene Pflanzenkrankheiten, bei denen die befallenen Pflanzenteile auffällige, meist rostfarbene punkt-, strich- oder ringförmige Sporenlager aufweisen. Durch den Befall wird die Assimilationsleistung stark beeinträchtigt, die Pflanzen kümmern oder sterben ab.

Rostock (Hansestadt R.), kreisfreie Stadt in Meckl.-Vorp., an der Mündung der Warnow in die Ostsee, 221 000 Ew.; Univ. (gegr. 1419), Hochschule für Musik und Theater, Inst. für Ostseeforschung Warnemünde u.a. Forschungsinstitute (für demograph. Forschung, Fischerei, Schiffbau, Seefahrt, Tourismus); Außenstelle des Bundesamtes für Seeschifffahrt und Hydrographie; Museen, u.a. Kunsthalle, Schifffahrtsmuseum und Heimatmuseum (in Warnemünde); Volkstheater, zoolog. Garten. R. ist die wichtigste Hafenstadt an der ostdt. Ostseeküste und das größte Wirtschaftszentrum von Meckl.-Vorp. mit Sitz der Dt. Seereederei (DSR), der Neptun-Warnow-Werft und Zulieferbetrieben für Schiffsausrüstungen; daneben Dieselmotorenwerk, Starkstromanlagenbau, Fahrradherstellung, Fischverarbeitungswerk, Maschinenbau, Düngemittelfabrik und Großmälzerei. Neben dem Hochsee- und Fährhafen am Breitling, einer Erweiterung der Unterwarnow, besteht im Stadtzentrum der (alte) Stadthafen. Der Stadtteil Warnemünde an der Küste ist Seebad. Bei Barth (50 km nordöstlich von R.) Flughafen im Ausbau. – Bed. Bauwerke der Backsteingotik: Marienkirche (13.–15. Jh.), Nikolaikirche (13. bis 15. Jh.), Petrikirche (14. Jh.), ehem. Zisterzienserinnenkloster (1270 gegr., z.T. Museum) mit Heilig-Kreuz-Kirche (1. Hälfte des 14. Jh.; Hochaltar, 1450); got. Rathaus (13.–15. Jh.) mit barocker Fassade (1727); ferner zahlr. Giebelhäuser (15.–19. Jh.) und vier Stadttore. – R. entstand als dt. Kaufleutesiedlung um 1200 am linken Warnowufer gegenüber einer 1160 zerstörten wendischen Burg und Siedlung; erhielt 1218 lüb. Recht, seit 1229 Hauptort des mecklenburg. Fürstentums Rostock; fiel 1314/23 an Mecklenburg; im 14./15. Jh. führende Hansestadt; 1952–90 Hptst. des gleichnamigen DDR-Bezirks.

Rostock: Der Neue Markt wird von den Giebelhäusern aus dem 15.–19. Jh. geprägt; im Hintergrund (rechts) ist die gotische Marienkirche (13.–15. Jh.) mit dem mächtigen Querschiff zu erkennen

Rostow ['rɔstɔf], Walt Whitman, amerikan. Volkswirtschaftler und Politiker, * New York 7. 10. 1916; seit 1946 Prof., 1961–69 außenpolit. und Sicherheitsberater der Präsidenten J. F. Kennedy und L. B. Johnson, seit 1969 an der University of Texas; wurde v.a. durch seine Theorie der → Wirtschaftsstufen bekannt.

Rostow am Don (russ. Rostow-na-Donu), Gebietshauptstadt in Russland, am rechten Ufer des Don, 45 km oberhalb seiner Mündung ins Asowsche Meer, 1,02 Mio. Ew.; Univ. (1869 gegr.) und weitere Hochschulen, zahlr. Forschungsinstitute, Theater, Museen, Gemäldegalerie, Medienzentrum, Zoo; Maschinen-, Elektrogerätebau, Werft, chem., Nahrungsmittel-, vielseitige Leichtindustrie; Fluss- und Seehafen. – 1749 gegr., seit 1761 Festung, 1796 Stadt.

Rostow Jaroslawski, Stadt im Gebiet Jaroslawl, Russland, am W-Ufer des Nerosees, 35 000 Ew.; Nahrungsmittelind., Flachsspinnerei, Emaillier-Miniaturmalerei; Fremdenverkehr. – Kreml mit Metropolitenpalästen und fünf großen Kirchen (16. und 17. Jh.); mehrere Klöster. – 862 erstmals erwähnt, im 10. Jh. Hptst. des Fürstentums R.-Susdal, ab 1207 des Fürstentums R.; 1474 dem Moskauer Staat angegliedert; bis ins 18. Jh. Zentrum der Kirchenverwaltung (1589–1788 Metropolitenresidenz); im 18./19. Jh. bed. Handelszentrum.

Rostpilze (Uredinales), auf höheren Pflanzen parasitisch lebende, fruchtkörperlose Ständerpilze, die rost- oder dunkelbraune Sporenlager bilden. (→Rostkrankheiten)

Rostra [lat.] *die,* die altröm. Rednerbühne, benannt nach den auf ihr 338 v. Chr. angebrachten Schnäbeln (→Rostrum) erbeuteter Kriegsschiffe.

Rostropowitsch, Sir (seit 1987) Mstislaw Leopoldowitsch, russ. Violoncellist und Dirigent, *Baku 27. 3. 1927; unterrichtete an den Konservatorien in Moskau und Leningrad (Sankt Petersburg). 1974 verließ er zus. mit seiner Ehefrau, der Sängerin Galina Wischnewskaja, die Sowjetunion (1978–90 ausgebürgert, weil er sich für den Schriftsteller A. I. Solschenizyn einsetzte); 1977–94 Chefdirigent des National Symphony Orchestra in Washington (D. C.).

Rostrum [lat.] *das,* **1)** *Anatomie:* schnabelförmiges Organ in großer Vielfalt an versch. Körperstellen, z. B. knorpeliger Vorsprung des Schädels haiartiger Fische; auch Schnabel der Vögel.

2) *Kriegstechnik:* an altröm. Kriegsschiffen der spitze Schiffsschnabel zum Rammen.

Roswaenge (Rosvaenge), Helge Anton, dän. Sänger (Tenor), *Kopenhagen 29. 8. 1897, †München 19. 6. 1972; wurde bes. als Mozart-Interpret bekannt; auch Liedsänger.

Roswitha von Gandersheim, →Hrotsvith von Gandersheim.

rot, *Vektoranalysis:* Zeichen für →Rotation.

Rot, jede Farbempfindung, die durch Licht mit Wellenlängen zw. etwa 590 und 750 nm oder durch eine Farbmischung hervorgerufen wird, die zu der jeweils gleichen Farbvalenz führt; das reine R. (Wellenlänge etwa 615 nm) gilt als Urfarbe.

Rotalgen (Rhodophyta), Abteilung i. d. R. verzweigter, meist fädiger oder blattartiger, roter bis violetter, seltener grünl. Algen, bei denen das Chlorophyll u. a. von roten Farbstoffen (z. B. Phycoerythrin) überdeckt ist; vorwiegend im Meer, mit Haftorganen an festen Unterlagen sitzend; einige Arten werden v. a. in O-Asien als Nahrungsmittel oder Drogen genutzt. (→Agar-Agar, →Karrageen)

Rotangpalmen [malaiisch] (Calamus), Gattung der Palmen v. a. im indisch-malaiischen Florengebiet; mit dünnem, manchmal bis 100 m langem Stamm und großen Fiederblättern; mehrere Arten liefern Peddigrohr.

Rotary International ['rəʊtərɪ ɪntə'næʃnl, engl.], weltweite, unpolit. Vereinigung mit über 1,2 Mio. Mitgl., die in rd. 28 000 örtl. **Rotary Clubs** in 158 Ländern organisiert sind; Sitz des Zentralbüros ist Evanston (Ill.). Die Mitglieder (»Rotarier«) verpflichten sich in ihrem privaten, berufl. und öffentl. Wirken zu Redlichkeit, Toleranz und sozialer Hilfsbereitschaft. Die Aufnahme (zu der erst 1989 Frauen zugelassen wurden) erfolgt auf Vorschlag von Mitgl.; jeder Berufszweig soll jeweils nur durch ein Mitgl. vertreten sein. – Der erste Rotary Club wurde 1905 in Chicago gegründet, der erste dt. Rotary Club 1927 in Hamburg.

Rotation [lat. »kreisförmige Umdrehung«] *die,* **1)** *Astronomie:* Eigendrehung eines Himmelskörpers. Man unterscheidet innerhalb des Planetensystems zw. **sider. R.** (einer Drehung um 360 Grad) und **synod. R.** (einer Umdrehung bezogen auf die Sonne). – Bei der **gebundenen R.** kehrt der Begleitkörper dem Hauptkörper immer die gleiche Seite zu (z. B. zeigt der Mond der Erde immer nur die Vorderseite).

Mstislaw Rostropowitsch

Rot

Rot gilt als Farbe des Lebens, der Leidenschaft und Sinnlichkeit, der Liebe und des Herzens sowie als Symbol von Macht, Ehre und Würde. Aufgrund der Assoziation mit Feuer ist Rot sowohl eine »warme« Farbe als auch eine Signalfarbe, die auf Gefahr hinweist. Rot war vielfach mit magischen oder Unheil abwehrenden Vorstellungen verknüpft und wurde als Heilfarbe und im Heilzauber verwendet.

In China, wo Farben die Himmelsrichtungen und Jahreszeiten symbolisieren, ist Rot die Farbe des Südens und des Sommers. In der russischen und der arabischen Sprache ist das Wort für »rot« gleichbedeutend mit »schön«. Bei den Arabern z. B. werden Haare, zum Teil auch Hände und Füße, zur Verschönerung rot gefärbt (z. B. mit Henna).

Trotz der überwiegend positiven Beurteilung der Farbe Rot verband der Volksglaube mit roten Haaren jedoch schlechte Eigenschaften. Schon die germanische Sage schildert den betrügerischen Gott Loki als rothaarig. Der rothaarige Gewittergott Donar verursachte, indem er in seinen Bart blies, Blitze. In den Volksschauspielen des Mittelalters und auf christlichen Bildwerken wurde Judas mit einem roten Bart dargestellt, Teufel und Hexen mit roten Haaren.

2) *Mechanik:* die Umdrehung eines starren Körpers um eine Achse oder einen Punkt. Die für die R. eines starren Körpers kennzeichnenden Größen sind Trägheitsmoment und Winkelgeschwindigkeit sowie deren zeitl. Änderung (Radial- und Bahnbeschleunigung), Drehimpuls, Drehmoment. Auf bewegte Körper wirkt in rotierenden Systemen außer der Zentrifugalkraft noch eine weitere Trägheitskraft (Coriolis-Kraft).

3) *Optik:* (optische R.) die Drehung der Polarisationsebene, →Polarisation.

4) *Vektoranalysis:* Zeichen **rot,** ein Differenzialoperator, der jedem Vektor $\mathfrak{v}(\boldsymbol{r}) = \mathfrak{v}(x, y, z) =$

Rotary International

(v_x, v_y, v_z) eines differenzierbaren Vektorfeldes in $\mathbb{R}^3$ mit den Komponenten v_x, v_y, v_z einen neuen Vektor zuordnet:

$$\operatorname{rot} \boldsymbol{v}(\boldsymbol{r}) = \left(\frac{\partial v_z}{\partial y} - \frac{\partial v_y}{\partial z}, \frac{\partial v_x}{\partial z} - \frac{\partial v_z}{\partial x}, \frac{\partial v_y}{\partial x} - \frac{\partial v_x}{\partial y} \right)$$

Rotation

Köche und Hausfrauen wissen, dass man ein rohes und ein gekochtes Ei unterscheiden kann, wenn man sie in rasche Rotation versetzt: Das gekochte Ei kreiselt, weil es ein starrer Körper ist und ein festes Trägheitsmoment hat. Das rohe Ei mit seinem flüssigen Inneren dagegen eiert.

Rotationsdispersion, bei optisch aktiven Körpern (→optische Aktivität) die Abhängigkeit des Drehvermögens für polarisiertes Licht (→Polarisation) von der Wellenlänge.

Rotationsdruckmaschine (Rotationsmaschine), eine schnell laufende Druckmaschine, bei der Druckform- und Gegendruckzylinder gegensinnig aufeinander abrollen (rotativer Druck). Vom eingefärbten Formzylinder wird die Druckfarbe unter dem Pressdruck des Druckzylinders direkt auf den Bedruckstoff übertragen (Zeitungs-R., Rotations-Buchdruckmaschine, Rotations-Tiefdruckmaschine, Flexodruckmaschine) oder zunächst vom Übertragzylinder übernommen und von dort auf den Bedruckstoff übertragen (indirekter Druck: Rotations-Offsetdruckmaschine). Man unterscheidet ferner Bogen- und Rollen-Rotationsdruckmaschinen, die beide in allen drei Hauptdruckverfahren (Hoch-, Flach- und Tiefdruck) eingesetzt werden.

Rotationsdruckmaschine: Die Rollenrotationsdruckmaschine für den Vierfarbendruck wird für mittlere bis hohe Auflagen verwendet und kann gleichzeitig Vorder- sowie Rückseite bedrucken

Rotationsenergie, →Energie.

Rotationsflächen, Flächen, die durch Drehung einer ebenen Kurve um eine Achse entstehen; sie bilden die Oberflächen der erzeugten **Rotationskörper,** z. B. Kreiszylinder, Kreiskegel oder Kugel.

Rotauge, Fisch, →Plötze.

Rotbarsch (Goldbarsch, Bergilt, Panzerbarsch, Sebastes marinus), zu den Drachenköpfen gehörender, lebend gebärender Fisch, 50–60 cm lang, meist in Meerestiefen von 300–500 m; Speisefisch.

Rotbart (italien. Barbarossa), Beiname von Kaiser Friedrich I.

Rotbleierz, das Mineral →Krokoit.

Rotbuche, →Buche.

Rotdorn, Zierbaum, →Weißdorn.

Rote Armee (eigtl. Rote Arbeiter- und Bauern-Armee), bis 1946 offizieller Name der 1918 von L. D. Trotzki gegr. Streitkräfte der Sowjetunion; danach Sowjetarmee genannt.

Rote-Armee-Fraktion, Abk. **RAF,** linksextremistische terrorist. Vereinigung, hervorgegangen aus der →Baader-Meinhof-Gruppe. Die RAF verübte Attentate (Mordanschläge und Sabotageakte) gegen Personen und Einrichtungen, die ihr als repräsentativ galten für eine »kapitalistisch« und »imperialistisch« bestimmte Gesellschaft. Zu ihren Opfern zählten u. a. H. M. Schleyer, J. Ponto, A. Herrhausen und D. K. Rohwedder. Die RAF unterhielt Verbindungen zu ideologisch gleich gerichteten Gruppen im Ausland (v. a. Frankreich, Italien, Naher Osten). In den 1980er-Jahren unterstützte die DDR-Führung das Untertauchen von RAF-Mitgl.; nach dem Zusammenbruch der DDR wurden sie 1990 verhaftet. Seit 1985 läuft vonseiten der Strafverfolgungsbehörden ein Programm, das Terroristen den Ausstieg aus dem RAF-Kreis ermöglichen soll. Im April 1998 gab die RAF ihre Selbstauflösung bekannt.

📖 AUST, S.: *Der Baader-Meinhof-Komplex. Neuausg. München* ^{2}*1995.*

Rote Bete, →Rote Rübe.

rote Blutkörperchen →Blut.

Rote Brigaden (italien. Brigate Rosse), linksextremist. Terrororganisation in Italien, die seit ihrer Entstehung 1969/70 zahlr. Anschläge auf Militärs und Politiker (1978 Entführung und Ermordung A. →Moros) sowie Sprengstoffattentate, Raubüberfälle u. a. Gewalttaten beging.

Rote Garden, 1) bewaffnete Arbeiterformationen unter Führung der Bolschewiki während der russ. Oktoberrevolution 1917. Aus ihnen ging 1918 die Rote Armee hervor.

2) (Rotgardisten), Kampftrupps maoist. Schüler und Studenten, die Mao Zedong und seinen Anhängern zur gewaltsamen Durchsetzung der →Kulturrevolution in China (1966–69) verhalfen.

Rötegewächse (Krappgewächse, Rubiaceae), artenreiche, zweikeimblättrige Pflanzenfamilie mit weltweiter, v.a. trop. Verbreitung; Bäume, Sträucher oder Lianen (selten Kräuter), u.a. Kaffeepflanze, Chinarindenbaum, Röte, Gardenie; einheimisch sind z.B. Ackerröte und Labkraut.

Rotbarsch
(Länge 50–60 cm)

Roteisenstein, das Mineral →Eisenglanz.

Rote Kapelle, von der Gestapo geprägte Bez. für eine der größten dt. antifaschist. Widerstandsgruppen mit über 100 Mitgl. unterschiedlicher Herkunft, Weltanschauung und Konfession; v.a. in Berlin tätig, 1940 Zusammenschluss der seit 1932 bestehenden Gruppe um Arvid Harnack (*1901, †1942) mit dem etwa seit 1935 bestehenden Kreis um Harro Schulze-Boysen (*1909, †1942); ab 31.8. 1942 zerschlagen, über 50 Mitgl. wurden hingerichtet. Seit 1990 zugängl. Akten belegen ihren eigenständigen Beitrag zum Widerstand im Innern Dtl.s; bisher vermutete Spionagedienste für die Sowjetunion (nach der Gestapo-Zuordnung) waren eher zufällig.

📖 PERRAULT, G.: *Auf den Spuren der Roten Kapelle. A.d. Frz. Neuausg. Wien u.a. 1990.*

Rote Khmer, kommunistisch orientierte Guerillabewegung in Kambodscha, die 1975 die von Lon Nol geführte Khmer-Republik beseitigte und unter →Pol Pot ein Terrorregime errichtete, dem zw. 1 und 2 Mio. Kambodschaner zum Opfer fielen. 1979 durch vietnames. Truppen gestürzt und außer Landes getrieben, führten die von China unterstützten R. K. seitdem v.a. vom thailändisch-kambodschan. Grenzgebiet aus einen Bürgerkrieg gegen das Regime in Phnom Penh und die im Land stationierten vietnames. Truppen. Als Bestandteil der von Prinz Sihanouk (bis 1991) geleiteten Exilkoalition wurden sie Mitgl. des 1990 gebildeten Obersten Nationalrats von Kambodscha und stimmten im Okt. 1991 einem Friedensabkommen zu. Die R. K. widersetzten sich jedoch ihrer Entwaffnung, boykottierten die Wahlen zur Verfassunggebenden Versammlung 1993 und nahmen ihre Guerilla-Aktivitäten wieder auf (→Kambodscha, Geschichte).

Rote Liste, 1) *Naturschutz:* nach dem Vorbild der »Red Data Books« der IUCN (seit 1966) erarbeitete Zusammenstellung gefährdeter Pflanzen- und Tierarten, für Dtl. die »R. L. der gefährdeten Tiere und Pflanzen in der Bundesrep. Dtl.« (1. Aufl. 1977). Die R. L. enthält nach Gefährdungsgraden fünf Kategorien: 0 = ausgestorbene oder verschollene Arten; 1 = vom Aussterben bedrohte Arten; 2 = stark gefährdete Arten; 3 = gefährdete Arten; 4 = potenziell gefährdete Arten.

2) *Pharmazie:* jährlich hg. Verzeichnis der Fertigarzneimittel.

Röteln (Rubeola, Rubella), akute Infektionskrankheit; Erreger ist das R.-Virus, Übertragung durch Tröpfcheninfektion. Die Inkubationszeit beträgt 12–21 Tage. Symptome sind mäßig erhöhte Temperatur (um 38 °C), kleinfleckiger Hautausschlag und Lymphknotenschwellung im Nacken. R. erzeugen eine lebenslange Immunität. Außer Bettruhe (während des Fiebers) ist i. Allg. keine besondere Behandlung erforderlich. Prophylaktisch wird seit 1981 die aktive Immunisierung bei allen Kindern empfohlen (→Impfkalender). Erkranken Frauen während der ersten drei Schwangerschaftsmonate an R., kann es zu Missbildungen des Kindes kommen.

Röteln|embryopathie, das →Gregg-Syndrom.

Rotenburg an der Fulda, Stadt im Landkreis Hersfeld-R., Hessen, 15100 Ew.; Verwaltungsfachhochschule; Apparatebau und Textilind.; Luftkurort. – Evang. Pfarrkirche (14. und 15. Jh.), Teile der Stadtbefestigung (1290), zahlr. Fachwerkhäuser (14.–18. Jh.), Rathaus (1597/98, Fachwerkgiebel 1656 wiederhergestellt). – Um 1200 mit einer Burg gegr. (1570–1607 Ausbau zum Schloss); 1248 Stadt; 1627–1834 Residenz einer Nebenlinie von Hessen-Kassel (Hessen-Rotenburg).

Rotenburg (Wümme), 1) Landkeis im Reg.-Bez. Lüneburg, Ndsachs., 2070 km², (1996) 153500 Einwohner.

2) Kreisstadt von 1) bis 1969 Rotenburg (Hannover), in Ndsachs., 21300 Ew.; Inst. für Heimatforschung (Zweigstelle des Inst. für Volkskunde der Univ. Göttingen); Spirituosenind., Fahrzeug- und Maschinenbau. – Entstand bei der Burg des Bischofs von Verden (um 1200); seit 1929 Stadt.

Rotenturmpass (Pass Rotenturm, rumän. Turnu Roşu), Durchbruchstal des Alt durch die Südkarpaten, zw. Fogarascher und Zibingebirge, südlich von Hermannstadt, 250–380 m ü.M.; die Passstraße verbindet das Siebenbürg. Hochland mit dem Donautiefland.

Rot|erde, *Bodenkunde:* tiefgründiger, durch Eisenoxide und -hydroxide rot gefärbter Bodentyp der wechselfeuchten Tropen auf silikat. Gesteinen; in Mitteleuropa nur als fossile Böden oder Reliktböden. – Mediterrane R. →Terra rossa.

Roter Fluss (chines. Yuan Jiang, vietnames. Song Koi oder Hong Ha), Fluss in China und Vietnam, entspringt in Yunnan, durchfließt das Bergland von Tongking, mündet mit einem großen Delta in den Golf von Tongkin, 1183 km lang (davon 495 km in Vietnam), bis Viet Tri schiffbar; Haupthafen ist Haiphong.

Roter Halbmond, →Rotes Kreuz.

Rote Riesen (Rote Riesensterne), →Riesen.

Roter Sand, Untiefe aus Treibsand in der Nordsee, auch Name eines Leuchtturms vor der Wesermündung (1885–1965 in Betrieb).

roter Tiefseeton, toniges Meeressediment in Tiefen über 5000 m, besteht aus Lösungsrückständen des Globigerinenschlamms, nimmt etwa 28% des Meeresbodens ein; enthält Manganknollen.

Rote Rübe (Rote Bete), in zahlr. Sorten angebaute Varietät der Gemeinen Runkelrübe, durch Anthocyane dunkelrot gefärbte Rübe; Verwendung für Salate und Saft, auch als Lebensmittelfarbstoff.

Rotes Becken, →Sichuan.

Rotes Kreuz 1) (von oben): Rotes Kreuz, Roter Halbmond und Roter Löwe

Rotes Kreuz, 1) internat. Schutzzeichen (rotes Kreuz auf weißem Feld, Umkehrung des Schweizer Wappens) des Sanitätsdienstes, zugleich Kennzeichen der 148 nat. Rot-Kreuz-Gesellschaften. Dem R. K. entsprechen die Zeichen »Roter Halbmond« (islam. Länder), »Roter Davidstern« (Israel; international nicht anerkannt), »Roter Löwe« (Iran).

2) internat. Hilfswerk auf der Grundlage nat. Gesellschaften zur Milderung der Leiden des Krieges, Betreuung von Kriegsgefangenen, Hilfe in Katastrophenfällen u.a. Die Tätigkeit des R. K. begann 1863 auf Anregung von H. Dunant; 1864 wurde das aus 25 Schweizern bestehende **Internat. Komitee vom R. K. (IKRK)** in Genf geschaffen (→Genfer Vereinbarungen). Neben ihm bestehen die freiwilligen nat. Rot-Kreuz-Gesellschaften, die in der dem IKRK gleichberechtigten **Internat. Föderation der Liga der Rotkreuz- und Rothalbmondgesellschaften** zusammengeschlossen sind. IKRK, Liga und nat. Gesellschaften bilden das **Internat. Rote Kreuz.**

3) (Deutsches Rotes Kreuz, Abk. DRK), 1863–66 entstandene nat. Rotkreuzges. in Dtl., ein föderativer Verband, der sich in 19 Landesverbände und den Verband der Schwesternschaften vom DRK gliedert; Sitz: Bonn. Dem DRK sind der Internat. Bund für Sozialarbeit – Jugendsozialwerk e.V. und das Elsa-Brändström-Werk angeschlossen. Jugendrotkreuz ist die Jugendorganisation des DRK. Das DRK verfügt über einen Suchdienst (Nachforschung nach verschollenen Soldaten und Zivilpersonen), Rettungsdienst und Krankentransport, Blutspendedienst, Katastrophenschutz, ferner eine Wasser- und Bergwacht. Zum Ausbildungsprogramm der zahlreichen ehrenamtlich Tätigen gehören u.a. erste Hilfe und häusl. Krankenpflege. Das DRK ist als Spitzenverband in der freien Wohlfahrtspflege in allen Bereichen sozialer Arbeit tätig; es unterhält Krankenhäuser, Altenheime, Sozialstationen, Einrichtungen des ambulanten Dienstes. Auch bei internat. Konflikten sowie bei Naturkatastrophen leistet das DRK Hilfe.

Rotes Meer (arab. Bahr el-Ahmar, im Altertum Sinus Arabicus oder Mare Erythraeum), lang gestrecktes Nebenmeer des Ind. Ozeans zw. der Arab. Halbinsel und dem afrikan. Kontinent, durch die Meerenge Bab el-Mandeb mit dem Golf von Aden, durch den Sueskanal mit dem Mittelmeer verbunden, 438000 km^2, mittlere Tiefe 538 m, größte Tiefe 2604 m. Die Halbinsel Sinai teilt das nördl. R. M. in den Golf von Sues und den Golf von Akaba.

Das Klima ist trocken-heiß. Im Nordteil wehen die Winde meist aus N bis NW, im Südteil herrschen Monsunwinde, im Sommer aus nördl., im Winter aus südl. Richtungen. Die Farbe des Wassers ist tiefblau. Der Name R. M. kommt von einem Cyanobakterium mit roten Pigmenten. Die Oberflächentemperaturen betragen im Sommer meist über 30 °C und liegen im Winter – außer im Golf von Sues – zw. 20 und 25 °C. Die Wasserschicht unterhalb 200 m bis zum Boden hat nahezu konstante Werte von Temperatur (21,7 °C) und Salzgehalt (40,6‰). Die Oberflächensalzgehalte steigen von S nach N von 37‰ auf 41‰ an. Die Oberflächenströmungen verlaufen im Wesentlichen südwärts an der afrikan. und nordwärts an der arab. Küste. Der Tidenhub der Gezeiten beträgt bis zu 2 m.

Seit der Eröffnung des Sueskanals (1869) ist das R. M. von großer Bedeutung für den Seeverkehr zw. Europa und Indien, Ostasien und Australien. Die wichtigsten Häfen sind Massaua, Port Sudan, Sues, Djidda, Janbo, Hodeida.

Rote Zwerge, die →Zwergsterne.

Rotfäule, durch parasit. Pilze hervorgerufener Abbau des Kernholzes lebender Bäume; einhergehend mit Rotfärbung durch das nach der Cellulosezersetzung entstehende Lignin.

Rotfeder (Länge bis zu 40 cm)

Rotfeder (Scardinius erythrophthalmus), bis zu 40 cm langer mitteleurop. Karpfenfisch mit blutroten Flossen; in langsam fließenden, pflanzenreichen Gewässern.

Rotfisch, der →Huchen.

Rotgrünblindheit, Form der →Farbenfehlsichtigkeit.

Rotgültigerz, bergmänn. Bez. für die dunkelroten bis dunkelgrauen, stark glänzenden trigonalen Minerale **lichtes R.** oder **Proustit,** Ag_3AsS_3, und **dunkles R.** oder **Pyrargyrit,** Ag_3SbS_3; wichtige Silbererze.

Rotguss, Kupferlegierung, →Bronzekunst.

Rọth, **1)** Landkreis im RegBez. Mittelfranken, Bayern, 895 km², (1996) 120 600 Einwohner.

2) Krst. von 1) in Bayern, an der Rednitz, 24 200 Ew.; Museen; Draht-, Kabel-, Aluminiumwerke, Elektroindustrie, Herstellung von Christbaumschmuck; Hafen am Main-Donau-Kanal. – Schloss Ratibor (16. Jh., Prunksaal mit prachtvoller Holzdecke, 1535–37). – R. erhielt zw. 1358 und 1363 Stadtrecht.

Rọth, **1)** Alfred, schweizer. Architekt, * Wangen an der Aare 21. 5. 1903; arbeitete 1927/28 mit Le Corbusier zusammen, der ihn maßgeblich beeinflusste; neben zahlr. Bauten (v. a. Mehrfamilienhäuser, Schulen) auch architekturtheoret. Schriften.

2) Dieter, schweizer. Schriftsteller, Maler, Grafiker und Musiker, Pseud. D. Rot, Diter Rot, Dieterich R., Karl-Dietrich R., * Hannover 21. 4. 1930. R.s Werk ist durch ein multimediales Experimentieren mit Lit. und Bild, Wort und Schrift gekennzeichnet. Mit E. Gomringer und M. Wyss gründete er 1953 die programmat. Ztschr. »spirale«.

3) Eugen, Schriftsteller, * München 24. 1. 1895, † ebd. 28. 4. 1976; schrieb in der Tradition von W. Busch und C. Morgenstern populäre, hintergründig-humorvolle Gedichte über menschl. Unzulänglichkeiten (Sammlung »Ein Mensch«, 1935; »Mensch und Unmensch«, 1948; »Der letzte Mensch«, 1964).

4) Friederike, Schriftstellerin, * Sindelfingen 6. 4. 1948; schreibt u. a. Gedichte und Hörspiele; bekannt wurde R. v. a. durch die Erzählung »Ordnungsträume« (1979) und Bühnenwerke (»Ritt auf die Wartburg«, 1981; »Krötenbrunnen«, 1984; »Erben und Sterben«, 1992). Sie erhielt 1983 den Ingeborg-Bachmann-Preis.

Joseph Roth
(Tuschzeichnung, 1938)

5) Gerhard, österr. Schriftsteller, * Graz 24. 6. 1942; begann, im Kontext des Grazer »Forum Stadtpark«, mit experimenteller Erzählprosa (»Menschen, Bilder, Marionetten. Prosa, Kurzromane, Stücke«, Samml., 1979); wandte sich dann traditionellen Erzählstilen zu. Thema seines vielseitigen Werkes ist die menschl. Einsamkeit, so in den Romanen »Der große Horizont« (1974), »Ein neuer Morgen« (1976), »Winterreise« (1978) und in dem siebenbändigen Zyklus über Österreich »Die Archive des Schweigens« (1980–1991); daneben entstanden auch Dramen.

Roth 2): Blick in den 1535–37 gestalteten Prunksaal im Schloss Ratibor (16. Jh.)

6) [rɔːθ], Henry, amerikan. Schriftsteller, * Tysmeniza (Galizien) 8. 2. 1906, † Albuquerqe (N. Mex.) 13. 10. 1995; wuchs in New York auf. Als Klassiker der jüdisch-amerikan. Literatur gilt sein autobiographisch bestimmter Roman »Nenne es Schlaf« (1934; Wiederveröffentlichung).

7) Joseph, österr. Schriftsteller, * Brody (bei Lemberg) 2. 9. 1894, † Paris 27. 5. 1939; veröffentlichte feuilletonist. Arbeiten und Gedichte, danach Korrespondent in Frankreich, der Sowjetunion, in Polen und Albanien; 1933 Emigration nach Frankreich; lebte zuletzt in Paris, wo er sich in österr.-monarchist. Kreisen gegen den Nationalsozialismus engagierte. Nach zeitweisem sozialist. Engagement und der Auseinandersetzung mit dem Stil der »Neuen Sachlichkeit« (»Hotel Savoy«, 1924) dominierten seit Mitte der 1920er-Jahre die Welt des Ostjudentums (»Hiob«, 1930) sowie der Untergang der Donaumonarchie seine Romane (»Radetzkymarsch«, 1932; »Die Kapuzinergruft«, 1938). – *Weitere Werke:* Die Geschichte der 1002. Nacht (R., 1939), Der Leviathan (Erz., hg. 1940), Perlefter (R., hg. 1978).

📖 *J.-R.-Bibliographie, bearb. v.* R.-J. SIEGEL. *Morsum 1995.*

8) [rɔːθ], Philip, amerikanischer Schriftsteller, * Newark (N. J.) 19. 3. 1933; schreibt v. a. im Milieu des jüdisch-amerikan. Mittelstandes angesiedelte satir. Erzählungen (»Goodbye, Columbus«, 1959) und Romane (»Portnoys Beschwerden«, 1969). In

Eugen Roth

Gerhard Roth

Rothenburg ob der Tauber: Die mittelalterliche Schmiedgasse mit der Häusergruppe »Plönlein« führt durch den Siebersturm (14. Jh.) der ehemaligen Stadtbefestigung

späteren Romanen tritt die Selbstreflexion mit der Schriftstellerexistenz in den Vordergrund, so in den Romanen um sein fiktives Alter Ego, den Schriftsteller Nathan Zuckerman »Der Ghostwriter« (1979), »Zuckermans Befreiung« (1981), »Die Anatomiestunde« (1983), »Die Prager Orgie. Ein Epilog« (1985), »Gegenleben« (1987); schrieb weiterhin »Die Tatsachen. Autobiographie eines Schriftstellers« (1988), »Mein Leben als Sohn« (R., 1991), »Sabbaths Theater« (R., 1996).

Rothenburg ob der Tauber Stadtwappen

Rötha, Stadt im Kr. Leipziger Land, Sachsen, 4 000 Ew.; Großkelterei und Mosterei, Gartenbau; bei R. Tagebau des Böhlen-Zwenkauer Braunkohlenreviers. – Frühbarockes Schloss (17. Jh.), roman. Stadtkirche St. Georg, spätgot. Marienkirche (Schnitzaltar, um 1520). In beiden Kirchen befindet sich eine Orgel von G. Silbermann.

Philip Roth

Rothaargebirge, waldreicher Gebirgszug im östl. Sauerland, Quellgebiet von Sieg, Lahn und Eder im S, Lenne, Ruhr und Diemel im N; höchste Erhebungen sind der Kahle Asten (841 m ü. M.) und im Waldecker Upland der Langenberg (843 m ü. M.).

Rothaarigkeit (Rutilismus), die natürl. Rotfärbung des menschl. Haares, bedingt durch Veränderungen des Pigmentstoffwechsels. R. wird rezessiv vererbt und kommt bes. deutlich bei hellhäutigen Europiden vor.

Anneliese Rothenberger

Rothacker, Erich, Philosoph und Psychologe, * Pforzheim 12. 3. 1888, † Bonn 11. 8. 1965; 1928–54 Prof. ebd.; entwarf eine philosoph. Theorie der Kultur (Kulturen als Ausformungen »öffentlicher Lebensstile«) sowie eine ontolog. Schichtentheorie der Persönlichkeit.

Werke: Logik und Systematik der Geisteswiss. (1926); Die Schichten der Persönlichkeit (1938); Philosoph. Anthropologie (1964).

Rothalsgans (Branta ruficollis), schwarz, weiß und rostrot gefärbte nordasiat. Art der Meergänse; im Bestand bedroht.

Rothari, König der Langobarden (636–652), * um 606, † 652; eroberte die byzantin. Teile Oberitaliens und veranlasste die erste Aufzeichnung des langobard. Rechts (**Edictus Rothari,** 643).

Rothäute, volkstüml. Bez. für die Indianer Nordamerikas mit kompliziertem Ursprung: Der europ. Übername »Indianer« musste von diesen in ihre Welt transponiert werden; sie sahen sich mit »rot« (im Unterschied zu den sich als weiß bezeichnenden Europäern) aus traditionellen Gründen richtig umschrieben: So ist Rot Symbolfarbe für kriegerisches Verhalten; viele Stämme betrachten sich als aus roter Erde (Ton) geschaffen.

Rothenberger, Anneliese, Sängerin (Sopran), * Mannheim 19. 6. 1924; sang an den Opernbühnen in Hamburg, Düsseldorf, Wien und New York sowie bei Festspielen (Salzburg); trat v. a. als Mozart- und Strauss-Interpretin hervor; auch Liedsängerin.

Rothenburg ob der Tauber, Stadt im Landkreis Ansbach, Bayern, über dem Taubertal, 11 900 Ew.; Große Krst.; Reichsstadtmuseum (im Dominikanerinnenkloster), Puppen- und Spielzeugmuseum, mittelalterl. Kriminalmuseum; Herstellung von elektr. Haushaltsgeräten, Schaltanlagen und Arbeitsplatten, Metall-, Textil- u. a. Industrie; Handel mit Weihnachtsartikeln, starker Fremdenverkehr. – Weitgehend erhaltene mittelalterl. Stadtmauer (v. a. 14./15. Jh.); zahlr. Wohnhäuser des 15. und 16. Jh., u. a. Häusergruppe »Plönlein«; evang. Pfarrkirche St. Jakob (14. und 15. Jh.) mit dem Heiligblutaltar von T. Riemenschneider (1501–05); ehem. Franziskanerkirche (Chor 1285 bis 1309; Langhaus 1. Hälfte 15. Jh.); Rathaus (im Kern 13. Jh.,

Rothenburg ob der Tauber - Stadtentwicklung

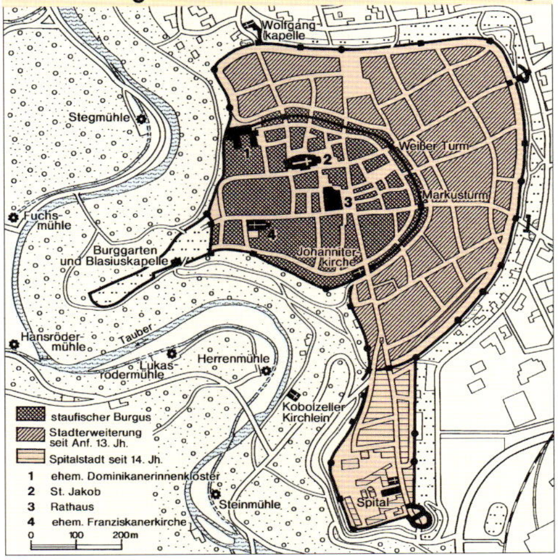

Rothalsgans

v. a. 1572 ff.; Laubengang 1681); Tauberbrücke (Doppelbrücke von 1330/1400; wieder aufgebaut nach 1945); Topplerschlösschen (1388); in der roman. Kirche St. Peter und Paul von Detwang ein Kreuzigungsaltar von Riemenschneider (gegen 1510). – Entstand bei der »Roten Burg«, die 1116 an die Staufer kam; vor 1241 Stadt, 1272/74–1803 Reichsstadt; kam 1802/03 an Bayern, ein Teil des Territoriums an Württemberg.

📖 Holstein, K.: *Rothenburger Stadtgeschichte. Rothenburg ob der Tauber 1963.* – Woltering, H.: *Die Reichsstadt R. ob der T. u. ihre Herrschaft über die Landwehr, 2 Bde. Rothenburg ob der Tauber 1971–73.*

Rothenfelde, Bad, → Bad Rothenfelde.

Rother, König, mhd. Spielmannsepos, vermutlich zw. 1152 und 1180 verfasst, in einer Handschrift vom Ende des 12. Jh. überliefert. Held ist der dt. König R. in Bari, der um die Tochter des byzantin. Kaisers Konstantin wirbt.

Rotherham ['rɔðərəm], Stadt in der Metrop. Cty. South Yorkshire, England, an Rother und Don, 82 000 Ew.; Stahlerzeugung und -verarbeitung, Maschinenbau, Glas-, elektrotechn. Industrie.

Rothfels, Hans, Historiker, *Kassel 12. 4. 1891, †Tübingen 22. 6. 1976; 1926–34 Prof. in Königsberg (Pr). Nach der Emigration (1938) lehrte er 1940–45 in Providence (R. I.), 1946–56 in Chicago, ab 1951 in Tübingen. R. arbeitete v. a. über Bismarck und den Widerstand (»Die dt. Opposition gegen Hitler«, 1948, dt. 1949); Herausgeber der »Vierteljahreshefte für Zeitgeschichte« (ab 1953).

Rothirsch, → Hirsche.

Rothko ['rɔθkə], Mark, amerikan. Maler, *Daugavpils 25. 9. 1903, †(Selbstmord) New York 25. 2. 1970; malte meist großformatige, aus homogenen Farbfeldern bestehende Bilder, deren lyr. Farbsensibilität meditative Wirkung erzielt.

Rotholz, Bez. für: 1) einige Überseehölzer, z. B. Pernambukholz, Redwood; 2) Kiefernholz aus Skandinavien und Russland, im Ggs. zu Weißholz (Fichtenholz aus den gen. Ländern).

Rothschild, internat. Bankhaus, gegr. 1766 in Frankfurt am Main von Meyer Amschel R. (*1744, †1812). Das Stammhaus in Frankfurt übernahm sein ältester Sohn Amschel Meyer R. (*1773, †1855); die anderen vier Söhne errichteten selbstständige Banken in London, Paris, Wien und Neapel. Seit dem Wiener Kongress (1815) beherrschte das Haus R. das Anleihegeschäft der stark verschuldeten Staaten. – Das Frankfurter Stammhaus erlosch 1901; die Banque R. in Paris wurde 1982 verstaatlicht. R.-Banken existieren noch in London (N. M. R. & Sons Ltd.) und in Zürich (Rothschild Bank AG).

📖 Wilson, D.: *Die R.-Dynastie. A. d. Engl. Wien 1989.*

Rotisserie [frz.] *die,* Grillrestaurant.

Rotkappen (Leccinum), Gattung der Röhrlinge; bis 25 cm große, gute Speisepilze mit dickfleischigem Hut und beschupptem Stiel, Arten: **Dunkle R.** (Leccinum testaceoscabrum) unter Birken, Hut orange- bis gelbbraun, Röhren hellgrau; **Espen-R.** (Leccinum aurantiacum) unter Espen, Hut dunkelrot bis rotbraun, Fleisch nach Verletzung sich schwarz verfärbend; **Heide-R.** (Leccinum rufescens) mit hellbraunem Hut und schwärzlich beschupptem Stiel.

Mark Rothko: »Goldene Komposition« (1949; Privatbesitz)

Rotkehlchen (Erithacus rubecula), oberseits olivbrauner Singvogel mit rostroter Kehle, Stirn und Vorderbrust sowie mit weißlicher Unterseite, häufiger Brutvogel unterholzreicher Wälder Eu-

Hans Rothfels

Mayer Amschel Rothschild
(Ausschnitt eines Punktierstichs)

Rotkehlchen

Rotschwanz: Männchen des Gartenrotschwanzes (oben) und des Hausrotschwanzes

Karl von Rotteck (zeitgenössische Darstellung)

ropas; baut sein Nest in Bodenmulden, überwintert in Süd-, seltener in Mitteleuropa.

Rotkohl (Rotkraut), ein Kopfkohl, →Kohl.

Rotkupfer|erz (Cuprit), kub. Mineral der chem. Zusammensetzung Cu_2O, rot bis rotbraun, z.T. grau, Metallglanz; entsteht als Oxidationsprodukt aus Kupfersulfiden, bildet örtlich wichtige Kupfererze (88% Kupfer).

Rotlauf, meldepflichtige bakterielle Infektionskrankheit der Schweine; tritt auch bei Geflügel, Rindern, Schafen und Seefischen auf. Erreger ist ein Stäbchenbakterium (Erysipelothrix rhusiopathiae). Kennzeichen sind hohes Fieber und Hautrötung oder Hautveränderungen (sog. **Backsteinblattern**); bei chron. R. Herzklappen- oder Gelenkentzündungen. R. ist auf den Menschen übertragbar und tritt meist an den Händen nach kleinen Verletzungen auf **(Erysipeloid).** Die Behandlung erfolgt mit Antibiotika (Penicillin).

Rotlehme, trop. Böden in heißem, mäßig wechselfeuchtem Klima, entstanden aus silikat. Gesteinen durch Ausscheidung von Hämatit und Goethit innerhalb eines feinlehmigen Gefüges; mäßig fruchtbar, in Mitteleuropa nur als Relikte.

Rotlicht, durch Vorschaltung eines Rotfilters aus Glühlampenlicht herausgefilterte langwellige Strahlung mit hohem Infrarotanteil; zur örtl. Behandlung von Nervenschmerzen, -entzündung u.Ä. Das R. dringt tiefer in (Körper-)Gewebe ein als Licht kürzerer Wellenlänge und führt zu örtl. Erwärmung.

Rotliegendes, untere Abteilung des →Perm in W- und Mitteleuropa. Das R. war eine Festlandszeit mit meist rötl., klast. Sedimenten, Zerstörungsprodukten des varisk. Gebirges (Molassefazies). Magmat. Gesteine sind weit verbreitet, Kohlevorkommen selten.

Rotnickelkies (Nickelin, Kupfernickel), hexagonales Mineral der chem. Zusammensetzung NiAs, metallisch glänzend, kupferrot, dunkel anlaufend, meist derb oder traubig-nierig; Vorkommen v.a. auf hydrothermalen Erzgängen.

Rotor [engl., Kurzform von rotator, zu to rotate »kreisen«] *der,* in versch. Bereichen der Technik Bez. für laufende (rotierende) Bauteile; bei elektr. und Strömungsmaschinen der Läufer, im Flugzeugbau der Drehflügel eines Hubschraubers.

Rotorverfahren, *Metallurgie:* Verfahren zur Umwandlung von Roheisen in Stahl durch Einblasen von Sauerstoff in das Metallbad eines Drehrohrofens (Rotorofen, kurz Rotor); gefrischt wird mit zwei Sauerstofflanzen.

Rotreußen, ältere Bez. für die heutige W-Ukraine; bis zur 1. Poln. Teilung (1772) eine poln. Wwschaft mit den Gebieten um Lemberg, Przemyśl, Sanok, Galitsch und Cholm sowie Teilen von Wolhynien und Podolien; danach als O-Galizien beim Habsburgerreich und als Teil des Gouv. Lublin beim Russ. Reich.

Rotschwanz (Rotschwänzchen, Phoenicurus), Gattung der Drosseln, Singvögel. In Europa brütet in Wäldern, Gärten und Parks der **Garten-R.** (Phoenicurus phoenicurus), das Männchen oben aschgrau, Stirn weiß, Kehle schwarz, Brust und Schwanz rostrot; nistet in Baumhöhlen. Der **Haus-R.** (Phoenicurus ochruros) ist oben aschgrau, unten schwarz; sein Schwanz ist rostrot; er nistet in Gebäuden oder Felswänden. Die Weibchen beider Arten sind bräunlich.

Rotse (Barotse), Volksgruppe der Bantu am oberen Sambesi in W-Sambia. Die etwa 400 000 R. treiben Agrarwirtschaft in der periodisch überschwemmten Flussniederung und auf den angrenzenden Hochufern. – Vom 17. bis 20. Jh. bildeten die R. ein Königreich; 1964 (Unabhängigkeit Sambias) wurde **Barotseland** eine Provinz Sambias (heute Western Province).

Rotsehen (Erythropsie), Sehstörung, bei der die vom Auge fixierten Gegenstände rötlich erscheinen.

Rottach-Egern, Gemeinde im Landkr. Miesbach, Bayern, 5400 Ew.; heilklimat. Kurort am S-Ufer des Tegernsees.

Rottal-Inn, Landkr. im RegBez. Niederbayern, Bayern, 1281 km², (1996) 116100 Ew.; Krst. ist Pfarrkirchen.

Rot|tanne, die Gemeine →Fichte.

Rotte, *Militärwesen:* innerhalb einer Abteilung in einer Reihe hintereinander stehende Soldaten (mindestens drei); bei Luftwaffe bzw. Marine zwei gemeinsam operierende Flugzeuge bzw. Schiffe.

Rotteck, Karl von, Historiker und Politiker, *Freiburg im Breisgau 18. 7. 1775, †ebd. 26. 11. 1840; war dort 1798–1832 Prof., im bad. Landtag ein Führer der liberalen Opposition. R. gab mit K. T. Welcker das »Staats-Lexikon oder Encyklopädie der Staatswissenschaften« heraus (15 Bde. 1834–43, drei Erg.-Bde. 1846–48).

Rotten *der,* Oberlauf der →Rhone im Oberwallis, Schweiz.

Rottenburg a.d. Laaber, Stadt im Landkr. Landshut, Bayern, im Hopfenanbaugebiet der Hallertau, 7400 Ew.; Herstellung und Verarbeitung von Kunststoffen, Erzeugung von Weinbrand und anderen Spirituosen.

Rottenburg am Neckar, Stadt im Landkr. Tübingen, Bad.-Württ., 39700 Ew.; Große Krst.; kath. Bischofssitz; Priesterseminar, religionspädagog. und pastoralliturg. Inst., ehem. Jesuitenkolleg (Mitte 17. Jh., 1828–1967 bischöfl. Residenz, heute Diözesanmuseum), FH für Forstwirtschaft; Maschinenbau, Kfz-Zulieferind., Brauereien; Kurbetrieb im Stadtteil **Bad Niedernau.** – Dom (15. Jh.), stattl. Adelshäuser und Pfleghöfe. – Urspr. kelt., später röm. Siedlung **(Sumelocenna);** Neugründung als Stadt um 1280; 1381–1806 Mittelpunkt der vorderösterr. Grafschaft Hohenberg; kam 1806 an Württemberg.

Rottenburg-Stuttgart (bis 1978 Rottenburg), Bistum in Bad.-Württ., 1821 als Suffraganbistum von Freiburg für die Katholiken Württembergs errichtet; Bischofssitz ist Rottenburg am Neckar.

Rottenhammer, Hans, Maler, *München 1564, †Augsburg 14. 8. 1625; arbeitete in Rom und Venedig, seit 1606 in Augsburg, malte v.a. kleine religiöse, mytholog. und allegor. Szenen auf Kupfer, in Dtl. auch große Altartafeln und Fresken.

Rottenmanner Tauern, Gebirgsgruppe der Niederen Tauern in der Steiermark, Österreich, im Großen Bösenstein 2449 m ü.M.; Fremdenverkehr, im NO Magnesit- und Graphitabbau. Der Straßenpass R. T., auch **Hohentauern-Pass,** 1265 m ü.M., verbindet Trieben im Paltental mit Judenburg im Murtal. Auf der Passhöhe liegt der Wintersportort **Hohentauern.**

Rotterdam, Hafenstadt in der Prov. Südholland, Niederlande, im Rheinmündungsgebiet an der Neuen Maas, 596 000 Ew., städt. Agglomeration 1,069 Mio. Ew.; zweitgrößte Stadt des Landes; Wiss.- und Handelszentrum, Univ., Akademie für bildende Künste und für Architektur sowie andere Bildungseinrichtungen, zahlr. Forschungsinst., Konservatorium, bed. Museen, mehrere Theater, Konzerthaus, Kongresszentrum, Zoo; Sitz von Börse, Großbanken, Versicherungsgesellschaften, Großhandelsbetrieben, zahlr. Schifffahrtseinrichtungen. R. ist der größte Hafen der Niederlande und seit Inbetriebnahme des Europoorts (1966) der bedeutendste Seehafen und Güterumschlagplatz der Erde; durch den Nieuwe Waterweg mit der Nordsee verbunden; Hafenbetrieb mit computergesteuertem Logistikzentrum; Spezialterminals für Erz- und Kohleumschlag, ferner v.a. Umschlag von Erdöl (Pipelines nach Amsterdam, Antwerpen, in den Raum Frankfurt am Main), Getreide, Fettrohstoffen, Nahrungsmitteln, Tabak. R. gehört zum industriellen Ballungsgebiet →Randstad Holland; größtes Erdölverarbeitungszentrum der Erde; Schiff-, Maschinen-, Fahrzeugbau, Papierverarbeitung, chem., elektrotechn., Textil-, Nahrungs- und Genussmittel- u.a. Ind.; durch ein dichtes Verkehrsnetz von Autobahnen, Eisenbahnlinien und Binnenschifffahrtswegen mit dem Hinterland verbunden; Fährverkehr von →Hoek van Holland nach Großbritannien und Norwegen; U-Bahn, internat. Flughafen.

Von den im 2. Weltkrieg zerstörten histor. Baudenkmälern wurden wiederhergestellt: die got. Sint-Laurenskerk (15. Jh.), die Sint-Rosaliakerk (18. Jh.) und das Schielandshuis (1662–65; heute Museum). 1953 entstand das Mahnmal für die zerstörte Stadt von O. Zadkine (BILD Denkmal). Wahrzeichen des Hafens ist der 185 m hohe Euromast und seit 1996 die Erasmusbrücke über die Maas. – 1283 erstmals erwähnt, erhielt R. 1340 Stadtrecht; erlebte im 17. Jh. einen großen Aufschwung als Handelsplatz. Durch die Versandung des Hafens kam der Schiffsverkehr bis zum Beginn des 19. Jh. fast völlig zum Erliegen. Erst der 1866–72 angelegte Nieuwe Waterweg verhalf R. zu neuer Blüte.

Rotterdam: Der Euromast im Hafengelände

Rotterdam
Stadtwappen

Rottmann, Carl, Maler, *Handschuhsheim (heute zu Heidelberg) 11. 1. 1797, †München 7. 7. 1850; schuf nach Italienreisen im Auftrag Lud-

Carl Rottmann: »Die Insel Delos« (1847; Karlsruhe, Kunsthalle)

wigs I. Fresken mit klassisch-heroischen Landschaften in den Münchner Hofgartenarkaden (1830–33; seit 1966 im Münchner Residenzmuseum); nach einer Griechenlandreise entstand eine Folge griechischer Landschaften in enkaust. Technik (1838–50).

Rottmayr, Johann Michael, Maler, getauft Laufen (Kr. Berchtesgadener Land) 11. 12. 1654, † Wien 25. 10. 1730; malte Tafelbilder, Fresken u. a. für die Salzburger Residenz (1710/11), die Stiftskirche in Melk (1716–22), Schloss Weißenstein in Pommersfelden (1716–18) und die Karlskirche in Wien (1726–30).

Rottweil, 1) Landkreis im RegBez. Freiburg, Bad.-Württ., 770 km², (1996) 138 900 Einwohner.

Rottweil 2) Stadtwappen

2) Krst. von 1) in Bad.-Württ., am oberen Neckar, 24 700 Ew.; Große Kreisstadt; Museen; Kolben-, Kabel-, Kunstseide- u. a. Fabriken. – Kapellenkirche (14./15. Jh., 1727 barock umgebaut), spätgot. Heiligkreuz-Münster (15./16. Jh., 1840 ff. restauriert), spätgot. Lorenzkapelle (heute Museum), Rathaus (1521), Bürgerhäuser (16.–18. Jh.). – Um 73 v. Chr. röm. Stützpunkt **(Arae Flaviae).** Bei der 771/887 erwähnten fränk. Königspfalz **(Rotumvila)** entstand um 1140 eine Marktsiedlung, die im 14. Jh. Reichsstadt wurde; 1463/1519 bis 1802 »zugewandter Ort« der Eidgenossenschaft, seit 1802/03 württembergisch.

📖 WEISSER, L.: *R.s Wirtschaft u. Gesellschaft vom Ende der Reichsstadtzeit bis zum Ersten Weltkrieg. Rottweil 1978.* – RÜSCH, A.: *Das röm. R. Stuttgart 1981.*

Rottweiler (Widerristhöhe 55–68 cm)

Rottweiler, kurzhaariger, 55–68 cm hoher, kräftiger schwarzer Haushund mit rotbrauner Färbung über den Augen und an den Füßen sowie mit kupiertem Stummelschwanz und Schlappohren; Begleit- und Schutzhund.

Rotunde [italien.] *die,* Rundbau, →Zentralbau mit kreisförmigem Grundriss.

Rotverschiebung, Verschiebung der Spektrallinien nach dem roten Ende des Spektrums (d. h. zu größeren Wellenlängen) hin. Bei einer Vergrößerung der Entfernung von Strahlungsquelle und Beobachter tritt eine R. infolge des →Doppler-Effekts auf. Diese R. kann z. B. zur Bestimmung der Radialgeschwindigkeit eines Sterns oder der Umlaufgeschwindigkeit eines Doppelsterns herangezogen werden. Die Größe der R. wird durch das Verhältnis der Wellenlängenänderung $\Delta\lambda = \lambda - \lambda_0$ zur unverschobenen Wellenlänge λ_0 der gleichen Spektrallinie bestimmt: $z = \Delta\lambda/\lambda_0$. – Auch in den Spektren extragalakt. Objekte tritt eine R. auf **(kosmolog. R.),** z. B. die extreme R. bei →Quasaren. Sie hat nichts mit dem Doppler-Effekt zu tun, weil sich die Objekte nicht relativ zueinander bewegen, sondern der Raum zwischen ihnen expandiert (→Hubble-Effekt). – Beim Verlassen eines Gravitationsfeldes verlieren Lichtquanten Energie, was ebenfalls zu einer R. führt. Diese **gravitative R.,** die von der allg. Relativitätstheorie vorhergesagt wurde, konnte mithilfe des Mößbauer-Effekts im Schwerefeld der Erde bestätigt werden.

Rotwelsch, Sondersprache gesellschaftl. Randgruppen im dt. Sprachraum, die sich seit dem späten MA. als ein gegenüber Außenstehenden auf Verhüllung abzielendes, gruppeninternes Kommunikationsmittel auszuprägen begann. Der Name, seit 1250 bekannt, bedeutet wohl »von herumziehenden Bettlern gesprochenes Welsch« (von rōt »falsch«, »Bettler« und welsch »romanisch«). Das R. steht im Austausch mit ähnl. Gruppensprachen der Nachbarländer und enthält Lehngut u. a. aus dem Jiddischen, dem Romani und dem Spanischen, das Söldner Karls V. sprachen. Es gibt zwar fremde Wortwurzeln, doch nur dt. Ableitungssilben. Aus dem R. wurden viele Wörter umgangssprachlich, z. B. mies, schmusen. In Form der →Zinken« entwickelten R.-Sprecher auch eine rudimentäre eigene Schrift.

📖 KLUGE, F.: *R. Quellen u. Wortschatz der Gaunersprache u. der verwandten Geheimsprachen. Straßburg 1901, Nachdr. Berlin u. a. 1987.* – WOLF, S. A.: *Wörterbuch des Rotwelschen. Mannheim 1956, Nachdr. Hamburg 1985.*

Rotwild (Edelwild), *Jägersprache:* Bez. für die Rothirsche als Jagdwild.

Rotz (Malleus), außerhalb Europas vorkommende, ansteckende, meist tödlich verlaufende Infektionskrankheit v. a. der Einhufer; auf den Menschen übertragbar. Erreger sind die R.-Bakterien (Actinobacillus mallei).

Rotzinkerz (Zinkit), hexagonales Mineral der chem. Zusammensetzung ZnO, meist in körnigen und spätigen Massen, durch Manganbeimengung hyazinth- bis blutrot, mit Diamantglanz; Zinkerz.

Rotzunge, Speisefisch, →Plattfische.

Rouault [ru'o], Georges, frz. Maler und Grafiker, * Paris 27. 5. 1871, † ebd. 13. 2. 1958; schuf in expressionist. Stil leuchtender Farbflächen und schwarzer Konturen Darstellungen zu religiösen

Georges Rouault: »Ecce Homo« (1938/39; Stuttgart, Staatsgalerie)

Themen sowie von Arbeitern, Bauern, Prostituierten und Clowns.

Roubaix [ru'bɛ], Ind.stadt im Dép. Nord, Frankreich, 98 200 Ew.; FH für Textilkunst, Textil- und Kunstmuseum. Mittelpunkt der nordfrz. Textilind., daneben Maschinen- und Kunststofffabriken, Papierind., Brauerei.

Roubaud [ru'bo], Jacques, frz. Schriftsteller, *Caluire-et-Cuire (Dép. Rhône) 4. 12. 1932; Mathematiker; schrieb unter dem Einfluss von R. Queneau und G. Perec experimentelle Lyrik. Bekannt wurde R. v.a. mit den Romanen »Die schöne Hortense« (1985), »Die Entführung der schönen Hortense« (1987) und »Das Exil der schönen Hortense« (1990).

Roudnice nad Labem ['rɔu̯dnjitsɛ 'nadlabɛm] (dt. Raudnitz an der Elbe), Stadt im Nordböhm. Gebiet, Tschech. Rep., 14 900 Ew.; Galerie für moderne Kunst; Maschinenbau, chem., Glasind. – Barockschloss der Fürsten Lobkowitz (Bibliothek, Kunstschätze). – Seit 1273 Stadt.

Rouen [rwã], Hptst. der Region Haute-Normandie und des Dép. Seine-Maritime, Frankreich, an der Seine, 125 km vor ihrer Mündung, 105 500 Ew.; kath. Erzbischofssitz, kultureller Mittelpunkt der Normandie mit Univ. und Musée des Beaux-Arts, Bankenzentrum (mit Börse) und bed. Ind.stadt mit Maschinen-, Schiff- und Fahrzeugbau, Textil- (bes. Baumwoll-), Leder-, chem. Ind. Der Hafen kann von Seeschiffen bis 9,5 m Tiefgang erreicht werden; seineabwärts entstehen neue Ind.zonen. – Bedeutendstes Bauwerk ist die got. Kathedrale Notre-Dame (Baubeginn 13. Jh., vollendet Mitte 16. Jh.) mit reicher Bauplastik; ferner ehem. Benediktinerabteikirche Saint-Ouen (14./15. Jh.) im Flamboyantstil, got. Kirche Saint-Maclou (15./16. Jh.), Justizpalast (1508/09), Uhrturm (1527). – R., das antike **Rotomagus,** war seit Ende des 3. Jh. Bischofssitz. Nach der Eroberung durch die Normannen (842) wurde R. Hptst. des Herzogtums Normandie. 1431 wurde auf dem Alten Markt Jeanne d'Arc verbrannt.

📖 HERVAL, R.: *Histoire de R., 2 Bde. Rouen 1947–49.*

Rouen Stadtwappen

Rouffignac [rufi'ɲak], Höhle im Périgord, bei Fleurac, Dép. Dordogne, Frankreich, besteht aus einem mehrstöckigen System weit verzweigter Gänge (Gesamtlänge rd. 10 km). An den Wänden und Decken einiger Gänge wurden 1956 Malereien und Gravierungen der jüngeren Altsteinzeit entdeckt. Dargestellt sind Mammut, Bison, Wildpferd, Steinbock und das Wollhaarige Nashorn.

Rouge [ru:ʒ, frz.] *das, Make-up:* künstl. Wangen-, Lippenrot.

Rouge et noir [ru:ʒe'nwa:r; frz. »rot und schwarz«] *das,* Glücksspiel mit zwei frz. Kartenspielen (104 Blatt) auf einem Tisch mit rotem oder schwarzem Feld, wird von drei oder mehr Spielern gegen einen Bankhalter gespielt.

Rougemont [ruʒ'mɔ̃], Denis de, schweizer. Philosoph und Essayist frz. Sprache, *Neuenburg

Rouen: Westportal der Anfang des 13. Jh. begonnenen und Mitte des 16 Jh. vollendeten Kathedrale; links Tour Saint-Romain, rechts Tour Beurre, in der Mitte der Vierungsturm.

Claude Rouget de Lisle (Ausschnitt einer zeitgenössischen Lithographie)

8. 9. 1906, †Genf 6. 12. 1985; Vertreter des frz. →Personalismus; wurde berühmt durch die Abhandlung über »Die Liebe und das Abendland« (1939); Gründer und Leiter des »Centre européen de la culture« in Genf.

Rouget de Lisle [ru'ʒɛ 'dlil], Claude Joseph, frz. Dichter, *Lons-le-Saulnier (Dép. Jura) 10. 5. 1760, †Choisy-le-Roi (Dép. Val-de-Marne) 26. 6. 1836; Ingenieuroffizier; schrieb (in der Straßburger Garnison) 1792 Text und Musik der →Marseillaise.

Roulade [ru-, frz.] *die,* mit Speck, Zwiebeln, Gurke u.a. gefüllte, zusammengerollte Fleischscheibe, geschmort oder gedünstet; auch Variationen (Fisch-, Kohlroulade).

Rouleauxdruck [ru'lo:-, frz.], ein Druckverfahren in der Textiltechnik, →Textildruck.

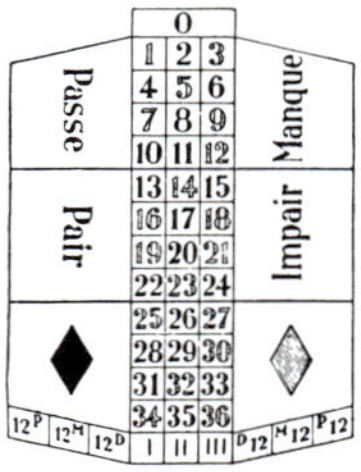

Roulett: Spielplan

Roulett [ru'lɛt] *das* (frz. Roulette), v.a. in Spielkasinos betriebenes Glücksspiel mit einer Kugel auf einer drehbaren Scheibe, deren abwechselnd rote und schwarze Fächer nummeriert sind (0 = Zéro und 1–36). Der Spielplan enthält außer den Zahlen u.a. die Abteilungen Rouge (Rot), Noir (Schwarz), Pair (gerade Zahlen), Impair (ungerade Zahlen), Manque (1–18; Klein) und Passe (18–36; Groß). Durch Drehen der Scheibe wird die Kugel in Umlauf gesetzt und entscheidet über Gewinn und Verlust der gegen den Bankhalter setzenden Spieler. – Rechtliches: →Glücksspiel.

Roumain [ru'mɛ̃], Jacques, haitian. Schriftsteller frz. Sprache, Politiker und Ethnologe, *Port-au-Prince 4. 6. 1907, †ebd. 18. 8. 1944; gründete 1934 die KP Haitis. R. führte haitian. Themen in die Lit. ein (»Herr über den Tau«, R., hg. 1944).

Francis P. Rous

Round Table ['raʊnd 'teɪbl; engl. »runder Tisch«] (Roundtablekonferenzen), Beratungen in kreisförmiger Sitzordnung, die die Gleichberechtigung der Teilnehmer dokumentieren soll.

Rourkela ['rʊəkəla:], Stadt im Bundesstaat Orissa, Indien, am Rand des bodenschätzereichen Chota-Nagpur-Plateaus, 399 000 Ew.; entstand seit 1956 beim Bau des Stahlwerks; außerdem Metallverarbeitung, chem. Industrie.

Rous [raʊs], Francis Peyton, amerikan. Pathologe und Virologe, *Baltimore (Md.) 5. 10. 1879, †New York 16. 2. 1970; bewies bereits 1910, dass eine bestimmte Virusart **(R.-Sarkom-Virus)** bei Hühnern Krebs erzeugen kann; erhielt mit C. B. Huggins 1966 den Nobelpreis für Physiologie oder Medizin.

Albert Roussel

Rousseau [ru'so], **1)** Henri, gen. le Douanier (»der Zöllner«), frz. Maler, *Laval 21. 5. 1844, †Paris 2. 9. 1910; Beamter beim Pariser Stadtzoll; begann als Autodidakt in naiv-realist. Art zu malen, stellte 1885 erstmals aus. Neben Bildnissen und Stillleben malte er figürl. Bilder und Landschaften, die, in ihren Formen sehr vereinfacht, von eindringl., oft poet. Wirkung sind. Sein surrealer Umgang mit der Wirklichkeit übte erhebl. Einfluss auf die moderne Malerei aus. Weiteres Bild naive Kunst

Werke: Der Krieg (1894; Paris, Louvre); Schlafende Zigeunerin (1897; New York, Museum of Modern Art); Der Traum (1910; Basel, Kunstmuseum).

Henri Rousseau: Selbstbildnis (1890; Prag, Nationalgalerie)

2) Jean-Jacques, frz.-schweizer. Philosoph und Schriftsteller, *Genf 28. 6. 1712, †Ermenonville (bei Senlis) 2. 7. 1778; verbrachte eine unruhige Jugend ohne geregelte Ausbildung; Baronin de Warens ermöglichte ihm als mütterl. Freundin intensive Lektüre und vielseitige Studien (u.a. Musik). 1742 ging R. nach Paris, war dort als Hauslehrer und Notenschreiber tätig, kam über Diderot mit dem Kreis der →Enzyklopädisten in Berührung und schrieb für die »Encyclopédie« die Artikel zur Musik. Später trat er auch mit eigenen Kompositionen hervor (u.a. Singspiel »Le devin du village«). Berühmt wurde R., als er 1750 auf eine Preisfrage der Akademie in Dijon nach dem Einfluss der Wiss. und Künste auf die Sitten in der Schrift »Abhandlung: ob die Wissenschaften etwas zur Läuterung der Sitten beigetragen haben?« mit einem negativen Beweis antwortete und dafür den Preis erhielt. 1754–56 lebte R. wieder im kalvinist. Genf, überwarf sich aber bald mit allen Gönnern. In der Abgeschiedenheit von Montmorency (nördlich von Paris) entstanden 1756–62 seine Hauptwerke. Bereits 1755 hatte er in der »Abhandlung über den Ursprung und die Grundlagen der Ungleichheit unter den Menschen« seine grundsätzl. Zivilisationskritik formuliert. Diese wandelte er im »Gesellschaftsvertrag« (1762) ab: An die Stelle des fiktiven Naturmenschen tritt der mündige Bürger, der sich freiwillig dem idealen Gemeinschaftswillen (volonté générale) unterwirft, ohne seine persönl. Freiheit aufzugeben. Mit dem Briefroman »Julie oder die neue Heloise« (1761) traf er durch die Verbindung von Naturschilderungen mit einer tragisch-sentimentalen Liebesgeschichte genau den Zeitgeschmack. Der Erziehungsroman »Émile, oder Über die Erziehung« (1762), der in seiner Forderung nach freier Entfaltung der Persönlichkeit des Kindes völlig neue Grundsätze aufstellte, beeinflusste die Erziehungstheorien bis in die Gegenwart (Pestalozzi u. a.). In allen Werken R.s wird seine Kritik an einem dogmat. Christentum deutlich. Um Repressionen staatl. Zensur und der Kirche zu entgehen, die ihn in dem Gefühl bestärkten, von allen verfolgt zu sein, hielt sich R. mehrmals im Ausland auf (u. a. auf Einladung D. Humes 1766–67 in England). Seit 1770 lebte R. wieder in Paris, wo er seine autobiograph. Schriften, v. a. die »Bekenntnisse« (hg. 1782) vollendete, die Zeugnis von seiner ausweglosen Vereinsamung ablegen. – Obwohl R. in wesentl. Punkten Positionen der →Aufklärung vertrat, nahm er mit seiner Hinwendung zu subjektiver Innerlichkeit und dem Zweifel an Fortschritt und Zivilisation das Lebensgefühl der →Romantik vorweg. Die Grundsätze des »Gesellschaftsvertrags« beeinflussten demokrat. Verfassungen seit der Frz. Revolution.

📖 GOUHIER, H. G.: *Les méditations métaphysiques de J.-J. R. Paris [2]1984.* – STAROBINSKI, J.: *R. Eine Welt von Widerständen. A. d. Frz. München u. a. 1988.* – HOLMSTEN, G.: *J.-J. R. Reinbek 1991.* – FETSCHER, I.: *R.s polit. Philosophie. Frankfurt am Main [7]1993.*

3) Théodore, frz. Maler, * Paris 15. 4. 1812, † Barbizon 22. 12. 1867; Vertreter der Schule von →Barbizon; malte feierlich ernste, das Beobachtete genau wiedergebende Landschaftsbilder; Vorläufer der Impressionisten. BILD S. 58

Roussel [ru'sɛl], **1)** Albert, frz. Komponist, * Tourcoing 5. 4. 1869, † Royan 23. 8. 1937; verband in Ballettmusiken, Sinfonien u. a. kühne kontrapunkt. Stimmführung mit herber Melodik.

2) Raymond, frz. Schriftsteller, * Paris 20. 1. 1877, † Palermo 14. 7. 1933. Zu Lebzeiten nicht beachtet, wurden sein fantast., aus Träumen erwachsenes Werk, u. a. der Roman »Locus solus« (1914), wichtig für Surrealismus, Nouveau Roman und absurdes Theater.

Rousset [ru'sɛ], David, frz. Schriftsteller, * Roanne 18. 1. 1912, † Paris 13. 12. 1997; kämpfte in der Résistance, 1943 deportiert; schildert in seinen Berichten und autobiograph. Romanen das Leben in den Konzentrationslagern: »L'univers concentrationnaire« (1946), »Les jours de notre mort« (1947) und »Le pitre ne rit pas« (1948).

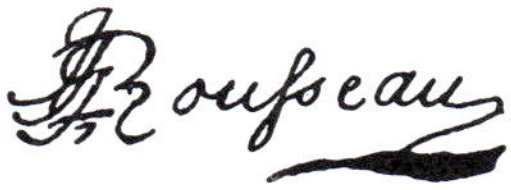

Jean-Jacques Rousseau: zeitgenössisches Gemälde von Maurice-Quentin de La Tour (Genf, Musée d'Art et d'Histoire); darunter Autogramm

Roussillon [rusi'jɔ̃] *das,* histor. Landschaft in S-Frankreich, entspricht etwa dem heutigen Dép. Pyrénées-Orientales, zw. den Pyrenäen und den Corbières. Die Bev. spricht Frz. und Katalanisch; Hauptort ist Perpignan. – Die Grafschaft R. kam 1172 an Aragonien, war dann lange Zeit umstritten und gehört erst seit dem Pyrenäenfrieden von 1659 endgültig zu Frankreich.

Route ['ru:tə, frz.] *die,* Reiseweg, Strecke.

Routine [ru'ti:nə, frz.] *die,* **1)** *allg.:* durch Übung erlangte Fertigkeit, Gewandtheit.

Rousseau

Jean-Jacques Rousseau forderte in seinem Buch »Émile, oder Über die Erziehung« (1762) ein genaues Studium der Wesensart des Kindes und leitete damit eine Revolution der Erziehung ein. Und wie erzog er seine eigenen Kinder?
Gar nicht! Er ließ jedes seiner fünf Kinder unmittelbar nach der Geburt ins Findelhaus schaffen. In Rechtfertigungsversuchen gegenüber Freunden und Förderern verwies er meist jammernd auf seine eingeschränkten finanziellen Verhältnisse und versicherte, dass häusliche Sorgen und Kinderlärm die Entfaltung seines Genies behindern würden.

Théodore Rousseau: »Der Abend« (um 1850; Toledo [Ohio], Museum of Art)

2) *Datenverarbeitung:* Bez. für ein meist häufig benutztes (kleineres) Programm oder einen Programmteil (Unterprogramm) eines größeren Komplexes, der einen abgeschlossenen Lösungsteil präsentiert.

Wilhelm Roux

Roux [ru], Wilhelm, Anatom, *Jena 9. 6. 1850, †Halle (Saale) 15. 9. 1924; begründete die (von ihm **Entwicklungsmechanik** genannte) Entwicklungsphysiologie.

Rovanilemi, Hptst. der Prov. Lappi (Lappland), Finnland, 33500 Ew.; Museen; Arkt. Zentrum (Wiss.zentrum) und Univ.; Freilichtmuseum, Fremdenverkehr. – 1944 völlig zerstört, Wiederaufbau nach Plänen von A. Aalto.

Rovere (Della R.), italien. Adelsgeschlecht, dem die Päpste Sixtus IV. und Julius II. entstammen; es herrschte 1508–1631 im Herzogtum Urbino.

Rovereto, Stadt in der Prov. Trient, Italien, an der Etsch, 32900 Ew.; Bibliothek, Museen (u.a. Kriegsmuseum); Herstellung von Autoreifengewebe, Maschinenbau, Leder-, Tabakindustrie.

Frank S. Rowland

Rover Group PLC ['rəʊvə gru:p -], brit. Unternehmen der Automobilind., entstanden 1968 durch Fusion mehrerer Unternehmen als British Leyland Ltd., seit 1986 Firmierung unter R. G. PLC; Sitz: London. Das staatl. Unternehmen wurde 1988 an den Luft- und Raumfahrtkonzern British Aerospace PLC und 1994 an die BMW AG verkauft.

Rovigo, 1) Prov. in Venetien, Italien, 1789 km², (1995) 245600 Einwohner.

2) Hptst. von 1), 51300 Ew.; Zentrum der Landschaft Polesine; Bischofssitz; PH, Fachhochschulen; Getreidemarkt; Nahrungsmittel-, Textil-, Möbel-, Metallindustrie. – Palazzo Roncale (vor 1555), Dom (17. Jh.). – 838 erstmals erwähnt, fiel im 11. Jh. an die Este, 1482 an Venedig.

Henry A. Rowland

Rovinj (italien. Rovigno), Hafenstadt und Seebad an der SW-Küste Istriens, Kroatien, 10000 Ew.; Inst. für Meeresbiologie; Fisch- und Tabakverarbeitung; Fremdenverkehr. – Roman. Dreifaltigkeitskirche, Renaissance- und Barockpaläste.

Rovuma *der,* Fluss in O-Afrika, 1100 km, entspringt östlich des Malawisees in Tansania, bildet z.T. die Grenze zw. Moçambique und Tansania, mündet in den Ind. Ozean.

Rowdy ['raʊdɪ, engl.] *der,* gewalttätiger Jugendlicher.

Rowland ['rəʊlənd], **1)** Frank Sherwood, amerikan. Chemiker, *Delaware (Oh.) 28. 6. 1927; untersuchte mit M. J. Molina die Auswirkungen von Fluorchlorkohlenwasserstoffen (FCKW) auf die Ozonschicht; dafür erhielt er 1995 zus. mit Molina und P. Crutzen den Nobelpreis für Chemie.

2) Henry Augustus, amerikan. Physiker, *Honesdale (Pa.) 27. 11. 1848, †Baltimore (Md.) 16. 4. 1901; wies 1875 nach, dass mechanisch bewegte elektr. Ladungen magnet. Felder erzeugen; konstruierte u.a. zur Untersuchung des Sonnenspektrums die ersten reflektierenden konkaven Beugungsgitter **(Rowland-Gitter)**.

Rowlandson ['rəʊləndsn], Thomas, engl. Maler und Karikaturist, *London 14. 7. 1756, †ebd. 22. 4. 1827; anfangs Bildnis- und Landschaftsmaler, wandte sich ab etwa 1870 mit aquarellierten Zeichnungen und farbigen Radierungen der Karikatur zu.

Rowno (ukrain. Riwne, poln. Równe), Hptst. des Gebiets R. in der Ukraine, in O-Wolhynien, 246000 Ew.; Hochschulen; Maschinen-, Elektrogerätebau, chem., Bekleidungsind.; in der Nähe Kernkraftwerk; Eisenbahnknotenpunkt.

Rowohlt, Ernst, Verleger, *Bremen 23. 6. 1887, †Hamburg 1. 12. 1960; gründete 1908 in Leipzig einen Verlag, der 1913 von K. Wolff übernommen wurde; Neugründung 1919 in Berlin; Sitz der **R. Verlag GmbH** wurde 1950 Hamburg, 1960 Reinbek. 1953 wurde der **R. Taschenbuch Verlag GmbH** gegründet. R. engagierte sich für die Publikation moderner Belletristik, bes. erfolgreich wurden »rowohlts rotations romane« (rororo, seit 1950); der Verlag ist seit 1983 vollständig im Besitz der Holtzbrinck-Gruppe.

Royal Air Force ['rɔɪəl'eəfɔ:s], Abk. **RAF,** amtl. Name der 1918 entstandenen brit. Luftwaffe.

Royal Ballet ['rɔɪəl 'bæleɪ], führendes engl. Ballettensemble, hervorgegangen aus dem »Sadler's Wells Ballet«, das Ninette de Valois 1931 als »Vic-Wells-Ballet« gegründet hatte; gehört zu den bedeutendsten Kompagnien der Welt. Den Namen R. B. erhielt es 1956 durch königl. Dekret.

Royal Dutch/Shell-Gruppe ['rɔɪəl 'dʌtʃ 'ʃel-], Den Haag/London, niederländisch-brit. Konzern, eines der größten Energie- und Ind.unternehmen der Erde mit den Bereichen Erdöl, Erdgas und Steinkohle sowie Aktivitäten in der Chemie- und Metallind.; 1907 durch Fusion entstanden. Muttergesellschaften sind die N. V. Koninklijke Nederlandsche Petroleum Maatschappij (Royal Dutch Petroleum Co.), Den Haag (gegr. 1890), und The »Shell« Transport & Trading Co. plc., London (gegr. 1897). Zu den mehr als 700 Beteiligungs-

und Tochtergesellschaften gehört u.a. die Dt. Shell AG, Hamburg.

Royal Institute of International Affairs ['rɔɪəl 'ɪnstɪtjuːt ɔv ɪntə'næʃnl ə'feəz], brit. nichtamtl., politisch neutrales Institut zur Erforschung des Zeitgeschehens; gegr. 1920, Sitz: Chatham House, London; Hg. von »International Affairs«, »The World Today«.

Royalismus [rwaja'lismus, frz.] *der,* Befürwortung der Monarchie, Königstreue. – **Royalist,** Anhänger der Monarchie (z.B. der Bourbonen in Frankreich nach der Revolution von 1789).

Royal Leamington Spa ['rɔɪəl 'lemɪŋtən 'spɑː] (Leamington), Stadt in der Cty. Warwickshire, Mittelengland, 43000 Ew.; Kunstgalerie und Museum; Heilbad (Kochsalzquellen); Maschinenbau, Leichtindustrie.

Royal Philharmonic Orchestra ['rɔɪəl filɑː'mɔnɪk 'ɔːkɪstrə], 1946 von Thomas Beecham in London gegr. brit. Sinfonieorchester; wurde mit Interpretationen spätromant. sinfon. Werke weltbekannt. Bed. nachfolgende Dirigenten waren u.a. R. Kempe, A. Dorati, W. Weller, W. Ashkenazy; Chefdirigent ist seit 1995 D. Gatti.

Royal Shakespeare Company ['rɔɪəl 'ʃeɪkspɪə 'kʌmpənɪ], 1961 gegr. Schauspielensemble (bis 1961 **Shakespeare Memorial Company**), das die Shakespeare-Festivals in Stratford-upon-Avon bestreitet und ganzjährig im Londoner Aldwych Theatre klass. und moderne Stücke spielte; 1982 wurde die Spielstätte in das Londoner Kulturzentrum Barbican Centre verlegt.

Royal Society ['rɔɪəl sə'saɪətɪ], die älteste engl. Akademie der Wiss., gegr. 1660 zur Förderung der Naturwiss.; Sitz: London. Die R.S. unterhält keine eigenen Forschungseinrichtungen, sondern verwaltet Mittel für die wiss. Forschung; verleiht die Copley-Medaille. – Die Royal Society's Library umfasst einen Bestand von über 150000 Bänden.

Royal Tunbridge Wells ['rɔɪəl 'tʌnbrɪdʒ 'welz] (Tunbridge Wells), Stadt in der Cty. Kent, S-England, im Weald, 44800 Ew.; Museum mit »Tunbridge ware« (seit dem 17.Jh. bis um 1920 hier gefertigte Intarsien); Fremdenverkehr; im 18./19.Jh. Badeort (eisenhaltige Quellen).

Royan [rwa'jã], Stadt und Seebad im Dép. Charente-Maritime, Frankreich, am Ausgang der Gironde am Atlantik, 17500 Ew.; Kongresszentrum; Fischerei- und Jachthafen.

ROZ, → Oktanzahlen.

Różewicz [ru'ʒɛvitʃ], Tadeusz, poln. Schriftsteller, *Radomsko (Wwschaft Piotrków) 9. 10. 1921; schreibt Dramen (»Die Kartothek«, 1960; »Theater der Inkonsequenzen«, 1970; »Weiße Ehe«, 1975) und Erzählungen (»In der schönsten Stadt der Welt«, 1960; »Der Tod in der alten Dekoration«, 1970).

Rp., auf ärztl. Rezepten Abk. für lat. **r**eci**p**e, nimm!

RPR, Abk. für die frz. Partei → **R**assemblement **p**our la **R**épublique.

RR-Lyrae-Sterne [nach dem Stern RR im Sternbild Leier], Klasse von pulsierenden → Veränderlichen (Pulsationsveränderlichen), die ihre Helligkeit mit Perioden zw. 0,2 und 1,2 Tagen um etwa 0,2 bis 2 Größenklassen, ihre Oberflächentemperatur um etwa 1500 K ändern. Ihre mittlere absolute Helligkeit ist etwa $0^{m}_{.}5$. Da sie meist in den Kugelhaufen des galakt. Halos stehen, heißen sie auch **Haufenveränderliche**.

r-RNS (r-RNA), *Genetik:* Abk. für **r**ibosomale → **R**ibo**n**uclein**s**äure.

RSFSR, Abk. für **R**ussische **S**ozialistische **F**öderative **S**owjet**r**epublik; → Russland, Geschichte.

R-Sterne, eine Untergruppe der C-Sterne (Sterne der Spektralklasse C).

RT, Abk. für → **R**egister**t**onne.

RTL, private dt. Fernsehanstalt, gegr. 1985 als »RTL plus« vom luxemburg. Medienkonzern CLT sowie der Bertelsmann-Gesellschaft UFA Film- und Fernseh-GmbH und der WAZ-Gruppe; Sitz: Köln. Nach dem Zusammenschluss von CLT und UFA 1997 wurden die versch. RTL-Sender mit z.T. anderen Gesellschaftern (RTL2, gegr. 1993, Sitz: München; Super RTL, gegr. 1995, Sitz: Köln) zu einer Holdinggesellschaft zusammengefasst. – RTL ist die Abk. für **R**adio-**T**élé-**L**uxembourg, die 1931 gegründete private Rundfunkanstalt der CLT mit versch. Hörfunk- und Fernsehsendern.

Ru, chem. Symbol für → Ruthenium.

Tadeusz Różewicz

Ernst Rowohlt

Ruanda (Rwanda, amtlich frz. République Rwandaise, Kinyaruanda: Republika y'u Rwanda), Binnenstaat in Ostafrika, grenzt im N an Uganda, im O an Tansania, im S an Burundi, im W an die Demokrat. Rep. Kongo.

Staat und Recht: Nach der Verf. vom 5. 5. 1995 ist R. eine präsidiale Rep. mit Mehrparteiensystem. Staatsoberhaupt ist der auf fünf Jahre direkt gewählte Präs., die Exekutive liegt bei der Reg. unter Vorsitz des MinPräs. Bis zur freien Wahl der 1994 aufgelösten Nationalversammlung fungiert der Nat. Entwicklungsrat (70 Mitgl., auf fünf Jahre gewählt) als Legislativorgan. Wichtigste Parteien: Patriot. Front R.s (FPR), Demokrat. Republikan. Bewegung (MDR), Sozialdemokrat. Partei (PSD), Liberale Partei (PL). Die ehem. staatstragende (Hutu-) Partei, die Republikan. Nat. Bewegung (MRND), ist im Parlament nicht mehr vertreten, weil sie für den Völkermord in R. mitverantwortlich gemacht wurde.

Landesnatur: R. liegt auf einem in Schollen zerbrochenen Hochlandblock, der im W in einer Stufe zum Zentralafrikan. Graben mit dem Kiwu-

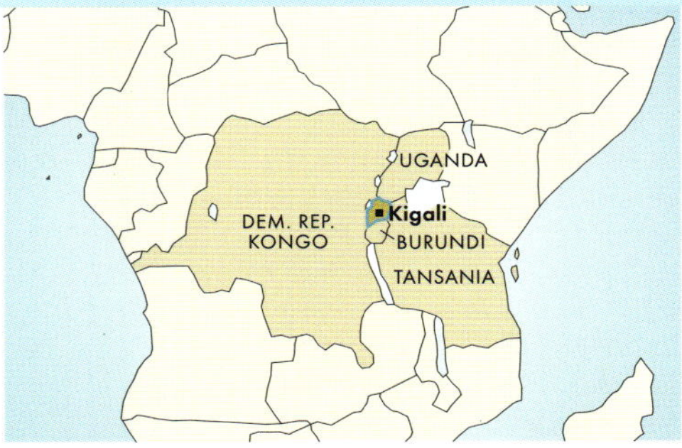

Ruanda

Fläche: 26 338 km²
Einwohner: (1995) 7,95 Mio.
Hauptstadt: Kigali
Verwaltungsgliederung: 10 Präfekturen
Amtssprachen: Französisch und Kinyaruanda
Nationalfeiertag: 1. 7.
Währung: 1 Ruanda-Franc (F.Rw) = 100 Centimes
Zeitzone: OEZ

Staatswappen

RWA
Internationales Kfz-Kennzeichen

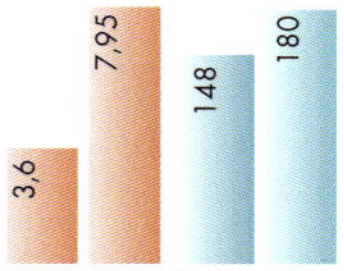

1970 1995 1970 1995
Bevölkerung (in Mio.)
Bruttosozialprodukt je Ew. (in US-$)

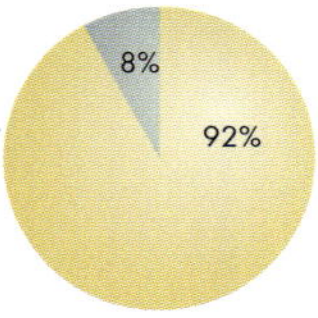

Stadt
Land
Bevölkerungsverteilung 1995

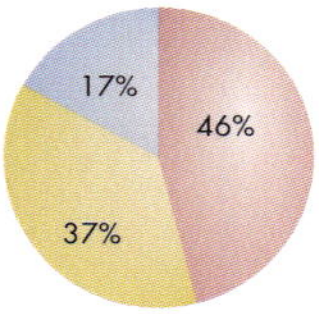

Industrie
Landwirtschaft
Dienstleistung
Bruttoinlandsprodukt 1995

see abbricht und sich nach O zur stark versumpften Senke des Kagera abdacht. Im NW erhebt sich die Kette der Virungavulkane, die im Karisimbi auf 4507 m ü. M. ansteigt. Das wechselhafte trop. Klima ist durch die Höhenlage gemildert.

Bevölkerung: Die Bev. (Ruanda, Nyaruanda) besteht aus drei ethnisch, wirtsch. und sozial voneinander getrennten Gruppen: 1990 gehörten etwa 90% zu den Ackerbau treibenden Hutu (Bantu), 9% zu den Vieh züchtenden Tutsi (→Hima), etwa 1% waren Twa (Pygmäen). Typisch für das dicht besiedelte Land ist die Streusiedlung. – Allg. Schulpflicht besteht vom 7. bis 15. Lebensjahr; in Butare gibt es eine Univ. (gegr. 1963). – Rd. 65% der Ew. sind Katholiken, 9,5% Muslime und 9% Protestanten.

Wirtschaft, Verkehr: R. ist ein v. a. von der Subsistenzwirtschaft lebendes Agrarland; Anbau von Mais, Maniok, Jamswurzel, Hirse, Bohnen, Bataten, Kochbananen, für den Export Kaffee, Tee, Pyrethrum. In der Viehwirtschaft dominiert die Rinderhaltung. Geförderte Bodenschätze sind Zinn, Wolfram, Gold, Beryll, Columbit. Die bed. Methanvorkommen im Kiwusee werden bisher wenig genutzt. Die Industrie verarbeitet v. a. landwirtsch. Produkte; ferner Textil-, Holz-, Lederind. Ausfuhr von Kaffee (60% der Exporterlöse), Tee, Zinn, Wolfram, Chinarinde, Häuten, Fellen. Haupthandelspartner sind Belgien, Dtl., Kenia und Japan. – Es gibt keine Eisenbahn; das Straßennetz ist 13170 km lang (davon 900 km befestigt). Auf dem Kiwusee wird Binnenschifffahrt betrieben. Internat. Flughäfen bei Kigali und Kamembe.

Geschichte: Die im 15./16. Jh. eingewanderten Tutsi (→Hima) errichteten eine aristokrat. Herrschaft über die →Hutu (an der Spitze ein König, der »Mwami«). 1899 brachte das Dt. Reich das Land unter sein Protektorat (Dt.-Ostafrika). Seit 1920 als Völkerbundsmandat, ab 1946 als UN-Treuhandgebiet von Belgien verwaltet (→Ruanda-Urundi). 1959 erhoben sich die Hutu und stürzten die Tutsiherrschaft. 1962 wurde R. als Republik unabhängig. Die Überrepräsentierung der Tutsi in der sozialen Oberschicht führte zu ständigen Unruhen, bis nach einem unblutigen Armeeputsch 1973 General J. Habyarimana die Macht übernahm und als Staatspräs. (Wiederwahl 1978, 1983 und 1988) ein Einparteiensystem etablierte. Nach blutigen ethnischen Auseinandersetzungen in Burundi flüchteten 1988 rd. 60000 Hutu nach Ruanda.

Im Okt. 1990 drang die Patriot. Front R.s (FPR), eine Organisation der 1959 v. a. nach Uganda geflüchteten Tutsi, mit 4000 Mann von Uganda aus in R. ein. Unter dem Druck der Tutsi-Offensive suchte die Reg. mit der Einführung des Mehrparteiensystems (Verf.änderung vom Juni 1991) die innenpolit. Spannungen bes. zw. der Hutu-Mehrheit und der Tutsi-Minderheit zu mildern. Nach versch. gescheiterten Anläufen schlossen Präs. Habyarimana und der PFR-Oberst A. Kanyarengwe am 4. 8. 1993 in Arusha (Tansania) einen Waffenstillstand. Im Nov. 1993 entsandte die UNO im Rahmen der UN-Assistance Mission (UNAMIR) eine Friedenstruppe (2500 Soldaten) sowie zivile Mitarbeiter zur Überwachung des Friedensprozes-

Ruanda (Geschichte): Paul Kagame

ses. Dennoch kam es nach dem Tod Habyarimanas beim Abschuss seines Flugzeuges am 6. 4. 1994 zu einem sofortigen Wiederaufflammen des Bürgerkriegs. Dabei fielen zw. 0,5 bis 1 Mio. Ruander (meist Tutsi und oppositionelle Hutu) einer systemat. Aktion der extremist. Hutu-Milizen zum Opfer, bevor sich die Truppen der FPR bis Anfang Juli 1994 durchsetzen und das ganze Land erobern konnten. 2 Mio. Menschen, meist Hutu, flohen aus Angst vor den Siegern in die Nachbarländer, bes. nach Zaire (heute: Demokrat. Rep. Kongo) und Tansania. Die organisator. und polit. Schwierigkeiten, die sich den zur Hilfe bereiten internat. Organisationen bei der Versorgung der Flüchtlinge entgegenstellten, beschworen die Gefahr einer Hungersnot herauf. Die siegreiche FPR, unter der Führung von P. Kagame, setzte am 19. 7. 1994 P. Bizimungu, ein Gründungsmitgl. der FPR, als Staatspräs. und einen gemäßigten Hutu als MinPräs. ein. Die Bemühungen um eine Rückführung der Flüchtlinge scheiterten lange Zeit weitgehend, weil die geflüchteten, für die Massaker verantwortl. extremen Hutu-Milizen die Flüchtlinge in den Lagern gewaltsam an einer Rückkehr nach R. hinderten. Darüber hinaus herrschte in diesen Lagern Furcht vor Rachemaßnahmen der neuen, von den Tutsi dominierten Regierung R.s. Die Vertreibung der Hutu-Milizen aus den Flüchtlingslagern löste im Okt. 1996 einen Massenexodus ruand. Flüchtlinge aus den Lagern in Zaire (Demokrat. Rep. Kongo) Richtung R. aus; auch aus Tansania kehrten Hunderttausende nach R. zurück.

Im Juni 1995 setzte die UNO in Den Haag ein Tribunal zur Verfolgung der im Bürgerkrieg begangenen Verbrechen ein; jedoch verzögerte sich der Beginn der Prozesse. Nach Informationen der Menschenrechtsorganisation African Rights geht der Völkermord an Tutsi und gemäßigten Hutu weiter, um angesichts der anstehenden nationalen und internat. Prozesse Zeugen zu beseitigen.

📖 HERTEFELT, M. D' *u.* LAME, D. DE: *Société, culture et histoire du Rwanda, 2 Bde. Tervuren 1987.* – WERLE, O. *u.* WEICHERT, K.-H.: *R., ein landeskundl. Porträt. Koblenz 1987. – Als die Weißen kamen. R. u. die Deutschen 1885–1919, bearb. v.* G. HONKE *u. a. Wuppertal 1990.* – SCHERRER, C. P.: *Ethnisierung u. Völkermord in Zentralafrika. Genozid in Rwanda, Bürgerkrieg in Burundi u. die Rolle der Weltgemeinschaft. Frankfurt am Main u. a. 1997.*

Ruanda-Urundi, vom ehem. Dt.-Ostafrika 1919/20 abgetrennter Landesteil; von Belgien 1920–46 als Völkerbundsmandat, 1946–62 als UN-Treuhandgebiet verwaltet, 1962 in die unabhängigen Staaten →Burundi und →Ruanda aufgeteilt.

Ruapehu [ruːəˈpeɪhuː] *der,* höchster Vulkan auf der N-Insel Neuseelands, 2 797 m ü. M.; letzte Ausbrüche 1945–46 und 1995–96, Gipfel vergletschert; Wintersportgebiet.

Ruark [ˈruːɑːk], Robert Chester, amerikan. Schriftsteller, *Wilmington (N. C.) 29. 12. 1915, †London 1. 7. 1965. Seine Romane behandeln das Rassenproblem: »Die schwarze Haut« (1955), »Nie mehr arm« (1959), »Uhuru« (1962).

Rub al-Chali [-ˈxaːli; arab. »das leere Viertel«] (Rub al-Khali), Sandwüste im S und SO der Arab. Halbinsel, mit rd. 780 000 km² die größte zusammenhängende Sandfläche der Erde; extrem arides Klima, fast keine Oasen.

rubato, *Musik:* →Tempo rubato.

Carlo Rubbia

Rubbia, Carlo, italien. Physiker, *Görz 31. 3. 1934; seit 1962 am Europ. Kernforschungszentrum (CERN) in Genf (1989–93 Generaldirektor); wies 1983 zusammen mit S. van der →Meer die Existenz der →intermediären Bosonen W und Z nach. 1984 erhielten sie dafür den Nobelpreis für Physik.

Rübe, fleischig verdicktes Speicherorgan bei zweikeimblättrigen Pflanzen der Gattungen **Beta** (→Runkelrübe, →Zuckerrübe), **Brassica** (→Kohlrübe, Speiserübe), **Daucus** (→Möhre); wird als Viehfutter, Zuckerrohstoff und Nahrungsmittel verwendet.

Rubel [russ.] *der,* im 14. Jh. Bez. für (später gestempeltes) russ. Barrensilber, im Großfürstentum Moskau für eine Gewichts- und Recheneinheit, im 17. Jh. auch als Münze geprägt. Unter Peter I. wurde der R. in 100 Kopeken unterteilt; bis 1991 Währungseinheit in der Sowjetunion, seitdem in Russland und einigen anderen Nachfolgestaaten.

Rübeland, Gemeinde im Landkreis Wernigerode, Sa.-Anh., im Harz, 392 m ü. M., an der Bode, 1 700 Ew.; Kalksteinbrüche; Tropfsteinhöhlen (Hermannshöhle, Baumannshöhle).

Ruben, *A. T.:* einer der zwölf Stämme Israels, als dessen Ahnherr R., der erstgeborene Sohn Jakobs und Leas, gilt (1. Mose 35, 23).

Rübenblattwanze, die →Rübenwanze.

Rübenblattwespe, →Kohlrübenblattwespe.

Rubeniden, armenische Dynastie in Kilikien 1080–1375; erlangte mit Leo II. 1198 die Königskrone.

Rübenmüdigkeit, Fruchtfolgekrankheit, die durch das Rübenälchen (Heterodera schachtii), einen in den Wurzeln der Rüben schmarotzenden Fadenwurm, hervorgerufen wird.

Peter Paul Rubens (Stich nach einem Selbstporträt)

Rubens [fläm. ˈry-], Peter Paul, fläm. Maler, *Siegen (Westfalen) 28. 6. 1577, †Antwerpen 30. 5. 1640; seit 1589 in Antwerpen, ging 1600 nach Italien, wurde Hofmaler des Herzogs Vincenzo Gonzaga in Mantua, war tätig in Rom, Venedig, Florenz und Genua; studierte hier neben der Malerei des röm. Frühbarock (Caravaggio, Carraci) und der Renaissance (Tizian, Leonardo da Vinci, Michelangelo) auch antike Bildwerke und schuf seine

Peter Paul Rubens (von oben): »Raub der Töchter des Leukippos durch die Dioskuren Kastor und Pollux« (1617; München, Alte Pinakothek); »Die heilige Jungfrau erscheint dem heiligen Ildefonso«, Mittelbild des dreiflügeligen Ildefonso-Altars (um 1630–32; Wien, Kunsthistorisches Museum)

ersten Altarwerke und Porträts. 1608 kehrte R. nach Antwerpen zurück, wurde Hofmaler des Erzherzogs Albert und baute seine Werkstatt auf (u. a. van Dyck, F. Snijders, J. Bruegel d. Ä.). 1610 heiratete er Isabella Brant (* 1591, † 1626; u. a. »Doppelbildnis in der Geißblattlaube«, 1609/10; München, Alte Pinakothek), 1630 die sechzehnjährige Helene Fourment. Durch seine Tätigkeit am frz., span. und engl. Hof war er mehrmals als Diplomat auf Reisen. Die großen Altarwerke »Kreuzaufrichtung« (1610/11) und »Kreuzabnahme« (1612–14; beide Antwerpen, Kathedrale) kennzeichnen die erste Reifestufe einer Kunst, die zur Grundlage der europ. Barockmalerei wurde. Neben von Pathos und Sinnlichkeit erfüllten Bildern wie dem »Raub der Töchter des Leukippos durch die Dioskuren Kastor und Pollux« (1617) und der »Amazonenschlacht« (vor 1619) stehen religiöse Darstellungen, z. B. das große und kleine »Jüngste Gericht« (um 1615/16 bzw. 1618–20, beide München, Alte Pinakothek). Zu seinen größten Aufträgen zählen die beiden Medici-Gemäldezyklen für Paris (1622–25 für das Palais Luxembourg, heute im Louvre; 1628–31 die Geschichte Heinrichs IV., erhalten elf Entwürfe, u. a. in der Gemäldegalerie Berlin und in den Uffizien in Florenz). Das letzte große Altarwerk, der »Ildefonso-Altar« (1630–32; Wien, Kunsthistor. Museum), führt die kolorist. Entwicklung (seit Mitte der 1620er-Jahre) zum Höhepunkt. Bedeutend für das Spätwerk ist die Landschaft, u. a. »Landschaft mit Philemon und Baucis« (1635–40; Wien, Kunsthistor. Museum), »Landschaft mit Regenbogen« (um 1635; München, Alte Pinakothek) und »Schloss Steen« (1635–37; London, National Gallery); außerdem Porträts (»Helene Fourment mit ihrem Sohn Frans«, um 1635; München, Alte Pinakothek). – Das Werk von R., etwa 3 000 Gemälde, davon 600 überwiegend eigenhändig oder von ihm überarbeitet, sowie etwa 200 Handzeichnungen (v. a. in der Albertina in Wien), wurde durch Reproduktionsstiche der eigenen Stecherwerkstatt verbreitet; es hat die europ. Kunst über Jahrhunderte beeinflusst und geprägt. Weitere BILDER Himmelfahrt Christi und Maria von Medici

📖 BILLETER, F.: *Zur künstler. Auseinandersetzung innerhalb des Rubenskreises. Frankfurt am Main u. a. 1993.*

Rübenwanze (Rübenblattwanze, Piesma quadratum), bis 3,5 mm lange, graue, dunkel gefleckte Wanze; saugt an Mangold, Spinat, Runkel- und Zuckerrüben und kann dabei den Erreger (ein Virus) der Rübenkräuselkrankheit übertragen.

Rübenzucker, aus Zuckerrüben gewonnene → Saccharose.

Rubeola [zu lat. ruber »rot«], die → Röteln.

Rübezahl [wohl aus Rübe und Zagel »Rübenschwanz«], Sagengestalt: Berggeist des Riesengebirges, erscheint als Bergmännlein, Mönch, Riese oder Tier, neckt Wanderer, beschenkt Arme, sendet Unwetter und hütet die Bergschätze.

Rubidium [zu lat. rubidus »dunkelrot« (nach der Farbe seiner charakterist. Spektrallinien)] *das,* chem. Symbol **Rb,** Element aus der ersten Hauptgruppe des Periodensystems der chem. Elemente (→ Alkalimetalle); Ordnungszahl 37, relative Atommasse 85,4678, Dichte 1,532 g/cm^3, Schmelzpunkt 38,9 °C, Siedepunkt 688 °C. R. ist ein silberglänzendes, weiches Leichtmetall, das sich chemisch sehr ähnlich wie Kalium und Cäsium verhält. Obwohl R. keineswegs zu den seltenen Elementen gehört, ist seine Reindarstellung schwierig, da Verbindungen des R. in der Natur nur in sehr geringen Mengen v.a. als Begleiter von Kaliummineralen (Kalifeldspäten, Glimmern, Kalisalzen) vorkommen, aus denen sie zunächst durch Anreicherungsverfahren isoliert werden müssen. In etwas höherer Konzentration findet sich R. z.B. im → Pollucit. Wegen der hohen Gewinnungskosten wird R. nur selten verwendet, z.B. zur Herstellung von Photozellen (Alkalizellen) sowie als Gettermetall.

Rubidium-Strontium-Methode, Verfahren zur Altersbestimmung von sehr alten Gesteinen, das auf dem Zerfall des Rubidiumisotops ^{87}Rb in das Strontiumisotop ^{87}Sr (Halbwertszeit $4,8 \cdot 10^{10}$ Jahre) beruht und das Alter der Probe aus dem massenspektrometrisch bestimmten Verhältnis der beiden Isotope (^{87}Sr/^{87}Rb) berechnet.

Rubikon *der* (lat. Rubico), antiker Name eines kleinen Flusses in Oberitalien, vermutlich der heutige **Rubicone;** im Altertum die Grenze zw. Gallia Cisalpina und Italien. Cäsar eröffnete mit der Überschreitung des R. (10. 1. 49 v. Chr.) den Bürgerkrieg.

Rubik-Würfel (engl. Rubik's Cube), der → Zauberwürfel.

Rubin [lat.] *der,* sattrote Varietät von → Korund.

Rubinglimmer [nach der Farbe seiner Splitter] (Lepidokrokit), rhomb. Mineral der chem. Zusammensetzung γ-FeOOH, licht- bis kupferrot; dünntafelige Kristalle, z.T. in Rosetten angeordnet, auch pulvrig oder als roter **Glaskopf;** Vorkommen wie → Goethit, aber seltener.

Rubinstein, 1) Anton Grigorjewitsch, russ. Pianist und Komponist, * Wychwatinez (Wolhynien) 28. 11. 1829, † Peterhof (bei Sankt Petersburg) 20. 11. 1894, Bruder von 4); gründete 1862 das Kaiserl. Konservatorium in Sankt Petersburg. Als Pianist gefeiert, stand er als Komponist stark unter dem Einfluss F. Mendelssohn Bartholdys.

2) Artur, amerikan. Pianist poln. Herkunft, * Lodz 28. 1. 1887, † Genf 20. 12. 1982; gehört zu den herausragenden Pianisten des 20. Jh.; Interpret der Werke der Wiener Klassik, F. Schuberts, F. Chopins und zeitgenöss. Komponisten; schrieb »Mein glückl. Leben« (1980).

3) Ida Lwowna, russ. Tänzerin, * Charkow 5. 10. 1888, † Vence (Dép. Alpes-Maritimes) 20. 9. 1960; Schülerin von M. M. Fokin, 1909–11 in Paris Mitgl. der Ballets Russes. Sie initiierte und kreierte mehrere Bühnenwerke, darunter »Perséphone« (I. Strawinsky, 1934) und »Jeanne d'Arc au bûcher« (A. Honegger, 1938).

4) Nikolai Grigorjewitsch, russ. Pianist und Dirigent, * Moskau 14. 6. 1835, † Paris 23. 3. 1881, Bruder von 1); dirigierte ab 1860 die Konzerte der Moskauer Russ. Musikgesellschaft; Mitbegründer (1866) und Leiter des Moskauer Konservatoriums.

Rübling (Collybia), Gattung der Blätterpilze; bei einigen Arten ist der Stiel am unteren Ende rübenartig verdickt; der **Samtfuß-R.** (**Winterpilz,** Collybia velutipes) mit gelbbraunem Hut und Stiel wächst meist büschelig auf Baumstümpfen.

Rubljow, Andrei, russ. Maler, * zw. 1360 und 1370, † Moskau um 1427/30; als Mönch in und um Moskau tätig, wo er 1405 mit Theophanes dem Griechen in der Verkündigungskathedrale arbeitete. Sein Hauptwerk, ein Höhepunkt der altruss. Malerei, ist die Dreifaltigkeitsikone in Moskau (um 1411; Tretjakow-Galerie; BILD Ikone). – 1988 vom russ.-orth. Landeskonzil heilig gesprochen, Tag: 4. 7.

Rubner, Max, Physiologe, * München 2. 6. 1854, † Berlin 27. 4. 1932; wies nach, dass das Gesetz von der Erhaltung der Energie auch für Stoffwechselvorgänge gilt; übte großen Einfluss auf die Ernährungslehre aus.

Rüböl, aus Rübsen (**Rübsenöl**) oder Rapssamen (**Rapsöl**) gewonnenes Öl; Verwendung als Speiseöl und zu techn. Zwecken.

Rubrik [zu lat. rubrica terra »rote Erde«] *die,* **1)** *allg.* Spalte, Kategorie, Klasse.

2) *Buchwesen:* die in mittelalterl. Handschriften und in Frühdrucken rot eingemalten Überschriften, Initialen und sonstigen Schmuckelemente zur Kennzeichnung von Abschnitten; wurden nur einzelne Zeichen verwendet, heißen diese **Rubrum.**

Rubruk (Ruysbroeck), Wilhelm von, fläm. Franziskaner und Asienreisender, * Rubrouck (bei Dünkirchen) um 1210, † um 1270; unternahm 1253–55 im Auftrag von Papst Innozenz IV. und des frz. Königs Ludwig IX. eine Gesandtschaftsreise an

Anton Grigorjewitsch Rubinstein

Artur Rubinstein

Max Rubner

Rubikon

Die Würfel sind gefallen!

Die Redensart geht auf einen Gaius Julius Cäsar zugeschriebenen Ausspruch zurück. Nach der Überlieferung des lateinischen Schriftstellers Sueton in dessen Cäsarbiographie soll er nach Überschreiten des Rubikon gesagt haben »Alea iacta est« beziehungsweise »Iacta alea est« (»Der Würfel ist gefallen«). Er wird heute in der Form »die Würfel sind gefallen« zitiert, womit zum Ausdruck gebracht wird, dass eine bestimmte schwer wiegende Entscheidung gefallen ist. Historisch plausibler ist allerdings, was schon Erasmus von Rotterdam vermutete, dass Cäsar seinerseits ein griechisches Sprichwort, nämlich »Hochgeworfen sei der Würfel«, zitiert habe, dass er also eigentlich von einer bevorstehenden und nicht von einer bereits gefallenen Entscheidung gesprochen habe.

Ruchgras: Gemeines Ruchgras

den Hof des mongol. Großkhans in Karakorum. Sein Reisebericht ist eine bed. historische Quelle über W- und Zentralasien.

Rubrum [lat. »das Rote«] *das,* **1)** *Buchwesen:* →Rubrik.

2) *Recht:* der (früher rot geschriebene) Urteilskopf, enthält nach Eingangsformel und Aktenzeichen die Bez. der Parteien und Bevollmächtigten, des Gerichts und der Gerichtspersonen sowie das Datum der letzten mündl. Verhandlung.

Rübsen (Rübsamen, Brassica rapa var. silvestris), bis 80 cm hoher Kreuzblütler mit gelben Blüten; Nutzpflanze, enthält im Samen →Rüböl.

Rubus [lat.], Gattung der Rosengewächse, u.a. mit →Brombeere, →Himbeere.

Ruchgras (Riechgras, Geruchgras, Anthoxanthum), Gattung der Süßgräser in Eurasien und im Mittelmeergebiet mit einblütigen Ährchen in einer Rispe; das einheim. **Gemeine R.** (**Wohlriechendes R.,** Anthoxanthum odoratum) spaltet beim Verwelken →Cumarin ab.

Rückbildung, *Medizin:* →Involution.

Rücken, *Forstwirtschaft:* der Kurztransport von gefällten Bäumen vom Hiebsort bis zu einem Holzabfuhrweg oder Zwischenlagerplatz.

Rücken, 1) *Anatomie:* (Dorsum) dem Bauch gegenüberliegende Seite (Dorsalseite) des Tierkörpers; beim Menschen die hintere, oben vom Nacken, unten vom Becken begrenzte Rumpfwand.

2) *Geomorphologie:* Erhebung mit deutl. Längserstreckung und breiten Kammformen; sanftere Aufwölbungen werden als Schwellen bezeichnet.

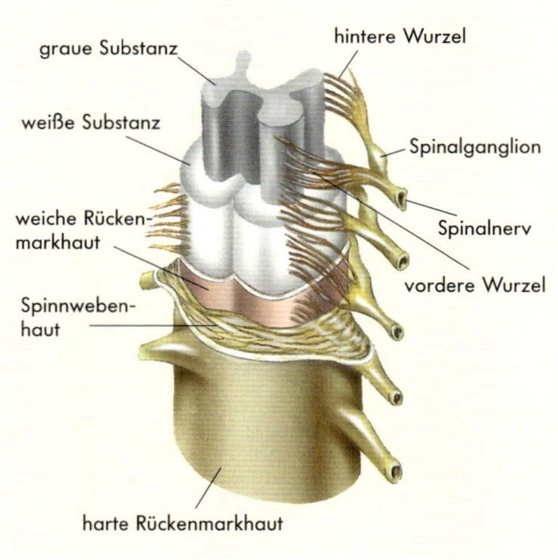

Rückenmark: in Aufsicht gezeichneter Rückenmarkkanal

Rückenmark (Medulla spinalis), bei allen Wirbeltieren (einschl. des Menschen) ein in Körperlängsrichtung im Wirbelkanal liegender ovaler oder runder Strang, der mit seinen Nervenzellen und -fasern einen Teil des Zentralnervensystems bildet und gehirnwärts am Hinterhauptsloch in das verlängerte Mark (→Gehirn) übergeht. Das R. wird embryonal als →Medullarrohr angelegt. – Beim Menschen lässt sich das R. in **R.-Segmente** (acht Hals-, zwölf Brust-, fünf Lenden-, fünf Kreuzbein- und ein bis zwei Steißbeinsegmente) gliedern. Rings um den sehr engen, mit Liquor gefüllten **Zentralkanal** des R. (R.-Kanal), eine Fortsetzung des Ventrikelsystems des Gehirns, ist die **graue Substanz** im Querschnitt in der Form eines Schmetterlings oder eines H angeordnet, dessen Schenkel die Hinterhörner und die Vorderhörner bilden. Die graue Substanz besteht vorwiegend aus Nervenzellen. Am größten sind die motor. Ganglienzellen der Vorderhörner, deren Neuriten (Vorderwurzelfasern) die vorderen Wurzeln der Spinalnerven mit efferenten (motor.) Fasern bilden. In den Seitenhörnern liegen die vegetativen (sympath.) Ganglienzellen, in den Hinterhörnern jene Ganglienzellen, die von den hinteren Wurzeln her mit sensiblen Nervenfasern (Hinterwurzelfasern) verbunden sind. Kurz vor der Vereinigung mit der vorderen erscheint die hintere Wurzel jeder Seite durch eine Anhäufung von Nervenzellen zu einem eiförmigen **Spinalganglion** aufgetrieben. Vorder- und Hinterwurzelfasern vereinigen sich zu den R.-Nerven (Spinalnerven), die den Wirbelkanal durch das Zwischenwirbelloch verlassen. Die graue Substanz wird von der **weißen Substanz** (Markmantel) umschlossen. Sie besteht aus Nervenfasern, die eine Reihe (aus der Peripherie) aufsteigender und (aus dem Gehirn) absteigender Leitungsbahnen bilden (afferente bzw. efferente Leitungsbahnen). Die größte efferente Bahn ist die für die willkürl. Bewegungen zuständige paarige Pyramidenseitenstrangbahn (→Pyramidenbahn). Zu den afferenten Bahnen gehören die sensiblen **Hirnstrangbahnen.** Das R. dient nicht nur als Leitungs- und Umschaltapparat zw. Körperperipherie und Gehirn. Vielmehr sind in den sog. Eigenapparat des R. eine Reihe unwillkürl. nervaler Vorgänge, die **R.-Reflexe,** eingebaut; die Schaltzellen der entsprechenden Reflexbögen liegen in der grauen Substanz. Das R. ist wie das Gehirn von drei Häuten (R.-Häute) umhüllt. Die **weiche R.-Haut** (Pia mater spinalis) liegt dem R. direkt an, dann folgt als weite schlaffe Hülle die **Spinnwebenhaut** (Arachnoidea spinalis) und schließlich die **harte R.-Haut** (Dura mater spinalis), die innerhalb des Wirbelkanals aus zwei Blättern besteht und das R. gegen die Bewegungen der Wirbelsäule schützt. Der Raum zw. weicher R.-Haut und Spinnwebenhaut ist mit Gehirn-R.-Flüssigkeit angefüllt.

Rückenmarkentzündung (Myelitis), entzündl. Veränderung des Rückenmarks mit unterschiedl. Sitz und Ausdehnung; tritt auf als Begleiterscheinung (z. B. bei Masern, Mumps) oder durch Übergreifen von Hirnhautentzündungen oder Erregeraussaat auf dem Blutweg. Kennzeichen sind Rückenschmerzen, Empfindungsstörungen, z. B. an den Beinen, oder Abschwächung der Reflexe.

Rückenmarkschwindsucht, die → Tabes dorsalis.

Rückensaite, *Anatomie:* die → Chorda dorsalis.

Rückenschwimmen, alle Ausführungsformen des Schwimmens in Rückenlage; als Sportschwimmart wird Rückenkraulschwimmen durchgeführt, eine Wechselschwimmart (die Arme werden wechselweise gehoben, die Beine wechselseitig auf und abwärts bewegt). Das Rückengleichschlagschwimmen (die Arme werden gleichzeitig über den Kopf gehoben, Beinarbeit wie beim Brustschwimmen) wird beim Rettungsschwimmen als Transportschwimmen angewandt.

Rück|erstattung, jede Rückgewähr einer ohne Rechtsgrund erbrachten Leistung, bes. in der Bundesrep. Dtl. die Rückgabe der dem Eigentümer zw. 1933 und 1945 aus rass., religiösen, nat., weltanschaul. oder polit. Gründen entzogenen Vermögensgegenstände. Das Bundesrückerstattungs-Ges. vom 19. 7. 1957 regelt die rückerstattungsrechtl. Ansprüche gegen das Dt. Reich und Sondervermögen (z. B. Dt. Reichsbahn).

Rückert, Friedrich, Dichter, *Schweinfurt 16. 5. 1788, †Neuses (heute zu Coburg) 31. 1. 1866; Prof. der oriental. Sprachen in Erlangen und Berlin; schrieb vaterländ. »Deutsche Gedichte« (1814, darin: »Geharnischte Sonette«), den Zyklus »Liebesfrühling« (1823), »Haus- und Jahrespoesie«, »Kindertotenlieder« (aus dem Nachlass 1872, vertont von G. Mahler, 1902). Seine eigentl. Leistung ist die Erschließung der persisch-arab. Dichtung durch sein Sprach-, Reim- und Übersetzertalent. Seine »Weisheit des Brahmanen« (6 Bde., 1836–39) fasst in der Form des klassizist. Alexandriners östl. und westl. Lebensweisheit zusammen.

📖 SCHIMMEL, A.: *F. R. Lebensbild u. Einführung in sein Werk. Freiburg im Breisgau u. a. 1987.*

Friedrich Rückert
(Zeichnung, 1818)

Rückfall, 1) *Medizin:* das → Rezidiv.

2) *Strafrecht:* die wiederholte Begehung einer mit Freiheitsstrafe bedrohten vorsätzl. Straftat. Die frühere Regelung des R. als Strafschärfungsgrund (§ 48 StGB) ist 1986 aufgehoben worden. Gemäß § 46 StGB hat das Gericht das Vorleben des Täters (Vorstrafen) bei der Strafzumessung zu berücksichtigen. Die StGB *Österreichs* (§§ 23, 39) und der *Schweiz* (Art. 67) sehen spezielle Strafverschärfungen für den R. vor.

Rückfallfieber (Rekurrensfieber, Febris recurrens), durch Borrelien (Spirochäten) hervorgerufene, durch Zecken oder Kleiderläuse übertragbare meldepflichtige bakterielle Infektionskrankheit; tritt v. a. in bestimmten Regionen Afrikas, Asiens und Südamerikas auf. Kennzeichen sind period. mehrtägige Fieberanfälle, Kopf- und Gliederschmerzen, Nasenbluten sowie Leber- und Milzschwellung. R. hinterlässt keine Dauerimmunität. Die Behandlung erfolgt mit Antibiotika.

Rückgrat, die → Wirbelsäule.

Rückgriff, *Recht:* der → Regress.

Rückhalte|einrichtungen, Sicherheitsvorrichtungen in Kraftwagen zum Festhalten der Insassen bei Unfällen, um ein gefährl. Aufprallen des Körpers zu verhindern (→ Sicherheitsgurt, → Airbag).

Rückkanal, mögl. Nachrichtenweg in Gegenrichtung zu prinzipiell einseitig gerichteter Übertragung in Breitband-Verteilnetzen, z. B. bei Hörfunk, Fernsehen, Kabelfernsehen. Ein R. überträgt nur geringerwertige (schmalbandige) Signale und dient der Kommunikation mit einer Zentrale.

Rückkauf, 1) *Bankwesen:* → Pensionsgeschäfte.

2) *bürgerl. Recht:* → Wiederkauf.

3) *Versicherungswesen:* in der Lebensversicherung Abfindung des Versicherungsnehmers bei vorzeitiger Auflösung (Kündigung) des Vertrags. Der R.-Wert ist in den ersten Jahren nach Vertragsabschluss geringer als die Summe der gezahlten Prämien, darf jedoch eine Mindestleistung von 50 % der ab Beginn und 65 % der ab dem zweiten Jahr bezahlten Beiträge nicht unterschreiten.

Rückkaufgeschäft, → Kompensationsgeschäft.

Rückkopplung (Rückführung), elektrotechn. Verfahren, bei dem ein Teil des Ausgangssignals eines Verstärkers an dessen Eingang zurückgeführt wird. Wirkt der zurückgekoppelte Anteil gleichphasig zur Eingangsgröße, erhält man eine **positive R. (Mitkopplung),** bei gegenphasiger Rückführung eine **negative R. (Gegenkopplung).** Mitkopplung kann zur Verminderung der Dämpfung von Schwingkreisen bzw. zur Selbsterregung (Schwingungserzeugung) genutzt werden; Gegenkopplung bewirkt eine Verringerung der Verstärkung, aber eine Stabilisierung der Parameter (Verringerung der Verzerrungen).

Rücklage, 1) *Betriebswirtschaftslehre:* (Reserve) Teil des Eigenkapitals eines Unternehmens, der über das Grund- oder Stammkapital hinausgeht. **Stille R.** entstehen durch Unterbewertung von Vermögensteilen oder Überbewertung von Verbindlichkeiten und sind in der Bilanz nicht ausgewiesen. **Offene R.** werden auf der Passivseite der Bilanz als Kapital-R. oder Gewinn-R. gesondert ausgewiesen. **Kapital-R.** entstehen aus externer Zuführung von Eigenkapitalteilen (Zuzahlungen der Gesellschafter), **Gewinn-R.** aus der Einbehaltung erwirtschafteter Gewinne; dazu zählen: 1) **Gesetzliche R.,** die bei Kapitalgesellschaften aufgrund gesetzl. Vorschriften (§ 150 Aktien-Ges.) gebildet werden; ihnen werden jeweils 5 % des Jahresüberschusses zugeführt, bis zus. mit der Kapital-R. 10% oder ein in der Satzung bestimmter höherer Anteil des Grundkapitals erreicht ist; 2) **satzungsmäßige R.,** die nach Gesellschaftsvertrag oder Satzung einer Kapitalgesellschaft vorgesehen sind; 3) über die satzungsgemäßen R. hinausgehende, nach unternehmenspolit. Gesichtspunkten gebildete R., die als **freie R.** bezeichnet werden und oft der Finanzierung von Investitionen dienen. Zweck jeder R.-Bildung ist v.a. die Stärkung der Eigenkapitalbasis (Selbstfinanzierung) und damit der Widerstandsfähigkeit eines Unternehmens gegenüber Verlusten und Krisensituationen sowie die Erleichterung der Beschaffung von Fremdkapital.

Ulrich Rückriem: Steinskulptur ohne Titel (1986)

2) *Sozialversicherung:* von den jeweiligen Trägern der Sozialversicherung zu unterhaltende Guthaben zur Sicherstellung der Leistungsaufgaben und zum Ausgleich von Schwankungen zw. Einnahmen und Ausgaben.

rückläufig, *Astronomie:* →rechtläufig.

Rücklicht, *Kfz-Technik:* →Schlussleuchte.

Rückmeldung (engl. Feed-back), die Beeinflussung eines Geschehens durch Rückwirkung der Folgen auf seinen weiteren Verlauf. Das Prinzip der R. ist grundlegend für die Theorie der Regelvorgänge (→Regelungstechnik, →Kybernetik) in der Technik, v.a. Elektrotechnik (→Rückkopplung), und in versch. Wiss. (z.B. Biologie, Medizin, Psychologie, Sozialwiss., Systemtheorie). In der Kommunikationswiss. ist R. die Reaktion des Rezipienten auf eine Kommunikation, die zugleich eine Fortsetzung der Kommunikation bedeutet (z.B. Leserbrief, Hörer-, Zuschauerpost).

Rücknahmepreis, →Investmentfonds.

Rücknahmesätze (Ankaufssätze), Zinssätze, die die Dt. Bundesbank berechnet, wenn sie im Rahmen der Offenmarktpolitik Geldmarktpapiere vor Fälligkeit von den Banken zurücknimmt.

Rückprojektionsverfahren, Filmtrickverfahren, bei dem die Hintergrundszene auf eine lichtdurchlässige Bildwand von hinten synchron projiziert wird; Atelierszene und Bildaufnahmekamera befinden sich vor der Bildwand.

Rückriem, Ulrich, Bildhauer, *Düsseldorf 30. 9. 1938; schuf Skulpturen aus Stein, Holz und Stahl. Bearbeitungsvorgang und Rohmaterial bleiben als formbildende Faktoren seiner Skulpturen sichtbar; seine Werke werden der Prozesskunst und der Minimalart zugerechnet.

Rückschein, Bestätigung des Empfängers über die Auslieferung einer Postsendung, die der Absender eines Einschreibens, eines Briefs mit Wertangabe oder eines Auslandspakets gegen Gebühr durch die Post einholen lassen kann.

Rückschlag, *Biologie:* →Atavismus.

Rückschlagventil, ein Absperrorgan, →Ventil.

Rückstau, stromaufwärts eintretende Erhöhung des Wasserstandes aufgrund abflusshemmender Hindernisse (Geschiebebänke, Eisversetzung, Verkrautung), durch Einbau von Stauwerken oder infolge der in die Flussmündung eindringenden Flutwelle.

Rückstellkraft (Richtkraft, Direktionskraft), die Kraft, die bei der Auslenkung eines physikal. Systems aus einer stabilen Gleichgewichtslage auftritt (z.B. beim Spannen einer Feder) und die bestrebt ist, die ursprüngl. Lage wiederherzustellen. Manchmal wird die Bez. Direktionskraft auch für die →Richtgröße benutzt. – Drehpendel (z.B. verdrillter Draht) basieren auf dem der R. analogen Rückstellmoment.

Rückstellmoment, *Kraftfahrzeugtechnik:* das Produkt aus Seitenkraft und Reifennachlauf bei Schräglauf der Räder. Die Räder versuchen, in die Bewegungsrichtung zu schwenken, und üben dadurch das R. auf die Radlagerung aus.

Rückstellungen, Passivposten der Bilanz zur Berücksichtigung der am Bilanzstichtag schon erkennbaren, nach Höhe und/oder Fälligkeit aber noch ungewissen Verbindlichkeiten und drohenden Verluste, v.a. Pensions-R. für Altersversorgungszusagen an Betriebsangehörige, Steuer-R. für schon entstandene, aber noch nicht fällige Steuern sowie sonstige R., z.B. für Prozessrisiken bei schwebenden Verfahren.

Rückstoß, die Kraft, die auf einen Körper wirkt, wenn von ihm eine Masse mit einer gewissen Kraft aus- und abgestoßen und ihm dabei ein bestimmmter Impuls verliehen wird. Der R. wird bei Raketen und Stahltriebwerken zum Antrieb ausgenützt. Bei Feuerwaffen wird er zum selbsttätigen Laden und Abfeuern bei automat. Waffen verwendet.

Rückstoßprotonenspektrometer, →Neutronenspektrometer.

Rückstrahler, Reflektorflächen, die einfallendes Licht mit geringer Streuung in die Einfallsrichtung zurückwerfen. Verwendet werden dazu versch. Linsenformen (Dom-, Eichel-, Tellerlinse) oder →Tripelspiegel, rot oder orangegelb gefärbt und zu Würfelecken oder Warzenlinsen zusammengesetzt. R. sind Warnsignale an Fahrzeugen **(Katzenaugen).** An Verkehrszeichen, Leiteinrichtungen und Absperrvorrichtungen werden R. in Form von **Reflexfolien** verwendet.

Rücktritt, 1) *bürgerl. Recht:* die auf Gesetz oder Vertrag beruhende Erklärung eines Vertragsteils an den Vertragsgegner, dass der wirksam abgeschlossene Vertrag als nicht geschlossen behandelt werden soll (§§346ff. BGB). Das Recht zum R. kann sich aus Gesetz oder Vertrag (R.-Vorbehalt) ergeben. Durch den R. wird eine neues Rückgewährschuldverhältnis begründet, das zur wechselseitigen Rückgewähr des aufgrund des Vertrags Empfangenen verpflichtet. Hat der Berechtigte den Untergang oder eine wesentl. Verschlechterung des Rückgabegegenstandes zu vertreten, ist der R. ausgeschlossen.

2) *Strafrecht:* (R. vom Versuch) →Versuch.

Rückübertragung, →Vermögensgesetz.

Rückversicherung (Reassekuranz), Vertrag, durch den ein Partner **(Rückversicherer, Zessionar)** gegen Entgelt (R.-Prämie) dem anderen **(Erstversicherer, Zedent)** das Risiko aus einem oder mehreren Versicherungsverträgen ganz oder teilweise abnimmt. Die R. wird auch als Versicherung der Versicherer bezeichnet. Nimmt der Rückversicherer seinerseits ganz oder teilweise eine R., so spricht man von **Folge-R. (Retrozession).** So können selbst größte Wagnisse ohne Überlastung des Erstversicherers versichert werden. Ein R.-Vertrag begründet eine Haftung nur gegenüber dem Erstversicherer, nicht aber gegenüber dem Versicherungsnehmer. Dadurch unterscheidet sich die R. von der **Mitversicherung,** bei der alle beteiligten (Mit-)Versicherer dem Versicherungsnehmer entsprechend ihrem Wagnisanteil direkt haften.

🕮 PFEIFFER, C.: *Einf. in die R. Wiesbaden ³1986.*

Rückversicherungsvertrag, Geheimvertrag zw. dem Dt. Reich (O. von Bismarck) und Russland (Außenmin. N. K. Giers) vom 18. 6. 1887, der beide Mächte auf drei Jahre zu wohlwollender Neutralität im Kriegsfall verpflichtete; ausgenommen waren ein dt. Angriffskrieg gegen Frankreich und ein russ. gegen Österreich. Das Dt. Reich erkannte Russlands Einfluss in Bulgarien an und in einem »ganz geheimen« Zusatzprotokoll die russ. Interessen am Bosporus. Der R. wurde nach Bismarcks Sturz 1890 nicht erneuert.

Rückwärtsversicherung, ein Versicherungsschutz für Schäden, die vor Vertragsschluss entstanden, dem Versicherungsnehmer aber nicht bekannt waren (§2 Versicherungsvertrags-Ges.); bes. in der Haftpflicht- und Transportversicherung.

Rückwärtswellenröhre (Carcinotron, Karzinotron), *Elektrotechnik:* eine →Wanderfeldröhre zur Erzeugung und Verstärkung von Mikrowellen, bei der die mittlere Geschwindigkeit der auf der Verzögerungsleitung rückwärts laufenden elektromagnet. Welle ungefähr gleich der Geschwindigkeit der Elektronen des Strahls ist.

Rückwirkung, *Recht:* die Geltung von Rechtsakten, bes. von Gesetzen, für Tatbestände, die zeitlich vor ihrer Entstehung oder ihrem Inkrafttreten liegen. Rechtsstaatlichkeit und Rechtssicherheit verbieten nicht grundsätzlich die R. von Gesetzen, doch setzt der ihnen innewohnende Grundsatz der Berechenbarkeit des Rechts einer R. enge Grenzen. Im Strafrecht besteht ein R.-Verbot (→nulla poena sine lege).

Rudabánya ['rudɔba:njɔ], Ort in N-Ungarn, im nördl. Vorland des Bükkgebirges, 4000 Ew.; Zentrum des ungar. Eisenerzabbaus.

Ruda Śląska [-'ɕlɔ̃ska], oberschles. Ind.stadt in der Wwschaft Katowice (Kattowitz), Polen, 168000 Ew.; Eisen- und Zinkhütten, Steinkohlengruben, Kokereien. – Seit dem 14. Jh. wurde Eisenerzabbau betrieben; aus dem Jahr 1751 ist der älteste Steinkohlenschacht Oberschlesiens bekannt.

Rudbeckia, die Pflanzengattung →Sonnenhut.

Rude [ryd], François, frz. Bildhauer, *Dijon 4. 1. 1784, †Paris 3. 11. 1855; überwand durch Naturstudien den Klassizismus. Sein pathetisch-bewegtes Relief »La Marseillaise« (1832–36) am Arc de Triomphe de l'Étoile in Paris war bahnbrechend für die Entwicklung des Neubarock.

Rüde, das Männchen der Hunde und Marder.

Rudel, *Jägersprache:* Bez. für eine Herde von Hirschen oder Wölfen.

Rudelsburg, Burgruine bei Bad Kösen, Sa.-Anh., 1174 erwähnt, einst meißn. Sperrburg im Saaletal; 1641 zerstört, im 19. Jh. teilrestauriert. BILD S. 68

Rudenko, Roman Andrejewitsch, sowjet. Jurist, *Nosowka (Gebiet Tschernigow, Ukraine) 30. 7. 1907, †Moskau 23. 1. 1981; 1945/46 Hauptankläger der UdSSR in den Nürnberger Prozessen, ab 1953 sowjet. Generalstaatsanwalt.

Ruder, 1) *Luftfahrt:* die bewegl. Steuerflächen am Leitwerk und Tragflügel, die während des Fluges und beim Starten und Landen die Bewegung um die drei Flugzeugachsen lenken. Die Bewegung um die Längsachse (Rollbewegung) wird durch die **Quer-R.,** um die Querachse (Nickbewegung) durch das **Höhen-R.,** um die Hochachse (Gierbewegung) durch das **Seiten-R.** gesteuert.

Rudelsburg: Die Ruinen der 1641 zerstörten Burg wurden im 19. Jh. teilrestauriert

2) *Schiffbau:* tragflächenförmiger und um eine senkrechte Achse drehbarer Profilkörper oder drehbare Fläche von annähernd rechteckiger Form am Heck, seltener auch am Bug (z.B. bei Fährschiffen), zur Kursänderung des Schiffes. Bei einem Ausschlag des R. nach einer Schiffsseite entsteht durch die Umströmung senkrecht zur R.-Ebene eine R.-Kraft, deren Querkraftkomponente das Schiff um den Drehpunkt in der Schwerpunktachse dreht. Das Schiff schwenkt dabei nach der Seite, nach der auch das R. ausgelenkt wird. Man unterteilt R. 1) nach dem Querschnitt in **Platten-R.** (nur noch bei Booten und Binnenschiffen) und **Profil-** oder **Verdrängungs-R.** mit gewölbten Außenflächen, die durch Stegplatten ausgesteift sind; 2) nach der Aufhängung in oben und in der Mitte gelagerte **Halbschwebe-R.** und nur oben befestigte **Schwebe-** oder **Spaten-R.** (bei spatenförmigem R.-Blatt); 3) nach der Lage des R.-Schaftes (Achse, um die das R.-Blatt gedreht wird) in **Balance-R. (Simplex-Balance-R.),** bei denen zum R.-Legen geringere Kräfte notwendig sind, weil ein Teil des R.-Blatts vor der Drehachse liegt, und **Halb-Balance-R.** mit einem stromlinienförmigen festen Leitkopf vor dem R. **Aktiv-R.** verfügen über einen eingebauten Propeller, der die Steuerwirkung erhöht. Schiffe mit Aktiv-R. können auch ohne Schlepper an- und ablegen. Beim **Düsen-R.** wird der Propeller von einer um die R.-Achse drehbaren Düse umschlossen, die den Propellerstrahl zum Steuern in die gewünschte Richtung lenkt. Das **Bugstrahl-R.** besteht aus einem Propeller, der in einem querschiffs eingebauten Rohr angebracht ist und das Wasser in die gewünschte Richtung drückt (Querschubanlage). U-Boote sind mit paarweise angeordneten **Tiefen-R.** ausgestattet, mit deren Hilfe sie um die waagerechte Achse gedreht werden können.

3) *Sport:* gemeinsprachl. Sammelbez. für die Geräte zum Fortbewegen von R.-Booten: Riemen (Pullen) und Skulls; Steuervorrichtung an Schiffen und Booten (R.-Blatt, -Flosse).

Ruderalpflanzen (Schuttpflanzen), Pflanzen stickstoffreicher Böden nahe menschl. Siedlungen und an Wegrändern, z.B. Klette, Beifuß.

Ruderboot, Sammelbez., → Rudern.

Ruder|enten (Oxyurini), weit verbreitete Gattungsgruppe der Gänsevögel mit flachem, breitem Schnabel und langem Schwanz, z.B. die euras. Weißkopf-R., die amerikan. und austral. Schwarzkopf-R., die afrikan. Weißrückenente.

Ruderfüßer (Pelecaniformes), Ordnung meist Fisch fressender Vögel, an deren Füßen alle Zehen durch Schwimmhäute miteinander verbunden sind, u.a. Fregattvögel, Kormorane, Pelikane, Tölpel und Tropikvögel.

Ruderfußkrebse (Kopepoden, Copepoda), Unterklasse meist 0,5 bis wenige mm großer Krebstiere in Meeren und Süßgewässern, auch in feuchten Landbiotopen (z.B. Moospolster, wasserbenetzte, algenbewachsene Felsen); z.T. Parasiten (bes. an Fischen »Fischläuse«, z.B. die Barschlaus), z.T. frei lebende Arten; Entwicklung über die Larvenstadien Nauplius und Metanauplius. Viele frei lebende Arten sind als Fischnahrung von großer Bedeutung, u.a. die **Hüpferlinge** (Cyclopidae) mit der Gattung **Cyclops.**

Rudern (Rudersport), Wassersportart mit Ruderbooten: Die Gig dient für Wanderfahrten, zum Üben und allg. für den Breitensport, das Ruderrennboot für Geschwindigkeitswettbewerbe; Letzteres besitzt keinen Kiel, nur eine Kielflosse gegen seitl. Abtrieb. Die Boote werden durch Menschenkraft bewegt; nach Antriebsweise werden Riemenboote (jeder Ruderer führt einen einseitig einzusetzenden Riemen) von Skullbooten (jeder Ruderer führt zwei jeweils steuer- und backbords einzusetzende Skulls) unterschieden. Nach der Anzahl der Ruderer gibt es bei Riemenbooten Zweier, Vierer und Achter, bei Skullbooten Einer, Doppelzweier und Doppelvierer. Ruderer sitzen auf Rollsitzen mit dem Rücken zur Fahrtrichtung. 1996 wurden drei olymp. Bootsklassen des Leichtgewichts-R. eingeführt, für Frauen und Männer der Doppelzweier und für Männer der Vierer ohne Steuermann, in der offenen Klasse werden seitdem sechs (Männer) bzw. fünf (Frauen) Disziplinen ausgetragen: Einer, Doppelzweier, Zweier ohne Steuermann/Steuerfrau, Doppelvierer, Vierer ohne Steuermann (nur Männer), Achter. Achter haben immer einen Steuermann/Steuerfrau, Mindestgewicht Frauen 50 kg, Männer 55 kg, Mindestgewicht darf bis zu 10 kg ausgeglichen werden. – Bereits 1775 wurde auf der Themse eine Regatta ausgetragen; seit 1829 findet das Oxford-Cambridge-Achterrennen statt; erste olymp. Rennen seit 1900; Weltmeisterschaften seit 1974, Europameisterschaften 1893–1973.

Ruderschnecken (Flügelschnecken, Gymnosomata), meeresbewohnende Ordnung der Hinterkiemer; Schnecken ohne Gehäuse, deren Fuß zu zwei Flossenblättern entwickelt ist, mit denen sie sich fortbewegen.

Rüdersdorf b. Bln., Gemeinde bei Berlin, im Landkr. Märkisch-Oderland, Brandenburg, auf dem Barnim, 10 700 Ew.; Kalksteinbrüche an den Rüdersdorfer Kalkbergen (Muschelkalk); Kalk-, Zement-, Betonwerke.

Rüdesheim am Rhein, Stadt im Rheingau-Taunus-Kr., Hessen, am Rhein und am S-Hang des Niederwaldes, Rheingau, 10 300 Ew.; Rheingau- und Weinmuseum »Brömserburg«, Museum für mechan. Musikinstrumente; Weinbau, Wein- und Sektkellereien, Branntweinbrennerei; Fremdenverkehr. – Brömser- oder Niederburg, Ober- oder Boosenburg, Vorderburg (alle 12. Jh.). – 1090 erstmals erwähnt; 1820 Stadt; 1867–1976 Kreisstadt.

Rüdesheim am Rhein
Stadtwappen

Rüdiger von Bechelaren [von Pöchlarn an der Donau], Gestalt des Nibelungenlieds, in dem er zus. mit Dietrich von Bern und dem Hunnenkönig Etzel vorkommt. Ein gesichertes histor. Vorbild konnte nicht nachgewiesen werden.

Rudiment [lat.] *das,* **1)** *allg.:* Überbleibsel, Rest.

2) *Biologie:* rudimentäres Organ, rückgebildetes oder nicht mehr vollständig ausgebildetes und funktionslos gewordenes Organ, z. B. (beim Menschen) der Wurmfortsatz des Blinddarms.

Rudisten [grch.], fossile Muschelfamilie mit sehr ungleichklappigen dicken Schalen.

Rudnicki [-'nitski], Adolf, poln. Schriftsteller, *Warschau 19. 2. 1912, †ebd. 14. 11. 1990; lebte seit 1972 meist in Paris; behandelte in Romanen und Erzählungen (»Das lebende und das tote Meer«, 1952) das Schicksal seiner jüd. Glaubensgenossen und die Stellung des Künstlers in der Gesellschaft.

Rudolf, Fürsten:

Hl. Röm. Reich: **1) R. von Rheinfelden** (R. von Schwaben), Herzog von Schwaben (1057–77), Gegenkönig (1077–80), ⚔ 10. 10. 1080; zum König wurde er von den Gegnern Heinrichs IV. gewählt, der R. als Herzog von Schwaben absetzte und Schwaben den Staufern übertrug. R. wurde in der Schlacht bei Hohenmölsen tödlich verwundet; Grab im Merseburger Dom.

2) R. I. von Habsburg, König (1273–91), *Schloss Limburg (heute zu Sasbach, Kr. Emmendingen) 1. 5. 1218, †Speyer 15. 7. 1291; Stammvater aller späteren Habsburger, wurde als Parteigänger der Staufer Landesherr in SW-Dtl.; seine Königswahl beendete das →Interregnum. Zur Sicherung des Landfriedens ging er streng gegen das Raubrittertum vor (z. B. in Thüringen); 1276 zwang er Ottokar II. Přemysl von Böhmen zum Verzicht auf die Länder Österreich, Steiermark und Kärnten; die Belehnung seiner Söhne mit Österreich-Steiermark begründete die habsburg. Hausmacht. Die Kaiserkrönung konnte er nicht erlangen. Grab im Dom zu Speyer. BILD deutsche Geschichte

📖 REDLICH, O.: *R. von H. Innsbruck 1903, Nachdr. Aalen 1965. – R. von H. 1273–1291, hg. v.* E. BOSHOF *u.* F.-R. ERKENS. *Köln u. a. 1993.*

3) R. II., Kaiser (1576–1612), *Wien 18. 7. 1552, †Prag 20. 1. 1612; Sohn Maximilians II., begünstigte die Gegenreformation, sicherte jedoch den böhm. Ständen im »Majestätsbrief« von 1609 Religionsfreiheit zu. Infolge zunehmender Geisteskrankheit musste er seinem Bruder Matthias 1608 die Reg. in Österreich, Ungarn und Mähren, 1611 auch in Böhmen abtreten.

Österreich: **4) R. IV., der Stifter,** Herzog (1358–65), *1. 11. 1339, †Mailand 27. 7. 1365; Sohn Herzog Albrechts II., suchte durch eine Fälschung (»Privilegium maius«, 1358/59) vergeblich, den Habsburgern eine den Kurfürsten gleiche Stellung zu sichern; erwarb 1363 Tirol, stiftete 1365 die Wiener Universität.

5) R., Erzherzog, Kronprinz, *Schloss Laxenburg 21. 8. 1858, †Schloss Mayerling (Gem. Alland, Bez. Baden) 30. 1. 1889; einziger Sohn Kaiser Franz Josephs I., ⚭ (1881) mit Stephanie von Belgien (*1864, †1945); sympathisierte mit den Deutschliberalen und den Ungarn, lehnte zu enge Bindungen zum Dt. Reich ab. R., sensibel und zur Psychopathie neigend, beging vermutlich mit der 17-jährigen Baronesse Mary Vetsera Selbstmord.

Rudolfinische Tafeln [nach Kaiser Rudolf II.] (lat. Tabulae Rudolphinae), von J. Kepler nach den Beobachtungen T. Brahes berechnete, 1627 herausgegebene Planetentafeln.

Rudolfsee, früherer Name des →Turkanasees.

Rudolf von Ems, mhd. Dichter des 13. Jh. aus Hohenems (Vorarlberg), †in Italien zw. 1250 und 1254; stammte aus ritterl. Geschlecht und war Ministeriale der Grafen von Montfort. Seine v. a. von Gottfried von Straßburg beeinflussten Werke sind bestimmt von großer Gelehrsamkeit, u. a. »Der gute Gerhard« (um 1220); »Baarlam und Josaphat« (nach 1220), ein in Indien spielender Legendenroman. Einem unvollendeten Alexanderroman folgte die im Auftrag des Staufers Konrad IV. verfasste, ebenfalls unvollendete »Weltchronik« in rund 36 000 Versen. BILD S. 70

Rudolf von Fenis, schweizer. Minnesänger, wahrscheinlich Graf Rudolf II. von Neuenburg, nachweisbar zw. 1158 und 1192, †vor 1196; griff in seinen Liedern die Anregungen des provenzal. Minnesangs auf (sieben erhaltene echte Lieder).

Rudolstadt: Blick auf das Rathaus und das oberhalb der Stadt gelegene Schloss Heidecksburg (1737–70)

Rudolph, **1)** Niels-Peter, Regisseur, *Wuppertal 2. 5. 1940; 1980–85 Intendant des Dt. Schauspielhauses Hamburg; seither freier Schauspielregisseur, u. a. in Hamburg, Stuttgart und Berlin.

2) Wilhelm, Maler und Grafiker, *Chemnitz 22. 2. 1889, †Dresden 30. 9. 1982; 1932–38 und 1946–48 an der Kunstakademie in Dresden; schuf bed. expressive Holzschnitte und Zeichnungen von der Zerstörung Dresdens 1945.

Rudolstadt
Stadtwappen

Rudolstadt, Stadt im Landkreis Saalfeld-Rudolstadt, Thür., an der Saale, 28 400 Ew.; Staatsarchiv, Freilichtmuseum Thüringer Bauernhäuser, Schillergedenkstätten; Chemiefaserwerk (im Stadtteil Schwarza), Herstellung von Röntgenröhren und Möbeln, Porzellanmanufaktur, pharmazeut., Nahrungsmittel-, Metall- und Baustoffind.; Druckerei. – Schloss Ludwigsburg (1734); über der Stadt Schloss Heidecksburg (1737–70; Museum); Stadtkirche (1634–36). – Im 8. Jh. erstmals erwähnt, 1326 als Stadt gen., seit Anfang des 14. Jh. zu Schwarzburg, 1571–1918 Residenz von Schwarzburg-R.; 1920 an Thüringen; war bis 1994 Kreisstadt.

Rudolf von Ems: Ausschnitt einer Bildseite der »Weltchronik« mit der Darstellung der Bundeslade im Tempel Dagons in einer Pergamenthandschrift aus dem Jahr 1365 (Donaueschingen, Fürstlich Fürstenbergische Hofbibliothek)

Rueil-Malmaison [rɥɛjmalmɛˈzɔ̃], Gemeinde im Dép. Hauts-de-Seine, Frankreich, westlich von Paris, 67 300 Ew.; FH für Erdölprodukte, Gießereien, Herstellung von Waffen und Autoteilen, pharmazeut. Ind.; nahebei Schloss → Malmaison.

Rufmord, die Zerstörung des Ansehens (Rufes) einer Person durch öffentl. Verleumdung.

Rufname, Vorname, mit dem man angeredet wird (→ Name).

Rugby [ˈrʌgbɪ; engl., nach der Stadt Rugby] *das,* Rasenspiel zw. zwei Mannschaften mit je 15 Spielern. Das Spielfeld ist 69 m × 100 m groß; hinter den Mallinien, auf denen Male (Tore) stehen, liegt jeweils ein bis zu 22 m tiefes Malfeld, das Ziel des gegner. Angriffs. Ein Mal besteht aus mindestens 3,50 m hohen Malstangen in 5,60 m Abstand und einer Querstange in 3 m Höhe. Der eiförmige, bis 440 g schwere Hohlball soll in das gegner. Mal getragen und abgelegt (einen »Versuch legen«) oder über die Torlatte getreten werden. Ein Ballträger darf zu Fall gebracht werden. Das Zuspiel darf nur nach seitwärts oder rückwärts erfolgen; überquert ein Ball die Seitenauslinie, wird eine Gasse von Spielern beider Mannschaften gebildet, in die der Einwurf erfolgt. Beim Gedränge (nach Regelverstößen) nehmen die Stürmer beider Mannschaften einander gegenüber gebückt Aufstellung, wobei sie sich umfassen; sie versuchen den eingeworfenen Ball mit den Füßen herauszuhakeln. Die Spielzeit beträgt 2 × 40 min.

Rugby [ˈrʌgbɪ], Stadt in der Cty. Warwickshire, Mittelengland, am Avon, 59 600 Ew.; James Gilbert Rugby Football Museum; Eisenbahnwerkstätten, elektrotechn. Ind., Viehmärkte. In der 1567 gegr. Public School wurde 1823 das Kampfspiel Rugby entwickelt.

Ruge, Arnold, Politiker und Publizist, *Bergen auf Rügen 13. 9. 1802, †Brighton 31. 12. 1880; begründete 1838 die »Hallischen Jahrbücher für dt. Wiss. und Kunst« (weitergeführt als »Dt. Jahrbücher«), das führende Organ der Junghegelianer. Er wirkte später in Paris (Bekanntschaft mit K. Marx, Herausgeber der »Deutsch-Frz. Jahrbücher«, 1844), Zürich und London als radikaler Demokrat. 1848/49 war er Mitgl. der Frankfurter Nationalversammlung und vollzog 1866 mit dem Manifest »An die dt. Nation« den Anschluss an Bismarcks Politik der Reichseinigung.

Rüge, beim →Kauf und beim →Werkvertrag die Anzeige des Käufers bzw. Bestellers, dass die gekaufte Sache mängelbehaftet ist **(Mängelrüge);** im Prozess die Geltendmachung der Fehlerhaftigkeit einer Prozesshandlung.

Rügen, 1) Ostseeinsel in Meckl.-Vorp., mit 926 km² größte dt. Insel. R. ist im S durch den Greifswalder Bodden, im SW durch den Strelasund vom Festland getrennt, mit dem es seit 1936 durch den **Rügendamm** (2,45 km) verbunden ist; über ihn führen Bahn und Straße von Stralsund aus nach Sassnitz; von Sassnitz Eisenbahnfähren nach Trelleborg (Schweden) und (im Sommer) nach Rønne (auf Bornholm), von Mukran nach Klaipėda (Litauen). Die Insel besteht aus Kreide- und Moränenkernen mit Steilküsten, die durch Nehrungen verbunden sind und Halbinseln bilden: Wittow mit Kap Arkona, Jasmund mit dem 161 m hohen Piekberg. Vor der W-Küste liegt die Insel Hiddensee, in der Udarser Wiek Ummanz, im Rügischen Bodden Vilm. Die Kreidesteilküste von Stubbenkammer (NO-Küste von Jasmund) ist Nationalpark (30 km²), die Granitz und das anschließende Küstengebiet bis Putbus sowie der Rüg. Bodden mit Vilm bilden das Biosphärenreservat Südost-R. (228 km²). Der Nationalpark Vorpommersche Boddenlandschaft reicht bis an die W-Küste. – Erwerbsquellen sind Landwirtschaft, Viehzucht, Fischfang, Kreideabbau (bei Saßnitz), v.a. aber der Fremdenverkehr; Seebäder: Lohme, Binz, Sellin, Baabe, Thießow, Göhren, Sassnitz u.a. Im Zentrum der Insel liegt Bergen, im S Putbus und Garz. – Zunächst vermutlich von Rugiern, seit dem 6. Jh. von Slawen (Ranen) besiedelt (→Arkona), seit Ende des 12. Jh. planmäßige Besiedlung. 1325 kam R. an Pommern, 1648 an Schweden und 1815 an Preußen.

Rügen 1): Kreidesteilküste von Stubbenkammer

📖 *Ralswiek u. R. Landschaftsentwicklung u. Siedlungsgeschichte einer Ostseeinsel, hg. v.* J. HERRMANN, *auf mehrere Bde. ber. Berlin 1986 ff.*

2) Landkreis in Meckl.-Vorp., (1996) 974 km² und 78 300 Ew.; umfasst die Inseln Rügen, Ummanz und Hiddensee; Krst. ist Bergen auf Rügen.

Rügenwalde, Stadt in Polen, →Darłowo.

Rugier (Rugen), ostgerman. Stamm, in vorgeschichtl. Zeit an der unteren Weichsel, dann in Pommern und vermutlich auf Rügen ansässig, wanderte im 4. Jh. südwärts, kam unter hunn. Herrschaft, ließ sich dann in Niederösterreich (»Rugiland«) nieder. 487/488 wurde ihr Reich von Odoaker zerstört.

Rühe, Volker, Politiker (CDU), *Hamburg 25. 9. 1942; Lehrer, seit 1976 MdB, 1989–92 Gen.-Sekr. der CDU; 1992–98 Bundesverteidigungsminister, seit Nov. 1998 einer der stellvertretenden CDU-Vorsitzenden.

Ruhegehalt (Pension), *Beamtenrecht:* lebenslanger Versorgungsbezug, der dem Beamten, Richter und Berufssoldaten bei Dienstunfähigkeit oder als Altersversorgung durch den Dienstherrn zusteht. R. wird nur gewährt, wenn der Beamte mindestens fünf Jahre im Dienst war, infolge Krankheit Dienstunfähigkeit vorliegt oder er in den einstweiligen Ruhestand versetzt worden ist (Beamtenversorgungs-Ges. i.d.F.v. 16. 12. 1994). Es wird auf der Grundlage der ruhegehaltsfähigen Dienstbezüge und der ruhegehaltsfähigen Dienstzeit berechnet. Das R. beträgt für jedes Jahr ruhegehaltsfähiger Dienstzeit 1,875% bis zum Höchstsatz von 75%. Witwen von Beamten erhalten Witwengeld, Halb- und Vollwaisen Waisengeld. – In *Österreich* können Bundesbeamte nach dem Pensions-Ges. 1965 R. frühestens nach zehn Jahren ruhegenussfähiger Gesamtdienstzeit beanspruchen (ähnlich Landesbeamte). In der *Schweiz* erhalten die Beamten nach Erreichen der Altersgrenze Rente von Versicherungseinrichtungen aufgrund vorheriger period. Beitragsleistung.

Ruhemasse (Ruhmasse), die →Masse, die ein Körper für einen relativ zu ihm ruhenden Beobachter besitzt. Ist die R. gleich m_0, so ist $E_0 = m_0c^2$ (c Lichtgeschwindigkeit) die **Ruhenergie.**

Arnold Ruge (Holzstich, um 1880)

Ruhen des Verfahrens, ein Stillstand des Zivilprozesses, vom Gericht angeordnet auf Antrag beider Parteien (z.B. wegen schwebender Vergleichsverhandlungen). Die Aufnahme des Verfahrens ist vor Ablauf von drei Monaten nur mit Zustimmung des Gerichts zulässig (§ 251 ZPO). – In *Österreich* und der *Schweiz* gelten ähnl. Vorschriften.

Ruhenergie, →Ruhemasse.

Volker Rühe

Ruhepausen, *Arbeitsrecht:* im Voraus festgesetzte Zeiten der Arbeitsunterbrechung, die i. Allg. nicht vergütungspflichtig sind. Nach dem Arbeitszeit-Ges. haben Arbeitnehmer bei einer Arbeitsdauer zw. sechs und neun Stunden Anspruch auf eine R. von mindestens 30 Minuten, darüber hinaus von mindestens 45 Minuten.

Ruhestand, *Beamtenrecht:* die Stellung eines auf Lebenszeit berufenen Beamten oder Geistlichen nach Beendigung des aktiven Dienstes. Nach dem Bundesbeamten-Ges. (BBG) tritt ein Beamter in den R. mit Erreichen der →Altersgrenze (i.d.R. 65. Lebensjahr) oder durch den Verwaltungsakt der Versetzung in den R., z.B. wegen →Dienstunfähigkeit. Ohne Nachweis der Dienstunfähigkeit kann er auf eigenen Antrag nach Vollendung des 63. Lebensjahres in den R. versetzt werden. Daneben können z.B. polit. Beamte in den **einstweiligen R.** versetzt werden, in dem sie dauernd verbleiben, falls sie nicht wieder berufen werden. Der R.-Beamte hat einen Anspruch auf →Ruhegehalt; er darf die letzte Amtsbezeichnung mit dem Zusatz a. D. führen. – In *Österreich* treten Bundesbeamte grundsätzlich mit Vollendung des 65. Lebensjahres in den R. (ähnlich bei Landesbeamten), auf eigenen Antrag ist ab Vollendung des 60. Lebensjahres die Versetzung in den R. möglich. In der *Schweiz* werden die Beamten auf eine Amtsdauer von meist vier Jahren gewählt, wobei die Wiederwahl (Bestätigung) die Regel bildet. In den R. treten sie i.d.R. mit Vollendung des 65. Lebensjahres.

Ruhestörung, ohne berechtigten Anlass erregter Lärm, der geeignet ist, die Ruhe einer Mehrheit von Personen erheblich zu stören oder die Gesundheit eines anderen zu schädigen; als →Ordnungswidrigkeit (§117 OWiG) verfolgbar. – In *Österreich* wird die R. als Verwaltungsübertretung bestraft. Die *Schweiz* überlässt die Bestrafung dem kantonalen Recht.

Ruhla, Stadt im Wartburgkreis, Thür., im nordwestl. Thüringer Wald, 7300 Ew.; elektrotechn. Ind., Herstellung von Uhren, Werkzeugmaschinen. – 1321 erstmals erwähnt; 1896 Stadtrecht.

Gerhard Rühm

Rühm, Gerhard, österr. Schriftsteller, *Wien 12. 2. 1930; Komponist, seit 1954 vorwiegend literarisch tätig; Mitgl. der »Wiener Gruppe«; Verfasser von konkreten, experimentellen akust. Texten, happeningartigen Stücken sowie visuellen Versuchen (»Farbengedicht«, 1965); veröffentlichte weiterhin u.a. »hosn, rosn, baa« (mit F. Achtleitner und H. C. Artmann, 1959), »Ophelia und die Wörter« (Dramen, 1972), »Mann und Frau« (1972), »Bleistiftmusik« (1983, mit Tonbandkassette und Dias), »textall« (R., 1993), »Bravo. Ein Sittenbild aus den fünfziger Jahren« (Collage, 1994).

Rühmann, Heinz, Film- und Bühnenschauspieler, Regisseur, *Essen 7. 3. 1902, †Berg (Kr. Starnberg) 3. 10. 1994; Schauspieler u.a. in München, Berlin, Wien; beliebter Komiker und Charakterdarsteller im Film (u.a. »Der Mustergatte«, 1937; »Quax, der Bruchpilot«, 1941; »Die Feuerzangenbowle«, 1944; »Der Hauptmann von Köpenick«, 1956; »Der brave Soldat Schwejk«, 1960).

Heinz Rühmann in einer Szene aus dem Film »Die Feuerzangenbowle« (1944)

Ruhmasse, die →Ruhemasse.

Peter Rühmkorf

Rühmkorf, Peter, Schriftsteller, *Dortmund 25. 10. 1929; Mitgl. der »Gruppe 47«; bezieht als Lyriker (»Irdisches Vergnügen in g«, 1959; »Kunststücke«, 1962; »Haltbar bis Ende 1999«, 1979; »Einmalig wie wir alle«, 1989) und Dramatiker (»Was heißt hier Volsinii?«, 1969; »Lombard gibt den Letzten«, 1972) eine gesellschafts- und zeitkrit. Position; literaturkrit. Essays und Abhandlungen (»Über das Volksvermögen. Exkurse in den literar. Untergrund«, 1967; »Strömungslehre. I: Poesie«, 1978; »Der Hüter des Misthaufens. Aufgeklärte Märchen«, 1983). 1993 erhielt er den Georg-Büchner-Preis.

Ruhpolding: »Ruhpoldinger Madonna« in der Pfarrkirche Sankt Georg (um 1220–30)

Ruhpolding, Gemeinde im Landkreis Traunstein, Oberbayern, 6400 Ew., 690 m ü.M.; Seilbahn zum Rauschberg (1648 m ü.M.); Holzknechtmuseum; Skiherstellung, opt. Werkstätten; Luftkurort, Wintersportplatz. – Kath. Pfarrkirche St. Georg (Neubau 1738–57) mit barocker Ausstattung (»Ruhpoldinger Madonna«, um 1220–30). – Im 12. Jh. erstmals erwähnt.

Ruhr [ahd. (h)ruora »(heftige) Bewegung«] (Dysenterie, Bakterienruhr, Shigellose), meldepflichtige, durch Shigellen (Bakterien) verursachte Infektionskrankheit, v.a. des Dickdarms. Die R.-Erreger werden durch Schmutz- und Schmierinfektion sowie durch infizierte Lebensmittel (einschließlich Trinkwasser und Milch) übertragen und durch Fliegen verbreitet. Die Inkubationszeit beträgt 1–7 Tage. Bei leichten Verlaufsformen (**Sommer-R.**) kommt es nach raschem Fieberanstieg, Übelkeit und Erbrechen zu krampfartigen Bauchschmerzen mit schmerzhaftem Stuhl- und Harndrang und zu Durchfällen mit wässrig-dünnen Stühlen, die Schleim- und Blutbeimengungen enthalten. Bei schweren Verlaufsformen (**toxische Bakterien-R.**) sind die Symptome aufgrund der Toxinwirkung und der Salz- und Wasserverluste heftiger (Koliken, häufiges Erbrechen, zahlreichere Stühle, Kreislaufgefährdung). Die *Behandlung* erfolgt mit Antibiotika.

Die **Amöben-R.** (Amöbiasis, Amöbendysenterie) ist eine in warmen Ländern weit verbreitete, durch Amöben (Entamoeba histolytica) verursachte Infektionskrankheit; mit blutig-schleimigen Durchfällen ohne Fieber und oft chron. Verlauf mit Darm- und Leberabszessen. – Bei *Tieren* durch unterschiedl. Erreger hervorgerufene infektiöse Darmerkrankung in den ersten 5–10 Lebenstagen, vorwiegend bei Saugkälbern und Saugferkeln. Neben Durchfall treten Fieber und Abgeschlagenheit auf; infolge des hohen Wasserverlustes kann die R. sehr schnell zum Tod führen.

Ruhr *die,* rechter Nebenfluss des Rheins, 213 km lang, mit einem Einzugsgebiet von 4489 km², entspringt im Sauerland, mündet in Duisburg (Ruhrort). Mit fünf Stauseen und vielen Talsperren ist die R. wichtigstes Wasserreservoir für das Ruhrgebiet. Nebenflüsse: von rechts Möhne, von links Hönne und Lenne.

Ruhrbesetzung, →Ruhrgebiet (Geschichte).

Ruhrfestspiele, 1947 vom DGB und der Stadt Recklinghausen gegr. Theaterfestival; als kulturelles Zentrum für die Arbeitnehmer des Ruhrgebietes geplant. In der dreimonatigen Spielzeit gibt es pro Jahr zwei (meist klass.) Festspielinszenierungen. Seit 1991 werden die R. als »Europ. Festival« präsentiert.

Ruhrgas AG, größtes dt. Ferngasunternehmen; gegr. 1926; Sitz: Essen; Großaktionäre: Bergemann GmbH, Essen; Gelsenberg AG, Essen; Brigitta Erdgas und Erdöl GmbH, Hannover; Schubert KG, Münster.

Ruhrgebiet (bergbaulich Ruhr-Revier), der bedeutendste dt. und europ. Industriebezirk, Hauptteil des Wirtschaftsraumes →Rhein-Ruhr. Sein Kerngebiet erstreckt sich als breites Band aneinander gereihter Städte vom linksrhein. Teil Duisburgs (Rheinhausen/Homberg) bis Dortmund; mit seinen Randgebieten reicht das R. von nahe der niederländ. Grenze bis Hamm, im N über Lippe und im S teilweise über die Ruhr hinaus. In den Grenzen des **Kommunalverbandes R.** (KVR) umfasst das R. (einschl. des gesamten, südlich anschließenden Ennepe-Ruhr-Kreises) mit 4433 km² 13% der Fläche und mit rd. 5,5 Mio. Ew. 31,2% der Bev. von NRW. Seine wirtsch. Bedeutung beruhte auf den Steinkohlenvorräten. An den Bergbau schließt sich eine große Anzahl von Ind. an, bes. Eisen- und Stahlind. sowie chem. Industrie. Die Krise in der Montanindustrie in den 1970er-Jahren erforderte einen Strukturwandel; nach der Zahl der Beschäftigten und nach Umsatz haben andere Branchengruppen (Maschinen-, Automobilbau, Elektrotechnik, Feinmechanik, Chemie, Petrochemie, Glaserzeugung sowie Elektronik) den Bergbau und die Eisen schaffende Industrie überholt. Es entstanden zahlr. neue Werke und Einrichtungen des Dienstleistungsbereichs; in Anlehnung an die seit 1964 gegründeten sechs Universitäten entwickelten sich verstärkt Forschung sowie nat. und internat. Consulting.

Das R. verfügt über ein dichtes Bahn- und Straßennetz; seine Wasserstraßen (Rhein-, Wesel-Datteln-, Datteln-Hamm-, Rhein-Herne- und Dortmund-Ems-Kanal) verbinden das R. mit vielen bed. europ. Wirtschaftsräumen und v.a. den nordwesteurop. Seehäfen. – Das volkstümlich »Kohlenpott« genannte R. gilt heute als das Industriegebiet mit den meisten Grünflächen. 47% der Gesamtfläche des R. werden landwirtschaftlich genutzt (1990), 17% sind Waldflächen.

1920 wurde der **Siedlungsverband Ruhrkohlenbezirk** als erste dt. Raumplanungsbehörde gegründet. Seine Nachfolgeorganisation ist seit 1979 der **Kommunalverband R.** als Gemeindeverband der kreisfreien Städte und der Kreise für das Ruhr-Niederrheingebiet; Sitz: Essen; Aufgaben sind u.a. Flächensicherung, Verkehrsberuhigung, Abfallwirtschaft, Freizeitwesen, Stadtentwicklung.

Geschichte: Schon im MA. wurde im S des R. Kohle gefördert; jedoch erlaubte erst die Dampfmaschine seit Mitte des 19. Jh. eine größere Fördertiefe. 1919/20 Zentrum kommunist. Unruhen. Im Zuge der Auseinandersetzungen um die Zahlung dt. Reparationen und im Zusammenhang mit der frz. Hegemonialpolitik kam es durch frz. und belg. Truppen zur **Ruhrbesetzung** (1923–25), nachdem bereits 1921 Düsseldorf, Duisburg und Ruhrort besetzt worden waren. Die Reg. Cuno reagierte mit passivem Widerstand **(Ruhrkampf),** der aber wegen der Inflation aufgegeben werden musste. Der Dawesplan 1924 schuf die Voraussetzungen für die Beendigung der Ruhrbesetzung bis Aug. 1925. Nach dem 2. Weltkrieg beschlossen die USA, Großbritannien, Frankreich und die Beneluxstaaten aufgrund des Abkommens vom 28. 4. 1949 **(Ruhrstatut)** die Errichtung der **Internat. Ruhrbehörde,** als Kontrollbehörde (seit 1949 auch mit westdt. Beteiligung) über die Produktion des R. an Kohle, Koks und Stahl; sie wurde nach Errichtung der Europ. Gemeinschaft für Kohle und Stahl bis Febr. 1953 liquidiert.

📖 DÖHRN, R.: *Das R. im europ. Binnenmarkt. Essen 1991. – R. Städte- u. Kreisstatistik, bearb. v.* P. LESSING. *Essen 1991.* – STEINHOFF, D.: *Unbekanntes R. Münster* ⁶*1992. – Vor Ort im R. Ein geograph. Exkursionsführer, hg. vom Geograph. Inst. der Ruhr-Univ. Bochum u.a., Redaktion:* M. HOMMEL *u.a. Essen* ²*1993.* – GÜNTER, R.: *Im Tal der Könige. Ein Reisebuch zu Emscher, Rhein u. Ruhr. Essen* ²*1995.*

Ruine: Hubert Robert, »Phantastische Ansicht der Großen Galerie des Louvre als Ruine« (um 1796; Paris, Louvre)

Ruhrkohle AG, Abk. **RAG,** Holdinggesellschaft des Steinkohlenbergbaus und der Energiewirtschaft; gegr. 1968, firmiert seit 1997 als **RAG Aktiengesellschaft;** Sitz: Essen; u. a. auch in den Bereichen Chemie, Umwelttechnologie und Handel tätig. Beteiligungsgesellschaften sind v. a. die STEAG AG, Essen, und die Rütgerswerke AG, Frankfurt am Main; Großaktionäre sind VEBA AG (37,1 %), VEW AG (30,2 %) und Thyssen Stahl AG (12,7 %).

Rührmichnichtan *das,* → Springkraut.

Ruhrort, Stadtteil von → Duisburg.

Jacob van Ruisdael: »Küstenstrich« (um 1665–75; Sankt Petersburg, Eremitage)

Rührstück, triviale, rührselige Variante des → bürgerlichen Trauerspiels der Empfindsamkeit.

Ruine [lat.-frz.] *die,* verfallenes oder zerstörtes Bauwerk. Für Gefahren, die von R. ausgehen, haftet der Eigentümer (§§ 836, 838, 823, 908 BGB). – In der Renaissance erhielt die antike R. bereits die Bedeutung eines histor. Denkmals, daneben ist sie seit dem 16. Jh. in der Gartenkunst gestaltendes Element; im 18. Jh. wurde die künstl. R. geschaffen (Schwetzingen, 1777/78, Löwenburg in Kassel, 1801, u. a.). In der Malerei entwickelte sich die Darstellung der R. im 17.–19. Jh. zu einer Sondergattung innerhalb der Architektur- und Landschaftsmalerei (weiteres BILD Natoire).

Ruisbroeck ['rœjzbru:k], Johannes van, → Ruusbroec.

Ruisdael ['rœjzda:l], **1)** Jacob van, niederländ. Maler und Radierer, * Haarlem 1628 oder 1629, begraben ebd. 14. 3. 1682; trat 1648 in die Haarlemer Malergilde ein, seit 1656/57 in Amsterdam tätig. Sein Werk, neben Küsten-, Stadtansichten und Winterbildern v. a. einsame, dunkle Wald- und Sumpflandschaften, bildet den Höhepunkt der niederländ. Landschaftsmalerei der 2. Hälfte des 17. Jh. und beeinflusste bes. die Malerei der Romantik. Weiteres BILD niederländische Kunst

2) Salomon van, niederländ. Maler, → Ruysdael, Salomon van.

Ruiz ['rruiθ], **1)** José Martínez, span. Schriftsteller, → Martínez Ruiz.

2) Juan, gen. »Arcipreste de Hita«, span. Dichter, * Alcalá de Henares 1283 (?), † um 1350; Erzpriester in Hita. Sein »Libro de buen amor« (zwei Fassungen von 1330 und 1343, hg. 1790, dt. Auswahl 1960 u. d. T. »Aus dem Buch der guten Liebe«) ist mit seiner Fülle von Geschichten, Belehrungen und Allegorien, die Überliefertes mit eigenem Erleben verbinden, eines der bedeutendsten Werke des span. Mittelalters.

Ruiz de Alarcón y Mendoza ['rruið ðe alar'kɔn i men'doθa], Juan, span. Dramatiker, * Taxco (Mexiko) um 1581 (?), † Madrid 4. 8. 1639; kam 1600 nach Spanien; Anwalt; schrieb rund 20 formal glänzende moralisierende Charakterkomödien, so »Die verdächtige Wahrheit« (1634), Vorlage für Goldonis Komödie »Der Lügner« (1756).

Ruländer, Rebsorte, → Grauburgunder.

Rulfo, Juan, mexikan. Schriftsteller, * Sayula (Jalisco) 16. 5. 1918, † Mexiko 7. 1. 1986; übte mit dem Erzählungsband (»Der Llano in Flammen«, 1953) und dem als »magisch-realistisch« bezeichneten Roman »Pedro Páramo« (1955) starken Einfluss auf die gesamte lateinamerikan. Literatur aus.

Rum [engl.] *der,* Branntwein, der durch Vergären und anschließendes Destillieren aus Zuckerrohrmelasse hergestellt wird. Er ist eigtl. farblos, durch Lagerung (Reifung) in Holzfässern und Zusatz von Zuckercouleur entsteht die gelblich braune Farbe. In Dtl. hat R. mind. 38 Vol.-% Alkohol, üblich sind 40 % und 54 %.

Rumänen, Volk in SO-Europa, rd. 20 Mio. R. leben in Rumänien (Dako-R.), etwa 2 Mio. in be-

Rumänien

Fläche: 238 391 km²
Einwohner: (1995) 22,83 Mio.
Hauptstadt: Bukarest
Verwaltungsgliederung: 40 Bezirke und die Hauptstadt
Amtssprache: Rumänisch
Nationalfeiertag: 1. 12.
Währung: 1 Leu (l) = 100 Bani
Zeitzone: OEZ

nachbarten Ländern und Übersee. Die R. sind Nachkommen der romanisierten Daker und römischer Siedler, vermischt mit eingewanderten Slawen, die seit dem 6. Jh. die ehemalige röm. Provinz Dakien durchsetzt haben.

Rumänien (amtlich rumän. România), Staat in SO-Europa (mitunter als zur Balkanhalbinsel gehörig angesehen), grenzt im N an die Ukraine, im O an Moldawien, im SO ans Schwarze Meer, im S an Bulgarien, im SW an Jugoslawien (Serbien) und im W an Ungarn.

Staat und Recht: Nach der Verf. vom 8. 12. 1991 (durch Referendum gebilligt) ist R. eine Rep. mit Mehrparteiensystem. Staatsoberhaupt ist der mit weitgehenden Vollmachten ausgestattete Präs. (auf vier Jahre direkt gewählt); er ernennt die Reg. unter Vorsitz des MinPräs. und kann das Parlament auflösen. Die Legislative liegt beim Zweikammerparlament (Große Nationalversammlung), bestehend aus Abgeordnetenhaus (341 Abg., davon 13 als Vertreter nat. Minderheiten) und Senat (143 Mitgl.), mit einer Legislaturperiode von vier Jahren. Parteien und Bündnisse sind u. a. Partei der Sozialen Demokratie (PDS), Demokrat. Konvention (CD; ein aus 17 Parteien bestehendes Bündnis), Partei der Nat. Einheit der Rumänen (PUNR), Demokrat. Union der Ungarn Rumäniens (UDMR).

Landesnatur: R. wird in weitem Bogen von den Karpaten durchzogen, im Moldoveanu 2543 m ü. M.; Karpatenbogen und Westsiebenbürg. Gebirge umschließen das Siebenbürg. Hochland. Im W hat R. Anteil am Banat und dem Großen Ungar. Tiefland. Am Außenrand der Karpaten liegen das lössbedeckte Tiefland der Kleinen und Großen Walachei im S bis zur Donau, das Hügelland der Moldau im O bis zum Pruth. Östlich der unteren Donau erhebt sich das Tafelland der Dobrudscha. Haupt- und zum großen Teil Grenzfluss ist der Unterlauf der Donau. Das Klima ist überwiegend kontinental mit mediterranen Einflüssen an der Schwarzmeerküste.

Bevölkerung: 89,5 % der Ew. sind Rumänen, 10,5 % nat. Minderheiten, davon rd. 7,1 % Ungarn (bes. im O Siebenbürgens), 1,8 % Roma, 0,5 % Deutsche (v. a. in Siebenbürgen und im Banat), ferner Ukrainer, Türken, Juden u. a. – Schulpflicht besteht vom 7. bis 16. Lebensjahr. Kinder der ethn. Minderheiten erhalten teilweise Unterricht in der Muttersprache in speziellen Klassen oder Schulen. R. verfügt über 35 Hochschulen, davon 19 mit Univ.rang. – 86,8 % der Bev. gehören der rumänisch-orth. Kirche an, ferner gibt es Anhänger anderer christl. Konfessionen, Juden und Muslime.

Wirtschaft, Verkehr: Das einstige Agrarland R. wurde nach dem 2. Weltkrieg forciert industrialisiert, wobei Grundstoff- und Schwerind. überproportional entwickelt, dagegen Konsumgüterind. und Landwirtschaft vernachlässigt wurden. Diese Disproportionen führten seit Anfang der 1980er-Jahre in eine Wirtschaftskrise mit drast. Verschlechterung des Lebensstandards. Die 1990 begonnenen Wirtschaftsreformen und der Umbau von der Plan- zur Marktwirtschaft gehen nur langsam voran. In der Landwirtschaft, die 62 % der Gesamtfläche nutzt, hat mit dem Bodengesetz von 1990 die Privatisierung begonnen. Angebaut werden v. a. Weizen, Mais, Zuckerrüben, Sonnenblumen, Kartoffeln, Gemüse; Bedeutung haben auch Obst- und Weinbau; Viehwirtschaft bes. mit Rinder-, Schaf- und Schweinehaltung. Fischerei wird v. a. im Donaudelta betrieben. Die Forstwirtschaft nutzt 27 % der Landesfläche. R. ist reich an Bodenschätzen: Förderung von Erdöl und Erdgas; Abbau von Braun- und Steinkohle, Eisenerz, Bauxit, Blei, Zink, Kupfer, Mangan, Uran u. a. Erzen. Wichtigste Ind.zweige sind Erdölförderung und -verarbeitung, Metallurgie, Maschinenbau, chem., Nahrungsmittel-, Textil- und Bekleidungsindustrie. Fremdenverkehr v. a. an der Schwarzmeerküste, in Thermalbädern und Wintersportgebieten der Karpaten. Exportiert werden Maschinen, Transportmittel, Brennstoffe, Minerale, Nahrungsmittel. Haupthandelspartner sind die GUS, Italien und Deutschland. – Wichtigster Verkehrsträger ist die

Staatswappen

R

Internationales Kfz-Kennzeichen

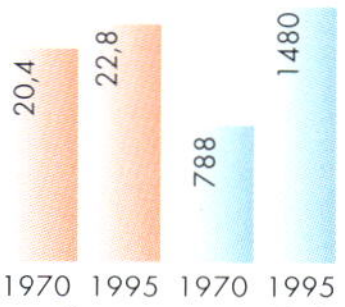

Bevölkerung (in Mio.)
Bruttosozialprodukt je Ew. (in US-$)

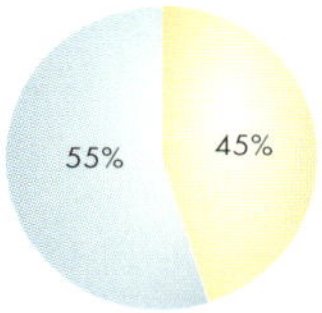

Bevölkerungsverteilung 1995

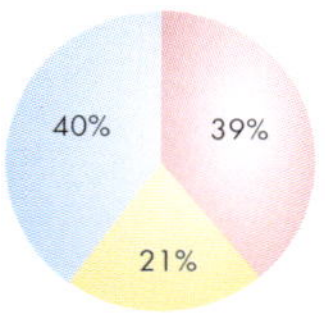

Bruttoinlandsprodukt 1995

Rumänien: Landschaft in den östlichen Südkarpaten bei Pitești (links); Schöpfbrunnen im Donaudelta bei Tulcea

Eisenbahn, 10 887 km, davon 3 866 km elektrifiziert. Das Straßennetz umfasst 72 828 km (113 km Autobahnen). Binnenschifffahrt auf der Donau; wichtigste Flusshäfen sind Galați, Brăila, Giurgiu. Wichtigster Seehafen am Schwarzen Meer ist Constanța; durch den Donau-Schwarzmeer-Kanal mit der Donau verbunden. Internat. Flughäfen: Bukarest-Otopeni und Constanța.

Geschichte: Das heutige R. umfasst im Wesentlichen die histor. Gebiete der Moldau, der Walachei und Siebenbürgens. Nach der Römerherrschaft (seit dem 1. Jh. n. Chr. in der Dobrudscha, 106–271 in →Dakien) wurde die stark romanisierte Bev. weder durch die das Gebiet des heutigen R. beherrschenden Wandervölker (3. Jh. Goten, 4./5. Jh. Hunnen, 5./6. Jh. Gepiden, 6.–8. Jh. Awaren), noch durch die im 6./7. Jh. eindringenden Slawen verdrängt. Im 13. Jh. werden die Rumänen erstmals urkundlich als Volk erwähnt (Vlahi, Wlachen). Im 10./11. Jh. erfolgte die magyar. Landnahme in Siebenbürgen, das bald teils von Magyaren, teils ab etwa 1150 von den Siebenbürger Sachsen kolonisiert wurde. Die Donaufürstentümer Walachei und Moldau entstanden 1310 und 1352/53. Seit 1460 mussten die Walachei, seit 1513 die Moldau und seit 1541 Siebenbürgen die türk. Oberhoheit anerkennen; die Moldau und die Walachei erkauften sich jedoch eine weitgehende innere Selbstständigkeit gegenüber den Osmanen. Dem walach. Fürsten Michael dem Tapferen (1593–1601) gelang es, sein Land mit Siebenbürgen und der Moldau für kurze Zeit zu vereinigen (1599/1600). Die Unzuverlässigkeit der einheim. Fürsten veranlasste die Osmanen in der Moldau ab 1711, in der Walachei ab 1716, grch. Adlige (sog. Phanarioten) auf den Fürstenthron zu setzen. Die Kleine Walachei (Oltenien) gehörte 1718–39 zu Österreich, die Bukowina fiel 1775 an Österreich, Bessarabien 1812 an Russland. Seit dem Frieden von Küçük Kaynarcı (1774) gerieten die Donaufürstentümer, denen seit 1822 wieder einheim. Fürsten vorstanden, zunehmend unter russ. Einfluss (russ. Besetzung 1828–34). Nach der russ. Niederlage im Krimkrieg (1853/54–56) endete das russ. Protektorat; die Fürstentümer blieben unter osman. Oberhoheit, jedoch unter Protektorat der sieben europ. Signatarmächte des Pariser Friedens; die Moldau erhielt S-Bessarabien zurück.

Neuzeit von 1859 bis zum Ende des Königreichs R. (1947): 1859 wurde der moldauische Oberst A. I. Cuza zum gemeinsamen Fürsten der Moldau und der Walachei gewählt. Am 24. 1. 1862 rief Cuza die Vereinigung der beiden Fürstentümer unter dem Namen R. aus. Unter seinem Nachfolger Karl I. (1866–1914; 1881 zum König proklamiert) aus dem Hause Hohenzollern-Sigmaringen erkannte der Berliner Kongress (1878) die volle Souveränität R.s an; es musste jedoch erneut S-Bessarabien an Russland abtreten, erhielt aber die nördl. Dobrudscha, nach dem 2. Balkankrieg (1913) auch die südl. Dobrudscha. Im 1. Weltkrieg blieb R. zunächst neutral, erklärte aber am 27. 8. 1916 Österreich-Ungarn den Krieg; die Niederlage nötigte zum Frieden von Bukarest (7. 5. 1918, Verlust der Dobrudscha). In den Friedensverträgen von 1919/20 (Saint-Germain-en-Laye, Trianon) wurde der Anschluss der Bukowina, Siebenbürgens und des östl. Banat bestätigt; im Frieden von Neuilly (1919) erhielt R. die Dobrudscha zurück. In dem stark vergrößerten Königreich R. ergaben sich v. a. aus dem Zusammenwachsen des »Altreichs« (Regat) mit den bisher österr. und ungar. Gebieten erhebl. Probleme. 1920/21 gründete R. mit Jugoslawien und der ČSR die Kleine Entente.

Im März 1923 wurde eine neue Verf. angenommen. Die Unzufriedenheit mit den großen Parteien stärkte rechtsgerichtete Gruppierungen, insbesondere die 1927 gegr. Legion Erzengel Michael

(→Eiserne Garde). Der Tod König Ferdinands (1926) löste innenpolit. Krisen aus. Karls II. Willkürherrschaft (1930–40) mündete 1938 in offene Diktatur. Im 2. Weltkrieg wahrte R. zunächst strikte Neutralität, suchte aber nach der frz. Niederlage (1940) eine Annäherung an die Achse Berlin–Rom. Unter Druck eines sowjet. Ultimatums (26. 6. 1940) verlor R. Bessarabien und die nördl. Bukowina an die Sowjetunion, im 2. Wiener Schiedsspruch (30. 8.) N-Siebenbürgen an Ungarn, im Vertrag von Craiova (7. 9.) trat es die südl. Dobrudscha an Bulgarien ab. Der zum MinPräs. mit unbeschränkten Vollmachten ernannte General I. Antonescu rief nach der erzwungenen Abdankung Karls II. (6. 9.) dessen Sohn Michael I. zum König aus und errichtete eine profaschist. Militärdiktatur, die dem Dreimächtepakt beitrat. R. trat am 22. 6. 1941 auf dt. Seite in den Krieg gegen die Sowjetunion ein (Juni 1941 Zurückgewinnung Bessarabiens und der N-Bukowina). Am 23. 8. 1944 wurde das Regime Antonescu unter Mitwirkung des Königs gestürzt; es kam zur bedingungslosen Kapitulation (12. 9. 1944; Abtretung Bessarabiens und der N-Bukowina); sowjet. Streitkräfte besetzten das Land. Am 24./25. 8. erklärte R. dem Dt. Reich den Krieg. Der Friedensvertrag (Paris 10. 2. 1947) brachte die Wiedervereinigung N-Siebenbürgens mit Rumänien. Am 6. 3. 1945 wurde eine Koalitionsregierung der »Nationaldemokrat. Front« unter Petru Groza gebildet, in der die Kommunist. Partei (RKP) zu immer größerem Einfluss gelangte. Eine Agrarreform bereitete den Weg für die Kollektivierung. Nach dem Verbot der nichtkommunist. Parteien (1947) wurde König Michael am 30. 12. 1947 zur Abdankung gezwungen und die Volksrep. R. ausgerufen.

R. unter kommunist. Herrschaft (1947–89): Nach der Verabschiedung der Verf. am 13. 4. 1948 wurden im Juni 1948 alle Ind.betriebe, Banken, Transportunternehmen und Versicherungsgesellschaften verstaatlicht. Die Industrialisierung des Agrarlandes R. wurde rasch vorangetrieben. 1944–65 wurde die rumän. Politik durch G. Gheorghiu-Dej geprägt. R. integrierte sich in den Ostblock durch die Mitbegründung des Kominform (1947), des Rates für gegenseitige Wirtschaftshilfe (1949) und des Warschauer Paktes (1955). Der Rückzug der sowjet. Besatzungstruppen 1958 schuf die Voraussetzung für den späteren unabhängigeren Kurs der RKP. Unter Staats- und Parteichef N. Ceaușescu (1965–89), der ein zunehmend vom Personenkult geprägtes diktator. Herrschaftssystem (gestützt auf die Geheimpolizei Securitate) errichtete, praktizierte R. eine Außenpolitik der »Öffnung nach allen Seiten«. So nahm R. nicht an der Besetzung der ČSSR durch Truppen des Warschauer Paktes 1968

Georghe Gheorghiu-Dej

Nicolae Ceaușescu

Ion Iliescu

Emil Constantinescu

Herta Müller

teil und distanzierte sich von der sowjet. Besetzung Afghanistans 1979. Umsiedlungspläne der Regierung für R.-Deutsche und R.-Ungarn begründeten außenpolit. Spannungen mit Ungarn und der Bundesrep. Dtl. Die katastrophale wirtsch. Lage (nach 1980) und die stalinist. Herrschaftspraktiken (Menschenrechtsverletzungen) führten im Dez. 1989, ausgehend von der Stadt Temesvar (16./17. 12.), zu einem Volksaufstand (ab 20. 12.), in dessen Verlauf N. Ceaușescu am 22. 12. gestürzt und am 25. 12. 1989 mit seiner Frau Elena hingerichtet wurde (»unvollendete Revolution«).

R. im Übergang zur Demokratie (seit 1989): Der im Dez. 1989 gebildete Rat der Front der Nat. Rettung unter I. Iliescu hob u.a. die Umsiedlungsgesetze auf und kündigte freie Wahlen an; zugleich wurde der Staatsname abgeändert (Rep. R.; vorher Sozialist. Rep. R.). Massenproteste bewirkten am 1. 2. 1990 die Ersetzung des Rats der Front der Nat. Rettung durch den Provisor. Rat der Nat. Einheit, in dem etwa 30 Parteien und Bewegungen vertreten waren. Bei den ersten freien Wahlen seit 53 Jahren wählte die Bev. am 20. 5. 1990 I. Iliescu zum Staatspräs.; die Front der Nat. Rettung (FSN) wurde stärkste Partei. Blutige Auseinandersetzungen v.a. in Transsilvanien zw. Rumänen und Ungarn sowie Auseinandersetzungen zw. antikommunist. Demonstranten, Sicherheitskräften und Bergarbeitern, ferner mehrere Reg.wechsel in schneller Folge verdeutlichten die Probleme bei der Überwindung der wirtsch. Schwierigkeiten und der polit. Gegensätze. Im April 1992 spaltete sich der FSN in die FDSN (Demokrat. Front der Nat. Rettung, um I. Iliescu), die für einen langsameren Übergang zur Marktwirtschaft eintritt, und in die radikal reformorientierte FSN (später Sozialdemokrat. Union, USD, um P. Roman).

Nach den Präsidentschafts- und Parlamentswahlen im Herbst 1992, die I. Iliescu und seine FDSN (in Partei der Sozialen Demokratie, PDS umbenannt) gewannen, trat V. Văcăroiu (FDSN) 1992 als MinPräs. an die Spitze einer Regierung der FDSN/PDS. Die Reg. V. Văcăroiu sah sich mit einer galoppierenden Inflation (Höhepunkt: 1993) konfrontiert. Mithilfe eines Kredits des IWF und der Weltbank (1994) suchte sie Arbeitslosigkeit und Produktivitätsrückgang zu stoppen und einen wirtsch. Aufschwung einzuleiten. 1995 kam es zu Streiks und Massendemonstrationen. Bei den Präsidentschaftswahlen vom 17. 11. 1996 setzte sich der Kandidat der Opposition, der Demokrat. Konvention (CD), E. Constantinescu, gegen den Amtsinhaber durch. Nachfolger des 1998 zurückgetretenen MinPräs. V. Ciorbea wurde der Wirtschaftsfachmann Radu Vasile.

Die unterschiedl. Auffassungen über die Rechtsstellung der ungar. Minderheit in R. belastet die ungarisch-rumän. Beziehungen. 1991 verurteilte das rumän. Parlament einstimmig die Annexion Bessarabiens (1940) durch die UdSSR (→Moldawien). Ein zentrales Anliegen der Außenpolitik R.s ist seine polit. und militär. Integration in die zwischen- und überstaatl. Organisationen der westl. Staatenwelt. 1993 unterzeichnete die rumän. Regierung ein Abkommen über die Assoziierung R.s an die EU (Europaabkommen, in Kraft seit 1. 2. 1995). Im selben Jahr wurde es Mitgl. des Europarats; 1994 trat es dem NATO-Programm »Partnerschaft für den Frieden« bei. Im Juni 1995 stellte R. den formellen Antrag zur Aufnahme in die EU.

📖 GIURESCU, C. C. *u.* GIURESCU, D. C.: *Geschichte der Rumänen. A. d. Rumän. Bukarest 1980.* – *Nationen, Nationalitäten, Minderheiten. Probleme des Nationalismus in Jugoslawien, Ungarn, R., der Tschechoslowakei, Bulgarien, Polen, der Ukraine, Italien u. Österreich 1945–1990, hg. v.* V. HEUBERGER *u. a. Wien 1994.* – VÖLKL, E.: *R. Vom 19. Jh. bis in die Gegenwart. Regensburg u. a. 1995.*

Rumäniendeutsche, Sammelname für die dt. Minderheit in Rumänien, v.a. in Siebenbürgen (→Siebenbürger Sachsen), im Banat (→Banater Schwaben) und im Gebiet von Satu Mare (→Sathmarer Schwaben), dazu früher auch Bessarabien-, Bukowina- und Dobrudscha-Deutsche (→Deutsche); v.a. unter dem Ceaușescu-Regime nat. und kulturell unterdrückt. Ihre Zahl (1945: 785 000) ist infolge starker Auswanderung nach Dtl., bes. seit 1989/90, auf (1996) 70 000 gesunken.

rumäniendeutsche Literatur, die Literatur der dt.sprachigen Minderheiten im heutigen Rumänien, entstanden aus der dt.sprachigen Dichtung Siebenbürgens, des Banats und der Bukowina. Die Dichtung der Siebenbürger Sachsen reicht ins 12. Jh., die der Banater Schwaben ins 18. Jh. zurück. Im 17./18. Jh. spielten siebenbürgisch-sächs. Autoren v.a. im Ausland (Nordamerika) eine Rolle, während die Literatur der Banater Schwaben sich heimatl. Sujets zuwandte. Die r. L. bewegte sich fortan in dem Spannungsfeld zw. mundartl. Volksdichtung und allg. Themen (A. Müller-Guttenbrunn, H. Zillich). Einen eigenen Weg schlugen Autoren jüd. Herkunft der Bukowina ein, u.a. P. Celan und Rose Ausländer. Nach dem 2. Weltkrieg prägte die Bindung an eine Minderheitenkultur und der zunehmende Verlust von Publikationsmöglichkeiten die Autoren der r. L. Sie versuchten in dieser Situation die Werte der Heimat und gleichzeitig ihre Weltoffenheit zu behaupten (z.B. F. Hodjak, Herta Müller, R. Wagner); viele wanderten nach Dtl. aus.

Rumänienungarn, ungar. Minderheit in Rumänien, v.a. in Siebenbürgen und im Banat; darunter die eigenständige Gruppe der Szekler im Szeklerland (SO Siebenbürgens); 1,7 Mio.; Nach-

rumänische Kunst: Die 1488 erbaute Klosterkirche Voroneț in der Moldau verbindet byzantinische mit gotischen Formen (links); Nicolae Ion Grigorescu, »Der Unabhängigkeitskrieg 1877« (1877; Bukarest, Muzeul Național de Artă al României)

kommen von im 12./13. Jh. eingewanderten Kolonisten vermutlich kuman. Abstammung; genossen wie die Siebenbürger Sachsen u. a. Steuerfreiheit, Selbstverwaltung; durch nat. Unterdrückung, v. a. durch das Ceaușescu-Regime, vielfach Abwanderung nach Ungarn.

rumänische Kunst. Im heutigen Rumänien wird die r. K., bedingt durch die histor. Entwicklung, in der Moldau und Walachei am reinsten repräsentiert. → Siebenbürgen stand schon im MA. in lebhaftem Kontakt mit Mitteleuropa, während die beiden anderen Regionen Elemente westl. Kunst nur punktuell und erst im 18. Jh. verstärkt aufnahmen. – Die Kunst der alten Donaufürstentümer Moldau und Walachei lässt einen eigenen Stil seit dem 15. Jh. erkennen, bes. in der *Baukunst* der Walachei, die den byzantin. Typus der Kreuzkuppelkirche (Fürstenkirche in Curtea de Argeș, Mitte 14. Jh.) und den vom Athos stammenden Dreikonchenchor mit hohem Kuppeltambour und meist einschiffigem und tonnengewölbtem Laienraum aufnahm und weiterbildete (Klosterkirche Cozia, 1382–88). Bei der Bischofskirche in Curtea de Argeș (1517 geweiht) treten als nat. Sonderzüge v. a. turmartige Tambourkuppeln, schräg gestellte Tambourfenster und eine reiche Bauplastik hervor. Bei den Klosterbauten in der Moldau (heute Weltkulturerbe der UNESCO) verbanden sich byzantin. mit got. Formen (Voroneț, 1488; Moldovița, 1532; Sucevița, um 1582–84); die Außenmauern wurden oft mit Wandmalereien bedeckt. In Anlehnung an die Holzarchitektur wurde in der Moldau das durch zwei oder mehrere übereinander gestaffelte Pendentifs gebildete »moldauische Gewölbe« (bis ins 18. Jh. nachweisbar) entwickelt (Heiligkreuzkirche in Pătrăuți, Kr. Suceava, 1487). Westeurop. Vorbildern schloss sich die städt. Baukunst seit dem Barock und bes. seit dem 19. Jh. an.

Wand- und *Ikonenmalerei* sind nachhaltig der byzantin. Tradition verpflichtet und nehmen insbesondere serb. Einflüsse auf. Im 16. Jh. bildete sich ein eigenes ikonograph. System heraus, bezeichnend ist zugleich die Tendenz zu größerer Wirklichkeitsnähe. Bes. in der Walachei blühte im 17. und 18. Jh. eine eigenartige, volkstüml. Ikonenkunst. – Die führenden Maler des 19. Jh. und der modernen rumän. Malerei erhielten entscheidende Anregungen aus Frankreich: T. Aman, I. Andreescu, N. Grigorescu, Ș. Luchian, G. Petrașcu, T. Pallady, N. Tonitza, D. Ghiață. Für den 1930 nach Paris übergesiedelten V. Brauner wurde der Surrealismus richtungweisend.

In der *Bildhauerkunst* erlangten der aus Dtl. stammende K. Storck, S. Ionescu-Valbudea, der zum Klassizismus neigende I. Georgescu und der von Rodin beeinflusste D. Paciurea Bedeutung. C. Brâncuși, der sich 1904 in Paris niederließ, erlangte mit abstrakten Plastiken internat. Anerkennung. – Nach dem 2. Weltkrieg zeigen die dem sozialist. Realismus zuzuordnenden Werke starke expressionist. Züge. Seit den 1960er-Jahren orientieren sich zahlr. Künstler an der westeurop. Kunstszene. Die kunstkrit. Diskussion in Rumänien scheidet streng zw. Künstlern, die ihre Werke den modernen Tendenzen des Westens zuordnen, und jenen Künstlern, die zu spezifisch rumän. Formfindung analog zur Kunst Westeuropas gelangten. Die traditionsreiche Volkskunst (Textilkunst, Keramik, Hinterglasmalerei) wird weiterhin gepflegt.

rumänische Kunst: Constantin Brâncuși, »Endlose Säule«, Höhe 30 m, Gusseisen (1937; Tîrgu Jiu)

📖 *Kunstdenkmäler in Rumänien, hg. v.* R. Hootz. *München u. a. 1986.*

rumänische Literatur. Der geschriebenen r. L. ging eine umfangreiche Volksdichtung mit einer Vielfalt von Gattungen voraus: Liebes- und Klagelyrik, v. a. die Doină sowie die ep. Ballade, satir. religiöse und mag. Dichtung sowie das Märchen.

16. bis 18. Jh.: Erst im 16. Jh. trat neben die altkirchenslaw. Literatur eine rumänischsprachige, als deren ältester datierbarer Text ein Brief des Bojaren Neacșu (1521) gilt. Der v. a. von Siebenbürgen ausgehende Einfluss der luther. Reformationsbewegung trug zur Entstehung anspruchsvoller Texte in rumän. Sprache, wie Übersetzungen kirchl. Texte, dreier Psalter und einer Apostelgeschichte, bei. Höhepunkt der altrumän. Literatur sind die unter dem Einfluss der poln. Humanisten entstandenen Schriften der moldauischen Chronisten G. Ureche, M. Costin und I. Neculce sowie das Werk des moldauischen Fürsten D. Cantemir. Das in der Geschichtsschreibung zutage tretende National- und Latinitätsbewusstsein bildete in der 2. Hälfte des 18. und Anfang des 19. Jh. die Grundlage für die histor. und philolog. Arbeiten der »Siebenbürg. Schule« (S. Micu, G. Şincai, P. Maior, I. Budai-Deleanu) mit dem Zentrum in Blaj (Einführung der lat. Schrift anstelle der kyrillischen). In der gleichen Zeit öffnete sich die r. L. nach W-Europa.

Mihai Eminescu
(um 1885)

19. Jh.: Im Anschluss an den Klassizismus und die Vorromantik W-Europas brachten nationalromant. Bestrebungen der »Achtundvierziger« (Paşoptişti) die polit. und histor. Schriften von N. Bălcescu und M. Kogălniceanu, die histor. Legenden von D. Bolintineanu, Fabeln und Satiren von G. Alexandrescu u. a. Führende Persönlichkeit nach 1850 war V. Alecsandri als Lyriker, Dramatiker und Sammler rumän. Volksdichtung. Die stärkste bestimmende Kraft im rumän. Geistesleben des späteren 19. Jh. bildete die 1863 gegründete literar. Gesellschaft »Junimea« (u. a. T. L. Maiorescu). Ihre Mitgl. waren meist im Ausland ausgebildete, germanophile Intellektuelle; Mitarbeiter ihrer Zeitschrift »Convorbiri literare« waren auch die Klassiker der r. L.: M. Eminescu, I. Creangă, I. Slavici und I. L. Caragiale.

Mircea Dinescu

20. Jh.: Zu Beginn des Jh. standen sich eine nationalspezif., bes. dem bäuerl. Leben zugewandte Literatur (M. Sadoveanu, G. Coşbuc, A. Vlahuţă) und eine modernist. Dichtung, v. a. symbolist. Ausprägung (O. Densuşianu, A. Macedonski, I. Minulescu, G. Bacovia) gegenüber. Die Gegensätzlichkeit einer traditionalist. und einer fortschrittl. Grundhaltung lebte nach 1920 bis zum 2. Weltkrieg in der Auseinandersetzung zw. den Autoren um die Zeitschrift »Gîndirea« und den in der frz. Kultur verwurzelten Autoren (E. Lovinescu) fort. Diese Epoche war die Blütezeit der r. L.: im Roman mit L. Rebreanu, Camil und Cezar Petrescu, in der Lyrik mit T. Arghezi, L. Blaga und I. Barbu sowie in der Kritik (histor. und philosoph. Essays) mit N. Iorga, G. Călinescu, T. Vianu und Blaga.

Seit Ende des 2. Weltkrieges und der Ausrufung der Volksrep. (1947) stand die r. L. bis etwa 1964 im Zeichen des sozialist. Realismus. Den formalästhet. Zwängen zum Trotz schufen Camil Petrescu, Călinescu, M. Preda, P. Dumitriu bed. Werke. Seit Mitte der 60er-Jahre wurden in der r. L. die vielfältigen stilist. Mittel der Zwischenkriegszeit wieder aufgenommen (A. Ş. Doinaş, M. Sorescu, N. Stanescu, Ana Blandiana, N. Breban, S. Bănulescu). Abkehr vom Politischen, Hinwendung zu Fantastik und die Erprobung neuer Formen und Stile kennzeichneten die junge Literatur (L. Dimov, D. Ţepeneag, D. R. Popescu). Zunehmende Einschränkungen der Meinungsfreiheit und literar. Darstellungsmöglichkeiten seit den 70er-Jahren veranlassten Autoren, unter ihnen Ţepeneag, Negoiţescu und P. Goma, zur Emigration. Beim Sturz des Diktators Ceauşescu waren viele Schriftsteller politisch aktiv. Publiziert werden gegenwärtig v. a. Zeugnisse der kommunist. Gewaltherrschaft und bisher unveröffentlichte Werke regimekrit. (Blaga) und exilierter Autoren. Bekanntester Vertreter der r. L. ist gegenwärtig M. Dinescu (1990–93 Vors. des rumän. Schriftstellerverbandes).

📖 Gabanyi, A. U.: *Partei u. Literatur in Rumänien seit 1945. München 1975. – Literatur Rumäniens 1944–1980. Einzeldarstellungen, hg. v.* Z. Dumitrescu-Buşulenga *u.* M. Bucur. *Berlin (Ost) 1983. – Rumänistik in der Diskussion. Sprache, Literatur u. Geschichte, hg. v.* G. Holtus *u.* E. Radtke. *Tübingen 1986. –* Behring, E.: *Rumän. Literaturgeschichte. Von den Anfängen bis zur Gegenwart. Konstanz 1994.*

rumänische Musik. Die Volksmusik, zu deren Ausführung ein reichhalt. Instrumentarium zur Verfügung steht, ist fester Bestandteil des tägl. Lebens und mit einer Vielfalt unterschiedl. Gesangs- und Tanztypen für den jeweiligen Anlass. Ihrer systemat. Sammlung und Erforschung widmeten sich v. a. C. Brăiloiu, G. Breazul (1927 Gründung des Phonogrammarchivs) und B. Bartók. Bis zum 19. Jh. war die rumän. Kunstmusik weitgehend auf den kirchl. Bereich beschränkt. In der 2. Hälfte des 19. Jh. entwickelte sich eine nat. rumän. Musik (erste rumän. Sinfonie, 1869, »Nat. Ouvertüre«, 1876, von G. Stephănescu); 1877 wurde in Bukarest die Rumän. Oper gegründet. Seit Beginn des 20. Jh. verbanden sich folklorist. Elemente mit romant.

oder impressionist. Anregungen bei D. G. Kiriac, dann v.a. bei G. Enescu und A. Vieru. Zu den Komponisten der Gegenwart, die sich mit Kompositionsweisen der Neuen Musik auseinander setzen, gehören u.a. A. Stroe, Myriam Marbe, C. Ţăranu, A. Hrisanide, C. Miereanu und Violeta Dinescu.

📖 COSMA, V.: *Zweitausend Jahre Musik auf dem Boden Rumäniens. A. d. Rumän. Bukarest 1980.*

Benjamin Thompson, Graf von Rumford: Ausschnitt eines zeitgenössischen Punktierstichs

rumänische Sprache. Sie gehört zur ostroman. Sprachfamilie, gliedert sich in vier Dialekte und wird außer in Rumänien auch von Minderheiten in den Nachbarstaaten, v.a. in Moldawien (→moldauische Sprache), gesprochen. Die Sonderstellung der r. S. innerhalb der roman. Sprachen begründet sich durch 1) ihr vorröm., dakisches Substrat, 2) die zahlr. Übereinstimmungen mit den anderen Balkansprachen, 3) das Fehlen german. Einflüsse, 4) die slaw. Beeinflussung (seit 7./8. Jh.) v.a. der Phonetik und des Wortschatzes, 5) ihre Kontakte mit dem Ungarischen, Türkischen, Neugriechischen und 6) die isolierte geograph. Lage, die dazu führte, dass sich die Sprache bis Ende des 18. Jh. in einer geistig-kulturellen Sonderexistenz entwickelte. Reromanisierungsbestrebungen im 19. und 20. Jh. führten zur Aufnahme italien., bes. aber frz. Elemente. – Die vier Dialektgruppen sind das Dakorumänische, das eigentl. Rumänische (mit den Subdialekten der Moldau, der Walachei, des Banats, der Crişana und des Marmarosch) sowie das Aromunische oder Mazedorumänische, das Meglenorumänische und das Istrorumänische. Die Schriftsprache entwickelte sich zu Beginn des 16. Jh. auf walachisch-südsiebenbürg. Grundlage. Die kyrill. Schreibung wurde 1860 durch die lat. ersetzt.

📖 TIKTIN, H.: *Rumänisch-dt. Wb., bearb. v.* P. MIRON, *3 Bde. ²1986–90. – Grammatik der r. S. der Gegenwart, bearb. v.* A. BEYRER *u.a. Leipzig 1987. – Lexikon der romanist. Linguistik, hg. v.* G. HOLTUS *u.a., Bd. 3. Tübingen 1989.*

Rumantsch Grischun, die neu geschaffene Schriftsprache für die fünf Sprachvarianten des Bündnerromanischen (→rätoromanische Sprachen); seit 1996 vierte Amtssprache der Schweiz.

Rumba [span.] *die,* lateinamerikan. Tanz im 4/4-Takt, um 1930 in Europa als Gesellschaftstanz eingeführt; gehört heute zu den Turniertänzen.

Rumbakugeln, die →Maracas.

Rumelilen, in der türk. Verwaltung bis 1864 Bez. für den europ. Teil des Osman. Reiches außer Bosnien, Ungarn und Morea.

Rümelin, Max von (seit 1905), Jurist, *Stuttgart 15. 2. 1861, †Tübingen 22. 7. 1931; Prof. in Halle (Saale) und Tübingen; einer der Begründer der Tübinger Schule der Interessenjurisprudenz.

Rumford ['rʌmfəd], Sir (seit 1784) Benjamin Thompson, Graf von (seit 1791), amerikan. Physiker und Staatsmann, *North Woburn (Mass.) 26. 3. 1753, †Auteuil (heute zu Paris) 21. 8. 1814; trat 1784 in bayer. Dienste; führte in Bayern die Kartoffel ein, gründete Arbeitshäuser, legte den Engl. Garten in München an und untersuchte die Entstehung der Reibungswärme. Die Gründung der Royal Institution (1800) in London geht auf R. zurück.

Rumi, pers. Dichter, →Djalal od-Din Rumi.

Rummelpott, die →Reibtrommel.

Rumpf (Körperstamm, Stamm, Truncus), *Anatomie:* Teil des Körpers ohne Kopf, Hals und Gliedmaßen; in Brust, Bauch und Becken gegliedert.

Rumpflfläche (Rumpfebene, Fastebene, engl. Peneplain), *Geomorphologie:* durch lang andauernde Abtragungsvorgänge entstandene, meist schwach wellige Verebnungsfläche, die gefaltete

Rumford

Sir Benjamin Thompson, Count Rumford, war ein universaler Geist. Er wurde vom König von Bayern damit beauftragt, das Bohren von Kanonenrohren im Münchner Arsenal zu beaufsichtigen. Bei dieser Arbeit wurde er von der gewaltigen Hitzeentwicklung während des Bohrvorganges beeindruckt. 1789 stellte er die Vermutung auf, dass die Hitze aus der verbrauchten mechanischen Energie stammt. Die Zeit war jedoch wissenschaftlich noch nicht reif für die mechanische Theorie der Wärme, nach der Arbeit in Wärme umgewandelt werden kann und umgekehrt. Daher erklärten zeitgenössische Kritiker die Hitzeentwicklung durch die geringere Wärmekapazität der feinen Bohrspäne im Vergleich zum massiven Metall (kalorische Hypothese). Daraufhin setzte Thompson einen gröberen Bohrer ein und beobachtete, dass dieser mit sehr wenigen Umdrehungen genauso viel Hitze produzierte. Die Anhänger der kalorischen Hypothese machten hierauf geltend, dass die Reibungswärme aus der Einwirkung der Luft auf metallische Oberflächen stamme. Ein Jahr später, 1799, bewies der britische Chemiker und Physiker Humphry Davy, dass latente Wärme auch in Abwesenheit von Luft durch mechanische Arbeit freigesetzt werden kann, indem er zwei Stücke Eis durch ein Uhrwerk in einem Vakuum gegeneinander rieb und dadurch ein rasches Abschmelzen beobachtete.

oder schräg gestellte Schichten kappt (Falten- oder Tafelrumpf).

Rumpfgebirge, alte Faltengebirge, die infolge der starken Abtragung nur noch Rümpfe des ehem. Gebirges sind; sie sind (meist im Mesozoikum) zu →Rumpfflächen abgetragen, später (bes. im Känozoikum) herausgehoben und verbogen oder verworfen worden.

Edmund Rumpler

Rumpfparlament, die verbliebene Minderheit des engl. Parlaments (→Langes Parlament) nach dem Ausschluss seiner presbyterian. Mitglieder durch O. Cromwell (Dez. 1648); auch Bez. für die nach dem Scheitern der Frankfurter Nationalversammlung übrig gebliebenen Abg., die im Juni 1849 in Stuttgart tagten.

Rụmpler, Edmund, Flugzeugbauer, *Wien 4. 1. 1872, †Neu-Tollow (heute zu Züsow) 7. 9. 1940; gründete 1908 in Berlin die erste dt. Flugzeugfabrik, baute 1910 nach den Plänen von I. Etrich eine weiterentwickelte Form der »Taube« (Etrich-Rumpler-Taube) und 1914–18 Kampfflugzeuge; entwickelte 1921 ein Stromlinienauto mit Schwingachse und Vorderradantrieb.

Edmund Rumpler: Die 1910 entwickelte Etrich-Rumpler-Taube war das bekannteste und erfolgreichste Flugzeug vor dem Ersten Weltkrieg

Run [rʌn, engl.] *der,* **1)** *Bankwesen:* panikartiger Ansturm von Einlegern auf die Kassen einer Bank bei vermeintl. oder tatsächl. Liquiditätsproblemen, um ihre Guthaben zu sichern.

2) *Börsenwesen:* plötzlich auftretende übermäßige Nachfrage nach bzw. Angebot an Aktien mit überdurchschnittl. Kurssteigerungen (Hausse) bzw. Kursstürzen (Baisse).

Runciman-Bericht ['rʌnsɪmən-], der von Lord Walter Runciman (*1870, †1949) für A. N. Chamberlain ausgearbeitete Bericht über die Lage der Sudetendeutschen (1938), der die Abtretung der sudetendt. Gebiete an Dtl. bei Garantie der neuen tschechoslowak. Grenzen empfahl; bestimmte die brit. Haltung bei den Verhandlungen um das →Münchener Abkommen.

Rundbau, ein →Zentralbau über kreisrundem Grundriss.

Rundbuckel, →Kyphose.

runden, eine Zahl durch einen Näherungswert ersetzen. Dabei werden i. Allg. folgende Regeln angewendet: a) folgt auf die letzte anzugebende Stelle eine der Ziffern 0 bis 4, wird **abgerundet,** d.h., die letzte stehen bleibende Ziffer wird nicht verändert, z.B. $3{,}141 \approx 3{,}14$; b) folgt auf die letzte anzugebende Stelle eine der Ziffern 6 bis 9, wird **aufgerundet,** d.h., die letzte stehen bleibende Ziffer wird um 1 erhöht, z.B. $3{,}146 \approx 3{,}15$; c) folgen nach der Ziffer 5 noch weitere von 0 versch. Ziffern, so wird aufgerundet; d) folgen nach einer 5 nur Nullen, dann wird so gerundet, dass die letzte beibehaltene Ziffer gerade wird, z.B. $3{,}1450 \approx 3{,}14$.

runder Tisch, Form des demokrat. Zusammenwirkens, insbesondere zw. Opposition und Regierung, bei der alle Teilnehmer gleichberechtigt zusammenarbeiten. Gespräche am r. T. fanden 1989 in Polen statt, dann in Ungarn, in der DDR, in der Tschechoslowakei, in Rumänien und in Bulgarien, um die Überwindung stalinist. Strukturen und eine demokrat. Entwicklung der jeweiligen Länder zu erreichen.

Rundfunk (Radio, in der Schweiz auch Rundspruch, engl. Broadcasting, frz. Radiodiffusion), meist ungerichtete, drahtlose Übertragung von Sprache und Musik **(Hör-R.)** oder Bild, Sprache und Musik **(Fernseh-R.),** zunehmend mittels elektromagnet. Wellen, teilweise auch über Leitungen (spezielle Kabel) oder Satellitenverbindungen. R. schließt auch Darbietungen ein, die verschlüsselt verbreitet werden, oder rein visuell (Videotext) oder nur gegen besonderes Entgelt empfangen werden können (Pay-TV). (→Fernsehen)

Technik: Die elektr. Signale der Sprach-, Musik- und Bildinformation werden mittels Mikrofonen oder/und Fernsehkameras in elektr. Wechselspannungen umgewandelt und aus dem Studio über Kabel- oder/und Richtfunkverbindungen dem Sender zugeführt, hier einer Trägerschwingung vielfach höherer Frequenz (Hochfrequenz, HF) aufmoduliert und über eine Sendeantenne abgestrahlt. Für Hörfunkübertragung mit Lang-, Mittel- und Kurzwellen sowie Fernsehbildübertragung verwendet man Amplitudenmodulation, für Ultrakurzwelle (UKW)- und Fernsehtonübertragung Frequenzmodulation. Die Senderleistungen liegen zw. 10 kW (UKW) und 500 kW (Langwelle). Im Empfänger werden die aufmodulierten Signale nach Umsetzung, Verstärkung und Demodulation wieder hör- und sichtbar gemacht. Stereosendungen werden wegen der erforderl. großen Bandbreite nur im UKW-Bereich ausgestrahlt. – Ein **R.-Empfänger** ist im eigentl. Sinn ein Gerät zum Empfang und zur Wiedergabe von Hörrundfunksendungen. Er erfüllt drei Grundaufgaben: Trennung des gewünschten Senders von den nicht gewünschten (Abstimmung), Rückgewinnung der übertragenen Informationen aus den modulierten HF-Schwingungen (Demodulation) und Umwandlung der erhaltenen NF-Signale (Tonfrequenzen) in akust. Signale. Mit dem i. Allg. verbreiteten **Überlagerungsempfänger (Superheterodyn-Empfänger,** kurz **Super)** werden die von der Antenne aufgenommenen modulierten hochfrequenten Schwingungen verstärkt und mit einem im Empfänger erzeugten Hilfssignal überlagert (gemischt); das dabei entstehende Zwischenfrequenzsignal (ZF) wird weiter verstärkt, demoduliert und im Lautsprecher hörbar gemacht. Im **Stereo-R.-Empfänger** wird die dem Träger zusätzlich aufmodulierte stereophone Information im Decoder zurückgewonnen. Beim Pilottonverfahren werden Summen- und Differenzsignale der links- und rechtsseitigen Schallinformationen der Studiomikrofone sowohl addiert als auch subtrahiert; mit den so gebildeten Links- und Rechtssignalen werden zwei räumlich getrennte Lautsprecher vom sog. Steuergerät gespeist. R.-Empfänger werden als Heimgeräte (Betrieb am Netz) oder als tragbare R. (Batteriebetrieb) hergestellt. Moderne Geräte weisen einen hohen Bedienungskomfort auf (Abstimmanzeige, automatische Scharfabstimmung, programmierbare Senderwahl, automat. Mono-/Stereoumschaltung, Magnettongerät-, Stereokopfhöreranschluss u. a.). Transistoren und Halbleiterdioden lösten die Elektronenröhren ab. Integrierte Schaltkreise machen ganze Empfängerstufen als Chips verfügbar. Damit können R.-Empfänger aus wenigen integrierten Schaltkreisen und einigen ergänzenden Einzelbauelementen zusammengesetzt werden. Eine weitere Entwicklung stellt das digitale Übertragungsverfahren (→ digitaler Hörfunk) dar.

Programme: Die in der ARD zusammengeschlossenen Landesrundfunkanstalten in Dtl. – Bayerischer R. (BR), Hessischer R. (HR), Mitteldeutscher R. (MDR), Norddeutscher R. (NDR), Ostdeutscher R. Brandenburg (ORB), Radio Bremen (RB), Saarländischer R. (SR), Sender Freies Berlin (SFB), Süddeutscher R. (SDR), Südwestfunk (SWF) (SDR und SWF fusionierten am 1. 1. 1998 zum Südwestrundfunk, SWR; Programmstart am 1. 10. 1998) und Westdeutscher R. (WDR) – strahlen in ihrem Sendegebiet bis zu fünf Programme im **Hörfunk** aus. Von Anstalten des Bundesrechts werden auch Fremdsprachenprogramme (sog. Auslandsdienste) verbreitet. Die Dt. Welle (DW) verbreitet täglich mehrstündige kontinentale und interkontinentale Programme in 40 Sprachen. Weiteres nat. Hörfunkprogramm ist seit 1994 das DeutschlandRadio (Zusammenschluss von Deutschlandfunk [DLF], DS-Kultur und RIAS). Zu den öffentlich-rechtl. Landesprogrammen treten seit Mitte der 80er-Jahre zahlr. private Anbieter, u. a. mit dem Konzept des »Lokalradios«. Die Kosten der R.-Anstalten werden in Dtl. aus R.-Gebühren und in geringem Maße aus Werbeeinnahmen gedeckt; die privaten Anbieter finanzieren sich v. a. durch Werbung.

Recht: Die Organisation eines R.-Systems kann i. Allg. nach vier versch. Prinzipien erfolgen: rein privatwirtsch. (USA), öffentlich-rechtlich (Österreich), staatlich (in skandinav. Ländern staatsnah) oder in einer Mischform aus öffentlich-rechtl. und privatem R. (Schweiz, Italien, Frankreich, Dtl.). Grundlage der Organisation des R. in Dtl. ist die in Art. 5 Abs. 1 Satz 2 GG gewährleistete Freiheit der Berichterstattung durch R. (Hörfunk und Fernsehen) und Film. Das Bundesverfassungsgericht hat wiederholt die Bedeutung eines freien R. für ein freiheitl., demokrat. Gemeinwesen hervorgehoben und den R. als Faktor der öffentl. Meinungsbildung bezeichnet. Daher muss der R. von staatl. Einfluss freigehalten werden, darf aber auch nicht

Rundfunk

Rundfunk: Die öffentlich-rechtl. Rundfunkanstalten und ihre Programme (Stand 12/97)

Sender	*Programme* [1]
Hörfunkprogramme	
ARD	ARD-Popnacht, ARD-Nachtkonzert, ARD-Nachtexpress
Bayerischer Rundfunk, BR	Bayern1, Bayern2Radio, Bayern3, Bayern4 Klassik, B5aktuell
Deutsche Welle, DW	Hörfunkangebote in 39 Sprachen für das Ausland
DeutschlandRadio, DR	Deutschlandfunk, DeutschlandRadio Berlin
Hessischer Rundfunk, HR	hr1, hr2, hr3, hr4
Mitteldeutscher Rundfunk, MDR	MDR1 Radio Sachsen, MDR1 Radio Sachsen-Anhalt, MDR1 Thüringen, MDR info, MDR Kultur, MDR Sputnik, MDR life
Norddeutscher Rundfunk, NDR	NDR1 Radio Niedersachsen, NDR1 Radio MV, NDR1 Welle Nord, NDR Hamburg-Welle 90,3, NDR2, NDR3, NDR4, N-Joy Radio
Ostdeutscher Rundfunk Brandenburg, ORB	ORB Antenne Brandenburg, ORB/SFB Radio Eins, ORB/SFB Fritz
Radio Bremen, RB	Radio Bremen 1 Hansawelle, Radio Bremen 2, Radio Bremen 3 Melodie, Radio Bremen 4
Saarländischer Rundfunk, SR	SR 1 Europawelle, SR 2 KulturRadio, SR 3 Saarlandwelle, SR 4
Sender Freies Berlin, SFB	SFB Berlin 88,8, SFB/ORB RadioKultur, SFB/ORB/NDR Radio 3, SFB 4 Multi-Kulti, SFB/ORB: InfoRadio
Süddeutscher Rundfunk, SDR	SDR 1, SDR 3, SDR/SWF S2 Kultur, SDR/SWF S4 Baden-Württemberg
Südwestfunk, SWF	SWF1, SWF3, SWF4 Landeswelle Rheinland-Pfalz
Westdeutscher Rundfunk, WDR	Eins Live, WDR2, WDR3, WDR4, WDR Radio 5
Fernsehprogramme	
ARD	Das Erste
ARD und ZDF	ARTE[2], 3SAT[3], Kinderkanal, Phoenix
Bayerischer Rundfunk, BR	Bayerisches Fernsehen
Deutsche Welle, DW	Fernsehprogramm in Deutsch, Englisch, Spanisch
Hessischer Rundfunk, HR	hessenfernsehen
Mitteldeutscher Rundfunk, MDR	MDR Fernsehen
Norddeutscher Rundfunk, NDR, Radio Bremen, RB	N3
Sender Freies Berlin, SFB	B1
Ostdeutscher Rundfunk Brandenburg, ORB	ORB-Fernsehen
Saarländischer Rundfunk, SR, Süddeutscher Rundfunk, SDR, Südwestfunk, SWF	Südwest 3
Westdeutscher Rundfunk, WDR	WDR Fernsehen

[1] Eigenbezeichnungen, z. T. in Kurzform. – [2] zus. mit La Sept ARTE. – [3] zus. mit Österr. Rundfunk, ORF und Schweizer. Radio- und Fernsehgesellschaft SRG

einzelnen gesellschaftl. Gruppen ausgeliefert werden. In ihm soll die Vielfalt der in der Gesellschaft bestehenden Meinungen in größtmögl. Breite zu Wort kommen. – Das dt. R.-Recht ist in Bundes- und Landes-Ges. sowie Verträgen enthalten. Auf dieser Grundlage bestehen Landesrundfunkanstalten (Anstalten des öffentl. Rechts), die durch ein Landesrundfunk-Ges. für ein Land oder durch Staatsvertrag für mehrere Länder gemeinsam gegr. wurden. Organe sind i. Allg. **Rundfunkrat** als Vertretungsorgan der Allgemeinheit, **Verwaltungsrat** als wirtsch. Aufsichtsorgan und **Intendant** als Leiter der R.-Anstalt. Der R.-Staatsvertrag vom 1./3. 4. 1987 enthält den Programmauftrag der öffentlich-rechtl. Anstalten, legt Programmanforderungen für bundesweit verbreitete private Programme fest und regelt das Verhältnis zum öffentlich-rechtl. R., bes. im Bereich der Finanzierung. – In *Österreich* ist auf der Grundlage des Bundesverfassungs-Ges. über die Sicherung der Unabhängigkeit des R. das R.-Gesetz über den →Österreichischen Rundfunk (ORF) ergangen. In der *Schweiz* ist die Gemeinwohlbindung des R. in dem 1984 in die Bundesverf. eingefügten Art. 55 festgelegt. Das danach erforderliche Bundes-Ges. über Radio und Fernsehen ist seit April 1992 in Kraft.

Geschichte: Die 1856 von J. C. Maxwell erkannte Existenz der elektromagnet. Wellen wurde 1888 von H. Hertz nachgewiesen. Er erzeugte diese Wellen mittels elektr. Funken (daher »Funk«) und schuf damit die Grundlage der drahtlosen Nachrichtenübertragung. 1895 benutzte G. Marconi in Großbritannien die erste drahtlose Nachrichtenverbindung; es entstanden Großfunkstellen in Poldhu (Großbritannien), 1906 in Nauen bei Potsdam. An der Weiterentwicklung der Funkübertragung waren internat. Wissenschaftler beteiligt, u.a. G. Marconi, A. Slaby, G. Graf von Arco, K. F. Braun. Die ersten R.-Sender wurden 1920/22 in den USA, den Niederlanden, in Großbritannien, Frankreich und in Russland gebaut. In Dtl. übertrug zum ersten Male am 22. 12. 1920 die Hauptfunkstelle Königs Wusterhausen ein Instrumentalkonzert. Am 29. 10. 1923 wurde der dt. »Unterhaltungs-R.« im VOX-Haus in Berlin eröffnet, 1931 die erste Weltübertragung mit »Tristan und Isolde« aus Bayreuth gesendet. 1950 wurden R.sendungen erstmals in Dtl. über UKW gesendet, 1961 erstmals in Stereo. Seit 1993 laufen Pilotversuche zur Nutzung von →digitalem Hörfunk.

📖 *R. in Deutschland, hg. v.* H. Bausch, *5 Bde. München 1980. – Technik des R., Technik der Systeme, Rundfunkversorgung, hg. v.* H. Werle. *Heidelberg 1989. – Medien im vereinten Deutschland, hg. v.* W. A. Mahle. *München 1991.* – Herrmann, G.: *Rundfunkrecht. Fernsehen u. Hörfunk mit neuen Medien. München 1994. – Lexikon der Hörfunk- u. Fern-*

sehbegriffe, hg. vom Bayerischen Rundfunk. München ^{5}*1997.*

Rundfunkwellen, für Rundfunk verwendete elektromagnet. Wellen. Man unterscheidet nach Frequenz oder Wellenlänge die in der ÜBERSICHT angegebenen Bereiche.

Rundhöcker (Rundbuckel), Felsen, die durch Gletscher auf der Stoßseite durch Abschleifen gerundet und mit Ritzlinien (Gletscherschrammen) in der Bewegungsrichtung versehen sind. **Schären** sind vom Meer überflutete Rundhöcker.

Rundhöcker: Der Rundhöcker im Jostedal, Südnorwegen, zeugt ebenso wie der Findling (vorne rechts) von der einst größeren Ausdehnung des Jostedalsbre, des größten Gletschers des europäischen Festlands

Rundi (Barundi), Bevölkerungsgruppe im ostafrikan. Zwischenseengebiet, i.e.S. die zu den Bantu gehörenden Hutu in Burundi, i.w.S. die Gesamtbev. Burundis (einschließlich Twa und Hima). Ihre Sprache, das **Rundi (Kirundi),** eine dem Kinyaruanda nahe verwandte Bantusprache, ist eine der Amtssprachen von Burundi.

Rundköpfe (engl. Roundheads), Bez. (nach ihrer Haartracht) für die puritan. Anhänger des Parlaments im engl. Bürgerkrieg seit 1642. Ihre Gegner waren die **Kavaliere.**

Rundling, *Siedlungswesen:* geschlossene Dorfform, Typ des Weilers, v.a. im ehemals dt.slaw. Grenzraum in Mitteleuropa. Die Gehöfte liegen mit Anschluss an die Flur um den inneren Anger.

Rundmäuler (Cyclostomata), Klasse der Kieferlosen Fische; wurm- oder schlangenförmig, ohne paarige Gliedmaßen, ohne Schuppen, mit Chorda dorsalis. Die R. umfassen die →Neunaugen und →Inger.

Rundplastik (Freiplastik, Vollplastik), ein allseitig bearbeitetes Bildwerk; Ggs.: Relief.

Rundrücken, →Kyphose.

Rundstedt, Gerd von, Generalfeldmarschall (seit 1940), *Aschersleben 12. 12. 1875, †Hannover 24. 2. 1953; führte im 2. Weltkrieg Heeresgruppen gegen Polen, Frankreich und die UdSSR; 1941 abgesetzt, ab 1942 Oberbefehlshaber West.

Rundstreckenrennen, Straßenradrennen auf geschlossenem, 800 bis 5000 m langem Rundkurs.

Rundfunkwellen

deutsche Bez.	internat. Bez.	Wellenlängenbereich	Frequenz
Langwellen	LF	10000 - 1000 m	30 - 300 kHz[1]
Mittelwellen	MF	1000 - 182 m	300 - 1650 kHz[1]
Kurzwellen	HF	100 - 10 m	3 - 30 MHz[1]
Ultrakurzwellen	VHF	10 - 1 m	30 - 300 MHz[1, 2]
Dezimeterwellen	UHF	1 - 0,1 m	300 - 3000 MHz[2]

[1] Rundfunk. – [2] Fernsehen

Rund|um-Kennleuchten (Rundumlicht), *Verkehrstechnik:* opt. Warnvorrichtungen, bei denen blau, rot oder gelb gefärbtes Licht in Form eines umlaufenden Lichtbündels (von einem rotierenden Hohlspiegel gebündelt) oder als Blinklicht abgestrahlt wird. (→Blaulicht)

Rundwürmer, die →Schlauchwürmer.

Runeberg ['rynəbærj], Johan Ludvig, finnlandschwed. Dichter, *Pietarsaari 5. 2. 1804, †Porvoo 6. 5. 1877; trug wesentlich zur Entstehung des finn. Nationalbewusstseins bei, bes. durch den Lieder- und Balladenzyklus »Fähnrich Stahls Erzählungen« (2 Bde., 1848–60), der den schwedisch-finn. Kampf gegen Russland 1808/09 idealisiert; das einleitende Lied »Vårt land« (vertont von F. Pacius) wurde zur finn. Nationalhymne.

Johan Ludvig Runeberg

Runen [zu ahd. rūna »Geheimnis«, »Geflüster«], die in Inschriften überlieferten german. Schriftzeichen, die vom 2. Jh. n. Chr. bis ins skandinav. MA. gebräuchlich waren. Die Mehrzahl der auf bewegl. Gegenständen (aus Holz, Knochen, Metall) und später auf Stein überlieferten Inschriften sind kurz, oft nur Weih- oder Besitzerinschriften, denen wohl auch mag. Kraft zugeschrieben wurde. Einige enthalten mag. oder im 11. Jh. n. Chr. christl. Formeln; aus der Spätzeit stammen auch R.-Plättchen rein profanen Charakters; nur in Einzelfällen sind sie literar. Zeugnisse (Stein von

Runen: Die nach den ersten sechs Zeichen als (älteres) Futhark bezeichnete Runenreihe stammt aus urnordischer Zeit (etwa 200–750)

Rök, Östergötland, 9. Jh. n. Chr.; Karlevistein, Insel Öland, um 1000 n. Chr.). Die Sitte, Gedenksteine (→Bautasteine) mit Runen zu beschriften, entstand im 8. Jh. n. Chr. Genannt wurde dabei immer auch der Auftraggeber, der sich so als der rechtmäßige Erbe des Verstorbenen zu erkennen gab. Hauptverbreitungsgebiet der R. war Skandinavien einschließl. Island, die ältesten stammen von den dän. Inseln Seeland und Fünen sowie den angrenzenden Gebieten (im W Jütland und Schleswig, im O Schonen). In der Völkerwanderungszeit (4.–6. Jh.) und in der Wikingerzeit (ab dem 9. Jh.) verbreitete sich die R.-Schrift im W bis zu den Brit. Inseln, im O bis Russland, im SO bis Rumänien und Griechenland und im S bis S-Dtl. und in das Rheingebiet. Bis in das 8. Jh. wurde eine Reihe aus 24 Zeichen benutzt, das nach ihren ersten sechs Zeichen benannte (ältere) Futhark (Fuþark). Die Sprache der ältesten Überlieferung, z. B. in den Ritzungen der Goldhörner von →Gallehus, des Bildsteins von Möjbro, Uppland, und der Brakteaten des 5. und 6. Jh., ist das dialektal noch nicht differenzierte »Urnordische«. In Zusammenhang mit seinem Lautwandel wurde im Lauf des 7. und 8. Jh. wohl in S-Norwegen und S-Schweden eine kürzere R.-Reihe von 16 Zeichen entwickelt (jüngeres Futhark); es wurde in der Wikingerzeit benutzt, aus der die Mehrzahl aller R.-Inschriften stammt. Eine Blüte erlebte die R.-Kunst ab dem 11. Jh. in der Gegend um den Mälarsee, in der historischen schwed. Prov. Uppland, wo über 1000 spätwikingerzeitl. R.-Steine entstanden sind; sie verbinden z. T. die german. Schlangenornamentik mit christl. Symbolen. Der Ursprung der R. ist in Alphabeten des Mittelmeerraumes zu suchen. Als Vorbild dienten vielleicht nordetrusk. Alphabete und/oder das lat. Alphabet. BILD Jelling

📖 SCHNALL, W.: *Die Runeninschriften des europ. Kontinents. Göttingen 1973.* – DÜWEL, K.: *Runenkunde. Stuttgart [2]1983.* – ELLIOTT, R. W. V.: *Runes. An introduction. Neuausg. Manchester 1989.*

Friedlieb Ferdinand Runge (zeitgenössische Zeichnung)

Runge, 1) Friedlieb Ferdinand, Chemiker, *Billwärder (heute zu Hamburg) 8. 2. 1795, †Oranienburg 25. 3. 1867; entdeckte die Alkaloide Koffein und Atropin, wurde mit der Auffindung von Anilin, Phenol u. a. Verbindungen im Steinkohlenteer Wegbereiter der Teerfarbenchemie.

2) Philipp Otto, Maler, *Wolgast 23. 7. 1777, †Hamburg 2. 12. 1810; studierte an der Kopenhagener Akademie und bildete sich in Dresden fort, wo ihm v. a. L. Tieck die naturmyst. Schriften J. Böhmes erschloss. Seit 1803 lebte er vorwiegend in Hamburg. Nach ersten, noch klassizistisch geprägten Werken begann R. 1802/03 an seinem Hauptwerk zu arbeiten, den »Vier Zeiten«; sie sind Symbole für die vier Tages- und Jahreszeiten, erfüllt von religiös-myst. und frühromant. Ideen. Erhalten sind die Entwürfe und Studien, nur der »Morgen« wurde als Gemälde ausgeführt (1. Fassung 1807, 2. Fassung 1808/09; beide Hamburg, Kunsthalle). In seinen Porträts verbindet sich ein übersteigerter Realismus mit schlichter Innerlichkeit. R. gilt als Hauptvertreter der dt. frühromant. Kunst, die er bes. durch seine theoret. Erkenntnisse zur Farbenlehre und Landschaftsmalerei beeinflusste. Er verfasste auch zwei plattdt. Märchen (»Vom Machandelboom«, »Von dem Fischer und syner Fru«) für die Sammlung der Brüder Grimm.

Philipp Otto Runge: »Die Hülsenbeckschen Kinder« (1805/06; Hamburg, Kunsthalle)

Rungholt, Hafenort der ehem. Insel →Nordstrand, einst der wichtigste Handelsplatz Nordfrieslands, wahrscheinlich in der großen Sturmflut 1362 untergegangen.

Runkel, Stadt im Landkreis Limburg-Weilburg, Hessen, beiderseits der Lahn, 9 500 Ew.; Burgmuseum; Kunststoffverarbeitung, Baustoffindustrie. – Stammburg der Fürsten zu Wied (12. Jh., 1634 zerstört, Unterburg 1641 und 1701–03 erneuert); Altstadt mit Fachwerkhäusern (17. und 18. Jh.).

Runkelrübe

Runkelrübe (Futterrübe, Dickrübe, Beta vulgaris ssp. rapacea var. crassa), Gänsefußgewächs mit fleischig verdicktem Hauptwurzel, verdicktem unterstem Sprossabschnitt und langstieligen, großen Rosettenblättern; Futterpflanze. Stammform der R. ist die **Wilde Rübe** (Beta vulgaris ssp. maritima); andere Varietäten sind Rote Rübe, Zuckerrübe.

Runkelstein (italien. Castel Roncolo), zur Gemeinde Ritten gehörende Burg im Sarntal, bei Bozen (Südtirol, Italien); um 1237 erbaut, im 14. Jh. umgebaut, 1884–88 erneuert. Berühmt ist R. wegen der um 1400 entstandenen Fresken (u. a. Szenen aus dem höf. Leben und aus der Tristansage).

Ruodlieb, nach dem Titelhelden benanntes mlat. Epos, verfasst im letzten Drittel des 11. Jh. im Kloster Tegernsee; in Bruchstücken erhalten. Mit seiner die Tugenden eines christl. Ritters verkörpernden Hauptgestalt geht das Werk der Kulturentwicklung um fast ein Jahrhundert voraus und ist die bedeutendste Dichtung in der Vorgeschichte des hochmittelalterlichen höfischen Versromans.

Rupi|e [Hindi] *die,* Währungseinheit, in Indien: 1 Ind. R. (iR) = 100 Paise (P.); Mauritius: 1 Mauritius-R. (MR) = 100 Cents (c); Nepal: 1 Nepales. R. (NR) = 100 Paisa (P.); Pakistan: 1 Pakistan. R. (pR) = 100 Paisa (Ps); Seychellen: 1 Seychellen-R. (SR) = 100 Cents (c); Sri Lanka: 1 Sri-Lanka-R. (S. L. Re.) = 100 Sri-Lanka-Cents (S. L. Cts.). – Die R. war urspr. eine Silbermünze der Großmoguln. Die Bez. wurde von den europ. Kolonialmächten für ihre Prägungen übernommen. Viele R. gelangten nach Ostafrika, weshalb dort die R. auch zur Währungsmünze wurde. In Portugies.-Ostafrika wurde die ind. R. gegengestempelt, für Mombasa wurden 1888 eigene R. geprägt, und auch für das Schutzgebiet Dt.-Ostafrika wurden ab 1890 R. mit dem Bild Kaiser Wilhelms II. ausgegeben.

Ruppiner See (Rhinsee), See in Brandenburg, südöstlich von Neuruppin, 8,5 km² groß, bis 24 m tief; Erholungsgebiet für Berlin.

Ruprecht, Herrscher:

Hl. Röm. Reich: **1) R. von der Pfalz,** Röm. König (1400–10), als **R. III.** Kurfürst von der Pfalz (seit 1398), *Amberg 5. 5. 1352, †Burg Landskron (über Oppenheim) 18. 5. 1410; von rhein. Kurfürsten in Rhens zum Röm. König gewählt, aber nur in einem Teil des Reiches anerkannt.

Pfalz: **2) R. I.,** Kurfürst (1353–90), *Wolfratshausen 9. 6. 1309, †Neustadt (heute Neustadt a. d. Weinstraße) 16. 2. 1390; Wittelsbacher, Neffe Kaiser Ludwigs IV., des Bayern. R. erreichte, dass die Kurwürde dauernd in der Pfalz blieb, erwarb umfangreichen Territorialbesitz und gründete 1386 die Univ. Heidelberg.

Runkelstein: Das um 1400 entstandene Fresko zeigt Tristans Kampf mit dem Drachen

Ruprechtskraut, → Storchschnabel.

Rur *die* (niederländ. Roer), rechter Nebenfluss der Maas, 248 km lang, entspringt an der Botrange (Hohes Venn) in Belgien, fließt durch NRW, mündet bei Roermond in den Niederlanden. Die **R.-Talsperre Schwammenauel** in der Eifel staut die R. bis 68 m Stauhöhe; der 7,8 km² große Stausee fasst 205 Mio. m³.

Rurik (russ. Rjurik), Warägerfürst, †879 (?), herrschte nach der Nestorchronik ab 862 in Nowgorod. Die → Normannisten schreiben R. einen wesentl. Anteil an der Gründung des Kiewer Reichs zu. Nach der Sage begründete er die russ. Herrscherfamilie der **Rurikiden,** die seit dem 9. Jh. von Kiew aus ihre Herrschaft erweiterte. 1598, mit dem Tod des Zaren Fjodor I., erlosch die Dynastie.

Rus *die* (in grch. Quellen Rhos), urspr. Bez. für die waräg. Oberschicht im Kiewer Reich, später auf das Reich **(Kiewskaja R., Kiewer R.)** und die ostslaw. Bev. übertragen; davon abgeleitet »Russen«, »Russland«.

Rusafa (Resafa), Ruinenstätte in der Syr. Wüste, südwestlich von Rakka, schon in assyr. Zeit im 9. Jh. v. Chr. erwähnt **(Rasappa);** nach dem Grab des christl. Märtyrers Sergius in christl. Zeit **Sergiopolis** genannt, war einer der meistbesuchten Wallfahrtsorte des christl. Ostens. Justian I. ließ die Stadt befestigen. R. bestand bis ins 13. Jh.; systemat. Ausgrabungen seit 1952.

Ruschelzone, *Geologie:* tektonisch verursachte, unterschiedlich breite Zerrüttungszone im Gestein.

Rush [rʌʃ], Jennifer, eigtl. Heide Stern, amerikan. Rocksängerin, *New York 29. 9. 1960; hat sich seit Mitte der 80er-Jahre zum international erfolgreichen Popstar profiliert (»The power of love«).

Rushdie [ˈrʊʃdɪ], Ahmed Salman, engl. Schriftsteller ind. Herkunft, *Bombay 19. 6. 1947; lebt seit 1961 in England (seit 1964 brit. Staatsbürger). R. verbindet im Stil des mag. Realismus histor. und polit. Wirklichkeit mit märchenhaften und fantast. Elementen; sein Roman »Mitternachtskinder« (1981) nahm großen Einfluss auf die Entwicklung der indoengl. Prosa. Der Roman »Die satan. Verse« (1988), in dem R. Themen aus der Geschichte des Islam aufgreift, wurde von Teilen der islam. Welt als blasphemisch kritisiert; im Febr. 1989 rief Ayatollah Khomeini alle Muslime zur Ermordung R.s auf.

Weitere Werke: Scham und Schande (R., 1983); Harun und das Meer der Geschichten (Kinderbuch, 1990); Heimatländer der Phantasie. Essays und Kritiken. 1981–1991 (1991); Des Mauren letzter Seufzer (R., 1995).

📖 Priskil, P.: *S. R. Portrait eines Dichters.* Freiburg im Breisgau ³1990.

Vorderseite

Rückseite

Rupie: 1890 geprägtes 1-Rupie-Stück aus Deutsch-Ostafrika (Durchmesser 31 mm)

Jennifer Rush

Salman Rushdie

Dean Rusk

Ernst Ruska

John Ruskin

Rushhour ['rʌʃaʊə; engl., zu to rush »stürmen« und hour »Stunde«] *die,* Hauptverkehrszeit.

Rusisi *der* (Ruzizi), Fluss im Zentralafrikan. Graben, entwässert den Kiwu- in den Tanganjikasee, fällt in seinem 110 km langen Lauf um 600 m; die Wasserkraftwerke R. I und R. II (im Bau) in Ruanda dienen der Stromversorgung von Ruanda, Burundi und der Demokrat. Rep. Kongo.

Rusk [rʌsk], Dean, amerikan. Politiker, *Cherokee County (Ga.) 9. 2. 1909, †Athens (Ga.) 20. 12. 1994; 1947–52 im Kriegs- und Außenministerium tätig, maßgeblich an der UN-Intervention in Korea und am Abschluss des Friedensvertrages mit Japan beteiligt; er war 1952–60 Präs. der Rockefeller Foundation und 1961–69 Außenminister.

Ruska, Ernst August Friedrich, Physiker, *Heidelberg 25. 12. 1906, †Berlin (West) 27. 5. 1988; ab 1955 Direktor am Fritz-Haber-Institut der Max-Planck-Gesellschaft; entwickelte 1931 mit M. Knoll das erste Elektronenmikroskop mit magnet. Linsen, vervollkommnete es mit B. Borries zu einem kommerziellen Gerät. 1986 erhielt er mit G. Binnig und H. Rohrer den Nobelpreis für Physik.

Ruskin ['rʌskɪn], John, brit. Schriftsteller, Sozialreformer und Maler, *London 8. 2. 1819, †Brantwood (Cty. Lancashire) 20. 1. 1900; ab 1869 Prof. für Kunstgesch. in Oxford, von maßgebl. Einfluss auf das Kulturleben seiner Zeit, propagierte die Kunstauffassung der →Präraffaeliten; trat für soziale und polit. Reformen ein. Als Maler schuf R. Architekturdarstellungen, meist mit italien. und frz. Motiven, Naturstudien und Nachzeichnungen von älteren Kunstwerken.

Ruß, schwarzes, zu 80–99,5 % aus Kohlenstoff bestehendes Pulver, das aus kleinsten, kugelförmigen Teilchen aufgebaut ist, die zu kettenförmigen Aggregaten zusammengewachsen sind. Die spezif. Oberfläche beträgt etwa 10–1000 m^2/g. R. ist ein wichtiges techn. Produkt (Industrie-R., engl. carbon black), das durch unvollständige Verbrennung oder Pyrolyse von Kohlenwasserstoffen hergestellt wird. Das wichtigste Verfahren ist der **Furnace-Prozess,** bei dem aromatenreiche R.-Öle (Steinkohlenteer-, Erdölprodukte) in eine Gasflamme von 1200–1800 °C eingedüst werden. R. wird zu über 90 % als Füllstoff in der Gummiind., außerdem als Pigment für Druckfarben, Tuschen, Lacke und in der Elektroind. verwendet. – R. tritt auch als meist unerwünschtes Produkt bei unkontrollierten Verbrennungsvorgängen auf und enthält dann meist an seiner Oberfläche adsorbierte ölige Bestandteile und Pyrolyseprodukte. Dieser R. (engl. soot) zeigt im Tierversuch ein Krebs erzeugendes Potenzial, verstärkt durch die häufig gleichzeitig anwesenden polyzykl. Aromaten.

Ruß *der* (litauisch Rusnė), zweigeteilter Hauptmündungsarm der Memel, größtenteils Grenzfluss zw. dem russ. Gebiet Kaliningrad (Königsberg) und Litauen, 48 km lang; mündet bei Šilutė (Heydekrug) in das Kur. Haff.

Russe (Ruse), Hptst. der Region R. in Bulgarien, an der Donau, 170 200 Ew.; TH, Histor. Museum, Theater; Werft, Erdölraffinerie, Landmaschinen-, Lokomotiv- und Waggonbau, Textil-, Nahrungsmittel- u. a. Industrie; wichtigster bulgar. Donauhafen; mit dem gegenüberliegenden rumän. Giurgiu durch eine doppelstöckige Eisenbahn- und Straßenbrücke verbunden.

Rüssel [ahd. ruozzen »wühlen«] (Proboscis), als Tast- bzw. Greiforgan ausgebildete Verlängerung der Nase bei Säugetieren, z. B. beim Schwein und Elefanten; auch Bez. für Organe von Insekten (z. B. der Stubenfliege; als Stech-R. z. B. bei Stechmücken; nur als Saug-R. v. a. bei Schmetterlingen).

Rüsselbären, die →Nasenbären.

Rüsselkäfer (Rüssler, Curculionidae), weltweit verbreitete, artenreichste Familie der Käfer, deren Kopf rüsselartig vorgezogen ist und am Ende kurze, kauende Mundwerkzeuge trägt. R. versenken ihre Eier in Pflanzengewebe, wozu sie mit dem Rüssel Löcher bohren; zahlr. Arten können an Pflanzen und Vorräten schädlich werden, z. B. Reiskäfer, Rapsschotenrüssler.

Bertrand Russell (um 1955)

Russell [rʌsl], **1)** Bertrand Arthur William, 3. Earl R., brit. Mathematiker, Philosoph und Schriftsteller, *Trelleck (Monmouthshire) 18. 5. 1872, †Plas Penrhyn (bei Penrhyndeudraeth, Gwynedd) 2. 2. 1970, Enkel von 4); 1910–16 Dozent in Cambridge; kam während des 1. Weltkrieges wegen Aufforderung zur Kriegsdienstverweigerung ins Gefängnis, lebte dann ohne Amt und nahm als Schriftsteller zu den wiss. und sozialen Fragen der Zeit kritisch Stellung; zahlr. Gastprofessuren. 1927–32 betrieb er mit seiner zweiten Frau eine antiautoritär orientierte Schule (Beacon-Hill-Schule). 1950 erhielt er den Nobelpreis für Literatur (für sein Buch »Ehe und Moral«, 1929). R. trat engagiert für Pazifismus, Frauenstimmrecht, freie Sexualmoral und gegen jegl. Art von Unterdrückung ein. – Beeinflusst von G. Peano entwickelte

R. mit A. N. Whitehead eine log. Grundlegung der Mathematik (»Principia Mathematica«, 3 Bde. 1910–13). In vielen erkenntnistheoret. und sprachanalyt. Schriften versuchte er, die unmittelbare Erfahrung mit dem Weltbild der Physik zu vereinigen (→Logizismus).

Weitere Werke: Mystik und Logik (1918); Einführung in die mathemat. Philosophie (1919); Mensch und Welt (1927); Warum ich kein Christ bin (1927); Philosophie des Abendlandes (1945); Das menschl. Wissen (1948); Macht und Persönlichkeit (1949); Autobiographie, 3 Bde. (1967–69).

📖 SANDVOSS, E. R.: *B. R. Reinbek 16.–18. Tsd. 1991.*

2) George William, irischer Schriftsteller und Maler, Pseud. Æ, *Lurgan (bei Belfast) 10. 4. 1867, †Bournemouth 17. 7. 1935; führender Vertreter der nationalirischen Bewegungen in Literatur und Kunst; Herausgeber der literar. Zeitschrift »The Irish Statesman«. Seine Bilder sind vom selben visionären Charakter wie seine Verse.

3) Henry Norris, amerikan. Astronom, *Oyster Bay (N. Y.) 25. 10. 1877, †Princeton (N. J.) 19. 2. 1957; ebd. 1912–47 Direktor der Sternwarte; förderte mit seinen Arbeiten über die Zustandsgrößen der Fixsterne und ihre Entwicklung die moderne Astrophysik; stellte mit E. Hertzsprung das →Hertzsprung-Russell-Diagramm auf.

4) John, 1. Earl R. (seit 1861), brit. Politiker, *London 18. 8. 1792, †Pembroke Lodge (heute zu London) 28. 5. 1878, Großvater von 1); seit 1813 als Whig im Unterhaus, maßgeblich an der Parlamentsreform von 1832 beteiligt; 1835–39 Innenmin., 1852/53 und 1859–65 Außenmin., 1846–52 und 1865/66 Premierminister.

Russell-Hertzsprung-Diagramm [ˈrʌsl-], →Hertzsprung-Russell-Diagramm.

russellsche Antinomie [ˈrʌsl-], die von B. Russell 1902 formulierte Antinomie: Die Annahme einer Menge *M* aller Mengen, die sich selbst nicht als Element enthalten, führt zu einem Widerspruch, da *M* sich sowohl selbst enthält als auch selbst nicht enthält. Dies zeigt, dass die Mengenbildung Beschränkungen unterworfen werden muss und führte u. a. zur Entwicklung der axiomat. Mengenlehre, die die r. A. und andere Antinomien vermeidet.

Russell-Tribunal [ˈrʌsl-], nach dem brit. Philosophen B. Russell benannte Jury, die auf privater Basis (Veranstalter: Russell-Friedensinstitut) Menschenrechtsverletzungen ins öffentl. Bewusstsein heben wollte; blieb in der Auswahl der Juroren und Verhandlungsgegenstände international umstritten. Das 1. R.-T. (1967) verhandelte Kriegsverbrechen der US-Truppen in Vietnam, das 2. (1973–76) Menschenrechtsverletzungen in Lateinamerika, das 3. (1978–79) u. a. Berufsverbote in der Bundesrep. Dtl., das 4. (1980) die Verfolgung der Indianer in Amerika.

Rüsselsheim, Stadt im Landkreis Groß-Gerau, Hessen, am Main, 60 200 Ew.; Abteilung der FH Wiesbaden, Hessenkolleg, Museum. Als Industriestandort von der Adam Opel AG (→Opel) geprägt. – 830 erstmals erwähnt; 1437 Stadtrecht.

Rüsselsheim Stadtwappen

Rüsselspringer (Macroscelididae), afrikan. Familie der Insektenfresser, z. T. mit verlängerten Hinterbeinen, großen Ohrmuscheln und Augen. Die **Elefantenspitzmäuse** (Elephantulus) haben einen kurzen Rüssel, Körperlänge 10–15 cm; die **Rüsselhündchen** (Rhynchocyon) mit langer Rüsselnase und kurzen Hinterbeinen werden bis zu 32 cm lang, Schwanzlänge bis zu 26 cm.

Rüsselspringer: Rüsselhündchen (Kopf-Rumpf-Länge bis zu 32 cm, Schwanzlänge bis zu 26 cm)

Rüsseltiere (Proboscidea), im Tertiär weit verbreitete Säugetierordnung. Die ältesten R., z. B. das tapirgroße **Moeritherium,** hatten schon vergrößerte Schneidezähne. Die weitere Entwicklung führte zu den Mastodonten, →Mammuten und →Elefanten; Seitenzweig: →Dinotherium.

Russen, ostslaw. Volk, (1989) 147 Mio. Menschen. Die R. stellen 81,5 % (120,1 Mio.) der Bev. Russlands; in den übrigen Rep. der GUS beträgt ihr Anteil zw. 1,6 % (Armenien) und 37,8 % (Kasachstan), in Georgien 6,3 %, in den balt. Staaten zw. 9,4 % (Litauen) und 34 % (Lettland). Außerdem leben rd. 2 Mio. R. in Westeuropa, den USA und Kanada. – Die R. sind im 12.–14. Jh. aus der Verschmelzung kolonisierender ostslaw. Stämme mit der finn. Bevölkerung entstanden; seit dem 17. Jh. auch **Großrussen** genannt, im Unterschied zu den **Kleinrussen** (→Ukrainer) und den →Weißrussen.

George William Russell

Rußfilter, Filteranlagen für Dieselmotoren, die den im Abgas enthaltenen Ruß und die ihm anhaftenden Krebs erregenden Kohlenwasserstoffe zurückhalten sollen. Als R. dienen keram. Monolithen, durch deren Poren das Abgas tritt, oder Filterkerzen (gelochte Rohre), die in mehreren Lagen mit hochtemperaturfesten Keramikgarnen oder Metallfasern umwickelt sind und vom Abgas durchströmt werden. Da die Abgastemperatur der meisten Dieselmotoren die Zündtemperatur des Rußes (etwa 600 °C) nicht erreicht, wird das Abbrennen des Rußes erforderlich, wenn die Aufnahmekapazität des Filters erschöpft ist. Diese Regeneration erfolgt bei den meisten Filtersystemen elektrisch bei stehendem Motor; auch bei Kraftfahrzeugen eingesetzt.

Henry N. Russell

Russische Föderation, →Russland.

russische Kunst. Die Annahme des Christentums in byzantin. Form (988) hat die Entwicklung der altruss. Kunst entscheidend bestimmt. Früh entfalteten sich nat. Besonderheiten, verbunden mit Einflüssen aus dem übrigen Europa. Die neuruss. Kunst setzt ein mit der entschiedenen Hin-

russische Kunst

1

2

3

4

5

| **1** Der Ausschnitt einer Ikone des Malers Dionissi zeigt eine Szene aus dem Leben des Metropoliten Alexei Pleschtschejew (um 1500; Moskau, Tretjakow-Galerie) | **2** Die Kuppeln der Seitentürme der 1555–60 erbauten Basiliuskathedrale in Moskau waren zunächst helmförmig und erhielten erst Ende des 16. Jh. ihre charakteristische gerippte und facettierte Zwiebelform | **3** Das Denkmal für Kusma Minin und Fürst Dmitri Michailowitsch Poscharski auf dem Roten Platz in Moskau schuf der Bildhauer Iwan Petrowitsch Martos in den Jahren 1804–18 | **4** Die Befestigungsanlage des Klosters Troize-Sergijewa Lawra in Sergijew Possad, dem nordöstlich von Moskau gelegenen ehemaligen Sagorsk, stammt aus der Mitte des 15. Jh., die Ecktürme entstanden Mitte des 16. Jahrhunderts

wendung Russlands zu Europa unter Peter I., d. Gr. Die sowjet. Kunst setzt nach der Oktoberrevolution von 1917 ein und reicht bis zur Perestroika.

Altrussische Kunst

Architektur: Vorbild für die ersten großen Werke der Baukunst, die Sophienkirchen in Kiew (1037 begonnen) und Nowgorod (1045–50), war die byzantin. Kreuzkuppelkirche. Die Außengliederung der großen Nowgoroder Kirchenbauten Nikolo-Dworischtschenski im Jaroslawhof (1113), der Kirchen des Jurjewklosters (1119) und des Antoniusklosters (1117) zeigt Ähnlichkeit mit der roman. Baukunst. Von der Mitte des 12. Jh. bis zur Mitte des 13. Jh. entstand im Fürstentum Wladimir-Susdal eine auf Schmuckwirkung bedachte, gegenüber abendländ., bes. lombard. Einflüssen offenere Baukunst. In der 2. Hälfte des 14. Jh. entwickelte Nowgorod einen eigenständigen Kirchenbau: Abdeckung des kub. Baukörpers durch zwei sich kreuzende Satteldächer, Kleeblattbögen als Abschluss der Außenwände (Kirche Fjodor Stratilat, 1360/61; Erlöserkirche auf der Iljastraße, 1374). Der Wehrbau des →Kreml in Moskau beeinflusste die übrigen Kremlanlagen Russlands (Nowgorod, 1484–90; Nischni Nowgorod, 1500/11; Tula, 1514–21) und die Wehrarchitektur der Klöster (z. B. Sergijew Possad; Mitte 15./Mitte 16. Jh.). Die von Italienern gebauten Kathedralen des Kreml verkörpern den Typ der Kreuzkuppelkirche mit fünf Kuppeln: Uspenskikathedrale (1475–79) und Erzengel-Michael-Kathedrale (1505–08).

6

7

8

9

| **5** Die 1718–34 erbaute Kunstkammer Peters des Großen in Sankt Petersburg beherbergt heute das Museum für Anthropologie und Völkerkunde | **6** Dmitri Grigorjewitsch Lewizki, »Die Schülerinnen Prinzessin Dawidowa und Rschewskaja«, Ausschnitt (1771/72; Sankt Petersburg, Russisches Museum) | **7** Issaak Iljitsch Lewitan, »März« (1895; Moskau, Tretjakow-Galerie) | **8** Alexandr Alexandrowitsch Deineka, »Die Verteidigung Petrograds« (1928; Moskau, Tretjakow-Galerie) | **9** Der zentrale Turm der 1948–52 erbauten Lomonossow-Universität in Moskau ist 240 m hoch, hat 31 Stockwerke und wird von einer 60 m hohen Spitze gekrönt; die Seitenflügel beherbergen 17 bzw. 8 Stockwerke; das gesamte Gebäude ist ein Studentenwohnheim mit Verwaltungsbüros

Im Innern der Kirchen wurde der Priesterchor durch die immer höher werdende →Ikonostase vom Gemeinderaum getrennt. Unter dem Einfluss des Holzbaues entstanden turmartige, sich nach oben verjüngende »Zeltdachkirchen«, z. B. die Himmelfahrtskirche in Kolomenskoje (1532) und die neuntürmige Basiliuskathedrale in Moskau (1555–60). Der Holzbau selbst erreichte im 17. Jh. mit dem Zarenpalast in Kolomenskoje (1667–81) einen letzten Höhepunkt.

Auch in der Spätzeit (17. Jh.) der altruss. Kunst blieben Kreuzkuppelkirche und Zeltdach im Kirchenbau bestimmend; kennzeichnend ist der Drang zur Höhenentwicklung, zu reicher Gliederung und zur Dekoration. Große Bautätigkeit entwickelte sich in den Handelsstädten an der mittleren Wolga, bes. in Jaroslawl. In Moskau entstanden turmartige Zentralbauten, deren unterer Teil vierpassartig ausgebuchtet und von weitläufigen Galerien und Freitreppen umgeben ist (Pokrowkirche in Fili, 1690–93).

Plastik: Bis zum 17. Jh. dominierte das Relief, das sowohl byzantin. (Kiew, Reliefplatten, 11. Jh.) als auch abendländ., bes. lombard. Einflüsse (Bauplastik in Wladimir-Susdal, 12./13. Jh.) verarbeitete.

Malerei: Die ersten Werke der Malerei orientierten sich an byzantin. Vorbildern (Mosaiken und Wandmalereien der Sophienkirche in Kiew, 1046–um 1067). Auch die Fresken und →Ikonen der folgenden Jh. zeigen einen von Byzanz geprägten Stil. Neue Impulse erhielt die Malerei Nowgorods durch Theophanes den Griechen (Fresken der

russische Kunst: Die Privatkapelle von Zar Michail Fjodorowitsch Romanow im Terem-Palast im Moskauer Kreml entstand 1635/36; die Wandmalereien wurden erst im 19. Jh. hinzugefügt

Erlöserkirche auf der Iljastraße, 1378), dessen expressiver Stil neben der verinnerlichten Andachtskunst von A. Rubljow auch in Moskau bestimmend war. Beide waren beteiligt an der Ikonostase der Verkündigungskathedrale im Moskauer Kreml (1405). Führender Meister um 1500 war Dionissi (Fresken im Theraponteskloster bei Wologda, 1500–02). Im 16. Jh. wurde die Thematik der Ikonen reicher und komplizierter. Seit der Mitte des 17. Jh. veränderte sich in der Wandmalerei das Bildprogramm, dessen Hauptthema jetzt Geschehnisse des N. T. wurden, und die Darstellung, die nun nach Wirklichkeitsnähe strebte. Die Ikonenmalerei erlebte um 1600 eine Nachblüte mit den Werken der »Stroganowschule«. Im 17. Jh. traten neben Architektur- und Ereignisbildern die ersten Bildnisse auf. Hauptmeister der 2. Jh.hälfte war der Hofmaler S. F. Uschakow.

Neurussische Kunst

Architektur: Mit der Gründung Sankt Petersburgs (1703) drangen neue Prinzipien des Städtebaus und der Architektur nach Russland. Die neue Hauptstadt wurde in großen Dimensionen geplant und in der ersten Generation hauptsächlich von westeurop. Architekten gebaut. Der nüchtern-strenge Stil der Gründungsperiode wurde v. a. von D. Trezzini geprägt (Peter-und-Pauls-Kathedrale, 1712–32). Um die Mitte des 18. Jh. wurde B. F. →Rastrelli zum führenden Baumeister. In seinen ausgedehnten Palastbauten (Winterpalais in Sankt Petersburg, 1754–63; Großes Katharinenpalais in Zarskoje Selo, heute Puschkin, 1752–57) entwickelte er auf italien. Grundlage eine russ. Sonderform des Spätbarock. Unter Katharina II. wurde die Formensprache der Architektur in Sankt Petersburg gemäßigter und leitete zum frühen Klassizismus über (Akademie der Künste, 1764–88, und Kleine Eremitage, 1764–67, von J.-B. Vallin de la Mothe; Schloss Pawlowsk, 1782–86, von Charles Cameron; Akademie der Wiss., 1783–89, von G. Quarenghi). An der klassizist. Architektur (»Petersburger Empire«) waren v. a. russ. Baumeister beteiligt (A. D. Sacharow: Admiralität, 1806–23; W. P. Stassow u. a.). Spätklassizismus und Eklektizismus der Jh.mitte wurden in Sankt Petersburg großenteils von Ausländern vertreten (A. R. de Montferrand, L. von Klenze). Gegen Ende des Jh. kam es bes. in Moskau zu einer Neubelebung altruss. Bauformen (Histor. Museum von N. Sherwood, 1875–83). In der Folgezeit traten zunehmend historisierende Tendenzen hervor (Tretjakow-Galerie, um 1900). Sie prägten auch die Architektur des russ. Jugendstils (Jaroslawler Bahnhof in Moskau von F. O. Schechtel, 1902).

Plastik: Die ersten Bildhauer in Sankt Petersburg waren Ausländer: A. Schlüter (Reliefs am Sommerpalais), B. C. Rastrelli (Büste Peters I., d. Gr.), É.-M. Falconet (Reiterdenkmal Peters I., d. Gr.). Im Klassizismus erreichte die russ. Plastik Höhepunkte in der Denkmals- und Grabmalskunst (I. G. Martos, B. I. Orlowski) und in den Skulpturen der Petersburger Admiralität (F. F. Schtschedrin, I. I. Terebenew). Spätklassizist. Skulpturen an Monumentalbauten nach den Napoleon. Kriegen stammen u. a. von S. S. Pimenow und W. I. Demut-Malinowski. F. P. Tolstoi schuf kleinformatige Reliefs, M. Antokolski bemühte sich um psychologisierende Darstellung histor. Persönlichkeiten; das Schaffen von P. P. Trubezkoi zeigt impressionist. Züge, Anna S. Golubkina griff sozialkrit. Themen auf. A. Archipenko und J. Lipchitz leisteten in Paris ihren Beitrag zum Kubismus; in Moskau prägten W. J. Tatlin, A. M. Rodtschenko, A. Pevsner und N. Gabo den russ. Konstruktivismus.

Malerei: Die neue russ. Malerei begann im 18. Jh. mit Porträts und der Ausmalung von Palästen im Stil des Rokoko (F. S. Rokotow, D. G. Lewizki). Das empfindsame Bildnis wurde um 1800 bes. von W. L. Borowikowski gepflegt. Der Klassizismus ist am reinsten in den streng linearen Zeichnungen des Bildhauers F. Tolstoi ausgeprägt. Die Bildnisse von O. A. Kiprenski, v. a. aber die Porträts und Historienbilder von K. P. Brüllow sind von romant. Geist erfüllt. A. A. Iwanows Studien und Entwürfe zu seinem Hauptwerk »Christus erscheint dem Volke« bilden Höhepunkte der r. K. des 19. Jh. Hauptvertreter der romant. Landschaftsmalerei war Silwestr F. Schtschedrin. I. K. Aiwasowski schuf dramat. Seestücke.

Zu Beginn des 19. Jh. entwickelte sich eine realistische Genremalerei. Besaß diese Malerei bei A. G. Wenezianow noch vorwiegend idyll. Charakter, so nahm sie bei P. A. Fedotow kritisch-iron. Züge an. Der Protest gegen die Akademie führte die Maler des Realismus 1870 zur Gründung der Genossenschaft der →Peredwischniki, die einige

Jahrzehnte lang das künstler. Leben Russlands beherrschte. Ihre Mitgl., wie W. J. Makowski, G. G. Mjassojedow, W. G. Perow, A. J. Archipow und K. A. Sawizki, bemühten sich um milieugenaue Wiedergabe des ärml. Landlebens. Als Porträtmaler traten bes. I. N. Kramskoi, Perow, I. J. Repin und N. A. Jaroschenko hervor. N. N. Ge, v. a. aber Repin und W. I. Surikow stellten der klassizistisch-akadem. Tradition eine lebendige, realist. Historienmalerei entgegen. I. I. Schischkin schilderte die russ. Landschaft in ep. Breite, das Werk I. I. Lewitans hat impressionist. Züge. Hauptvertreter des Impressionismus sind K. A. Korowin und W. A. Serow. Ein bed. Einzelgänger war der kritisch protokollierende Schlachtenmaler W. W. Wereschtschagin. Der den Symbolismus vertretende M. A. Wrubel führte mytholog. Themen in die r. K. ein. In provokativer Abkehr von der sozialen Thematik der Peredwischniki entstand 1899 die Vereinigung »Welt der Kunst« (Mir iskusstwa), zu der A. N. Benois, K. A. Somow, L. S. Bakst, E. E. Lansere u. a. gehörten. Der selbstgenügsame Ästhetizismus dieser Gruppe wurde vom Symbolismus und Neoprimitivismus der 1907 zum ersten Mal ausstellenden Künstlergruppe »Blaue Rose« (Golubaja rosa, u. a. P. W. Kusnezow, M. S. Sarjan, N. P. Krymow) abgelöst. Zu ihrem Umkreis gehörte auch K. S. Petrow-Wodkin. Die Ausstellungen der Gruppe »Karo-Bube« (Bubnowy walet) zw. 1910 und 1917, an denen fast alle bed. Künstler der Periode einmal teilnahmen, dokumentierten den starken Einfluss des Kubismus, Futurismus, des Expressionismus und der Fauves. Der Kern der Gruppe (P. P. Kontschalowski, I. I. Maschkow, R. R. Falk u. a.) wurde als Moskauer Cézannisten bekannt. Die Gründungsmitgl. M. F. Larionow und Natalia S. Gontscharowa organisierten bald eigene, künstlerisch radikalere Ausstellungen. Ihr Stil entwickelte sich zum →Rayonismus. Einen melancholisch-myst. Expressionismus entwickelten M. Chagall und P. N. Filonow. W. Kandinsky vereinigte in seinem Werk Einflüsse des dt. Expressionismus (»Blauer Reiter«, München) und der russ. Volkskunst. K. S. Malewitsch entwickelte den →Suprematismus. W. E. Tatlin bereitete mit seinen Reliefs den Weg zum →Konstruktivismus.

Sowjetische Kunst

Die avantgardist. Architekturideen der ersten Revolutionsjahre von Tatlin, El Lissitzky, Malewitsch, Gabo u. a. sind kaum zur Verwirklichung gelangt. Konstruktivist. Bestrebungen wirkten jedoch bis in die 1930er-Jahre fort. Um 1930 begann sich die Baukunst stärker an die nat. Tradition anzuschließen (A. W. Schtschussew). Den Architekten der Stalinära fielen umfassende städtebauliche Aufgaben zu (1935 Generalplan der Umgestaltung Moskaus). 1955 wandte man sich einer sachlicheren und wirtschaftlicheren Bauweise zu. – Nach der Oktoberrevolution sahen es v. a. die Vertreter der Avantgarde als ihre Aufgabe an, am Aufbau der neuen Gesellschaft mitzuwirken. In der Phase des Bürgerkriegs bis 1920 beteiligten sich Künstler wie Chagall, S. W. Gerassimow, Malewitsch, Kandinsky und Petrow-Wodkin an der revolutionären Gestaltungen von ganzen Straßen und Plätzen. W. W. Majakowski u. a. prägten die Agitationskunst (ROSTA-Fenster). Parallel zu einer experimentellen konstruktivist. »Laboratoriumskunst« wollte man die Vorstellungen des Konstruktivismus in der angewandten Kunst und der industriellen Produktion nutzbar machen (El Lissitzky, Tatlin, Ljubow S. Popowa). Daneben pflegten Künstler wie Petrow-Wodkin, Sarjan und W. A. Faworski einen »maler.«, die in der Gruppe OST (Gesellschaft der Staffeleimaler, 1924 gegr.) organisierten Künstler (u. a. A. A. Deineka, Filonow) einen vom Konstruktivismus abgeleiteten Realismus. Mit dem 1. Fünfjahrplan (1928) wurde von der KPdSU die Mobilisierung aller Künstler für Agitationszwecke angeordnet (»Kulturfeldzug«, »Kommandierung« der Künstler in die Kolchosen und Fabriken). Die in der 1928 gegründeten Gruppe »Oktjabr« organisierten Avantgardisten (u. a. Deineka, D. Moor, G. Kluzis, Rodtschenko, El Lissitzky, S. Telingater, S. Eisenstein, Brüder Wesnin) versuchten noch einmal, mit ihrer Kunst die reale Neukonstruktion der Gesellschaft aufklärend-agitatorisch vorwegzunehmen. Die künstler. Reaktion, unterstützt durch die Partei, setzte sich jedoch mit der 1932 verfügten Auflösung aller Künstlergruppen durch. Auf dem 1. Schriftstellerkongress 1934 wurde auch für die bildende Kunst der »sozialist. Realismus« als künstler. Prinzip verbindlich festgelegt. Die akadem. Gattungsmalerei erfuhr wieder einen Aufschwung, in der Architektur lebte der Historismus auf (palastartige Metrostationen), in der Plastik entstanden Monumentalskulpturen (z. B. Wera I. Muchina). Die vorsichtige »Entstalinisierung« nach 1956 ermöglichte eine differenziertere Kunstszene (B. Birger, W. Sidur, W. Iwanow, E. I. Neiswestny, A. Brussilowski, E. Bulatow, I. J. Kabakow, F. Infante). Neben der »offiziellen« Kunst gab es zahlreiche »inoffizielle« Künstler und Privatausstellungen sowie erneut (wie schon in den 20er-Jahren) eine bed. russ. Künstleremigration, u. a. L. W. Nussberg, Neiswestny.

Neuen Auftrieb erhielt die r. K. im Zuge der Perestroika. Politisch geprägt ist der Ansatz von D. Wrubel. Künstler wie S. Gundlach, einer der Initiatoren des Aufbruchs Anfang der 80er-Jahre (Gruppe »Fliegenpilz«), und N. I. Schlinskaja greifen u. a. auf religiöse Inhalte zurück.

Mit dem polit. Umbruch seit 1990 wandelten sich auch die Entstehungsbedingungen der russ. Kunst. In versch. Techniken wird versucht, das spezif. Gegenwartserleben aufzuarbeiten, u.a. in komplexen Rauminstallationen, die die künstler. Strategien der europäisch-amerikan. Fluxusbewegung aufgreifen.

📖 *Geschichte der r. K., hg. v.* I. E. Grabár *u.a., 6 Bde. Aus dem Russ. Dresden 1957–76.* – Bunin, A. W.: *Geschichte des russ. Städtebaues bis zum neunzehnten Jh. Berlin 1961.* – Fänsen, H. *u.a.: Altruss. Baukunst. Berlin ^{2}1974.* – Golomštok, I. *u.* Glezer, A.: *Unofficial art from the Soviet Union. London 1977.* – *Kunstdenkmäler in der Sowjetunion, hg. v.* R. Hootz, *Bd. 1: Moskau u. Umgebung. München 1978.* – *Zwischen Revolutionskunst u. sozialist. Realismus, hg. v.* H. Gassner *u.* E. Gillen. *Köln 1979.* – Fänsen, H. *u.* Beyer, K. G.: *Kirchen u. Klöster im alten Rußland. Neuausg. Wien 1983.* – *Geschichte der r. K. Von den Anfängen bis zur Gegenwart, bearb. v.* M. W. Alpatow *u.a. Aus dem Russ. Gütersloh 1986.* – *1000 Jahre r. K., bearb. v.* E. Weiher, *Ausst.-Kat. Schleswig-Holstein. Landesmuseum Schleswig. München 1988.* – Bown, M. C.: *Zeitgenöss. r. K. Aus dem Engl. Oxford 1989.* – *Russ. Avantgarde im 20. Jh., hg. v.* E. Weiss, *Ausst.-Kat. Museum Ludwig, Köln. München 1993.*

russische Literatur. Die Anfänge der altruss. Lit., in den ersten Jahren auf das Kiewer Reich und Nowgorod konzentriert, standen in engem Zusammenhang mit der Christianisierung (988) und sind durch das Altkirchenslawische und die byzantin. Lit. geprägt. In der Folge entstanden Übersetzungen sakraler Texte meist aus dem Griechischen: »Ostromir-Evangeliar« (1056/57), Predigten u.a. Schriften der Kirchenväter, Heiligenviten und Legenden, Pilgerberichte, Apokryphen, aber auch weltl. Texte, wie Chroniken und »romanhafte« Erzählungen (»Alexandreis«); herausragend sind die »Nestorchronik« (um 1113) sowie die älteste russ. epische Dichtung, das »Igorlied« (um 1190). Mit den Mongoleneinfällen (seit 1223) verlagerte sich das kulturelle Zentrum in die nordöstl. Teilfürstentümer, seit dem 14. Jh. nach Moskau. Die r. L. wurde weiterhin von Übersetzungen, hagiograph. und histor. Werken bestimmt, deren Thema v.a. die Mongolenkämpfe sind (»Vita des Fürsten Alexander Newski«, 1270–80). Das 16. Jh. brachte eine umfangreiche literar. Sammeltätigkeit; 1564 wurde das erste Buch gedruckt. Literaturgeschichtlich bed. waren in dieser Zeit u.a. die Schriften I. Pereswetows, der Briefwechsel des Zaren Iwan IV. mit dem Fürsten A. M. Kurbski sowie der Sittenkodex »Domostroi«. Im 17. Jh. drangen verstärkt sowohl die russ. Umgangssprache als auch Stoffe und Gattungen der westeurop. Lit. ein: Simeon Polozki schrieb Gedichte in russ. Sprache und didakt. Dramen (1672 Gründung eines Hoftheaters in Moskau); der Führer der Altgläubigen, der Protopope Awwakum verfasste die erste realist. russ. Autobiographie.

Alexander Puschkin (Ausschnitt eines zeitgenössischen Porträts)

18. und 19. Jahrhundert

Die Reformen Peters I., d. Gr., beschleunigten die Herausbildung einer modernen russ. Nationalliteratur. Einer der ersten Vertreter der russ. Aufklärung war F. Prokopowitsch. Mit dem zunächst gleichfalls aus W-Europa rezipierten Klassizismus erreichte die r. L. erstmals Eigenständigkeit; bed. Vertreter waren W. K. Trediakowski, M. W. Lomonossow, A. D. Cantemir, A. P. Sumarokow, die ein der russ. Sprache angepasstes Vers-, Stil- und Gattungssystem entwickelten. Charakterist. Genre wurde die Ode (G. R. Derschawin). Durch Sumarokow wurde die Tragödie eingeführt. Höheres Niveau erreichte die Komödie durch D. I. Fonwisin. Die sittenschildernde satir. Fabel (I. A. Krylow) und die Satire wurden bedeutend. Der führende Aufklärer war A. N. Radischtschew. In der 2. Hälfte des 18. Jh. (bis 1820) wurde der Sentimentalismus zur vorherrschenden literar. Strömung, v.a. bei N. M. Karamsin. Die Präromantik wurde durch die Übersetzungen W. A. Schukowskis und dessen eigene Lyrik eingeleitet. Zugleich schufen Dichter wie A. S. Gribojedow mit seiner Komödie »Verstand schafft Leiden« (entstanden 1822–24, gedruckt 1833) und Krylow einen Stil, der sich von der klassizist. Norm distanzierte. Der eigentl. Schöpfer der neueren russ. Literatursprache wurde A. S. Puschkin, der in Lyrik, Epik und Dramatik Überragendes leistete. Eine neue Poetik mit Betonung offener Form und Darstellung auch subjektivster seel. Erfahrungen sowie die Schaffung der modernen russ. Literatursprache ließen die r. L. zu einer der großen europ. Nationalliteraturen werden. Romantisch sind am ehesten die Poeme und die reife Lyrik Puschkins und der sich um ihn bildenden »Plejade«, die melanchol. Poesie J. A. Baratynskis und die Lyrik A. A. Delwigs, K. F. Rylejews, W. F. Odojewskis, F. I. Tjuttschews. Hauptrepräsentant der zweiten Generation romant. Dichter war M. J. Lermontow. Puschkins Versroman »Eugen Onegin« (1825–32, erste vollständige Fassung 1833) und Lermontows »Ein Held unserer Zeit« (1840) eröffneten die Reihe der großen psychologisch-gesellschaftskrit. russ. Romane. Die zunehmende themat. und formale »Prosaisierung« setzte sich bei N. W. Gogol fort. In seinen Erzählungen, Komödien und dem satir. Roman »Die toten Seelen« (1. Tl. 1842, 2. Tl. 1855, unvollendet) behandelte er gesellschaftl. Typen und Situationen des zeitgenöss. Russland, deren Entleerung und Entmenschlichung er, bis ins Groteske gesteigert, aufdeckte. Damit vollzog sich der Übergang zum

Realismus, der seinen ersten radikalen Ausdruck in der sich auf Gogol berufenden »Natürl. Schule« der 1840er-Jahre fand. Das satirisch-sittenschildernde Drama erhielt in den Komödien und

russische Literatur: Fjodor Dostojewski (um 1875)

Schauspielen A. N. Ostrowskis aus dem Milieu der russ. Kaufmannschaft seine auch künstlerisch überzeugende Gestalt. Höhepunkt der radikal gesellschaftskrit. Satire ist das Werk M. J. Saltykow-Schtschedrins; die Romane und Schauspiele A. F. Pissemskis sind einem mehr analyt. Naturalismus verpflichtet. I. S. Turgenjews Weg führte von der typ. Prosaskizze der »Leute aus dem Volk« über die den Naturalismus sprengenden Gesellschaftsromane bis zu den späten Novellen mit »allgemeinen« Themen wie Liebe, Tod, Kunst. Auch I. A. Gontscharows frühe Werke knüpfen an die »naturalist.« Tradition an, während die späteren Romane »Oblomow« (1859) und »Die Schlucht« (1869) ein realist. Bild der zeitgenöss. Gesellschaft und der für sie charakterist. Typen und Verhaltensweisen zeichnen (intellektuelle Resignation oder »Langeweile«, »Nihilismus«). F. M. Dostojewski fand zur Großform des »polyphonen« Romans, in dem Sozialkritik und Tiefenpsychologie einerseits in ein dramat., kriminelles Geschehen eingebaut, andererseits moralisch-religiösen Zentralproblemen zugeordnet werden. Als gesellschaftskrit. Moralist begann auch L. N. Tolstoi, den die Suche nach dem Sinn individuellen Lebens und dessen Verhältnis zur Geschichte zeitlebens beschäftigte. Sein sozialeth. Engagement zeigt sich in einer vom Ideal des russ. Bauern ausgehenden Moral- und Gesellschaftslehre. Ganz allg. war die gesellschaftspolit. und »weltanschaul.« Ausrichtung der r. L. und Kritik in der 2. Hälfte des 19. Jh. so ausgeprägt, dass Versuche einer »reinen«, bes. lyr. Poesie (A. A. Fet, A. K. Tolstoi u. a.) vereinzelt blieben. Zu den Realisten gehören auch N. S. Leskow und N. A. Nekrassow.

Ende des 19. und Anfang des 20. Jh.

Erst kurz vor der Jh.wende wandte sich die r. L. in Anlehnung an die frz. Symbolisten und die russische impressionist. Lyriktradition (F. I. Tjuttschew und Fet) gegen die gesellschaftskrit. Thematik und die vorherrschende Prosagattung des Realismus. Zunächst als »Dekadenz« (und »L'art pour l'art«) abgewertet, wurde diese das Prinzip des autonomen lyr. Ästhetizismus als Welterfahrung und Welterschaffung sowie ein religiös-philosoph. Weltbild verfechtende Richtung bald im Zeichen des Symbolismus tonangebend (W. J. Brjussow, D. S. Mereschkowski, S. Hippius). Den bedeutendsten Dichtern der nächsten symbolist. Generation, A. A. Blok und A. Bely, gelang die Wendung ins spezifisch Russische. Andere Schulen, wie der →Futurismus (W. W. Chlebnikow, W. W. Majakowski), der Imaginismus (um S. A. Jessenin) und der Akmeismus, der eine weltzugewandte, harmon., klare, die Plastizität des Bildes und Wortes betonende Poesie vertrat (N. S. Gumiljow, Anna A. Achmatowa, O. E. Mandelstam), lösten den Symbolismus ab. Gemeinsam ist diesen Richtungen das Experiment mit der Sprache, die Abkehr von der realist. Prosa und die Bevorzugung lyr. Formen, selbst in der Erzählprosa (Bely, Brjussow, A. I. Kuprin, A. M. Remisow). Daneben bestand jedoch die Tradition des sozialkrit. Realismus ungebrochen fort. Sie erhielt in den frühen Erzählungen und Bühnenstücken M. Gorkis betont sozialrevolutionäre Züge, verband sich in der Prosa I. A. Bunins mit Stilmerkmalen der Moderne und gelangte in den Kurzgeschichten und Dramen A. P. Tschechows zu einer Synthese aus subtiler Milieu- und Charakterstudie mit indirekt symbo-

Lew Tolstoi (Ausschnitt eines Gemäldes von Ilja Jefimowitsch Repin, 1887; Moskau, Tretjakow-Galerie

Maxim Gorki

russische Literatur: »Anna Achmatowa«, Gemälde des russisch-sowjetischen Künstlers Nathan Issajewitsch Altman (1914; Sankt Petersburg, Russisches Museum)

russische Literatur:
Anton Tschechow (1901)

lisierender, stimmungsvoller Poesie. Im Versuch, der Eigenart der Stücke Tschechows auf der Bühne gerecht zu werden, erarbeitete K. S. Stanislawski mit seinem Moskauer Künstlertheater (gegr. 1898) einen dem kunstbewussten Realismus entsprechenden Inszenierungs- und Schauspielstil. Nach der Revolution kam es zu einer Emigrationswelle. Paris (Bunin, G. W. Iwanow) und Berlin (Remisow, Mereschkowski) wurden zu Zentren der russ. Exilliteratur.

Boris Pasternak

Sowjetische Literatur

Nach der Oktoberrevolution blieben die russischen avantgardist. Strömungen, neben den bisher genannten bes. der Konstruktivismus, bis in die 1920er-Jahre bestimmend. Die Futuristen (Zeitschrift »LEF«, Majakowski als Hauptrepräsentant) versuchten die sozialrevolutionäre Tendenz und die Lust am sprachl. Experiment in den Dienst einer Agitationsdichtung für die neue sozialist. Gesellschaft zu stellen. Der »Proletkult« (u.a. A. A. Bogdanow) forderte eine neue und spezifisch proletar. Kultur. Die »Mitläufer« hingegen waren Vertreter der »bürgerl.« Tradition, die zur Zusammenarbeit mit dem neuen System bereit waren, ohne politisch aktiv zu sein (u.a. A. K. Woronski); ihre die versch. sozialen Schichten ansprechende Literatur kam der KPdSU zunächst am ehesten gelegen. In einer Periode vergleichsweise toleranter Kulturpolitik blühte das experimentierfreudige Revolutionstheater (W. E. Meyerhold, A. J. Tairow), die satir. Lit. und Publizistik nutzten die Möglichkeit der »Kritik und Selbstkritik« (M. M. Soschtschenko, W. P. Katajew, I. Ilf und J. Petrow), in der Literaturtheorie und Kritik spielten die betont gegenwartsbezogenen Formalisten eine wichtige Rolle. V.a. aber wurden die älteren Traditionen wieder belebt. Dazu gehörte die Entfaltung einer an Gogol, Leskow, Remisow u.a. geschulten »ornamentalen Prosa« (bei I. E. Babel, B. A. Pilnjak u.a.) ebenso wie der für die weitere Entwicklung entscheidende Rückgriff auf den gesellschaftskritisch-realist. Roman. Zu dieser Neubelebung des Romans trugen ältere und jüngere »Mitläufer« (A. N. Tolstoi, S. M. Leonow, K. A. Fedin u.a.) wie auch die Stammväter des proletar. Realismus (Gorki, A. S. Serafimowitsch) bei. Ab Mitte der 20er-Jahre setzte mit F. W. Gladkow, A. A. Fadejew, N. A. Ostrowski und M. A. Scholochow eine proletar., klassenbewusste Literatur ein, v.a. seit der verstärkten Industrialisierung und landwirtsch. Kollektivierung zunehmend in den Dienst der Partei und des »sozialist. Aufbaus« gestellt. Trotzdem brachte diese Zeit große russ. Literatur hervor (außer Scholochow sind v.a. B. L. Pasternak, A. P. Platonow, K. G. Paustowski, J. K. Olescha zu nennen). Waren schon Anfang der 20er-Jahre führende Schriftsteller wie Kuprin, Bunin, B. K. Saizew, K. D. Balmont und Marina I. Zwetajewa emigriert, wurden durch die Verurteilung »formalist.« Experimente und die gleichzeitige einseitige Orientierung auf das klass. Erbe als Muster für zeitgenöss. Literatur die Auflösung aller literar. Gruppen (1932) und Erklärung des →sozialistischen Realismus zum einzigen künstler. Prinzip (auf dem ersten sowjet. Schriftstellerkongress 1934) zahlr. weitere Autoren zur Emigration gezwungen (u.a. J. I. Samjatin); andere verstummten oder durften nicht mehr publizieren (u.a. M. A. Bulgakow). Die stalinschen »Säuberungsaktionen« 1936/37 betrafen auch zahlr. Schriftsteller; sie wurden verfolgt oder kamen in Lagern um (u.a. Babel, Mandelstam, Pilnjak). – Die während des 2. Weltkrieges veröffentlichte Literatur wurde vom Zeitgeschehen beherrscht; künstlerisch bed. waren Fedin, A. T. Twardowski, A. A. Bek, K. M. Simonow; auch in der Nachkriegszeit dominierte das Kriegsthema (Fadejew, B. N. Polewoi). – Mit dem »Tauwetter« (ben. nach dem 1956 erschienenen Roman von I. G. Ehrenburg) in der Folge des 20. Parteitages (1956) begann in der r. L. die Auseinandersetzung mit dem Stalinismus. Doch noch immer waren alle Veröffentlichungen der Zensur ausgesetzt, bereits erschienene Werke, die parteipolit. Kriterien nicht genügten, wurden durch Pressekampagnen herabgewürdigt (so Pasternaks »Doktor Schiwago«, der lange Zeit nur im Ausland erschien; den hierfür 1958 verliehenen Nobelpreis musste Pasternak ablehnen). Wichtige Werke dieser Zeit konnten erst nach 1985 offiziell erscheinen (illegal vervielfältigte Exemplare wurden als Samisdat vertrieben), z.B. Romane von Bek und W. D. Dudinzew. In der erzählenden Lit. erschienen neue Werke von Fedin, Paustowski, Leonow, Scholochow (Nobelpreis 1965), D. A. Granin. Sie schildern Konflikte zw. Individuum und Gesellschaft und verzichten auf eindeutige »parteil.« Lösungen. Diese Tendenzen verstärkten sich in den 60er-Jahren; die Romane und Erzählungen von W. P. Axjonow, B. L. Wassiljew, J. P. Kasakow, W. F.

Marina Zwetajewa

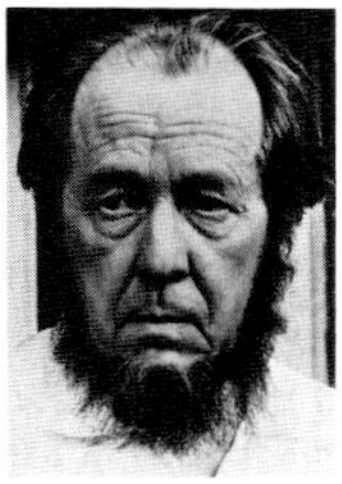

Alexander Solschenizyn

Tendrjakow, J. W. Trifonow, auch die Dramen von A. N. Arbusow und V. S. Rosow zeigen zunehmend das Auseinanderklaffen von kommunist. Idealen und sowjet. Alltag. Die Lyriker (J. A. Jewtuschenko, A. A. Wosnessenski, W. S. Wyssozki) artikulierten die Sehnsucht nach einem besseren Leben. Als eigenständige Strömung bildete sich – gleichfalls in den 60er-Jahren – die sog. Dorfprosa heraus, deren Problematik sich aus dem Verhältnis von russ. Tradition, fragwürdigem Fortschrittsverständnis und ökolog. Fehlentwicklungen ergibt. Bed. Vertreter sind W. I. Below, F. A. Abramow, W. M. Schukschin, W. A. Solouchin und W. G. Rasputin. In diese Zeit fielen auch die ersten Auseinandersetzungen um das Werk A. I. Solschenizyns (Nobelpreis 1970), die in seiner Ausbürgerung (1974) gipfelten und eine neue Emigrantenwelle nach sich zogen, zu der u. a. A. A. Amalrik, W. J. Maximow, W. N. Woinowitsch, L. S. Kopelew (1981 Ausbürgerung), J. A. Brodski, A. A. Galitsch, N. M. Korschawin, Axjonow, W. P. Nekrassow, A. D. Sinjawski gehörten. Trotz aller Repressalien erfüllte die r. L. die Aufgabe, gesellschaftl. Fehlentwicklungen künstlerisch so zu thematisieren, dass sie ins öffentl. Bewusstsein drangen (u. a. durch Granin, Trifonow, M. F. Schatrow, A. I. Gelman, Schukschin, A. A. Kim, W. S. Makanin, Wyssozki, A. W. Wampilow).

Seit Mitte der 80er-Jahre zeichnete sich eine neue Phase ab. Entscheidende Impulse erhielt die r. L. durch die Veröffentlichung von Werken (u. a. von Platonow, Bulgakow, Achmatowa, Pasternak), die z. T. Jahrzehnte früher entstanden waren. Sie ging einher mit der Aufarbeitung literarisch-histor. Prozesse (Rehabilitierung zahlreicher Schriftsteller; N. S. Gumiljow, Pasternak, V. Nabokov, Solschenizyn). Kompromisslose Darstellungen der erlebten brutalen Wirklichkeit entstanden bei B. S. Okudschawa, A. G. Bitow, Makanin, W. S. Grossman, A. I. Pristawkin, W. P. Astafjew, A. N. Rybakow, L. S. Petruschewskaja. Neben diese »ältere« Generation treten die Autoren der sog. neuen Welle, die z. T. jegl. Politisierung ablehnen, mit themat. Tabus im sozial-histor. Bereich brechen und die im realen Leben spürbaren Wendungen zum Fantastischen und Grotesken – z. T. in der Tradition der russ. Avantgarde und Schukschins stehend – erfassen (W. Jerofejew, W. Sorokin, W. Arro, M. Woloschin, W. Pjezuch, Tatjana Tolstaja, J. Popow, S. Kaledin).

Literatur nach 1990

Die 90er-Jahre sind bestimmt von der neuen Freiheit in allen Lebensbereichen. Nachdem in den ersten Jahren nach der polit. Wende ein freies Verlagswesen entstanden war, das die Werke der Emigranten wie der im Lande verbliebenen, jedoch verfemten Schriftsteller erfolgreich verkaufte, zeigte sich dieser Markt schon bald gesättigt. Mit zunehmenden wirtsch. Schwierigkeiten brach der Buch- und Zeitschriftenmarkt zunächst weitgehend zusammen, seit Mitte der 1990er-Jahre lassen sich jedoch Stabilisierungstendenzen erkennen. Mittlerweile haben sich um Autoren wie Kaledin, Sorokin, Popow jüngere Autoren geschart (I. Klech, S. Garejew, A. Kawadejew, A. Scharypow), die ihr Debüt in Zeitschriften wie »Solo« oder »Jeschtscho« gaben. Unter den Lyrikern ragen neben J. Brodski (Nobelpreis 1987), J. Rejn und A. Kuschner hervor. In der dramat. Dichtung haben sich u. a. W. Slawkin und Ljudmila Rasumowskaja profiliert. Am Ende der 90er-Jahre präsentiert sich ein außerordentlich differenziertes Bild der r. L. – Zur russischsprachigen Lit. kann auch die in russ. Sprache geschriebene Lit. nichtruss. Völker gerechnet werden, z. B. die moderne Lyrik des Tschuwaschen G. N. Aigi, Werke des Awaren R. G. Gamsatow, des Tschuktschen J. Rytchëu, des Abchasen F. A. Iskander oder die Werke des Kirgisen T. Aitmatow.

Lew Kopelew

Joseph Brodski

📖 *Der russ. Roman,* hg. v. B. ZELINSKY. *Düsseldorf 1979.* – *Russ. Avantgarde, hg. v.* B. ZELINSKY, *2 Tle. Bonn 1983–91.* – WOLL, J. *u.* TREML, V. G.: *Soviet dissident literature. Neuausg. Boston, Mass., 1983.* – *Handbook of Russian literature, hg. v.* V. TERRAS. *New Haven, Conn., 1985.* – *Geschichte der r. L. von den Anfängen bis 1917, hg. v.* W. DÜWEL *u. a., 2 Bde. Berlin (Ost) 1986.* – KASACK, W.: *Lexikon der r. L. des 20. Jh. München* ²*1992.* – *R. L. an der Wende vom 19. zum 20. Jh., hg. v.* R. GRÜBEL. *Amsterdam 1993.* – STENDER-PETERSEN, A.: *Geschichte der r. L. Aus dem Dän. München* ⁵*1993.* – *Vom Tauwetter zur Perestroika. R. L. zwischen den fünfziger u. neunziger Jahren, hg. v.* W. BEITZ. *Bern u. a. 1994.* – KASACK, W.: *Die russ. Schriftsteller-Emigration im 20. Jh. Beiträge zur Geschichte, den Autoren u. ihren Werken. München 1996.*

russische Musik, die Musik der Großrussen, der Ukrainer und der Weißrussen. Bis zum 17. Jh. bestimmten Volks- und Kirchenmusik allein die r. M., deren Anfänge bis in die Vor- und Frühgeschichte der slaw. Bev. dieses Raumes zurückreichen. Gattungen der **Volksmusik** sind das bäuerl. Brauchtumslied, zu dem auch der Epengesang (Bylina) gehört, das lyr. oder lyrisch-erzählende »gedehnte« Lied und das volkstüml. »städt.« Lied, in neuerer Zeit auch das Scherzlied (Tschastuschka). Charakteristisch sind das Schwanken zw. Dur und Moll ohne ein deutl. Überwiegen des einen oder anderen Tongeschlechts und die geringe Stabilität des Grundtons, der innerhalb einer Melodie von einer zur anderen Tonstufe verschoben werden kann. Volksinstrumente sind u. a. Gudok, Kobsa, Bandura, Domra, Balalaika, Gusli

Michail Glinka

Modest Mussorgski (Ausschnitt eines Gemäldes von Ilja Jefimowitsch Repin, 1881)

Nikolai Rimski-Korsakow

Igor Strawinsky

(Saiteninstrumente), Dudka, Schaleika (Blasinstrumente).

Die russ. **Kirchenmusik,** bis ins 17. Jh. einstimmig, entstand mit der Christianisierung 988 durch Übernahme der Liturgie – jedoch in kirchenslaw. Übersetzung – von den Byzantinern. Damit wurden auch das System der acht Kirchentöne (→Kirchentonarten) und das Verbot von Instrumenten im Gottesdienst übernommen. Schon das Kiewer Reich (12. Jh.) entwickelte spezifisch russ. Neumen (Krjuki-Notation); mit volkssprachl. Übersetzungen liturg. Texte setzten sich nat. Elemente durch. Wichtig für die künstler. Entfaltung der russ. Kirchenmusik wurde die Aufnahme der abendländ. Polyphonie und später der vokalinstrumentalen Formen des italien. Barock und der Vorklassik in Werken u. a. von D. S. Bortnjanski. Bed. geistl. Werke schufen bis 1917 u. a. A. Lwow, A. D. Kastalski und S. W. Rachmaninow; nach 1917 spielte die Kirchenmusik kaum mehr eine Rolle.

Die weltl. **Kunstmusik** entwickelte sich seit der 2. Hälfte des 17. Jh. und stand bes. seit Peter I., d. Gr., unter dt., frz. und v. a. italien. Einfluss. Die russ. Oper erreichte unter Katharina II. einen ersten Höhepunkt. M. I. Glinka und A. S. Dargomyschski waren die Begründer der nat. russ. Schule. In den Opern »Ein Leben für den Zaren« (1836) und »Ruslan und Ljudmila« (1842) verband Glinka italien. Opernkunst mit der Eigenart der russ. Volksmusik. Weitergeführt wurden die nat. Bestrebungen von dem »Mächtigen Häuflein« (→Gruppe der 5) um M. A. Balakirew: A. P. Borodin, Z. A. Kjui, M. P. Mussorgski und N. A. Rimski-Korsakow. Mussorgski schuf mit »Boris Godunow« (1874) eines der großen musikdramat. Werke seiner Zeit, das auch über Russland hinaus wirkte. Gegenüber den nat. Bestrebungen vertrat A. G. Rubinstein am Moskauer Konservatorium (1866 gegr.) eine mehr kosmopolit., akadem. Richtung. A. N. Serow setzte sich für die dt. Neuromantik ein und wies als Erster in Russland auf R. Wagner hin. Eine Verbindung zw. beiden Richtungen stellte P. I. Tschaikowsky her, der russ. Motive verwendete, aber seinem Stil nach der westeurop. Musik nahe steht. In seiner Nachfolge standen S. I. Tanejew und S. W. Rachmaninow. A. N. Skrjabin wandte sich, von F. Chopin, F. Liszt und R. Wagner ausgehend, einem expressiven Mystizismus zu. I. Strawinsky, einer der bedeutendsten Vertreter der Neuen Musik, nahm früh impressionist. Impulse in die neuromant. Tradition auf; S. S. Prokofjew begann mit klassizist. Stilmitteln und vertrat später eine gemäßigte Moderne.

Nach der Oktoberrevolution (1917) herrschte zunächst, in Abkehr von der als bürgerlich empfundenen r. M. des 19. Jh., eine Vorliebe für die westeurop. Moderne und allg. Experimentierfreudigkeit. Seit dem ersten Fünfjahrplan, bes. seit 1932, wurde die Neue Musik als formalistisch verdammt und eine realist., optimist., für die Massen verständl. und eindrucksvoll heroische Musik gefordert (→sozialistischer Realismus). Dies führte zu einem Rückgriff auf die russ. Volksmusik, auf die traditionelle Harmonik und Sinfonik des 19. Jh., auch zu vielen öffentl. Maßregelungen bed. Komponisten, deren Werke von der vorgeschriebenen Art abwichen. Von den älteren Komponisten spielten u. a. A. Glasunow, R. M. Glier, N. J. Mjaskowski und M. O. Steinberg auch in dieser Zeit eine Rolle. Als bedeutendster jüngerer Komponist trat D. D. Schostakowitsch v. a. mit Sinfonien hervor, neben ihm wurde der Armenier A. Chatschaturjan international bekannt. Auf die UdSSR beschränkte sich die Wirkung von J. A. Schaporin, W. J. Schebalin, D. B. Kabalewski und I. I. Dserschinski.

russische Musik: Pjotr Tschaikowsky (1889)

In der Spätphase der Sowjetunion nahm die offizielle Kulturpolitik gegenüber avantgardist. Musikbestrebungen eine zunehmend liberale Haltung ein. Die Beschäftigung mit Zwölftontechnik, serieller Musik, Collagetechniken und anderen, auch experimentellen Kompositionsweisen wurde geduldet und nicht mehr mit dem Verdikt der »formalist. Verfallskunst« belegt. Als bedeutender Vertreter avantgardist. Musik gilt W. W. Silwestrow. Der experimentellen Musik wandten sich u. a. S. Gubaidulina, E. W. Denissow, A. G. Schnittke und J. Firsowa zu. Daneben wird die r. M. bestimmt durch Komponisten wie A. P. Petrow, R. K. Schtschedrin, B. I. Tischtschenko, A. A. Knaifel und D. Smirnow.

📖 SCHWARZ, B.: *Musik u. Musikleben in der Sowjetunion von 1917 bis zur Gegenwart, 6 Tle. A. d. Amerikan. Wilhelmshaven 1982.* – SEROFF, V. I.: *Die mächtigen Fünf. Balakirew, Mussorgsky, Borodin, Rimsky-Korsakow, Cui. Der Ursprung der russ. Nationalmusik. A. d. Engl. Zürich ³1987.* – *Altruss. Musik, hg. v.* N. GERASIMOWA-PERSIDSKAIA. *Graz 1993.* – MÜHLBACH, M.: *Russ. Musikgeschichte im Überblick. Ein Hb. Berlin 1994.* – REDEPENNING, D.:

Geschichte der russ. u. der sowjet. Musik, auf 2 Bde. ber. Laaber 1994 ff.

russische Philosophie. Bis zum 18. Jh. stand die r. P. fast ausschl. im Dienst der russisch-orth. Theologie. Zu den wichtigsten Eigenleistungen gehörten im 11. Jh. die Traktate des Kiewer Metropoliten Ilarion, im 12. Jh. die Schriften des Metropoliten Kliment Smoljatitsch (†nach 1154) und des Bischofs Kyrill von Turow (*um 1130, †1180). In der Auseinandersetzung des 15. Jh. um das Verhältnis der Kirche zum Staat konnte sich die Richtung des Joseph von Wolokolamsk durchsetzen, die die russ. Staatsidee bis ins 20. Jh. bestimmte.

Die im 18. Jh. beginnende Lösung der Philosophie von der Religion (M. N. Lomonossow) unter dem Einfluss der Naturwiss. führte zur Aufklärung (A. N. Radischtschew), die im Wesentlichen an dt., frz. und engl. Vorbildern orientiert blieb; G. W. Leibniz und C. Wolff beherrschten die Schulmetaphysik. Um die Mitte des 19. Jh. war die Auseinandersetzung zw. →Slawophilen und →Westlern bestimmend. Während A. S. Chomjakow einen S. Kierkegaard ähnl. religiösen Existenzialismus entwickelte, bezogen sich die Westler vorwiegend auf den dt. Idealismus (G. W. F. Hegel) und die frühen Sozialisten. M. A. Bakunin wurde zu einem Hauptbegründer des Anarchismus. In der 2. Hälfte des 19. Jh. gewannen Materialismus (N. G. Tschernyschewski, D. I. Pissarew, G. W. Plechanow) und Positivismus (P. L. Lawrow, N. K. Michailowski) sowie der Kantianismus (A. Wwedenski, I. I. Lapschin) an Bedeutung. Hauptpersönlichkeit dieser Epoche ist W. S. Solowjow, der das erste geschlossene System der r. P. entwickelte (Theosophie, Phänomenologie und philosoph. Anthropologie). An ihn schlossen die Vertreter versch. idealist. Richtungen (N. S. Trubezkoi, P. B. Struwe u. a.), einer neuen Religionsphilosophie (S. N. Bulgakow, L. P. Karasawin, P. A. Florenski) sowie die Emigranten L. I. Schestow, N. A. Berdjajew und S. L. Frank (russ. Existenzialismus) an. Mit der kommunist. Herrschaft wurde der dialekt. Materialismus (→Marxismus) zur Staatsphilosophie erhoben. Relativ unabhängig davon wurden in der Folge Beiträge zur Logik und Informationstheorie hervorgebracht.

📖 *Russian philosophy, hg. v.* J. M. EDIE *u. a., 3 Bde. Neuausg. Knoxville, Tenn., 1976.* – DAHM, H.: *Grundzüge russ. Denkens. Persönlichkeiten u. Zeugnisse des 19. u. 20. Jh. München 1979.* – GOERDT, W.: *R. P. Zugänge u. Durchblicke. Freiburg im Breisgau 1984.* – *R. P. Texte, hg. v.* W. GOERDT. *Freiburg im Breisgau 1989.*

russische Schrift, eine Form der kyrill. Schrift (→Kyrilliza), die mit der Christianisierung Russlands (988) aus Byzanz und Bulgarien übernommen und weiterentwickelt wurde. Sie besitzt nach mehreren Reformen (da die palatalen Konsonantenphoneme oft durch eine Kombination von Konsonantenbuchstaben und besonderen Vokalbuchstaben bezeichnet werden) nur 33 Buchstaben für 42 Phoneme.

Russische Sozialistische Föderative Sowjetrepublik, bis 1991 offizielle Bez. der größten Unionsrep. der ehem. Sowjetunion, seit 1992 **Russische Föderation;** →Russland.

russische Sprache, zur östl. Gruppe der slaw. Sprachen gehörende Sprache der Russen. Die Dialekte werden in eine nord- und eine südruss. Gruppe unterteilt sowie in eine mittelruss. Übergangsgruppe. Letztere – mit dem Moskauer Dialekt – bildet die Grundlage für die russ. Literatursprache; als eigentl. Begründer der neueren russ. Literatursprache gilt A. S. Puschkin. Er nutzte einerseits die vom Französischen beeinflusste russ. Umgangssprache der Gebildeten, griff aber auch auf die Volkssprache zurück. Die r. S. wird von über 167 Mio. Menschen als Mutter- oder als Primärsprache gesprochen, davon von rd. 147 Mio. Russen und Angehörigen anderer Nationalitäten in Russland, weiterhin u. a. in Kasachstan, der Ukraine, den balt. Staaten, Usbekistan, Weißrussland, Tadschikistan sowie in den USA, in Kanada, Israel und Westeuropa. Die r. S. war bis 1991 Verkehrssprache in der Sowjetunion. Das Russische wird in kyrill. Schrift geschrieben (→Kyrilliza). Das

russische Musik: Dmitri Schostakowitsch

Russische Schrift

Russischer Buchstabe[1]		*Transkription*	*Transliteration*	*Russischer Buchstabe*[1]		*Transkription*	*Transliteration*
А	а	a	a	П	п	p	p
Б	б	b	b	Р	р	r	r
В	в	w	v	С	с	s[10), 11)]	s
Г	г	g[2)]	g	Т	т	t	t
Д	д	d	d	У	у	u	u
Е	е	e[3)]	e	Ф	ф	f	f
Е[4)]	е[4)]	jo[5)]	e	Х	х	ch	h[12)]
Ё	ё	jo[5)]	ë	Ц	ц	z	c
Ж	ж	sch	ž	Ч	ч	tsch	č
З	з	s	z	Ш	ш	sch	š
И	и	j[6)]	i	Щ	щ	schtsch	šč
Й	й	j[7), 8)]	j	Ъ	ъ	[13)]	’’[14)]
К	к	k[9)]	k	Ы	ы	y	y
Л	л	l	l	Ь	ь	[15)]	’
М	м	m	m	Э	э	e	ė
Н	н	n	n	Ю	ю	ju	ju
О	о	o	o	Я	я	ja	ja

[1)] russische Vokalbuchstaben sind: а, е, ё, и, о, у, ы, э, ю, я. – [2)] in den Genitivendungen -ero und -oro wird г mit w wiedergegeben. – [3)] е = je am Wortanfang, nach russischem Vokalbuchstaben, nach ь und nach ъ. – [4)] wenn im Russischen für Е, е auch Ё, ё geschrieben werden kann. – [5)] е, ё = o nach ж, ч, ш, щ. – [6)] и = ji nach ь. – [7)] й wird nach и und nach ы nicht wiedergegeben. – [8)] й = i am Wortende. – [9)] кс = x in allen Fällen. – [10)] кс = x in allen Fällen. – [11)] с = ss zwischen russischen Vokalbuchstaben. – [12)] х = ch in der deutschen Bibliotheksumschrift. – [13)] vgl. Fußnote 3. – [14)] in der deutschen Bibliotheksumschrift mit Bindestrich wiedergegeben. – [15)] ь = j vor o und i; vgl. Fußnote 3 phonolog. System wird von einer konsequenten Palatalitätskorrelation beherrscht: nahezu jedem palatalen Konsonanten steht ein entsprechender nichtpalataler Konsonant gegenüber. Die fünf Vokalphoneme der r. S. (i, u, e, o, a), die je nach Palatalität oder Nichtpalatalität des vorangehenden Konsonanten palatale bzw. nichtpalatale Varianten aufweisen, haben nur in betonter Silbe ihren vollen Lautwert, in Silben vor oder nach der Betonung werden sie verschieden stark reduziert bzw. verdumpft. Die Betonung der russ. Wörter ist frei; sie unterscheidet Wortbedeutungen. Das morphologisch-syntakt. System weist als Besonderheiten u. a. die Belebtheitskategorie bei Nomina (Genitiv in Akkusativfunktion) und das Verbalaspektsystem auf, das durch bestimmte Bildungselemente die Unterscheidung von vollendeter (perfektiver) und unvollendeter (imperfektiver) Handlung ermöglicht. Die r. S. verfügt neben einem alten gemeinslaw., ostslaw. und genuin russ. Wortbestand über eine Reihe von Lehnwörtern, v. a. aus dem Griechischen und Lateinischen, dem Französischen, Deutschen und den Turksprachen.

📖 *Die r. S. der Gegenwart, hg. v.* K. Gabka *u. a., 8 Tle. Leipzig* $^{1-4}$*1981–85.* – Koester, S. *u.* Rom, E.: *Wörterbuch der modernen russ. Umgangssprache. Russisch-Dt. München 1985.* – Voigt, W.: *Leitfaden der russ. Grammatik. Leipzig* ^{18}*1988.* – Kober, M.: *Russ. Sprachlehre, 2 Bde. Heidelberg* $^{3-5}$*1989–90.* – Daum, E. *u.* Schenk, W.: *Wörterbuch Deutsch-Russ. Leipzig* ^{4}*1990.* – Daum, E. *u.* Schenk, W.: *Wörterbuch Russisch-Dt. Leipzig* ^{21}*1990.*

russisches Roulett [-ru-], angeblich im 19. Jh. in russ. Militärkreisen entstandene Form des Duells oder der »Mutprobe«. Die Trommeln zweier Revolver werden mit je nur einer Kugel geladen. Man lässt sie rotieren. Nur wenn beim Abdrücken die Kugel vor dem Lauf liegt, löst sich der Schuss.

Russische Tafel, *Geologie:* →Osteuropäische Tafel.

Russisch-Japanischer Krieg 1904–05, durch die expansive russ. Fernostpolitik und das japan. Großmachtstreben in O-Asien ausgelöster Krieg. In den 1890er-Jahren entstanden ernste Spannungen zw. Russland und Japan hinsichtlich der Kontrolle über die Mandschurei und die Halbinsel Liaodong mit dem eisfreien Hafen Port Arthur (russisch-chines. Pachtvertrag, 1898). Die Weigerung, Korea ganz dem japan. Einfluss zu überlassen, führte am 8./9. 2. 1904 zum japan. Angriff auf die russ. Kriegsflotte in Port Arthur. Nach mehreren Niederlagen musste Russland im Frieden von Portsmouth am 5. 9. 1905 die Pacht von Liaodong und die Konzession für die südmandschur. Eisenbahn Japan überlassen, das auch den S-Teil der Insel Sachalin erhielt und ein Protektorat über Korea errichten konnte. Damit erlangte Japan die Vormachtstellung in Ostasien.

russisch-orthodoxe Kirche, die größte orth. Landeskirche (rd. 80 Mio. Mitgl.); ihr Oberhaupt führt den Titel »Patriarch von Moskau und ganz Russland«. Liturg. Sprache ist Kirchenslawisch. – Nach der Legende gilt der Apostel Andreas als erster christl. Missionar im Gebiet der späteren r.-o. K. Die eigentl. Christianisierung der ostslaw. Völker begann jedoch erst im 10. Jh., nachdem der Kiewer Großfürst Wladimir I. die Taufe empfangen (988) und das Christentum zur Staatsreligion des Kiewer Reichs erklärt hatte. Kirchl. Zentrum (Sitz des Metropoliten) war zunächst Kiew, nach dem Beginn der Mongoleneinfälle (1222) Wladimir, seit 1326 auch, seit 1354 endgültig Moskau. Kirchenrechtlich unterstand die russ. Kirche dem Patriarchen von Konstantinopel. Die auf dem Konzil von Florenz 1439 beschlossene Union der grch. mit der lat. Kirche lehnte die r.-o. K. ab und erklärte 1448 ihre Unabhängigkeit, die jedoch endgültig erst 1589 mit ihrer Erhebung zum Patriarchat durch Konstantinopel anerkannt wurde. Nach der Einnahme Konstantinopels durch die Türken (1453) sah sich Moskau als →Drittes Rom zum Bewahrer des orth. Glaubens und Russland zur Schutzmacht aller orth. Christen berufen. 1595/96 sagten sich große Teile der orth. Kirche in Polen-Litauen von Moskau los und vollzogen die Kirchenunion mit der kath. Kirche. Kirchl. Auseinandersetzungen in Russland (→Nikon, →Raskolniki) führten im 17. Jh. zur Spaltung der r.-o. K. Zar Peter I., d. Gr., nutzte die Schwächung der Macht des Patriarchen und hob 1721 das Patriarchenamt auf. Bis zu seiner Wiedereinführung nach der Februarrevolution 1917 wurde die r.-o. K. vom Hl. Synod, einem Kollektivorgan unter Kontrolle eines weltl. Beamten, des →Oberprokurators, geleitet. Nach der Oktoberrevolution verfügte W. I. Lenin die Trennung von Staat und Kirche (1918). Die Kirche verlor die Rechte einer jurist. Person, v. a. das Recht, Eigentum zu besitzen. Das »Gesetz über religiöse Angelegenheiten« von 1929 beschränkte ihre Tätigkeit auf den Vollzug des Kultus in den vom Staat zur Verfügung gestellten Kirchengebäuden. Den Verfolgungen unmittelbar nach der Oktoberrevolution fielen mindestens 28 Bischöfe und Hunderte von Klerikern zum Opfer; zahlr. Verhaftungen, Repressionen und eine staatlich organisierte antikirchl. Propaganda prägten die Zeit bis 1940. Erst die mit dem dt. Angriff auf die UdSSR entstandene Situation bewirkte eine Umorientierung der staatl. Kirchenpolitik, da die r.-o. K. in der Unterstützung der für die Befreiung der »hl. russ. Erde« kämpfenden Truppen ihre ureigene Pflicht sah. Einige Repressionen wurden zurückgenommen, 1943 die Wahl eines neuen Patriarchen gestattet. Nach dem

Russland

Fläche: 17 075 400 km²
Einwohner: (1995) 147 Mio.
Hauptstadt: Moskau
Verwaltungsgliederung: 21 Republiken, 6 Regionen, 49 Gebiete, 2 autonome Städte, 1 autonomes Gebiet, 10 autonome Kreise
Amtssprache: Russisch
Nationalfeiertag: 7. 11.
Währung: 1 Rubel (Rbl) = 100 Kopeken
Zeitzone: MEZ (von W nach O) +2 bis +11 Std.

2. Weltkrieg unterstützte der Staat in der zur UdSSR gekommenen Westukraine die Zwangseingliederung der ukrainisch-kath. Kirche in die r.-o. K. (→ukrainische Kirche). Nach Schwankungen der Kirchenpolitik in der Folgezeit führte erst die internat. stark beachtete 1000-Jahr-Feier der r.-o. K. (1988) zu einer nachhaltigen Entspannung des Verhältnisses zw. Kirche und Staat. Die polit. Entwicklung seit 1990 ermöglichte die Wiedereinsetzung der Kirche in ihre traditionellen Rechte, die Rückgabe großer Teile ihres Eigentums und die Beendigung der direkten Einflussnahme des Staates. 1990 erfolgte die Wahl des Patriarchen Alexei II. (eigtl. A. M. Ridiger, *1929). Hauptprobleme aus kirchl. Sicht sind gegenwärtig die Wiedererstehung der unierten ukrainisch-kath. Kirche, kirchl. Separationsbestrebungen mit dem Ziel der Bildung einer selbstständigen orth. Kirche der Ukraine und Auseinandersetzungen mit der vom Moskauer Patriarchat nicht anerkannten »Russ. Orth. Kirche im Ausland«.

📖 DÖPMANN, H.-D.: *Die russ. orth. Kirche in Geschichte u. Gegenwart.* Berlin ²1981. – *Das hl. Rußland. 1000 Jahre r.-o. K., bearb. v.* K. GAMBER. *Freiburg im Breisgau* ²*1988.* – *Die orth. Kirche in Rußland. Dokumente ihrer Geschichte 860–1980, hg. v.* P. HAUPTMANN *u. a. Göttingen 1988.* – *Tausend Jahre Christentum in Rußland, hg. v.* K. C. FELMY *u. a. Göttingen 1988.*

Russisch-Türkische Kriege, →Türkenkriege.

Russland (russ. Rossija, amtlich russ. Rossiskaja Federazija, dt. Russische Föderation), Staat in O-Europa und N-Asien (mit Sibirien und dem Fernen Osten); grenzt im NW an Norwegen, Finnland, Estland und Lettland sowie mit der Exklave des Gebietes Kaliningrad (Königsberg) an Litauen und Polen; im N an das Nordpolarmeer mit Barentssee, Karasee, Laptewsee und Ostsibir. See; im NO an die Beringstraße; im O an den Pazifik mit Beringmeer und Ochotsk. Meer; im SO an das Japan. Meer, Nord-Korea und China; im S an China, die Rep. Mongolei und Kasachstan; im SW an das Kasp. Meer, Aserbaidschan und Georgien; im W an das Schwarze Meer, die Ukraine und Weißrussland.

Staat und Recht: Nach der Verf. vom 12. 12. 1993 ist R. eine föderative Rep. mit Präsidialsystem. Staatsoberhaupt und Oberster Befehlshaber der Streitkräfte ist der mit weitgehenden Vollmachten ausgestattete Präs. (auf vier Jahre direkt gewählt). Er ernennt mit Zustimmung der Staatsduma den Vors. der Reg. und auf dessen Vorschlag die Mitgl. des Kabinetts, bestimmt die Hauptrichtungen der Innen- und Außenpolitik, hat das Recht auf Gesetzesinitiative und kann die Staatsduma auflösen. Dekrete und Anordnungen des Präs. sind für die gesamte Föderation verbindlich. Der Präs. kann nur dann vom Föderationsrat seines Amtes enthoben werden, wenn eine Anklage der Staatsduma wegen Hochverrats oder anderer schwerer Verbrechen durch das Oberste Gericht bestätigt wird. Höchstes Vertretungs- und Gesetzgebungsorgan ist die Föderalversammlung (Zweikammerparlament), bestehend aus dem Föderationsrat (zusammengesetzt aus jeweils zwei Vertretern der 89 Subjekte der Föderation) und der Staatsduma (450 auf vier Jahre gewählte Abg.; je 50% der Mandate aus Listen- und Direktwahl). Die Parteienlandschaft ist unübersichtlich und instabil. Neben den als Reformblock bezeichneten Bündnissen und Parteien (Russlands Wahl, Partei der russ. Einheit und Eintracht, Bewegung für demokrat. Reformen u. a.) zählen derzeit die nationalist. Liberaldemokrat. Partei, die Kommunist. Partei R. und die Agrarpartei zu den einflussreichsten Parteien.

Landesnatur: R. erstreckt sich über mehr als 9 000 km von der Danziger Bucht im W bis zum Kap Deschnjow an der Beringstraße im O und über 4 000 km vom Nordpolarmeer im N bis zu den Bergländern S-Sibiriens im S und dem Großen Kaukasus im SW. Die Oberflächengestalt wird zu 75% von Ebenen bestimmt, die westlich des Jenissei vorherrschend sind. Sie werden durch den Ural in die Osteurop. Ebene (Russ. Ebene) und in das

Staatswappen

RUS

Internationales Kfz-Kennzeichen

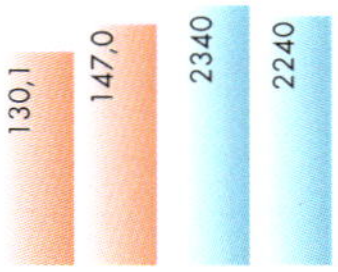

Bevölkerung (in Mio.)
Bruttosozialprodukt je Ew. (in US-$)

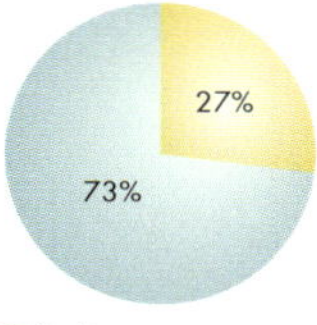

Bevölkerungsverteilung 1995

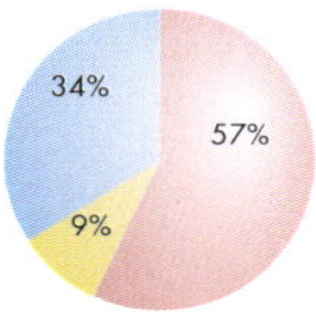

Bruttoinlandsprodukt 1995

Russland, Verwaltungsgliederung (1997)

Verwaltungseinheit*)	Fläche in 1 000 km²	Ew. in 1 000	Verwaltungssitz
Republiken			
Adygien	7,6	450	Maikop
Altai	92,6	201	Gorno Altajsk
Baschkortostan	143,6	4 099	Ufa
Burjatien	351,3	1 048	Ulan Ude
Chakassien	61,9	583	Abakan
Dagestan	50,3	2 073	Machatschkala
Inguschien	19,3	308	Magas
Jakutien (Sacha)	3 103,2	1 028	Jakutsk
Kabardino-Balkarien	12,5	784	Naltschik
Kalmückien	75,9	318	Elista
Karatschai-Tscherkessien	14,1	438	Tscherkessk
Karelien	172,4	779	Petrosawodsk
Komi	415,9	1 176	Syktywkar
Mari El	23,2	765	Joschkar-Ola
Mordwinien	26,2	950	Saransk
Nordossetien (Alania)	8,0	664	Wladikawkas
Tatarstan	68,0	3 771	Kasan
Tschetschenien	19,3	809	Grosny
Tschuwaschien	18,3	1 362	Tscheboksary
Tuwa	170,5	310	Kysyl
Udmurtien	42,1	1 634	Ischewsk
Regionen			
Altai	169,1	2 679	Barnaul
Chabarowsk	788,6	1 601	Chabarowsk
darin: Jüdisches AG	36,0	206	Birobidschan
Krasnodar	76,0	5 011	Krasnodar
Krasnojarsk	2 339,7	3 107	Krasnojarsk
darin: AK Taimyr der Dolganen und Nenzen	862,1	46	Dudinka
AK der Ewenken	767,6	20	Tura
Primorje	165,9	2 234	Wladiwostok
Stawropol	66,5	2 645	Stawropol
Gebiete			
Amur	363,7	1 024	Blagoweschtschensk
Archangelsk	587,4	1 506	Archangelsk
darin: AK der Nenzen	176,7	46	Narjan-Mar
Astrachan	44,1	1 023	Astrachan
Belgorod	27,1	1 476	Belgorod
Brjansk	34,9	1 469	Brjansk
Irkutsk	767,9	2 780	Irkutsk
darin: Burjatischer AK Ust-Orda	22,4	143	Ust-Ordynskij
Iwanowo	23,9	1 253	Iwanowo
Jaroslawl	36,4	1 442	Jaroslawl
Kaliningrad	15,1	935	Königsberg
Kaluga	29,9	1 093	Kaluga
Kamtschatka	472,3	409	Petropawlowsk-Kamtschatski
darin: AK der Korjaken	301,5	33	Palana
Kemerowo	95,5	3 037	Kemerowo
Kirow	120,8	1 625	Wjatka
Kostroma	60,1	796	Kostroma
Kurgan	71,0	1 106	Kurgan
Kursk	29,8	1 139	Kursk
Leningrad	85,9	1 671	Sankt Petersburg
Lipezk	24,1	1 249	Lipezk
Magadan	1 199,1	383	Magadan
darin: AK der Tschuktschen	737,7	158	Anadyr
Moskau	47,0	6 533	Moskau
Murmansk	144,9	1 051	Murmansk
Nishni Nowgorod	76,9	3 717	Nishni Nowgorod
Nowgorod	55,3	738	Weliki Nowgorod
Nowosibirsk	178,2	2 743	Nowosibirsk
Omsk	139,7	2 175	Omsk
Orel	24,7	909	Orel
Orenburg	124,0	2 223	Orenburg
Pensa	43,2	1 556	Pensa
Perm	160,6	2 989	Perm
darin: AK der Komi-Permjaken	32,9	154	Kudymkar
Pskow	55,3	826	Pskow
Rjasan	39,6	1 319	Rjasan
Rostow	100,8	4 404	Rostow am Don
Sachalin	87,1	634	Juschno-Sachalinsk
Samara	53,6	3 308	Samara
Saratow	100,2	2 726	Saratow
Smolensk	49,8	1 162	Smolensk
Swerdlowsk	194,8	4 660	Jekaterinburg
Tambow	34,3	1 304	Tambow
Tjumen	1 435,2	3 198	Tjumen
darin: AK der Chanten und Mansen	523,1	1 350	Chanty-Mansisk
AK der Jamal-Nenzen	750,3	500	Salechard
Tomsk	316,9	1 075	Tomsk
Tscheljabinsk	87,9	3 673	Tscheljabinsk
Tschita	431,5	1 284	Tschita
darin: Burjatischer AK Aginskoje	19,0	79	Aginskoje
Tula	25,7	1 795	Tula
Twer	84,1	1 637	Twer
Uljanowsk	37,3	1 486	Uljanowsk
Wladimir	29,0	1 632	Wladimir
Wolgograd	113,9	2 702	Wolgograd
Wologda	145,7	1 339	Wologda
Woronesch	52,4	2 496	Woronesch
Städte			
Moskau	1,5	8 547	
Sankt Petersburg	0,6	4 746	

*) AG = Autonomes Gebiet, AK = Autonomer Kreis

Westsibir. Tiefland mit den Hauptströmen Ob und Irtysch geteilt. An die von der Wolga durchflossene Osteurop. Ebene schließen sich im NW die Bergländer Kareliens und der Halbinsel Kola, im S Nordkaukasiens bis zum Kamm des Großen Kaukasus (Elbrus, mit 5 642 m ü. M. höchste Erhebung des Landes) und die Kasp. Senke bis zur unteren Wolga (bei Astrachan bis 28 m u. M.) an. Östlich des Jenissei erstreckt sich bis zur Lena das Mittelsibir. Bergland, östlich der Lena schließen sich die bis 3 147 m ü. M. aufragenden Gebirge O-Sibiriens (→ Sibirien) sowie, jenseits der Wasserscheide zw. Nordpolarmeer und Pazif. Ozean, die bis 2 077 m ü. M. hohen Gebirge des Fernen Ostens an. Der Gebirgsgürtel wird am Pazif. Ozean durch das Korjakengebirge (bis 2 562 m ü. M.) sowie durch die an Vulkanen (u. a. Kljutschewskaja Sopka, 4 868 m ü. M.) reichen Gebirge Kamtschatkas und der Inselkette der Kurilen abgeschlossen. Vor der fernöstl. Küste liegt Sachalin, die größte russ. Insel.

Russland - Föderative Gliederung

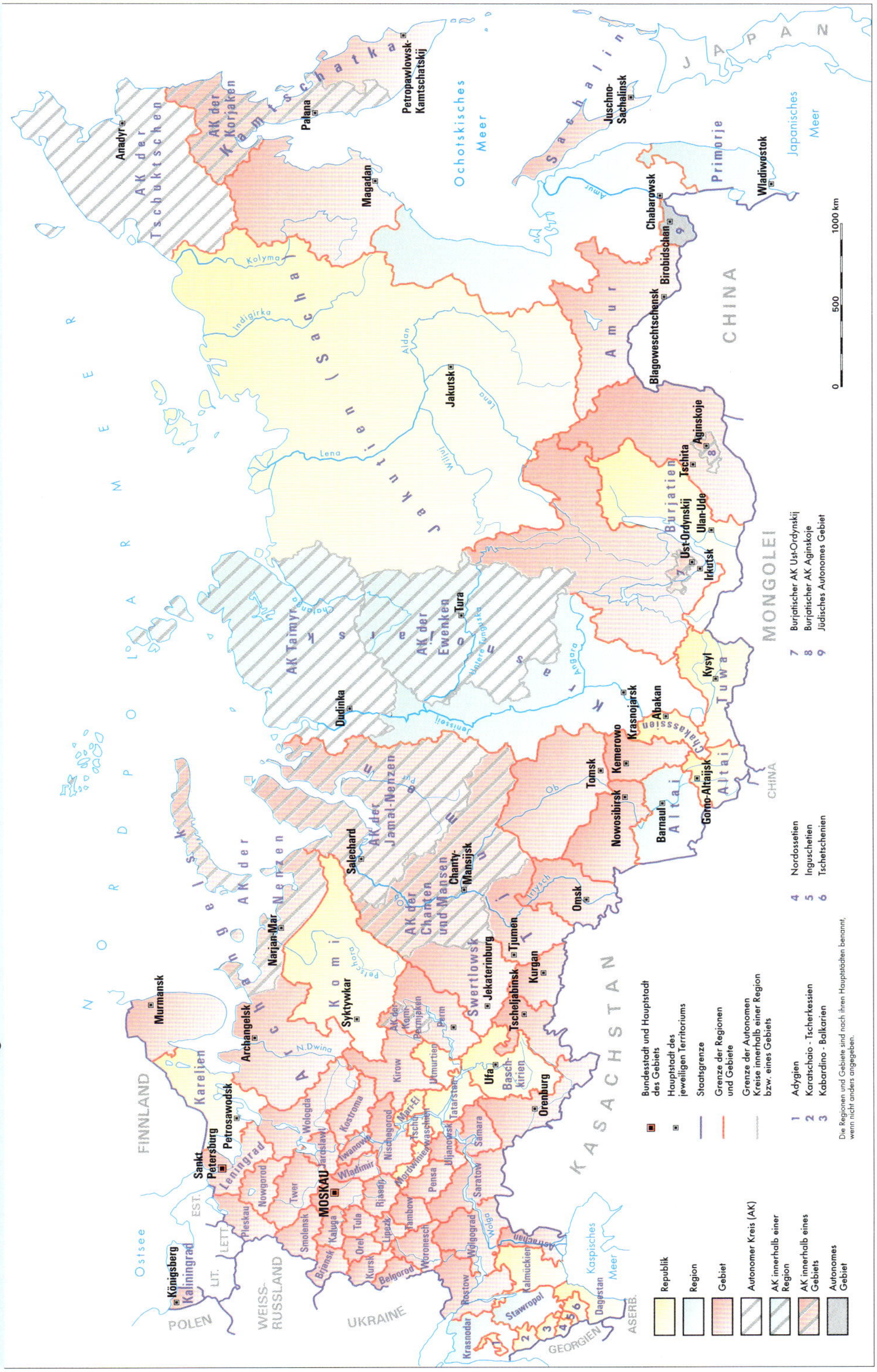

Russland

1

2

3

4

| **1** Landschaft in der Osteuropäischen Ebene | **2** Die zur Klosteranlage von Sergijew Possad gehörende Dreifaltigkeitskirche wurde im frühen 15. Jh. über dem Grab des heiligen Sergius erbaut | **3** Ansicht des aus dem 16. Jh. stammenden Nowodewitschi-Klosters im Südwesten Moskaus, im Hintergrund ist die Lomonossow-Universität zu erkennen | **4** Landschaft im westlichen Uralvorland

Das Bergland Sibiriens geht im N in das Nordsibir. Tiefland über, das sich östlich der Lena im Jana-Indigirka-Tiefland fortsetzt. Am Mittellauf der Lena und am Aldan erstreckt sich das Zentraljakut. Tiefland. Der nordsibir. Küste sind zahlr. Inseln und Archipele vorgelagert: Nowaja Semlja, Sewernaja Semlja, die Neusibir. Inseln und Franz-Josef-Land. Der südsibir. Gebirgsgürtel beginnt im W mit dem Gebirgssystem des Altai (Belucha, 4506 m ü. M.); östlich davon liegen West- und Ostsajan sowie die Gebirge Transbaikaliens, östlich der Lena das Stanowoi- und das sich nach N zum ostsibir. Gebirgsgürtel erstreckende Dschugdschurgebirge.

Klima: R. erstreckt sich vom Bereich des arkt. Klimas (N-Sibirien) bis zu dem des subtrop. Klimas (Schwarzmeerküste); der größte Teil des Landes gehört jedoch zur gemäßigten Klimazone. Diese ist bis auf den S des Fernen Ostens, der im Monsunbereich liegt, ausgesprochen kontinental. Bei Ojmjakon und Werchojansk im ostsibir. Gebirgsland liegen die Kältepole der N-Halbkugel. Als Folge der kalten, lang anhaltenden und schneearmen Winter herrscht auf rd. drei Fünfteln der Landesfläche Dauerfrost.

Durch die bes. klimat. Verhältnisse haben sich ausgeprägte Vegetationszonen ausgebildet. Den N prägt die Tundra von der Halbinsel Kola bis Kamtschatka auf einer Fläche von 3 Mio. km² mit einer fast immer geschlossenen Vegetationsdecke u. a. aus Moosen, Flechten und Zwergsträuchern (die arkt. Inselgruppen liegen zum größten Teil im Gürtel der polaren Kältewüsten). Nach S schließt sich die Taiga (boreale Nadelwaldzone) an (11 Mio. km²), in der Moore weit verbreitet sind. Im europ. Bereich folgt weiter südlich eine Laub-Mischwaldzone, die sich gegen den südwärts verlaufenden Steppengürtel in Laubwaldinseln und Galeriewäldern (Waldsteppe) auflöst. Die Steppe wird heute für Ackerbau und Viehzucht genutzt. Im Kaspitiefland ist Halbwüste verbreitet.

Bevölkerung: Den größten Teil der Bev. stellen mit (1989) 81,5 % die Russen. Unter den mehr

5

6

5 Ansicht des Baikalsees im südlichen Ostsibirien
6 Impression eines typischen russischen Dorfs im Gebiet südlich der Waldaihöhen

als 100 nat. Minderheiten bilden Tataren mit 3,0% die größte Gruppe, gefolgt von Ukrainern (2,7%), Tschuwaschen (1,2%), Baschkiren (0,9%), Weißrussen (0,8%) und Deutschen (0,5%). 1995 wohnten 73% der Bewohner in Städten, eine Verteilungstendenz, die sich seit der Industrialisierung des Landes stetig verstärkt. Die Bev. ist sehr ungleich verteilt. Weite Gebiete haben Bev.dichten unter 1 bis höchstens 10 Ew./km^2, z.B. der nordöstl. europ. Teil und der größte Teil Sibiriens. Die größte Bev.dichte weisen der zentrale und südl. europ. Teil und das nördl. Vorland des Großen Kaukasus auf. – Die gesetzl. Schulpflicht beträgt acht (nach Durchführung der Schulreform neun) Jahre. Neben der Russ. Akademie der Wiss. gibt es 553 Hochschulen (1995), darunter 43 Universitäten. – Die mit Abstand größte Religionsgemeinschaft ist die →russisch-orthodoxe Kirche. Minderheiten bilden Katholiken, Baptisten und Lutheraner.

Wirtschaft, Verkehr: R. war Kernland der Sowjetunion, an deren Ind.produktion war es mit (1988) 61%, an deren landwirtsch. Produktion mit 50% beteiligt. Die seit 1928 (1. Fünfjahrplan) nach zentralen Planvorgaben gelenkte Wirtschaft war v.a. auf die Grundstoff-, Produktionsgüter-, Schwer- und Rüstungsind. ausgerichtet und vernachlässigte die Konsumgüterproduktion. Stagnation und Rückgang der wirtsch. Entwicklung sind seit den 1970er-Jahren Folge einer zentral gelenkten Investitionspolitik, der weitere wirtsch. Verfall führte R. 1990/91 an den Rand des Zusammenbruchs. Nach dem Zerfall der Sowjetunion eröffnete sich in R. die Möglichkeit der Einführung der Marktwirtschaft. Die hierfür eingeleiteten Reformen brachten noch nicht die gewünschten Ergebnisse, die Wirtschaftslage hat sich vielmehr weiter verschlechtert (1991–93 Rückgang des Nationaleinkommens um 33%, der Ind.produktion um 27%). Die Politik der Liberalisierung der Wirtschaft und Stabilisierung der Preise war bisher wenig erfolgreich, die Inflation verstärkte sich und nahm zeitweise den Charakter einer Hyperinflation an. 1998 wurde zu Jahresbeginn der Rubel um 1000% abgewertet.

Landwirtschaft: Klimatisch bedingt umfasst die landwirtsch. Nutzfläche R. nur 220 Mio. ha (13% der Landesfläche), davon sind 61% Ackerland, 38% Weiden und Grasland (zur Heugewinnung). Nachdem mit der Kollektivierung der Landwirtschaft (seit 1928) ein selbstständiges Bauerntum gänzlich aufgehoben worden war, kann seit Anfang 1992 Land der Kolchosen zur individuellen Bewirtschaftung (Pachtsystem) überlassen werden, jedoch sind Kooperativen, Kolchosen und Sowchosen weiter die Hauptbetriebsformen der Landwirtschaft. Wertmäßig hat die Viehzucht größere Bedeutung als der Pflanzenbau. Ihre Hauptzweige sind Rinder- (bes. im Wolgagebiet, im europ. Zentrum und in W-Sibirien), Schweine- (in N-Kaukasien, im Wolgagebiet, im zentralen Schwarzerdegebiet) und Schafzucht (im Wolgagebiet, in N-Kaukasien und O-Sibirien) sowie Geflügelhaltung. Im arkt. N wird Renzucht, im N und O auch Pelztierzucht und -jagd betrieben. Von der Ackerfläche sind 58% mit Getreide (bes. Weizen) bestanden, 33% mit Futterpflanzen und 9% mit anderen Kulturen, v.a. Zuckerrüben und Sonnenblumen (beides bes. in N-Kaukasien und im zentralen Schwarzerdegebiet), Flachs (im zentralen und im nordwestl. europ. Teil) und Kartoffeln (bes. im zentralen europ. Teil) sowie Gemüse; Zentrum des Obst- und Weinbaus ist N-Kaukasien.

Industrie: R. ist reich an Bodenschätzen; es besitzt ein Fünftel der weltweit nachgewiesenen Goldvorkommen, die Hälfte der Weltkohlevorkommen (Kusnezker Kohlenbecken, Petschora-, Moskauer, Kansk-Atschinsker, Südjakut. Kohlen-

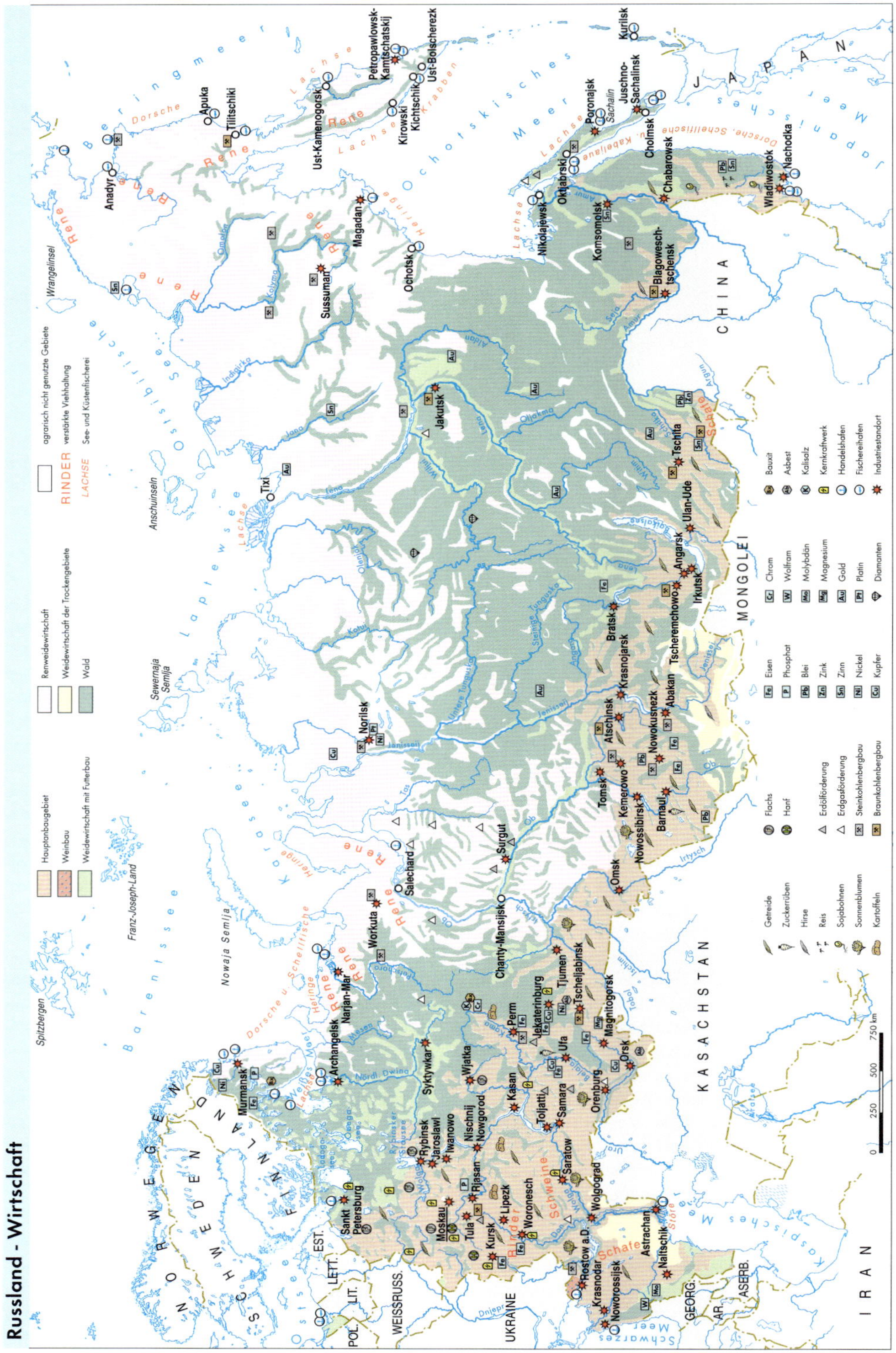
Russland - Wirtschaft
Hauptanbaugebiet
Weinbau
Weidewirtschaft mit Futterbau
Renweidewirtschaft
Weidewirtschaft der Trockengebiete
Wald
agrarisch nicht genutzte Gebiete
RINDER verstärkte Viehhaltung
LACHSE See- und Küstenfischerei
Getreide
Zuckerrüben
Hirse
Reis
Sojabohnen
Sonnenblumen
Kartoffeln
Flachs
Hanf
Erdölförderung
Erdgasförderung
Steinkohlenbergbau
Braunkohlenbergbau
Eisen
Phosphat
Blei
Zink
Zinn
Nickel
Kupfer
Chrom
Wolfram
Molybdän
Magnesium
Gold
Platin
Diamanten
Bauxit
Asbest
Kalisalz
Kernkraftwerk
Handelshafen
Fischereihafen
Industriestandort
0 250 500 750 km

becken, östl. Donez-Kohlenbecken) und sehr große Erdöl- und Erdgaslagerstätten (Westsibirien, Wolga-Ural-Erdölgebiet, N-Kaukasien, Rep. Komi, Sachalin). Die Elektrizitätswirtschaft stützt sich zu etwa 80% auf Wärmekraft-, zu 11,5% auf Kernkraft- und etwa 5% auf Wasserkraftwerke (bes. an Wolga, Kama, Jenissei, Angara). Basierend auf dem Erzbergbau (Eisenerze: Kursk, Ural, Schorijabergland, S-Jakutien, Angara, Karelien, Halbinsel Kola; Nichteisenerze: Ural, Transbaikalien) entstanden Eisen- (Ural, Tula, Lipezk, Kursk, Moskau, Tscherepowez, Kusnezker Kohlenbecken) und Nichteisenerzverhüttung (Ural, Halbinsel Kola, N-Kaukasien, N-Sibirien, Ferner Osten). Bes. im Wolgagebiet, im NW, im Ural und in Moskau befinden sich Betriebe des Maschinen- und Fahrzeug- sowie des Geräte- und Anlagenbaus; im Ural um Jekaterinburg konzentrieren sich die Schwer- und Rüstungsindustrie. Wichtige Standorte der chem. und Erdöl verarbeitenden Ind. liegen im zentraleurop. und nordwestl. Teil, im Wolgagebiet und im Ural. Die Holzind. ist in den nördl. und östl. Landesteilen, die Textilind. bes. im zentralen und nordwestl. europäischen Teil und die Nahrungsmittelindustrie in den zentralen europ. Landesteilen, in N-Kaukasien und im SW Sibiriens vertreten. Neben den alten Hauptind.standorten Moskau, Sankt Petersburg, Nischni Nowgorod, Saratow, Rostow am Don und Wolgograd entwickelten sich nach 1945 neue Ind.-Standorte im Ural, im Kusnezker Kohlenbecken und in N-Kaukasien, in Sibirien, im Bereich der Kursker Magnetanomalie, im Timan-Petschora-Becken und um Orenburg.

Außenhandel: Haupthandelspartner sind die Rep. der GUS, Dtl., Finnland, Italien, Japan und die USA. Exportiert werden: Elektroenergie, Kohle, Erdgas, Maschinen, Ausrüstungen, Transportmittel, Erze, Metalle, Metallerzeugnisse, Holz, Zellstoff, Papier, Nahrungsmittel, Pelze u.a. Importiert werden: Maschinen, Ausrüstungen, Anlagen, Fahrzeuge, Nahrungsmittel, Konsumfertigwaren, chem. Erzeugnisse (Düngemittel), Textilrohstoffe.

Verkehr: Die Dichte des Verkehrsnetzes (1995: 87469 km Eisenbahnstrecken und 743000 km Straßen) nimmt von W nach O ab; seine Leistungsfähigkeit entspricht nicht den wirtsch. Erfordernissen. Durch Sibirien verläuft die →Transsibirische Eisenbahn sowie weiter südlich die →Baikal-Amur-Magistrale. Der Flugverkehr (Hauptflughäfen: Moskau, Sankt Petersburg) hat bes. in Sibirien und im Fernen Osten große Bedeutung. Die Binnenschifffahrt wird durch die lange Vereisungsdauer der Flüsse behindert; Schifffahrtskanäle (Wolga-Don-, Weißmeer-Ostsee-Kanal, Wolga-Ostsee-Wasserweg) existieren nur im europ. Teil. Wichtigste Seehäfen sind Nachodka-Wostotschny, Wladiwostok, Sankt Petersburg, Murmansk, Archangelsk, Noworossisk und Astrachan. Durch die Nordostpassage wird die Hochseeschifffahrt auch mithilfe von Eisbrechern betrieben. Erdöl- und Erdgasfernleitungen führen von den Fördergebieten in die Verarbeitungszentren R.s und anderer Staaten. Die wichtigsten Erholungsgebiete sind die Schwarzmeerküste und der Große Kaukasus.

Geschichte

Vorgeschichte: Das z.T. seit der Altsteinzeit (Paläolithikum) besiedelte Territorium des heutigen R. war Wohnsitz und Durchzugs- oder Expansionsgebiet zahlr. Stämme und Völkerschaften (weiteres →Osteuropa, →Sibirien). Das wohl schon im 2. Jt. v.Chr. in Süd-R. auftauchende nomad. Reitervolk der Kimmerier wurde etwa im 8. Jh. v.Chr. durch die aus dem O vorstoßenden Skythen verdrängt; östlich von Don und Wolga lebten die Sarmaten, die bei ihrem Zug nach W im 4. Jh. v.Chr. die Skythen vertrieben. Die Griechen gründeten seit dem 7. Jh. v.Chr. an der Schwarzmeerküste Städte (u.a. Tyras, Chersonesos, Pantikapaion). Das im 5. Jh. v.Chr. an der N-Küste des Schwarzen Meeres beiderseits der Straße von Kertsch errichtete Bosporan. Reich wurde im 4. Jh. n.Chr. durch die aus Zentralasien vordringenden Hunnen zerstört. Ihnen folgten die Awaren, die zu Beginn des 6. Jh. die Steppen nördlich des Schwarzen Meeres durchzogen, bei ihrem Vorstoß nach Pannonien in die Siedlungsräume der sich allmählich über O-Europa ausbreitenden →Slawen eindrangen und durch deren Vertreibung eine Wanderung slaw. Stämme (bis an die obere Oka und Wolga) bewirkten. Versch. ostslaw. Stämme wurden von dem zw. Don und Wolga entstandenen Chasarenreich (7.–10. Jh.) unterworfen, das auch die seit dem 7. Jh. an der mittleren Wolga ansässigen Bulgaren (Wolgabulgaren) beherrschte.

Das Kiewer Reich: Der Zusammenschluss der von Stammesfürsten geführten ostslaw. Stammesverbände (Polanen, Drewljanen, Polotschanen, Kriwitschen, Wolhynier u.a.) schuf die Grundlage für die Entstehung des altruss. Staates im 9. Jh., die Kiewer →Rus. – Eine zentrale Rolle spielten dabei die skandinav. Waräger, die als krieger. Fernhändler seit dem 8. Jh. auf den der Wolga und dem Dnjepr folgenden Handelsstraßen nach Byzanz zogen. Der nach dem Bericht der »Nestorchronik« 862 nach Nowgorod berufene Rurik wurde zum Stammvater dieser waräg. Herrschaften (nach ihm benannt die Dynastie der Rurikiden); in Kiew setzten sich Askold und Dir fest. Ruriks Nachfolger Oleg eroberte 882 Kiew, das er zu seiner Residenz machte, und unterwarf die benachbarten ostslaw. Stämme der Tributpflicht. Die skandinav. Oberschicht (der Fürst und seine Gefolgschaft, die

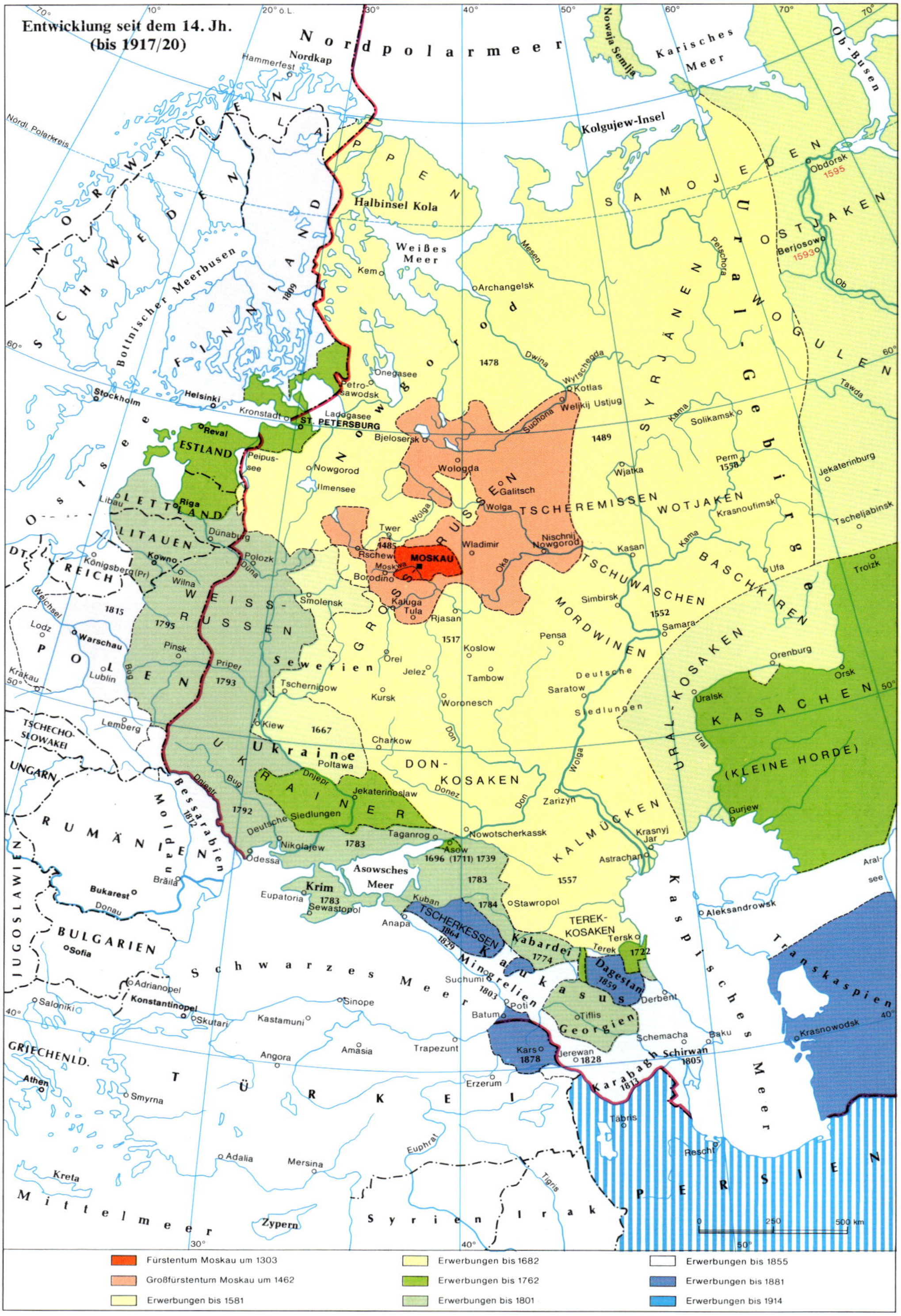
Entwicklung seit dem 14. Jh.
(bis 1917/20)
Nordpolarmeer
Karisches Meer
Nowaja Semlja
Ob-Busen
Nordkap
Hammerfest
Kolgujew-Insel
Halbinsel Kola
Weißes Meer
Kem
Archangelsk
Mesen
Petschora
Obdorsk
1595
Berjosowo
1593
Ob
LAPPEN
SAMOJEDEN
OSTJAKEN
WOGULEN
SYRJÄNEN
Ural-Gebirge
NORWEGEN
SCHWEDEN
FINNLAND
1809
Bottnischer Meerbusen
Nördl. Polarkreis
Nowgorod
Onegasee
Petrosawodsk
1478
Dwina
Wytschegda
Kotlas
Weljkij Ustjug
Suchona
Stockholm
Helsinki
Kronstadt
ST. PETERSBURG
Ladogasee
Bjelosersk
Wologda
1489
Solikamsk
Kama
Perm
1558
Jekaterinburg
Tawda
Wjatka
Krasnoufimsk
Tscheljabinsk
Reval
ESTLAND
Peipussee
Nowgorod
Ilmensee
Galitsch
Ostsee
Riga
LETTLAND
Libau
Dünaburg
LITAUEN
Kowno
Wilna
Königsberg (Pr)
DT. REICH
1815
Twer
1485
Rschew
MOSKAU
Moskwa
Borodino
Wolga
Wladimir
Nischnij Nowgorod
TSCHEREMISSEN
WOTJAKEN
Kasan
Ufa
Troizk
Polozk
Düna
Smolensk
WEISSRUSSEN
1795
Kaluga
Tula
Rjasan
Oka
GROSSRUSSEN
TSCHUWASCHEN
BASCHKIREN
Simbirsk
1552
Samara
MORDWINEN
Orenburg
Weichsel
Lodz
Warschau
POLEN
Pinsk
Pripet
1793
Sewerien
Orel
1517
Koslow
Jelez
Tambow
Pensa
Deutsche Siedlungen
Saratow
Orsk
Uralsk
URAL-KOSAKEN
KASACHEN
(KLEINE HORDE)
Krakau
Lublin
Bug
Tschernigow
Kursk
Woronesch
Lemberg
TSCHECHOSLOWAKEI
UNGARN
Kiew
1667
Charkow
Don
Ukraine
Poltawa
DON-KOSAKEN
UKRAINER
Dnjepr
Jekaterinoslaw
Donez
Zarizyn
Wolga
Ural
Gurjew
Moldau
Bessarabien
1812
Dnjestr
1792
Deutsche Siedlungen
Taganrog
Nowotscherkassk
Krasnyj Jar
KALMÜCKEN
RUMÄNIEN
Nikolajew
1783
Odessa
Asow
1696 (1711) 1739
Astrachan
Aralsee
Bukarest
Bräila
Donau
Asowsches Meer
Krim
1783
Eupatoria
Sewastopol
1783
Kuban
1784
Stawropol
1557
Aleksandrowsk
JUGOSLAWIEN
BULGARIEN
Sofia
Anapa
TSCHERKESSEN
1864
1829
TEREK-KOSAKEN
Tersk
Terek
1722
Kabardei
1774
Kaukasus
Dagestan
1859
Transkaspien
Schwarzes Meer
Mingrelien
1803
Suchumi
Poti
Derbent
Kaspisches Meer
Adrianopel
Konstantinopel
Saloniki
Sinope
Skutari
Kastamuni
Batum
Tiflis
Georgien
Schemacha
Baku
Krasnowodsk
GRIECHENLD.
Angora
Amasia
Trapezunt
Kars
1878
Jerewan
1828
Schirwan
1805
Karabagh
1813
Athen
TÜRKEI
Smyrna
Erzerum
Tabris
Euphrat
Tigris
Rescht
PERSIEN
Adalia
Mersina
Kreta
Mittelmeer
Zypern
Syrien
Irak
0 250 500 km
10° 20° ö.L. 30° 40° 50° 60° 70°
70° 60° 50° 40°
Fürstentum Moskau um 1303
Großfürstentum Moskau um 1462
Erwerbungen bis 1581
Erwerbungen bis 1682
Erwerbungen bis 1762
Erwerbungen bis 1801
Erwerbungen bis 1855
Erwerbungen bis 1881
Erwerbungen bis 1914

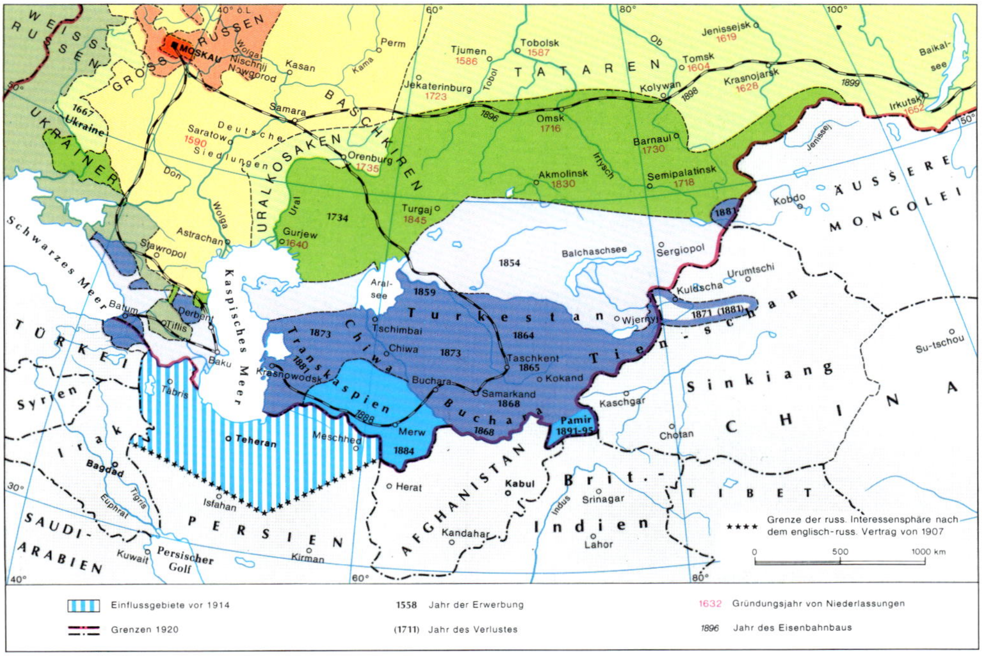

Russland: Entwicklung in Zentralasien seit dem 14. Jahrhundert bis 1917/20 (oben) und Entwicklung in Sibirien seit dem 14. Jahrhundert bis 1917/20

Druschina) wurde innerhalb weniger Generationen slawisiert. Swjatoslaw Igorjewitsch (945–972/973), für den bis 962 seine Mutter Olga eine vormundschaftl. Regierung führte, zerschlug 965 das Chasarenreich, beseitigte damit aber auch einen wirksamen Schutz vor den Steppenvölkern. Diese eröffneten 968 einen jahrhundertelangen wechselvollen Kampf in Südrussland. Das Christentum fand dauernden Eingang unter Wladimir dem Heiligen (980–1015; Fürstentaufe 988). Unter ihm und seinem Sohn Jaroslaw dem Weisen (1019–54) erreichte die Macht des Kiewer Reiches ihren Höhepunkt.

Russland

Erster Jahreseintrag in der altrussischen Laurentius-Chronik (die – nicht korrekte – Datumsangabe folgt der byzantinischen Weltäraberechnung):

»Im Jahre 6360 (das ist 852), im 15. Indiktionsjahr, als Michael zu herrschen anfing, begann das Land Russisches Land zu heißen. Davon haben wir Kenntnis erlangt, dass unter diesem Kaiser die Russen gegen Car'grad zogen, wie in der griechischen Chronik geschrieben steht. Darum fangen wir von hier an, die Jahreszahlen beizusetzen.«

Die Rus unterhielt außer zu Byzanz auch zu Böhmen, Polen u.a. Reichen rege Beziehungen und entwickelte eine hohe eigenständige Kultur und eine kirchlich geprägte Schriftlichkeit (Russkaja Prawda als wichtigste altruss. Rechtssammlung, Kiewer Höhlenkloster, Igorlied; →russische Literatur). Aus den Gefolgsleuten der Fürsten bildete sich ein Land besitzender Adel (Bojaren) heraus. Nach dem Tod Jaroslaws (1054) führten Thronfolgestreitigkeiten zw. seinen Söhnen zu einem schnellen Niedergang der Kiewer Rus. Die über die südruss. Steppengebiete herrschenden Polowzer (Kumanen) unterbrachen den Handel nach Byzanz.

Die Zeit der Teilfürstentümer und der Herrschaft der Mongolen: Wladimir II. Monomach (1113–25) war es noch einmal gelungen, die Einheit des Reiches im Kampf gegen die Polowzer herzustellen; danach zerfiel es endgültig in Teilfürstentümer, deren wichtigste Galitsch-Wolhynien im SW, Nowgorod im NW und Rostow-Susdal im NO wurden. Fürst Andrei Bogoljubski von Rostow eroberte 1169 Kiew, verlegte seine Residenz aber nach Wladimir (seitdem Fürstentum Wladimir-Susdal). Um Nowgorod entwickelte sich eine Bojaren- und Kaufmannsrepublik.

Russland

Die im 12. Jahrhundert in Kiew entstandene Nestorchronik berichtet über die Taufe der russischen Untertanen Wladimirs des Heiligen:

»Am nächsten Morgen kam Wladimir zum Dnjepr, begleitet von allen Popen der Residenzstadt und den griechischen Priestern ... Es hatte sich eine zahllose Menge Volkes versammelt; alle schritten nun ins Wasser und standen darin, die einen bis zum Halse, die anderen bis zur Brust, ... die Geistlichkeit aber stand daneben und las Gebete. Und sichtbar herrschte Jubel im Himmel und auf Erden über die Errettung von so vielen Seelen; der Satan aber stöhnte auf und sprach: ›O Jammer, auch von hier treibt man mich aus!‹«

Dem Einfall der Mongolen im 13. Jh. konnten die russ. Fürstentümer keinen wirksamen Widerstand entgegensetzen. 1223 wurde ihr gemeinsames Heer an der Kalka vernichtend geschlagen; 1237/40 eroberte Batu Khan das russ. Territorium (mit Ausnahme des Fürstentums Nowgorod, das aber Tributzahlungen leisten musste), zerstörte zahlr. Städte (1240 Einnahme Kiews) und gründete am Unterlauf der Wolga das Reich der Goldenen Horde mit der Hauptstadt Sarai. Zu dieser Zeit musste sich Nowgorod der Invasion Schwedens und des Dt. Ritterordens erwehren; unter seinem Fürsten Alexander Newski besiegte es in der Schlacht an der Newa 1240 die Schweden und 1242 auf dem Eis des Peipussees die dt. Kreuzritter. Der Goldenen Horde blieben die meisten russ. Fürstentümer mehr als 200 Jahre tributpflichtig. Alexander Newskis jüngster Sohn Daniel Alexandrowitsch erhielt 1263 das kleine Teilfürstentum Moskau, in dem zw. 1317 und 1325 der Metropolit seinen Sitz nahm und ihm damit Autorität verschaffte. Fürst Iwan I. Kalita, dem der Mongolenkhan 1328 die Würde des Großfürsten verlieh, begann mit der »Sammlung der russ. Erde« (Wiedervereinigung der Gebiete des Kiewer Reichs). Großfürst Dmitri Iwanowitsch Donskoi (1359–89) gelang es 1380, die Mongolen in der Schlacht auf dem Schnepfenfeld erstmals zu schlagen und damit den Niedergang der Goldenen Horde einzuleiten. Der im 14. Jh. vom Großfürstentum Litauen im Kampf gegen die Mongolen besetzte SW und W des russ. Reiches (das heutige Weißrussland und große Teile der Ukraine) nahm nach der Union Litauens mit Polen (1386) eine stärker mit Mittel- und W-Europa verbundene Entwicklung, was zur allmähl. Differenzierung der ostslaw. Völkerschaften in Russen (Großrussen), Weißrussen und Ukrainer (Kleinrussen) führte.

Unter der Regentschaft des Moskauer Großfürsten Iwan III. (1462–1505) bildete sich der russ. Zentralstaat heraus (1478 Eingliederung Nowgorods, 1485 Twers und 1489 Wjatkas) und wurde die Mongolenherrschaft beendet (1480 Einstellung der Tributzahlungen). Wassili III. Iwanowitsch erweiterte das Reich um Pskow (1510), Smolensk (1514), Rjasan (1521). Nach der Heirat (1472) mit der Nichte des letzten byzantin. Kaisers verkündete Iwan III. den Anspruch Moskaus, Erbe von Byzanz und das Dritte Rom zu sein.

Russland: Regenten und Staatsoberhäupter

Rurikiden	
Fürsten bzw. Großfürsten von Kiew	
Oleg	882-912
Igor	912-945
Olga (Regentin)	945-962
Swjatoslaw Igorjewitsch	945-972/73
Jaropolk Swjatoslawitsch	972/973-980
Wladimir der Heilige	980-1015
Swjatopolk	1015-1016 und 1018-1019
Jaroslaw der Weise	1016-1018 und 1019/36-1054
Isjaslaw I. Jaroslawitsch	1054-1073 und 1077-1078
Swjatoslaw Jaroslawitsch	1073-1076
Wsewolod I. Jaroslawitsch	1078-1093
Swjatopolk Isjaslawitsch	1093-1113
Wladimir II. Monomach	1113-1125
Mstislaw I. Wladimirowitsch	1125-1132
Jaropolk Wladimirowitsch	1132-1139
Wsewolod II. Olgowitsch	1139-1146
Isjaslaw II. Mstislawitsch	1146-1154
Jurij Dolgorukij	1149-1151 und 1155-1157
Rostislaw Mstislawitsch	1154, 1159-1167
Isjaslaw III. Dawidowitsch	1154-1155 und 1157-1159
Mstislaw II. Isjaslawitsch	1167/68-1169
Großfürsten von Wladimir	
Andrej Bogoljubskij	1169-1174
Michail Jurjewitsch	1174-1176
Wsewolod III. Jurjewitsch	1176-1212
Jurij Wsewolodowitsch	1212-1238
Jaroslaw Wsewolodowitsch	1238-1246
Swjatoslaw Wsewolodowitsch	1246-1248
Michail Jaroslawitsch	1248
Andrej Jaroslawitsch	1248-1252
Alexander Newskij	1252-1263
Jaroslaw Jaroslawitsch	1264-1271
Wassilij Jaroslawitsch	1272-1276
Dmitrij Alexandrowitsch	1276-1281 und 1282-1294
Andrej Alexandrowitsch	1281-1282 und 1294-1304
Michail Jaroslawitsch (von Twer)	1305-1317
Jurij Danilowitsch	1317-1322
Dmitrij Michailowitsch	1322-1326
Alexander Michailowitsch	1326-1327
Großfürsten von Wladimir - Moskau	
Iwan I. Kalita	1325/28-1340
Simeon der Stolze	-1353
Iwan II., der Schöne	1353-1359
Dmitrij Iwanowitsch Donskoij	1359-1389
Wassilij I. Dmitrijewitsch	1389-1425
Großfürsten von Moskau	
Wassilij II, der Geblendete	1425-1433/34 und 1434-1462
Jurij Dmitrijewitsch (von Galitsch)	1433 und 1434
Iwan III.	1462-1505
Wassilij III. Iwanowitsch	1505-1533
Zaren bzw. (seit 1721) Kaiser von Russland	
Iwan IV., der Schreckliche	1533/47-1584
Fjodor I. Iwanowitsch (letzter Rurikide)	1584-1598
Boris Godunow	1598-1605
Fjodor II. Borissowitsch	1605
Wassilij IV. Iwanowitsch Schujskij	1606-1610
(*Interregnum*	1610-1613)
Haus Romanow	
Michail Fjodorowitsch	1613-1645
Alexej Michailowitsch	1645-1676
Fjodor III. Alexejewitsch	1676-1682
Sophie (Regentin)	1682-1689
Iwan V.	1682-1696
Peter I., der Große	1682/96-1725
Katharina I.	1725-1727
Peter II.	1727-1730
Anna Iwanowna	1730-1740
Iwan VI.	1740-1741
Elisabeth Petrowna	1741-1762
Peter III.	1762
Katharina II., die Große	1762-1796
Paul I.	1796-1801
Alexander I.	1801-1825
Nikolaus I.	1825-1855
Alexander II.	1855-1881
Alexander III.	1881-1894
Nikolaus II.	1894-1917
Sowjetrussland	
Vorsitzender des Allruss. Zentralen Exekutivkomitees	
Jakow M. Swerdlow	1917-1919
Michail I. Kalinin	1919-1922*)
Russische Föderation	
Staatspräsident	
Boris N. Jelzin	seit 1991

*) die Vorsitzenden des Präsidiums des Obersten Sowjets, → Sowjetunion

Das russische Zarenreich: Der 1547 zum ersten »Zaren von ganz Russland« gekrönte Iwan IV., der Schreckliche, konsolidierte den Staat u.a. durch eine neue Rechtskodifizierung (1550) und Reformen in der Verwaltung und im Heer; mit der »Opritschnina«, einer 1565 von ihm geschaffenen militär. Truppe, brach er den Widerstand der alten Fürsten- und Bojarenaristokratie bei gleichzeitiger Förderung des Dienstadels. Mit der Eroberung Kasans (1552) und Astrachans (1556) kam das Wolgagebiet in russ. Besitz. Die Erschließung und nachfolgende Angliederung Sibiriens wurde 1581 (oder schon 1579) eingeleitet durch die im Auftrag der Händler- und Unternehmerfamilie Stroganow vordringende Kosakenabteilung unter Jermak Timofejewitsch, die 1582 das Khanat Sibir eroberte (→ Sibirien, Geschichte). Der um einen Zugang zur Ostsee mit Livland geführte Krieg (1558–82/83) endete trotz anfängl. Erfolge (1558 Eroberung Narwas) nach dem Eingreifen Schwedens und Polens mit dem Verlust aller Eroberungen. Die bedrückende soziale Lage der russ. Leibeigenen, noch verschärft durch die ständigen Kriege, veranlasste viele von ihnen zur Flucht in die südruss. Steppen, wo im 16. Jh. die Kosakengemeinschaft der Saporoger Setsch entstand. Erfolglosigkeit im Livländ. Krieg, polit. Instabilität durch Machtkämpfe um den Zarenthron nach Erlöschen der Rurikidendynastie (1598), Missernten und Pestepidemien führten Ende des 16./Anfang des 17. Jh. zu einer schweren inneren Krise mit städt. Unruhen und spontanen Erhebungen der Bauern, bes. unter I. I. Bolotnikow (1606/07). Nach dem Tod des Zaren Boris Godunow (1605) begann die »Smuta« (»Zeit der Wirren«), die Polen und Schweden zur militär. Intervention nutzten. Mit poln. Hilfe gelangte 1605 ein Usurpator, der falsche Dmitri (Pseudodemetrius), auf den russ. Thron, scheiterte jedoch ebenso wie ihm folgende unrechtmäßige Thronprätendenten. 1606–10 regierte der Bojarenzar Wassili IV. Iwanowitsch Schuiski. 1610 eroberten poln. Magnaten Moskau, wurden aber zwei Jahre später durch das russ. Volksaufgebot unter K. M. Minin und Fürst D. M. Poscharski vertrieben. Der 1613 zum Zaren gewählte Michail Fjodorowitsch begründete das bis 1917 regierende Haus Romanow. Nach dem Krieg mit Polen (1654–67) erhielt R. im Frieden von Andrussowo 1667 den östlich des Dnjepr gelegenen Teil der Ukraine. Der von dem Donkosaken S. Rasin angeführte Bauernaufstand (1670/71) erfasste den gesamten SO des Reiches. Die kirchl. Reformen des Patriarchen Nikon (1652–66) führten zur religiösen Spaltung in eine öffentl., dem Staat zugehörige Kirche und die Altgläubigen, die den alten Riten und Bräuchen anhingen und vom Staat grausam verfolgt wurden.

russische Geschichte: Iwan IV., Bildnis aus dem 17. Jahrhundert

Aufstieg Russlands zur Großmacht: 1682 wurden Peter I., d. Gr., und sein debiler Halbbruder Iwan V. (†1696) gemeinsam Zaren unter der Regentschaft ihrer älteren Schwester Sophia (bis 1689) und Peters Mutter; 1694 übernahm Peter die Reg.geschäfte. Seine Politik zielte darauf ab, die »Europäisierung« R.s voranzutreiben. Gestützt auf ausländ. Berater (u. a. der Genfer F. Lefort, der Schotte P. Gordon) baute Peter I. ein nach westl. Vorbild organisiertes Heer und eine Kriegsflotte auf; ab 1695 nahm er den Kampf gegen die Türken auf (1696 Eroberung der Festung Asow). Nach Rückkehr von einer ausgedehnten Studienreise nach W-Europa (»Große Gesandtschaft«, 1697/98), die zugleich der Gewinnung von Bündnispartnern diente (Allianz mit Polen gegen Schweden), hielt Peter I. ein blutiges Strafgericht über die →Strelitzen, die sich während seiner Abwesenheit gegen ihn erhoben hatten. Mit seinem Sieg über die Schweden bei Poltawa (1709) im Großen →Nordischen Krieg (1700–21) ging die Rolle der Vormacht im Ostseeraum von Schweden auf R. über; durch den Frieden von Nystad (1721) wurde es europ. Großmacht. Der Aufbau von Heer, Flotte und neuer Hauptstadt (seit 1712 das 1703 an der Newa gegründete Sankt Petersburg) sowie der lange Krieg verschlangen gewaltige Summen, die durch Steuern aufgebracht werden sollten. Dieser Druck auf die Untertanen führte zu mehreren Aufständen (z. B. in Astrachan 1705/06, die Bauernerhebung unter K. A. Bulawin am Don 1707/08). Im Rahmen seiner innenpolit. Reformen gestaltete Peter I., der 1721 den Kaisertitel annahm, die Staatsverwaltung neu. An die Stelle des Patriarchats trat 1722 der Hl. Synod, womit die Kirche dem Staat untergeordnet wurde. In der Reg.zeit Peters I. wurden der Handel und die Entstehung von Manufakturen gefördert und der Uralbergbau ausgedehnt. 1724/25 wurde die Petersburger Akademie der Wiss. gegründet, 1755 auf Initiative W. M. Lomonossows die Moskauer Univ. Unter den Nachfolgern Peters I. kam es wiederholt zu Palastrevolten und raschen Thronwechseln; Günstlinge erlangten eine dominierende Stellung. So herrschte unter der Zarin Anna Iwanowna (1730–40) faktisch Graf Biron. Unter Elisabeth Petrowna (1741–62), einer Tochter Peters I., nahm R. am Siebenjährigen Krieg an der Seite Österreichs und Frankreichs gegen Preußen teil. Unter Katharina II., d. Gr. (1762–96), errang R. außerordentl. außenpolit. Erfolge: Der Friede von Küçük Kaynarcı schloss den ersten siegreichen Türkenkrieg (1768–74) mit dem endgültigen Gewinn von Asow und der Schwarzmeerküste zw. Dnjepr und Südl.

Peter I., der Große (von links): Ausschnitt eines zeitgenössischen Gemäldes (1717); Bronzeabguss nach der Totenmaske (Sankt Petersburg, Museum für Anthropologie und Völkerkunde)

Bug ab; 1783 annektierte Katharina II. die Krim. R. war nun Schwarzmeermacht mit freier Schifffahrt durch die Meerengen. Ein zweiter Türkenkrieg

Russland (Geschichte): Katharina II., die Große, dem österreichischen Maler Johann Baptist Campi zugeschriebenes Gemälde (um 1780/90; Wien, Hofburg)

(1787–92) erbrachte den Gewinn der Schwarzmeerküste bis zur Dnjestrmündung. Gegen das in staatl. Auflösung befindl. Polen setzte R. im Verein mit Preußen und Österreich seine territorialen Ziele durch (→Polen, Geschichte). Katharina II. begann ihre Innenpolitik im Geiste des aufgeklärten Absolutismus (Reorganisation der Zentralbehörden 1763), verschärfte jedoch mit Rücksicht auf den Adel die bäuerl. Leibeigenschaft; in der Ukraine wurde die Kosakenautonomie durch die Leibeigenschaft ersetzt. Die dadurch ausgelösten Bauern- und Kosakenaufstände (bes. der Volksaufstand unter J. I. Pugatschow, 1773–75) führten zu einer zunehmend repressiven Innenpolitik. Von Katharina II. aufgerufen, wanderten ab 1763/64 Deutsche in das untere Wolgagebiet ein (→Russlanddeutsche). 1801 geriet Georgien, 1809 Finnland und 1812 Bessarabien unter die Herrschaft des Russ. Reiches. Als Napoleon I. im Russ. Feldzug von 1812 mit seiner Großen Armee bis Moskau vordrang (→Napoleonische Kriege), leistete das Land energ. Widerstand (»Vaterländ. Krieg«). An die Spitze der russ. Armee wurde M. I. Kutusow berufen; der Rückzug der Franzosen aus dem niedergebrannten Moskau und ihr verlustreicher Übergang über die Beresina endeten mit einem militär. Fiasko. R. nahm am europ. Befreiungskrieg gegen Frankreich bis zur Absetzung Napoleons I. (1814) teil. Als »Retter Europas« bestimmte Alexander I. auf dem Wiener Kongress 1815 die neue Ordnung des Kontinents maßgeblich mit und legte der Hl. Allianz das monarch. Prinzip (→Monarchie) zugrunde. R. gewann auf Kosten Preußens und Österreichs weite Gebiete Polens durch die Schaffung eines in Personalunion mit R. verbundenen poln. Königreichs (»Kongresspolen«). Die für R. geplanten liberalen Reformen wurden jedoch nicht verwirklicht; die Enttäuschung darüber gipfelte nach dem Tod Alexanders I. 1825 im Aufstand der →Dekabristen. Unter Nikolaus I. (1825–55) verband sich ein kleinliches Polizeiregime im Innern mit einer unverhüllt imperialist. Außenpolitik. R. setzte die Expansion nach O fort (1860 Gründung von Wladiwostok); China musste vertraglich Amur und Ussuri als Grenze anerkennen. In Europa spielte R. die Rolle eines »Gendarmen«: Es schlug u.a. den poln. Aufstand von 1830/31 sowie die ungar. Revolution von 1849 nieder und hob die poln. Autonomie fast völlig auf. Die militär. Niederlage im →Krimkrieg (1853/54–56) beendete die russ. Hegemonialstellung (Durchsetzung einer Entmilitarisierung der Schwarzmeerküste durch die Westmächte im Frieden von Paris 1856).

Der Russ.-Türk. Krieg von 1877/78 schien das Programm der Panslawisten, den polit. und kulturellen Zusammenschluss aller Slawen, zu verwirklichen: Serbien und Montenegro wurden vergrößert, Bulgarien, wenn auch noch unter osman. Oberhoheit, neu geschaffen. Österreich und Großbritannien erzwangen jedoch unter dt. Vermittlung den Berliner Kongress (1878), auf dem R. einen Schiedsspruch der europ. Mächte hinnehmen musste: Die Territorien der Balkanstaaten wurden zugunsten des Osman. Reiches beschränkt. Österreich erhielt Bosnien und die Herzegowina, Großbritannien Zypern. 1864–85 eroberte R. Mittelasien. 1867 wurde das in russ. Besitz befindl. Alaska an die USA verkauft. – Im Fernen Osten konzentrierte R. seine Bestrebungen auf die Mandschurei und Korea; 1896 sicherte es sich die Konzession für den Bau der ostchines. Eisenbahn in der Mandschurei, außerdem erhielt es 1898 Port Arthur. Spannungen mit Japan, das in diesem Gebiet ebenfalls engagiert war, mündeten in den Russ.-Japan. Krieg (1904/05), der mit einem japan. Sieg endete.

Alexander I.

Michail Illarionowitsch Kutusow (zeitgenössischer Punktierstich)

Alexander II.

Alexander III.

Nikolaus II.

Wladimir Iljitsch Lenin

Die innere Entwicklung Russlands bis 1917: Das Leibeigenschaftssystem behinderte die industrielle Entwicklung des immer weiter hinter den westeurop. Ländern zurückbleibenden R. Die Auseinandersetzungen zwischen Slawophilen und Westlern, die um das Verhältnis von R. zu den westlich geprägten Ländern Europas kreisten, spiegelten das polit. Ringen zw. Konservativen und Liberalen wider. Die Aufhebung der Leibeigenschaft der Bauern 1861 löste die wirtsch. Probleme nicht, denn die befreiten Bauern erhielten zu wenig und nur minderwertigen Boden. Es kam erneut zu Bauernunruhen. Vor dem Hintergrund dieser sozialen Konflikte entstand die insbesondere von Intellektuellen getragene Bewegung der Narodniki (Geheimgesellschaften Semlja i Wolja, Narodnaja Wolja), die den Sturz der zarist. Selbstherrschaft durch eine Bauernrevolution erstrebte und auch terrorist. Tendenzen aufwies. Die übrigen Reformen Alexanders II. (u.a. Schaffung lokaler Selbstverwaltungsorgane 1864; →Semstwo) bezweckten eine Angleichung der Verw. an westeurop. Verhältnisse; die Einschränkung der Autokratie durch eine liberale Verf. unterblieb jedoch. Die Ermordung Alexanders II. (1881) durch die radikale Opposition führte unter seinem Sohn Alexander III. zu einer Politik schärfster Unterdrückung: Sie äußerte sich nicht nur im sozialen und polit. Bereich, sondern auch in der rücksichtslosen Russifizierung der nichtruss. Völker des Reiches, aus der sich vielfältige nat. Konflikte entwickelten. Aufgrund der Misserfolge der revolutionären Bewegung wandte sich die russ. Intelligenzija dem Marxismus zu. In der 2. Hälfte des 19. Jh. schritt die Industrialisierung R.s voran, seit den 1890er-Jahren insbesondere gefördert durch große Auslandsanleihen unter Finanzmin. S. J. Witte, durch die sich v.a. der Einfluss Frankreichs und Großbritanniens verstärkte. Die wirtsch. Erschließung Sibiriens beschleunigte sich durch den Bau der Transsibir. Eisenbahn (1891–1916). Neben den Ind.gebieten um Sankt Petersburg und Moskau bildeten sich neue Zentren heraus wie das Donezbecken (Steinkohle), Kriwoi Rog (Eisenerz) und Baku (Erdöl). Um die Ind.städte konzentrierte sich eine unter elenden sozialen Verhältnissen lebende Fabrikarbeiterschaft.

Im letzten Drittel des 19. Jh. entstanden die ersten proletar. Organisationen (u.a. 1875 der Südruss. Arbeiterbund in Odessa). 1898 wurde in Minsk die Sozialdemokrat. Arbeiterpartei (SDAPR) gegründet, die sich 1903 in die von Lenin geführten Bolschewiki (radikaler Flügel) und die gemäßigten Menschewiki spaltete. Um die proletar. Bewegung zu kontrollieren, unternahm die Reg. den Versuch, polizeilich gelenkte Arbeiterorganisationen durch den Chef der Moskauer Geheimpolizei S. W. Subatow ins Leben zu rufen («subatowscher Polizeisozialismus«). 1901/02 konstituierte sich aus Narodniki-Organisationen die Partei der Sozialrevolutionäre. Die Revolution von 1905–07 zeigte die Unzufriedenheit der breiten Massen. Den allg. Aufstand löste der →Blutsonntag (22. 1. 1905) aus. In Sankt Petersburg und Moskau, später im ganzen Land, bildeten sich Sowjets (Räte) von Arbeiterdeputierten. Im Okt. 1905 musste Nikolaus II. den Liberalen eine gewählte Repräsentativversammlung mit gesetzgebender Funktion (Duma) gewähren.

Nachdem die I. und die II. Duma mit sozialist. Mehrheiten hartnäckige Oppositionspolitik betrieben hatten, wurde das Wahlrecht 1907 geändert, um eine der Regierung genehme Zusammensetzung der Duma zu sichern. Im 1. →Weltkrieg stand R. aufseiten der Entente; nach Anfangserfolgen musste das russ. Heer 1915 den Rückzug antreten. Nach zwei Jahren Krieg stand das Land vor der wirtsch. Katastrophe. Massendemonstrationen in Petrograd (heute Sankt Petersburg) am 23. 2. (8. 3.) 1917, die vier Tage später in den allg. Arbeiter- und Soldatenaufstand mündeten, brachten das Ende der russ. Monarchie. Am 2. (15.) 3. unterzeichnete Nikolaus II. unter dem Druck der Generalität die Abdankungsurkunde (Februarrevolution). Wie bereits in der Revolution von 1905–07 waren Moskau und Petrograd auch das Zentrum des von den Bolschewiki geführten Oktoberaufstandes 1917 (→Oktoberrevolution). Am 26. 10. (8. 11.) 1917 wurde im Petrograder Smolnykloster die erste Sowjetregierung (Rat der Volkskommissare) unter dem Vorsitz Lenins gebildet, die hier bis zur Verlegung der Hptst. nach Moskau (März 1918) ihren Sitz hatte. Im Ergebnis des 1. Weltkrieges befand sich der russ. Vielvölkerstaat in Auflösung; Finnland erklärte 1917 seine staatl. Unabhängigkeit, die balt. Gebiete (Estland, Lettland) und Litauen, Polen sowie die Ukraine, Weißrussland, Georgien u.a. folgten nach.

Die »Russ. Sozialist. Föderative Sowjetrep.« (RSFSR): Am 10. 7. 1918 wurde die erste Verf. der Russ. Sozialist. Föderativen Sowjetrep. (RSFSR) angenommen; 1918–21/22 musste sich Sowjet-R. eines von den weißgardist. Armeen ausgelösten Bürgerkriegs und einer Intervention der Ententemächte und Polens erwehren. Mit dem bolschewist. Sieg wurden auch versch. Gebiete des ehem. russ. Imperiums, die sich bereits für unabhängig erklärt hatten, wieder von sowjetruss. Truppen besetzt (Kaukasien, die Ukraine und Weißrussland). Die RSFSR bildete am 30. 12. 1922 mit der Ukraine, Weißrussland und der Transkaukas. Föderation die Union der Sozialist. Sowjetrep. (UdSSR, →Sowjetunion); von Beginn an dominierte die RSFSR die Entwicklung des neuen Staates. Die russ. Zentralgewalt gewährte den einzelnen Rep. und Nationalitäten (Verf. von 1924) zwar formal Selbstverwaltungs- bzw. Autonomierechte, jedoch wurden überall einheitl. kommunist. Gesellschafts- und Wirtschaftsstrukturen durchgesetzt und die Entwicklung an den von der Zentralmacht und der KPdSU vorgegebenen zentralen Zielen der Sowjetunion ausgerichtet. Russisch wurde Amts- und Verkehrssprache in der gesamten Union; die in den nichtruss. Rep. angesiedelten russ. Bev.teile stellten dort die polit. und wirtsch. Elite. Die 1917 gebildete Tscheka stand am Beginn einer ständig größer und mächtiger werdenden polit. Geheimpolizei, die als Repressivorgan Opposition oder polit. Abweichung verfolgte und seit den 1930er-Jahren über ein großes Konzentrationslagersystem (GULAG) verfügte.

In den 1920er- und 1930er-Jahren wurden im Rahmen der Industrialisierung zahlr. Betriebe in der RSFSR errichtet. Im 2. →Weltkrieg war R. ab 1941 der osteurop. Hauptkriegsschauplatz. Die 1924 innerhalb der RSFSR gegründete Wolgadt. Republik wurde 1941 aufgelöst (unter dem zu Unrecht erhobenen Vorwurf der kollektiven Kollaboration mit Dtl.); die Russlanddeutschen wurden zwangsweise umgesiedelt. Das 1945 annektierte nördl. Ostpreußen wurde als Gebiet Kaliningrad der RSFSR eingegliedert, 1954 die Krim per Beschluss des Obersten Sowjets aus der RSFSR herausgelöst und der Ukraine zugeschlagen. Als die von M. Gorbatschow 1985 eingeleitete Politik von →Glasnost und →Perestroika Ende der 1980er-Jahre in eine Krise geriet, kam es in den Großstädten zu Massenprotesten und Streiks. V.a. unter dem Druck der demokrat. Kräfte in R., die sich in der 1990 entstandenen Sammelbewegung »Demokrat. Russland« organisierten, verzichtete die KPdSU auf ihr Machtmonopol (Febr. 1990). Konservative kommunist. Kräfte reagierten darauf mit der Gründung einer eigenen KPR (Juni 1990). Angesichts des Verfalls der Zentralmacht erstarkten die radikalreformer. Kräfte unter B. Jelzin, der 1988 von Gorbatschow aus seinen polit. Spitzenämtern entlassen worden war, aber mit seiner Wahl zum Vors. des Präsidiums des Obersten Sowjets der RSFSR im Mai 1990 das höchste russ. Staatsamt erlangte.

Russlands Weg zum neuen, eigenständigen Staat – Die »Russ. Föderation – Russland«: Im Juni 1990 erklärte R. seine Souveränität. Im Juni 1991 wurde Jelzin zum russ. Staatspräs. gewählt. Im Aug. 1991 stellte er sich an die Spitze des Widerstandes gegen den Putsch konservativer kommunist. Führungskräfte. Nach dessen Scheitern wurden KPdSU und russ. KP verboten. – In einem Vertrag mit Dtl. vom Nov. 1991 sicherte R. zu, die Autonomie der Russlanddeutschen wiederherzustellen. Als der von Gorbatschow favorisierte neue Unionsvertrag zum Erhalt der UdSSR nach monatelangen Verhandlungen bis Ende 1991 nicht zustande kam, gründeten R. und die beiden anderen slaw. Republiken, Weißrussland und Ukraine, am 8. 12. 1991 in Minsk die Gemeinschaft Unabhängiger Staaten (→GUS), der am 21. 12. 1991 mit Ausnahme der balt. Staaten und Georgiens auch die anderen ehem. Sowjetrepubliken beitraten (später auch Georgien).

Im Rahmen der von Jelzin verfolgten radikalen Wirtschaftsreform erfolgte im Jan. 1992 eine von Bevölkerungsprotesten begleitete allg. Preisfreigabe. Am 31. 3. 1992 wurde der neue Föderationsvertrag unterzeichnet, der die Beziehungen zw. der Moskauer Reg. und den autonomen Gebieten und Rep. der Russ. Föderation regelte. Die Rep. der Tschetschenen und Inguschen traten dem Abkommen nicht bei. Nachdem Tschetschenien bereits 1991 einseitig seine Unabhängigkeit proklamiert hatte, wurde auf Beschluss des russ. Parlaments 1992 die Rep. Inguschien innerhalb der Russ. Föderation gebildet. Territorialstreitigkeiten zw. den Rep. Inguschien und Nordossetien lösten zw. beiden 1992 einen blutigen Konflikt aus; die zunehmenden Eigenständigkeitsbestrebungen der Völker →Kaukasiens (im russ. wie auch georg. Teil) ließen diese Region zu einem Krisenherd werden.

Im April 1992 beschloss der Kongress der Volksdeputierten den neuen Staatsnamen »Russ. Föderation – Russland«. Der zunächst mit großen Vollmachten ausgestattete Präs. Jelzin gab das Amt des MinPräs. im Juni 1992 an J. Gaidar ab. Vor dem Hintergrund der sich rapide verschlechternden Wirtschaftslage stieß der von Jelzin radikal betriebene Reformkurs seit 1992 zunehmend auf den Widerstand altkommunist. und nationalist. Kräfte, die im Obersten Sowjet und dem Kongress der Volksdeputierten über die Mehrheit verfügten. Diese polit. Auseinandersetzung wurde ideologisch überlagert von dem alten, nunmehr wieder aufgebrochenen Ggs. zw. Westlern und Slawophilen. Im Dez. 1992 musste Jelzin unter dem Druck des Volksdeputiertenkongresses MinPräs. Gaidar entlassen; sein Nachfolger wurde W. S. Tschernomyrdin, der die Wirtschaftsreformen in stark modifizierter Form (u.a. neue Preisregulierungen) fortsetzte. Im März 1993 eskalierte der Machtkampf zw. Jelzin und dem von R. Chasbulatow geführten Parlament sowie Vizepräs. A. Ruzkoi zu einer schweren Staats- und Verf.krise. Nachdem der Kongress der Volksdeputierten alle Vermittlungsvorschläge Jelzins abgelehnt und sich auch gegen dessen Plan einer Volksabstimmung über Staatspräs. und Parlament ausgesprochen hatte, verkündete Jelzin am 20. 3. 1993 die begrenzte Ein-

Michail Gorbatschow

führung der Präsidentenherrschaft und setzte ein Referendum an. Ein daraufhin vom Kongress der Volksdeputierten eingeleiteter Versuch zur Amtsenthebung des Staatspräs. scheiterte am 28. 3. 1993. Das Referendum am 25. 4. 1993 erbrachte ein Vertrauensvotum für Jelzin (rd. 58% der Wahlbeteiligten) und eine knappe Befürwortung seiner Wirtschaftspolitik (rd. 53%).

Boris Jelzin

Der Machtkampf zw. Parlament und Präs. Jelzin war begleitet von einer sich drastisch verschärfenden Wirtschaftskrise und einem wachsenden Streben der neben den Rep. der Föderation bestehenden Regionen nach mehr Eigenständigkeit. Die von Jelzin am 21. 9. 1993 verfügte Auflösung des Obersten Sowjets und des Kongresses der Volksdeputierten stieß auf den offenen Widerstand zahlr. Abg., die sich im Parlamentsgebäude (»Weißes Haus«) verschanzten und im Gegenzug A. Ruzkoi zum »amtierenden Präs.« ernannten. Ein bewaffneter Aufstand v. a. nationalist. und kommunist. Kräfte am 3./4. 10. 1993 in Moskau wurde von Eliteeinheiten der Armee niedergeschlagen (Erstürmung des »Weißen Hauses«, Verhaftung von Chasbulatow und Ruzkoi). Bei den folgenden Parlamentswahlen vom 12. 12. 1993 wurde das reformorientierte Bündnis »Russlands Wahl« stärkste Fraktion in der Staatsduma, sah sich dort aber mit einem einflussreichen nationalist. und kommunist. Flügel konfrontiert. Die von W. Schirinowski geführte nationalist. Liberaldemokrat. Partei erzielte einen sehr hohen Stimmenanteil. Der von Min.-Präs. Tschernomyrdin im Jan. 1994 neu gebildeten Regierung gehörten die meisten Radikalreformer nicht mehr an. Der von Jelzin erneut mit der Führung der Regierung beauftragte Tschernomyrdin bekannte sich zu einer vorsichtigen Reformpolitik. In einem Memorandum vom 28. 4. 1994 suchte Jelzin die polit. Kräfte des Landes auf einen »Bürgerfrieden« festzulegen.

Von Dez. 1994 bis Aug. 1996 bekämpfte die russ. Zentralmacht den Versuch →Tschetscheniens, seine staatl. Unabhängigkeit von R. durchzusetzen, mit Waffengewalt; dabei standen den etwa 15 000 Tschetschenen bis zu 60 000 Mann russ. Truppen entgegen. Die von beiden Seiten mit großer Härte geführten Kämpfe (bes. bei der Eroberung von Grosnyj, Tod von etwa 24 000 Zivilisten; Geiselnahmen durch die Aufständischen) spalteten die russ. Öffentlichkeit und führten zu internat. Protesten. Im Aug. 1996 gelang es dem Regierungsbeauftragten A. I. Lebed, mit den Tschetschenen einen Waffenstillstand zu vereinbaren und einen Friedensplan aufzustellen.

Bei den Wahlen zur Duma am 17. 12. 1995 gelang es vier von 43 zugelassenen Parteien, die Fünfprozenthürde des Wahlgesetzes zu überwinden. Die russ. KP unter G. Sjuganow wurde stärkste Partei (22,3% der Stimmen und 157 Sitze), vor der rechtsextremist. »Liberaldemokrat. Partei« (11,1%; 55), der von Tschernomyrdin geführten Gruppe »Unser Haus Russland« (9,9%; 51) und dem Reformblock »Jabloko« (6,9%; 45). Gaidars »Russlands Wahl« verfehlte knapp den Einzug ins Parlament, errang aber neun Direktmandate; die Agrarpartei kam auf 20 Sitze. Trotz des Wahlsieges der Kommunisten, die die Wiederherstellung des von Moskau regierten Staates in den Grenzen der Sowjetunion fordern, betont Präs. Jelzin die Weiterführung des Reformkurses. Bei den Präsidentschaftswahlen im Juni/Juli 1996 setzte sich Jelzin mit 53,7% (im 2. Wahlgang) vor Sjuganow, dem kommunist. Kandidaten, durch. Im März 1998 entließ Jelzin MinPräs. Tschernomyrdin und ernannte S. Kirijenko zum MinPräs. (erst in der dritten Duma-Abstimmung bestätigt).

In seiner Außenpolitik sieht sich R. – wie die neue Militärdoktrin zeigt – als Ordnungsmacht im »nahen Ausland« sowie als Großmacht im weltpolit. Maßstab. Von den Mitgl. der GUS wurde ihm im Dez. 1991 der Sitz der früheren Sowjetunion in der UNO und in deren Sicherheitsrat zugesprochen. Mit Verträgen bes. auf wirtschafts- und militärpolit. Gebiet sucht R. seine Beziehungen zu den früheren Unions-Rep. der UdSSR (z. B. Ukraine, Weißrussland und Kasachstan) neu zu gestalten. Der Versuch R.s, sich in der GUS als Führungskraft zu etablieren, stieß bes. auf den Widerstand der Ukraine, mit der es zu einem Streit um die Schwarzmeerflotte sowie um die →Krim kam. Zu Spannungen mit den drei balt. Republiken kam es aufgrund des nur zögerl. Abzugs der dort stationierten russ. Truppen und wegen der bes. in Estland sowie Lettland erlassenen Einbürgerungs- bzw. Ausländergesetze und Wahlrechtsbestimmungen, die mit Einschränkungen für den dort lebenden russ. Bev.teil verbunden waren. Die in anderen Rep. der GUS stationierten russ. Truppen wurden z. T. in militär. Auseinandersetzungen dieser Staaten verwickelt (z. B. in die 1993 ausgebrochenen tadschikisch-afghan. Grenzkämpfe).

In den weltweiten Beziehungen setzte R. die unter Präs. M. S. Gorbatschow begründete Zusammenarbeit mit den westl. Staaten fort, bes. auf den Gebieten der Abrüstung und des internat. Krisenmanagements (Unterzeichnung des Vertrages über die Verringerung der strategischen Atomwaffen, START II, im Jan. 1993), betont dabei jedoch in wachsendem Maße seine Sonderinteressen und seinen Großmachtanspruch, z. B. bei der Lösung des Bosnienkonfliktes oder der Frage der Kontrolle der nordkorean. Atomanlagen. 1993 nahm Jelzin erstmals als Gast, 1994 erstmals als politisch gleichberechtigter Partner am Weltwirtschaftsgipfel der führenden Industriestaaten teil. Im Juni

1994 unterzeichnete er ein Abkommen mit der EG (EU) über Partnerschaft und Zusammenarbeit. Im Juni 1994 trat R. dem NATO-Programm »Partnerschaft für den Frieden« bei, ohne jedoch einen Sonderstatus durchsetzen zu können. Unterstützt von der russ. Öffentlichkeit, wandte sich die Reg. immer stärker gegen die Osterweiterung der NATO, stellte aber im Juli 1997 mit einer »Grundlagenakte« die Beziehungen R.s zur NATO auf eine vertragl. Basis.

Mit dem Abzug der letzten russ. Truppen aus Dtl. endete am 31. 8. 1994 eine fast 50-jährige Epoche russ. Militärpräsenz.

Vor dem Hintergrund der NATO-Osterweiterung in Europa intensivierte R. bes. seine Beziehungen zur VR China: 1993 Abkommen über militärische Zusammenarbeit, 1994 Abschluss eines Grenzvertrags. Im Streit mit Japan um die →Kurilen ergab sich 1997 eine gewisse Entspannung.

📖 WITTRAM, R.: *Peter I. Czar u. Kaiser. Zur Geschichte Peters des Großen in seiner Zeit, 2 Bde. Göttingen 1964.* – GEYER, D.: *Der russ. Imperialismus. Studien über den Zusammenhang von innerer u. auswärtiger Politik 1860–1914. Göttingen 1977.* – DONNERT, E.: *Das Kiewer R. Leipzig u. a. 1983.* – DONNERT, E.: *R. im Zeitalter der Aufklärung. Wien u. a. 1984.* – *Lexikon der Geschichte R.s von den Anfängen bis zur Oktober-Revolution, hg. v.* H.-J. TORKE. *München 1985.* – HALPERIN, C. J.: *Russia and the Golden Horde. The Mongol impact on medieval Russian history. London 1987.* – NOLTE, H.-H.: *R., UdSSR. Geschichte, Politik, Wirtschaft. Hannover 1991.* – HALBACH, U.: *Das sowjet. Vielvölkerimperium. Nationalitätenpolitik u. nat. Frage. Mannheim u. a. 1992.* – KAPPELER, A.: *R. als Vielvölkerreich. Entstehung, Geschichte, Zerfall. München ²1993.* – LEONHARD, W.: *Die Reform entläßt ihre Väter. Das neue R. unter Gorbatschow u. Jelzin. Stuttgart 1994.* – *Die russ. Zaren 1547–1917, hg. v.* H.-J. TORKE. *München 1995.* – DRZYMALLA, J.: *Die Krim zw. der Ukraine u. Rußland. Polit. u. wirtschaftl. Bestandsaufnahme. München 1996.* – GÖTZ, R. *u.* HALBACH, U.: *Polit. Lexikon GUS. München ³1996.* – HÖSCH, E.: *Geschichte R.s von den Anfängen des Kiever Reiches bis zum Zerfall des Sowjetimperiums. Stuttgart u. a. 1996.* – MARX, C. *u.* KARGER, A.: *Moskau – R.s Haupt u. Mitte. Stuttgart u. a. 1997.*

Russlanddeutsche, Sammelbez. für die Menschen dt. Volkszugehörigkeit in Russland (etwa 850 000 Menschen), Kasachstan (etwa 960 000), Kirgistan (etwa 100 000), Usbekistan (etwa 40 000), Ukraine (etwa 40 000), Tadschikistan (etwa 33 000) u. a. Republiken der GUS (etwa 14 000).

Geschichte: Die russ. Kaiserin Katharina II., d. Gr., rief 1762/63 dt. Kolonisten nach Russland, um das fruchtbare Gebiet der unteren Wolga gegen die Tataren zu sichern. 1764–74 wanderten etwa 30 000 Deutsche zumeist aus SW-Dtl. ein (**Wolgadeutsche,** v. a. in den früheren Gouvernements Saratow und Samara ansässig); bis 1864 gründeten sie über 300 Kolonien (z. T. bis zum Ural und bis zur Ukraine). Die bes. in einer 2. Welle 1804–24 die Schwarzmeersteppen (**Schwarzmeerdeutsche**) und die Krim besiedelnden bäuerl. Kolonisten wurden zuerst R. genannt. Zw. 1830 und 1870 siedelten sich die **Wolhyniendeutschen** in der Ukraine an (→Wolhynien). Ab 1881 entstanden die Siedlungen der R. im Südural, in Sibirien (**Sibiriendeutsche**) und Turkestan. 1918 wurde das autonome Gebiet, 1924 die ASSR der Wolgadeutschen (→Wolgadeutsche Republik) gebildet. Pogrome, Verschleppung, Verluste während des 1. Weltkrieges sowie die Hungersnöte 1921/22 und 1932/33 reduzierten die Zahl erheblich (1914: 1,7 Mio.; 1941: 1,43 Mio.).

Nach dem dt. Angriff auf die Sowjetunion 1941 wurden die R. zu Unrecht kollektiv der Kollaboration mit Dtl. beschuldigt, entrechtet und nach Auflösung der ASSR zwangsweise unter hohen Opfern nach Kasachstan (etwa die Hälfte aller R.), Kirgistan und Tadschikistan umgesiedelt (seitdem bis 1991 auch **Sowjetdeutsche** genannt). Die Schwarzmeerdeutschen wurden während der dt. Besetzung 1943/44 in den Warthegau deportiert. – Dem Erlass über partielle Wiedereingliederung 1964 folgte die Rehabilitierung, ohne den R. die Rückkehr in ihre traditionellen Gebiete zu ermöglichen. Nach Gründung polit. Organisationen der R. (v. a. »Wiedergeburt«, »Verband der Deutschen in der GUS«) 1989 wuchs der Wunsch nach Wiedererrichtung der Wolgadt. Republik. Dennoch sahen sich zuletzt immer mehr R. veranlasst, in die Bundesrep. Dtl. (→Aussiedler) u. a. westl. Länder auszusiedeln. Seit 1991 gewährt Dtl. umfangreiche finanzielle Hilfen, um die Abwanderung zu reduzieren. In W-Sibirien (Gebiet Omsk), im Altai- und im Wolgagebiet erfolgt inzwischen eine verstärkte Ansiedlung von R. in »Dt. Nationalrayons« (mit Selbstverwaltung). – Als erster Minderheit in Russland wurde den R. 1998 kulturelle Autonomie gewährt. Auch Kasachstan, Kirgistan und die Ukraine bemühen sich um Integration der in ihrem Gebiet lebenden dt.-stämmigen Bev. (**Kasachstan-, Kirgistan-** und **Ukrainedeutsche**).

📖 *Die Deutschen in der UdSSR in Geschichte u. Gegenwart, hg. v.* I. FLEISCHHAUER *u. a. Baden-Baden 1990.* – WALTH, W. H.: *Auf der Suche nach Heimat. Die R. Dülmen 1990.*

Rust (Freistadt R., seit 1681), Stadt im Burgenland, Österreich, am W-Ufer des Neusiedler Sees, 1 700 Ew.; Weinbau und -handel, Fremdenverkehr. – Denkmalgeschützte Altstadt mit zahlreichen Bürgerhäusern des 17.–19. Jh. (z. T. mit Sgraffito).

Alexander Rüstow

Rustawẹli, Schota, georg. Dichter, wohl des 12. Jh. Unter seinem Namen ist das georg. Nationalepos »Der Mann im Pantherfell«, auch u.d.T. »Der Recke im Tigerfell« (um 1200), überliefert.

Rüster, die Pflanzengattung →Ulme.

Rụstika [lat.] *die, Baukunst:* Bossenwerk, →Bosse.

rustikạl [mlat., zu lat. rusticus »Bauer«], bäuerlich, ländlich-einfach; in gediegenem (altdt.) Stil.

Rüstkammer, Aufbewahrungsraum von Waffen, Rüstungen, Kriegsgerät, heute als museale Sammlung.

Rụ̈stow [-to], Alexander, Volkswirtschaftler und Soziologe, *Wiesbaden 8. 4. 1885, †Heidelberg 30. 6. 1963; Mitbegründer des →Neoliberalismus. Sein Verdienst besteht v.a. in der Vereinigung universalgeschichtl. und kultursoziolog. Erkenntnisse mit den wirtschaftspolit. Grundsätzen des Neoliberalismus.

Werke: Das Versagen des Wirtschaftsliberalismus (1945); Ortsbestimmung der Gegenwart, 3 Bde. (1950–57).

Rụ̈stringen, histor. Marschlandschaft um den Jadebusen und ostwärts bis zur Unterweser; durch Sturmfluten z.T. versunken. Die 1911 hier gebildete Stadt Rüstringen ging 1937 in Wilhelmshaven auf.

Rüstung, 1) *Bautechnik:* Behelfskonstruktionen aus Holz oder Stahl, bes. bei Schalungen.

2) *Militär- und Waffenwesen:* früher die Schutzbekleidung gegen Waffeneinwirkung, bestehend aus Oberkörperschutz (»Panzer« v.a. aus Leder oder Metall, i.d.R. eng anliegend), Beinschienen (beides im Spät-MA. vom →Harnisch abgelöst) sowie dem →Helm. I.w.S. gehört zur R. auch der Schild.

Unter Verwendung von Metall hergestellte Panzer sind seit dem 2. Jahrtsd. v.Chr. bekannt. In Assyrien waren spätestens ab 1500 v.Chr. mit Metallplättchen aus Bronze (»Schuppen«) versehene Panzer verbreitet, entsprechendes gilt für Syrien. In Ägypten wurden mehrfach diesen ähnl. Schuppenpanzer aus der Zeit um 1400 v.Chr. gefunden. R. sind auch aus dem spätmyken. Griechenland bekannt. Die ältesten in Europa gefertigten Bronzepanzer gehören zum Typ des zweischaligen Glockenpanzer, bei dem Brust- und Rückenstück mit Seiten- und Schulterverschlüssen verbunden sind. Eisenpanzer boten bald noch besseren Schutz (La-Tène-Zeit). Im antiken Griechenland wurde der den Oberkörper voll umschließende Glockenpanzer im 5. Jh. v.Chr. den Körperformen weitgehend angepasst; zum Schutz der Oberschenkel brachte man an ihm längere, am unteren Rand metallbeschlagene Lederstreifen an. In röm. Zeit trug der einfache Soldat einen Lederpanzer mit Metallplattenschutz auf der Brust. Offiziere verwendeten den eng anliegenden Muskelpanzer oder – ab dem 1. Jh. v.Chr. – das neuartige Panzerhemd (»Kettenhemd«). Dieses war zu Anfang ein hemdartiger, aus feinen, ineinander vernieteten oder geflochtenen Ringen bestehender Ringel- oder Kettenpanzer (lorica hamata), in der Spätantike und der Zeit der Völkerwanderung auch ein Schuppenpanzer aus aneinander geschmiedeten Bronze- oder Eisenplättchen. Beide Typen wurden schon in der La-Tène-Zeit von den Kelten benutzt.

Im frühmittelalterl. Europa war die in der Tradition des spätantiken Schuppenpanzer stehende Brünne verbreitet. Neben diese trat seit dem 12. Jh. der Ringel- oder Kettenpanzer, der sich – da leichter und elastischer – im 13. Jh. allgemein durch-

Rüstungsausgaben der NATO-Staaten (ohne Island) **1987–1996** (in konstanten Preisen von 1990 und Mrd. US-$)

	1987	1988	1989	1990	1991	1992	1993	1994	1995	1996
Nordamerika										
Kanada	11,5	11,6	11,5	11,5	10,4	10,5	10,4	10,2	9,5	8,8
USA	331,2	323,9	320,4	306,2	269,0	284,1	269,1	254,0	238,2	226,4
Europa										
Belgien	5,0	4,8	4,7	4,6	4,6	3,8	3,6	3,6	3,5	3,4
Dänemark	2,7	2,7	2,6	2,7	2,7	2,6	2,7	2,6	2,6	2,5
Deutschland	40,6*)	40,2*)	40,1*)	42,3	39,2	37,7	34,0	31,6	31,5	30,5
Frankreich	42,3	42,2	42,8	42,6	42,9	41,5	41,1	41,3	39,2	38,4
Griechenland	3,9	4,1	3,8	3,9	3,7	3,8	3,7	3,8	3,8	4,1
Großbritannien	42,6	40,6	40,8	39,8	41,1	37,1	36,3	35,1	32,0	31,5
Italien	22,7	24,1	24,3	23,4	23,7	23,0	23,1	22,5	20,6	23,1
Luxemburg	0,1	0,1	0,1	0,1	0,1	0,1	0,1	0,1	0,1	0,1
Niederlande	7,6	7,6	7,6	7,4	7,2	7,2	6,6	6,4	6,2	6,2
Norwegen	3,4	3,3	3,4	3,4	3,3	3,6	3,3	3,5	3,2	3,4
Portugal	1,6	1,7	1,8	1,9	1,9	2,0	1,9	1,9	2,0	2,2
Spanien	10,0	9,3	9,7	9,0	8,8	8,1	8,8	7,9	8,2	8,1
Türkei	4,3	3,8	4,4	5,3	5,5	5,7	6,4	6,2	6,2	6,3
NATO Europa	186,7	184,7	186,2	186,4	184,6	176,3	171,6	166,5	159,0	159,8
NATO gesamt	529,4	520,2	518,2	504,1	464,0	470,9	451,1	430,7	406,8	395,0

*) früheres Bundesgebiet

setzte. Im späten 14. Jh. wurden Brünne und Kettenhemd allmählich durch den aus einem bewegl. Gefüge eiserner Platten bestehenden Harnisch verdrängt; das Kettenhemd wurde nur noch gelegentlich als eine Art Weste (unter der Kleidung) getragen.

3) *Politik* und *Wirtschaft:* alle Güter und Dienstleistungen, die militär. Zwecken dienen bzw. von militär. Auftraggebern eines Staates oder Bündnisses nachgefragt werden; i. e. S. die militär. Beschaffung und Materialerhaltung einschl. der militär. Forschung. Man unterscheidet zw. konventioneller, biolog., chem. und nuklearer Rüstung. Zu den R.-Ausgaben zählen nach der NATO-Definition alle Ausgaben für die regulären Streitkräfte einschl. der Pensionen für ehem. Militärpersonal, für die Stationierung fremder Truppen, Kosten für die NATO-Infrastruktur und zivile Bedienstete sowie die Militärhilfe an andere Nationen (einschl. Ausrüstung und Ausbildung). Unberücksichtigt bleiben dabei Ausgaben für zivile Projekte, die aber militärisch nutzbar sind. Die Sanierungsfrage von Umweltverschmutzungen bleibt offen. Die Weltausgaben für das Militär (R. und Personal) stellen rd. 6% des Weltbruttosozialprodukts dar (NATO 4,1%); R. verbraucht etwa 10% aller Rohstoffe (einzelne wie Titan oder Germanium werden erschöpft) und 40% der Weltausgaben für wiss. Forschung, 95% der R.-Forschung entfallen auf ein halbes Dutzend Staaten. Das Anwachsen der R.-Ausgaben ist v. a. durch die zunehmende Technisierung und Automatisierung von R.-Systemen bedingt, wobei jedoch nicht nur deren Eigendynamik, sondern auch polit. Entscheidungen eine Rolle spielen. Ein zentrales Thema der internat. Diplomatie ist die → Abrüstung.

📖 *Anfänge westdt. Sicherheitspolitik. 1945–1956, hg. vom Militärgeschichtl. Forschungsamt, 4 Bde. München u. a. 1982–97.* – MÜLLER, ERWIN: *Rüstungspolitik u. Rüstungsdynamik. Fall USA. Baden-Baden 1985.* – MATTHIES, V.: *Kriegsschauplatz Dritte Welt. München 1988.* – WALLNER, J. H.: *Konventionelle Rüstungskontrolle u. Fernerkundung in Europa. Baden-Baden 1995.*

Rüstungsbeschränkung, → Abrüstung.

Rüstungs|exporte, Lieferungen und Leistungen an das Ausland, v. a. Waffen, militär. Hilfsgüter (z. B. Transportfahrzeuge, Funkausrüstungen), Anlagen zur Rüstungsproduktion (z. B. für ABC-Waffen), Transfer von Know-how (Konstruktionsunterlagen). Eine allg. anerkannte Definition von R. gibt es nicht; auch nicht in den amtl. Ausfuhrstatistiken, weshalb die statist. Erfassung z. T. auf Schätzungen angewiesen ist. In der dt. Statistik nicht erfasst sind u. a. die Lieferung von Waffenbauteilen für Empfänger in NATO-Ländern, die, von diesen zusammengebaut, weiterexportiert werden, die Abgabe von Know-how und techn. Unterlagen für die Herstellung von Waffen im Ausland, einschl. der Entsendung dt. Fachleute, und die Lieferungen zivil und militärisch nutzbarer (»dual use«) Elektronik zur Kampfwertsteigerung sowie militärisch genutzter Geräte oder Bauteile, die amtlich nicht als Kriegswaffen geführt werden.

In Dtl., das zu den führenden R.-Ländern gehört, werden unterschieden: 1) kommerzielle Exporte, zumeist über Kredite des Verkäufers an den Kunden mit der im Exportgeschäft üblichen staatl. Bürgschaft (Hermesbürgschaft); 2) Schenkungen von militär. Gerät als militär. Auslandshilfe an Entwicklungsländer (amtl. Bez.: »Ausrüstungs- und Ausbildungshilfe«, verwaltet vom Auswärtigen Amt) und über die Polizeihilfe (zuständig ist das Bundesinnenministerium); 3) Überlassungen von Militärgerät über den Bundesnachrichtendienst; 4) Abgabe von Waffen an ärmere NATO-Bündnispartner zulasten des Bundeshaushaltes (»Verteidigungshilfe«). Rechtl. Grundlage für R. ist v. a. das Kriegswaffenkontroll-Ges.; Kontrollorgan ist das Bundesamt für Wirtschaft in Eschborn.

Rüstungs|industrie (Rüstungsproduktion), i. e. S. die Herstellung von Waffen und Munition, i. w. S. Erzeugung, Unterhalt und (zunehmend) Entsorgung von Rüstungsgütern sowie alle Dienstleistungen für den militär. Bereich. In den amtl. Wirtschaftsstatistiken wird R. nicht definiert. Für die R. wichtige Wirtschaftszweige sind die Luft- und Raumfahrtind., der Schiffbau, der Fahrzeug- und Maschinenbau sowie die elektron. und elektrotechn. Industrie. Die R. ist bes. abhängig von staatl. Rüstungsaufträgen, die wiederum eng verknüpft sind mit sicherheits-, außen- und wirtschaftspolit. Zielen eines Landes oder einer internat. Organisation (z. B. NATO). Die Größenordnung dieser Aufträge und die lange Laufzeit förderten die Konzentration in der R. und lange Zeit auch eine Vernachlässigung von Kostenaspekten. Diese treten nach Beendigung des Ost-West-Konflikts und angesichts der Finanzprobleme der öffentl. Haushalte nun verstärkt in den Blick. Ein Tätigkeitsgebiet der R. sind auch Rüstungs-

Rüstungsexporte: Die wichtigsten Rüstungsexporteure 1992–1996*)

Staat	1992	1993	1994	1995	1996
USA	14,187	14,270	12,029	10,972	10,228
Russland	2,918	3,773	0,763	3,505	4,512
Frankreich	1,302	1,308	0,971	0,785	2,101
Großbritannien	1,315	1,300	1,346	1,568	1,773
Deutschland	1,527	1,727	2,448	1,549	1,464
China	0,883	1,234	0,718	0,949	0,573
Niederlande	0,333	0,395	0,581	0,430	0,450
Israel	0,192	0,271	0,207	0,352	0,168
Italien	0,434	0,447	0,330	0,073	0,158
Tschechische Republik	0,214	0,267	0,371	0,195	0,152

*) Angaben in Mrd. US-$ und konstanten Preisen von 1990

Ernest Rutherford

Margaret Rutherford

exporte, die in Dtl. vom Bundesamt für Wirtschaft kontrolliert werden.

📖 *Rüstung u. Ökonomie, hg. v.* P. SONNTAG. *Frankfurt am Main 1982. – Handbuch zur Ökonomie der Verteidigungspolitik, hg. v.* G. KIRCHHOFF. *Regensburg 1986.* – ALBRECHT, U. *u.* NIKUTTA, R.: *Die sowjet. R. Opladen 1989.*

Rüstungskonversion, die Umstellung militärisch genutzter Ressourcen auf zivile Nutzung, insbesondere der Rüstungsproduktion, -forschung und -entwicklung, der militär. Infrastruktur und der militärischen Liegenschaften (Übungsplätze) einschl. der Sanierung von Altlasten; darüber hinaus die Eingliederung von ehem. Militärangehörigen und Zivilbeschäftigten in den Arbeitsmarkt, der zivile Gebrauch von Rüstungsgütern (v.a. Fahrzeuge, Ausrüstungen), direkte Produktkonversion (z.B. Umbau von Raketenlafetten zu Kranträgern) sowie Maßnahmen zur Förderung ehem. Militärstandorte.

📖 *Abrüstung u. Konversion, hg. v.* L. KÖLLNER *u. a. Frankfurt am Main 1990.*

Rüstzeit, *Wirtschaft:* Summe der Zeiten, die notwendig sind, um einen Arbeitsplatz einschl. der Betriebsmittel für die Durchführung eines Auftrags vorzubereiten bzw. danach in den ursprüngl. oder einen anderen Zustand (Umrüsten) zurückzuversetzen. (→Zeitstudie)

Rutanzigesee (Eduardsee, Lake Edward), See im Zentralafrikan. Graben, größtenteils in der Demokrat. Rep. Kongo, der NO-Teil in Uganda, 913 m ü.M., 2200 km², bis 117 m tief; entwässert über den Semliki zum Albertsee.

Rute, **1)** *allg.:* langer dünner Zweig oder Stab, Gerte.

2) *Anatomie:* der →Penis.

3) *Metrologie:* alte dt. Längeneinheit unterschiedl. Größe: 10, 12, 14 oder 16 Fuß, zw. 2,92 (Bayern) und 5,02 m (Mecklenburg-Strelitz, Grabenrute).

4) *Zoologie:* Schwanz des Haarraubwildes (außer Fuchs) und des Hundes.

Rutengänger, Person, die mit der →Wünschelrute nach Wasseradern, Erzgängen u. Ä. sucht.

Ruth, im A.T. die Hauptgestalt des Buches R. (5./4. Jh. v. Chr.); verwitwet folgt die Moabiterin ihrer Schwiegermutter nach Bethlehem, heiratet dort Boas und wird Urgroßmutter Davids. Das Buch R. ist im Judentum Festrolle (→Megillot) für das Wochenfest.

Ruthenbeck, Reiner, Maler und Objektkünstler, *Velbert 30. 6. 1937; ausgebildet als Fotograf, Schüler von J. Beuys; seit 1980 Prof. in Münster.

Ruthenen, veraltete Bez. für die →Ukrainer.

ruthenische Kirche, →ukrainische Kirche.

Ruthenium [nach Ruthenia, dem alten Namen der Ukraine] *das,* chem. Symbol **Ru,** Element aus der achten Gruppe des →Periodensystems der chem. Elemente; Ordnungszahl 44, relative Atommasse 101,07, Dichte 12,45 g/cm³, Schmelzpunkt 2450 °C, Siedepunkt 4150 °C. R. ist ein silberweißes, sprödes Edelmetall aus der Gruppe der →Platinmetalle (leichtestes und seltenstes Element dieser Gruppe). Chemisch ist R. sehr resistent, es wird aber von Königswasser und Chlor angegriffen. In der Natur tritt R. v.a. als Begleiter des Platins auf.

Rutherford ['rʌðəfəd], **1)** Ernest, Lord R. of Nelson (seit 1931), brit. Physiker, *Brightwater (bei Nelson, Neuseeland) 30. 8. 1871, †Cambridge 19. 10. 1937; Prof. in Montreal, Manchester, ab 1919 in Cambridge und dort Direktor des Cavendish Laboratory. R. war einer der bedeutendsten Experimentalphysiker des 20. Jh., bes. auf dem Gebiet der Radioaktivität und der Kernphysik. Er unterschied die beim radioaktiven Zerfall entstehende α-, β- und γ-Strahlung, stellte mit F. Soddy 1903 eine Theorie des radioaktiven Zerfalls auf und schuf mit dem nach ihm ben. Atommodell die Grundlage der heutigen Atomphysik. 1919 gelang ihm die erste künstl. Kernreaktion durch α-Teilchen-Beschuss von Stickstoff, der dabei in Sauerstoff umgewandelt wurde. 1908 erhielt er den Nobelpreis für Chemie.

2) Dame (seit 1967) Margaret, brit. Schauspielerin, *London 11. 5. 1892, †Chalfont Saint Peter (Cty. Buckinghamshire) 22. 5. 1972; internat. bekannt durch Filmrollen, v.a. die der Miss Marple in Verfilmungen von Romanen Agatha Christies.

Rutherfordium [razər-; nach E. Rutherford], chem. Symbol **Rf** (früher auch Kurtschatowium), erstmals 1964 von einer sowjet. Arbeitsgruppe um G. N. Fljorow künstlich hergestelltes chem. Element, ein Transuran mit der Kernladungszahl 104. Weitere Isotope wurden 1969 von dem Amerikaner A. Ghiorso und seinen Mitarbeitern erzeugt; von ihnen hat das Isotop ^{261}Rf mit 65 s die längste Halbwertszeit.

Ruths-Speicher [nach dem schwed. Ingenieur J. K. Ruths, *1879, †1935], ein Wärmespeicher (Gefällespeicher), bei dem Abdampf aus Dampfkraftanlagen in einen zu 90% mit heißem Wasser gefüllten Behälter geblasen wird. Das Wasser befindet sich stets im Siedezustand.

Rutil [zu lat. rutilus »rötlich«] *der,* das häufigste der drei Titandioxidminerale (Anatas, Brookit), chem. Zusammensetzung TiO_2, kommt in säulen- bis nadelförmigen Kristallen, oft in herz- oder knieförmigen Zwillingen, auch derb vor, ist rot bis schwarz **(Nigrin),** von metallartigem Diamantglanz; wichtiges Titanerz. Synthet. R. dient als Schmuckstein.

Rutilismus [zu Rutil] *der,* die →Rothaarigkeit.

Rutin [zu lat. ruta »Raute«, nach dem häufigen Vorkommen in Rautengewächsen] *das* (Vitamin P,

Antipermeabilitätsfaktor), in vielen Pflanzenarten, häufig als Begleiter von Ascorbinsäure vorkommende Substanz; wirkt gegen die Brüchigkeit von Kapillaren.

Salomon van Ruysdael: Stillleben mit Truthahn (1661; Paris, Louvre)

Rütli [schweizer. »kleine Rodung«] *das* (Grütli), Bergwiese auf einer Terrasse am W-Ufer des Urner Sees (Vierwaldstätter See) im Kt. Uri, Schweiz. Das R. gilt als die Stätte, an der der Ewige Bund der drei Waldstätte Uri, Schwyz und Unterwalden beschworen wurde (**Rütlischwur,** →Schweiz, Geschichte).

Rutschungen, gravitative Abwärtsbewegungen von Gesteinsmassen an Hängen, v.a. bei starker Wasserdurchtränkung von tonigen oder lehmigen Gesteinen und/oder hangwärts geneigten Schichten (→Bergsturz, →Solifluktion, →Mure). – Subaquat. oder submarine R. heißen →Suspensionsströme.

Rüttler, Baumaschine zur Verdichtung des Bodens und von Baustoffen.

Ruusbroec ['ry:zbru:k] (Ruysbroek, Ruisbroeck), Jan van (Johannes von), fläm. Mystiker, *Ruisbroek (bei Brüssel) 1293, †Groenendaal (bei Brüssel) 2. 12. 1381; gründete 1343/44 die Augustiner-Chorherren-Propstei Groenendaal und war deren erster Prior. R. beschrieb in seinem Hauptwerk »Die Zierde der geistl. Hochzeit« (um 1335), einer Phänomenologie der myst. Begegnung zw. Gott und dem Menschen, die Heimkehr der Seele zu Gott über die Stufen des tätigen Lebens, des Gott suchenden und des Gott schauenden Lebens. – R. beeinflusste u.a. die Bewegungen der →Devotio moderna sowie der →Brüder vom gemeinsamen Leben.

Ruwenzori *der,* Gebirgsstock in Ostafrika, zw. der Demokrat. Rep. Kongo und Uganda, bis 5119 m ü.M., eine aus dem Zentralafrikan. Graben emporgehobene Scholle; an den Hängen leben Berggorillas.

Ruwer *die,* rechter Nebenfluss der Mosel, in Rheinl.-Pf., entspringt im Osburger Hochwald, mündet bei Trier; 40 km lang; am Unterlauf Weinbau.

Ruysdael ['rœjsda:l], Salomon van, niederländ. Maler, *Naarden (Prov. Nordholland) zw. 1600 und 1603, begraben Haarlem 3. 11. 1670; Onkel und Lehrer von J. van Ruisdael; früher Meister der holländ. Landschaftsmalerei. R. schuf (nach 1660) auch Stillleben.

Ruyter ['rœjtər], Michiel Adrianszoon de, niederländ. Admiral, *Vlissingen 24. 3. 1607, †(nach einer Verwundung) vor Syrakus 29. 4. 1676; einer der hervorragendsten Flottenführer seiner Zeit. Er verteidigte die Niederlande im 3. englisch-niederländ. Seekrieg.

Ruzicka ['ru:zɪtska], Peter, Komponist, *Düsseldorf 3. 7. 1948; 1988–97 Intendant der Staatsoper Hamburg, seit 1997 der Münchner Biennale, komponierte u.a. Orchesterwerke (»Metastrofe«, 1971; »Annäherung und Stille«, 1981; »Ausstrahlungen«, 1993) und Vokalmusik (»... das Gesegnete, das Verfluchte«, Requiem, 1991).

Ružička ['ru:ʒɪtʃka], Leopold, schweizer. Chemiker kroat. Herkunft, *Vukovar 13. 9. 1887, †Mammern (Kt. Thurgau) 26. 9. 1976; arbeitete u.a. über Riechstoffe, Steroidhormone (u.a. Synthese von Androsteron und Testosteron) und höhere Terpene. Für seine Arbeiten erhielt er 1939 (mit A. Butenandt) den Nobelpreis für Chemie.

RVO, 1) Abk. für →**R**echts**v**er**o**rdnung.

2) Abk. für →**R**eichs**v**ersicherungs**o**rdnung.

Rwanda, Staat in Afrika, →Ruanda.

RWE AG, Holdingges. mit den Unternehmensbereichen Energie, Bergbau und Rohstoffe, Mineralöl und Chemie, Entsorgung, Maschinen-, Anlagen- und Gerätebau sowie Bauwesen und Telekommunikation; gegr. 1898, Sitz: Essen; firmierte bis 1989 unter **Rheinisch-Westfäl. Elektrizitätswerk AG.** Die Mehrheit der Aktien liegt in privater Hand (größter Einzelaktionär: Allianz AG Holding); Gemeinden, Gemeindeverbände und Kreise verfügen jedoch durch Namensaktien mit 20fachem Stimmrecht über eine Stimmenmehrheit. Die RWE Energie AG ist größter dt. Stromerzeuger; weitere Beteiligungsgesellschaften sind u.a. Rheinbraun AG (Köln), RWE-DEA AG für Mineralöl und Chemie (Hamburg), Rheinelektra AG (Mannheim) und Hochtief AG (Essen).

Michiel Adrianszoon de Ruyter (Ausschnitt eines zeitgenössischen Gemäldes)

Leopold Ružička

Anatoli Rybakow

RWI, Abk. für →**R**heinisch-**W**estfälisches **I**nstitut für Wirtschaftsforschung e.V.

Rybakọw, Anatoli Naumowitsch, eigtl. A.N. Aronow, russ. Schriftsteller, *Tschernigow (Ukraine) 14. 1. 1911; begann mit Abenteuergeschichten für Kinder und Produktionsromanen (»Menschen am Steuer«, 1950). Sein späteres Werk ist durch die Auseinandersetzung mit eth. Fragen gekennzeichnet (»Schwerer Sand«, 1978). Thema des Romans »Die Kinder vom Arbat« (1987) und dessen Fortsetzung »Jahre des Terrors« (1989) ist die Stalinzeit. 1989 wurde R. zum ersten Präs. des russ. PEN-Zentrums gewählt.

Rybinsk ['ri-] (1946–57 Schtscherbakow, 1984–89 Andropow), Stadt im Gebiet Jaroslawl, Russland, 252 600 Ew., an der oberen Wolga, unterhalb ihres Austrittes aus dem 1935–47 angelegten **Rybinsker Stausee** (4580 km², im Wesentlichen Teil des Wolga-Ostsee-Wasserwegs; Wasserkraftwerk, 330 MW); Maschinen-, Schiffsbau, Holzverarbeitung; Hafen.

Max Rychner

Rychner, Max, Schriftsteller, *Lichtensteig (Kt. St. Gallen) 8. 4. 1897, †Zürich 10. 6. 1965; Feuilletonist, Hg. und Übersetzer, schrieb Lyrik und Essays zur Lit. und verstand sich als Mittler zwischen dt. und frz. Geisteswelt.

Rydberg ['ry:dbærj], Janne (Johannes) Robert, schwed. Physiker, *Halmstad 8. 11. 1854, †Lund 28. 12. 1919; arbeitete über das Periodensystem der Elemente und fand 1889 ein Ordnungsprinzip für die Spektralserien der Elemente (→Rydberg-Konstante).

Rydberg-Konstante ['ry:dbærj-; nach J. R. Rydberg], in den Serienformeln für die Spektrallinien auftretende atomphysikalische Konstante: $R_\infty = m_e e^4 / 8 h^3 \varepsilon_0^2 c \approx 1{,}0974 \cdot 10^7\ \mathrm{m}^{-1}$ (m_e Ruhemasse des Elektrons, e elektr. Elementarladung, ε_0 elektr. Feldkonstante, h plancksches Wirkungsquantum, c Lichtgeschwindigkeit). Unter Berücksichtigung der Mitbewegung des Atomkerns gilt für das Wasserstoffatom $R_H \approx 1{,}0968 \cdot 10^7\ \mathrm{m}^{-1}$.

Martin Ryle

Ryga ['raɪgə], George, kanad. Schriftsteller, *Deep Creek (Prov. Alberta) 27. 7. 1932, †Summerland (Prov. British Columbia) 18. 11. 1987. Als Dramatiker setzte er sich v.a. für die Armen und Rechtlosen ein; so stellt sein bekanntestes Stück, »The ecstasy of Rita Joe« (1971), die Situation der kanad. Indianer dar. R.s Dramen zeichnen sich häufig durch die Montage realist. und surrealist. Elemente aus.

Rykow ['ri-], Alexei Iwanowitsch, sowjet. Politiker, *Saratow 13. 2. 1881, †(hingerichtet) Moskau 15. 3. 1938; 1917/18 Volkskommissar für Innere Angelegenheiten, 1922–30 Mitgl. des Politbüros der KPdSU, 1924–30 Vors. des Rates der Volkskommissare; wurde von Stalin der Rechtsabweichung (v.a. wegen seiner Gegnerschaft zur Kollektivierung) beschuldigt, 1937 aus der Partei ausgeschlossen, 1938 in einem Schauprozess zum Tod verurteilt.

Ryle, 1) [raɪl], Gilbert, britischer Philosoph, *Brighton 19. 8. 1900, †Whitby (Cty. North Yorkshire) 6. 10. 1976, Onkel von 2); Prof. in Oxford und Cambridge. Als Vertreter der →analytischen Philosophie erblickt er die Aufgabe der Philosophie in der Beseitigung von Begriffsverwirrungen. So kritisiert R. in seinem Hauptwerk »Der Begriff des Geistes« (1949), beeinflusst von Heideggers' Descarteskritik in »Sein und Zeit«, das cartesian. »Dogma vom Gespenst in der Maschine«, das er sich aus dem Vorliegen von method. Kategorienfehlern erklärt.

Weitere Werke: Platos Progress (1966); Begriffskonflikte (1970).

2) Sir (seit 1966) Martin, brit. Astrophysiker, *Brighton 27. 9. 1918, †Cambridge 14. 10. 1984, Neffe von 1); Prof. in Cambridge; leistete Pionierarbeit bei der Erforschung kosm. Radiostrahlung (u.a. Entwicklung der →Apertursynthese), erhielt dafür 1974 mit A. Hewish den Nobelpreis für Physik.

Ry̧sanek, Leonie, österr. Sopranistin, *Wien 14. 11. 1926, †ebd. 8. 3. 1998; wurde 1952 Mitgl. der Bayer. Staatsoper in München, 1954 auch der Wiener Staatsoper, bed. Wagner-Sängerin (Bayreuth).

Ryschkọw, Nikolai Iwanowitsch, sowjet. Politiker, *Dylejewka (bei Donezk, Ukraine) 28. 9. 1929; Ingenieur, ab 1985 Mitgl. des Politbüros der KPdSU, 1985–91 Vors. des Min.rates. Bei den ersten Präsidentschaftswahlen in Russland unterlag er im Juni 1991 B. Jelzin.

Rysy ['risi] *der,* höchster Berg Polens, →Meeraugspitze.

Ryūkyū|inseln (Riukiuinseln, japan. Nansei Shotō), japan. Inselkette im westl. Pazifik, die sich über 1200 km zw. Kyūshū und Taiwan erstreckt, insgesamt 98 Inseln (davon 47 bewohnt) mit rd. 4700 km²; besteht aus der zur Präfektur Kagoshima gehörenden Satsunangruppe (2350 km²) mit Amami-, Yaku-, Tanegainseln u.a. sowie den Gruppen Okinawa, Miyako, Yaeyama und Daito, die die Präfektur Okinawa bilden; subtrop. Klima; Fischerei, Anbau von Ananas, Zuckerrohr, Reis; Kunsthandwerk: Töpferei, Weberei (Bingata). – Im 15. Jh. Einigung von drei Teilkönigreichen, danach wirtsch. Blüte durch Handel mit China, Japan und Korea. Das Reich geriet 1609 in Abhängigkeit von japan. Lehnsherren. 1879–1945 gehörten die R. als Präfektur Okinawa zu Japan; 1945–72 waren die Okinawainseln von den USA besetzt.

Rzeszów ['ʒɛʃuf], Hptst. der Wwschaft R., Polen, im Karpatenvorland, 158 500 Ew.; Hochschulen, Museum; Maschinen-, Flugzeugmotoren-, Kühlschrankbau, Lebensmittelindustrie.

s, S, 1) Konsonant (→Laut); der 19. Buchstabe des dt. Alphabets, entstanden aus dem grch. Sigma, bezeichnet den stimmlosen [s] und den stimmhaften [z] dentalen Reibelaut u.a. im Deutschen, Englischen, Französischen und Italienischen; gelegentlich entspricht dem Schriftzeichen kein Lautwert mehr (Französisch, Englisch). Der Buchstabe kommt auch in Verbindung mit diakrit. Zeichen vor, z.B. ist š das Zeichen für den Laut [ʃ] im Tschechischen, Serbischen, Kroatischen, Litauischen, Lettischen; auch in der wiss. Umschrift zahlreicher nichtlat. Alphabete.

2) *Chemie:* **S,** chem. Symbol für Schwefel.

3) *Einheitenzeichen:* **s** für →Sekunde, **S** für →Siemens.

4) *Formelzeichen:* *S* für →Entropie; *s* für Weg- und Kurvenlänge.

5) *Geographie:* **S,** Abk. für **S**üden.

Druckschriftvarianten des Buchstabens **S**

6) *Musik:* **S,** Abk. für **S**opran, **S**ubdominante, **S**egno.

7) *Namenbestandteil:* **S,** Abk. für **S**an, **S**ant', **S**anta, **S**anto, **S**aõ.

SA, Abk. für **S**turm**a**bteilung, mit der aus ihr hervorgegangenen →SS die polit. Kampftruppe der NSDAP. 1933/34 bildete sie als Terror- und Propagandatruppe unter E. Röhm das stärkste Machtinstrument der nat.-soz. Bewegung. Nach dem 30. 6. 1934 (»Röhm-Putsch«) büßte sie ihre polit. Bedeutung ein.

S. A. (SA), Abk. für **S**ociété **A**nonyme, frz. Bez. für Aktiengesellschaft.

SAA, Abk. für engl. **S**outh **A**frican **A**irways, südafrikan. Luftverkehrsgesellschaft.

SAA

Saadi (Sadi), Moscharref od-Din ibn Mosleh od-Din, pers. Dichter, *Schiras zw. 1209 und 1213(?), †ebd. 9. 12. 1292; wandte sich nach Studien in Bagdad der Mystik zu. Er verfasste mit »Bustan« (»Obstgarten«) und »Golestan« (»Rosengarten«) zwei didaktisch-eth. Meisterwerke, die die sozialen Verhältnisse der Zeit vor dem Hintergrund der Vergangenheit behandeln; bed. Liebesdichtung.

Saalach *die,* linker Nebenfluss der Salzach, 103 km lang, entspringt in den Kitzbüheler Alpen, mündet nördlich von Salzburg als Grenzfluss zw. Österreich und Deutschland.

Saalbach-Hinterglemm, Gemeinde im Bundesland Salzburg, Österreich, im Glemmtal, dem oberen Saalachtal, in den Kitzbüheler Alpen, 2600 Ew.; Fremdenverkehrs- und Wintersportgebiet.

Saalburg, 1) Stadt im Saale-Orla-Kreis, Thür., im Thüringer Schiefergebirge, 420–460 m ü.M., am O-Ufer des Sees der →Bleilochtalsperre der oberen Saale; 1500 Ew.; Erholungsort; Marmorwerke.

2) röm. Kastell am Obergerman. Limes, 6 km nordwestlich von Bad Homburg v.d.Höhe, an einem alten Taunusübergang; um 90 n.Chr. als kleine Befestigung in Holz-Erde-Bauweise errichtet, im 2. Jh. mehrfach ausgebaut; 260 aufgegeben. Das heutige Steinkastell (Anfang 3. Jh.) wurde 1898–1907 rekonstruiert. KARTE S. 124

Saale *die,* **1) Fränkische Saale,** rechter Nebenfluss des Mains, 142 km lang, entspringt in den Hassbergen, mündet bei Gemünden. Am Oberlauf liegt das →Grabfeld.

2) Thüringer Saale (in Bayern auch Sächs. S.), linker Nebenfluss der Elbe, der Hauptfluss Thüringens, 427 km lang, entspringt im Fichtelgebirge, mündet oberhalb Barby (Elbe); am Oberlauf mehrere Talsperren, u.a. →Bleilochtalsperre und Hohenwartetalsperre (182 Mio. m^3, 7,3 km^2). Nebenflüsse sind (von links) Schwarza, Ilm, Unstrut, Bode, (von rechts) Orla, Weiße Elster. Schiffbar ab Halle (Saale)-Trotha bis zur Mündung (88 km).

Saalleck, Burgruine über der Saale bei →Bad Kösen.

Saale-Holzland-Kreis, Landkreis in Thür., 817 km², (1996) 92 900 Ew., Krst. ist Eisenberg.

Saale-Orla-Kreis, Landkreis in Thür., 1148 km², (1996) 101 600 Ew.; Krst. ist Schleiz.

Saale-Unstrut, Weinbaugebiet in Sachsen-Anhalt mit den Zentren Naumburg (Saale) und Freyburg (Unstrut), rd. 350 ha Rebland (v.a. Müller-Thurgau und Silvaner).

Saalfeld/Saale
Stadtwappen

Saalfelden am Steinernen Meer, Marktgemeinde im Bundesland Salzburg, Österreich, 744 m ü.M., im Mitterpinzgau, 12 600 Ew.; Höhere Techn. Bundeslehranstalt für techn. Berufe, Pinzgauer Heimatmuseum, Fremdenverkehr.

Saalfeld-Rudolstadt, Landkreis in Thür., 1035 km², (1996) 138 500 Ew.; Krst. ist Saalfeld/Saale.

Saalfeld/Saale, Krst. des Landkreises Saalfeld-Rudolstadt, Thür., an der Saale, am N-Rand des Thüringer Schiefergebirges, 32 000 Ew.; naturkundl. Sammlung, Thüringer Heimatmuseum; elektron. Ind., Werkzeugmaschinen-, Hebezeugbau, Schokoladenfabrik. – Burgruine »Hoher Schwarm« (12.–13. Jh.) mit Wohnturm (14. Jh.), Schloss Kitzerstein (begonnen 1435, vollendet 16. Jh.), Rathaus (1526–37), Apotheke am Markt (1180, urspr. Wohnturm des Stadtvogts), Stadtpfarrkirche St. Johannis (14.–16. Jh., im 19. Jh. verändert), Barockschloss (1677–1720). – 899 als fränk. Hof erstmals erwähnt, im 10. Jh. Königspfalz; 1208 als Stadt bezeugt; ab 1389 ernestinisch; 1680–1735 Residenz der Fürsten von Sachsen-Saalfeld. 1735–1826 gehörte S. zu Sachsen-Coburg-Saalfeld, 1826–1918 zu Sachsen-Meiningen. – Im SW der Stadt liegen die Feengrotten: In einem stillgelegten Bergwerk (1543–1846 Alaunschiefergewinnung) entstanden farbige Tropfsteine, v.a. aus Diadochit (Eisenhydrogenphosphat).

Ferdinand von Saar

Saalburg

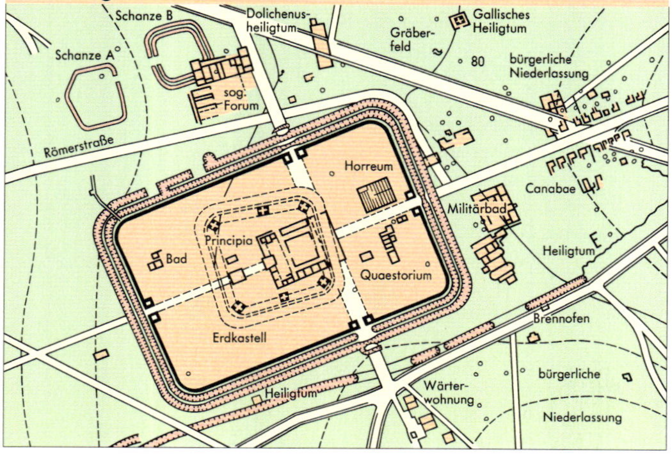

Saalkirche, einschiffige Kirche; im MA. nördlich der Alpen meist als Dorfkirche errichtet. Der Bautyp der S. fand in der Renaissance große Verbreitung; als Predigtkirche bes. geeignet, daher bevorzugter Kirchenbau des Protestantismus.

Saalkreis, Landkreis im RegBez. Halle, Sa.-Anh., (1996) 628 km² und 72 500 Ew.; Verw.sitz ist Halle (Saale).

Saane *die* (frz. Sarine), linker Nebenfluss der Aare, Schweiz, 129 km lang, entspringt in den westl. Berner Alpen am Sanetschpass, mündet westlich von Bern; unterhalb von →Greyerz zum Greyerzer See und zum Schiffenensee gestaut.

Saanen (frz. Gessenay), Bezirkshauptort im Kt. Bern, Schweiz, im oberen Saanetal, 6300 Ew.; Holzind.; bed. Fremdenverkehr. Zur Gemeinde S. gehört der Kurort **Gstaad**.

Saar (frz. Sarre) *die,* rechter Nebenfluss der Mosel, 246 km lang (120 km auf dt. Gebiet), entsteht bei Lörchingen (Lorquin) aus der Weißen und der Roten S., mündet bei Konz oberhalb von Trier; von Dillingen bis Saargemünd schiffbar. Nebenflüsse sind Nied, Blies und Prims; im unteren Saartal Weinbau. Der S.-Kohlen-Kanal verbindet die S. mit dem Rhein-Marne-Kanal.

Saar, Ferdinand von, österr. Schriftsteller, * Wien 30. 9. 1833, † (Selbstmord) ebd. 24. 7. 1906; bis 1859 Offizier; verfasste melancholisch-pessimist. Lyrik, Dramen und Novellen (»Novellen aus Österreich«, 1877, 2 Bde. 1897; »Schicksale«, 1889; »Herbstreigen«, 1897).

Saarbrücken, 1) Stadtverband im Saarland, 411 km², (1996) 357 800 Einwohner; Verw.sitz ist Saarbrücken.

2) Hauptstadt des Saarlandes und Verw.sitz des Stadtverbandes S., in einer Talweitung der Saar, 187 600 Ew.; in S. Oberbergamt u.a. Behörden; Univ., Hochschule der Bildenden Künste Saar, Hochschule für Musik, drei FH (Technik und Wirtschaft, soziale Arbeit, Verwaltung), Max-Planck-Inst. für Informatik, Fraunhofer-Inst. für zerstörungsfreie Prüfverfahren u.a. wiss. Institute; Staatstheater, Bibliotheken und Museen; Sitz des Saarländ. Rundfunks; zoolog. Garten; Saarlandhalle (mit Spielkasino). S. ist bed. Handelsplatz und Verkehrsknotenpunkt (Flughafen in S.-Ensheim, Saarhafen). Seit 1950 findet alljährlich die Internat. Saarmesse statt. Metallerzeugung und -verarbeitung, Maschinen-, Fahrzeugbau, daneben Elektrotechnik, Chemie, Optik; am Stadtrand Steinkohlenbergbau. – S. wurde 1793 und 1944 stark zerstört; erhaltene Baudenkmäler sind die dreischiffige frühgot. Stiftskirche St. Arnual (um 600 gegr.) mit den Tumbengräbern der Grafen von S. (15. Jh.), Schlosskirche (15. Jh., darin 26 Glasfenster von G. Meistermann, 1956–58), Schloss (1738–48, 1793 abgebrannt, ab 1810 klassizistisch verändert), das heutige Alte Rathaus am Schlossplatz (1748–50), Barockkirche St. Johann (1754–58), Ludwigskirche (1762–75). – Alt-S. entwickelte sich im 11. Jh. unterhalb der 999 erstmals erwähnten Burg; 1321 Stadtrecht; 1381–1801 Hptst. der Grafschaft Nassau-S., 1815 an Preußen. 1896 Eingemeindung des ehem. Dorfes **Sankt Arnual,** 1908 Zusammenschluss von Alt-S., **Sankt Johann** (Stadtrecht seit 1321) und **Malstatt-Burbach** (Stadtrecht seit 1875) zur Stadt S.; seit 1947 Hptst. des Saarlandes.

📖 *S. Stationen auf dem Weg zur Großstadt, bearb. v.* K. A. SCHLEIDEN *u. a. Saarbrücken 1989.*

Saarburg, 1) Stadt im Kr. Trier-S., Rheinl.-Pf., an der unteren Saar, 6 000 Ew.; Weinbau und Weinhandel; Herstellung von Präzisionsteilen, Glockengießerei; Fremdenverkehr. – Maler. Stadtbild; Burgruine (964 erwähnt) mit roman. Turmhaus (12. Jh.).

2) (frz. Sarrebourg), Stadt in Lothringen, Frankreich, im Dép. Moselle, 14 500 Ew.; Brauerei, Glas- u. a. Industrie. – Reste der mittelalterl. Stadtbefestigung.

Saaremaa (schwed. Ösel), der Rigaer Bucht vorgelagerte Ostseeinsel, zu Estland, 2 714 km² groß, bis 54 m ü. M., aus Kalkgestein und Dolomit aufgebaut, von Kiefernwäldern, Wacholder sowie Wiesen bedeckt. Ein 4 km langer Damm verbindet S. mit der Insel Moon; Hauptort ist Kuressaare; Viehzucht und Fischfang. – S. wurde 1227 vom Schwertbrüderorden erobert und 1228 Reichsbistum; 1559 kam es an Dänemark, 1645 an Schweden, 1721 an Russland, 1918 an Estland.

Saargebiet, → Saarland (Geschichte).

Saargemünd (frz. Sarreguemines), Stadt in Lothringen, Frankreich, im Dép. Moselle, an der Mündung der Blies in die Saar, 23 700 Ew.; frz.-dt. Hochschulinst.; keram., chem., Reifenindustrie. – Regionalmuseum in der ehem. Fayencerie.

Saarinen, 1) Eero, amerikan. Architekt und Designer finn. Herkunft, * Kirkkonummi (bei Helsinki) 20. 8. 1910, † Ann Arbor (Mich.) 1. 9. 1961, Sohn von 2). Sein Stil vereinigt dynam. Räumlichkeit, Technik und Imagination; entwarf auch Möbel. S. baute u. a. das techn. Zentrum der General-Motors-Werke in Warren, Mich. (1948–56, mit dem Büro Smith, Hinchman and Gryllis).

2) Eliel, amerikan. Architekt finn. Herkunft, * Rantasalmi (Prov. Mikkeli) 20. 8. 1873, † Bloomfield Hills (Mich.) 1. 7. 1950, Vater von 1); übersiedelte 1923 in die USA. Mit seinem Entwurf (1904) des Hauptbahnhofs in Helsinki (1910–14 errichtet) wurde er zum Wegbereiter der modernen finn. Architektur.

Saarland, Land im W von Deutschland, 2 570 km², (1996) 1,084 Mio. Ew.; Hptst. ist Saarbrücken.

Landesnatur: Das S. umfasst v. a. das wellige Saar-Nahe-Bergland südlich des Hunsrücks, aufgebaut z. T. aus Karbon mit ausgedehnten Steinkohlenflözen. Im Schwarzwälder Hochwald, einem Teil des Hunsrücks, sind die Weißkircher Höhe und der Dollberg (695 m ü. M.) die höchsten Erhebungen. Im Raum von Homburg ragt das Pfälzer Gebrüch in das S. hinein. Im äußersten S liegt die hügelige Muschelkalkhochfläche des fruchtbaren Bliesgaus, im W der Saargau. Hauptfluss ist die Saar mit fruchtbarem Tal, dazu ihre Nebenflüsse Blies, Prims und Nied.

Saarbrücken 2): Das Alte Rathaus wurde 1748–50 nach Plänen von Friedrich Joachim Stengel am Schlossplatz gegenüber dem Schloss errichtet

Saarbrücken 2) Stadtwappen

Saarland Landeswappen

Bevölkerung: Die Bev. spricht im S überwiegend rheinfränkisch-pfälzisch, im N moselfränkisch. Dicht besiedelt ist der S des Landes (Ballungsgebiet Saarbrücken-Dillingen-Neunkirchen). – Das S. besitzt eine Univ., eine Musik- und eine Kunsthochschule sowie vier FH, u. a. eine für Bergbau. – 72,7 % der Bev. sind kath., 21,7 % evangelisch.

Wirtschaft: Während früher die Montanind. vorherrschte, ist das S. heute eine Ind.region mit einer vielfältigen Branchenstruktur. Hinzu kommt die zentrale europ. Lage mit traditionell engen Handelsbeziehungen zu Frankreich. 27 %

Eliel Saarinen: Der 1910–14 erbaute Hauptbahnhof in Helsinki gilt als Muster moderner Architektur und Prototyp des Bahnhofsbaus

des S. sind landwirtschaftlich genutzte Fläche: Anbau von Getreide, Gemüse, Obst und Reben, daneben Rinder-, Schweine- und Geflügelzucht. Von den Bodenschätzen hat ausschl. die Steinkohle Bedeutung; der Bergbau erreichte 1955 mit einer Förderung von 17,2 Mio. t Steinkohle einen Höchststand; seither ist die Förderung rückläufig, begleitet von einer betriebl. Konzentration (1995: fünf Förderanlagen). Mit dem Bergbau verbunden sind Veredelungsbetriebe (Kokereien, Kraftwerke). Auf der Basis der einheim. Kohle und der eingeführten lothring. Minette hat sich die Eisen- und Stahlind. entwickelt. Die Krisen in der Montanind. haben seit den 1960er-Jahren zu Stilllegungen und Konzentrationen geführt sowie das Bemühen gefördert, die Monostruktur (abgesehen von der überregional bed. Glas- und Keramikind.) mit ihren Nachteilen abzubauen. Nach 1960 wurden zahlr. neue Betriebe der Metallverarbeitung, chem., Kunststoff-, Elektro-, Gummi- und Textilind., des Fahrzeugbaus sowie das größte Fertighauswerk Europas angesiedelt. – Das S. verfügt über eine gute Verkehrsinfrastruktur. Die wichtigsten Straßenverbindungen laufen in und bei Saarbrücken zusammen. Die Autobahn Mannheim–Saarbrücken–Paris ist die wichtigste Fernstraße. Dazu kommt die Autobahnverbindung in das Rhein-Ruhr-Gebiet. Wichtigste elektrifizierte Bahnlinie ist die Verbindung Metz–Saarbrücken–Mannheim. Die Saar ist mit dem frz. Kanalnetz verbunden; wichtigster Hafen ist Saarbrücken; internat. Flughafen in Saarbrücken-Ensheim.

Verfassung: Nach der Verf. vom 15. 12. 1947 (mit Änderungen) liegt die Legislative beim Landtag (51 Abg., auf fünf Jahre gewählt). Die Reg. unter Vorsitz des vom Landtag gewählten MinPräs. ist dem Parlament verantwortlich. Die Verf. sieht die Möglichkeit von Volksentscheiden vor.

Saarländischer Rundfunk

Geschichte: Durch den Versailler Vertrag wurden die südl. Teile der ehem. preuß. Rheinprovinz und die westl. Teile der bayer. Pfalz auf 15 Jahre (ab 1920) einer Völkerbundsreg. unterstellt. 1935 kam dieses **Saargebiet** nach Volksabstimmung (90,7% für Dtl.) an das Dt. Reich zurück. 1935–40 mit der Pfalz zum Gau Saarpfalz vereinigt; 1940–45 Westmark genannt; ab 1946 (bis dahin frz. Besatzungszone) unter frz. Verwaltung. MinPräs. J. Hoffmann (1947–55) und die von ihm geführte »Christl. Volkspartei« (CVP) unterstützten die frz. Saarpolitik, ebenso wie die »Sozialist. Partei des S.« (SPS). Im Rahmen der →Pariser Verträge beschlossen K. Adenauer und der frz. MinPräs. P. Mendès-France 1954 ein **Saarstatut** (europ. Status des S.s im Rahmen der »Westeurop. Union«, WEU). Nachdem die Bev. nach Zulassung der für eine Rückgliederung eintretenden Parteien des »Heimatbunds«, CDU, DSP (Deutsche Sozialdemokrat. Partei), DPS (Demokrat. Partei Saar), in der Volksabstimmung 1955 das Saarstatut abgelehnt hatte, wurde das S. gemäß dem dt.-frz. **Saarvertrag** (1956) als Bundesland der Bundesrep. Dtl. eingegliedert (mit Wirkung vom 1. 1. 1957). 1955–80 war die CDU die stärkste Partei und stellte die Min.-Präs. H. Ney (1956/57), E. Reinert (1957–59), F. J. Röder (1959–79) und W. Zeyer (1979–85), seit 1980 ist es die SPD (seit 1985 mit absoluter Mehrheit), Min.-Präs.: O. Lafontaine (1985–98), seither R. Klimmt.

Verwaltungsgliederung Saarland (Größe und Bevölkerung 31. 12. 1996)

Verwaltungseinheit	Fläche in km²	Ew. in 1000	Ew. je km²	Verwaltungssitz
Stadtverband				
Saarbrücken	411	357,8	871	Saarbrücken
Landkreise				
Merzig-Wadern	555	106,0	191	Merzig
Neunkirchen	249	150,3	604	Neunkirchen
Saarlouis	459	215,5	469	Saarlouis
Saar-Pfalz-Kreis	420	158,1	376	Homburg
Sankt Wendel	476	96,5	203	Sankt Wendel
Saarland	2570	1084,2	422	Saarbrücken

Landtagswahlen im Saarland 1985–94[1]

Parteien	10. 3. 1985	28. 1. 1990	16. 10. 1994
SPD	26; 49,2%	30; 54,4%	27; 49,4%
CDU	20; 37,3%	18; 33,4%	21; 38,6%
FDP/DPS	5; 10,0%	3; 5,6%	–; 2,1%
Die Grünen[2]	–; 2,5%	–; 2,7%	3; 5,5%
Andere	–; 1,0%	–; 4,0%	–; 4,4%

[1] Sitzverteilung und Stimmenanteil der Parteien. – [2] seit 1993 Bündnis 90/Die Grünen

📖 SCHMIDT, ROBERT H.: *Saarpolitik 1945–1957, 3 Bde. Berlin 1959–62.* – HERRMANN, H.-W. *u.* SANTE, G. W.: *Geschichte des S.es. Würzburg 1972.* – *Geschichtl. Landeskunde des S.es, hg. v.* K. HOPPSTÄDTER *u. a., 2 Bde. Saarbrücken* [1–3]*1977–83.* – BORN, M.: *Geograph. Landeskunde des S.es. Saarbrücken 1980.* – *Wirtschaftsgeographie des S.es, hg. v.* K. MATHIAS. *Saarbrücken 1980.* – *Das S., hg. v.* D. SOYEZ *u. a., 2 Bde. Saarbrücken 1989.*

Saarländischer Rundfunk, Abk. **SR,** Rundfunkanstalt des öffentl. Rechts, Sitz: Saarbrücken, gegr. 1935 als »Reichssender Saarbrücken«; 1945 als »Radio Saarbrücken« neu gegr.; seit 1959 Mitgl. der ARD.

Saarlouis [-ˈlʊi], **1)** Landkreis im Saarland, 459 km², (1996) 215 500 Einwohner.

2) Kreisstadt von 1), an der Saar, 38 400 Ew.; Oberverwaltungsgericht, Städt. und Kunstmuseum; Automontage, Stahlbau, Pralinenfabrik, elektrotechn. Ind.; Gemüsebau; Saarhafen S.-Dillingen/Saar. – 1680–86 als Festung angelegt (1889 geschleift); kam 1815 an Preußen, 1920 an das Saarland, 1936–45 **Saarlautern.**

Saar-Nahe-Bergland, Gebiet in Rheinl.-Pf. und im Saarland, zw. dem Hunsrück (Rheinisches Schiefergebirge) und den Muschelkalkhochflächen des Westrich, Blies- und Saargaus. Wälder wechseln mit wenig ertragreichen Ackerflächen.

Saarow-Pieskow, Bad [-'za:ro 'pi:sko], →Bad Saarow-Pieskow.

Saar-Pfalz-Kreis, Landkreis im Saarland, 420 km², (1996) 158 100 Ew.; Krst. ist Homburg.

Saas (frz. Vallée de Saas), Talschaft im Kt. Wallis, Schweiz, mit den Gemeinden S. Almagell, S. Balen, S. Fee und S. Grund, 3 200 Ew.; bed. Tourismus; Saas Fee ist einer der meistbesuchten Ferienorte (autofrei) der Schweiz.

Saat, 1) *allg.:* Bez. für die aus dem ausgesäten Samen aufgehenden Pflänzchen.

2) *Landwirtschaft, Gartenbau:* 1) das →Saatgut; 2) die Aussaat, das Einbringen von S.-Gut in den i. d. R. bes. bearbeiteten Boden **(S.-Bett),** der dadurch auch für Keimung, Aufwuchs und Ertrag beste Bedingungen bietet. Man unterscheidet u. a. **Einzelkorn-S.** (Ausbringung der Samen mit gleichmäßigen Abständen in den Reihen), **Reihen-S.** (maschinelle Aussaat in parallelen Reihen), **Breit-S.** (breitwürfig, meist mit der Hand ausgebrachte S.), **Horst-** oder **Dibbel-S.** (horstweise Aussaat in bestimmten Abständen in Reihen).

Saatgut (Saat), zur Erzeugung von Pflanzen oder zu ihrer Vermehrung vorgesehene Samen und Früchte (gesetzlich auch das Pflanzgut von Kartoffeln und Reben). Gehandeltes S. bestimmter Pflanzenarten (Getreide, Gräser, landwirtsch. Leguminosen, Öl- und Faserpflanzen, Hackfrüchte, Reben und eine Reihe von Gemüsearten) bedarf einer amtl. Saatanerkennung.

Saatkrähe, eine Art der →Krähen.

Saatschnellkäfer (Agriotes), Gattung der Schnellkäfer mit zehn 6–15 mm langen einheim. Arten; Larven einiger Arten als **Drahtwürmer** schädlich an Wurzeln und Knollen versch. Kulturpflanzen, so z. B. die Larven des **Feldhumusschnellkäfers** (Agriotes lineatus; bräunlich; Larven fressen v. a. an Getreide- und Gemüsepflanzen).

Saavedra Lamas [saa'βeðra -], Carlos, argentin. Politiker, *Buenos Aires 1. 11. 1878, †ebd. 5. 5. 1959; war als Außenmin. (1932–38) maßgeblich beteiligt an der Beilegung des Chaco-Konflikts (→Bolivien, Geschichte). 1936 erhielt er den Friedensnobelpreis.

Saaz, Stadt in der Tschech. Rep., →Žatec.

Saaz, Johannes von, →Johannes von Tepl.

Saba, altsüdarab. Reich, →Sabäer.

Saba, Umberto, eigtl. U. Poli, italien. Lyriker, *Triest 9. 3. 1883, †Görz 25. 8. 1957; war Buchhändler und Antiquar in Triest. In seiner stark autobiograph. Lyrik (»Il canzoniere«, 1921, 1945 erweitert, letzte Fassung 1961) spiegeln sich jüd. Herkunft, dt. und slaw. Einflüsse sowie vielfältige Bezüge zur italien. Lyrik von F. Petrarca bis G. D'Annunzio; auch Erzähler (»Ernesto«, R.-Fragment, hg. 1975).

Saatschnellkäfer: Feldhumusschnellkäfer (Länge etwa 1 cm)

Sababurg, Burg bei Beberbeck, Gem. Hofgeismar, Hessen, im Naturschutzgebiet »Urwald S.«. Die S. wurde um 1300 vom Erzstift Mainz errichtet; seit 1429 hess. Jagdschloss; nach 1889 verfallen; heute z. T. restauriert und als Hotel genutzt.

Šabac ['ʃabats], Stadt in Jugoslawien, am rechten Saveufer, 51 600 Ew.; landwirtsch. Handelszentrum; Zinkhütte, chem. Industrie.

Sabadell [saβa'ðɛl], Stadt in Katalonien, Spanien, nordwestlich von Barcelona, 189 400 Ew.; polytechn. Univ.; bed. Textilind., Maschinenbau, Metall verarbeitende, Chemie-, Elektroindustrie.

Carlos Saavedra Lamas

Sabadille [span.] *die* (Schoenocaulon officinale), Liliengewächs Mittelamerikas und Venezuelas, mit gelblichen Blüten. Der hanfkorngroße, schwarze Samen **(mexikan. Läusesamen)** ist durch das Alkaloidgemisch Veratrin giftig, ebenso der S.-Essig (Hausmittel gegen Kopfläuse).

Sabäer, die Bewohner des altsüdarab. Reiches **Saba** (1. Jt. v. Chr. bis 6. Jh. n. Chr.) mit der Hptst. Marib im heutigen NO-Jemen. Das A. T. berichtet vom Besuch einer **Königin von Saba** bei Salomo (1. Kön. 10); in assyr. Texten des 8./7. Jh. v. Chr. werden S. als Tributbringer, in der Bibel als Lieferanten von Weihrauch und Spezereien erwähnt. Als führendes Volk in SW-Arabien wurden die S. ab dem 4. Jh. v. Chr. von den Minäern verdrängt.

Sabah (früher Britisch-Nordborneo), Bundesland Malaysias in NO-Borneo, 73 711 km², (1991) 1,74 Mio. Ew.; Hptst. ist seit 1946 Kota Kinabalu (früher Jesselton). 1984 wurde die im W vorgelagerte Insel Labuan als Bundesterritorium ausgegliedert. – S. ist größtenteils gebirgig mit trop. Klima, tief eingeschnittenen Flusstälern und z. T. unerschlossenen Regenwäldern. S. hat im Kinabalu (4101 m ü. M.) den höchsten Berg des Malaiischen Archipels; Anbau von Reis, Kokospalmen, Kakao u. a., Gewinnung von Kautschuk. An

Sabäer: Bei dem weiblichen Kopf aus Alabaster handelt es sich wahrscheinlich um eine ursprünglich in eine Nische eingestellte Grabstele aus Saba (1. Jh. v. Chr.; Berlin, Museum für Islamische Kunst)

Paul Sabatier

Ernesto Sábato

SABENA

Bodenschätzen wurden Kupfer und Erdöl entdeckt. Hauptausfuhrprodukt sind Edelhölzer. – Ab 1888 brit. Protektorat, 1946–63 brit. Kronkolonie, gehört seitdem zu Malaysia.

Sabas (Sabbas), Mönch, *Mutalaska (Kappadokien) 439, †Mar Saba (bei Jerusalem) 5. 12. 532; gründete 483 Mar Saba, das älteste Kloster Palästinas; Heiliger, Tag: 5. 12.

Sabatier [saba'tje], Paul, frz. Chemiker, *Carcassonne 5. 11. 1854, †Toulouse 14. 8. 1941; erhielt für die Entdeckung der katalyt. Hydrierung organ. Verbindungen mit Metallpulver-Katalysatoren (Eisen, Kupfer, Kobalt u.a.) 1912 mit V. Grignard den Nobelpreis für Chemie.

Sábato ['saβato], Ernesto, argentin. Schriftsteller, *Rojas (Prov. Buenos Aires) 24. 6. 1911; 1940–45 Prof. für Physik in La Plata. S. schrieb Essays über literar., sozial- und kulturpolit. Themen und experimentelle Romane, die Psychogramme der argentin. Gesellschaft darstellen (»Der Maler und das Fenster«, 1948; »Über Helden und Gräber«, 1961; »Abbadon«, 1974). 1983 wurde er Leiter der staatl. Kommission zur Untersuchung von Verbrechen der Militärdiktatur (Bericht »Nie wieder!«, 1984).

📖 KNEUER, M.: *Literatur u. Philosophie. Ihr Verhältnis bei E. S. Frankfurt am Main u. a. 1991.*

Sabbat [hebr., zu šavat, »ausruhen«] *der* (jiddisch Schabbes), wöchentl. jüd. Ruhe- und Feiertag zur Erinnerung an das Ruhen Gottes am siebten Tag der Schöpfungswoche; als religiöse Pflicht in 2. Mose 20,10f. vorgeschrieben. – Der S. wurde nach dem babylon. Exil zu einem der zentralen jüd. Bekenntnissymbole. Als Zustand der Einheit zwischen Mensch und Natur ist der S. die Vorwegnahme der messian. Zeit. Er beginnt am Freitagabend und endet am Samstagabend nach Eintritt der Dunkelheit. – Einige christl. Gemeinschaften, z.B. die Adventisten, feiern den S. statt des Sonntags als Ruhetag (→Sabbatarier).

Sabbatai Zwi, jüd. Pseudomessias, *Smyrna (heute İzmir) 1626, †Dulcigno (heute Ulcinj, Montenegro) 17. 9. 1676; verband populär-kabbalist. Vorstellungen mit den messian. Erwartungen seiner Zeit; trat seit 1648 öffentlich in Smyrna auf, das er nach Auseinandersetzungen 1651 verließ; 1665 ließ er sich in Palästina zum Messias ausrufen und sammelte eine große Anhängerschaft; trat 1666, von den osman. Behörden vor die Wahl zw. Hinrichtung oder Übertritt zum Islam gestellt, zum Islam über; 1672 wegen der Umtriebe seiner Anhänger verhaftet und verbannt. Der **Sabbatianismus** verbreitete sich v.a. in der Türkei, Italien, Polen und dem Amsterdamer Judentum und lebte im osteurop. Chassidismus weiter.

Sabbatari|er, Sammelbez. für christl. Gemeinschaften, die das Sabbatgebot als auch für Christen verbindlich ansehen; v.a. die →Adventisten vom Siebenten Tag.

Sabbatjahr, *Wirtschaft:* als Element eines flexiblen Arbeitszeitmodells die Möglichkeit für Arbeitnehmer, aus persönl. oder berufl. Gründen (z.B. Fortbildung, Langzeiturlaub) von der Arbeit auf mehrere Monate befristet freigestellt zu werden mit Arbeitsplatzgarantie, entweder als unbezahlte oder als bezahlte Freistellung.

Säbel, aus dem Orient stammende Hieb- und Stichwaffe mit einschneidiger, gekrümmter, zugespitzter Klinge. Der S.-Griff ist durch Parierstange, Griffbügel oder Korb geschützt. Beim →Fechten Stoß- und Hiebwaffe nur für Herren.

Säbel|antilope, →Pferdeböcke.

Sabeller, in der Antike gelehrte Bez. der mittelitalischen Stämme, v.a. der Samniten; heute Name aller Italiker mit oskischer Sprache.

Säbelschnäbler (Recurvirostra avosetta), hochbeiniger, schwarzweißer Watvogel, fängt mit dünnem, aufwärts gebogenem Schnabel Kleintiere aus seichtem Wasser, in Europa und Teilen Afrikas.

Säbelzahntiger, Name versch. fossiler Gattungen großer Raubtiere vom Oligozän bis zum Pleistozän auf der Nordhalbkugel; untere Eckzähne verkümmert, obere 15–20 cm lang, säbelförmig gekrümmt. Zu den S. gehören u.a. Hoplophoneus (Oligozän), Machairodus (Miozän), Homotherium (Pliozän) und Smilodon (Pleistozän).

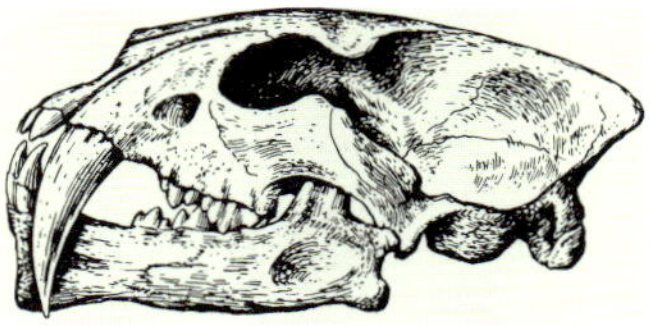
Säbelzahntiger: Schädel eines Machairodus

SABENA, Abk. für **S**ociété **A**nonyme **B**elge d'**E**xploitation de la **N**avigation **A**érienne, belg. Luftverkehrsgesellschaft. ÜBERSICHT Luftverkehrsgesellschaften

Sabina, Karel, tschech. Schriftsteller, *Prag 29. 12. 1813, †ebd. 9. 11. 1877; nahm als radikaler Demokrat führend am Aufstand von 1848 teil, 1849 zum Tod verurteilt, 1857 amnestiert. S. ist als Kritiker, Literaturtheoretiker und Förderer der tschech. Kultur von großer Bedeutung; Erzählungen, histor. Romane, Dramen; auch Libretti, u.a. für »Die verkaufte Braut« (1866) von B. Smetana.

📖 BROD, M.: *Die verkaufte Braut. Der abenteuerl. Lebensroman des Textdichters K. S. München 1962.*

Sabiner, von den Umbrern abstammendes mittelitalisches Volk im mittleren Apennin. Die von Livius überlieferte Sage vom »Raub der Sabinerinnen« lässt erkennen, dass die S. auch Anteil an der Gründung Roms hatten. Der röm. König Numa

Pompilius soll S. gewesen sein. Die S. erhielten 268 v. Chr. röm. Bürgerrecht.

Sabiner Berge (italien. Monti Sabini), Gebirgszug des Apennin zw. Tiber und Turano, im Monte Pellecchia 1365 m ü. M. hoch.

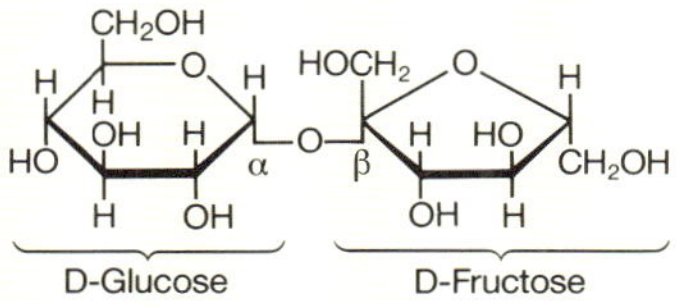

Saccharose

Sabinianer, röm. Juristenschule, die zu Beginn der röm. Kaiserzeit entstand und bis ins 2. Jh. mit der Rechtsschule der →Proculianer rivalisierte; ben. nach Massurius Sabinus (1. Hälfte 1. Jh.), dem Haupt der Schule.

Sabin-Impfung ['sæbın-; nach dem amerikan. Virologen Albert Bruce Sabin, *1906, †1993], seit 1954 erprobte Schluckimpfung mit abgeschwächten, vermehrungsfähigen Polioviren der Typen I–III zur aktiven Immunisierung gegen Kinderlähmung; ersetzte die Salk-Impfung. (→Impfkalender)

Sabotage [sabɔ'ta:ʒ(ə); frz., zu saboter »ohne Sorgfalt arbeiten«, eigtl. »mit den Holzschuhen treten«] *die,* bewusste Beeinträchtigung von militär. oder polit. Aktionen oder Produktionsabläufen z. B. durch (passiven) Widerstand oder Zerstörung wichtiger Anlagen. Rechtlich wird S. als →Sachbeschädigung, →Straßenverkehrsgefährdung oder Störung öffentl. Betriebe (§§ 316 b, 317 StGB u. a.) sowie als Computer-S. (§ 303 b StGB) geahndet; die polit. S. (S. in staatsgefährdender Absicht und Agententätigkeit zu S.-Zwecken) wird nach § 88 und 87 StGB mit Freiheitsentzug bis zu fünf Jahren bestraft. – In *Österreich* (§ 126, 176 StGB) und der *Schweiz* (Art. 237 ff. StGB) ist die S. kein einheitl. Straftatbestand; sie wird zus. mit verwandten Tatbeständen behandelt.

Sabratha, antike Hafenstadt rd. 80 km westlich von Tripolis, Libyen, heute Ruinenstätte (UNESCO-Weltkulturerbe); urspr. phönik. Stadt (gegr. 1. Hälfte des 1. Jt. v. Chr.), seit dem 2. Jh. n. Chr. röm. Kolonie. Ausgrabungen legten u. a. das Forum, Reste von Tempeln, ein röm. Theater (um 200 n. Chr.; Bühnenfassade wieder aufgebaut) und frühchristl. Kirchen frei.

Saccharide [zaxa-, grch.], die →Kohlenhydrate.

Saccharimetrie [zaxa-, grch.] *die,* Analysenmethode zur Bestimmung der Konzentration wässriger Rohrzuckerlösungen durch Messen der Lichtbrechung (Zuckerrefraktometer), der Dichte (Aräometer) oder durch Messen der Drehung der Schwingungsebene von linear polarisiertem Licht (Saccharimeter, →Polarisation).

Saccharin [zaxa-, grch.] *das,* farblose, sehr süß schmeckende kristalline Substanz mit schwach bitterem Nachgeschmack (chemisch das 2-Sulfobenzoesäureimid). S. besitzt etwa die 550fache Süßkraft von Saccharose (Zucker), jedoch keinen kalor. Wert; meist als leichtes wasserlös. Natriumsalz verwendet. (→Süßstoffe)

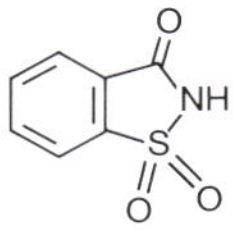

Saccharin

Saccharomyces [zaxa-, grch.], Gattung der Schlauchpilze, deren Arten zu den wichtigsten Hefen (→Hefe) gehören.

Saccharose [zaxa-, grch.] *die* (Rohrzucker, Rübenzucker, Sucrose), aus je einem Molekül (α)-D-Glucose und (β)-D-Fructose aufgebautes Disaccharid, das v. a. aus Zuckerrüben und Zuckerrohr, in geringem Maße auch aus dem Saft des Zuckerahorns gewonnen wird; wichtiges Nahrungsmittel (zur Gewinnung, →Zucker).

Saccharum ['zaxa-, grch. aus Sanskrit] *das,* Gattung der Süßgräser, darunter das →Zuckerrohr.

Sacco di Roma [italien. »Plünderung Roms«], die wochenlange Verwüstung und Plünderung Roms durch die dt. und span. Söldner Karls V. nach der Einnahme der Stadt am 6. 5. 1527 während dessen Feldzug gegen Papst Klemens VII.

Sabratha: Die Bühnenfront des um 200 n. Chr. erbauten römischen Theaters mit ihrer mehrgeschossigen Säulenarchitektur wurde unter Verwendung von Originalteilen rekonstruiert

Sacco-Vanzetti-Fall, amerikan. Justizfall, in dem der Schuhmacher Nicola Sacco (*1891) und der Fischhändler Bartolomeo Vanzetti (*1888), des Raubmordes angeklagte Anarchisten italien. Herkunft, in einem zweifelhaften Gerichtsverfahren (1921–27) in Boston (Mass.) für schuldig befunden und trotz weltweiter Proteste am 23. 8. 1927 hingerichtet wurden; 1977 vom Gouverneur von Massachusetts rehabilitiert.

Sacculus [lat. »Säckchen«] *der, Anatomie:* Bez. für säckchenartige Bildungen oder taschenartige

Ausbuchtungen von Hohlorganen; i.e.S.: ein Abschnitt des häutigen Labyrinths im Innenohr.

Sacerdotium [lat. »Priestertum«] *das,* im MA. Bez. für die geistl. Gewalt im Ggs. zur weltlichen.

SACEUR [sə'kjʊə; Abk. für engl. **S**upreme **A**llied **C**ommander **Eur**ope, »Oberster Alliierter Befehlshaber Europa«], der Oberkommandierende der NATO-Streitkräfte im Kommandobereich Europa. Sein Sitz ist das europ. Hauptquartier SHAPE in der Nähe von Mons (Belgien).

Sacha, nat. Bez. für →Jakutien; auch Eigenbez. der Jakuten.

Sachalin (japan. Karafutō), größte russ. Insel an der NO-Küste Asiens, vom russ. Festland durch den Tatarensund, von der japan. Insel Hokkaidō durch die La-Pérouse-Straße getrennt, 76 400 km^2, 948 km lang, 27–160 km breit; Hauptort ist Juschno-Sachalinsk. S. wird vom Westsachaliner und Ostsachaliner Gebirge (Lopatin 1609 m ü.M.) durchzogen; zw. beiden, die im N zu einem Flachland absteigen, entwässern die Flüsse Tym und Poronai eine Grabensenke. Bei rauem Monsunklima (häufig Taifune) bedecken Wälder rd. zwei Drittel der Fläche sowie Tundra den N, nur der S-Teil wird landwirtschaftlich genutzt; Abbau von Erdöl und Erdgas (bei Ocha) sowie Kohle. Andere Wirtschaftszweige sind Fischfang, -verarbeitung, Holz-, Zellstoff- und Papierind.; vom Hafen Cholmsk Eisenbahnfähre zum russ. Festland (Wanino). – Ab 1855 unter gemeinsamer Verw. von Russland und Japan, kam S. 1875 im Austausch gegen die Kurilen ganz an Russland. Seit den 1860er-Jahren bis 1906 war die Insel Verbannungsort (Zwangsarbeit, sog. »Katorga«, in Bergwerken). 1905–45 war der südl. Teil erneut japanisch, 1945 fiel er an die UdSSR.

Sach|anlagen, →Anlagevermögen.

Sacharja (in der Vulgata Zacharias), Prophet des A.T.; wirkte 520–518 v.Chr. in Jerusalem. Das **Buch S.** aus frühnachexil. Zeit gehört zu den →Kleinen Propheten. Es enthält acht Visionen des S. über den Anbruch der Heilszeit für Israel. Die Kap. 9–11 **(Deutero-S.)** und 12–14 **(Trito-S.)** stammen von späteren Verfassern (4./3.Jh. v.Chr.).

Andrei Sacharow

Sacharow, Andrei Dimitrijewitsch, russ. Atomphysiker und Bürgerrechtler, *Moskau 21. 5. 1921, †ebd. 14. 12. 1989; war führend an der Entwicklung der sowjet. Wasserstoffbombe beteiligt; wurde 1953 Voll-Mitgl. der sowjet. Akademie der Wiss. In seinem Memorandum »Gedanken über den Fortschritt, die friedl. Koexistenz und geistige Freiheit« (1968) wandte er sich gegen die ideolog. Teilung der Welt. 1970 gründete er ein Komitee für Menschenrechte und trat für die Demokratisierung der sowjet. Gesellschaft ein; erhielt 1975 den Friedensnobelpreis. 1980–86 nach Gorki (heute Nischni Nowgorod) verbannt, setzte er trotz Verfolgung durch den KGB seine Aktivitäten fort. Im Zuge der Reformpolitik M. Gorbatschows kehrte er 1986 nach Moskau zurück und wurde 1989 Abg. im Kongress der Volksdeputierten. 1991 erschienen seine Memoiren (»Mein Leben«).

Sachbefugnis, *Recht:* →Sachlegitimation.

Sachbeschädigung, vorsätzl. und rechtswidrige Beschädigung oder Zerstörung einer fremden Sache, also die nicht unerhebl. Verletzung von Substanz, äußerer Erscheinung oder Form einer Sache und deren damit verbundene Brauchbarkeitseinbuße. Das StGB unterscheidet: die einfache S., die nur auf Antrag verfolgt und mit Geld- oder Freiheitsstrafe bis zu zwei Jahren (§303), die gemeinschädl. S., die z.B. dem öffentl. Nutzen dienende Sachen betrifft und mit Geld- oder Freiheitsstrafe bis zu drei Jahren (§304), sowie die Zerstörung von Bauwerken, die mit Geld- oder Freiheitsstrafe bis zu fünf Jahren (§305) belegt ist. Sonderfälle der S. sind Datenveränderung (§303a), Computersabotage (§303b) und Zerstörung wichtiger Arbeitsmittel (§305a). – Ähnl. Bestimmungen enthalten die StGB *Österreichs* (§§125ff.) und der *Schweiz* (Art. 145).

Sachbezüge, Teil des Arbeitsentgeltes, der in geldwerten Sachgütern (z.B. freie Wohnung, Deputate, Gestellung eines Pkw zur privaten Nutzung, Belegschaftsrabatte) geleistet wird. S. zählen zu den einkommen- bzw. lohnsteuerpflichtigen Einkünften und sind bei der Berechnung der Sozialversicherungsbeiträge zu berücksichtigen. Teilweise gilt eine monatl. Freigrenze von 50 DM. Für bestimmte S. (z.B. Kantinenessen) kann der Arbeitgeber im Rahmen amtl. Sachbezugswerte die entsprechende Lohnsteuer pauschal entrichten.

Sachbuch, i.e.S. ein Buch, das wiss. Themen für ein breites Publikum verständlich und unterhaltsam behandelt; abzugrenzen vom wiss. Fachbuch und der Belletristik; i.w.S. auch Lexikon, Wörterbuch und »prakt. Ratgeber«.

Sache [ahd. sahha »Rechtsstreit«, »Ding«], *bürgerl. Recht:* jeder körperl. Gegenstand (feste, flüssige und gasförmige Körper, nicht Elektrizität, §§90ff. BGB), auch nicht eine Sachgesamtheit, z.B. ein Warenlager. Man unterscheidet z.B. bewegl. (Fahrnis) und unbewegl. (z.B. Grundstücke), vertretbare (d.h. nach Maß, Zahl oder Gewicht bestimmbare S.) sowie verbrauchbare S., z.B. Lebensmittel (→öffentliche Sachen, →Sachenrecht). Tieren wird eine eigene Rechtsqualität zugesprochen (§ 90a BGB).

Sach|einlagen, Sachwerte (z.B. Maschinen, Immobilien), die statt Bargeld bei einer Unternehmensgründung (Sachgründung) oder Kapitalerhöhung eingebracht werden.

Sachenrecht, die Gesamtheit der Vorschriften über die Rechtsbeziehungen der Personen zu den

→Sachen (→dingliches Recht). Das S. ist im 3. Buch des BGB (§§854–1296) enthalten. Die Zahl der S. ist geschlossen, d.h., andere als die im Gesetz und den Nebengesetzen geregelten Rechte können nicht durch Vertrag begründet werden (Eigentum, Dienstbarkeit, Wohnungseigentum, Dauerwohnrecht, Erbbaurecht, Vorkaufsrecht, Reallast, Hypothek, Grundschuld, Rentenschuld, Pfandrecht). Gegenstand des S. ist die Zuordnung von Herrschaftsrechten an Sachen (z.B. Eigentum), während das →Schuldrecht sich mit Forderungsrechten befasst und eine weitgehend freie Gestaltung der vertragl. Beziehungen erlaubt. – Das *österr.* ABGB regelt Schuld- und S. unter dem gemeinsamen Titel »Von dem S.«. Das eigentl. S. findet sich in den §§285–530 ABGB. Im *schweizer.* Recht bildet das S. den 4. Teil des ZGB (Art. 641–977). Es entspricht in den Hauptzügen dem dt. Recht.

📖 RIEMER, H. M.: *Grundriss des schweizer. S., Bd. 2. Bern 1986.* – WESTERMANN, H. P.: *BGB – S. Heidelberg [9]1994.* – KOZIOL, H. *u.* WELSER, R.: *Grundriß des bürgerl. Rechts, Bd. 2. Wien [10]1996.* – WOLF, M.: *S. München [13]1996.*

Sach|entziehung, die →Gebrauchsanmaßung.

Sacher, Paul, schweizer. Dirigent, *Basel 28. 4. 1906; gründete 1926 das Basler Kammerorchester und 1933 die Schola Cantorum Basiliensis (Lehr- und Forschungsinst. für alte Musik). S. hat zahlr. Kompositionen angeregt und uraufgeführt (u.a. von R. Strauss, I. Strawinsky, A. Honegger).

Sacher-Masoch, Leopold Ritter von, Schriftsteller, *Lemberg 27. 1. 1836, †Lindheim (heute zu Altenstadt, Wetteraukreis) 9. 3. 1895; schrieb Romane mit pessimist. Darstellung des Familienlebens und Neigung zum →Masochismus, der nach ihm benannt wurde (»Venus im Pelz«, 1866). Seine Novellen schildern das polnisch-jüd. Bauern- und Kleinbürgerleben.

Sachertorte [nach dem Wiener Hotelier Franz Sacher, *1816, †1907], mit Aprikosenkonfitüre und Schokoladenguss überzogene Torte.

Sachgüter, i.w.S. alle materiellen Realgüter (Konsumgüter und Produktionsmittel) im Unterschied zu den Dienstleistungen; i.e.S. Oberbegriff für die Gebrauchs- und Verbrauchsgüter.

Sachkatalog, nach Fachgebieten geordnetes Verzeichnis der Bestände einer Bibliothek.

Sachkonto, über Bilanz bzw. Gewinn-und-Verlust-Rechnung abzuschließendes Hauptbuchkonto, auf dem alle buchungspflichtigen Geschäftsvorfälle verbucht werden (z.B. Warenkonten, Konten des Sachanlagevermögens); Ggs.: Personenkonto.

Sachkredit, →Realkredit.

Sachlegitimation (Sachbefugnis), durch die rechtl. Beziehung der Partei zum Klagegegenstand begründete Befugnis zur sachl. Durchführung des Rechtsstreits als Kläger (Aktivlegitimation) oder Beklagter (Passivlegitimation). Sie ist Voraussetzung für die Begründetheit der Klage und zu unterscheiden von der **Prozessführungsbefugnis;** diese ist eine Voraussetzung für die Zulässigkeit der Klage. Beim Auseinanderfallen von S. und Prozessführungsbefugnis (z.B. bei Gemeinschuldner und Konkursverwalter) spricht man von **Prozessstandschaft.**

Sachleistungen, *Sozialversicherung:* neben Geldleistungen gewährte Naturalleistungen; so wird dem Versicherten z.B. die ärztl. Behandlung kostenfrei gewährt, der Arzt rechnet dann mit der Krankenkasse ab. Die Alternative zum S.-Prinzip ist das Kostenerstattungsprinzip, nach dem der Versicherte zunächst die Kosten einer ärztl. Behandlung übernimmt und später selbst mit der Krankenkasse abrechnet. Nach dem S.-Prinzip wird u.a. auch in der sozialen Pflegeversicherung und in der Sozialhilfe verfahren.

Sachleistungsrecht, die Rechtsvorschriften über die Sachleistungen des Einzelnen gegenüber dem Staat. Das S. ist v.a. durch das Bundesleistungs-Ges. i.d.F.v. 27. 9. 1961 geregelt. Aufgrund des Gesetzes können zur Abwehr drohender Gefahren für Staat und Verf.ordnung die Anforderungsbehörden bestimmte Leistungen des Einzelnen verlangen, z.B. Grundstücke und Sachleistungen beanspruchen; hierfür wird eine Entschädigung gewährt. Zum S. gehören auch das Ges. über die Beschränkung von Grundeigentum für die Militärverteidigung (Schutzbereichs-Ges.) vom 7. 12. 1956 und das Landbeschaffungs-Ges. vom 23. 2. 1957. – Auch in *Österreich* und der *Schweiz* bestehen entsprechende Vorschriften.

Sachmangel, *Kaufrecht:* →Mangel.

Sachmet [ägypt. »die Mächtige«] (Sechmet), ägypt. Göttin (meist als Frau mit Löwenkopf und Sonnenscheibe auf dem Haupt dargestellt); in Memphis als Gemahlin des →Ptah verehrt; als Herrin über Krieg und Krankheit ist sie die Gegennatur zu →Bastet.

Sachs, 1) Hans, Meistersinger und Dichter, *Nürnberg 5. 11. 1494, †ebd. 19. 1. 1576; Sohn eines Schneiders, Schuhmacher; 1511–16 auf Wanderschaft in Dtl.; wurde 1520 in Nürnberg Meister (→Meistersang). S. ging in seinen zahlr. Dichtungen von aktuellen polit., religiösen und sozialen Ereignissen aus. Er schuf über 4000 Meisterlieder und rd. 1900 Spruchgedichte. In vier Prosadialogen und dem Gedicht »Die Wittenbergisch Nachtigall« (1523) trat er für die Reformation ein. Neben 85 Fastnachtspielen schrieb S. rd. 130 Komödien

Paul Sacher

Leopold Ritter von Sacher-Masoch

Sachmet: Die über einen Holzkern getriebene Goldfigur der löwenköpfigen Göttin stammt aus der 18. Dynastie und wurde in Luxor gefunden (1552–1306 v. Chr.; Kairo, Ägyptisches Museum)

und Tragödien, v. a. über bibl. und histor. Stoffe, die die Lebensansichten des handwerkl. Stadtbürgertums spiegeln (»Der fahrendt Schuler im Paradeiß«, Fastnachtspiel, 1550). Die durch C. M.

Hans Sachs: Gemälde des deutschen Zeitgenossen Andreas Herneisen (1576; Nürnberg, Germanisches Nationalmuseum), darunter Autogramm

Wieland und J. W. von Goethe einsetzende S.-Rezeption fand mit R. Wagners Oper »Die Meistersinger von Nürnberg« (1868) ihren Höhepunkt.

📖 *H. S. u. die Meistersinger in ihrer Zeit. Ausst.-Kat. German. Nationalmuseum, Nürnberg 1981.* – Bernstein, E.: *H. S. Reinbek 1993.*

Nelly Sachs

2) Nelly, dt.-schwed. Schriftstellerin, *Berlin 10. 12. 1891, †Stockholm 12. 5. 1970; floh 1940 nach Schweden; gestaltete in ihrem der bibl. Psalmendichtung und der religiösen Mystik des Judentums verpflichteten Werk das Schicksal des jüd. Volkes; schrieb u. a. »In den Wohnungen des Todes« (Ged., 1947), »Zeichen im Sand« (szen. Dichtungen, 1962), »Teile dich Nacht« (Ged., hg. 1971). 1965 erhielt sie den Friedenspreis des Dt. Buchhandels, 1966 den Nobelpreis für Literatur (mit S. J. Agnon).

📖 Dinesen, R.: *N. S. Aus dem Dän. Frankfurt am Main 1992.*

Sachsa, Bad, → Bad Sachsa.

Sachsen, Land (Freistaat) im O der Bundesrep. Dtl., 18 412 km², (1996) 4,557 Mio. Ew.; Hptst. ist Dresden.

Landesnatur: S. liegt im Übergangsbereich von glazial geformtem Flachland im N zum Mittelgebirgsland im S und gehört (außer dem äußersten O) zum Einzugsbereich der Elbe, die S. in SO-NW-Richtung durchquert. Westlich der Elbe greift im NW die Leipziger Tieflandsbucht weit nach S aus, zw. Mulde und Elbe erstreckt sich der SO-Teil der Dübener Heide. Im S hat S. Anteil an der Mittelgebirgsschwelle, über die die Grenze zur Tschech. Rep. verläuft, und zwar am Elstergebirge (im äußersten SW), das oft als der südl. Teil des Vogtlandes angesehen wird, am Erzgebirge mit dem 1214 m ü. M. hohen Fichtelberg, der höchsten Erhebung S.s, am Elbsandsteingebirge mit dem Nationalpark Sächs. Schweiz beiderseits der tief eingeschnittenen Elbe sowie im äußersten O am Lausitzer Gebirge, dem westlichsten Glied der Sudeten. Dem Mittelgebirgsland vorgelagert ist das Mittelsächs. Hügelland (durch Zwickauer Mulde, Zschopau und Freiberger Mulde mit z. T. tiefen Tälern gegliedert) mit der flachen Einsenkung des Erzgebirgsbeckens, in dessen Mittelpunkt Chemnitz liegt. Den östl. Teil S.s um die obere Spree bildet die Oberlausitz. Raue Klimabedingungen herrschen im Erzgebirge und Vogtland, dagegen sind der Dresdner Elbtalkessel und die Leipziger Tieflandsbucht klimabegünstigt.

Bevölkerung: S. gehört mit (1996) 248 Ew./km² zu den dichter besiedelten Bundesländern. Neben der dt.stämmigen Bev. lebt im O von S. in der Oberlausitz um Hoyerswerda, Bautzen, Kamenz, Niesky und Weißwasser die nat. Minderheit der Sorben (Obersorben). Verbreitetste Konfession ist der Protestantismus (unter den Sorben der Katholizismus). S. besitzt fünf Univ. (Leipzig, Dresden, Chemnitz, Cottbus, Freiberg), zehn FH sowie sechs Kunsthochschulen.

Wirtschaft: S. ist ein Bundesland mit bedeutender Industrie. Der bereits im MA. entwickelte Bergbau im Erzgebirge, die Stein- und Braunkohlevorkommen und die günstige geograph. Lage in der Mitte Europas gaben der handwerkl. und industriellen Produktion starke Impulse, die von einer bed. Landwirtschaft gestützt wurden. Der Abbau von Braunkohle um Borna–Espenhain südlich und um Delitzsch nördlich von Leipzig, um Hoyerswerda–Weißwasser und zw. Görlitz und Zittau sowie die damit verbundene Elektroenergieerzeugung, Kohlechemie und der Uranerzbergbau im Erzgebirge verursachten schwere Umweltschäden. Die Umstellung von der Zentralverwaltungswirtschaft auf die soziale Marktwirtschaft nach 1989 führte zur Existenzkrise vieler Ind.betriebe und z. T. ganzer Ind.zweige (Textil-, chem. Ind., Fahrzeugbau, Bergbau) sowie landwirtsch. Unternehmen. Heute befindet sich etwa ein Drittel des wirtsch. Potenzials der neuen Bundesländer in Sachsen. Zentren sind die industrielle Ballungszone Elbtal zw. Pirna und Meißen mit dem Hauptstandort Dresden (Maschinenbau, elektrotechn./elektron., Papier-, opt., feinwerktechn. und keram. Ind.), nordwestlich der Ind.standort Riesa; das Ind.gebiet in und um Leipzig mit Braunkohlenind., Maschinenbau, Textil- und Bekleidungsind., Druckereien; das Erzgebirgsvorland und Vogtland mit der Ind.zone Freiberg–Chemnitz–Zwickau–

Plauen; der Ind.bereich Oberlausitz v.a. mit Braunkohlenindustrie. Spezielle Industrie- und Gewerbezweige haben sich insbesondere im Erzgebirge mit Spielwarenherstellung und Schnitzkunst (Olbernhau, Seiffen/Erzgeb.) und Uhrenfertigung (Glashütte) entwickelt. Der Uran- (um Aue) und Zinnerzbergbau (um Altenberg) wurde 1991 eingestellt. – Lössablagerungen im Vorland der Mittelgebirge, in der Leipziger Tieflandsbucht, im Gebiet der Lommatzscher Pflege, im Elbtalkessel sowie in der Oberlausitz westlich und südlich von Bautzen (Lausitzer Gefilde) ermöglichen ertragreichen Ackerbau (v.a. Anbau von Weizen, Zuckerrüben und Gemüse); Obstbau bes. im Elbtalkessel und um Leisnig, Weinbau zw. Radebeul und Meißen; auf den im Nordsächs. Tiefland vorherrschenden sandigen Böden sowie in den höheren Lagen des Mittelgebirgsvorlandes Roggen-, Kartoffel- und Futterpflanzenanbau, in den oberen Gebirgslagen Rinderzucht. – Wichtigste Erholungsgebiete sind Elbsandstein-, Erzgebirge und Vogtland. – S. wird von einem dichten Verkehrsnetz durchzogen. Größte Bahnknotenpunkte sind Leipzig, Chemnitz und Dresden; Binnenschifffahrt auf der Elbe mit Häfen in Dresden, Riesa und Torgau; internat. Flughäfen bei Leipzig (Leipzig-Halle) und in Dresden.

Landtagswahlen in Sachsen 1990 und 1994[1]

Parteien	14. 10. 1990	11. 9. 1994
CDU	92; 54,4 %	77; 58,1 %
SPD	32; 19,1 %	22; 16,6 %
PDS	17; 10,2 %	21; 16,5 %
Bündnis 90/Grüne[2]	10; 5,6 %	–; 4,1 %
FDP	9; 5,3 %	–; 1,7 %
Andere	–; 5,4 %	–; 3,0 %

[1] Sitzverteilung und Stimmenanteil der Parteien. –
[2] seit 1993 Bündnis 90/Die Grünen

Sachsen
Landeswappen

Verfassung: Nach der Verf. vom 27. 5. 1992 liegt die Legislative beim Landtag (derzeit 160 Abg., auf vier Jahre gewählt, künftig 120 Abg. auf fünf Jahre). Träger der Exekutive ist die Landesreg.,

Verwaltungsgliederung Sachsen (Größe und Bevölkerung 30. 6. 1996)

Verwaltungseinheit	Fläche in km²	Ew. in 1 000	Ew. je km²	Verwaltungssitz
RegBez. Chemnitz	6 097	1 687,6	277	Chemnitz
Kreisfreie Städte				
Chemnitz	176	270,1	1 537	-
Plauen	68	67,8	996	-
Zwickau	73	104,0	1 415	-
Landkreise				
Annaberg	438	91,7	209	Annaberg-Buchholz
Aue-Schwarzenberg	528	149,2	282	Aue
Chemnitzer Land	368	153,3	416	Glauchau
Freiberg	913	155,8	171	Freiberg
Mittlerer Erzgebirgskreis	595	97,3	163	Marienberg
Mittweida	785	144,5	184	Mittweida
Stollberg	267	94,5	354	Stollberg/Erzgebirge
Vogtlandkreis	1 344	215,7	161	Plauen
Zwickauer Land	540	143,7	266	Werdau
RegBez. Dresden	7 930	1 759,4	222	Dresden
Kreisfreie Städte				
Dresden	227	466,9	2 056	-
Görlitz	44	65,5	1 484	-
Hoyerswerda	82	59,2	722	-
Landkreise				
Bautzen	955	162,3	170	Bautzen
Kamenz	1 387	161,5	116	Kamenz
Löbau-Zittau	698	162,7	233	Zittau
Meißen	698	164,6	236	Meißen
Niederschlesischer Oberlausitzkreis	1 357	113,5	84	Niesky
Riesa-Großenhain	820	127,6	155	Großenhain
Sächsische Schweiz	929	159,8	172	Pirna
Weißeritzkreis	732	115,8	158	Dippoldiswalde
RegBez. Leipzig	4 386	1 110,2	253	Leipzig
Kreisfreie Stadt				
Leipzig	158	465,8	2 943	-
Landkreise				
Delitzsch	779	97,7	125	Delitzsch
Döbeln	424	81,2	192	Döbeln
Leipziger Land	980	237,0	242	Leipzig
Muldentalkreis	877	123,7	141	Grimma
Torgau-Oschatz	1 168	104,8	90	Torgau
Sachsen	18 412	4 557,2	248	Dresden

bestehend aus dem vom Landtag gewählten Min.-Präs. und den von ihm berufenen Min. Die Verf. fixiert die Möglichkeit von Volksbegehren und -entscheiden.

Geschichte: Ende des 9. Jh. bildete sich das Stammesherzogtum der Sachsen unter Führung der Liudolfinger heraus, die 919–1024 die dt. Könige stellten. Die Herzogsgewalt der Billunger erstreckte sich nur auf die Grenzmark an der unteren Elbe. 1137 wurde die Herzogswürde den Welfen übertragen, 1142 erhielt sie Heinrich der Löwe. Unter ihm erreichte das Stammesherzogtum seine größte Ausdehnung. Nach seinem Sturz wurde es 1180 auf ein östl., an der Elbe gelegenes Restherzogtum reduziert (das übrige S. kam z.T. an das Erzstift Köln, z.T. bildete es später das Herzogtum Braunschweig-Lüneburg). Das Restherzogtum S. fiel an die Askanier, die es 1260 in die Herzogtümer S.-Lauenburg und S.-Wittenberg teilten. Die Kurwürde bekam 1356 (Goldene Bulle) allein S.-Wittenberg (seitdem Kurland) zugesprochen. Mit Friedrich I., dem Streitbaren, erhielten die wettin. Markgrafen von Meißen 1423 Kurwürde und Herzogstitel. – Das Kernland ihres späteren Staates war die **Markgrafschaft Meißen.** Diese umfasste seit 982 nach der Niederwerfung der slaw. Daleminzen und der Errichtung der Burg Meißen 929 durch König Heinrich I. die Markgrafschaften Merseburg, Zeitz und Meißen und gelangte 1089/1125 an das Haus Wettin. Seit Mitte des 13. Jh., vergrößert 1247/64 u.a. um Thüringen, 1253/54 bzw. 1329 um das Pleißenland, reichte die Markgrafschaft von der Oder bis zur Werra, vom Erzgebirge bis zum Harz. Auf dieses Gebiet übertrug sich 1423 der Name des Kurfürstentums S. (**Kur-S.** oder Ober-S.; im Unterschied zum ursprüngl. Siedlungsgebiet der Sachsen, jetzt Nieder-S. genannt). 1485 kam es zur »Leipziger Teilung« des Hauses Wettin in zwei Linien: Die ernestin. Linie gelangte in den Besitz der Hauptmasse Thüringens (ab 1572 Aufspaltung in die →Sächsischen Herzogtümer), des Vogtlandes und (bis 1547, Schlacht bei Mühlberg) des Kurlandes S.; sie geriet in der Reformationszeit als Förderer M. Luthers (Friedrich III., der Weise) und Führer des Schmalkald. Bundes (Johann Friedrich I., der Großmütige) ins Zentrum europ. und dt. Geschichte. Die albertin. Linie erhielt die Markgrafschaft Meißen, das Leipziger Gebiet (Teile des Osterlandes), das nördl. Thüringen, 1547 (Wittenberger Kapitulation) das Kurland S. mit der Kurwürde (Moritz) und 1635 (Prager Frieden) die Ober- und Niederlausitz. In der Folgezeit trat S. die prot. Führungsrolle an Preußen ab. Unter der absolutist. Herrschaft Augusts II., des Starken (1697 Übertritt zum Katholizismus), wurde das Kurfürstentum S. in

Königreich Sachsen, Provinz Sachsen und die sächsischen Herzogtümer nach 1815

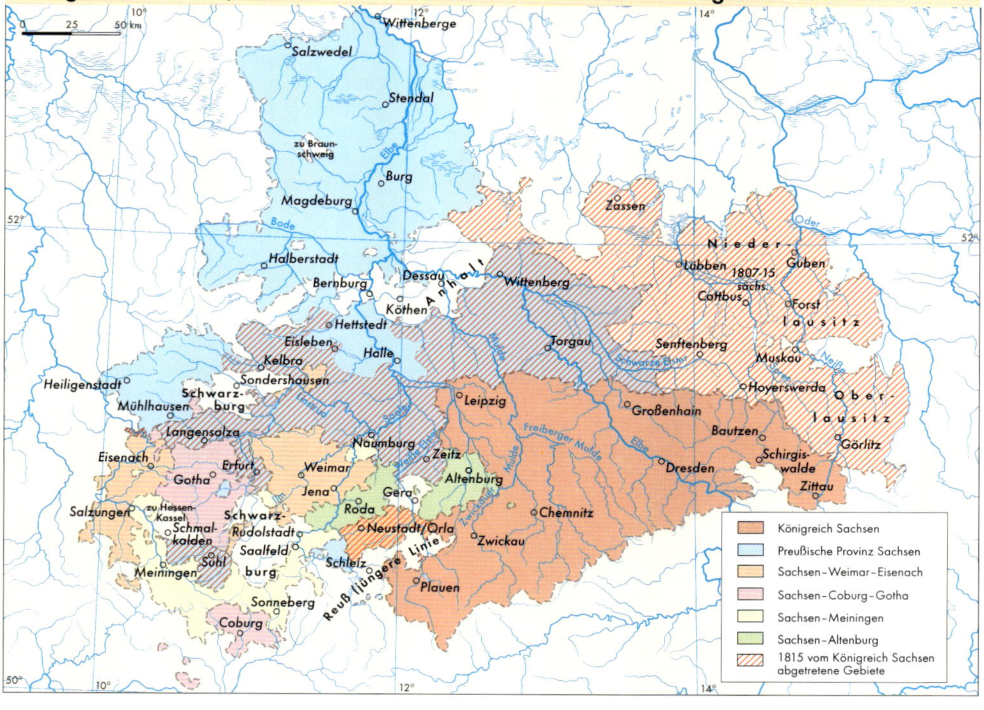

Personalunion mit Polen verbunden (bis 1763). Großen kulturellen Leistungen (Dresdner Barock, J. S. Bach) stand schwindender polit. Einfluss (v. a. durch den Siebenjährigen Krieg 1756–63) gegenüber. Ende des 18. Jh. entstanden Textilmanufakturen, und im 19. Jh. entwickelte sich S. zum ausgeprägten Industriestaat. Ab 1806 war das Land Mitgl. des Rheinbundes und wurde durch Napoleon I. zum Königreich erhoben. König Friedrich August I. wurde nach der Völkerschlacht bei Leipzig (1813) gefangen genommen und S. bis 1815 von russ., dann preuß. Truppen besetzt. – Durch den Wiener Kongress (1815) kam die N-Hälfte des Königreichs an Preußen (→Sachsen-Anhalt, Geschichte). – 1831 erhielt das **Königreich S.** eine Verf., die ein Zweikammersystem vorsah. 1866 erfolgte der Beitritt zum Norddt. Bund. Mit dem Wachstum der Ind. setzte ein starker wirtsch. Aufschwung ein und die Sozialdemokratie wurde 1903 stärkste Partei (»rotes S.«). Am 10. 11. 1918 wurde in Dresden von den Arbeiter- und Soldatenräten die Rep. S. ausgerufen (am 13. 11. 1918 Thronverzicht Friedrich Augusts III.), am 1. 11. 1920 nach Weimarer Vorbild eine Verf. im **Freistaat S.** erlassen. 1945 kam S. mit Teilen Niederschlesiens zur sowjet. Besatzungszone. Mit der Aufhebung der Verf. vom 28. 2. 1947 am 25. 7. 1952 wurde S. in die Bez. Leipzig, Dresden und Karl-Marx-Stadt (Chemnitz) aufgeteilt, am 3. 10. 1990 als Land (Freistaat) wieder errichtet. Bei den Landtagswahlen 1990 und 1994 errang die CDU die absolute Mehrheit; sie stellt mit K. Biedenkopf den Ministerpräsidenten.

📖 *Histor. Landeskunde Mitteldeutschlands, hg. v.* H. HECKMANN, *Bd. 1: S. Würzburg* ³*1991.* – ZEMMRICH, J.: *Landeskunde von S. Neuausg. Berlin 1991.* – *Phys. Geographie. Mecklenburg-Vorpommern, Brandenburg, Sachsen-Anhalt, S., Thüringen, Beiträge v.* H. BRAMER *u. a. Gotha 1991.* – KÖTZSCHKE, R. *u.* KRETZSCHMAR, H.: *Sächs. Geschichte. Neuausg. Augsburg 1995.*

Sachsen [vermutlich Kurzform von ahd. sahsnotas »Schwertgenossen«], **1)** (Niedersachsen) dt. Stamm, urspr. als westgerman. Stamm(esverband) nördlich der Elbe (Holstein) sesshaft (2. Jh. n. Chr.), breitete sich ab dem 3./4. Jh. nach Süden aus (Kerngebiet: Elbe-Weser-Dreieck). Ein Teil der S. eroberte zusammen mit Angeln und Jüten im 5. Jh. England (→Angelsachsen). Das Stammesgebiet gliederte sich in Westfalen, Engern, Ostfalen und Nordalbingien (Holstein) auf. In den Sachsenkriegen Karls d. Gr. (772–804) wurden die S. unterworfen und christianisiert.

2) die →Obersachsen.

Sachsen, Moritz Graf von, gen. Maréchal de Saxe, Marschall von Frankreich (seit 1744), * Goslar 28. 10. 1696, † Schloss Chambord 30. 11. 1750; Sohn Augusts II., des Starken, und der Gräfin Aurora von Königsmarck; seit 1720 in frz. Diensten, eroberte im Österr. Erbfolgekrieg 1745–47 die südl., österr. Niederlande. Seine »Einfälle über die Kriegskunst« (veröffentlicht 1756) beeinflussten Friedrich II., d. Gr., von Preußen.

Sachsen-Altenburg, →Sächsische Herzogtümer.

Sachsen-Anhalt, Land im O der Bundesrep. Dtl., 20 447 km², (1997) 2,714 Mio. Ew.; Hptst. ist Magdeburg.

Sachsen-Anhalt
Landeswappen

Landesnatur: S.-A. hat Anteil an der dt. Mittelgebirgsschwelle und im größeren NO-Teil am Norddt. Tiefland, das von der Elbe mit einer breiten Niederung durchzogen wird. Den äußersten N nimmt die Altmark ein, die nach NO zum Niederungsgebiet der Wische an der Elbe, nach SW zur Wiesenniederung des Drömling abfällt und im S vom unfruchtbaren Endmoränengebiet der Letzlinger Heide abgeschlossen wird. Den mittleren Teil bildet die fruchtbare Magdeburger Börde und das westlich angrenzende nördl. Harzvorland, östlich der Elbe der westl. Teil des waldreichen Flämings. Der südl. Landesteil umfasst den östl. Harz mit dem Brockenmassiv (1142 m ü. M.), den östl. Teil der südlich vorgelagerten Goldenen Aue sowie das östl. und südöstl. Harzvorland, im O Teile der Leipziger Tieflandsbucht und, zw. Mulde und Elbe, der Dübener Heide. Der äußerste S gehört zu den Randgebieten des Thüringer Beckens.

Bevölkerung: Mit (1996) 133 Ew./km² gehört S.-A. zu den schwach besiedelten Bundesländern, wobei der landwirtschaftlich geprägte N-Teil bed. weniger bevölkert ist als der industriereichere S-Teil. Verbreitetste Konfession ist der Protestantismus. S.-A. besitzt in Halle (Saale) eine Univ., eine Hochschule für Kunst und Design, eine für Kirchenmusik, in Magdeburg eine TU, eine medizin. Akademie; ferner vier Fachhochschulen.

Wirtschaft: Die Landwirtschaft dominiert in der Magdeburger Börde mit Weizen-, Zuckerrüben-, Gemüseanbau sowie Rinder- und Schweinemast und im nördl., östl. und südl. Harzvorland (bes. in der Goldenen Aue). Im N und O herrschen mittlere und leichte Böden vor, die für Kartoffel- und Roggenanbau genutzt werden. Im Harz und z. T. in der Elbniederung ist Grünlandwirtschaft verbreitet, am Harzrand und am Süßen See bei Eisleben der Obstbau, im Tal von Saale und Unstrut bei Naumburg (Saale) und Freyburg (Unstrut) der Weinbau (Saale-Unstrut). – Große Bedeutung haben die Braunkohlevorkommen nördlich von Zeitz sowie bei Bitterfeld und Gräfenhainichen; die Vorkommen im →Geiseltal sind heute ausgekohlt; Kali- und Steinsalzförderung in Bernburg und Zielitz. Der Kupferschieferbergbau bei Sangerhausen wurde 1991 eingestellt. Die chem. Ind. bei Merseburg, in Schkopau, Bitterfeld, Wolfen

Landtagswahlen in Sachsen-Anhalt 1990–98[1]

Parteien	14.10.1990	26.6.1994	26.4.1998
SPD	27; 26,0%	36; 34,0%	47; 35,9%
CDU	48; 39,0%	37; 34,4%	28; 22,0%
PDS	12; 12,0%	21; 19,9%	25; 19,6%
Bündnis 90/ Grüne[2]	5; 5,3%	5; 5,1%	–; 3,2%
FDP	14; 13,5%	–; 3,6%	–; 4,2%
DVU[3]	–; –	–; –	16; 12,9%
Andere	–; 3,5%	–; 3,0%	–; 2,2%

[1] Sitzverteilung und Stimmenanteil der Parteien. – [2] seit 1993 Bündnis 90/Die Grünen. – [3] Abk. für Deutsche Volksunion

und Wittenberg verursachte ebenso wie die im Tagebau betriebene Braunkohlenförderung und die darauf basierende Elektrizitätsgewinnung weiträumige Umweltschäden. Ihre Produktionsanlagen mussten daher stillgelegt oder kostenaufwendig saniert werden. Ein wichtiger Ind.zweig ist weiterhin der Maschinen-, bes. der Schwermaschinenbau in Magdeburg. Ind.standorte sind außerdem Halle (Saale), Dessau, Zerbst, Köthen (Anhalt), Aschersleben, Zeitz, Staßfurt sowie Wernigerode. – Der Harz, die Dübener Heide, das Saale-Unstrut-Gebiet und der Fläming sind beliebte Erholungsgebiete. – Wichtigste Eisenbahnknotenpunkte sind Halle (Saale) und Magdeburg. S.-A. wird von der Autobahn Hannover–Berlin im mittleren und München–Berlin im östl. Teil durchzogen. Binnenschifffahrt erfolgt auf Elbe und Saale; Mittelland- und Elbe-Havel-Kanal verbinden die Elbe mit dem Ruhrgebiet und Berlin; größter Binnenhafen ist Magdeburg.

Verfassung: Nach der Verf. vom 15. 7. 1992 liegt die Legislative beim Landtag (106 Abg., auf vier Jahre gewählt). Exekutivorgan ist die Landesreg., bestehend aus dem vom Landtag gewählten Min.-Präs. und den von ihm ernannten Ministern. Als plebiszitäre Elemente schreibt die Verf. Volksinitiative, -begehren und -entscheid fest.

Geschichte: Der Ostharz und das Mittelelbe-Saale-Gebiet, nach 531 (→Thüringen) von Thüringern, Sachsen und Franken, später im O auch von Slawen besiedelt und als Teil des (alt- bzw. nieder)sächs. Stammesgebietes spätestens ab 804 fest in das Fränk. Reich eingegliedert, war im 10./11. Jh. unter den Liudolfingern (Heinrich I., Otto I., d. Gr.) Kerngebiet des frühmittelalterl. »Reichs der

Verwaltungsgliederung Sachsen-Anhalt (Größe 31. 12. 1996 und Bevölkerung 30. 6. 1997)

Verwaltungseinheit	Fläche in km²	Ew. in 1 000	Ew. je km²	Verwaltungssitz
RegBez. Dessau	4 280	568,2	133	Dessau
Kreisfreie Stadt				
Dessau	148	89,7	606	-
Landkreise				
Anhalt-Zerbst	1 225	79,3	65	Zerbst
Bernburg	414	72,6	175	Bernburg (Saale)
Bitterfeld	505	116,3	231	Bitterfeld
Köthen	480	72,3	151	Köthen (Anhalt)*)
Wittenberg	1 508	138,0	92	Lutherstadt Wittenberg
RegBez. Halle	4 430	899,5	203	Halle (Saale)
Kreisfreie Stadt				
Halle (Saale)	135	273,6	2 027	-
Landkreise				
Burgenlandkreis	1 041	148,0	142	Naumburg (Saale)
Mansfelder Land	759	112,4	148	Lutherstadt Eisleben
Merseburg-Querfurt	805	138,9	173	Merseburg*)
Saalkreis	628	74,0	118	Halle (Saale)
Sangerhausen	690	71,2	103	Sangerhausen
Weißenfels	372	81,4	219	Weißenfels
RegBez. Magdeburg	11 738	1 247,1	106	Magdeburg
Kreisfreie Stadt				
Magdeburg	193	248,9	1 290	-
Landkreise				
Altmarkkreis Salzwedel	2 292	105,3	46	Hansestadt Salzwedel
Aschersleben-Staßfurt	655	108,1	165	Aschersleben
Bördekreis	880	81,9	93	Oschersleben (Bode)
Halberstadt	665	81,5	123	Halberstadt
Jerichower Land	1 336	101,9	76	Burg
Ohrekreis	1 494	114,1	76	Haldensleben
Stendal	2 423	145,9	60	Stendal
Quedlinburg	540	81,9	152	Quedlinburg
Schönebeck	460	79,8	173	Schönebeck (Elbe)
Wernigerode	798	97,8	123	Wernigerode
Sachsen-Anhalt	20 447	2 714,8	133	Magdeburg

*) Namensänderung seit Ende 1997

Deutschen«. Es war seit dem 13. Jh. in die Landesherrschaften u. a. der →Askanier (neben der →Altmark seit 1260 die Herzogtümer Sachsen-Lauenburg und Sachsen-Wittenberg, seit 1212/18 das Fürstentum →Anhalt), Wettiner (seit 1423 Kurfürsten von Sachsen-Wittenberg; Wittenberg im 16. Jh. Ausgangspunkt der Reformation), des Erzbischofs von Magdeburg (1648/80 als Herzogtum an Brandenburg-Preußen; Residenz seit 1714 Halle), der Grafen von Mansfeld (1780 auf Preußen und Kursachsen aufgeteilt) und Stolberg (seit 1429 Stolberg-Wernigerode und Stolberg-Stolberg) gegliedert; später bestanden die (kursächsisch-)albertin. Sekundogenitur-Fürstentümer Sachsen-Weißenfels (1656–1746), Sachsen-Merseburg (1656 bis 1738) und Sachsen-Zeitz (1656–1718). Nach dem Wiener Kongress (1815) wurde zum 1. 4. 1816 aus preuß. (Altmark, Magdeburg-Halle, Halberstadt), bisher kursächs. (Wittenberg, Torgau, Merseburg, Naumburg, N-Thüringen) und ehemals kurmainz. Gebieten (Erfurt, Eichsfeld) die preuß. **Provinz Sachsen** gebildet (Hptst.: Magdeburg). Am 1. 7. 1944 wurde diese in die preuß. Provinzen Magdeburg und Halle-Merseburg aufgeteilt; der RegBez. Erfurt kam zu Thüringen.

1945 besetzten zunächst amerikan. (bis 1. 7. 1945), dann sowjet. Truppen das Gebiet des heutigen S.-A. Am 9. 7. 1945 bildete die SMAD aus den Provinzen Magdeburg und Halle-Merseburg, dem Freistaat Anhalt und Teilen des ehem. Landes Braunschweig die Prov. Sachsen, ab 1946 Prov. S.-A. genannt. Mit der Verabschiedung einer Landes-Verf. (1947) erhielt die Provinz den Status eines Landes (Hptst.: Halle/Saale). Am 25. 7. 1952 wurde S.-A. in die DDR-Bezirke Magdeburg und Halle aufgelöst. Teile kamen zu den Bezirken Leipzig (damaliger Kr. Torgau) und Cottbus (Kr. Jessen). Im Okt. 1990 wurde S.-A. aus den Bezirken Halle und Magdeburg und dem (ehem.) Kreis Jessen wiederhergestellt (der Kr. Torgau kam zu Sachsen). Nach der Landtagswahl vom 14. 10. 1990 bildeten CDU und FDP eine Koalitionsreg. unter den MinPräs. G. Gies (bis Juli 1991), W. Münch (bis Nov. 1993) und C. Bergner (ab Dez. 1993; alle CDU). Nach den Landtagswahlen von Juni 1994 führte R. Höppner (SPD) als MinPräs. (ab Juli 1994) eine Minderheitsreg. aus SPD und Grünen. Nach den Landtagswahlen im April 1998, bei denen die SPD mit 35,9 % der Stimmen als stärkste polit. Kraft bestätigt worden war, bildete Höppner Ende Mai 1998 eine SPD-Minderheitsregierung.

📖 *Phys. Geographie. Mecklenburg-Vorpommern, Brandenburg, S.-A., Sachsen, Thüringen, Beiträge v.* H. Bramer *u. a. Gotha 1991. – S.-A., hg. v.* E. Oelke. *Gotha 1997.*

Sachsen-Coburg und Gotha, →Sächsische Herzogtümer.

Sachsenhausen, Ortsteil von Oranienburg, Brandenburg. – In S. bestand 1933/36–45 ein nat.-soz. Konzentrationslager, in dem bis 1945 mehr als 200 000 Menschen inhaftiert waren (von ihnen starben etwa 100 000); 1945–50 sowjet. Internierungslager; seit 1961 Mahn- und Gedenkstätte.

Sachsenhausen: Mahnmal aus dem Jahr 1961 im ehemaligen Konzentrationslager Sachsenhausen

Sachsen-Meiningen, →Sächsische Herzogtümer.

Sachsenring, 1927 eröffneter Rundkurs für Automobil-, Motorrad- und Radrennen, bei Hohenstein-Ernstthal, 8,6 km lang.

Sachsenspiegel, ältestes und einflussreichstes Rechtsbuch des dt. MA., zw. 1220 und 1235 von dem sächs. Ritter →Eike von Repgow in niederdt. Sprache verfasst. Der S. ist eine private Rechtsauf-

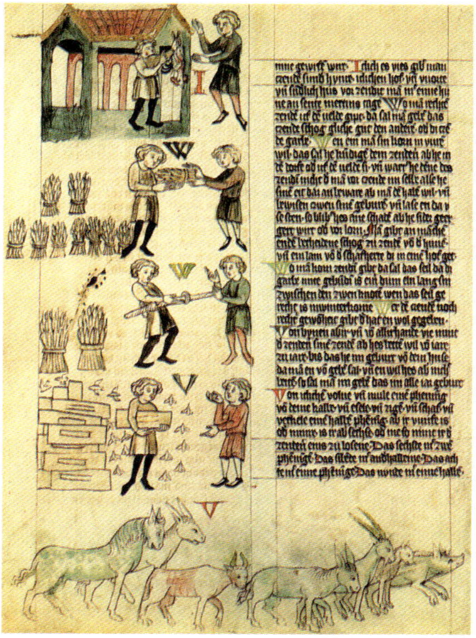

Sachsenspiegel: Seite aus der Wolfenbütteler Handschrift (3. Viertel des 14. Jh.; Wolfenbüttel, Herzog-August-Bibliothek)

zeichnung, die das bestehende, ungeschriebene, v.a. durch Gerichtsgebrauch überlieferte Gewohnheitsrecht des Sachsenlandes (bes. der elb-ostfäl. Heimat des Verfassers) im Sinne erzieherisch-vorbildhafter Lebensregeln wiedergibt (daher »Spiegel«). Er erlangte bald gesetzesgleiches Ansehen und bildete u.a. die Vorlage zu den oberdt. Rechtsbüchern →Deutschenspiegel und →Schwabenspiegel. Auf dem S. beruhen das Magdeburger Recht und das gemeine Sachsenrecht. Der S. ist in 341 Handschriften des Landrechts und 94 Lehnrechtstexten überliefert, die z.T. durch kolorierte Handzeichnungen illustriert sind, so die Handschriften von Dresden (heute weitgehend zerstört), Heidelberg, Oldenburg und Wolfenbüttel.

📖 Koschorreck, W.: *Der S. in Bildern.* Frankfurt am Main [7]*1993.*

Sachsenwald, Mischwaldgebiet östlich von Hamburg, 68 km², kam 1871 an O. von Bismarck (→Friedrichsruh).

Sachsen-Weimar-Eisenach, →Sächsische Herzogtümer.

Sächsische Herzogtümer, die Kleinstaaten der ernestin. Linie der Wettiner in Thüringen, seit der Neugliederung von 1826 das (seit 1815) Großherzogtum **Sachsen-Weimar-Eisenach** (seit 1877 amtlich auch Großherzogtum Sachsen) und die Herzogtümer **Sachsen-Altenburg, Sachsen-Coburg und Gotha** und **Sachsen-Meiningen;** seit Nov. 1918 Freistaaten, gingen 1920 im Land →Thüringen auf; Coburg schloss sich Bayern an.

Sächsische Schweiz, 1) →Elbsandsteingebirge.

2) Landkreis in Sachsen, 929 km², (1996) 159 800 Ew.; Krst. ist Pirna.

Sächsische Staatskapelle Dresden (bis 1991 Staatskapelle Dresden), 1548 gegr., gehört zu den ältesten und traditionsreichsten Orchestern Europas. Bed. Dirigenten waren u.a. H. Schütz, J. A. Hasse, C. M. von Weber, H. Marschner, R. Wagner, F. Busch, K. Böhm, J. Keilberth, R. Kempe, O. Suitner, K. Sanderling, H. Blomstedt. Chefdirigent seit 1992 ist Giuseppe Sinopoli.

Sächsisches Volksrecht (lat. Lex Saxonum), das auf dem Aachener Reichstag 802 zusammengefasste Recht der Sachsen. (→germanische Volksrechte)

Sächsische Weltchronik, um 1225/30 (Verfasserschaft von →Eike von Repgow neuerdings umstritten) entstandene Darstellung der Weltgeschichte seit der Schöpfung; sie ist das erste dt. Geschichtswerk in Prosa.

Sach|unterricht, Unterrichtsbereich der Grundschule, der seit 1969 allg. das Fach Heimatkunde abgelöst hat. Der S. betont naturwiss., techn. und sozialkundl. Wissen.

Sachvermögen, der Wert materieller Güterbestände. In der *Betriebswirtschaftslehre* lassen sich S.-Gegenstände des Umlaufvermögens (z.B. Vorräte und Waren) und des Anlagevermögens (z.B. Gebäude und Anlagen zur Leistungserstellung) unterscheiden (Sachkapital). Das S. dient durch phys. Einsatz dem Produktionsprozess. Vom S. sind das Geldvermögen und das immaterielle Vermögen (z.B. Patente und Lizenzen) sowie das Humankapital zu unterscheiden. Die Beschaffung von S.-Gegenständen heißt **Sachinvestition.**

Sachversicherung, →Versicherung.

Sachverständigenrat, bestimmtes, aufgrund eines Gesetzes gebildetes, unabhängiges wiss. Gutachtergremium. Der erste und bekannteste S. in Dtl. ist der **Sachverständigenrat zur Begutachtung der gesamtwirtschaftlichen Entwicklung (SVR),** ein unabhängiges wirtschaftswiss. Expertengremium, bestehend aus fünf Personen (»fünf Weise«), die vom Bundespräs. auf Vorschlag der Bundesreg. für fünf Jahre berufen werden; erstmalig im Frühjahr 1964 gebildet. Der S. ist zur Erstellung eines Jahresgutachtens verpflichtet und kann nach eigenem Ermessen Sondergutachten anfertigen; daneben sind Gutachten auf Anforderung der Bundesreg. möglich. Die Jahresgutachten stellen die gesamtwirtschaftl. Lage und deren absehbare Entwicklung dar. Dabei ist zu untersuchen, wie im Rahmen einer marktwirtschaftl. Ordnung die gesamtwirtschaftl. Ziele des § 1 des Stabilitätsgesetzes gleichzeitig erreicht werden können unter Einbeziehung von Fragen der Bildung und Verteilung von Einkommen und Vermögen. Ohne konkrete Empfehlungen für wirtschaftspolit. und soziale Maßnahmen geben zu dürfen, soll der SVR Fehlentwicklungen sowie Möglichkeiten zu deren Überwindung aufzeigen. – Weitere S. sind z.B. die Monopolkommission und der Rat von Sachverständigen für Umweltfragen.

Sachverständiger, Person, die auf einem bestimmten Gebiet eine besondere Sachkunde aufweist und vor Gericht und Behörden zur Abgabe von Gutachten berufen ist. Der Beweis durch S. ist in allen Prozessordnungen vorgesehen. Der S. teilt Erfahrungsgrundsätze mit und stellt Tatsachen fest, die nur aufgrund besonderer Sachkunde beurteilt werden können. Die Person des S. wird vom Gericht ausgewählt, in erster Linie aus dem Kreis der öffentlich bestellten S. Der öffentlich bestellte S. ist verpflichtet, für das Gericht tätig zu werden, sofern ihm nicht ein Verweigerungsrecht (z.B. § 408 ZPO) zusteht. Er kann ggf. wegen Besorgnis der Befangenheit abgelehnt werden. – In *Österreich* und der *Schweiz* hat der S. ähnl. Aufgaben.

Sack, Erna, Sängerin (Koloratursopran), *Berlin 6. 2. 1898, †Mainz 2. 3. 1972; u.a. ab 1935 Mitgl. der Dresdner Staatsoper; ihre Stimme reichte bis zum viergestrichenen c.

Säckelblume (Ceanothus), nordamerikanische Gattung der Kreuzdorngewächse, wegen ihrer Blütenrispen z. T. Ziersträucher.

Säckingen, Bad, →Bad Säckingen.

Sackkrebs (Sacculina carcini), Rankenfüßer (Krebs), sackförmiger Schmarotzer, der sich in eine Krabbe einbohrt und in ihr mit wurzelartig verzweigten Fortsätzen Nahrung aufnimmt.

Sackpfeife, der →Dudelsack.

Sackträger (Psychidae), artenreiche Familie mottenartiger Schmetterlinge. Die Raupen leben in einem aus Tier- oder Pflanzenresten selbst gefertigten, köcherförmigen Sack, in dem sie sich verpuppen; die Weibchen sind flügellos.

Sackville-West ['sækvɪl-], Victoria Mary (Vita), engl. Schriftstellerin, *Knole Castle (Cty. Kent) 9. 3. 1892, †Sissinghurst Castle (Cty. Kent) 2. 7. 1962; ⚭ mit H. G. →Nicolson. Ihr als skandalös geltender Lebenswandel und ihre unkonventionelle Ehe erregten großes Aufsehen. Sie inspirierte V. Woolf zu deren Roman »Orlando«; schrieb Gedichte, geschichtl. Studien und Gesellschaftsromane, u. a. »Schloß Chevron« (1930), »Erloschenes Feuer« (1931), »Die Ostergesellschaft« (1953).

📖 Glendinning, V.: *Vita S.-W. Aus dem Engl. Frankfurt am Main 1990.*

SACLANT ['sæk'lænt], Abk. für engl. **S**upreme **A**llied **C**ommander **Atlant**ic »Oberster Alliierter Befehlshaber Atlantik«, Bez. für den Oberkommandierenden der NATO-Streitkräfte (im Wesentlichen Seestreitkräfte) im Kommandobereich Atlantik; Sitz ist Norfolk (Va., USA).

Saclay [sa'klɛ], Gemeinde im Dép. Essonne, Frankreich, südwestlich von Paris, 2900 Ew.; frz. Kernforschungszentrum.

Sacra Conversazione [»heilige Unterhaltung«] *die* (Santa Conversazione), im 15. Jh. entstandene Form des Andachtsbildes mit der thronenden Madonna, zu der sich Heilige gesellen.

Sacramento [sækrə'mentəʊ], Hptst. des Staates Kalifornien, USA, am Unterlauf des S. River, 374000 Ew.; Univ., Indianermuseum; Obst- und Gemüsekonservenind., Schlachthäuser, Getreidemühlen, Molkereien, Zuckerraffinerien, Luftfahrtind.; Hafen (für Seeschiffe erreichbar).

Sacramento River [sækrə'mentəʊ 'rɪvə] *der,* Fluss in Kalifornien, USA, 615 km lang, entspringt westlich des Mount Shasta, durchfließt das nördl. Kalifornische Längstal, mündet in die Bucht von San Francisco.

Sacrificium [lat.] *das,* Bez. für Opfer, bes. das kath. Messopfer.

Sacsayhuamán [saksaihua'man], Festungsanlage aus der Zeit der Inka (1440–1532), nördlich von Cuzco, Peru, 200 m über dem Stadtzentrum. Vor den Ruinen findet jährlich am 24. 6. das Inti-Rayma-Fest (Wintersonnenwende) statt.

Sadat, Mohammed Anwar as-S., ägypt. Politiker, *Mit Abul Kom 25. 12. 1918, †(ermordet) Kairo 6. 10. 1981; Offizier, gehörte zum »Komitee der freien Offiziere«, das 1952 die Monarchie stürzte; war Gen.-Sekr. der Nat. Union (1957–61), Parlamentspräs. (1960/61 und 1964–69), Mitgl. des Präsidentschaftsrates (1962–64) sowie Vizepräs. (1969/70) und wurde 1970 (1976 wieder gewählt) als Nachfolger G. Nassers Staatspräs., 1973/74 und seit 1980 zugleich MinPräs.; schloss im Zuge seiner Politik eines friedl. Ausgleichs 1979 einen Friedensvertrag mit Israel; erhielt 1978 mit dem israel. MinPräs. M. Begin den Friedensnobelpreis.

Mohammed Anwar as-Sadat

Saddam Husain, irak. Politiker, →Husain.

Sadduzäer, im 2. Jh. v. Chr. entstandene religiös-polit. Gruppierung des Judentums, deren Name sich wohl vom Priestergeschlecht des Zadok (Hohepriester unter Salomo) ableitet. Die S. entstammten der jüd. Oberschicht, waren von großem polit. Einfluss, bildeten die entscheidende Kraft im →Synedrion und stellten mehrmals den Hohepriester. Sie standen in Ggs. zu den →Pharisäern, orientierten sich allein an der Thora und sahen im Tempeldienst den Schwerpunkt jüdisch-religiösen Lebens.

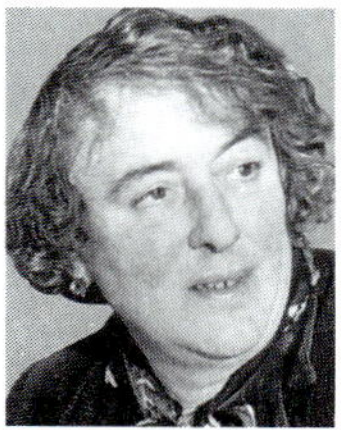

Victoria Sackville-West

📖 Stemberger, G.: *Pharisäer, S., Essener. Stuttgart 1991.*

Sacra Conversazione: Andachtsbild von Andrea Mantegna (um 1500; London, National Gallery)

Sade [sad], Donatien Alphonse François, Marquis de, frz. Schriftsteller, *Paris 2. 6. 1740, †Charenton (heute zu Saint-Maurice, Dép. Val-de-Marne) 2. 12. 1814; Offizier; aufgrund seiner exzentrischen Lebensführung 27 Jahre in Haft, auf Veranlassung Napoleons I. wegen seiner im Ge-

Marquis de Sade: Titelblatt einer Ausgabe des Romans »Die neue Justine«

fängnis verfassten Schriften von 1803 bis zum Tode in der Irrenanstalt von Charenton. S. verfasste v.a. philosoph. Romane und Erzählungen, die genaue Beschreibungen sexueller Ausschweifungen und Grausamkeiten mit materialist. Naturphilosophie in der Tradition P. H. T. d'Holbachs verbinden, so in den Romanen »Die Geschichte der Justine ...« (1791, 2 Bde.; 2. Fassung »Die neue Justine«, 1797, 10 Bde.), »Aline und Valcour« (1795, 4 Bde.), »Die 120 Tage von Sodom« (Fragment, hg. 1904) und in den Dialogen »Die Philosophie im Boudoir« (1795, 2 Bde.). Wegen der Darstellung »sadistischer« (→Sadismus) Handlungen von den Zeitgenossen scharf angegriffen, wurden seine Werke von C. Baudelaire und G. Flaubert wegen ihrer schonungslosen psycholog. Analyse geschätzt, im 19. Jh. insgesamt jedoch totgeschwiegen und erst im Laufe des 20. Jh. als Beispiele einer Grenzüberschreitung zunehmend literarisch gewürdigt.

Marquis de Sade (Ausschnitt eines zeitgenössischen Gemäldes)

📖 Jean, R.: *Ein Portrait des Marquis de S. Aus dem Frz. München 1990.* – Lever, M.: *Marquis de S. Die Biographie. A. d. Frz. Wien u. a. 1995.*

Sadebaum (Juniperus sabina), giftige Wacholderart der Gebirge Asiens, S-Europas sowie der Alpen; immergrüner, niederliegender Strauch mit aufstrebenden Zweigen, Nadeln von unangenehmem Geruch.

Sadhu [Sanskrit »der Gute«] *der,* als Eremit und bettelnder Asket lebender Hindu.

Sadismus [nach Marquis de Sade] *der,* sexuelle Perversion, bei der die Befriedigung des Geschlechtstriebes durch Misshandlung (Flagellantismus) oder Demütigung des Partners erreicht wird; Ggs.: Masochismus.

Sado, japan. Insel im Japan. Meer, Nebeninsel von Honshū, vor der Küste von Niigata, 857 km², 64 000 Ew.; Reisanbau, Fischerei, Tourismus; der einstige Goldbergbau wurde 1973 wieder belebt.

Sadomasochismus, sexuelle Praktiken, die sadist. und masochist. Züge verbinden.

Sadoveanu, Mihail, rumän. Schriftsteller, *Paşcani (Kr. Iaşi) 5. 11. 1880, †Bukarest 19. 10. 1961; veröffentlichte über 120 Romane, Novellen und Skizzen, in denen er das bäuerl. und kleinstädt. Milieu darstellt; behandelt u.a. Stoffe aus der moldauischen Geschichte (»Ankutzas Herberge«, Erz.n, 1928; »Nechifor Lipans Weib«, R., 1933; »Reiter in der Nacht«, R., 1952).

SAE [eseɪ'iː], Abk. für engl. **S**ociety of **A**utomotive **E**ngineers, amerikan. Vereinigung von Kfz-Ingenieuren, die die international anerkannte Einteilung der Motorenschmieröle nach der Viskosität in **SAE-Viskositätenklassen** erarbeitete. Die Kennzeichnung erfolgt durch zwei Serien, wobei der Buchstabe W ein definiertes Kältefließverhalten beschreibt. (Übersicht)

Saenredam ['saːn-], Pieter Janszoon, niederländ. Maler, *Assendelft (bei Zaandam) 9. 6. 1597, begraben Haarlem 31. 5. 1665; schuf Außen- und

SAE-Viskositätenklassen

für Motorenöle (SAE J 300)

SAE Viskositätsklasse	maximale Viskosität in mPa·s bei °C	maximale Grenzpumptemperatur	kinematische Viskosität in mm²/s bei 100 °C min.	max.
0W	3250/−30	−35	3,8	–
5W	3500/−25	−30	3,8	–
10W	3500/−20	−25	4,1	–
15W	3500/−15	−20	5,6	–
20W	4500/−10	−15	5,6	–
25W	6000/− 5	−10	9,3	–
20	–	–	5,6	9,3
30	–	–	9,3	12,5
40	–	–	12,5	16,3
50	–	–	16,3	21,9
60	–	–	21,9	26,1

für Getriebeöle (SAE J 306)

SAE Viskositätsklasse	maximale Temperatur in °C für die dynamische Viskosität von 150 000 mPa·s	kinematische Viskosität in mm²/s bei 100 °C min.	max.
70W	−55	4,1	–
75W	−40	4,1	–
80W	−26	7,0	–
85W	−12	11,0	–
90W	–	13,5	24,0

v. a. Innenansichten heim. Kirchen in zartem Licht und thematisch untergeordneter Staffage.

SAE-PS, in den USA übliche Leistungsangabe (heute in kW) für Kfz-Motoren, wobei die Kraft verbrauchenden Einrichtungen am Kfz unberücksichtigt bleiben. Die Angaben sind daher 10–25 % höher als bei der →DIN-Leistung.

Safi: Blick über die arabische Altstadt (Medina) auf die im frühen 16. Jh. am Meer erbaute portugiesische Festung »Dar el-Bahr«

Safari [Suaheli, aus arab. safar »Reise«] *die,* urspr. Reise mit Trägerkarawane in Ostafrika; im Tourismus mehrtägige Fahrt zur Jagd oder zur Tierbeobachtung (Fotosafari).

Safawiden, persische Dynastie (1501–1722), erreichte ihren Höhepunkt unter Abbas I. (1588–1629), der 1598 Isfahan zur Hauptstadt seines Reiches machte. (→Iran, Geschichte)

Saffianleder [pers.], pflanzlich gegerbtes, farbiges Ziegenleder mit feinkörnigen Narben, die durch →Krispeln entstehen. Geschwärztes S. heißt »Maroquin«.

Safi, Provinz-Hptst. in Marokko, am Atlant. Ozean, 197 300 Ew.; bed. Hafen- und Industriestadt, chem. Ind., Sardinenfischerei und Konservenind., Phosphatverarbeitung und -export, Keramikproduktion seit dem 16. Jh. – In der ummauerten arab. Altstadt (Medina) portugies. Zitadelle »Kechla« (Innenbauten 18. Jh.) und am Meer portugies. Festung »Dar el-Bahr« (frühes 16. Jh.).

Saflor [arab.] *der* (Carthamus), Gattung der Korbblütler, verbreitet vom Mittelmeergebiet bis Zentralasien; steife Kräuter mit am Rand stacheligen Blättern und gelben, purpurfarbenen oder blauen Blüten in einzelnen oder in zu mehreren zusammengefassten Blütenköpfchen. Früher zur Farbstoffgewinnung genutzt wurde der **Färber-S.** (**Färberdistel,** Carthamus tinctorius), bis zu 80 cm hoch, mit gelben bis orangeroten Röhrenblüten; aus den Samen wird **S.-Öl** (Distelöl) gewonnen.

Safran [arab.] *der,* **1)** *Botanik:* (Echter S.) →Krokus.

2) *Lebensmittelkunde:* (Gewürz-S.) Bez. für die getrockneten, aromatisch riechenden Blütennarben des Echten Safrans; enthalten als färbende Substanz Carotinoide; Gewürz sowie Lebensmittelfarbstoff.

Saftmal, auffällig gefärbte Blütenzeichnung, die den bestäubenden Insekten den Weg zur Nektarquelle weist.

SAG, Abk. für →**S**owjetische **A**ktien**g**esellschaft.

Saga [isländ. »Bericht, Erzählung«], Sammelbez. für skandinav., insbesondere isländ. Prosaerzählungen des MA. (12.–14. Jh.) in realist., knappem Stil. Die S. umfassen eine Reihe von ep. Formen und werden inhaltlich versch. Gruppen zugeordnet. – Die literarisch bedeutendsten fünf gehören zur Gruppe der Isländergeschichten (Íslendinga sögur, 36 Prosaerzählungen), die (meist) fiktive Stoffe der Landnahmezeit (900–1050) gestalten. Die heutige Literaturwiss. betrachtet die S. als ein unter besonderen histor. und gesellschaftl. Bedingungen Skandinaviens und Islands entstandenes Gegenstück zur höf. Epik West- und Mitteleuropas. Eine andere Gruppe sind die Königsgeschichten (Konunga sögur), die v. a. Werke zur norwegisch-dän. Königsgeschichte umfassen. Bei dieser ältesten Gruppe sind die Verfasser z. T. namentlich bekannt, so z. B. Snorri Sturluson. Zur S. i. w. S. gehören Ritter-S., Prosaübersetzungen und -bearbeitungen v. a. frz. und anglonormann. Epik, Lügengeschichten, Märchen sowie histor. bzw. pseudohistor. Übersetzungslit. und hagiograph. Literatur (Marien-, Apostel- und Heiligenlegenden). Im 19. und 20. Jh. haben v. a. die Isländergeschichten insbesondere den skandinav. histor. Roman seit der Romantik beeinflusst. Den **S.-Stil** kennzeichnet eine gehobene, dennoch natürl. All-

Mihail Sadoveanu

Saflor: Färbersaflor (Höhe bis zu 80 cm)

Safran

Safran ist das am häufigsten gefälschte Gewürz. Für ein Kilo müssen etwa 150 000 Krokusblüten verarbeitet werden. Aber es war und ist natürlich nicht nur wegen seines exorbitanten Preises begehrt. Safran galt immer schon, abgesehen von seinen Geschmacksqualitäten, als potentes Heilmittel, das wegen seiner krampf- und schmerzlösenden sowie euphorisierenden Wirkung früher oft mit dem Opium verglichen wurde.

Schon zu Zeiten der Römer wurde der Safran mit Bleiglanz und Säften schwerer gemacht, und im 15. Jahrhundert griff das Fälschen des Gewürzes so um sich, dass sogar die Todesstrafe darauf stand. Noch 1551 sah sich der Reichstag zu Augsburg veranlasst, ein Gesetz gegen »geschmierten Safran« zu erlassen.

Françoise Sagan

Marianne Sägebrecht

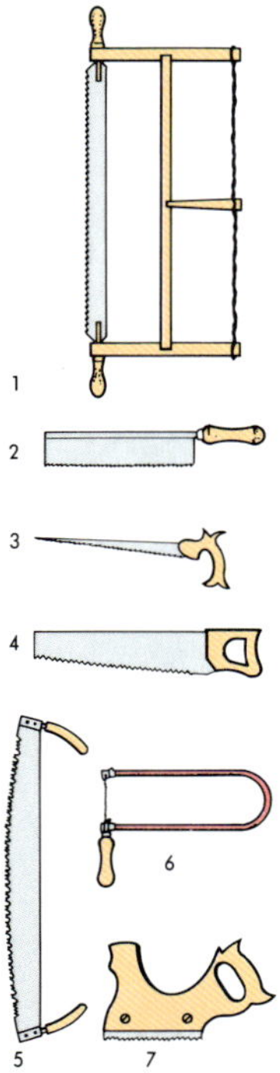

Säge:
1 Handspannsäge,
2 Feinsäge,
3 Stichsäge,
4 Fuchsschwanz,
5 Zugsäge,
6 Laubsäge
und 7 Nutsäge

tagsprosa; dargestellt werden nur die Höhepunkte eines Geschehens.

📖 SCHIER, K.: *Sagaliteratur. Stuttgart 1970. – Die Isländersaga, hg. v.* W. BAETKE. *Darmstadt 1974.*

Saga, Präfektur-Hptst. auf der Insel Kyūshū, Japan, 170300 Ew.; Univ.; Maschinenbau, elektrotechn. Ind.; Mittelpunkt der Reisebene Tsukushi.

Sagan, Stadt in Polen, →Żagań.

Sagan [sa'gã], Françoise, eigtl. F. Quoirez, frz. Schriftstellerin, *Cajarc (Dép. Lot) 21. 6. 1935; schreibt skeptisch-melanchol. und erot. Romane (»Bonjour tristesse«, 1954; »Lieben Sie Brahms?«, 1959; »Der Wächter des Herzens«, 1968; »Ein brennender Sommer«, 1986; »Die seidene Fessel«, 1989 u.a.), auch Theaterstücke (u.a. »Ein Klavier im Grünen«, 1970).

Sagasik, Stadt in Ägypten, →Zagazig.

Sage, Sammelbegriff für mündlich überlieferte Erzählungen, deren Realitätsanspruch über dem des Märchens liegt. Ausgehend vom individuellen Wahrheitswert der S. unterscheidet man das Memorat als Bericht über ein übernatürl. Erlebnis und das Fabulat als Bericht mit nicht glaubhaften Elementen. Andere Unterscheidungskriterien sind inhaltl. (Natur-, Toten-, Riesen-, Hexen-S., histor. [Kaiser]-S.), funktionale (ätiolog. S. bzw. Erklärungs-S.) oder formale Aspekte (Zeitungs-S., Schwank-S.). Von der Volks-S. sind die Sagas sowie die Götter- und Helden-S., die als Gegenstand der Hochdichtung meist literarisch fixiert sind, zu unterscheiden.

📖 RÖHRICH, L.: *S. u. Märchen. Erzählforschung heute. Freiburg im Breisgau u.a. 1976. – S., hg. v.* H. G. RÖTZER. *Bamberg 1982.*

Säge, Gerät zum spanenden Trennen (Sägen) von Holz, Metall, Kunststoff u.a. Der wichtigste Teil der S. ist das **S.-Blatt** aus Bandstahl, das eine Anzahl von Schneiden **(S.-Zähne)** trägt. Zum Vermeiden eines Klemmens des S.-Blattes in der S.-Fuge werden die Zähne entweder abwechselnd nach links und rechts gebogen (geschränkt) oder so gestaucht, dass sie dicker sind als das S.-Blatt. **Hand-S.** sind der **Fuchsschwanz,** die **Stich-** oder **Loch-S.** mit dolchartigem S.-Blatt sowie die **Zug-S.** (Schrot- oder Bauch-S.) mit zwei Griffen; ihr S.-Blatt ist nicht gespannt. Eingespannt in einen Holz- oder Stahlbügel ist es bei der **Spann-, Bügel-** und **Laubsäge.** Bei den **Steif-S.** ist das S.-Blatt entweder selbst steif oder entsprechend verstärkt (z.B. Fein-, Nutsäge).

S.-Maschinen mit hin- und hergehender Bewegung des S.-Blattes sind z.B. die **Bügelsägemaschine** in der Metallbearbeitung und die **Gatter-S.** für die Holz- oder auch Steinbearbeitung. S.-Maschinen mit kontinuierl. Hauptbewegung des S.-Blattes sind die **Band-S.** (S.-Blatt als endloses Band) und die **Kreis-S.** mit kreisförmigem S.-Blatt. Die **Wanknut-** oder **Taumel-S.** ist eine Kreis-S. mit schief zur Maschinenspindel auf verstellbarer Buchse aufgesetztem S.-Blatt, das durch seine Taumelbewegung eine Nut von gewünschter Breite schneidet. Die **Ketten-S.** zum Fällen von Bäumen hat eine die Schneiden tragende endlose Kette.

Sägebock (Gerberbock, Prionus coriarius), Art der Bockkäfer; 24–42 mm lang, dunkelbraun, dämmerungsaktiv; Männchen mit »gesägten« Fühlergliedern. Die Larven leben in morschem Holz von Laub- und Nadelbäumen.

Sägebrecht, Marianne, Schauspielerin und Kabarettistin, *Starnberg 27. 6. 1945; machte 1977–81 kabarettistisches Revuetheater (»Opera curiosa«); wurde durch Rollen in Spielfilmen (»Out of Rosenheim«, 1987; »Rosalie Goes Shopping«, 1989; »Martha und ich«, 1991) internat. bekannt.

Sägefisch, eine Art der Hairochen, →Rochen.

Sägehaie, die →Sägeträger.

Säger (Mergus), Gattung bis gänsegroßer Enten, auf Süßgewässern N-Eurasiens und Kanadas; ausgezeichnet tauchende, vorwiegend Fische fressende Vögel mit langem, dünnem, seitlich gezähntem, vorn meist hakig gekrümmtem Schnabel. – In Europa kommen u.a. die **Gänse-S.** (Mergus merganser) vor, bis zu 70 cm groß, Männchen mit schwarzem Rücken, weißer Unterseite, rotem Schnabel, Weibchen mit grauem Rücken; außerdem **Mittel-S.** (Mergus serrator), bis zu 60 cm lang; in küstennahen nördl. Meeresgebieten sowie auf Seen und Flüssen N-Eurasiens und Kanadas; Männchen und Weibchen gänsesägerähnlich, jedoch Männchen mit Hinterkopfschopf, bräunl. Brustband und grauen Flanken; brütet in einem Bodennest; Zugvogel, der am Südrand seines Areals überwintert.

Säger: Männchen des Mittelsägers (Größe bis zu 60 cm; links) und des Gänsesägers (Größe bis zu 70 cm)

Säge|racken (Momotidae), Familie bis zu 50 cm langer Vögel, verbreitet von Mittelamerika bis Argentinien; Schnabel mit gesägten Schneiden; Schwanz mit häufig verlängertem und spatelförmig endendem mittlerem Federpaar, wie z.B. beim **Motmot** (Momotus momota), der in trop. Regenwäldern Mexikos bis Nordboliviens lebt.

Sägeträger (Sägehaie, Pristiophoridae), Familie 1–2 m langer Haifische der Meere um Australien und Japan; die S. benutzen ihren doppelsägenartigen Kopffortsatz beim Gründeln.

Sägewespen, die → Pflanzenwespen.

Saghlul Pascha (Zaghlul Pascha), Sad, ägypt. Politiker, * Ibjana (Prov. Gharbija) um 1857, † Kairo 23. 8. 1927; forderte 1918 vom brit. Hohen Kommissar in Ägypten, 1919 in London und auf den Pariser Friedenskonferenzen die Unabhängigkeit Ägyptens; Führer der ägypt. Nationalbewegung (→ Wafd); 1919 und 1921–23 im Exil; 1924 MinPräs., 1926/27 Präs. des Abgeordnetenhauses.

Sagitta [lat.] (Pfeil), Sternbild des Nordhimmels.

sagittal [lat. sagitta »Pfeil«], **1)** *Anatomie:* parallel zur Medianebene (→ median).

2) *Optik:* bei einem opt. System senkrecht zur Meridionalebene (→ meridional) stehend und einen ausgewählten Lichtstrahl (z. B. den Hauptstrahl) enthaltend. Ein **Sagittalstrahl** geht in der Sagittalebene von einem außeraxialen Punkt aus und schneidet die opt. Achse nicht.

Sagittarius [lat.], das Sternbild → Schütze.

Sago [malaiisch] *der,* körniges Stärkeerzeugnis aus dem Mark versch. S.-Palmen. Neben dem **Palm-S.** gibt es sagoähnl. Erzeugnisse aus Maniokstärke **(Perltapioka)** und in Dtl. aus Kartoffelstärke. S. dient zur Herstellung von Süßspeisen und Suppen.

Sagorsk, Stadt in Russland, → Sergijew Possad.

Sagunto (katalan. Sagunt), Hafen- und Industriestadt im Land Valencia, Spanien, 55 000 Ew.; Zement-, Kunstdüngerind., Hafen (v. a. Export von Zitrusfrüchten). – Auf einem Hügel über der Stadt liegen die Anlagen der mächtigen alten Festung, von den Mauren über Resten älterer Befestigungen errichtet, Bauten aus iber., karthag., röm., arab. und späterer Zeit; am Hang die Ruinen eines röm. Theaters. – S., das iber. **Arse,** wurde 219 v. Chr. durch Hannibal zerstört, 214 v. Chr. von den Römern zurückerobert und als **Saguntum** neu aufgebaut.

Sahara ['za:hara, za'ha:ra] *die* (arab. Es-Sahra), mit rd. 9 Mio. km² die größte Wüste der Erde, in Nordafrika, erstreckt sich vom Atlantik im W über mehr als 6 000 km zum Roten Meer im O, vom Mittelmeer und dem Südrand des Atlas im N über rd. 2 000 km (mit der Übergangszone → Sahel) bis zum Sudan im Süden.

Die S. ist ein Tafelland (200–500 m ü. M.) mit weiten Becken und Senken (Kattarasenke 137 m u. M.), das im Inneren von den Gebirgsmassiven Ahaggar (bis 3 000 m ü. M.) und Tibesti (bis 3 400 m ü. M.) überragt wird. Nach S schließen Bergländer bis 1 800 m ü. M. an. Die Libysche Wüste im NO steigt bis 1 892 m ü. M. an; östlich des Niltals kom-

Sagunto: Die von den Mauren über Resten älterer Befestigungen errichtete Festung erstreckt sich über eine Länge von fast 1 km über der Stadt und ist ihr weithin sichtbares Wahrzeichen

men Höhen bis 2 500 m ü. M. vor. – Der kristalline Untergrund, der in Gebirgen und Schwellen zutage tritt, wird von paläozoischen bis känozoischen Sedimenten überlagert und von Basaltschloten durchstoßen. Auf den Hochflächen sind Felswüsten (Hammada) verbreitet, in den tiefer liegenden Gebieten Geröll- (Reg) und Kieswüsten (Serir); nur rd. 10 % der Fläche nehmen Sandwüsten, z. T. mit aufgewehten Dünen (Erg), ein. Salzsümpfe und -pfannen (Schott, Sebcha) sind für abflusslose Becken typisch. – Das Klima der S. ist extrem trocken und sehr heiß mit großen tageszeitl. Temperaturschwankungen. Gefürchtet sind die heißen, oft sandbeladenen Stürme (Samum, Chamsin, Gibli). Dauerfluss ist nur der Nil. Die Trockenflussbetten (Wadis) führen nur nach gelegentl. heftigen Regengüssen streckenweise Wasser. Die S. hat keinen oder nur spärl. Pflanzenwuchs; auf dichtere Vegetation und reichere Tierwelt während der Pluvialzeiten weisen Felszeichnungen hin. Die fortschreitende Ausdehnung der S. ist z. T. durch Eingriffe des Menschen verursacht. – In der S. (außer der Niloase) leben rd. 2 Mio. Menschen (Berber, bes. Tuareg, Araber und negride Gruppen); etwa 60 % sind sesshafte Oasenbauern, die übrigen Nomaden oder Halbnomaden. – Große wirtsch. Bedeutung haben Erdöl und Erdgas in Algerien (Hassi Messaoud, Hassi Rmel, Edjeleh), in Libyen (Große Syrte) und in Ägypten (Libysche Wüste); ferner Eisenerze (Mauretanien), Phosphate (Westsahara), Uranerze (Niger).

Geschichte: Griechen und Karthagern war nur der Rand der S. näher bekannt. Die Römer drangen u. a. nilaufwärts vor, 19 v. Chr. in den Fessan, Ende des 1. Jh. n. Chr. in den Sudan. Auf mittelalterl. Karawanenrouten gelangten arab. Reisende

Sägebock (Länge 24–42 mm)

Sägeracken: Motmot (Körperlänge etwa 20 cm, Schwanzfedern etwa 25 cm lang)

Sahara

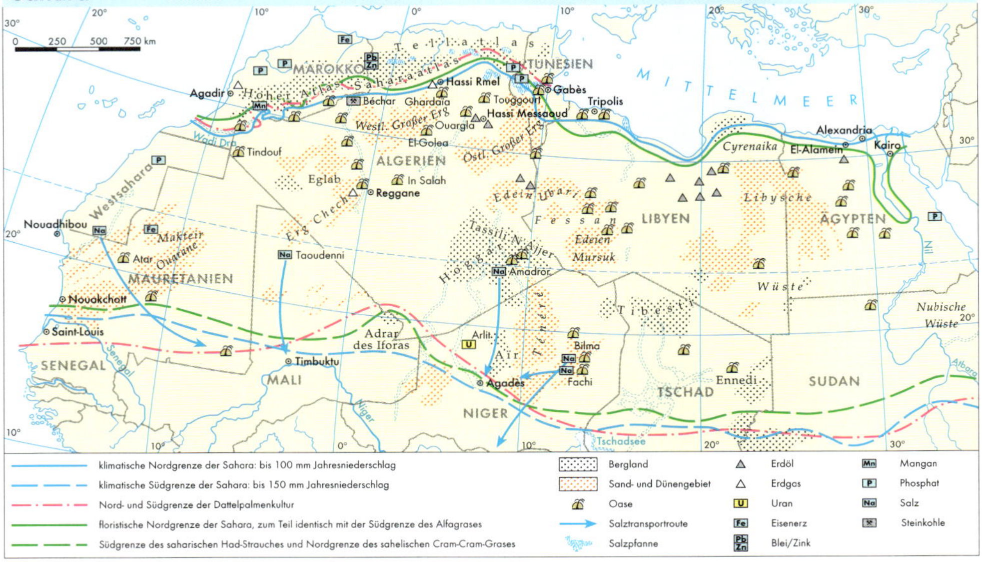

u. a. bis zum Senegal. Die europ. Erforschung der S. begann im 19. Jh.; die letzten unerforschten Gebiete wurden erst nach dem 2. Weltkrieg mithilfe von Luftaufnahmen erkundet. Weitere BILDER Afrika, Dünen, Libysche Wüste

📖 LAUER, W. *u.* FRANKENBERG, P.: *Zur Klima- u. Vegetationsgeschichte der westl. S. Mainz 1979.* – HUGOT, H. J. *u.* BRUGGMANN, M.: *Zehntausend Jahre S. Bericht über ein verlorenes Paradies. A. d. Frz. Neuausg. München u. a. 1984.* – *Die S. Mensch u. Natur in der größten Wüste der Erde, hg. v.* G. GÖTTLER. *Köln ³1989.* – FUCHS, P.: *Menschen der Wüste. Braunschweig 1991.*

saharanische Sprachen (saharische Sprachen), nördlichste Gruppe der →nilosaharanischen Sprachen, gesprochen westlich und östlich des Tschadsees (NO-Nigeria, O-Niger und Tschad) und in der südl. zentralen Sahara (N-Tschad) sowie im zentral-östl. Sahel (Tschad-Sudan-Grenzgebiet). Hauptvertreter der s. S. sind das Kanuri (einschl. Kanembu), das Tubu (Teda-Daza) und das Zaghawa.

Saharanpur, Stadt in Uttar Pradesh, Indien, in der Gangesebene nördlich von Delhi, 373 900 Ew.; Institut für Gartenbau, botan. Garten; Eisenbahnwerkstätten, Papierind., Verarbeitung landwirtsch. Produkte.

Saharaui (auch Saharier, frz. Sahraoui, arab. Sahrawi), zu den Mauren zählende Stämme (u. a. Reguibat, Ulad Delim) von →Westsahara, ehem. Nomaden, heute weitgehend sesshaft (Oasenwirtschaft, Bergbau, Fischerei).

Sahara: Sandwüsten – wie hier mit aufgewehten Dünen (Erg) – nehmen in der Sahara nur rund 10% der Fläche ein (links); die Vegetation ist vor allem an Trockenflussbetten (Wadis) gebunden

Sahel [arab. »Ufer«] *der,* Landschaftsgürtel am Rand der Sahara, bes. die Übergangszone zu den Trockengebieten der Wüste und den Dornbuschsavannen des Sudan. Geringe Niederschläge und spärl. Vegetation erlauben fast nur nomad. Viehhaltung. Eine lange Trockenperiode, zus. mit stark angestiegener Bev.zahl sowie Überweidung, führte hier in den 1970er-Jahren zu einer Hungerkatastrophe. 1973 gründeten Senegal, Mali, Mauretanien, Burkina Faso, Niger, Tschad und Gambia ein »Zwischenstaatl. Komitee zum Kampf gegen die Dürre im Sahel«. (→Desertifikation, →Wüste)

Sahl, Hans, Schriftsteller, *Dresden 20. 5. 1902, †Tübingen 27. 4. 1993; aus jüd. Familie; Journalist; Theater- und Filmkritiker, emigrierte 1933 und lebte seit 1941 in New York, 1989 Rückkehr nach Dtl.; Lyriker (»Die hellen Nächte«, 1942; »Wir sind die Letzten«, 1976) und Romancier (»Die Wenigen und die Vielen«, 1959); auch Hörspiele, Dramen, Essays und autobiograph. Werke (»Memoiren eines Moralisten«, 2 Bde., 1983–90); bed. Übersetzungen, v.a. dramat. Werke (T. Wilder, T. Williams, J. Osborne).

Sahne, der →Rahm.

Saiblinge (Salvelinus), Gattung etwa 0,1–1 m langer, farbloser bis bunter Lachsfische in kühlen, sauerstoffreichen Süßgewässern (z.T. auch in Meeren) der nördl. Nordhalbkugel und der Alpen; Gestalt heringsförmig; der in Amerika heim.

Saiblinge: Bachsaibling (Länge 20–40 cm)

Bachsaibling (Salvelinus fontinalis), 20–40 cm lang, wurde 1884 nach Dtl. eingeführt, Speisefisch.

Saida ['zaɪda], Provinz-Hptst. in S-Libanon, an der Mittelmeerküste; 38 000 Ew.; melchit. Erzbischofssitz, maronit. Bischofssitz; südlich von S. Erdölraffinerie und Verladehafen am Endpunkt der (zurzeit stillgelegten) Trans-Arabien-Pipeline vom Pers. Golf (Saudi-Arabien). – Auf einem Felsen vor der Küste die Reste einer Kreuzfahrerburg. – S. ist das antike →Sidon.

Saiga: Die Männchen tragen leicht gekrümmte, bernsteinfarbene, bis zu 25 cm lange Hörner; ihre Körperlänge beträgt bis zu 1,4 m

Saidenbachtalsperre, Talsperre im oberen Erzgebirge, Sachsen, staut seit 1933 den Saidenbach (rechter Nebenfluss der Flöha) zu einem 1,5 km² großen See (22,4 Mio. m³).

Saier, Oskar, kath. Theologe, *Wagensteig (heute zu Buchenbach bei Sankt Märgen) 12. 8. 1932; seit 1978 Erzbischof von Freiburg.

Hans Sahl

Saiga [russ.] *die* (Saigaantilope, Saiga tatarica), in Steppen und Halbwüsten Russlands und der Mongolei lebende rüsselnasige Art der Horntiere; bis zu 1,4 m körperlang, graugelblich gefärbt; die Männchen tragen bis zu 25 cm lange Hörner.

saiger, *Bergbau:* senkrechte Lagerung.

Saigon, →Ho-Chi-Minh-Stadt.

Saiko, George, österr. Schriftsteller, *Seestadtl (heute als Ervěnice zu Komořany, bei Most) 5. 2. 1892, †Rekawinkel (heute zu Preßbaum, Bez. Wien-Umgebung) 23. 12. 1962; schrieb psychologisch differenzierte, zeitkrit. Romane (»Auf dem Floß«, 1948; »Der Mann im Schilf«, 1955); ferner Erzählungen und Essays.

Sailer, Johann Michael von (seit 1825), kath. Theologe, *Aresing (Kr. Neuburg-Schrobenhausen) 17. 11. 1751, †Regensburg 20. 5. 1832; seit 1829 Bischof von Regensburg; verfasste zahlr. theolog., philosoph. und pädagog. Schriften; Begründer der kath. Erneuerung um 1800. BILD S. 146

Sahel

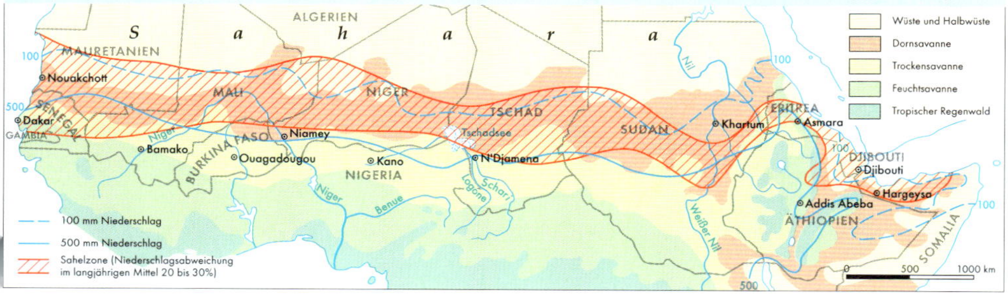

Saimaa, See in SO-Finnland, 1460 km² groß, der südl. Teil des Seensystems, das sich über 400 km weit nach N und NO ausdehnt; entwässert durch den Vuoksi zum Ladogasee. Der **S.-Kanal,** 43 km, führt zum Finn. Meerbusen (Wyborg). Sein 1947 an die UdSSR gefallener S-Teil, zunächst geschlossen, wurde 1962 für 50 Jahre an Finnland verpachtet und 1968 für die Schifffahrt freigegeben.

Johann Michael Sailer: Ausschnitt eines zeitgenössischen Punktierstichs

Sainete [span., eigtl. »Würze«, »Wohlgeschmack«] *der,* Einakter, der sich im span. Theater des Barock (17. Jh.) als Nach- oder Zwischenspiel entwickelte; bed. als populäres sozialkrit. Medium. In der Tradition des S. stehen Género chico und Zarzuela; in den 1920er-Jahren durch Operette und Varietee verdrängt.

Ruth Saint Denis

Saint Albans [snt'ɔ:lbənz], Stadt in der Cty. Hertfordshire, England, nördlich von London, 50900 Ew.; anglikan. Bischofssitz; Druckereien, feinmechan., elektron., Schuh-, Bekleidungsindustrie. – Die normann. Abteikirche (1077 begonnen, 1115 geweiht; 12.–14. Jh. umgestaltet) wurde 1827 zur Kathedrale erhoben (1880–95 restauriert).

Saint Andrews [snt'ændru:z], Stadt und Seebad in Fife, Schottland, an der Nordsee, 11300 Ew.; älteste schott. Univ. (1410 gegr.); Golfsportzentrum (Sitz des ältesten Golfklubs, gegr. 1754). – Ruine der Kathedrale (1159–1318).

Saint Augustine [snt'ɔ:gəsti:n], Stadt im NO von Florida, USA, am Atlantik, 11700 Ew.; Bootsbau, Fischerei; bed. Fremdenverkehr. – Maler. alte Gassen mit span. Häusern aus Muschelkonglomerat, altes span. Backsteinfort (1672–95). – 1565 von Spaniern gegr., ist S. A. die älteste kontinuierlich bestehende europ. Siedlung der USA.

Saint-Avold [sɛ̃ta'vɔld], →Sankt Avold.

Saint-Benoît-sur-Loire [sɛ̃bənwasyr'lwa:r], Gemeinde im Dép. Loiret, Frankreich, südöstlich von Orléans, 1900 Ew. – Als Benediktinerabtei **Fleury** um 640 gegr., seit Ende des 7. Jh. letzte Ruhestätte des hl. Benedikt; war im MA., bes. im ausgehenden 10. Jh. unter dem Abt Abbo von Fleury, berühmt durch die im 9. Jh. gegr. Klosterschule; roman. Abteikirche (Neubau 1067–1108).

Saint-Brieuc [sɛ̃bri'ø], Hptst. des Dép. Côtes-d'Armor in der Bretagne, Frankreich, 47400 Ew.; kath. Bischofssitz; Stahlwerk, Zement-, Holz-, Nahrungsmittelind.; Seebad; Hafen. – Kathedrale (14./15. Jh.).

Saint Christopher und Nevis [snt'krɪstəfə, 'ni:vɪs], Staat, →Saint Kitts und Nevis.

Saint-Cloud [sɛ̃'klu], westl. Wohnvorort von Paris, im frz. Dép. Hauts-de-Seine, an der Seine, 28700 Ew.; FH; Porzellan-, Parfüm-, Flugzeug-, Elektro-, Elektronik- u. a. Ind.; Pferderennbahn.

Saint Croix [snt'krɔɪ], eine der →Jungferninseln.

Saint-Cyr-l'École [sɛ̃sirle'kɔl], Gemeinde im Dép. Yvelines, Frankreich, südwestlich an Versailles anschließend, 15800 Ew. – 1808 wurde die 1803 von Napoleon Bonaparte in Fontainebleau gegründete Militärfachschule nach S.-C.-l'É. verlegt (seit 1946 in Coëtquidan, Dép. Morbihan); 1964 Eröffnung des »Collège Militaire de Saint-Cyr«.

Saint Denis [snt'denɪs], Ruth, eigtl. R. Dennis, amerikan. Tänzerin, *Newark (N. J.) 20. 1. 1879, †Los Angeles (Calif.) 21. 7. 1968; eröffnete 1915 mit ihrem Mann Ted Shawn in Los Angeles die Denishawn, eine Schule, die für den modernen Ausdruckstanz richtungweisend wurde.

Saint-Denis [sɛ̃'dni], **1)** Stadt im Dép. Seine-Saint-Denis, Frankreich, nördlich von Paris, 90800 Ew.; Sitz der Univ. Paris XIII; Metall-, chem., kos-

Saint-Benoît-sur-Loire: Blick aus dem Chorumgang in das Langhaus der 1067–1108 erbauten romanischen Abteikirche

met., Papier-, Nahrungsmittel-, Getränkeindustrie. – Die Abtei, um 625 von Dagobert I. gegr., mit einer der frühesten got. Kirchen (12./13. Jh.) in der Île-de-France, wurde der Aufbewahrungsort der frz. Kroninsignien und die Grablege der fränk., später der frz. Könige.

2) Hptst. des frz. Überseedép. Réunion, an der N-Küste der Insel, 207 200 Ew.; Univ., Museen; Konserven- und Tabakind.; Fremdenverkehr, Hafen, internat. Flughafen.

Saint-Dié [sɛ̃'dje], Stadt im Dép. Vosges, Frankreich, an der Meurthe, am W-Rand der Vogesen, 23 700 Ew.; Textil-, Holz-, Lederindustrie, Metallverarbeitung. – Kathedrale (1204 begonnen, Fassade 1711; Kreuzgang 14.–16. Jh.), Gebäude der Manufacture DUVAL von Le Corbusier (1945–52).

Sainte-Beuve [sɛ̃t'bœ:v], Charles-Augustin, frz. Schriftsteller, *Boulogne-sur-Mer 23. 12. 1804, †Paris 13. 10. 1869; wandte sich nach dem Misserfolg eigener dichter. Werke der Literaturkritik zu. Die konsequent biograph. Methode seiner Analysen zeitgenöss., mittelalterl. und antiker Autoren prägte die Literaturwiss. des 19. Jh.: »Literar. Porträts« (2 Bde., 1844), »Causeries du lundi« (15 Bde., 1851–62).

Sainte-Marie-aux-Mines [sɛ̃tmario'min] (dt. Markirch), Stadt im Oberelsass, im Dép. Haut-Rhin, Frankreich, 370 m ü. M., im oberen Lebertal in den Vogesen, 6 000 Ew. Der früher bedeutende Bergbau (über 200 Silbergruben) wurde im 19. Jh. eingestellt; seit dem 18. Jh. Baumwollweberei. Unter dem Sainte-Marie-Pass ein 6 872 m langer Straßentunnel. – Kirche Sainte-Marie (1757).

Saint-Émilion [sɛ̃temi'ljõ], bedeutendes Weinbaugebiet in SW-Frankreich, am rechten Ufer der Dordogne, östlich von Bordeaux; erzeugt werden runde, weiche Rotweine hoher Qualität.

Saintes [sɛ̃:t], Stadt im Dép. Charente-Maritime, Frankreich, am Unterlauf der Charente, 27 500 Ew.; Kunst-, archäolog. und Volkskundemuseum; Bekleidungsindustrie. – Röm. Ruinen, Kirchen Sainte-Marie-des-Dames (11./12. Jh.), Saint-Entrope (12.–15. Jh.), Saint-Pierre (15./16. Jh., mit Resten aus dem 12. Jh.). – Während der Religionskriege war S. ein Zentrum der Hugenotten.

Saintes-Maries-de-la-Mer [sɛ̃tmaridəla 'mɛ:r], Seebad im Dép. Bouches-du-Rhône, S-Frankreich, in der Camargue, 2 200 Ew.; Wallfahrtsstätte, v. a. Pilgerziel der Roma, die sich hier alljährlich im Mai treffen. – Roman. Kirche (mit Reliquien der Heiligen Maria Jakobbäa, Maria Salome und Sara).

Saint-Étienne [sɛ̃te'tjɛn], Hptst. des Dép. Loire, Frankreich, im nordöstl. Zentralmassiv, 201 600 Ew.; Univ., Bergakademie, Hochschule für Musik und Dramatik; kath. Bischofssitz. S.-É. ist Mittelpunkt eines Steinkohlenreviers; neben der traditionellen Stahl-, Waffen-, Textil- und Maschinenbauind. werden neue Betriebe (Flugzeug- und Autozubehör, Radiogeräte, Nähmaschinen) angesiedelt; Flugplatz.

Saint-Exupéry [sɛ̃tɛksype'ri], Antoine de, eigtl. Antoine-Marie Roger Graf von S.-E., frz. Flieger und Schriftsteller, *Lyon 29. 6. 1900, †(bei einem Aufklärungsflug über dem Mittelmeer abgeschossen) 31. 7. 1944; Pilot, ab 1934 bei der Air France, nahm seit 1939 an der Seite der Alliierten am 2. Weltkrieg teil. Sein literar. Werk verarbeitet die Erlebnisse und die existenziellen Grenzsituationen eines Fliegers, so u. a. in den Romanen »Südkurier« (1929), »Nachtflug« (1931), »Flug nach Arras« (1942) und in dem Bericht »Wind, Sand und Sterne« (1939). Das Märchen »Der kleine Prinz« (1943) vermittelt die humanist. Botschaft in parabelhafter Form.

📖 ESTANG, L.: *A. de S.-E. mit Selbstzeugnissen u. Bilddokumenten. A. d. Frz. Reinbek* [23]*1992.* – SCHIFF, S.: *S.-E. Eine Biographie. A. d. Amerikan. Lizenzausg. München 1996.*

Saint George's [snt'dʒɔ:dʒɪz], Hauptstadt von Grenada, an der SW-Küste der Insel, 4 400 Ew.; Univ.-College für Medizin; Verarbeitung von Agrarprodukten; Fremdenverkehr; Hafen, Flughafen. – Im maler. Stadtbild frz. und engl. Einflüsse.

Saint-Germain-en-Laye [sɛ̃ʒɛrmɛ̃ã'lɛ], Stadt im Dép. Yvelines, Frankreich, westlich von Paris, am Wald von Saint-Germain, 41 700 Ew.; Museen. – Ehem. Schloss (1539 ff.; seit 1867 Museum) mit Donjon des 14. Jh. und bed. got. Kapelle (1230–38); Park mit Terrasse von A. Le Nôtre (1668–73). – Im **Frieden von S.-G.-en-L.** (29. 6. 1679) gab Kurfürst Friedrich Wilhelm von Brandenburg nach dem Holländischen Krieg mit Ludwig XIV. von Frankreich das eroberte Vorpommern an Schweden zurück. Im **Friedensvertrag von S.-G.-en-L.** vom 10. 9. 1919 zw. der Entente und Österreich (in Kraft seit 30. 6. 1920) musste Österreich auf den Anschluss an das Dt. Reich verzichten, der Trennung von Ungarn zustimmen, die neuen Staaten ČSR, Polen und das Königreich der Serben, Kroaten und Slowenen (Jugoslawien) sowie seine Gebietsverluste anerkennen.

Antoine de Saint-Exupéry

Charles-Augustin Sainte-Beuve
(Ausschnitt eines zeitgenössischen Stahlstichs)

Saint-Étienne
Stadtwappen

Saint-Denis

Zu ungeheurem Prestige verhalf der Abtei Saint-Denis die dreifache Identifikation des heiligen Dionysius (französisch: Denis) mit dem ersten Bischof von Paris, dem gleichnamigen frühchristlichen Theologen und dem in der Apostelgeschichte als Jünger des heiligen Paulus erwähnten Dionysius Areopagita. Seit dem 7. Jahrhundert diente die Abteikirche den meisten Frankenkönigen als Grablege, seit dem 12. Jahrhundert verwahrte das Kloster die Symbole der zentralen Staatsgewalt: die königlichen Insignien und die Oriflamme, die legendäre Fahne Karls des Großen.

Louis Antoine de Saint-Just (Ausschnitt eines Gemäldes von Jacques-Louis David, um 1793)

Saint Helens [snt'helınz], Stadt in der Metrop. County Merseyside, England, bei Liverpool, 98 800 Ew.; Glas-, Eisen-, Messing-, Keramik-, Textil- und pharmazeut. Werke.

Saint Helens, Mount ['maʊnt snt'helınz], aktiver Vulkan in der Cascade Range, im Staat Washington, USA, urspr. 2 948 m ü. M., nach dem Ausbruch vom 18. 5. 1980, durch den der Gipfel weggesprengt wurde, etwa 2 530 m ü. M.; erneute Ausbrüche 1984, 1986, 1989 und 1991.

Saint Helier [snt'heljə], Hptst. der brit. Kanalinsel Jersey, an der S-Küste, 28 100 Ew.; Museum; internat. Finanzzentrum; Hafen; Seebad. – Stadtkirche (14. Jh.), Elisabeth Castle (16. Jahrhundert).

Saint-Hélier [sɛ̃te'lje], Monique, eigtl. Betty Briod, geb. Eymann, schweizer. Schriftstellerin frz. Sprache, *La Chaux-de-Fonds 2. 9. 1895, †Pacy-sur-Eure (Dép. Eure, Frankreich) 9. 3. 1955; war befreundet mit R. M. Rilke und H. Hesse; schrieb von M. Proust beeinflusste Romane, u. a. »Der Eisvogel« (1953), »Die rote Gießkanne« (1955).

Saint-Imier [sɛ̃ti'mje] (dt. Sankt Immer), Ort in dem von der Schüß durchflossenen Sankt-Immer-Tal (Vallon de S.-I.), Kt. Bern, Schweiz, 6 100 Ew.; Uhrenindustrie.

Saint-Jean-de-Luz [sɛ̃ʒɑ̃'dly:z], Hafenstadt und Seebad im Dép. Pyrénées-Atlantiques, Frankreich, am Golf von Biscaya, unweit der span. Grenze, 13 200 Ew.; Fischerei (Thunfisch), Fischkonservenherstellung. – Kirche Saint-Jean-Baptiste (14. und 15. Jh., mit Holzemporen, 17. Jahrhundert).

Saint John [snt'dʒɔn], Stadt in der Prov. New Brunswick, Kanada, an der Mündung des Saint John River in die Fundybai; 76 000 Ew.; eisfreier Hafen, Fischerei; Schiffbau, Holz-, Textil-, Zuckerindustrie; Fremdenverkehr; Flughafen.

Saint-John Perse

Saint-John Perse [sɛ̃dʒɔn'pɛrs], eigtl. Marie-René-Alexis (Saint-Léger) Léger, frz. Diplomat und Schriftsteller, *Saint-Léger-les-Feuilles (Guadeloupe) 31. 5. 1887, †Giens (Dép. Var) 20. 9. 1975; Diplomat, 1940–59 Exil in den USA; schrieb Prosadichtungen in weit geschwungenen, liturgisch-feierl. Rhythmen; in kühnen Bildern und leitmotivisch wiederkehrenden Symbolen feierte er die Urkräfte der Natur: »Anabasis« (1924), »Exil« (1942), »Poème à l'étrangère« (1943), »Pluies« (1943), »Neiges« (1944; alle vier dt. u. d. T. »Exil«), »Winde« (1946), »See-Marken« (1950), »Chronik« (1960). 1960 erhielt er den Nobelpreis für Literatur.

📖 *Pour S.-J. P. Études et essais pour le centenaire de S.-J. P. (1887–1987), hg. v.* P. Pinalie. *Paris 1988.* – Guerre, P.: *Portrait de S.-J. P., hg. v.* R. Little. *Marseille 1990.*

Saint John's [snt'dʒɔnz], **1)** Hptst. der Prov. Newfoundland, Kanada, 95 800 Ew., kath. Erzbischofssitz, Univ., Newfoundland Museum; Schiff- und Maschinenbau, Fischerei; Hafen, Flughafen.

2) Hptst. und Haupthafen von Antigua und Barbuda, an der NW-Küste von Antigua, 22 300 Ew.; Univ.-College für Medizin, botan. Garten; Fremdenverkehr; internat. Flughafen.

Saint Joseph [snt'dʒəʊzıf], Stadt im Bundesstaat Missouri, USA, am Missouri; 72 000 Ew.; einer der größten Getreide- und Viehmärkte des Mittelwestens.

Saint-Just [sɛ̃'ʒyst], Louis Antoine de, frz. Revolutionär, *Decize (Dép. Nièvre) 25. 8. 1767, †(hingerichtet) Paris 28. 7. 1794; Schriftsteller, wurde 1792 Mitgl. des Nationalkonvents, 1793 des Wohlfahrtsausschusses, entschiedener Anhänger M. Robespierres, betrieb den Sturz der Girondisten und G. J. Dantons und übte als Konventskommissar eine Schreckensherrschaft im Elsass aus.

Saint Kitts und Nevis [snt'kıts, 'ni:vis] (Saint Christopher und Nevis, amtlich Federation of

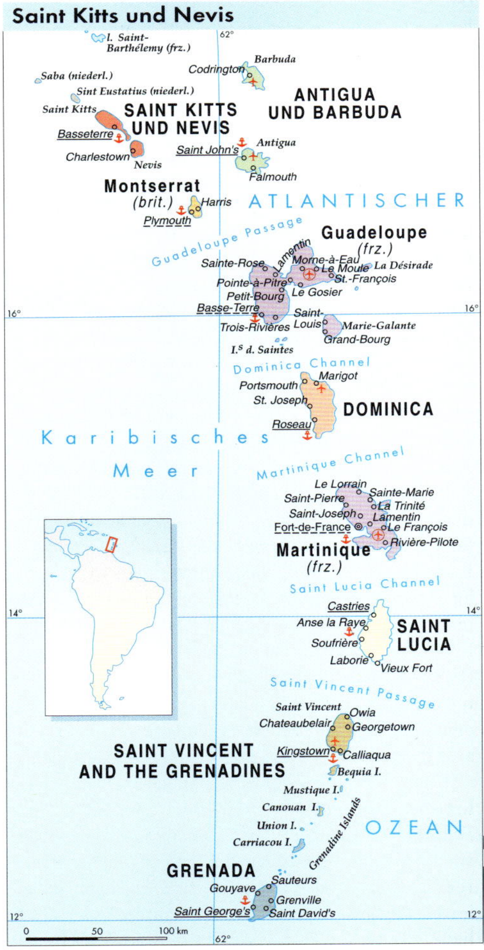

Saint Kitts und Nevis

Fläche: 267 km²
Einwohner: (1995) 41 000
Hauptstadt: Basseterre
Amtssprache: Englisch
Nationalfeiertag: 19. 9.
Währung: 1 Ostkaribischer Dollar (EC$) = 100 Cents
Zeitzone: MEZ –5 Std.

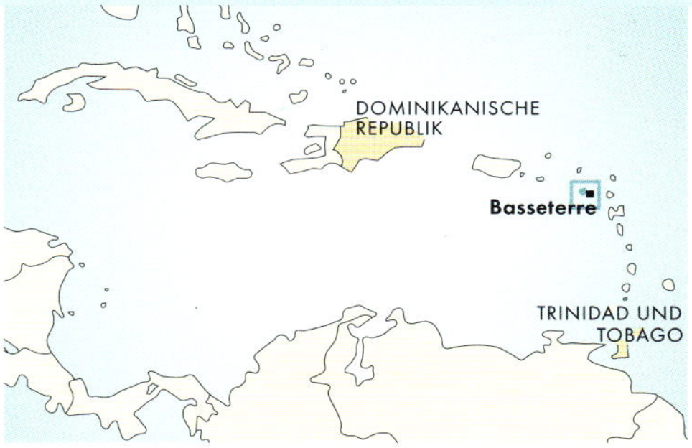

Saint Kitts and Nevis), Staat im Bereich der Westind. Inseln, umfasst die Inseln Saint Kitts (früher Saint Christopher) und Nevis der Kleinen Antillen.

Staat und Recht: Nach der Verf. von 1983 ist S. K. u. N. eine konstitutionelle Monarchie mit föderativer Struktur im Commonwealth. Staatsoberhaupt ist der brit. Monarch, vertreten durch einen Generalgouv. Die Legislative liegt beim Einkammerparlament (elf Abg., auf fünf Jahre gewählt, drei ernannte Senatoren), die Exekutive bei der Reg. unter Vorsitz des MinPräs. Parteien: People's Action Movement, Nevis Reformation Party, Labour Party.

Landesnatur: Die Inseln Saint Kitts (174 km², bis 1156 m ü. M.) und Nevis (93 km², bis 985 m ü. M.) gehören zum inneren, vulkan. Bogen der Inseln über dem Winde. – Das trop. Klima steht unter dem Einfluss des Passats. Die Gebirgshänge sind von immergrünem Regen- und Bergnebelwald bedeckt; die Ebenen werden kultiviert.

Bevölkerung: Die überwiegend negride Bev. gehört vorwiegend der prot. und anglikan. Kirche an; Schulpflicht besteht vom 5. bis 14. Lebensjahr; Außenstelle der University of the West Indies.

Wirtschaft, Verkehr: Haupterwerbsquelle ist die Landwirtschaft; angebaut werden Zuckerrohr (Zucker ist Hauptexportprodukt), auf Nevis Baumwolle, Kokospalmen und Erdnüsse; Verarbeitung von Agrarprodukten; Textil- und Zementindustrie. Seit 1961 wurde v. a. auf Saint Kitts der Fremdenverkehr entwickelt. – Auf beiden Inseln (Fährverbindung) gibt es 300 km Straßen. Basseterre besitzt seit 1981 einen Tiefwasserhafen und einen internat. Flughafen, Nevis einen Flughafen an der N-Küste.

Geschichte: Die Inseln wurden 1493 von Kolumbus entdeckt, im 17. Jh. von Engländern und Franzosen besiedelt. Sie wurden 1783 britisch, 1958–62 gehörten sie zur Westind. Föderation, seit 1967 (zus. mit → Anguilla) zu den Westind. Assoziierten Staaten. 1983 erlangte S. K. u. N. die Unabhängigkeit im Rahmen des Commonwealth.

Saint Laurent [sɛ̃lɔˈrɑ̃], **1)** Louis Stephen, kanad. Politiker und Jurist, * Compton (Quebec) 1. 2. 1882, † Quebec 25. 7. 1973; 1941–46 und 1948 Justiz-, 1946–48 Außenmin., 1948–58 Vors. der Liberalen Partei, 1948–57 Premierminister.

2) Yves Mathieu, frz. Modeschöpfer, * Oran (Algerien) 1. 8. 1936; seit 1957 künstler. Leiter des Hauses Dior; S. L. führt seit 1962 ein eigenes Modehaus in Paris mit internat. Boutiquen.

Saint Leger [sntˈledʒə; nach einem engl. Offizier] *das, Pferdesport:* klass. Galopprennen für dreijährige Pferde, das nach dem Derby gelaufen wird; erstmals 1776 in Doncaster über 2920 m; seit 1881 auch in Dtl. (derzeit in Dortmund über 2800 m).

Saint-Lô [sɛ̃ˈlo], Hptst. des Dép. Manche, Frankreich, in der Normandie, auf der Halbinsel Cotentin, 22800 Ew.; Elektro-, Auto-, Bekleidungsind., Milchverarbeitung. – Kathedrale (15./16. Jahrhundert).

Saint Louis [sntˈlʊɪs], Stadt in Missouri, USA, am rechten Ufer des Mississippi, 16 km unterhalb der Mündung des Missouri, 368200 Ew. (Metropolitan Area 2,49 Mio. Ew.); Erzbischofssitz, drei Univ.; Banken- und Finanzzentrum; Handels- und Industriestadt mit überregionaler Bedeutung; Kulturzentrum (Museen, Theater). Die Ind. erzeugt auf der Grundlage des Bergbaus der Umgebung Eisen, Blei, Zink, Kupfer, Aluminium und Magnesium, ferner Flugzeug-, Fahrzeug- und Maschinenbau, chem., Elektronikind.; wichtiger Flusshafen, internat. Flughafen. – Bauten: Old Cathedral (1831–34), Old Courthouse (1839 ff.), Wainwright Building von L. H. Sullivan (1890–91), Palace of Art (1904, von C. Gilbert), »Gateway Arch« (1959–65, ein Stahlbogen, 191 m hoch, Entwurf von Eero Saarinen). Der 1976 gegründete Laumeier International Sculpture Park ist eines der bedeutendsten Freiluftmuseen in den USA. – 1764 als frz. Pelzhandelsposten gegr., kam S. L. 1803/04 an die USA; dann Reg.sitz des District of Louisiana, 1812–21 Hptst. des Territoriums Missouri; ab 1830/48 Einwanderung zahlr. Deutscher (um 1859 rd. ein Drittel der Bev.); Ausgangspunkt für die Besiedlung

Staatswappen

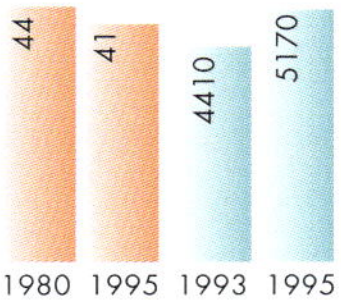

Bevölkerung (in Tausend) Bruttosozialprodukt je Ew. (in US-$)

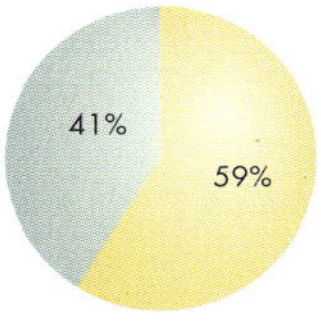

Bevölkerungsverteilung 1993

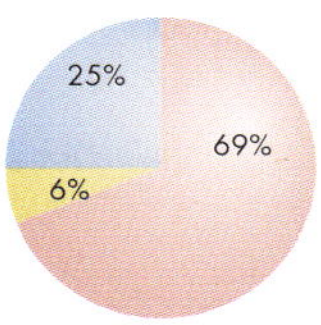

Bruttoinlandsprodukt 1994

Saint Lucia

Fläche: 616 km²
Einwohner: (1995) 142 000
Hauptstadt: Castries
Amtssprache: Englisch
Nationalfeiertage: 22. 2. und 13. 12.
Währung: 1 Ostkaribischer Dollar (EC$) = 100 Cents
Zeitzone: MEZ –5 Std.

Staatswappen

WL

Internationales Kfz-Kennzeichen

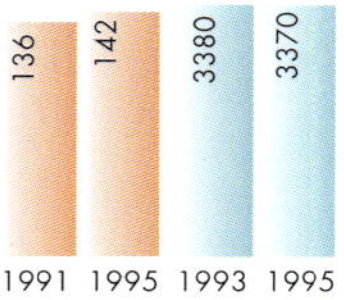

Bevölkerung (in Tausend) Bruttosozialprodukt je Ew. (in US-$)

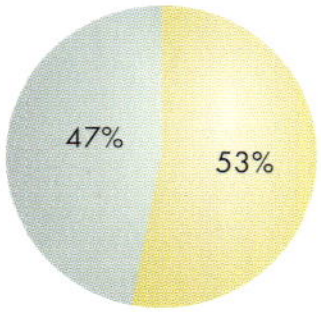

Bevölkerungsverteilung 1993

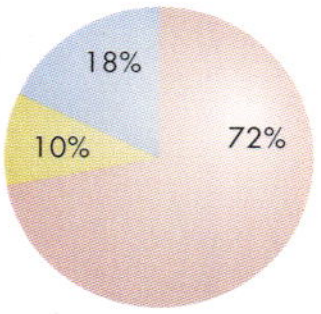

Bruttoinlandsprodukt 1995

und Erschließung des amerikan. Westen (»Gateway to the West«).

Saint-Louis [sɛ̃'lwi], Regions-Hptst. in Senegal, an der Mündung des Senegal in den Atlantik, 160 700 Ew.; Univ., Forschungszentrum; Handelsplatz, Fischfang, -konservierung, Textilind., Druckereien; Hafen. – 1659 gegr., bis 1958 Verw.sitz der frz. Kolonien Senegal und Mauretanien.

Saint Lucia [snt'lu:ʃə], Staat im Bereich der Westind. Inseln, umfasst die gleichnamige Insel der Kleinen Antillen.

Staat und Recht: S. L. ist eine konstitutionelle Monarchie im Commonwealth. Als Staatsoberhaupt fungiert der brit. Monarch, repräsentiert durch einen Generalgouv. Die Legislative liegt beim Zweikammerparlament, bestehend aus Senat (11 ernannte Mitgl.) und Abg.haus (17 gewählte Abg.), die Exekutive bei der Reg. unter Vorsitz des MinPräs. Parteien: United Worker's Party (UWP), S. L. Labour Party (SLP).

Landesnatur: Die Insel ist vulkan. Ursprungs, gebirgig (im Mount Gimie 950 m ü. M.) und stark zerschnitten. Der ursprüngliche trop. Regenwald ist nur noch in Höhenlagen erhalten.

Bevölkerung: Die Bewohner sind überwiegend Schwarze und Mulatten, als Nachkommen afrikan. Sklaven; meist Katholiken. Neben Englisch wird als Folge der frz. Besiedlung ein Kreolisch auf frz. Grundlage gesprochen; in Castries besteht ein Zweig der University of the West Indies.

Wirtschaft, Verkehr: Haupterzeugnisse der Landwirtschaft sind Bananen, Kakao, Kokosnüsse (Kopra und Kokosöl) und Zitrusfrüchte, der Zuckerrohranbau wurde 1963 aufgegeben; Viehzucht und Milchwirtschaft. Tourismus wurde zum wichtigsten Devisenbringer. Die Errichtung zollfreier Zonen begünstigte die Entwicklung der Textil- und elektron. Industrie. – Die Insel hat zwei Tiefwasserhäfen (in Castries und in Vieux-Fort an der S-Spitze der Insel); internat. Flughafen.

Geschichte: Zw. 1605 und 1638 erste engl. Siedlungsversuche; bis 1814, als S. L. in brit. Besitz überging, zw. Frankreich und Großbritannien umstritten; 1938–56 Teil der Windwards Islands; 1958–62 Mitgl. der Westind. Föderation; 1967 mit Großbritannien assoziiert; 1979 unabhängig.

Saint-Malo [sɛ̃ma'lo], **1)** Stadt im Dép. Ille-et-Vilaine, N-Frankreich, 49 300 Ew.; nationale Schule der Handelsmarine; bed. Hochseefischereihafen an der Kanalküste, Schiffbau, Elektro-, Bekleidungs-, Fischkonservenind.; Seebad. – Die im 2. Weltkrieg stark zerstörte ummauerte Altstadt (Schloss aus dem 15. Jh.) wurde wieder aufgebaut. – Im MA. bed. Hafenstadt, unter Napoleon I. Ausbau zum Kriegshafen.

2) Golf von Saint-Malo (frz. Golfe de Saint-Malo), Bucht des Ärmelkanals zw. der N-Küste der Bretagne und der Halbinsel Cotentin, Frankreich; im Innern, der Bucht von Mont-Saint-Michel, der größte Tidenhub (13,5 m) aller Küstengebiete Europas; im Mündungstrichter der →Rance ein Gezeitenkraftwerk.

Saint-Martin [sɛ̃mar'tɛ̃] (niederländ. Sint Maarten), Insel der Kleinen Antillen, seit 1648 aufgeteilt unter Frankreich (zum Übersee-Dép. Guadeloupe; 54 km², 1990: 29 000 Ew., Hauptort ist Marigot) und den Niederlanden (zu den Niederländ. Antillen; 34 km², 1990: 32 000 Ew., Hauptort ist Philipsburg); Fremdenverkehr; internat. Flughafen bei Philipsburg.

Saint-Maur-des-Fossés [sɛ̃mɔrdefo'se], Stadt im Dép. Val-de-Marne, Frankreich, südöstlich von Paris, 77 500 Ew.; Karosseriebau, Kugellagerfabrik, Elektro-, Möbel- und Nahrungsmittelindustrie. – Kirche Saint-Nicolas (12.–14. Jahrhundert).

Saint-Maurice [sɛ̃mɔ'ris], Bezirkshauptort im Kt. Wallis, Schweiz, an der Rhone, 3 700 Ew. – Kirche (1614–27, mit roman. Teilen eines 1148 geweihten Baus), Klostergebäude (1707–13), Klosterschatz. – S.-M. war das röm. **Agaunum.** Der bei der 515 gegr. Abtei entstandene Ort war im 9. Jh. mehrmals Residenz der burgund. Könige.

Saint-Nazaire [sɛ̃na'zɛ:r], Hafenstadt im Dép. Loire-Atlantique, Frankreich, 66 100 Ew.; Vorhafen von Nantes, an der Mündung der Loire; größtes Werftzentrum Frankreichs; Erdölhafen und -raffinerie, Metall-, chem., Luft- und Raumfahrt-, Textil- und Lebensmittelindustrie. – Schrägseilbrücke über die Loire (Spannweite 404 m).

Saint-Nicolas [sɛ̃nikɔ'la], frz. Name von →Sint-Niklaas.

Saint-Omer [sɛ̃tɔ'mɛ:r], Stadt im Dép. Pas-de-Calais, N-Frankreich, in Flandern, 15 300 Ew.; Kunst- und naturhistor. Museum; Textilind., Gießerei, Zuckerfabrik. – Ehem. Kathedrale Notre-Dame (13.–15. Jh.), Palais de Justice (17. Jh.), ehem. Jesuitenkapelle (1639 vollendet mit Barockfassade). – S.-O., oft zw. Flandern und Frankreich umkämpft, kam 1678 zu Frankreich.

Saint Paul [snt'pɔ:l], Hauptstadt des Staates Minnesota, USA, am Mississippi, 262 100 Ew.; bildet mit →Minneapolis eine Metropolitan Area (2,54 Mio. Ew.); Erzbischofssitz; methodist. Univ. und verschiedene Abteilungen der Univ. von Minnesota; Auto-, Elektronik-, chem. u. a. Ind.; Erdölraffinerien; einer der größten Viehmärkte der USA; Hafen (Endpunkt der Großschifffahrt auf dem Mississippi). – Capitol (1898–1905), im »City Hall and County Court House« (1932) Onyxstatue »Indian God of Peace« (13 m hoch).

Saint-Paul [sɛ'pɔl], Insel im S des Ind. Ozeans, 7 km², unbewohnt, eine bis 271 m hohe Kraterruine, in die das Meer eingebrochen ist; zu den Terres Australes et Antarctiques Françaises.

Saint Peter Port [snt'pi:tə'pɔ:t] (frz. Saint-Pierre), Hptst. der brit. Insel Guernsey, 16 300 Ew.; Guernsey-Museum, internat. Finanzzentrum; Hafen; Ausfuhr von Tomaten und Blumen; Fremdenverkehr. – Kirche Saint Peter (im Kern 13. Jh.), Royal Court House (1799), Gebäude des 1563 gegr. Elizabeth College (1826); im Hauteville-House lebte 1856–70 V. Hugo.

Saint Petersburg [snt'pi:təzbə:g], Stadt an der W-Küste von Florida, USA, an der Tampa Bay, 238 600 Ew.; Salvador-Dalí-Museum; elektron. Ind.; Wohnsitz von Pensionären; Tourismus.

Saint Phalle [sɛ̃'fal], Niki de, frz. Bildhauerin und Malerin, *Neuilly-sur-Seine 29. 10. 1930; lebte ab 1960 mit J. Tinguely zusammen. Berühmt wurde sie durch große burleske Frauenplastiken aus bunt bemaltem Polyester (»Nanas«, ab 1965). Mit Tinguely schuf sie 1982/83 die Brunnenanlage »Le sacre du printemps« (Paris), in Garavicchio in der Toskana legte sie ab 1980 einen Tarotgarten an.

📖 *N. de S. P. Bilder, Figuren, phantast. Gärten, hg. v.* C. SCHULZ-HOFFMANN. *Ausst.-Kat. Kunsthalle der Hypo-Kulturstiftung München 1987.*

Saint-Pierre [sɛ̃'pjɛ:r], **1)** Charles-Irénée Castel, Abbé de, frz. Schriftsteller, *Saint-Pierre-Église (Dép. Manche) 18. 2. 1658, †Paris 29. 4. 1743; bed. Vertreter der Frühaufklärung. Im Anschluss an den Frieden von Utrecht (1713) sah er in der Errichtung eines europ. Staatenbundes die Grundlage für einen beständigen Frieden. Mit seinem »Traktat vom ewigen Frieden« (1712/13) beeinflusste er J. J. Rousseau.

2) Jacques Henri Bernardin de, frz. Schriftsteller, *Le Havre 19. 1. 1737, †Éragny-sur-Oise (Dép. Val-d'Oise) 21. 1. 1814; unternahm ausgedehnte Reisen, u. a. nach Mauritius. Seine Reiseberichte und Naturstudien führten die exakte Naturschilderung in die frz. Lit. ein. Berühmt wurde er mit dem Roman »Paul und Virginie« (1789). Der hier erstmals dargestellte Gegensatz zw. paradies. Natur (auf Mauritius) und zerstörer. Macht der Zivilisation, an dem die Liebe zerbricht, wurde zum literar. Motiv (u. a. bei George Sand, W. Raabe, Tania Blixen, J.-M. G. Le Clézio).

Saint-Pierre-et-Miquelon [sɛ̃'pjɛ:remi'klɔ̃], frz. Übersee-Dép. (acht Inseln) in Nordamerika, südlich von Neufundland, 242 km², (1994) 6 600 Ew.; Hptst. ist Saint-Pierre auf der gleichnamigen Insel; Kabeljaufischerei, daneben Pelztierzucht und Handel.

Saint-Quentin [sɛ̃kɑ̃'tɛ̃], Stadt im Dép. Aisne, N-Frankreich, an der Somme und am Kanal von S.-Q., 62 100 Ew.; Inst. der Univ. Amiens, Museen; Maschinenbau, elektrotechn., Textil-, chem. Ind., Fahrradfabrikation. – Kollegiatskirche Saint-Quentin (v. a. 13.–15. Jh., nach Plänen von Villard de Honnecourt); Hôtel de Ville (1509 vollendet). – S.-Q., das galloröm. **Augusta Viromanduorum,** war die Hptst. der Grafschaft Vermandois, erhielt vor 1080 Stadtrecht; fiel 1213 an die frz. Krone.

Saint-Quentin-en-Yvelines [sɛ̃kɑ̃'tɛ̃ ɑ̃ni'vlin], Stadt im Dép. Yvelines, eine der fünf Neuen Städte in der Region Paris, westlich von Versailles, 128 700 Ew. – Bed. Wohn- und Bürobauten, u. a. »Arcades du Lac« von R. Bofill (1982).

Saint-Quentin Stadtwappen

Niki de Saint Phalle: Schwarze Nana, Höhe 2,93 m (1968–69; Köln, Museum Ludwig)

Niki de Saint Phalle: Tarotgarten in Garavicchio (Toskana)

Saint Vincent and the Grenadines

Fläche: 389 km^2
Einwohner: (1995) 112 000
Hauptstadt: Kingstown
Amtssprache: Englisch
Nationalfeiertag: 27. 10.
Währung: 1 Ostkaribischer Dollar (EC$) = 100 Cents
Zeitzone: MEZ −5 Std.

Staatswappen

WV

Internationales Kfz-Kennzeichen

1991 1995 Bevölkerung (in Tausend)
1993 1995 Bruttosozialprodukt je Ew. (in US-$)

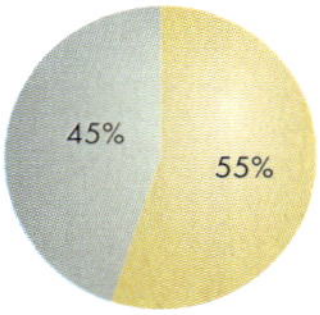

Stadt
Land

Bevölkerungsverteilung 1993

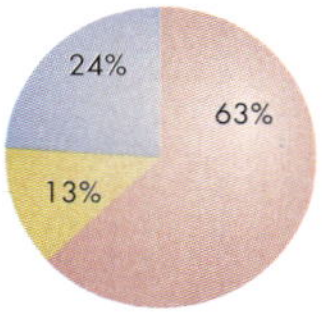

Industrie
Landwirtschaft
Dienstleistung

Bruttoinlandsprodukt 1995

Saint-Saëns [sɛ̃'sãs], Camille, frz. Komponist, *Paris 9. 10. 1835, †Algier 16. 12. 1921; wirkte als Organist und Musiklehrer in Paris; errang großes Ansehen als Pianist, Orgelinterpret und -improvisator. S.-S., der die von F. Liszt geschaffene Gattung der sinfon. Dichtung in Frankreich einführte, vertritt in seinen Werken einen Stil klassizist. Prägung. Er schrieb 13 Opern (u. a. »Samson und Dalila«, 1877), Orchestermusik (fünf Sinfonien, vier sinfon. Dichtungen, Instrumentalkonzerte), Vokalmusik (Messe, Requiem, Oratorien, Chöre u. a.), Orgel- und Kammermusik.

🕮 STEGEMANN, M.: *C. S.-S. Reinbek 1993.*

Saint-Simon [sɛ̃si'mɔ̃], **1)** Claude Henri de Rouvroy, Graf von, frz. Sozialtheoretiker, *Paris 17. 10. 1760, †ebd. 19. 5. 1825, Enkel von 2); formulierte die bürgerl. Kritik am parasitären Adel und die Pflicht der Unternehmer, für das Wohl der Ärmsten zu sorgen. Wegbereiter der ersten frz. Sozialistenschule, die u. a. die Vergesellschaftung der Produktionsmittel und einen Staat als »Assoziation der Werktätigen« erstrebte **(Saint-Simonismus).**

🕮 EMGE, R. M.: *S.-S. Einführung in ein Leben u. Werk, eine Schule, Sekte u. Wirkungsgeschichte. München u. a. 1987.*

2) Louis de Rouvroy, Herzog von, frz. Schriftsteller, *Versailles 16. 1. 1675, †Paris 2. 3. 1755, Großvater von 1). Seine Memoiren (entstanden 1694–1752, hg. 1788, 2 Bde., 1. Gesamtausg. 1829–30, 21 Bde.) kritisieren schonungslos die letzten Regierungsjahre Ludwigs XIV.

Saint Thomas [snt'tɔməs], Hauptinsel der zu den USA gehörenden Gruppe der westindischen →Jungferninseln, 83 km^2 groß mit (1990) 48 200 Ew.; Hptst. ist Charlotte Amalie.

Saint-Tropez [sɛ̃trɔ'pe], Seebad an der Côte d'Azur, im Dép. Var, Frankreich, 5 800 Ew.; Zitadelle (16./17. Jh., heute Marinemuseum), Museum moderner Kunst in einer ehem. Kapelle.

Saint Vincent and the Grenadines [snt'vɪnsənt ænd ðə grenə'di:nz], Staat im Bereich der Westind. Inseln, mit der Insel Saint Vincent der Kleinen Antillen und den nördl. Grenadinen.

Staat und Recht: Nach der Verf. von 1979 ist S. V. a. t. G. eine konstitutionelle Monarchie im Commonwealth. Staatsoberhaupt ist der brit. Monarch, vertreten durch einen Generalgouv. Die Legislative liegt beim Einkammerparlament (15 gewählte Abg., 6 ernannte Senatoren), die Exekutive bei der Reg. unter Vorsitz des Premiermin. Einflussreichste Partei: Neue Demokrat. Partei (NDP).

Landesnatur: Die Insel ist gebirgig (im Vulkan Soufrière 1234 m ü. M.; schwere Ausbrüche 1821 und 1902; zuletzt 1979). Das Bergland der Hauptinsel ist dicht bewaldet.

Bevölkerung: 85 % der Bev. sind Nachkommen afrikan. Sklaven (einschl. Mulatten), 5,5 % Inder, 3,5 % Weiße; überwiegend Anglikaner und Methodisten, 13 % Katholiken. Auf einigen Inseln wird noch ein Kreolisch auf frz. Grundlage gesprochen.

Wirtschaft, Verkehr: Die Landwirtschaft erbringt mit Bananen, Kokosnüssen und Gewürzen den größten Teil der Ausfuhrerlöse. Eine traditionelle Kultur ist Pfeilwurz (weltweit wichtigster Erzeuger für Marantastärke). Zunehmend bed. Fremdenverkehr, v. a. auf den Grenadinen; Haupthafen und -flughafen in Kingstown.

Geschichte: Saint Vincent, 1493 von Kolumbus entdeckt, war seit 1763 brit. Besitz, gehörte 1958–62 zur Westind. Föderation, ab 1969 zu den Westind. Assoziierten Staaten. 1979 erhielt es im Rahmen des Commonwealth die Unabhängigkeit.

Sạis (ägypt. Saw), altägypt. Stadt im Nildelta, beim heutigen Dorf Sa el-Hagar, spielte als Residenz der 26. Dynastie (der »Saïten«, 664–525 v. Chr.) eine bed. Rolle; geringe Baureste. – Die Erzählung vom verhüllten Götterbild zu S. geht auf Plutarch zurück (Gedicht von F. Schiller, 1795).

Saison [zɛ'zɔ̃; frz. »Jahreszeit«] *die,* Zeitabschnitt, in dem in einem bestimmten Bereich Hochbetrieb herrscht; z. B. Hauptreisezeit, Erntezeit (Erdbeer-S.), Theaterspielzeit.

Saisonbetriebe [zɛˈzɔ̃-], Betriebe, deren Produktions- und Absatzprogramm während eines bestimmten Zeitraums größeren, regelmäßig auftretenden Schwankungen, ursächlich im Zusammenhang mit Jahreszeit, Witterung und Verbrauchsgewohnheiten, unterliegt; zusammengefasst auch als **Saisongewerbe (Saisonindustrie)** bezeichnet. – S. sind z.T. von der Geltung des Kündigungsschutz-Ges. ausgenommen. Der in der Saison anfallende erhöhte Arbeitskräftebedarf führt oft zu **Saisonwanderungen** von Arbeitskräften **(Saisonarbeitnehmer).**

Sakkara: Stufenpyramide des Pharao Djoser (um 2600 v. Chr.)

Saisondimorphismus [zɛˈzɔ̃-], jahreszeitl. Verschiedengestaltigkeit der Generationen einer Tierart, v.a. bei Schmetterlingen.

Saisonschlussverkauf [zɛˈzɔ̃-], Sonderverkauf von bestimmten Waren zu herabgesetzten Preisen am Ende eines Verbrauchsabschnitts an jeweils zwölf aufeinander folgenden Werktagen: **Sommerschlussverkauf** ab dem letzten Montag im Juli, **Winterschlussverkauf** ab dem letzten Montag im Januar.

Saisonschwankungen [zɛˈzɔ̃-], jahreszeitlich bedingte Veränderungen im Konjunkturverlauf. Die S. werden in statist. Reihen häufig ausgeschaltet **(saisonbereinigte Zahlen).**

Saite [ahd. seito »Fessel«, »Strick«], dünnes, fadenförmiges Gebilde aus Darm, Seide, Stahl, Messing, Kupfer, Silber oder Kunststoff, das zw. zwei festen Punkten gespannt und durch Zupfen (Laute, Gitarre), Schlagen (Klavier, Hackbrett) oder Streichen (Violine) in Schwingungen versetzt wird. Der dabei erzeugte Ton ist in Höhe und Klangfarbe abhängig von Spannung, Länge, Durchmesser, Material der S. und der Art des Resonanzkörpers.

Saiten|instrumente (Chordophone), Instrumente, deren Ton durch die Schwingungen gespannter Saiten entsteht.

Saitenwürmer (Nematomorpha), Klasse der Schlauchwürmer; fadenförmige Würmer, die als Larve in der Leibeshöhle von Insekten (bes. Käfer, Heuschrecken, Schaben) oder Meereskrebsen schmarotzen, geschlechtsreif frei im Wasser leben.

Sajan *der* (Sajangebirge), Faltengebirgssystem in S-Sibirien, Russland, umfasst den **Östlichen Sajan,** im vergletscherten Munku Sardyk bis 3 491 m ü.M., und den **Westlichen Sajan** (3 121 m ü.M.), vom Jenissei durchbrochen. Beide Gebirgszüge sind reich an Bodenschätzen.

Sakai, Volk in Malaysia, die →Senoi.

Sakai, Stadt in der Stadtpräfektur Ōsaka, auf Honshū, Japan, 806 300 Ew.; Elektro-, Schiffbau-, Eisen-, Stahl-, petrochem. Ind.; Exporthafen.

Sakalaven (Sakalava), ethn. Gruppe der →Madagassen.

Sake [japan.] *der,* Reiswein, Alkoholgehalt 12 bis 16 Vol.-%, wird meist warm getrunken.

Saken (Saker, grch. Sakai, lat. Sacae, ind. Shaka), indogerman. Nomadenvolk des Altertums, nördlich des Aralsees. Östl. S.-Stämme drangen um 100 v.Chr. nach NW-Indien ein und gründeten dort die **indoskyth. Reiche.**

Şäki (russ. Scheki, bis 1968 Nucha), Stadt in Aserbaidschan, am S-Fuß des Kaukasus, 63 200 Ew.; Kurort; Seidenspinnerei und -weberei, Tabakverarbeitung; Nahrungsmittelind., Kunsthandwerk. – Zahlr. prunkvolle Bauten (18./19. Jahrhundert).

Sakkara (Saqqara), ägypt. Dorf südlich von Kairo. In dem Wüstenzug oberhalb S. liegt die Totenstadt von Memphis mit den Pyramidenfeldern von Giseh, Abusir, S. und Dahschur sowie dem →Serapeum.

Sakko [italienisierend zu dt. Sack] *der,* auch *das,* um 1860 aufgekommene Jacke des Herrenanzugs, zunächst taillenlos und doppelreihig.

Sakmann, Bert, Mediziner, *Stuttgart 12. 6. 1942; 1974–89 am Max-Planck-Inst. für biophysikal. Chemie in Göttingen, seit 1989 am Max-Planck-Inst. für medizin. Forschung in Heidelberg. Für seine Arbeit über zelluläre Ionenkanäle erhielt er 1991 mit E. Neher den Nobelpreis für Physiologie oder Medizin. BILD S. 154

sakral [zu lat. sacer »heilig«], **1)** *allg.:* heilig, religiösen Zwecken dienend; Ggs.: profan.

2) *Anatomie:* zum Kreuzbein gehörend.

Camille Saint-Saëns

Henri de Rouvroy, Graf von Saint-Simon (Holzstich nach einer Lithographie des französischen Malers Gottfried Engelmann, 1825)

Sake

Bei der shintoistischen Hochzeitszeremonie gilt die Ehe als geschlossen, wenn das Paar aus drei kleinen Trinkschalen je drei Schluck des vorher von einem Priester gesegneten Sake getrunken hat. Seit jeher wird in Japan der Reiswein bei religiösen Feiern und Familienfestlichkeiten als Opfergabe dargeboten und anschließend zusammen mit den Opferspeisen verzehrt. In alten Zeiten wurde er für jeden Anlass frisch zubereitet, wobei die jungen Frauen die Reiskörner zerkauten und in einen Gärbottich spuckten. Später führte man dann die Gärung mittels Hefe ein. Sake wird meistens warm, mit einer Temperatur von ca. 50 °C getrunken, wodurch sich sein Alkoholgehalt, der in etwa dem des Weins entspricht, bestens entfalten kann.

Bert Sakmann

Sakramentshäuschen von Adam Krafft (1493–96) in der Nürnberger Lorenzkirche

Sakral|anästhesie, eine Leitungsanästhesie (→Anästhesie) im Bereich des Kreuzbeins.

sakrale Kunst, im abendländ. Bereich die der Ausstattung des Kirchenraums dienende Kunst (→Altar, →Kanzel, →liturgische Geräte, →liturgische Gewänder, →Taufbecken).

Sakralfleck, der →Mongolenfleck.

Sakrament [von lat. sacramentum »Weihe«, »Verpflichtung (zum Kriegsdienst)«] *das, christl. Theologie:* eine die Gnade Gottes vermittelnde Zeichenhandlung, deren Einsetzung auf Jesus Christus zurückgeführt wird und die im Verständnis der Glaubenden die Nähe Gottes persönlich erlebbar werden lässt. Nach kath. Verständnis liegt die Wirksamkeit der S. im Handeln Gottes, nicht im persönl. Glauben des Spenders oder Empfängers begründet; nach evang. Auffassung kommt dem persönl. Glauben des Empfängers an die in den S. zugesagten Verheißungen Gottes eine große Rolle zu. Grundlage der orth. Lehre von den S. ist der Begriff des »mysterion« (→Mysterium). Die kath. Kirche und die orth. Kirchen kennen sieben S: Taufe, Firmung (Myronsalbung), Eucharistie, Buße, Krankensalbung (Hl. Ölung), Priesterweihe, Ehe; dabei wird zw. mehr oder weniger wesentl. S. unterschieden (»Hierarchie der S.«). Die evang. Kirche kennt zwei S. (Taufe, Abendmahl).

🕮 BOFF, L.: *Kleine Sakramentenlehre. A. d. Portugies. Düsseldorf*[14]*1995.*

Sakramentsgemeinschaft (lat. Communicatio in sacris), *kath. Kirchenrecht:* die gottesdienstl. Gemeinschaft mit nichtkath. Christen. Mit den orth. und oriental. Kirchen gibt es die Möglichkeit einer begrenzten S. für die Sakramente der Eucharistie (Abendmahlgemeinschaft), Buße und Krankensalbung. Den übrigen Christen dürfen die gen. Sakramente von kath. Seite nur in einer schweren Notlage gespendet werden. Eine umgekehrte S. ist hier nach kath. Verständnis nicht möglich.

Sakramentshäuschen, in der dt. Gotik (seit Ende 14. Jh.) entwickelter turmartiger Aufbewahrungsort für die geweihte Hostie, meist an der N-Wand des Chores; im 16. Jh. durch das Tabernakel ersetzt.

Sakrileg [lat. sacrilegium »Tempelraub«] *das,* Vergehen gegen Heiliges: die Entweihung heiliger Orte oder Sachen durch Schändung, Missbrauch oder Raub sowie tätl. Angriffe gegen geweihte Personen.

Sakristei [lat.] *die,* Nebenraum der Kirche, Aufenthalts- und Ankleideraum der Geistlichen und am Gottesdienst Mitwirkender, Aufbewahrungsort der liturg. Geräte und Gewänder.

säkular [lat.], **1)** *allg.:* alle hundert Jahre wiederkehrend; außergewöhnlich, einmalig.

2) *Astronomie, Geologie:* lange Zeiträume betreffend.

3) *Kirchengeschichte:* weltlich, nicht dem kirchl. Bereich, sondern der Welt der Laien angehörend.

Säkular|institute, *kath. Kirche:* →weltliche Institute.

Säkularisation [lat.], *die,* ohne kirchl. Genehmigung erfolgte Einziehung oder Nutzung kirchl. Eigentums durch weltl. Gewalt, i. d. R. durch den Staat. – Zu S. ist es zu allen Zeiten gekommen, z. B. in der Reformationszeit in Dtl. und unter Kaiser Joseph II. 1782 in Österreich. In Frankreich wurden aufgrund des Beschlusses vom 2. 11. 1789 alle Kirchengüter durch den Staat eingezogen und später öffentlich versteigert. – Umfassend war die S. in Dtl.: Beiderseits des Rheins wurden die Hoheitsrechte von vier Erzbistümern, 18 Bistümern und etwa 300 Abteien, Stiften und Klöstern eingezogen. – In Italien wurde 1860/70 der Kirchenstaat säkularisiert. – Nach 1917 bzw. 1945 wurde von den kommunist. Staaten in größtem Ausmaß Kirchengut enteignet.

🕮 *S. u. Säkularisierung im 19. Jh., hg. v.* A. LANGNER. *München u. a. 1978.* – *Christentum u. modernes Recht. Beiträge zum Problem der S., hg. v.* G. DILCHER *u.* I. STAFF. *Frankfurt am Main 1984.*

Säkularisierung, 1) *allg.:* jede Form der »Verweltlichung«; i. e. S. die Bez. für den v. a. durch Humanismus und Aufklärung ausgelösten, in der Autonomie der menschl. Vernunft begründeten emanzipator. Prozess, der in der europ. Neuzeit zu einer immer größeren Selbstständigkeit der Lebensgestaltung und Weltanschauung gegenüber den früheren Bindungen an die Religion (Kirche) und ihre Sinnangebote und sittlich-moral. Vorgaben geführt hat; heute v. a. Synonym für die »Entchristlichung« der Gesellschaft bzw. »Entkirchlichung« breiter Bevölkerungsgruppen in der westl. Welt.

🕮 MARRAMAO, G.: *Die S. der westl. Welt. A. d. Italien. Frankfurt am Main u. a. 1996.*

2) *kath. Kirche:* die Entbindung eines Ordensangehörigen von den Ordensgelübden.

Säkularjahr, jedes ein Jahrhundert beschließende Jahr, z. B. das Jahr 2000.

Säkulum [lat.] *das,* Jahrhundert, Zeitalter.

Sal *das, Geologie:* das →Sial.

Sal, eine der Kapverd. Inseln, 216 km^2, (1990) 7 900 Ew.; internat. Flughafen der Rep. Kap Verde; Salzgewinnung.

Salacrou [sala'kru], Armand, frz. Dramatiker, *Rouen 9. 8. 1899, †Le Havre 23. 11. 1989; Journalist; kämpfte in der Résistance unter C. de Gaulle. In seinen erfolgreichen surrealist. Dramen um existenzielle Grundprobleme setzte S. die Technik der Rückblende ein: »Die unerbittliche Sekunde« (1935), »Die Nächte des Zorns« (1947); verfasste auch satir. und burleske Komödien (»Der Archipel Lenoir«, 1948) sowie Erinnerungen (»Dans la salle des pas perdus«, 2 Bde., 1974–76).

Saladin, Sultan von Ägypten und Syrien (seit 1175), *Tikrit (Mesopotamien) 1138 (?), †Damaskus 4. 3. 1193; Begründer der Dynastie der →Aijubiden. Er besetzte seit 1174 Syrien und eroberte 1187 Jerusalem (→Kreuzzüge). S., der ein sunnit. Muslim war, genoss auch im Abendland große Achtung (Vorbild des Sultans in G. E. Lessings »Nathan der Weise«).

Salam [arab.], Wohlbefinden, Heil, Friede. – **Salam alaikum, as-Salama, as-Salam(u) alaikum,** »Heil über Euch«, Grußformel der Araber und allg. der Muslime.

Salam, Abdus, pakistan. Physiker, *Jhang (Prov. Punjab) 29. 1. 1926, †Oxford 21. 11. 1996; Prof. in Lahore und London, Gründer und Leiter des Internat. Zentrums für theoret. Physik in Triest; Präsident der »Akademie der Wiss. für die Dritte Welt«. S. stellte zus. mit S. Weinberg und S. L. Glashow die Theorie der Vereinheitlichung der schwachen und der elektromagnet. →Wechselwirkung auf (→Weinberg-Salam-Theorie). Dafür erhielten sie 1979 den Nobelpreis für Physik.

Salamanca, 1) Provinz in der Region Kastilien und León, Spanien, 12 350 km², (1991) 357 800 Einwohner.

2) Hptst. von 1), am Tormes, 162 000 Ew.; Bischofssitz; Univ. (gegr. 1218), Päpstl. Univ. (gegr. 1134), Univ. des Dominikanerordens; Theater, Bibliotheken, Museen; Leder-, Textil-, chem. u.a. Ind., Kunsthandwerk (Filigranarbeiten); Fremdenverkehr. – Die Altstadt wurde zum Nationaldenkmal und von der UNESCO zum Weltkulturerbe erklärt. Älteste Kirchen: San Martín, die Rundkirche San Marcos, Santiago und die Alte Kathedrale (alle 12. Jh.); bed. auch die v.a. 1513–89 in spätgot. Formen ausgebaute Neue Kathedrale (1733 vollendet) und die Dominikanerkirche San Esteban (1524–1610); Jesuitenkolleg (heute Teil der Päpstl. Univ.) im Barockstil mit mächtiger Kirche (1617); Univ. mit reich geschmückter platteresker Fassade; 1729–55 entstand die Plaza Mayor nach Plänen von A. Churriguera. – S., das antike **Salamantica,** stand 713 bis 1085 unter arab. Herrschaft. Die Univ. zählte vom 13. bis 16. Jh. zu den bedeutendsten des Abendlandes.

Salamander [grch.-lat.], Schwanzlurche, →Molche und Salamander.

Salami [italien., zu lat. sal »Salz«] *die,* hart geräucherte Wurst aus Schweine-, Rind-, früher Eselfleisch, fest gewickelt und in heißen Kleiebrei getaucht (dadurch weiße Schutzschicht).

Salamis, Insel im Saron. Golf, Griechenland, 95 km², 28 600 Ew. Der Hauptort ist S. mit 20 500 Ew. – S. war seit dem 6. Jh. v. Chr. eine att. Bürgerkolonie; bekannt durch den Seesieg der Griechen über die Perser 480 v. Chr. (→Perserkriege).

Salan [sa'lã], Raoul, frz. General, *Roquecourbe (Dép. Tarn) 10. 6. 1899, †Paris 3. 7. 1984; 1945–54 in Indochina, 1956–58 Oberkommandierender in Algerien; als Gegner der Algerienpolitik C. de Gaulles am Militärputsch von 1961 in Algier beteiligt; dann Führer der →OAS. In Abwesenheit zum Tod verurteilt, später begnadigt.

Salanganen [malaiisch] (Collocalia), Gattung 10–16 cm langer Segler in S-Asien, auf den Sundainseln und den Inselgruppen Polynesiens; bauen an Felsen napfförmige Nester überwiegend aus schnell erhärtendem Speichel, die nach Kochen mit Kalbfleisch und Hühnerbrühe bes. in China als Delikatesse **(Schwalbennestersuppe)** gegessen werden.

Salat [arab.] *die, Islam:* das fünfmal (bei den Schiiten gewöhnlich dreimal) täglich zu verrichtende Gebet.

Salat [von italien. insalata »Gesalzenes«] *der,* **1)** *Botanik:* (Garten-S., Gartenlattich, Lactuca sativa) einjährige Pflanze, mit in Rosetten stehenden, oft »Köpfe« bildenden Grundblättern.

2) *Küche:* kaltes Gericht aus zerkleinerten rohen oder gekochten Zutaten (u.a. Gemüse, Obst, Fleisch), das mit einer S.-Sauce angerichtet wird.

Salawat, Stadt in Baschkortostan, Russ. Föderation, am Südl. Ural, an der Belaja, 150 000 Ew.; bes. Erdölverarbeitung und petrochem. Ind. (bei S. Erdölförderung); Flachglaswerk, Maschinenbau.

Salazar [-'zar], António de Oliveira S., portugies. Politiker, *Santa Comba Dão (Distr. Viseu) 28. 4. 1889, †Lissabon 27. 7. 1970; Volkswirtschaftler, führte als MinPräs. (1932–68) ein diktator. Reg.system ein (Verf. von 1933, →Portugal, Ge-

Salamanca 2)
Stadtwappen

Abdus Salam

António de Oliveira Salazar

Salamanca 2): Die Römerbrücke unterhalb der zum großen Teil im 16. Jh. erbauten Neuen Kathedrale stammt aus dem 1. Jh. nach Christus

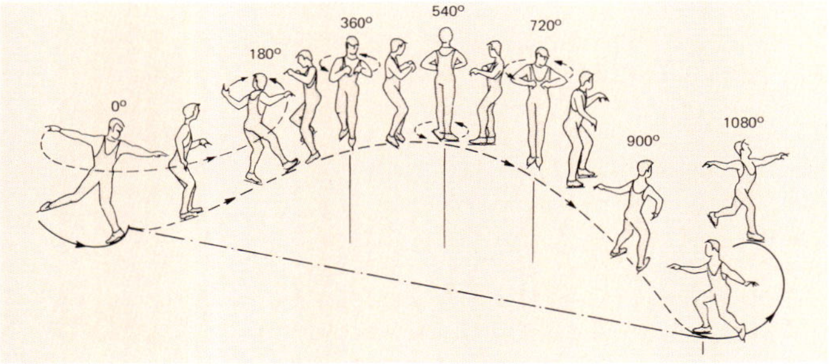

Salchow: schematische Darstellung der Sprungphasen des dreifachen Salchow

schichte). Nach 1945 suchte er die Zusammenarbeit mit den westl. Staaten (Beitritt Portugals zur NATO, 1949). Mit militär. Mitteln bekämpfte er die Unabhängigkeitsbestrebungen im portugies. Kolonialreich.

Salbaum (Saulbaum, Shorea robusta), Art der Zweiflügelfruchtgewächse, wichtiger Forstbaum Vorderindiens.

Salbe (Unguentum), streichfähige Arzneimittelzubereitung zur örtl. Anwendung auf der Haut oder auf Schleimhäuten. Die S. besteht aus der S.-Grundlage (Fette, Glycerin u.a.) und den darin gelösten, suspendierten oder emulgierten Arzneistoffen.

Salbei: Gartensalbei (Höhe bis zu 70 cm)

Salbei [lat.] *der* (Salvia), Gattung der Lippenblütler, v.a. in den Tropen und Subtropen; Kräuter, Halbsträucher oder Sträucher. In Dtl. der gelb blühende **Klebrige S.** (Salvia glutinosa) in den Alpen und im Alpenvorland und der 30–60 cm hohe **Wiesen-S.** (Salvia pratensis) mit blauvioletten Blüten. Mehrere Arten und ihre Sorten sind beliebte Zierpflanzen, z.B. der **Feuer-S.** (Salvia splendens) mit scharlachfarbenen Blüten. Als Heil- und Gewürzpflanze wird der **Garten-S.** (Salvia officinalis) kultiviert, bis 70 cm hoch, stark aromatisch duftend, mit graufilzigen, immergrünen Blättern und violetten Blüten.

Salem 1): Gesamtanlage des ehemaligen Zisterzienserklosters

Salbung *die,* religiöser Weiheritus, der dem Gesalbten göttl. Gnade und eine Sonderstellung unter den Menschen verleiht; in den altoriental. Hochkulturen auch Rechtsakt beim Amtsantritt von Königen, Priestern und Beamten; im A.T. für Saul, David und Salomo bezeugt, in der Apokalyptik gilt der →Messias als der »Gesalbte (Gottes)«, im N.T. Jesus Christus (Joh. 1,41). In der kath. Kirche und den orth. Kirchen ist die S. mit Öl Bestandteil der liturg. Handlung bei der Spendung einiger Sakramente.

Salchow [-ço; nach dem schwed. Eiskunstläufer Ulf Salchow, *1877, †1949], *Eiskunstlauf, Rollkunstlauf:* Sprung mit Anlauf auf dem linken Bein rückwärts mit Drehung oder mehrfacher Drehung und Aufsetzen rückwärts (auf das andere Bein). Heute als einfacher, zweifacher (Doppel-S.) oder dreifacher S. gesprungen.

Salde (Ruppia), Gattung der Laichkrautgewächse im Salz- oder Brackwasser; Unterwasserpflanzen.

Saldo [italien.] *der, Buchführung:* Differenz zw. den beiden Seiten eines Kontos. Je nachdem, ob die Soll- oder Habenseite größer ist, ergibt sich ein **Soll-S. (Aktiv-S.)** oder ein **Haben-S. (Passiv-S.),** der bei Abschluss des Kontos zum Ausgleich auf der Seite mit der kleineren Endsumme gebucht wird.

Salé [sa'le] (arab. Sala, Sla), Hafenstadt an der atlant. Küste von Marokko, Nachbarstadt von Rabat, bildet mit ihr die Stadtpräfektur Rabat-Salé.

Sale-and-lease-back-Verfahren ['seɪlənd 'li:sbæk-, engl.], Sonderform des →Leasing.

Salem, *A.T.:* die Stadt des Melchisedek (1. Mose 14,18); Kurzform für Jerusalem (Ps. 76,3).

Salem, 1) Gemeinde im Bodenseekreis, Bad.-Württ., nördlich vom Bodensee, 440 m ü.M., 10400 Ew.; Affenfreigehege. – Das 1134 gegründete Zisterzienserkloster S. wurde 1803 aufgehoben und kam dann an Baden; heute Wohnsitz der Markgrafen von Baden, z.T. Museum. – Die Schule **Schloß S.** wurde 1920 unter Schirmherrschaft von Prinz Max von Baden von K. M. Hahn als Landerziehungsheim gegründet und in einem Teil der Klostergebäude untergebracht. Die heutigen Schulen Schloß S. sind ein privates, staatlich anerkanntes Gymnasium für Jungen und Mädchen mit Internat.

2) ['seɪləm], Hptst. des Staates Oregon, USA, am Willamette River, 108000 Ew.; Willamette-Univ.; Konservenind., Holzverarbeitung.

3) ['seɪləm], Hafenstadt in Massachusetts, USA, 38200 Ew.; Seefahrtsmuseum; Maschinenbau. – 1626 als Bauern- und Fischersiedlung gegr., war S. 1692 Schauplatz exzessiver Hexenverfolgungen (19 Hinrichtungen).

Salep [frz.-arab.] *der* (Salepknollen), die getrockneten, schleim- und stärkehaltigen Knollen vieler Orchideen. S. diente in Pulverform zu reizmildernden Abkochungen.

Saleph [-f], Fluss in der Türkei, → Göksu.

Salerno, 1) Prov. in Kampanien, Italien, 4922 km^2, (1995) 1,084 Mio. Einwohner.

2) Hptst. von 1), am Golf von S., 144500 Ew.; Erzbischofssitz; Fachhochschulen; Textil-, Nahrungsmittel-, Glas-, Zementind., Maschinenbau; Fremdenverkehr. – Dom (11. Jh.); im W großes Atrium mit antiken Säulen). – S. war im MA. ein langobard. Fürstentum, wurde 1077 normannisch. S. hatte die älteste medizin. Fakultät Europas.

Salesforce ['seɪlzfɔːs, engl.] *die,* Außendienst mit unternehmenseigenen (z. B. Verkaufsingenieure) und/oder selbstständigen Mitarbeitern (z. B. Handelsvertreter), die im persönl. Kontakt zum (potenziellen) Kunden stehen.

Salesianer, 1) Oblaten des hl. Franz von Sales (lat. Institutum Oblatorum Sancti Francisci Salesii, Abk. OSFS), 1873 in Troyes gegründete Kongregation für Erziehung, Seelsorge und Mission.

2) S. Don Boscos (lat. Societas Sancti Francisci Salesii, Abk. SDB), 1859 in Turin von G. Bosco gegründete Kongregation für Erziehung und Unterricht, heute auch Gemeindeseelsorge. – Weibl. Zweig: »Töchter Mariä Hilfe« (»Salesianerinnen Don Boscos«, gegr. 1872).

Salesianerinnen, 1) Orden von der Heimsuchung Marias (lat. Ordo de Visitatione Beatae Mariae Virginis, Abk. OVM), 1610 in Annecy von Franz von Sales und Jeanne Françoise Frémyot de Chantal (* 1572, † 1641) gegründete Gemeinschaft; seit 1618 beschaul. Orden, jedoch auch in der Erziehung tätig.

2) weibl. Zweig der → Salesianer Don Boscos.

Salespromotion ['seɪlzprə'məʊʃn, engl.] *die,* → Verkaufsförderung.

Salford ['sɔːlfəd], Industriestadt in der Metrop. Cty. Greater Manchester, England, 98000 Ew.; Univ., Kunstgalerie mit Museum; Metall-, chem., Papier-, Textil-, Gummiindustrie. – 1228 Marktrecht, seit 1230 Stadt.

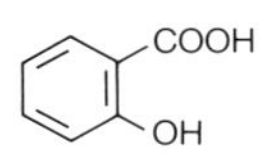

Salicylsäure

Salicylsäure (2-Hydroxybenzoesäure), in der Natur weit verbreitete organ. Säure, die z. B. als Methylester in äther. Ölen (z. B. Wintergrünöl) und als Glykosid in Birkenrinde enthalten ist. S. wird durch Einwirkung von Kohlendioxid auf Natriumphenolat hergestellt (Kolbe-Schmitt-Synthese). Sie bildet farblose Kristalle, die in kaltem Wasser schwer, in heißem Wasser und Alkohol leicht löslich sind. S. wird u. a. als Zwischenprodukt für Farbstoffe und pharmazeutische Produkte sowie bei der Herstellung von Pflegemitteln, Kosmetika und Riechstoffen verwendet. Die Salze und Ester der S. sind die **Salicylate.** – Wegen der besseren Verträglichkeit und der stärkeren schmerzlindernden Wirkung wird medizinisch meistens die **Acetyl-S.** bevorzugt. Acetyl-S. (Aspirin®) dient zur Beseitigung von Schmerzzuständen, zur Fiebersenkung und zur Verbesserung der zentralen Durchblutung.

Sallier, 1) Kernstamm der → Franken.

2) fränk. Adelsgeschlecht mit Macht- und Besitzschwerpunkt im Nahe-, Speyer- und Wormsgau. Mit Konrad II. gelangten die S. 1024 zur Herrschaft im (Hl. Röm.) Reich (»Sal. Kaiser«); 1125 erlosch die Dynastie mit Heinrich V. Die Staufer traten ihr Erbe an. STAMMTAFEL S. 158

📖 *Die S. u. das Reich, hg. v.* S. WEINFURTER. *3 Bde. Sigmaringen* ^{2}*1991.* – WEINFURTER, S.: *Herrschaft u. Reich der S. Sigmaringen* ^{3}*1992.*

Antonio Salieri (Ausschnitt eines Punktierstichs des deutschen Kupferstechers Karl Traugott Riedel, 1802)

Salieri, Antonio, italien. Komponist, * Legnago 18. 8. 1750, † Wien 7. 5. 1825; war ebd. Dirigent der Italien. Oper, später Hofkapellmeister; schrieb v. a. Opern und wurde ein Anhänger C. W. Glucks. S. war Lehrer von L. van Beethoven, F. Schubert und F. Liszt. Das Gerücht, er habe W. A. Mozart vergiftet, ist haltlos.

Salin, Edgar, Volkswirtschaftler und Soziologe, * Frankfurt am Main 10. 2. 1892, † Montreux 17. 5. 1974; Prof. in Basel (seit 1927) und Mitbegründer der List-Gesellschaft. Sein Schaffen reichte von der klass. Philologie und Philosophie über Literaturgesch. bis zur modernen Wirtschafts- und Gesellschaftslehre; zählt zu den Hauptkritikern des Neoliberalismus.

Edgar Salin

Salinas, Pedro, span. Schriftsteller, * Madrid 27. 11. 1892, † Boston (Mass.) 4. 12. 1951; Prof. für span. Sprache und Lit. in Sevilla, Murcia, Madrid; seit 1936 im Exil (u. a. USA); bed. Vertreter der span. Moderne. Nach optimist. Zivilisationsgläubigkeit in den 1930er-Jahren spiegelt die spätere Lyrik ein zunehmend düsteres Weltbild (»Todo más claro, ...«, 1949), ähnlich in dem Roman »Die Rätselbombe« (1950); schrieb auch Kritiken und Essays.

📖 BAADER, H.: *P. S. Studien zu seinem dichter. u. krit. Werk. Köln 1956.*

Salinas de Gortari, Carlos, mexikan. Politiker, * Mexiko 3. 4. 1948; Wirtschaftswissenschaftler, seit 1966 Mitgl. der staatstragenden Partei PRI, 1982–88 Min., 1988–94 Staatspräsident.

Saline [lat., zu sal »Salz«] *die,* Anlage zur Gewinnung von Kochsalz aus natürl. wässrigen Salzlösungen durch Verdunsten des Wassers.

J. D. Salinger

Salinger ['sɑːlɪndʒə], J. D. (Jerome David), amerikan. Schriftsteller, * New York 1. 1. 1919; thematisierte bes. die rebell. Haltung der Jugend der 1940er- und 1950er-Jahre (»Der Fänger im Roggen«, R., 1951; »Franny und Zooey«, Erz., 1961; »Hebt den Dachbalken hoch, Zimmerleute/Seymour wird vorgestellt«, Erz., 1963).

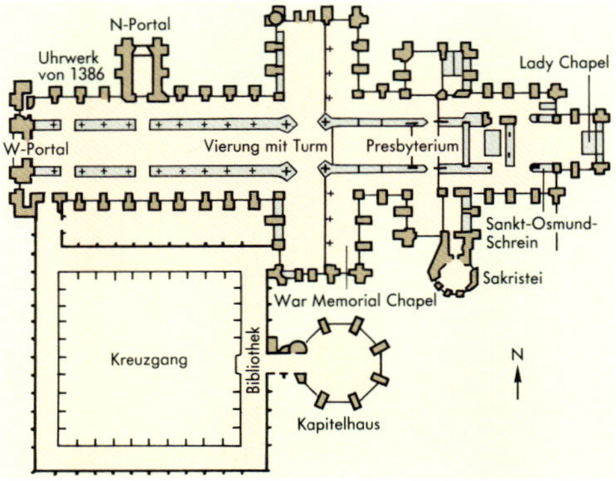

Salisbury 1): Grundriss der gotischen Kathedrale aus dem 13. Jahrhundert

Salisbury ['sɔːlzbərɪ], **1)** Stadt in der Cty. Wiltshire, S-England, zw. Avon und Bourne, 35 400 Ew.; anglikan. Bischofssitz; theolog. Lehrerseminar, Museen; Maschinenbau, Brauerei, Fabrikation von Lederwaren und Präzisionsinstrumenten; Fremdenverkehr. – Bed. got. Kathedrale (1220 ff.). – In der Nähe die Ruinen von Old Sarum, des röm. Kastells **Sorbiodunum** (Sitz der angelsächs. Könige von Wessex), und →Stonehenge.

2) bis 1982 Name von →Harare.

Salisbury ['sɔːlzbərɪ], Robert Arthur Talbot Gascoyne-Cecil, 3. Marquess of S. (seit 1868), brit. Politiker, *Hatfield (Cty. Hertfordshire) 3. 2. 1830, †ebd. 22. 8. 1903; als Außenmin. (1878–80), Führer der Konservativen (seit 1881) und Premiermin. (1885/86, 1886–92, 1895–1902; bis 1900 fast stets auch Außenmin.) strebte er Festigung und Ausbau des Brit. Reichs an; er vermied feste Bündnisse mit anderen europ. Mächten (»Splendid Isolation«).

salisch [Kurzbildung aus **Si**licium und **Al**uminium], Bezeichnung für silicium-aluminiumhaltige Minerale. Ggs.: femisch.

salische Kunst, die Kunst im Hl. Röm. Reich während der Regierungszeit der Salier (1024–1125), einer Epoche, deren Kunst einerseits Traditionen der vorangehenden otton. Kunst weiterführt und deshalb in den Anfängen der Salierzeit auch als spätottonisch eingestuft wird, in der aber andererseits Neuerungen greifen, sodass die s. K. der Romanik zugerechnet wird. Als Symbol des Führungsanspruchs der sal. Kaiser gilt der von Konrad II. gegr. Speyerer Dom. Die Goldschmiedekunst erlebte in frühsal. Zeit einen Höhepunkt. Hofwerkstatt der Salier für Buchmalerei wurde die Echternacher Malerschule. In der Plastik entstanden bed. Holzbildwerke (Imad-Madonna, um 1060; Kruzifixe, um 1070), um 1080 Monumental-

Salier, Stammtafel (Auswahl

Werner, Graf im Nahe-, Worms- und Speyergau
† 919 (?)

Konrad der Rote,
Herzog von Lothringen 944–953, † 955
— ⚭ 947 — Liutgard, Tochter Kaiser Ottos I.,
des Großen, † 953

Otto, Graf im Nahe-, Worms- und Speyergau
Herzog von Kärnten 978–985 und 1002–1004
† 1004

Heinrich, Graf im Nahe-, Worms- und Speyergau
† 990/1000
⚭ Adelheid, Tochter des Grafen
Richard von Metz

Bruno, Papst 996 (als Gregor V.),
* 972, † 999

Konrad, Herzog von
Kärnten 1004, † 1011
⚭ Mathilde, Tochter Herzog
Hermanns II. von Schwaben, † 1030/33

Wilhelm, Bischof von Straßburg 1029
* nach 978, † 1046/47

Konrad (II.), König 1024, Kaiser 1027
* um 990, † 1039
⚭ 1016 Gisela, Tochter Herzog
Hermanns II. von Schwaben, † 1043

Konrad d. J., Herzog
von Kärnten 1036, † 1039

Bruno, Bischof von
Würzburg 1034, † 1045

Heinrich III., König 1028/39,
Kaiser 1046, * 1017, † 1056
⚭ (1) 1036 Gunhild (Kunigunde), Tochter
König Knuts des Großen von Dänemark, † 1038
⚭ (2) 1043 Agnes von Poitou, Tochter
Herzog Wilhelms V. von Aquitanien, † 1077

Beatrix, Äbtissin von
Quedlinburg 1045
* 1037, † 1062

Adelheid, Äbtissin von Quedlinburg
und Gandersheim 1062
* 1045, † um 1096

Mathilde, * 1048, † 1060
⚭ 1059 **Rudolf** von Rheinfelden
Herzog von Schwaben 1057,
Gegenkönig 1077, † 1080

Judith (Sophie), * 1054, † 1092/96
⚭ (1) nach 1066 Salomon,
König von Ungarn, † 1087
⚭ (2) 1088 Wladislaw I. Herman
Herzog von Polen, † 1102

Heinrich IV., König 1054/56,
Kaiser 1084, * 1050, † 1106
⚭ (1) 1065 Bertha von Susa
Tochter Graf Ottos von Savoyen, † 1087
⚭ (2) 1089 Adelheid, Eupraxia (Praxedis),
Tochter des Großfürsten
Wsewolod I. von Kiew, † 1109

Konrad, König 1087–98,
ab 1093 Gegenkönig, König von
Italien 1093, * 1074, † 1101
⚭ 1095 Maximilla, Tochter
Graf Rogers I. von Sizilien

Agnes, * 1072 (?), † 1143
⚭ (1) nach 1079 Friedrich I., Herzog
von Schwaben, † 1105
⚭ (2) 1106 Leopold III., der Heilige
Markgraf von Österreich, † 1136

Heinrich V., König 1098/1106,
Kaiser 1111, * 1086, † 1125
⚭ 1114 Mathilde, Tochter König
Heinrichs I. von England, † 1167

Halbfett gesetzt sind die Namen der deutschen Könige und Gegenkönige bildwerke aus Bronze (Bronzekruzifix, Essen-Werden, Sankt Liudger, vielleicht schon 1060; Grabplatte Rudolphs von Rheinfelden, Dom von Merseburg; Goslarer Thron, Domvorhalle). Aus Stuck sind die drei Grabplatten der Äbtissinnen von Quedlinburg (um 1100).

📖 *Burgen der Salierzeit, hg. v.* H. W. BÖHME, *Ausst.-Kat. Römisch-German. Zentralmuseum Mainz u. a. Sigmaringen 1991. – Eine Stadt um 1100, Beiträge v.* D. RIPPMANN *u. a., Ausst.-Kat. Römisch-German. Zentralmuseum Mainz u. a. Sigmaringen 1991. – Das Reich der Salier, 1024–1125, Ausst.-Kat. Römisch-German. Zentralmuseum Mainz u. a. Sigmaringen 1992.*

Sạlisches Gesetz, 1) (Lex Salica) das Volksrecht der sal. Franken (6. Jh., →germanische Volksrechte).

2) seit dem 14. Jh. Bez. für die ausschließlich Thronfolgeberechtigung des Mannesstammes (Bezug auf die Lex Salica umstritten).

Salish ['seılıʃ], Gruppe von nordamerikan. Indianerstämmen mit verwandten Sprachen in British Columbia, Washington, Oregon, Idaho und Montana.

Saljụt [russ.], Serie sowjet. unbemannter Raumstationen von etwa 20 m Länge und 20 t Gewicht, die zw. 1971–91 nacheinander in einer Umlaufbahn von 200–300 (S. 1 bis 5) und 350 bzw. 400 km Höhe (S. 6, 7) die Erde umkreisten. Durch Ankoppelung von bemannten Sojus-Raumfahrzeugen wurden sie als wiss. Weltraumlaboratorien genutzt und von unbemannten automat. Raumtransportern »Progress« versorgt. S. 7 verglühte als letzte Station der Serie 1991.

Salk-Impfung [engl. 'sɔ:(l)k-; nach dem amerikan. Biologen Jonas Edward Salk, *1914, †1995], Injektionsimpfung mit formaldehyd- und wärmeinaktivierten Polioviren gegen →Kinderlähmung; heute überwiegend durch die →Sabin-Impfung ersetzt.

Sạllinen, Aulis, finn. Komponist, *Salmi (Karelien, Russland) 9. 4. 1935; 1960–70 künstler. Leiter des finn. Radio-Sinfonieorchesters, lehrte ab 1963 an der Sibelius-Akademie. S. schrieb Opern in expressivem Stil (»Der Reitersmann«, 1975; »Der rote Strich«, 1978; »Der König begibt sich nach Frankreich«, 1984; »Kullervo«, 1992), Orchester- und Kammermusik.

Sallụst, lat. Gaius Sallustius Crispus, röm. Historiker, *Amiternum (heute San Vittorino, bei L'Aquila) 86 v. Chr., †Rom 34 v. Chr.; 54 Quästor, 52 Volkstribun, 48 von Cäsar erneut zum Quästor ernannt. 46 ging er mit Cäsar als Prätor nach Afrika, wo er Statthalter wurde. – Von den »Historien« des S. (5 Bücher, 78–67) sind nur Bruchstücke bekannt. Erhalten sind die Monographien »Über die Verschwörung des Catilina« und »Über den Jugurthin. Krieg«.

salische Kunst (von links): Vorderdeckel des Helmarshausener Evangeliars des Roger von Helmarshausen (um 1100; Trier, Domschatz) und Krypta unter dem Chor der Kirche des ehemaligen Frauenstifts Sankt Servatius (1129 geweiht) in Quedlinburg

📖 SYME, R.: S. Aus dem Engl. Neuausg. Darmstadt 1995.

Salm, →Lachse.

Sạlm, Grafengeschlecht aus dem Moselgau, Seitenzweig der Grafen von Luxemburg; benannt nach der Burg S. (frz. Salm-château) bei Vielsalm, Prov. Luxemburg (Belgien); stellte mit Hermann von S. 1081–88 im Hl. Röm. Reich einen Gegenkönig gegen Heinrich IV. Das Geschlecht teilte sich im 12. Jh. in **Ober-S.** (mit Burg S. bei Schirmeck, frz. Dép. Bas-Rhin) und **Nieder-**(Alt-)**S.** Ober-S. wurde 1475 von den Wild- und Rheingrafen beerbt. Zu diesem Zweig gehören die Linien S.-S. und S.-Horstmar. Nieder-S. kam 1416 an die Herren von Reifferscheidt. Heute bestehen die Linien S.-Reifferscheidt-Krautheim und Dyck sowie S.-Reifferscheidt-Raitz (als einzige nicht gefürstet).

Salmanạssar, Name mehrerer assyr. Könige:

1) S. I., 1263–1234 v. Chr.; eroberte Mesopotamien bis Karkemisch, siegte über Aramäer und Babylonier.

2) S. III., 858–824 v. Chr.; führte Eroberungskriege in Mittelsyrien und bes. in Mesopotamien. Babylonien brachte er 851 zur Anerkennung der assyr. Oberhoheit.

3) S. V., 726–722 v. Chr.; unternahm Kriegszüge gegen Israel; wurde von Sargon II. gestürzt.

Sạlmi [frz.] *das,* Ragout von Wildgeflügel.

Salmiạk [von lat. sal Ammoniacum] *der* (Ammoniumchlorid), NH_4Cl, farbloses, gut kristallisierendes Salz, das durch Einleiten von gasförmigem Ammoniak in Salzsäure gewonnen werden kann. S. wird v. a. für Trockenbatterien als Elektrolyt sowie beim Löten, Beizen, Verzinken und Verzinnen von Metallen verwendet **(Lötstein, S.-Stein),** da

salische Kunst: Imad-Madonna, mit Goldblech verkleidetes Holzbildwerk (um 1060; Paderborn, Diözesanmuseum)

Aulis Sallinen

es die Oxidschichten durch den in der Hitze abgespalteten Chlorwasserstoff (HCl) entfernt. **S.-Pastillen** sind Lakritzpastillen (→Lakritze), denen etwas S. beigemischt ist und die als Schleim lösendes Hustenmittel verwendet werden.

Salome: Gemälde von Tizian, Ausschnitt (1512; Rom, Galleria Doria Pamphili)

Matti Salminen

Salmiakgeist, wässrige Lösung von →Ammoniak.

Salminen, Matti, finn. Sänger (Bassist), *Turku 7. 7. 1945; ist. v.a. als Interpret von Partien aus Opern von W. A. Mozart, G. Verdi, R. Wagner und M. Mussorgski bekannt geworden.

Salmler (Characidae), artenreiche Fischfamilie der Salmlerartigen in Afrika, Mittel- und Südamerika. Viele S. sind beliebte Aquarienfische, z.B. Neonfische, Schrägsteher, Zier-S. Wegen ihres Gebisses gefürchtet sind die Sägesalmler.

Salmonellen [nach dem amerikan. Bakteriologen Daniel Elmer Salmon, *1850, †1914], Gattung gramnegativer stäbchenförmiger Enterobakterien, die Infektionskrankheiten (→Salmonellosen) hervorrufen können. Die Verbreitung von S. wird bes. durch die Massentierhaltung begünstigt.

Salomonsiegel: Vielblütiges Salomonsiegel (Höhe 30–100 cm)

Salmonellosen, durch Salmonellen hervorgerufene meldepflichtige Infektionskrankheiten bei Mensch und Tier; zu ihnen gehören v.a. die als Darminfektionen **(Salmonellenenteritis)** verlaufenden, durch infizierte Nahrungs-(Futter-)Mittel (z.B. Fleischwaren, Milch-, Ei-, Speiseeisprodukte) übertragenen Erkrankungen (→Botulismus, →Lebensmittelvergiftung), die beim Menschen meist einen kurzen (4–7 Tage) und komplikationslosen Verlauf aufweisen. Erregerreservoir sind meist Tiere, selten menschl. Dauerausscheider; Kennzeichen sind hohes Fieber, Brechdurchfall, Kreislaufstörungen; die Ausscheidung der Erreger mit dem Stuhl kann auch nach Abklingen der Symptome bis zu zweieinhalb Monate anhalten. Eine spezif. Behandlung (Antibiotika) ist nur in Ausnahmefällen erforderlich. – S. zählen bei Vögeln zu den häufigsten und verlustreichsten Krankheiten. Sie treten auch bei Süßwasserfischen, Wild und Haustieren auf und werden bes. durch Mäuse, Ratten und Fliegen oder durch salmonellenverunreinigtes Futter und Wasser übertragen.

Salome ['za:lome, za'lo:me; hebr., eigtl. etwa »die Friedliche«], Tochter der Herodias, der Frau des Herodes Antipas; verlangte nach Mk. 6, 14–29 auf Anstiften ihrer Mutter von ihrem Stiefvater das Haupt Johannes des Täufers. – In der bildenden Kunst häufiges Motiv, v.a. der Tanz der S. und S. mit der »Johannesschüssel«; Schauspiel von O. Wilde (1893); Oper von R. Strauss (1905).

Salomo [hebr., eigtl. etwa »der Friedliche«] (in der Vulgata Salomon), König von Israel und Juda (etwa 965–926 v.Chr.), Sohn Davids und Bathsebas; konnte das von David geschaffene israelit. Großreich zu wirtsch. und kultureller Blüte führen; ließ Jerusalem ausbauen und befestigen und den Jerusalemer (»Salomon.«) Tempel errichten. Die Regierungszeit S.s (1. Kön. 2–11) galt in der späteren Überlieferung als das goldene Zeitalter Israels, S. als Idealbild des weisen und mächtigen Herrschers. Die jüd. Tradition schreibt ihm die Autorschaft einzelner bibl. Bücher zu (Hohelied, Sprüche, Prediger und Weisheit Salomo).

📖 DONNER, H.: *Geschichte des Volkes Israel u. seiner Nachbarn in Grundzügen, 2 Bde. Göttingen* *²1995.*

Salomon, 1) Erich, Fotograf, *Berlin 28. 4. 1886, †KZ Auschwitz 7. 7. 1944; Pionier der Fotoreportage; verwendete (Kleinbild-)Kameras mit lichtstarken Objektiven; schuf die Bildbände »Berühmte Zeitgenossen in unbewachten Augenblicken« (1931), »Porträt einer Epoche« (hg. 1963 von P. Hunter-Salomon).

2) Ernst von, Schriftsteller, *Kiel 25. 9. 1902, †Winsen (Luhe) 9. 8. 1972; Freikorpskämpfer, wurde wegen Beihilfe zur Ermordung W. Rathenaus zu fünf Jahren Zuchthaus verurteilt; schrieb den autobiograph. Roman »Die Geächteten« (1930), den er in »Die Kadetten« (1933) und in seinem ironisch-sarkast. Lebensbericht »Der Fragebogen« (1951) fortsetzte.

Salomon|inseln (Salomonen), Inselgruppe Melanesiens im westl. Pazifik, gehört größtenteils zum Staat →Salomoninseln; Bougainville und Buka gehören zu Papua-Neuguinea. – 1567 von A. de Mendana de Neyra entdeckt; Bougainville

Salomoninseln

Fläche: 27 556 km²
Einwohner: (1995) 378 000
Hauptstadt: Honiara
Verwaltungsgliederung: 7 Provinzen und die Hauptstadt
Amtssprache: Englisch
Nationalfeiertage: 7. 7. und 1. 10.
Währung: 1 Salomonen-Dollar (SI$) = 100 Cents (¢)
Zeitzone: MEZ +10 Std.

und Buka kamen 1899 zu Dt.-Neuguinea, die übrigen Inseln wurden brit. Protektorat, das am 7. 7. 1978 die Unabhängigkeit erlangte.

Salomon|inseln (amtlich engl. Solomon Islands), Staat im westl. Pazif. Ozean, umfasst die meisten Salomoninseln sowie Ontong Java, die Santa-Cruz-Inseln, die Duff Islands und Reef Islands.

Staat und Recht: Nach der Verf. von 1978 sind die S. eine parlamentar. Monarchie im Commonwealth. Staatsoberhaupt ist der brit. Monarch, repräsentiert durch einen einheim. Generalgouverneur. Die Legislative liegt beim Einkammerparlament (47 Abg., auf vier Jahre gewählt), die Exekutive bei der Reg. unter Vorsitz des Premiermin. Einflussreichste Parteien: People's Alliance Party (PAP), Salomon Islands United Party (SIUP).

Landesnatur: Die 922 Inseln erstrecken sich als doppelte Inselkette von NW nach SO über 1450 km. Die Hauptinseln Guadalcanal, San Cristóbal, Santa Isabel, Malaita, New Georgia und Choiseul sind vulkan. Ursprungs und gebirgig, auf Guadalcanal bis 2447 m ü.M. Sie werden von Koralleninseln und Atollen flankiert. Es herrscht trop. Regenklima. Dichter trop. Regenwald geht in 1500 m ü.M. in Nebelwald über, an den Küsten vielfach Mangroven.

Bevölkerung: Die (meist christl.) Bewohner sind überwiegend Melanesier; Umgangssprache ist Pidgin English. Es besteht keine allg. Schulpflicht, es besuchen jedoch zwei Drittel der Kinder eine Primarschule; es gibt eine Univ. in Honiara.

Wirtschaft, Verkehr: Wichtigste Wirtschaftszweige sind Fischfang, Landwirtschaft und Holznutzung. Zur Eigenversorgung werden v.a. Jamswurzel und Taro angebaut, für den Export Kokos- und Ölpalmen (z.T. in Plantagen). Exportiert werden Holz, Kopra, Fisch, Palmöl. Auf Guadalcanal Gold- und Kupfergewinnung; die Phosphatvorkommen auf Bellona und Bauxit auf Rennell Island werden bisher nicht ausgebeutet. – Das Straßennetz ist 2100 km lang; zw. den Inseln gibt es regelmäßigen Schiffsverkehr; Haupthafen und internat. Flughafen in Honiara.

Geschichte: →Salomoninseln (Inselgruppe).

salomonisches Urteil, *A. T.:* König Salomo zugeschriebener Schiedsspruch, der beim Streit zweier Mütter um ein Kind dieses zu teilen befahl, worauf die falsche Mutter sich durch ihre Einwilligung verriet (1. Kön. 3, 16–28); allg. für ein weises Urteil.

Salomonsiegel (Weißwurz, Polygonatum), Liliengewächsgattung der gemäßigten Gebiete der Nordhalbkugel, mit glöckchenartigen, grünlich weißen Blüten und giftigen Beerenfrüchten; in Deutschland kommt u.a. das **Vielblütige S.** vor.

Salon [za'lɔ̃, za'lɔŋ, frz. sa'lɔ̃] *der,* **1)** *allg.:* gepflegter Wohn- oder Geschäftsraum (Empfangs-, Gesellschaftszimmer); Friseur-, Kosmetik-S., Ausstellungs- (und Verkaufs-)Raum für Automobile; in Frankreich auch Werke der bildenden Kunst, auch die Ausstellung selbst.

2) *Kulturgeschichte:* bes. im Frankreich des 17./18. Jh. Bez. für Empfänge geistvoller, literarisch interessierter Frauen (Marquise de Rambouillet, Mademoiselle de Scudéry, Mademoiselle de Lespinasse u.a.); sie trugen viel zur Ausbildung der frz. Literatursprache bei, entwickelten geistige Moden (z.B. →Précieuses), waren Treffpunkte bed. Persönlichkeiten. In Dtl. führten Caroline Schlegel in Jena, Rahel Varnhagen in Berlin und Johanna Schopenhauer in Weimar viel besuchte Salons.

Saloniki (grch. Thessalonike, ngrch. Thessaloniki), Hptst. der grch. Region Zentralmakedonien und des Nomos S.; zweitgrößte Stadt und zweitgrößter Hafen Griechenlands, am Thermaischen Golf, 406 000 Ew.; grch.-orthodoxer Erzbischofssitz; zwei Univ., wiss. Institute; Museen; internat. Messe; Textil-, Leder-, Lebensmittel-, Tabakind., Maschinen-, Schiffbau, Erdölraffinerie, Kunstdüngerfabrik; internat. Flughafen. – Bauwerke aus röm., byzantin. und osman. Zeit; die bed. frühchristl. und byzantin. Kirchen und Klöster, z.T. mit hervorragenden Mosaiken, sind UNESCO-Weltkulturerbe. S. war 1997 Kulturstadt Europas. –

Staatswappen

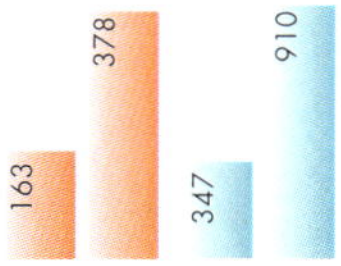

Bevölkerung (in Tausend) Bruttosozialprodukt je Ew. (in US-$)

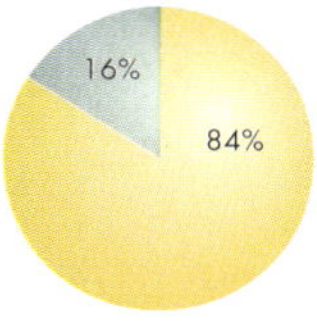

Stadt
Land

Bevölkerungsverteilung 1993

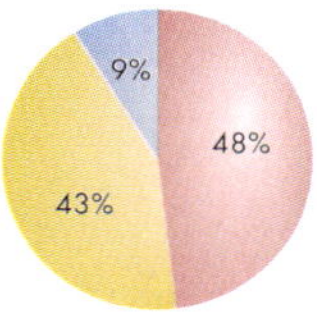

Industrie
Landwirtschaft
Dienstleistung

Bruttoinlandsprodukt 1995

Um 315 v. Chr. als **Thessalonike** gegr., in röm. Zeit Hptst. der Prov. Macedonia prima, Blüte in byzantin. Zeit. Seit 1204 unterstand S. wechselnder Herrschaft; 1430 von den Osmanen unter Murad II. erobert; 1912 kam es zu Griechenland.

Salonmusik [za'lɔ̃-, za'lɔŋ-], zunächst die Musik, die in den Salons gespielt wurde, später abwertend allgemein gefällige Unterhaltungsmusik **(Salonstück)**. Sie entstand im 19. Jh. aus der virtuos-populären Klaviermusik. Als **Salonorchester** wird ein kleines Orchester für Unterhaltungsmusik bezeichnet, dessen Grundbestandteil das Klaviertrio bildet.

Salpausselkä, bewaldeter Höhenzug in S-Finnland, 550 km lang, im Tiirsmaa 223 m ü. M.; der Endmoränenzug begrenzt die Finn. Seenplatte im SO und S gegen die fruchtbare Küstenebene.

Salpen [grch.] (Thaliacea), Klasse der Manteltiere; glashelle, frei schwimmende Meerestiere, die einzeln oder in Kolonien **(Ketten-S.)** leben. Die Arten zeigen Generationswechsel. Man unterscheidet →Feuerwalzen, Tönnchen-S. (Cyclomyaria, etwa 20 Arten) und Eigentliche Salpen (Desmomyaria, elf Arten).

Salpeter [aus mlat. sal(le)petrum, von lat. sal petrae] *der,* heute noch übl. Bez. für die Salze der Salpetersäure, die Nitrate, z. B. **Ammon-S.** (Ammoniumnitrat, NH_4NO_3), **Kalk-S.** (Calciumnitrat, $Ca(NO_3)_2$), **Natron-S.** (Natriumnitrat, Chile-S., $NaNO_3$) und bes. **Kali-S.** (Kaliumnitrat, KNO_3) zur Herstellung von Schwarzpulver (bis ins 19. Jh.; Gewinnung in Salpeterplantagen).

Salpeterkrieg, der Krieg Chiles gegen Peru und Bolivien um die Salpetervorkommen der Atacama (1879–83), →Chile, Geschichte.

Salpetersäure, HNO_3, wichtigste Sauerstoffsäure des Stickstoffs; reine (wasserfreie) S. ist eine farblose, stechend riechende Flüssigkeit (Dichte 1,522 g/cm³), die zw. 83 °C und 87 °C siedet (Zersetzung) und bei –41,6 °C zu schneeweißen Kristallen erstarrt; sie bildet mit Wasser ein bei 121,8 °C siedendes azeotropes Gemisch, das 69,2 % HNO_3 enthält **(konzentrierte S.)**. Am Licht zersetzt sich S. unter Bildung von Sauerstoff und Stickstoffdioxid, NO_2, das sich in der S. mit gelbroter Farbe löst; **rote rauchende S.** enthält Stickoxide in größerer Menge. S. ist eine stark oxidierende Säure, die die meisten unedlen Metalle löst; daneben löst sie auch das Edelmetall Silber und kann dadurch dieses von Gold trennen (»scheiden«; S. wird deshalb auch **Scheidewasser** genannt). Einige unedle Metalle, z. B. Aluminium, Chrom, Eisen, werden von konzentrierter S. nicht angegriffen, was auf die Bildung einer dünnen, beständigen Oxidhaut zurückgeführt wird (→Passivierung). Auf organ. Verbindungen wirkt S. teils zerstörend infolge Oxidation, teils nitrierend ein. Eiweißstoffe werden meist gelb verfärbt (→Xanthoproteinreaktion). Bei hoher Konzentration der S. kann die Reaktion mit brennbaren Stoffen zur Entflammung führen. Hochkonzentrierte S. dient als Oxidatorkomponente für Raketentreibstoffe.

Die großtechn. Herstellung der S. erfolgt überwiegend durch **Ammoniakverbrennung (Ostwald-Verfahren)**. Dabei wird Ammoniak mit überschüssiger Luft an Platinnetzen als Katalysatoren zu Stickoxid, NO, verbrannt. Die Reaktionsgase werden in mehrere hintereinander geschaltete Reaktionstürme geleitet; im ersten erfolgt die Oxidation zu Stickstoffdioxid, NO_2, in den folgenden die Absorption des NO_2 durch S. abnehmender Konzentration; im letzten Absorptionsturm wird Wasser zugeführt. Zuletzt wird die S. im Entgasungsturm von nicht umgesetztem NO befreit und als 40- bis 60%ige »Turmsäure« abgezogen.

Salpeterstrauch (Nitraria schoberi), in den Salzwüsten S-Russlands und Asiens wachsende, 2–3 m hohe, strauchige Jochblattgewächsart, aus deren Blättern und jungen Zweigen früher Soda gewonnen wurde.

salpetrige Säure, HNO_2, eine schwache, nur in verdünnten, wässrigen Lösungen beständige Säure, die leicht in Salpetersäure und Stickstoffmonoxid zerfällt. S. S. entsteht bei der Reaktion von Distickstofftrioxid oder von Gemischen aus Stickstoffmonoxid und -dioxid mit Wasser; ihre Salze (und Ester) sind die →Nitrite.

Salpingitis [grch.] *die,* →Eileiterentzündung.

Salsa [span., kurz für salsa picante »scharfe Soße«], um 1975/76 internat. verbreitetes Modewort für rockorientierte lateinamerikan. Musik.

Salse [lat.] *die,* der →Schlammvulkan.

SALT [sɔːlt], Abk. für engl. **S**trategic **A**rms **L**imitation **T**alks, von R. Nixon 1969 begonnene sowjetisch-amerikan. Gespräche über eine Begrenzung des nuklearstrateg. Waffenarsenals. Nach der 1. Verhandlungsrunde **(SALT I)** schlossen die USA und die UdSSR 1972 einen unbefristeten Vertrag über die beiderseitige Begrenzung der Antiraketen (ABM-Vertrag) sowie ein auf fünf Jahre begrenztes Interimsabkommen über die Beschränkung von Interkontinentalraketen und ihrer Abschussvorrichtungen. Als Abschluss der 2. Konferenzserie **(SALT II)** schlossen beide Staaten 1979 ein weiteres bis 1985 befristetes Abkommen, das die USA wegen der sowjet. Invasion in Afghanistan nicht ratifizierten. Dennoch hielten sich beide Seiten an die Vereinbarungen. (→START)

Salta [lat. »springe«] *das,* Brettspiel für zwei Personen mit je 15 Steinen auf einem Damebrett mit 100 Feldern.

Salta, Provinz-Hptst. in NW-Argentinien, 1187 m ü. M., in den östl. Kordilleren, 367100 Ew.; kath. Univ. und Erzbischofssitz; durch eine Andenbahn mit dem chilen. Hafen Antofagasta verbunden, internat. Flughafen; Stahlwerk, Zementind., Fleischverarbeitung; bed. Fremdenverkehr (Wallfahrtsort).

saltato [italien.], musikal. Vortragsbezeichnung: → sautillé.

Salten, Felix, eigtl. Siegmund Salzmann, österr. Schriftsteller, *Budapest 6. 9. 1869, †Zürich 8. 10. 1945; emigrierte 1938 in die USA, lebte später in Zürich; Verfasser von Theaterstücken, Novellen, Romanen; war bes. erfolgreich mit Tiergeschichten (»Bambi«, 1923, verfilmt von W. Disney 1942).

Saltillo [sal'tijo], Hptst. und wichtigste Handels- und Industriestadt des mexikan. Staates Coahuila, in der Sierra Madre Oriental, 1600 m ü. M., 421 000 Ew.; zwei Univ., Fachhochschulen; Textil-, chem., pharmazeut. Ind.; in der Umgebung Bergbau (Gold, Silber, Blei u. a.).

Salt Lake City ['sɔ:lt 'leɪk 'sɪtɪ; engl. »Salzseestadt«], Hptst. des Staates Utah, USA, südöstlich vom Großen Salzsee, 1350 m ü. M., 160 000 Ew.; Sitz des Präs. der Mormonen; Univ., Tabernakel und Tempel der Mormonen; Planetarium; Elektronikind., Buntmetallhütten, Ölraffinerien, Maschinenbau, Konserven-, Bekleidungs-, Glas-, Zuckerind.; Fremdenverkehr. – 1847 von den Mormonen gegr.; hieß bis 1868 **Great Salt Lake City.**

Salto [italien. »Sprung«] *der, Sport:* freier Überschlag mit ein- oder mehrfacher Körperdrehung um die Breitenachse vor- oder rückwärts (im Kunstturnen, Wasser- und Trampolinspringen); **S. mortale,** »Todessprung«, meist dreifacher S. in großer Höhe (Artistik). Eine Drehung um die Körperlängsachse heißt Schraubensalto.

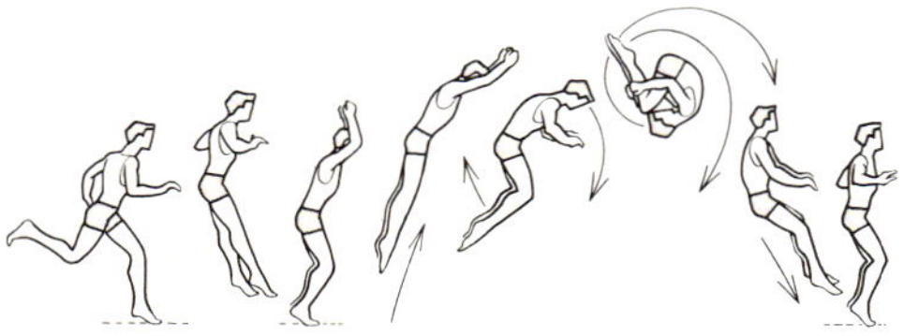

Salto vorwärts beim Bodenturnen

Salto, Hptst. des Dep. S., Uruguay, Hafen am linken Ufer des Uruguay, 80 800 Ew.; Theater, Museen, Zoo; chem. und pharmazeut. Ind., Verarbeitung von landwirtsch. Produkten.

Salto Ángel [-'aŋxɛl], Wasserfall in Venezuela, → Angelfall.

Saltykow-Schtschedrin, Michail Jewgrafowitsch, eigtl. M. J. Saltykow, Pseud. N. Schtschedrin, russ. Schriftsteller, *Spas Ugol (Gouv. Twer) 27. 1. 1826, †Sankt Petersburg 10. 5. 1889; Autor krit., sozialutop. Publikationen, zumeist von Gesellschaftsskizzen (»Skizzen aus dem Gouvernement«, 2 Bde., 1857), auch Chroniken (»Die Gesch. einer Stadt«, 1870), Märchen und Roman (»Die Herren Golowjow«, 1880).

Sal|uretika [lat.-grch.], Arzneimittel, die über eine vermehrte Ausscheidung von Alkali- (Na^+, K^+) und Chloridionen harntreibend wirken.

Salurn (italien. Salorno), Gemeinde in der Prov. Bozen, Südtirol, Italien, 2 500 Ew., an der Etsch; diese bildet hier einen Engpass, die **Salurner Klause** (Südpunkt der deutsch-italien. Sprachgrenze zw. Südtirol und dem Trentino).

Salut [frz., aus lat. salus »Heil«] *der,* militär. Ehrenbezeigung durch blinde Kanonenschüsse (heute bis zu 21).

Salvador, 1) Staat in Mittelamerika, → El Salvador.

2) (früher São S. da Bahia de Todos os Santos, Kurzbez. Bahia), Hptst. des Staates Bahia, Brasilien, an der mittleren O-Küste, mit 2,07 Mio. Ew. drittgrößte Stadt des Landes; Erzbischofssitz, zwei Univ., Kakao-Institut, Museen, zoolog. und botan. Garten; Handels- und Wirtschaftszentrum mit Erdölraffinerie, Baumwoll-, Tabak- und Kakaoverarbeitung, Zuckerraffinerien u. a. Ind.; Hafen, internat. Flughafen. – Die am Fuß der Steilküste entstandene Unterstadt ist durch Zahnradbahnen, rampenartige Straßen und Aufzüge mit der Oberstadt verbunden. Die vom Verfall bedrohte maler. Altstadt mit zahlr. Zeugnissen aus der Kolonialzeit zählt zum UNESCO-Weltkulturerbe. – S. wurde 1549 gegründet und war bis 1763 Hptst. des portugies. Amerika; größter Umschlagplatz für afrikan. Sklaven in der Kolonialzeit.

Salvarsan [lat.] *das,* historisch bedeutsame Arsenverbindung, mit der erstmalig die Behandlung der Syphilis möglich war; 1909 von P. Ehrlich und S. Hata entwickelt.

Salvation Army [sæl'veɪʃn 'ɑ:mɪ, engl.] *die,* die → Heilsarmee.

Salvatorianer (Gesellschaft vom Göttlichen Heiland, lat. Societas Divini Salvatoris, Abk. SDS), Orden für Erziehung, Mission und Seelsorge; 1881 in Rom von dem Priester Johannes Jordan (*1848, †1918) gegründet. – Weibl. Zweig: **Salvatorianerinnen** (gegr. 1888).

salvatorische Klausel, die einem Vertrag oder einer internat. Vereinbarung beigefügte Abrede, dass bestimmte Rechte einer Vertragspartei unberührt bleiben (z. B. → Freizeichnungsklausel).

Salve [frz.] *die,* gleichzeitiges Abfeuern der Geschütze einer Batterie; auch als militär. Ehrengruß.

Salve Regina [lat. »sei gegrüßt, Königin«], Anfang eines in der kath. Kirche zu Ehren Marias gebräuchl. Lobgesangs.

Salvia [lat.], die Pflanzengattung → Salbei.

Salween ['sælwi:n, engl.] (Saluen, birman. Thaulwin, chines. Nu Jiang), Strom in Südasien, 2 500 km lang, entspringt in Tibet, durchschneidet

Felix Salten

Salt Lake City
Stadtwappen

Michail Saltykow-Schtschedrin

in Birma das Shanhochland und bildet auf kurzer Strecke die Grenze zw. Birma und Thailand, mündet in den Golf von Martaban; bis Moulmein schiffbar.

Salweide, ein Baum, →Weide.

Sergei Salygin

Salygin, Sergei Pawlowitsch, russ. Schriftsteller, *Durassowka (Baschkortostan) 6. 12. 1913; seit 1986 Chefredakteur der Literaturzeitschrift »Nowy Mir«; gehört zu den Initiatoren der russ. Dorfprosa (»Am Irtysch«, Erz., 1965). Gesellschaftl. Probleme (Bürgerkrieg, Zwangskollektivierung) werden in den Romanen »Republik Salzschlucht« (1968) und »Die Kommission« (1976) reflektiert. Aufsehen erregte »Liebe, ein Traum« (R., 1974).

Salz, 1) *allg.:* gebräuchl. Bez. für →Kochsalz, ein wichtiger Mineralstoff für die menschl. und tier. Ernährung sowie Rohstoff in der chem. Ind. und gewerbl. Wirtschaft.

Kulturgeschichte: S. spielte schon in vorgeschichtl. Zeiten eine überragende Rolle. Der Bedarf an S. für die Ernährung und Konservierung von Lebensmitteln, aber auch für gewerbl. Zwecke (Gerberei, Scheidung von Gold und Silber) wurde durch das Verdunsten von Meerwasser bzw. von Wasser aus S.-Quellen in flachen Becken oder durch Aussieden in Pfannen, auch durch Auslaugen von Pflanzenasche oder salzhaltigen Boden gedeckt. Bereits aus der jüngeren Bronze- und älteren Eisenzeit ist der bergmänn. Abbau von S.-Lagerstätten bekannt. Zahlr. mittelalterl. Städte erhielten ihren Namen nach dem S.-Bergbau bzw. den Kochsalzquellen, u.a. Halle, Hallstatt, Reichenhall (mhd. hal »Salzquelle«, von grch. háls »Salz«); von vielen dieser Städte gingen bed. Handelsrouten (→Salzstraßen) aus.

2) *Chemie:* →Salze.

Salzach *die,* rechter Nebenfluss des Inn, Hauptfluss des Bundeslandes Salzburg, Österreich, 225 km lang, entspringt in den Kitzbüheler Alpen, am Salzachgeier (2470 m ü.M.), durchfließt den Pinzgau, den Pongau, das Engtal am Pass Lueg, mündet bei Braunau; bei Bischofshofen Kraftwerk.

Salzböden, Böden mit hohen Anteilen an Natriumsalzen als Salzkruste auf der Bodenoberfläche oder im Boden.

Salzbrunn, Bad, →Szczawno Zdrój.

Salzburg, 1) Bundesland Österreichs, 7154 km², (1995) 506900 Ew.; umfasst die Stadt Salzburg mit eigenem Statut und die Bezirke Hallein, Salzburg-Umgebung, Sankt Johann im Pongau, Tamsweg und Zell am See; Hptst. ist Salzburg. Das Land grenzt im N an Dtl. und erstreckt sich vom nördl. Alpenrand nach S über die Kalkalpen (im Hochkönig 2941 m ü.M.) und die Tallandschaften der Salzach (Pinzgau, Pongau) bis auf den Kamm der Hohen Tauern (mit Venediger-, Glockner-, Sonnblick-, Ankogelgruppe) und über den W der Niederen Tauern in das obere Murtal (Lungau). Im NW ragt S. in das Alpenvorland hinein, im O hat es Anteil am Salzkammergut. Hauptsiedlungsgebiet ist das Alpenvorland mit dem Kernraum Salzburg/Hallein, wo 60% der Bev. leben. – Die Land- und Forstwirtschaft nutzt 56% der Fläche, überwiegend als Weideland. S. ist v.a. ein Viehzuchtgebiet (Rinder-, aber auch Pferdezucht); auf Milch- und Fleischerzeugung entfallen 80% des landwirtsch. Produktionswertes. Der Bergbau fördert Salz am Dürrnberg bei Hallein, Wolfram bei Mittersill; Energieerzeugung durch Wasserkraftwerke bei Kaprun und im Stubachtal; die wichtigsten Industriezweige sind die Nahrungsmittel-, Metall-, chem., Holz-, Textil- und Bekleidungsind.; große Bedeutung hat der Fremdenverkehr; neben der Stadt Salzburg sind die Hohen Tauern, die Radstädter Tauern, die Kitzbüheler Alpen sowie das Salzkammergut Hauptanziehungspunkte. – 1803 wurde das Fürstentum S. (→Salzburg 3) Kurfürstentum als habsburg. Sekundogenitur; 1805–10, endgültig seit 1816 österr.; ab 1850 österr. Kronland, ab 1920 österr. Bundesland; 1938–45 als Reichsgau S. beim Dt. Reich.

2) Hptst. von 1), im Tal der Salzach, 144000 Ew.; Erzbischofssitz; Univ. (1622 gegr., 1810–1962 geschlossen), Päpstl. Philosoph. Institut, Internat. Forschungszentrum für Grundfragen der Wiss.; Akademie für Musik und darstellende Kunst (Mozarteum); insbesondere durch die →Salzburger Festspiele ein Zentrum der Musik und Theaterkultur; mehrere Museen, darunter Carolino Augusteum, Haus der Natur, Mozartmuseum; Kongress- und Messestadt, zweitwichtigstes österr. Dienstleistungszentrum (nach Wien) mit starkem Fremdenverkehr; überregionaler Handels-, Güterumschlags- und Bankenplatz; Metallind., Gerätebau, Nahrungsmittel-, Textil- u.a. Ind.; Verkehrsknotenpunkt, Flughafen.

Stadtbild: Die größtenteils auf dem linken Flussufer liegende Altstadt (seit 1997 UNESCO-Weltkulturerbe) lehnt sich an Mönchs- und Festungsberg (mit Festung Hohensalzburg 1077–1147, zahlr. Umbauten) im W, der Teil rechts des Flusses an den Kapuzinerberg an. Mittelpunkt der bischöfl. Stadt ist der Dom (1614–28, von S. Solari); um ihn gruppiert: Residenz (1595–1619, NW-Flügel 1788–90), Neugebäude (1592–1602) und Residenzbrunnen (1656–61); die Benediktiner-Erzabtei St. Peter mit der roman., barockisierten Stiftskirche, dem Petersfriedhof mit frühchristl. »Katakomben«; die spätromanisch-got. Franziskanerkirche (mit Hochaltar von J. B. Fischer von Erlach, 1709); das Erzbischöfl. Palais und die Kapitel-(Pferde-)Schwemme (1732). Der Komplex des ehem. Marstalls (1607) mit Winter- und Sommer-

(Felsen-)Reitschule (1662, 1693) wurde zum Großen und Kleinen Festspielhaus umgebaut. Bed. sind ferner Kollegien- und Ursulinenkirche (beide von Fischer von Erlach, 17./18. Jh.); Erhard- und Kajetanerkirche (beide von G. G. Zuccalli, Ende 17. Jh.); ehem. Augustinerkloster in Mülln und Benediktinerinnenkloster Nonnberg (1463–1507) mit roman. Fresken (um 1150) in der Stiftskirche; Rathaus (in der heutigen Gestalt 1616–18), Geburtshaus Mozarts (Museum), Alte Univ. und barocke Hofmarstall-(Pferde-)Schwemme (1695) auf dem Siegmundsplatz. Rechts der Salzach befinden sich Dreifaltigkeitskirche (von Fischer von Erlach, 1694–1702), Sebastiankirche (1505–12, 1749–53 barockisiert; Grabmal des Paracelsus) und das von J. L. von Hildebrandt 1721–27 umgebaute Schloss Mirabell mit Mirabellgarten; auf dem Kapuzinerberg das Kapuzinerkloster und das Franziskischlössl (1629). – In der Umgebung Gaisberg (1288 m ü. M.), die Wallfahrtskirche Maria Plain, die Schlösser Klessheim (1700–09, von Fischer von Erlach), Leopoldskron (1736 im Rokokostil) und → Hellbrunn.

Geschichte: Neben den um 700 auf den Resten des röm. **Iuvavum** gegr. Klöstern (Sankt Peter und Nonnberg) und dem Dom entstand die 774 erstmals erwähnte Kaufmannssiedlung S., die 996 Markt- und Münzrecht, 1368 Stadtrecht erhielt. S. nahm ab dem 16. Jh. als Handelsstadt und als fürsterzbischöfl. Residenz einen großen Aufschwung, verlor seine Bed. als wirtsch. und kulturelles Zentrum jedoch zu Beginn des 19. Jh. (frz. und bayr. Besetzung; Aufhebung der Univ. 1810; Anschluss an Österreich 1816).

📖 *Gesch. S.s, hg. v.* H. Dopsch *u. a., 2 Bde. in 8 Tlen. Salzburg* $^{1-2}$*1983–95.*

3) Erzbistum, um 700 als Bistum gegr.; 739 durch Bonifatius kirchlich umgrenzt; ab 798 Erzbistum; der weltl. Besitz entwickelte sich zum Pufferstaat zw. Bayern und den habsburg. Landen. 1731/32 mussten rd. 20 000 Protestanten S. verlassen. 1803 Säkularisation; 1825 Neuorganisation nach Neuumschreibung der Grenzen. Der Erzbischof von S. führt den Ehrentitel eines Primas von Deutschland.

Sạlzburger Festspiele, seit 1920 alljährlich (Ausnahmen 1924 und 1944) im Juli/Aug. in Salzburg stattfindende Festspiele mit Opern- (W. A. Mozart, R. Strauss u. a.), Konzert- und Schauspielaufführungen. 1917 gründeten F. Gehmacher (*1866, †1942) und H. Damisch (*1872, †1961) die **Salzburger Festspielhausgemeinde.** Damit waren die Voraussetzungen für die Festspiele gegeben, die H. von Hofmannsthal, M. Reinhardt, R. Strauss u. a. dann verwirklichten. Seit 1967 finden jährlich auch die von H. von Karajan gegr. **Osterfestspiele Salzburg** statt.

Salzburg 2): Ansicht der am linken Ufer der Salzach liegenden Altstadt mit der auf das 11./12. Jh. zurückgehenden Festung Hohensalzburg auf dem Mönchsberg; unterhalb des Mönchbergs liegt der von dem italienischen Baumeister Santino Solari 1614–28 erbaute Dom (im Bildvordergrund) mit der spätromanisch-gotischen Franziskanerkirche (rechts dahinter) und der Benediktinerabtei Sankt Peter mit der romanischen, barockisierten Stiftskirche (im Hintergrund), am rechten Bildrand ist ein Teil der Felsenreitschule (17. Jh.) zu erkennen

Sạlzburger Kạlkalpen, Teil der Nördl. Kalkalpen der Ostalpen, zw. Tiroler Ache und Lammertal; v. a. aus Dolomit und Dachsteinkalk aufgebaut, stark verkarstet; mit Untersberg, Lattengebirge, Loferer und Leoganger Steinbergen, Reiter Alpe, Steinernem Meer, Hochkönig (höchste Erhebung der S. K., 2 941 m ü. M.), Hagengebirge und Tennengebirge.

Salzburg 1)
Landeswappen

Sạlzburger Marionettẹntheater, gegr. 1913 von Anton Aicher (*1859, †1930), 1926 übernommen von seinem Sohn Hermann Aicher (*1902, †1977; 1971 neuer Theaterbau), 1976 übernahm dessen Tochter Gretl Aicher (*1928) die künstler. Leitung; kunstvolles Marionetten-Ensemblespiel mit umfassendem Opern- und Singspielrepertoire (v. a. W. A. Mozart), weltweite Gastspiele.

Salzburg 2)
Stadtwappen

Salzdẹtfurth, Bad, → Bad Salzdetfurth.

Salzdom, der → Salzstock.

Salzdrüsen, 1) *Botanik:* mehrzellige Drüsen an der Oberfläche von Pflanzen salzreicher Standorte, die Salze ausscheiden, z. B. bei Tamarisken, Milchkraut.

2) *Zoologie:* bei allen Vögeln vorhandene, oberhalb der Augen liegende paarige Drüsen, die bes. bei Meeresvögeln (u. a. Sturmvögel, Ruderfüßer, Möwenvögel) gut ausgebildet sind und der Osmoregulation dienen. Die Salzkonzentration (Natriumchlorid) des über Ausführgänge zu den Nasenlöchern ausgeschiedenen Sekrets kann v. a. bei

Salzgitter
Stadtwappen

Hochseevögeln die doppelte Salzkonzentration des Meerwassers erreichen.

Salze, urspr. in ihrer Beschaffenheit dem Salz (→Kochsalz) ähnl. Stoffe, die sich durch Reaktion von Säuren und Basen (→Neutralisation) herstellen lassen. **Saure S.** entstehen bei der unvollständigen Neutralisation mehrwertiger Säuren und enthalten deshalb Wasserstoff, z.B. $NaHSO_4$ (Natriumhydrogensulfat, saures Natriumsulfat). Je nach Anzahl der bei der Neutralisation verbrauchten Wasserstoffatome wird zw. primären, sekundären und tertiären S. unterschieden. **Basische S.** entstehen bei der unvollständigen Neutralisation mehrwertiger Basen und enthalten deshalb Hydroxidgruppen, z.B. $Mg(OH)Cl$ (bas. Magnesiumchlorid). I.w.S. wird der Begriff S. vorzugsweise für Stoffe verwendet, bei denen Ionenbindung vorliegt und die ein Kristallgitter aus Kationen und Anionen bilden. Er ist damit ein Synonym für den Begriff **Ionenverbindung.** Charakterist. Eigenschaften von S. sind hohe Schmelztemperatur und Löslichkeit in polaren Lösungsmitteln (z.B. Wasser), wobei elektrisch leitende Lösungen (Elektrolyte) entstehen. – Zur Aufrechterhaltung des Stoffwechsels und der Körperfunktionen nehmen Menschen und Tiere die notwendigen anorg. Stoffe oft in Form von S. auf und bringen sie damit als Ionen in den Stoffwechsel ein (→Mineralstoffe).

Salzkraut:
Kalisalzkraut
(Höhe 15–60 cm)

Salzgärten, künstliche flache Becken bes. am Meer in Gebieten mit hoher Verdunstungsintensität, in denen Salzwasser zur Speisesalzgewinnung (Kochsalz) eingedunstet wird.

Salzgitter, kreisfreie Stadt im RegBez. Braunschweig, Ndsachs., im nördl. Harzvorland, 117000 Ew.; Bundesamt für Strahlenschutz; Zentrale Beweis- und Dokumentationsstelle (für polit. Straftaten in der DDR); Fachbereich Verkehrswesen der FH Braunschweig-Wolfenbüttel; Städt. Museum; Fahrzeug-, Maschinen-, Stahlbau, Metallerzeugung und -bearbeitung, elektrotechn., feinmechan. und opt., Nahrungsmittelind. und Tabakverarbeitung, keram., Leder-, Textil- und Bekleidungs-, chem., Holz-, Papier- und Druckindustrie. Der Binnenhafen von S. hat Anschluss an den Mittellandkanal. – S. besteht aus insgesamt 31 Stadtteilen, die sich auf 224 km² Fläche verteilen, darunter **S.-Lebenstedt** und inmitten eines großen Erholungsgebietes **S.-Bad** (Sole-Kurbetrieb und Thermalsolbad). – Entstand Anfang des 14. Jh.; 1942 Zusammenschluss von S. mit 27 bäuerl. Gemeinden (alle um 1000 erstmals erwähnt) zur Stadt **Watenstedt-S.** (seit 1951 Salzgitter).

Salzmelde:
Portulaksalzmelde
(Höhe 20–80 cm)

Salzgitter AG, Salzgitter, Unternehmen der Stahlind., gegr. 1950 als Nachfolgegesellschaft der →Reichswerke, seit 1961 Salzgitter AG. 1989 durch Verkauf an die Preussag AG privatisiert, firmiert das Unternehmen seit 1992 als **Preussag Stahl AG.**

Salzgras (Andel, Puccinellia maritima), 20–30 cm hohes Süßgras der Gattung Salzschwaden an den Meeresküsten Europas.

Salzhemmendorf, Gemeinde (Flecken) im Kr. Hameln-Pyrmont, Ndsachs., zw. Ith und Osterwald, 11100 Ew.; Bergwerksmuseum (ehem. Steinkohlenbergbau); Kurort mit Solekurbetrieb.

Salzkammergut, österr. Alpenlandschaft im Gebiet der oberen Traun, zu Oberösterreich, Salzburg und der Steiermark gehörend; umfasst im S und O verkarstete Kalkhochgebirge (Dachstein 2995 m ü.M., Totes Gebirge 2514 m ü.M.), im N Kalkvoralpen (Höllengebirge 1862 m ü.M., Schafberg 1783 m ü.M., Traunstein 1691 m ü.M.) und bewaldete Flyschberge (Kolomansberg 1111 m ü.M.); dazwischen liegen über 40 größere und kleinere Seen (Hallstätter und Altausseer See, die Gosauseen, Sankt-Wolfgang-See, Mond-, Fuschl-, Irr-, Atter-, Traunsee u.a.). – Bed. Fremdenverkehr; Waldnutzung und Almwirtschaft, Salzbergbau (Ebensee), Salzquellen (Bad Ischl, Bad Aussee), Wasserkraftgewinnung. – Die Kulturlandschaft Hallstatt–Dachstein–S. wurde zum UNESCO-Welterbe erklärt.

Salzkotten, Stadt im Kr. Paderborn, NRW, 22400 Ew.; Schule für Datenverarbeitung; Maschinenbau, elektrotechn., Nahrungsmittel-, Kunststoff- u.a. Industrie. – Seit 1247 Stadt; Salzgewinnung (1160 erstmals erwähnt) bis 1921.

Salzkraut (Salsola), Gattung der Familie Gänsefußgewächse v.a. in Wüstengebieten; das bis zu 60 cm hohe **Kali-S.** (Salsola kali) an Küsten sowie sandigen Stellen des Binnenlandes, mit dickfleischigen Blättern, wurde früher zur Gewinnung von Pottasche verwendet.

Salzmann, Christian Gotthilf, Pädagoge, *Sömmerda 1. 6. 1744, †Schnepfenthal (heute zu Waltershausen) 31. 10. 1811; evang. Pfarrer, 1781 Lehrer am Philanthropin in Dessau; gründete 1784 die philanthrop. Erziehungsanstalt Schnepfenthal bei Gotha.

Salzmelde (Halimione), Gattung der Gänsefußgewächse, v.a. in Wüsten und Steppen oder an Küsten. Auf den salzhaltigen Schlickböden der Nord- und Ostseeküsten kommt die gelb blühende **Portulak-S.** (Halimione portulacoides) vor.

Salzmonopolgesetz, ein bis 1947 geltendes Ges. der britisch-ind. Regierung, das die freie Herstellung und den Verkauf von Salz verbot. Im Inland produziertes Salz wurde mit einer Steuer belegt, nach Indien importiertes unterlag einem Einfuhrzoll. M. K. Gandhi und der Indian National Congress nahmen die Salzsteuer 1930 zum Anlass ihrer Kampagne des »zivilen Ungehorsams« gegen die brit. Kolonialherrschaft.

Salzpflanzen (Halophyten), Pflanzen, die an salzreichen Standorten (z.B. Meeresküsten und

Wüstengebiete) wachsen. Dem hohen Salzgehalt des Bodenwassers haben sich die S. durch Aufnahme entsprechend hoher NaCl-Mengen in den Zellsaft angepasst. Manche S. scheiden über Drüsen hochkonzentrierte Salzlösungen aus (z.B. Tamariske). Viele S. sind sukkulent.

Salzsäure (Chlorwasserstoffsäure), die wässrige, in reinem Zustand farblose, durch Verunreinigung gelb gefärbte Lösung des Chlorwasserstoffgases, die bei 108,6 °C (mit 20,4 % HCl) azeotrop siedet (→azeotropes Gemisch) und alle technisch wichtigen Metalle mehr oder weniger stark angreift. Aus konzentrierter S. entweicht ständig Chlorwasserstoff, der mit dem in der Luft enthaltenen Wasser S.-Nebel bildet **(rauchende S.).** Die Salze der S. sind die **Chloride.** S. wird durch Einleiten von Chlorwasserstoffgas in Wasser hergestellt. Im techn. Maßstab fällt S. als Nebenprodukt bei Chlorierungen (z.B. Herstellung von Vinylchlorid), Phosgenierungen (z.B. Herstellung von Polyurethanen) oder bei der Verbrennung chlorhaltiger Abfälle an. Wichtige Verwendungszwecke sind die Herstellung von Chloriden, die Neutralisation von Abwässern, das Beizen und Ätzen von Metallen sowie das Regenerieren von Ionenaustauschern. Als Überschussprodukt wird S. elektrolytisch in Chlor und Wasserstoff zerlegt.

Salzschlirf, Bad, →Bad Salzschlirf.

Salzsee, See in Nordamerika, →Großer Salzsee.

Salzseen, durch salzhaltige Quellen gespeiste oder abflusslose Seen in Trockengebieten, in denen es durch Verdunstung zu einer Salzanreicherung über 5 % kommt (Totes Meer bis 33 %; Großer Salzsee bis 27 %). Die vorherrschenden Salze sind Kochsalz, Magnesiumchlorid, Magnesiumsulfat und Natron (**Natronseen** in Ägypten).

Salzsprengung (Salzverwitterung), mechan. Verwitterungsform bes. in Trockengebieten, bei der durch Oberflächenverdunstung auskristallisierendes Salz unter Volumenvergrößerung Gestein absprengt.

Salzsteuer, Verbrauchsteuer auf Kochsalz; in Dtl. durch Ges. vom 25. 8. 1992 neben anderen Bagatellsteuern aufgehoben. – In *Österreich* und in der *Schweiz* existieren als staatl. Finanzmonopole Salzmonopole.

Salzstock (Salzhorst, Salzdom), stock-, dom- oder pilzartige Anreicherung großer Salzmassen, die an tekton. Schwächezonen in die überlagernden Schichten aufgestiegen sind. Dabei werden die durchspießten Schichten randlich hochgeschleppt. Durch pilzartige Verbreiterung im oberen Teil des S. entstehen **Salzüberhänge,** die wirtsch. bed. Ölfallen bilden können. Oberflächennah entsteht eine Kappe aus Anhydrit (oft in Gips umgewandelt: »Gipshut«) und Nebengestein. – Die Eignung von S. zur →Endlagerung von radioaktiven Abfällen ist umstritten (→Gorleben).

Salzstraßen, alte Verkehrsstraßen, die dem Salztransport von Salzgewinnungsorten in Verbrauchsgebiete dienten. Schon im 5. Jh. v. Chr. verbanden S. die Hallstätter Vorkommen mit der Adria, dem Schwarzen Meer, der Nordsee und Frankreich.

Salzton, von Salzen durchsetzter, oft bituminöser Ton in Trockengebieten und an Salzlagerstätten.

Salzton|ebene, innerster Teil abflussloser Becken in Trockengebieten, oberflächlich stark mit Salz angereichert; bildet sich nach Niederschlägen zu **Salzsümpfen** oder flachen Salzseen um.

Salzuflen, Bad, →Bad Salzuflen.

Salzungen, Bad, →Bad Salzungen.

Salzverwitterung, →Salzsprengung.

Salzwedel, Krst. des Altmarkkreises Salzwedel, Sa.-Anh., an der Mündung der Dumme in die Jeetzel; 21 200 Ew.; chem. Ind., Pumpen-, Maschinen und Anlagenbau, Nahrungsmittelindustrie. – Erhalten sind Teile der mittelalterl. Stadtbefestigung, got. Hallenkirche St. Marien, Katharinenkirche (spätgot. Halle), St. Lorenz (Mitte 13. Jh.), Altstädter Rathaus (1509). – Neben der 1112 genannten Burg entstand im späten 12. Jh. eine Marktsiedlung (1233 als Stadt bezeugt); zeitweise Hansestadt.

Salzwedel
Stadtwappen

Sam., Abk. für **Sam**uel (A. T.).

Samaden, Gemeinde in der Schweiz, →Samedan.

Samael (Sammael), jüd. Engel- bzw. Satansname; in der kabbalist. Literatur das Haupt aller Dämonen.

Samana Cay [sə'mɑːnə keɪ], Insel der Bahamas; nach Untersuchungen der National Geo-

Salzwedel: Sankt Lorenz, die älteste Kirche der Stadt, wurde Mitte des 13. Jahrhunderts erbaut

Samarkand: Mausoleen an der Gräberstraße Schah-e Sinda (14. und 15. Jh.) am nordöstlichen Rand der Stadt

graphic Society soll Kolumbus erstmals hier und nicht auf San Salvador gelandet sein.

Samaniden, pers. Dynastie in Transoxanien und Chorasan (873–999/1005); erreichte ihren Höhepunkt unter Nasr II. (914–42), brachte den größten Teil Persiens unter ihre Herrschaft.

Samar, drittgrößte Insel der Philippinen, 13 080 km² mit 1,08 Mio. Ew. nur dünn besiedelt; Kupfer- und Eisenerzabbau; Fischerei; Holzwirtschaft.

Samara (1935–91 Kuibyschew), Hptst. des Gebiets S., Russland, an der Wolga, neben Nischni Nowgorod größte Stadt sowie Kultur-, Wirtschafts- und Verkehrszentrum des Wolgagebiets, 1,257 Mio. Ew.; Univ. (1969 gegr.) und weitere Hochschulen, Museen, Theater, Philharmonie, U-Bahn, Stalinbunker; Maschinen-, Geräte-, Flugzeugbau, Erdölverarbeitung, chem., Leicht- und Nahrungsmittelindustrie; 80 km oberhalb an der Wolga Staudamm mit **Samaraer Stausee** (6 450 km² groß) und **Wolga-Wasserkraftwerk** (2 300 MW). – 1586 gegr., ab 1851 Gouvernementshauptstadt.

Samarakis, Antonis, neugrch. Schriftsteller, *Athen 16. 8. 1919; schildert die Not des den Zwängen der Gesellschaft ausgelieferten Menschen: »Hoffnung gesucht« (Erz., 1954), »Der Fehler« (R., 1965), »Dschungel« (Erz., 1967), »Der Reisepass« (Erz., 1973).

Juan Samaranch

Samaranch [-'rantʃ], Juan Antonio, span. Diplomat und Sportfunktionär, *Barcelona 17. 7. 1920; 1974–78 Vize-Präs., seit 1980 Präs. des IOC; war 1977–80 Botschafter in Moskau.

Samaria [zama'riːa, za'maːria], ehem. Stadt in Mittelpalästina, beim heutigen Dorf Sebastija, um 880 v. Chr. als Hptst. des israelit. Nordreichs erbaut, seit 722/721 v. Chr. auch Name der assyr., pers. und schließlich hellenist. Provinz. Herodes nannte S. zu Ehren des Augustus **Sebaste.** Ausgrabungen seit 1908; u. a. aus dem 9. Jh. v. Chr. Reste des israelit. Königspalastes; zahlr. Elfenbeinarbeiten.

Samariaschlucht, Schlucht in W-Kreta, Griechenland, bis zu 600 m tief in das Gebirgsmassiv Levka Ori eingeschnitten, 18 km lang, 5–40 m breit; Nationalpark.

Samaritaner (bei Luther Samariter), eine jüd. Sondergruppe in der Landschaft Samaria, die seit dem 5. Jh. v. Chr. eine eigene, in Ggs. zur judäischen Tradition stehende Gemeinde bildete; sie wurden von den aus dem babylon. Exil Heimkehrenden nicht als Juden anerkannt. Sie bauten auf dem ihnen hl. Berg →Gerizim im 5. Jh. v. Chr. (?) einen Tempel; leben heute als kleine ethnisch-religiöse Minderheit in Israel (Nablus).

Samarium [nach dem Mineral Samarskit] *das,* chem. Symbol **Sm,** ein Element aus der Reihe der →Lanthanoide im →Periodensystem der chemischen Elemente; Ordnungszahl 62, relative Atommasse 150,36, Dichte 7,536 g/cm³, Schmelzpunkt 1 072 °C, Siedepunkt 1 900 °C. S. ist ein silbergraues, unedles Metall, das stets zus. mit den übrigen Seltenerdmetallen in Form von Silikat oder Phosphat vorkommt. In seinen gelb gefärbten Verbindungen tritt S. meist in der Wertigkeitsstufe +3 auf. Gewonnen wird S. nach Anreicherung aus geeigneten Mineralen durch Reduktion des Oxids, Sm_2O_3, z. B. mit Calcium oder Lanthan. S. wird u. a. zur Herstellung von Legierungen (v. a. mit Kobalt), die sich als Dauermagnetwerkstoffe eignen, als Neutronenabsorber in Kernreaktoren sowie zum Dotieren von Kristallen in der Laser- und Masertechnik verwendet.

Samarkand, Hptst. des Gebiets S., Usbekistan, in einer Flussoase am Serawschan, 370 500 Ew.; zweitwichtigstes usbek. Kultur- und Wirtschaftszentrum; Univ., weitere Hochschulen, astronom. Observatorium; Baumwollind., Seidenwaren- und Teppichherstellung, Nahrungsmittel-, elektrotechn., opt., Lederind.; Flughafen. – Bed. Bauten der Altstadt sind die Bibi-Chanym-Moschee (1399–1404; z. T. zerstört), Gur-Emir-Mausoleum (vollendet 1404/05, als Grablege der Timuriden erbaut), am zentralen Registanplatz liegen die Ulug-Beg-Medrese (1417–20), die Schir-Dor-Medrese (1619–36) und die Tillja-Kari-Medrese (1646–60). Am nordöstl. Rand der Stadt befinden sich eine Gräberstraße (Schah-e Sinda), ein großer Komplex mit 13 Mausoleen und Moscheen v. a. aus timurid. Zeit sowie das berühmte Observatorium des Ulug Beg (um 1428/29 vollendet). – In der Antike **Marakanda** gen. (Hauptort der pers. Prov. Sogdiana),

Sambia

Fläche: 752 614 km²
Einwohner: (1995) 9,46 Mio.
Hauptstadt: Lusaka
Verwaltungsgliederung: 9 Provinzen
Amtssprache: Englisch
Nationalfeiertag: 24. 10.
Währung: 1 Kwacha (K) = 100 Ngwee (N)
Zeitzone: OEZ

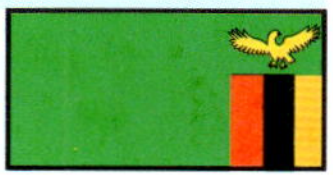

das 329 v. Chr. von Alexander d. Gr., im 8. Jh. von den Arabern erobert wurde. 1220 von Dschingis Khan zerstört. 1369 machte Timur-Leng S. zur Hptst. seines Reiches und zum kulturellen Zentrum. Seit dem 16. Jh. gehörte S. zum Khanat Buchara; kam 1868 zu Russland. 1924–30 Hptst. der Usbekischen SSR.

Samarra, Stadt in Irak, am Tigris; 63 000 Ew.; schiit. Wallfahrtsort (Grabmoschee; 16.–19. Jh.). – S. war im 9. Jh. Hptst. der Abbasiden, von der u. a. Reste des Kalifenpalastes und der Großen Moschee mit dem Minarett (60 m hoher Spiralturm) erhalten sind. Bild Minarett

Sämaschinen, vom Schlepper gezogene oder getragene Landmaschinen zum Aussäen von Samen in vorbereiteten Ackerboden. Maschinen für Breitsaat **(Breit-S.)** verteilen das Saatgut breitwürfig und unregelmäßig; Maschinen für **Drillsaat** und **Dibbelsaat** bringen das Saatgut in parallelen Reihen in das Saatbett ein.

Samba [afrikan.-portugies.] *die* auch *der,* Sammelbez. für eine formenreiche Gruppe brasilian. Tänze afrikan. Ursprungs in schnellem, geradem Takt und mit stark synkopiertem Rhythmus; wurde um 1920 zum Haupttanz des Karnevals in Rio. In Europa wurde die S. um 1950 als Gesellschaftstanz populär; gehört zu den Turniertänzen.

Sambesi *der* (Zambezi), größter Fluss im südl. Afrika, 2 660 km lang, Einzugsgebiet rd. 1,33 Mio. km², entspringt auf der Lundaschwelle im NW von Sambia in 1200 m ü. M., bildet bei Maramba die Victoriafälle und mündet bei Chinde in einem 20 000 km² großen Delta in den Ind. Ozean; wichtigste Nebenflüsse: Cuando von rechts, Kafue, Luangwa, Shire von links; wird durch den Karibadamm zum Karibasee, durch den Cabora-Bassa-Damm zum Cabora-Bassa-See gestaut; mehrere Kraftwerke; ab Tete schiffbar. Bild Victoriafälle

Sambia (amtlich engl. Republic of Zambia), Staat im südl. Afrika, grenzt im N an die Demokrat. Rep. Kongo, im NO an Tansania, im O an Malawi, im SO an Moçambique, im S an Simbabwe, Botswana und Namibia, im W an Angola.

Staat und Recht: Nach der Verf. von 1991 ist S. eine präsidiale Rep. mit Mehrparteiensystem. Staatsoberhaupt und oberster Inhaber der Exekutive (Reg.chef) ist der auf fünf Jahre direkt gewählte Präs. Die Legislative liegt bei der Nationalversammlung (150 Abg., auf fünf Jahre gewählt). Beratendes Gremium ist das House of Chiefs (27 traditionelle Führer ethn. Gruppen). Einflussreichste Parteien: Bewegung für eine Mehrparteiendemokratie (MMD), Vereinigte Nat. Unabhängigkeitspartei (UNIP).

Landesnatur: S. umfasst die teils bewaldeten, 1100–1500 m ü. M. gelegenen Rumpfflächen der zentralen und östl. Lundaschwelle mit einzelnen aufgesetzten Inselbergen. Der NO mit dem Tanganjikasee liegt im Bereich des Ostafrikan. Grabensytems und hat ein bewegteres Relief (bis 2 068 m ü. M.). Die Landschaft wird vom Sambesi und seinen Nebenflüssen durchzogen, meist in ausgedehnten Muldenzonen, in denen sich Flachseen und Sümpfe gebildet haben, bes. am oberen Sambesi, am Kafue sowie am Mweru- und Bangweolosee. Das trop. Hochlandklima ist mäßig warm und feucht. Ein laubabwerfender Trockenwald bedeckt weite Teile des Landes. Nationalparks am Kafue und am Luangwa.

Bevölkerung: Die Bev. besteht aus über 90 ethn. Gruppen; zu den wichtigsten zählen Bantustämme, v. a. Bemba, Tonga, Lozi, Nyanja, daneben leben etwa 40 000 Europäer und 10 000 Inder sowie Flüchtlinge aus Angola in S.; 45 % der Bev. leben in Städten. – Allg. Schulpflicht besteht vom 8. bis 15. Lebensjahr; Univ. in Lusaka (gegr. 1966), Copperbelt-Univ. in Kitwe (gegr. 1980). Die Analphabetenquote beträgt rd. 27 %. – Die Mehrheit der Bev. sind Christen, daneben gibt es Anhänger traditioneller afrikanischer Religionen.

Wirtschaft, Verkehr: Landwirtschaft und Bergbau sind die wichtigsten Wirtschaftszweige. Für die Eigenversorgung werden bes. Mais, Hirse, Maniok, Gemüse, Weizen angebaut; für den Ex-

Staatswappen

Z

Internationales Kfz-Kennzeichen

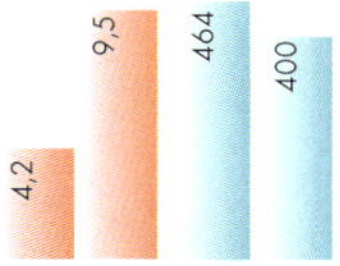

1970 1995 Bevölkerung (in Mio.) | 1970 1995 Bruttosozialprodukt je Ew. (in US-$)

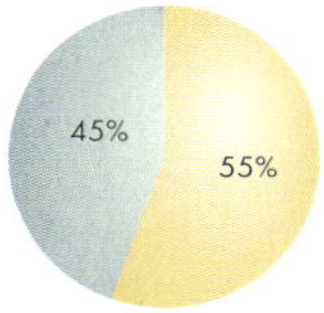

Stadt
Land
Bevölkerungsverteilung 1995

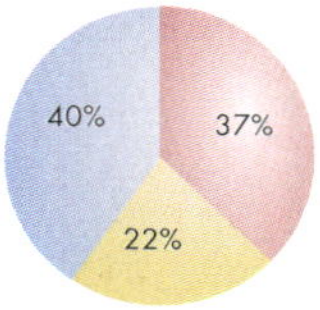

Industrie
Landwirtschaft
Dienstleistung
Bruttoinlandsprodukt 1995

Sambia - Wirtschaft

Kenneth Kaunda

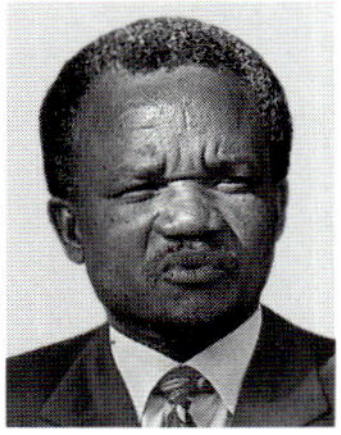
Frederick Chiluba

port (meist in Großfarmen) Tabak, Erdnüsse, Baumwolle, Zuckerrohr. Von Bedeutung sind außerdem Viehhaltung, Fischerei und Forstwirtschaft. Wichtigster Wirtschaftszweig ist der Kupferbergbau im Copperbelt, mit Kobalt als wichtigstem Nebenprodukt der Kupferverhüttung. Außerdem werden Zink, Blei, Silber und Steinkohle gefördert. Energie wird hauptsächlich durch Wasserkraftwerke am Kafue und Sambesi erzeugt. S. hat vielseitige Industrie, bes. Erzverhüttung, Nahrungsmittel-, Textil-, chem., pharmazeut. und Metallind.; bed. Ind.standorte sind Ndola und Lusaka. Hauptanziehungspunkte für die Touristen sind die Nationalparks und die Victoriafälle des Sambesi. Exportiert werden Kupfer (85% der Exporteinnahmen), Zink, Kobalt, Tabak; Haupthandelspartner sind Japan, Rep. Südafrika, Großbritannien, Deutschland. – Das Eisenbahnnetz ist 2164 km lang; wichtig ist die Tansambahn, die die Verbindung zum Hafen von Daressalam in Tansania (Verschiffung der Exportgüter) herstellt; das Straßennetz umfasst 37359 km, davon 6444 km befestigt; internat. Flughäfen sind Lusaka, Ndola und Livingstone.

Geschichte: 1650 entstand im oberen Sambesital das Reich der Rotse. Der O des heutigen S. gehörte bis ins 19. Jh. zum Reich Kazembe. Nach 1890 besetzte die British South Africa Company Territorien nördlich des Sambesi. Diese 1911 als Protektorat **Nordrhodesien** organisierten Gebiete kamen 1924 unter direkte brit. Kolonialverwaltung. 1953–63 war Nordrhodesien Teil der →Zentralafrikanischen Föderation. Gestützt auf die UNIP erreichte K. Kaunda 1964 die Unabhängigkeit Nordrhodesiens unter dem Namen »Sambia«. Als Staatspräs. (1964–91) ließ Kaunda 1968–70 zahlr. ausländ. Unternehmen verstaatlichen und errichtete einen Einparteienstaat. Im Rhodesienkonflikt gehörte S., das eine wichtige Basis der simbabw. Befreiungsbewegung war, zu den sog. Frontstaaten. Die schlechte wirtsch. Lage seit den 80er-Jahren führte zu zahlr. inneren Unruhen; im Juni 1990 scheiterte ein Putschversuch gegen Kaunda. Dieser unterzeichnete im Dez. 1990 eine Verfassungsänderung zur Einführung eines Mehrparteiensystems. Nach den Präsidentschaftswahlen vom Nov. 1991 musste Kaunda nach 27-jähriger Alleinherrschaft die Macht an den Gewerkschaftsführer und Präs. der MMD, F. Chiluba, abtreten. Mit der Privatisierung von Staatsbetrieben versucht die Regierung seit 1995 den privaten Wirtschaftssektor zu stärken. 1996 wurde Chiluba als Staatspräs. wieder gewählt, nachdem er seinen schärfsten Konkurrenten, den ehem. Staatspräs. Kaunda, durch eine Verf.änderung von der Teilnahme an der Wahl ausgeschlossen hatte: Kaunda erfüllte nicht die gesetzl. Forderung, dass beide Elternteile eines Präsidentschaftsbewerbers aus S. stammen müssen, da sein Vater aus Malawi stammt.

📖 ROBERTS, A.: *A history of Zambia. London 1976.* – SCHULTZ, J.: *Zambia. Darmstadt 1983.* – SENFTLEBEN, W.: *S. Dreieich 1989.* – BIERMANN, W.: *Zambia – unterminierte Entwicklung. Saarbrücken u. a. 1990.*

Sambo *das,* russ. Abk. für »Selbstverteidigung ohne Waffe«, judoähnl., aus versch. Ringkampfarten entwickelte Zweikampfsportart. Wird in zehn Gewichtsklassen auf einer 6 × 6 m bis 8 × 8 m großen Matte ausgeübt. Sieger ist, wer seinen Gegner, an der Jacke packend, aus dem Stand auf den Rücken wirft.

Sambre [sãbr] *die* (niederländ. Samber), linker Nebenfluss der Maas, 172 km lang, entspringt auf dem Plateau von Le Nouvion in N-Frankreich, erreicht nach 85 km Belgien, wo sie bei Namur mündet; von Charleroi bis Namur schiffbar, Kanalverbindung zur Oise.

Samedan [-dən] (dt. Samaden), Gemeinde im Kanton Graubünden, Schweiz, im Oberengadin, 1720 m ü.M., 2900 Ew.; Fremdenverkehr, bes. Wintersport; Flugplatz. – Patrizierhaus Chesa Planta (16. Jh., Umbau im 18. Jh., heute rätoroman. Kulturzentrum).

Samen, 1) *Botanik:* (Semen) ein nach der Befruchtung im Verlauf der S.-Entwicklung aus einer S.-Anlage entstehendes Verbreitungsorgan der S.-Pflanzen, das einzeln oder in Mehrzahl bei den

Nacktsamern frei auf der S.-Schuppe der Zapfen, bei den Bedecktsamern im Fruchtknoten eingeschlossen liegt. Der S. besteht aus einem vorübergehend ruhenden Embryo, der meist in Nährgewebe eingebettet ist oder selbst Reservestoffe speichert und stets von einer S.-Schale umgeben ist. Die S.-Ruhe wird nach der S.-Verbreitung bei geeigneten Außenbedingungen durch die →Keimung beendet.

2) *Zoologie:* das →Sperma.

Samen, Name der →Lappen in Norwegen und Schweden.

Samen|anlage (lat. Ovulum), auf den Samenschuppen der Nacktsamer bzw. den Fruchtblättern der Bedecktsamer gebildetes, mit ihnen durch den **Funiculus** (ein von einem Leitbündelstrang durchzogenes Stielchen, mit dem die S. an der Plazenta befestigt ist) verbundenes weibl. Fortpflanzungsorgan der Samenpflanzen, aus dem nach der Befruchtung im Zuge der Samenentwicklung der →Samen hervorgeht. Die S. ist etwa 1 mm groß und eiförmig und besteht aus dem Gewebekern, dem **Nucellus,** der von am Grunde der S. (Chalaza oder Nabelfleck) entstehenden Hüllen (Integumenten) umgeben ist. Die Integumente lassen am gegenüberliegenden Pol eine Öffnung **(Mikropyle)** für den Eintritt des Pollenschlauches frei. Im Nucellus befindet sich der **Embryosack,** der sich nach Wachstum und drei aufeinander folgenden Kernteilungen zum weibl. Gametophyten entwickelt. Drei der entstandenen Zellkerne umgeben sich am oberen Pol mit Plasma und Zellmembran und bilden schließlich die Eizelle bzw. den Eiapparat; weitere drei Zellkerne bilden am unteren Ende die Antipoden (Gegenfüßlerzellen) und die

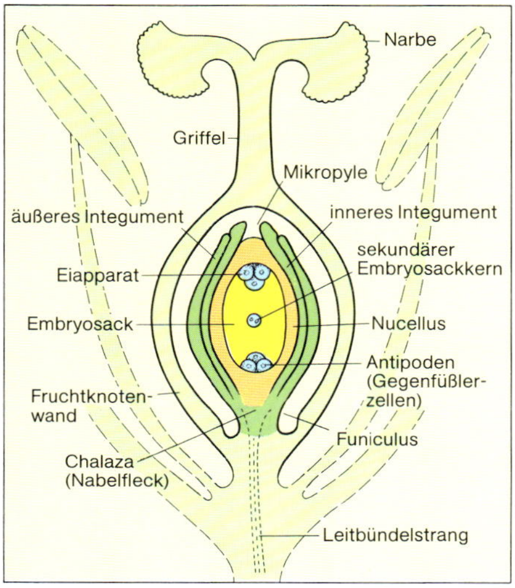

Samenanlage: schematischer Längsschnitt durch einen Fruchtknoten mit Samenanlage

Samenfarne: Der in Lebach (Saarland) gefundene versteinerte Wedelabschnitt eines Samenfarns ist etwa 200 Millionen Jahre alt

verbleibenden zwei Zellkerne verschmelzen zum sekundären Embryosackkern.

Samenblase, bei vielen Wirbellosen Teil der männl. Geschlechtsorgane; dient zur Speicherung der Spermien; bei Säugetieren und beim Menschen eine als Drüsenorgan ausgebildete Aussackung der beiden Samenleiter; ihr alkal. Sekret regt (zus. mit dem der Prostata) die Samenzellen zu Eigenbewegungen an und reinigt nach der Ejakulation die Harn-Samen-Röhre von Resten des Ejakulats. Beim Menschen liegt die S. (Bläschendrüse) am Grund der Harnblase.

Samen|erguss, die →Ejakulation.

Samenfarne (Farnsamer, Lyginopteridopsida, Lyginopteridatae, Pteridospermae), Klasse der fiederblättrigen Nacktsamer, die im Karbon formenreich auftraten und bereits im Jura wieder ausstarben. Die S. hatten farnähnl. Aussehen, z.T. wuchsen sie auch lianenartig.

Samenfluss, die →Spermatorrhö.

Samenjahr, *Forstwirtschaft:* zur Ernte von forstl. Saatgut bes. geeignetes Jahr mit überdurchschnittl. Blüten- und Fruchtansatz bei Waldbäumen. S. treten bei Kiefer und Fichte meist nach 3–4, bei Eiche **(Mastjahre)** nach 4–5 und bei Buche nach 6–8 Jahren ein.

Samenkäfer (Bruchidae), Käferfamilie mit 2–10 mm langen, eirunden Arten, z.B. der **Erbsen-** (Bruchus pisorum) und der **Speisebohnenkäfer** (Acanthoscelides obtectus); ihre Larven leben in heranwachsenden Samen.

Samenkäfer: Erbsenkäfer (Größe etwa 4 mm)

Samenleiter, vom Hoden (bei Säugetieren und beim Menschen vom Nebenhoden) ausgehender, oft mit einer Samenblase versehener, schlauchförmiger, meist paariger Gang als Ausführungsgang für die Spermien. Bei (fast allen) Säugetieren münden die S. auf dem Samenhügel in die Harnröhre, die dann Harn-Samen-Röhre genannt wird.

Samenpaket, *Zoologie:* die →Spermatophore.

Samenpflanzen (Blütenpflanzen, Spermatophyten, Spermatophyta, Anthophyta), Abteilung des Pflanzenreichs, charakterisiert durch Blüten- und bes. durch Samenbildung. Die S. werden in die beiden Entwicklungsstufen Nacktsamer und Bedecktsamer eingeteilt.

Samentasche, Anhangsorgan der weibl. Geschlechtswege bei vielen wirbellosen Tieren (z. B. Saug- und Ringelwürmer, Schnecken, Spinnen, Insekten); dient zur Aufnahme und Speicherung des bei der Begattung aufgenommenen Samens.

Samen|übertragung, 1) *Medizin:* →Insemination, →In-vitro-Fertilisation.

2) *Tierzucht:* →künstliche Besamung.

Sämischleder, trangegerbtes, weiches, waschbares Leder von Schaf-, Reh- oder Hirschfellen.

Samisdat [russ. »Selbstverlag«], seit Ende der 1950er-Jahre bis zur Politik der Perestroika bestehendes illegales Publikationssystem in der Sowjetunion, in dem überwiegend literar. Werke, aber auch polit. und religiöse Schriften ohne offizielle Druckgenehmigung, also unter Umgehung der Zensur, verbreitet wurden. Die Unterstützung von S. wurde ebenso bestraft (Verbannung, Lagerhaft) wie die Verbreitung von Büchern, die aus dem Ausland eingeschmuggelt wurden (als Tamisdat bezeichnet, nach russ. tam, »dort«, »jenseits«; z. B. Pasternaks Roman »Doktor Schiwago«, 1957 in Italien) oder von Radiosendungen, die aus dem Ausland empfangen wurden.

Jewgeni Samjatin (Ausschnitt aus einer zeitgenössischen Zeichnung)

Samjatin, Jewgeni Iwanowitsch, russ. Schriftsteller, * Lebedjan (Gebiet Lipezk) 1. 2. 1884, † Paris 10. 3. 1937; emigrierte 1932. Seine Erzählungen und Schauspiele verbinden Gesellschaftskritik mit Fantastik; sein Roman »Wir« (engl. und frz. 1924; russ. 1927) ist eine satir. Zukunftsvision des entpersönlichten totalen Staates.

Samniten

Das früheste Ereignis, mit dem der Name der Samniten verknüpft ist, die Eroberung Capuas 424 v. Chr., kennzeichnet den kriegerischen Charakter dieses Volkes, das auch den Etruskern zu schaffen machte (Livius, Römische Geschichte 4, 37, 1 f.):

»Volturnum, eine Stadt der Etrusker, das heutige Capua, wurde von den Samniten eingenommen und nach ihrem Anführer Capys oder, was wahrscheinlicher ist, nach dem ebenen (campestris) Charakter des Landes benannt. Die Einnahme erfolgte aber durch Leute, die die Etrusker, vom Krieg erschöpft, zuvor als Mitbewohner in die Stadt aufgenommen und denen sie einen Teil ihres Landes überlassen hatten; die neuen Ansiedler fielen dann an einem Festtag in der Nacht über die alten Einwohner her, die nach dem Festmahl in tiefem Schlaf lagen, und richteten ein Blutbad an.«

Samkhya [Sanskrit »Zahl«, »Aufzählung«] *das,* eines der ältesten Systeme der ind. Philosophie. Die Begründung des S. wird dem halbmyth. Weisen und Heiligen Kapila (vor dem 6. Jh. v. Chr.) zugesprochen. Das S. geht – abweichend vom monist. Brahmanismus – von einer Zweiteilung der Wirklichkeit aus: den unendlich vielen, formlosen, ewigen und an nichts gebundenen »Lebensmonaden« (purusha) und der leblosen »Materie« (prakriti), die mit den Ersteren verbunden ist, sodass diese zum Kreislauf der Seelen gezwungen sind. Befreiung davon schafft allein die Einsicht, dass der Mensch eigentl. Lebensmonade ist, dass er so an sich überhaupt nicht von Materie befleckt und immer schon frei ist. – Der S. war von bedeutendem Einfluss auf den Dschainismus und den Buddhismus.

Samland, fruchtbare Halbinsel in Ostpreußen, im russ. Gebiet Kaliningrad (Königsberg), zw. Frischem und Kur. Haff, 75 km lang, 30 km breit, im W und N mit 60 m hoher Steilküste (Bernsteinküste) gegen die Ostsee abfallend. An der N-Küste liegen Badeorte, an der W-Küste Jantarny, früher Palmnicken (Bernsteinwerk) und Baltisk, früher Pillau (Hafen). – Das zu den elf altpreuß. Landschaften zählende S. wurde 1255 durch den Dt. Orden unterworfen; 1243/55–1525 existierte zw. Pregel und Memel ein Bistum Samland.

Sammartini, Giovanni Battista, italien. Komponist, * Mailand 1700 oder 1701, † ebd. 15. 1. 1775; war Organist und Kapellmeister an mehreren Kirchen Mailands; schrieb in vorklass. Stil Sinfonien, Violinkonzerte, Concerti grossi und Triosonaten.

Sammelschiene, Leiterstück in Schaltanlagen zum Sammeln und Verteilen der über mehrere Zuleitungen zugeführten bzw. abgehenden elektr. Energie; meist Flach- oder Profilschiene aus Kupfer oder Aluminium.

Sammelwerk, urheberrechtlich eine Sammlung literar., wiss. oder künstler. Werke oder anderer Beiträge. Das S. genießt selbstständigen Urheberrechtsschutz, wenn die Auslese oder Anordnung der Beiträge, die i. d. R. der Herausgeber vornimmt, eine persönl. geistige Schöpfung darstellt (§ 4 Urheberrechtsgesetz).

Sammler, 1) *Abwassertechnik:* ein Entwässerungskanal zur Abwasserbeseitigung für ein größeres Gebiet (→Kanalisation).

2) *Aufbereitung:* →Flotation.

Sammlung, Gesamtheit von unter einem Gesichtspunkt zusammengetragenen Gegenständen (Briefmarken-, Kunst-S.), auch das Zusammenbringen von Geld- und Sachspenden für einen bestimmten Zweck. Die Zulässigkeit und Voraussetzungen von öffentl. S. sind landesrechtlich geregelt. Öffentl. S. bedürfen i. d. R. der Erlaubnis.

Samniten (Samniter, lat. Samnites), im Altertum ein kriegerisches, der Sage nach von den Sabinern abstammendes Bergvolk im Apennin; Hauptorte waren Bovianum und Malventum (Benevent) in **Samnium.** In den drei **S.-Kriegen** (343–341, 328–304, 298–290 v. Chr.) gegen die Römer unterlagen die S. schließlich, blieben zwar unabhängig, jedoch auf Samnium beschränkt. Zuletzt erhoben sie sich im italischen Bundesgenossenkrieg und wurden 82 v. Chr. endgültig von Sulla geschlagen.

Samo, Slawenfürst (seit etwa 625), † um 660; fränk. Kaufmann, von den Slawen zum König erhoben, dehnte seine Herrschaft von Böhmen und Mähren bis nach Karantanien (etwa im heutigen Kärnten) und über die Sorben aus, hielt den Angriffen Dagoberts I. (631/632) stand. Nach seinem Tod zerfiel sein Reich schnell.

Samoa|inseln, polynes. Inselgruppe im Pazif. Ozean, östlich der Fidschiinseln, bestehend aus 15 Inseln, 3 028 km², (1991) 214 000 Ew. Der westl. Teil der S. bildet den Staat → Westsamoa, die östl. Inseln das amerikan. Territorium **Amerikanisch-Samoa** (Ostsamoa, 197 km², [1994] 55 200 Ew.; Hauptort ist Pago Pago). – Die Inseln sind vulkan. Ursprungs, bis 1646 m ü. M., von Korallenriffen umgeben und dicht bewaldet. Das Klima ist tropisch, durch Passate gemildert. – Die **Samoaner** gehören zu den → Polynesiern. Sie leben in den Dörfern in engen verwandtschaftl. Bindungen; Anbau von Kokospalmen, Kakao, Kaffee, Bananen; Rinderzucht, Fischfang; Fremdenverkehr.

Geschichte: Um 1000 v. Chr. von Polynesiern besiedelt; 1722 durch den Niederländer Jakob Roggeveen (* 1659, † 1729) entdeckt. Die **Samoa-Konferenz** in Berlin (1889) regelte in einem brit.-amerikan.-dt. Vertrag die Handels- und Schutzrechte. 1899 wurden die S. zw. den USA (Amerikanisch-Samoa) und Dtl., dem Großbritannien seine Rechte abtrat, geteilt. Das dt. Schutzgebiet **(Samoa)** kam 1919/20 als Völkerbundsmandat, nach dem 2. Weltkrieg als UN-Treuhandgebiet unter neuseeländ. Verwaltung und erhielt 1962 als Westsamoa die Unabhängigkeit.

Samogiti|en, histor. Landschaft in W-Litauen zw. N-Ostpreußen, Kurland und Ostsee; von den **Samogitiern (Schamaiten, Schemaiten)** bewohnt. 1398 vom Dt. Orden erobert, 1411 an das Großfürstentum Litauen zurückgegeben.

Samojeden, zusammenfassender Name für sprachverwandte Völker in der subarkt. Tundra und Taiga im NO des europ. Russland und in NW-Sibirien. Dazu gehören, jeweils mit eigener Sprache, die → Nenzen beiderseits des Ural, die Enzen (200 Angehörige) beiderseits des unteren Jenissei, die Nganasanen (1300) auf der Taimyrhalbinsel sowie die Selkupen (3600) westlich des mittleren Jenissei; vorwiegend Rentierzüchter (Tundra), Jäger (Taiga) und Fischer (Küste).

Samojedenhalbinsel, histor. Name der Halbinsel → Jamal.

samojedische Sprache, neben den finnougr. Sprachen ein Zweig der ural. Sprachen. Gesprochen werden noch das Nenzische (Jurak-Samojedische), das Enzische (Jenissei-Samojedische), das Nganasanische (Tawgi-Samojedische) und das Selkupische (Ostjak-Samojedische).

Samoainseln: Blick auf Pago Pago, den Hauptort von Amerikanisch-Samoa

Samos, Insel im Ägäischen Meer, Griechenland, vor der W-Küste Kleinasiens, 476 km², 31 600 Ew.; Hauptort ist S. (5 600 Ew.; Antikenmuseen). Die Kalkgebirgsstöcke (Marmorlager) erreichen im W 1433 m ü. M. Die Insel hat ausreichend Wasser und ist fruchtbar; Ausfuhr von Wein, Trauben, Olivenöl; Fremdenverkehr.

Geschichte: Seit dem 1. Jt. v. Chr. von ion. Griechen besiedelt; Reichtum durch Schifffahrt und Handel; höchste Blüte unter Polykrates im 6. Jh. v. Chr.; seit dem MA. unter der Herrschaft der Byzantiner, Venezianer, Genuesen und (seit 1475) des Osman. Reiches (1832–1912 tributpflichtiges Fürstentum); 1912 Vereinigung mit Griechenland. – Bed. Ausgrabungen: u. a. das Heraion in → Pythagorion (UNESCO-Weltkulturerbe).

Samothrake, Insel in der nördl. Ägäis, Griechenland, 178 km², 2 900 Ew.; gebirgig. – S. war im Altertum berühmt durch das Mysterienheiligtum der »Großen Götter«, der Kabiren. In hellenist. Zeit errichtete Prachtbauten wurden durch Ausgrabungen freigelegt; der bedeutendste Fund war die Nike von S. (um 190 v. Chr.; Paris, Louvre). BILD S. 174

Samowar [russ. »Selbstkocher«] *der,* bes. in Russland gebräuchliches, mit Holzkohle, heute auch elektrisch beheiztes Kochgefäß mit Auslaufhahn zur Bereitung von Tee.

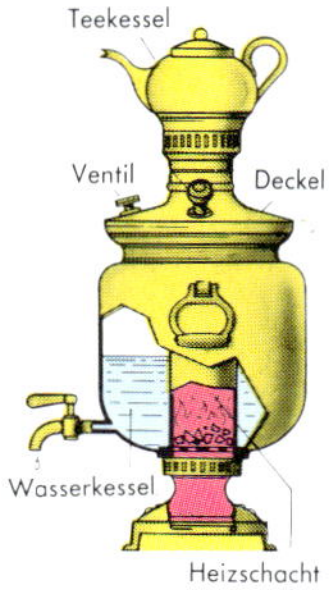

Samowar

Samothrake: Die hellenistische Figur der Nike von Samothrake war wahrscheinlich ein Erinnerungsmal an einen Seesieg der Stadt Rhodos und blickte von einem Hügel aufs Meer (um 190 v. Chr.; Paris, Louvre)

Sampan [chines.] *der,* ostasiat. Ruder- und Segelboot; vielfach als Haus- und Wohnboot benutzt.

Sample [sa:mpl, engl.] *das,* die →Stichprobe; das Auswahlverfahren wird **Sampling** genannt.

Sampler ['sa:mplə, engl.] *der,* **1)** *Musik:* (Soundsampler) Sammelbez. für Geräte oder Funktionseinheiten, die versch. Schall- oder Klangspektren (Soundsamples, z. B. Umweltgeräusche, Instrumentalstimmen, chor. Gesang) in digitaler Form speichern und wiedergeben.

2) *Popmusik:* Langspielplatte oder CD, mit Aufnahmen versch. Interpreten oder mit Musikstücken, die unter einem gemeinsamen Motto ausgewählt wurden.

Paul A. Samuelson

Samplingverfahren ['sa:mplɪŋ-, engl.], Abtastverfahren zur Messung period. Wechselspannungen bei sehr hohen Frequenzen (bis etwa 20 GHz) und kleinen Amplituden. Beim **sequenziellen S.** (auch als kohärent bezeichnet) erfolgt das Abtasten mit konstanter Abtastfrequenz, d. h. in gleichen Zeitabständen. So wird das ursprüngl. Signal amplitudengetreu in ein zeitlich gedehntes transformiert. Beim **zufälligen S.** (auch als inkohärent bezeichnet) wird das Signal in unregelmäßigen Zeitabständen mit einer bestimmten, konstanten Verteilung abgetastet.

Bengt Ingemar Samuelsson

Samsara [Sanskrit »Wanderung durch die Wiedergeburten«] *das,* dem Hinduismus, Buddhismus, Samkhya und Dschainismus gemeinsame Lehre vom ewigen Kreislauf der Wiedergeburt, dem alle Wesen unterworfen sind.

Samson, Gestalt des A. T., →Simson.

Samstag [ahd. sambaztac, von lat. sabbatum, grch. sábbaton »Sabbat«], der 6. Tag der Woche, andere Bez. für Sonnabend.

Samsun, Hptst. der Prov. S., Türkei, an der mittleren anatol. Schwarzmeerküste; 301 400 Ew.; Univ.; Hafen; Verarbeitung und Ausfuhr landwirtsch. Erzeugnisse (Tabak, Haselnüsse); Eisenbahnfährverbindung mit Constanța, Rumänien.

Samt (Velvet), Gewebe mit kurzem, 2–3 mm langem, aufrecht stehendem geschnittenem →Pol. Bei **Kett-S.** (echter S., Ruten-S., Plüsch) wird der Pol durch Aufschneiden der Polkette, bei **Schuss-S.** durch Aufschneiden des Schussfadens gebildet; zu Letzterem gehört der Cord-S. (z. B. Manchester, Wasch-S.). – **S.-Imitationen** werden z. B. als Rau-S. (Velveton oder Duvetine) durch Aufrauen glatter Gewebe hergestellt.

Samtblume (Studentenblume, Tagetes), Korbblütlergattung, von Mexiko und Arizona bis Argentinien verbreitet; herb duftende Stauden mit gelben bis braunen Blütenköpfen auf schlauchigen Blütenstielen; einige Arten sind Zierpflanzen.

Samu|el, *A. T.:* Gestalt aus der Geschichte Israels am Übergang von der Richter- zur Königszeit (11. Jh. v. Chr.); in der alttestamentl. Überlieferung mit prophet., priesterl. und Zügen eines →Richters Israels ausgestattet; salbte zunächst Saul (1. Sam. 9–11), später David zum König (1. Sam. 16). Das 1. und 2. **Buch Samuel** berichten über das Ende der Richterzeit, das Königtum Sauls, Aufstieg und Regierungszeit Davids und Salomos Weg zur Thronnachfolge.

Samu|elson ['sæmjʊəlsn], Paul Anthony, amerikan. Volkswirtschaftler, *Gary (Ind.) 15. 5. 1915; 1940–86 Prof. am Massachusetts Institute of Technology in Cambridge (Mass.); Vertreter des →Keynesianismus und einer mathematisch orientierten Nationalökonomie; wichtige Beiträge zur Theorie des Konsumverhaltens sowie zur Konjunktur-, Wachstums-, Wohlfahrts- und Außenwirtschaftstheorie; war Berater der Präs. D. D. Eisenhower und J. F. Kennedy. S erhielt 1970 den Nobelpreis für Wirtschaftswissenschaften.

Samuelsson, Bengt Ingemar, schwed. Biochemiker, *Halmstad 21. 5. 1934; klärte die Struktur der Prostaglandine auf und war an der Entdeckung der mit diesen verwandten Leukotriene beteiligt; erhielt 1982 (mit K. Bergström und R. Vane) den Nobelpreis für Physiologie oder Medizin.

Samum [arab. »Giftwind«] *der,* trockenheißer Wüstensturm in Nordafrika und Vorderasien, führt Staub und feinen Sand mit sich.

Samurai [japan. »Dienender«] *der,* im feudalen Japan das bewaffnete Begleitpersonal des Adels, später die Angehörigen des Kriegerstandes, vom 13. Jh. an Bez. der Vasallen der Lehnsfürsten; ab dem 17. Jh. die oberste Klasse, aus der sich u.a. Militär, Beamte, Intelligenz und Klerus rekrutierten. Die S. lebten nach einem strengen Ehrenkodex (→ Bushido); ihr äußeres Kennzeichen waren die zwei Schwerter. Während der Meijireform (nach 1868) büßten die S. ihre Privilegien ein.

San [italien., span., aus lat.] (Sant', Santa, Santo), Abk. **S.** bzw. **Sta.,** heilig (vor Namen).

San *der,* rechter Nebenfluss der oberen Weichsel in Polen, 444 km lang, entspringt in den Waldkarpaten der Ukraine, mündet unterhalb von Sandomierz; im Oberlauf Talsperren.

Sanaa (Sana), Hauptstadt von Jemen, 2350 m ü.M., in einem fruchtbaren Hochtal gelegen, 972000 Ew.; Univ., islam. theolog. Hochschule; Nationalmuseum im ehem. Imampalast; Baumwollspinnerei, Textilfabrik; internat. Flughafen. – Die von hohen Mauern umgebene Stadt, aus Altstadt (UNESCO-Weltkulturerbe), Gartenstadt mit Residenzviertel und ehem. Judenviertel bestehend, hat prächtige Bauwerke, v.a. Moscheen (Große Moschee al-Kabir, urspr. 7. Jh., in den folgenden Jahrhunderten oft erweitert und restauriert). Typisch für S. sind schmale, fünf- bis neungeschossige, aus Steinquadern oder Lehmziegeln erbaute Wohnhäuser, deren Fassaden reich mit weiß gekalkten Reliefs und Gittern aus Ziegeln oder Stuck geschmückt sind. BILD Jemen

📖 *San'ā, hg. v.* R. B. SERJEANT *u.a. London 1983.* – KOPP, H. u. WIRTH, E.: *Beiträge zur Stadtgeographie von Sana'a. Wiesbaden 1990.*

San Agustín, archäolog. Gebiet in der Zentralkordillere Kolumbiens, nördlich von Pasto, in dem zahlr. Überreste der **S.-A.-Kultur** (zw. 500 v. Chr. und 1300 n. Chr.) entdeckt wurden. Die Träger dieser Kultur sind unbekannt. Wichtigste Zeugnisse sind die über 300 monumentalen Steinfiguren (v.a. Götter- und Dämonendarstellungen); sie standen im oder am Eingang von Grab- oder Tempelkammern; ferner Felsreliefs sowie mit Reliefdekor verzierte, einfach geformte Keramik. Das Gebiet lag am Schnittpukt zweier Verkehrswege zw. Küste und dem Amazonasgebiet.

San Agustín: Die zwischen 500 v. Chr. und 1300 n. Chr. entstandenen Steinskulpturen der San-Agustín-Kultur standen am Eingang oder im Inneren von Grab- oder Tempelkammern; die Statue im Vordergrund ist 4,25 m hoch

San Andreas Fault: Luftaufnahme der tektonischen Verwerfungszone in der Carrizo-Ebene, etwa 200 km nordwestlich von Los Angeles

Sanandadj [-dʒ] (Sanandaj), Hauptstadt der Prov. Kurdistan, Iran, 1520 m ü. M. in einem Hochtal, 244000 Ew.; Handelszentrum; Teppichherstellung.

San Andreas Fault [sæn 'ændreɪs 'fɔːlt, engl.] (San-Andreas-Störung), tekton. Verwerfungszone (→ Verwerfung) in Kalifornien, USA, die sich vom N-Ende des Golfs von Kalifornien über 1100 km lang in nordwestl. Richtung erstreckt. Hier verschieben sich die Nordamerikan. und die Pazif. Platte (→ Plattentektonik) jährlich um durchschnittlich 5 cm; ruckhafte Verschiebungen lösen Erdbeben aus.

San Antonio [sæn ən'təʊnɪəʊ], Stadt in S-Texas, USA, 998900 Ew.; Erzbischofssitz; zwei Univ., medizin. Forschungsinstitute; zahlr. Militäreinrichtungen; Erdölraffinerien; Fremdenverkehr. – Die Stadt ist reich an Bauten aus der span. Kolonialzeit. – 1718 als span. Garnison gegr. Die ehem. span. Mission **Alamo** (1744 erbaut, 1794 zur Festung ausgebaut) wurde 1836 im texan. Unabhängigkeitskrieg hart umkämpft (heute histor. Gedenkstätte).

Sanatorium [lat.] *das,* unter fachärztl. Leitung stehende stationäre Einrichtung zur Behandlung und Pflege chronisch Kranker oder Genesender.

San Bernardino, 1) San-Bernardino-Pass (italien. Passo del S. B.), Alpenpass im Kt. Graubünden; ÜBERSICHT Alpenstraßen.

2) [sæn bɔːnəˈdiːnəʊ], Stadt in S-Kalifornien, USA, östlich von Los Angeles, 181 700 Ew.; Univ.; Stahlwerk, elektron., Raumfahrtindustrie.

Sancerre [sɑ̃ˈsɛːr], Stadt im Dép. Cher, Frankreich, oberhalb des linken Ufers der Loire, 2200 Ew.; Mittelpunkt eines Weinbaugebietes, in dem aus der Sauvignontraube helle, fruchtige, feinblumige Weißweine erzeugt werden.

Sánchez Ferlosio [ˈsantʃɛθ fɛrˈlosijo], Rafael, span. Schriftsteller, *Rom 4. 12. 1927. Sein handlungsarmer Roman »Am Jarama« (1956) ist ein wichtiges Zeugnis der Kritik am Franco-Regime; schreibt auch Erzählungen und Essays.

Sancho Pansa [ˈsantʃo-], der naiv-listige, aber treue Knappe →Don Quijotes, Vertreter des derben Mutterwitzes und realist. Sinnes des span. Bauern.

SAN-Copolymerisate (SAN-Copolymere) [SAN Abk. für **S**tyrol-**A**cryl**n**itril], amorphe, thermoplast. Kunststoffe, die durch gemeinsame Polymerisation von Styrol und Acrylnitril hergestellt werden. SAN-C. sind statistische →Copolymere. Sie haben eine hohe Zähigkeit, Steifigkeit, Benzin- und Temperaturbeständigkeit (Dauereinsatztemperatur etwa 85 °C), aber schlechte elektr. Isoliereigenschaften; Verwendung u.a. für Zwischenböden für Kühlschränke und Badezimmerartikel.

San Cristóbal, 1) Hptst. des Staates Táchira, Venezuela, 220 700 Ew.; Univ.; Handelszentrum (Kaffee, Zuckerrohr, Tabak); Zigarettenind., Zementwerk. – Gegr. 1561.

2) San Cristóbal de la Habana, amtl. Name von →Havanna.

Sanctus [lat. »heilig«] *das, kath. und luth. Liturgien:* der sich an die →Präfation anschließende Lobgesang der Gemeinde.

Sand, lose Anhäufung kleiner Mineralkörner unterschiedl. oder gleicher chem. Zusammensetzung (häufig Quarz) mit einem Durchmesser von 0,002–2 mm. Man unterscheidet zw. Fluss-, Schwemm- und See-S. (Wassertransport) sowie Flug-, Dünen- und Wüsten-S. (Windtransport). In der Bautechnik unterscheidet man Fein-S. (bis 0,2 mm Korndurchmesser), Mittel-S. (bis 0,6 mm) und Grob-S. (bis 2 mm). Reiner Quarz-S. dient zur Glas- und Porzellanbereitung, schwach toniger S. als **Form-S.** beim Metallguss, feinkörniger scharfkantiger S. zu Schleifzwecken und beim Sandstrahlgebläse.

Karl Ludwig Sand (zeitgenössischer Punktierstich)

📖 KOENSLER, W.: *S. u. Kies. Mineralogie, Vorkommen, Eigenschaften, Einsatzmöglichkeiten. Stuttgart 1989.*

Sand, 1) [sɑ̃d], George, eigtl. Aurore Dupin, verheiratete Baronin Dudevant, frz. Schriftstellerin, *Paris 1. 7. 1804, †Nohant-Vic (Dép. Indre) 8. 6. 1876; heiratete 1822, verließ 1831 ihren Mann (Scheidung 1836) und ging mit dem Schriftsteller J. Sandeau (daher ihr Pseudonym) nach Paris; mit vielen bed. Männern befreundet (F. Liszt, H. Berlioz, H. de Balzac, P. Mérimée, A. de Musset), lebte 1838-46 mit F. Chopin zusammen; war von frühsozialist. Idealen beeinflusst und engagierte sich in der Februarrevolution 1848, zog sich um 1850 auf ihr Landgut zurück. S.s frühe Romane sind von romant. Weltschmerz getragen und verteidigen die Liebe ohne Rücksicht auf Konventionen (»Indiana«, 2 Bde., 1832), später bezog sie die soziale Problematik ein (»Consuelo«, 8 Tle., 1843). V.a. in den Dorfromanen (u.a. »Der Teufelssumpf«, 2 Tle., 1846) zeigt sich ihre Meisterschaft der Natur- und Sittenschilderung. S. gilt als Protagonistin der Emanzipation der Frau; bed. autobiograph. Schriften, Briefwechsel u.a. mit G. Flaubert.

George Sand: Gemälde des französischen Künstlers Auguste Charpentier (1839; Privatbesitz)

📖 WIGGERSHAUS, R.: *G. S. Reinbek* [6]*1993.* – CHALON, J.: *G. S. Aus dem Frz. Neuausg. Frankfurt am Main u. a. 1995.*

2) Karl Ludwig, *Wunsiedel 5. 10. 1795, †(hingerichtet) Mannheim 20. 5. 1820; Mitgl. der Jenaer Burschenschaft, ermordete in Mannheim am 23. 3. 1819 den Schriftsteller A. von Kotzebue, den er für einen Hauptvertreter der Reaktion hielt. Seine Tat gab den Anlass zu den →Karlsbader Beschlüssen und den Demagogenverfolgungen.

Sand|aale (Ammodytidae), Familie lang gestreckter Meeresfische, die in Schwärmen in der Gezeitenzone leben und sich bei Ebbe im Sand vergraben.

Sandakan, Hafenstadt an der O-Küste von Sabah, Ostmalaysia, 223 400 Ew.; Holzexport und -verarbeitung. – 1879 gegr., war bis 1947 Hptst. von Britisch-Nordborneo.

Sandale [grch.] *die,* mit Riemen am Fuß befestigte Laufsohle als Fußbekleidung; heute bezeichnet man auch den leichten Riemenschuh mit Absatz als S. oder **Sandalette.**

Sandarak [grch.] *der,* wohlriechendes Harz, wird von der zu den Nadelhölzern gehörigen, in NW-Afrika heim. S.-Zypresse (Tetraclinis articulata) gewonnen; dient zur Herstellung von Lacken.

Sandbad, Einhüllung des ganzen Körpers in 37–48 °C heißen, groben Quarzsand; wirkt überwärmend und schweißtreibend; angewendet z. B. bei rheumat. Erkrankungen.

Sandbahnrennen (Langbahnrennen), Motorradrennen auf Rundbahnen von 700 bis 2 000 m Länge mit feingewalztem Schlackebelag.

Sandbienen, die →Erdbienen.

Sandblätter, große Blätter aus dem unteren Drittel der Tabakpflanze, wertvollster Ernteanteil.

Sandbüchsenbaum (Hura crepitans), im trop. Amerika wachsendes, giftiges Wolfsmilchgewächs mit feigenförmiger Kapselfrucht, deren pfenniggroße Samen bei der Reife explosionsartig über 10 m weit fortgeschleudert werden.

Sandburg ['sændbə:g], Carl August, amerikan. Schriftsteller schwed. Herkunft, * Galesburg (Ill.) 6. 1. 1878, † Flatrock (N. C.) 22. 7. 1967; feierte in rhapsodisch freien Rhythmen ähnlich wie W. Whitman die Werte des Lebens (»Guten Morgen, Amerika«, 1928; »Das Volk, jawohl«, 1936); Lincoln-Biographie (6 Bde., 1926–39).

📖 CALLAHAN, N.: *C. S. His life and works. University Park, Pa., 1987.*

Sanddorn (Haffdorn, Seedorn, Hippophae), Gattung der Ölweidengewächse; sommergrüne, dornige Bäume oder Sträucher. In Dtl. kommt auf Küstendünen, an Flussufern und Seen der **Echte S.** (**Gemeiner S.,** Hippophae rhamnoides) vor, ein bis zu 6 m hoher Strauch oder Baum mit ovalen, an Vitamin C reichen, saftigen, orangegelben Früchten, die zu Saft, Marmelade und zu Vitaminpräparaten verarbeitet werden. Wegen der Bildung von Wurzelausläufern ist der Echte S. wichtig für die Primärbesiedlung sandiger Rohböden.

Sandefjord ['sanəfju:r], Stadt an der W-Seite des äußeren Oslofjords, Norwegen, 37 100 Ew.; Walfangmuseum; Metall-, chem. Industrie.

Sandelholz [pers.-arab.], das aromatisch riechende Kernholz des Weißen Sandelbaums (Santalum album), wird verwendet zu Schnitzarbeiten, Luxuswaren und zur Gewinnung von **S.-Öl** für Duftstoffe.

Sander [isländ.] *der,* flache, ausgedehnte, fächerförmige Sand- und Schotterfläche, am Außenrand der Endmoränen durch Gletscherschmelzwässer abgelagert.

August Sander: »Arbeiter« (1927)

Sander, August, Fotograf, * Herdorf (Kr. Altenkirchen) 17. 11. 1876, † Köln 20. 4. 1964; wandte sich v. a. der Porträtfotografie zu (»Menschen des 20. Jh. Portraitphotographien von 1892–1952«, hg. 1980; »Antlitz der Zeit«, 1929, 1934 beschlagnahmt, Neuausgabe 1990).

Carl A. Sandburg

Sanderling, Kurt, Dirigent, * Arys (heute Orzysz, Wwschaft Suwałki) 19. 9. 1912; 1941–60 Leiter der Leningrader Philharmoniker, 1960–77 des Berliner Sinfonieorchesters sowie 1964–67 der Staatskapelle Dresden; als Gastdirigent internat. geschätzt.

Sandfloh (Tunga penetrans), etwa 1 mm große Art der Flöhe in den Tropen und Subtropen. Die Männchen sind frei lebend; die Weibchen bohren sich in die Haut von Tieren und Menschen ein (bevorzugt zw. Zehen oder Fingern) und werden erst anschließend begattet. Das Weibchen schwillt infolge großer Eiproduktion bis zu Erbsengröße an. Es gibt die Eier nach außen ab und verursacht dadurch starke Entzündungserscheinungen.

Sanddorn: Zweig mit Früchten des Echten Sanddorns (Höhe bis zu 6 m)

Sandglöckchen (Jasione), Gattung der Glockenblumengewächse mit meist blauen Blüten in endständigen Köpfchen. In Stein- und Heidegärten wird oft das **Ausdauernde S.** (Jasione laevis) mit blaulilafarbenen Blütenköpfchen kultiviert.

Sandgräber (Maulwurfsratten, Bathyergidae), Familie ausschl. in Afrika verbreiteter Nagetiere; unterirdisch lebende Tiere mit ausgeprägten Anpassungen an ihre Lebensweise, z.B. gedrungener Körper, kleine Augen.

Sandhose, der →Sandwirbel.

San Diego [sæn dɪˈeɪgəʊ], Stadt und Seebad in S-Kalifornien, USA, an einer haffartigen Bucht des Pazif. Ozeans, nahe der Grenze zu Mexiko, 1,15 Mio. Ew.; drei Univ., Colleges, Salk-Inst. für biolog. Forschungen; bed. zoolog. Garten, Ozeanarium, Museen; Militär- und Marinestützpunkt; elektron., Luftfahrtind., Obst- und Fischkonservenind.; guter Naturhafen; reger Fremdenverkehr. – Spanisch geprägte Altstadt mit einigen histor. Gebäuden. – 1769 von Spaniern gegründet.

Sandkraut: Quendelblättriges Sandkraut (Höhe 5–30 cm)

Sandinistische Nationale Befreiungsfront (span. Frente Sandinista de Liberación Nacional), Abk. **FSLN,** 1962 gegr. Befreiungsbewegung in →Nicaragua, benannt nach César Augusto Sandino (*1895, ermordet 1934), der 1927 gegen die amerikan. Truppen in Nicaragua kämpfte; die FSLN führte 1979 den Sturz des Diktators A. Somoza Debayle herbei und war bis 1990 unter D. Ortega Saavedra Regierungspartei.

Sandkraut (Arenaria), Gattung der Nelkengewächse, niedrige Kräuter oder Halbsträucher. Die mitteleurop. Art **Quendelblättriges S.** (Arenaria serpyllifolia), 5–30 cm hoch, mit weißen Blütchen, wächst auf trockenen Böden.

Sandlaufkäfer: Mantichora scabra (Größe bis zu 70 mm)

Sandlaufkäfer (Tigerkäfer, Cicindelidae), Käferfamilie aus der Unterordnung Adephaga, bes. in warmen Ländern verbreitet; 8–35 mm lang, nur die schwarzen Arten der Gattung Mantichora (z.B. Mantichora scabra) aus Trockengebieten Afrikas werden bis zu 70 mm lang. S. sind sehr flinke Läufer, die ihre Beute blitzschnell überfallen. Die Larven lauern in senkrechten Erdröhren auf vorbeikommende Beute.

Sandomierz [-mjɛʃ], Stadt in der Wwschaft Tarnobrzeg, Polen, an der Weichsel, 23 900 Ew.; kath. Bischofssitz, Diözesanmuseum; Flachglashütte, Metallind., Flusshafen und -werft. – Dominikanerkirche (13. Jh.), got. Kathedrale (14. Jahrhundert). – S., eine der ältesten Städte Polens, erhielt vor 1227 Magdeburger Stadtrecht.

Sandoz AG [sãˈdo-], →Novartis AG.

Adele Sandrock

Sandpapier (Schmirgelpapier), mit Glasstaub, Sand- oder Quarzkörnern beschichtetes Papier zum →Schleifen.

Sandpflanzen (Psammophyten), Pflanzen, die auf Sandwüsten und Dünen wachsen, z.B. Strandhafer, Strandmiere, Sandsegge; verfestigen durch ihre Wurzeln und sich verzweigenden Sprosse den Untergrund.

Sandpier (Köderwurm, Arenicola marina), bis 40 cm langer Meeresringelwurm, der im Sand der Gezeitenzone in einer selbst gegrabenen, u-förmigen Röhre lebt. Der S. wird als Angelköder verwendet.

Sandrart, Joachim von, Maler und Kunstschriftsteller, *Frankfurt am Main 12.5. 1606, †Nürnberg 14. 10. 1688; schrieb »L'Academia Tedesca della … oder Teutsche Academie der Edlen Bau-, Bild- und Mahlerey-Künste…« (2 Bde., 1675–79), eine der wichtigsten Quellen zur dt. Barockkunst.

Sanduhr: Die oberen vier Gläser zeigen den Ablauf der vollen Stunden an, die unteren den von Viertelstunden (Ende des 17. Jh.; Kassel, Museum für Astronomie und Technikgeschichte)

Sandrock, Adele, Schauspielerin niederländ. Herkunft, *Rotterdam 19. 8. 1864, †Berlin 30. 8. 1937; Charakterdarstellerin u.a. am Burgtheater in Wien und am Dt. Theater Berlin, v.a. in klass. Dramen, später in Filmen (»Der Kongreß tanzt«, 1931; »Die engl. Heirat«, 1934).

Sandsack, *Boxen:* Trainingsgerät zur Erhöhung von Schlagkraft, Technik und Ausdauer; ein etwa 1 m langer, mit Sand, Kies oder Maiskörnern gefüllter Ledersack, der in Höhe des Oberkörpers frei aufgehängt ist.

Sandschak [türk.] *der,* urspr. Standarte als Zeichen der Souveränität, im Osman. Reich auf die Amtsbezirke des Staates übertragener Name (bis 1921 Bez. für eine Unterprovinz (Präfektur, Reg.-Bez.), z.B. der S. von Novi Pazar.

Sandschak-e Scherif [türk. »edles Banner«] *der,* das in Istanbul aufbewahrte angebl. Banner Mohammeds.

Sandschliff (Windschliff), eine Form der →Korrasion.

Sandstein, aus Sand bestehendes Sedimentgestein, das durch kalkiges, kieseliges oder toniges Bindemittel diagenetisch verfestigt ist. Nach dem Hauptgemengeteil werden Quarz- und Kalk-S., nach den Nebengemengeteilen Arkose-S. (Feldspat) und Grauwacke (Feldspat und Gesteinstrümmer) unterschieden. S. ist weit verbreitet und wird als Bau- und Werkstein verwendet. Durch seine Porosität ist er ein guter Grundwasserleiter und als Erdgas- und Erdölspeichergestein bedeutend.

Sandstrahlen, ein →Strahlverfahren, bei dem feiner Quarzsand mit der Druckluft auf die zu behandelnde Fläche geschleudert (»gestrahlt«) wird.

Sandsturm (Staubsturm), Sand (Staub) führender Sturm in Trockengebieten (Chamsin, Samum), wobei der Staub bis zu 3 km hoch aufgewirbelt und weit transportiert werden kann; Sand wird nur bis zu 20 m hoch aufgewirbelt und lagert sich bald ab.

Sand|uhr, altes Zeitmessgerät. Ein doppelkegelförmiges, geschlossenes Glasgefäß enthält feinen Sand, der durch eine Gefäßverengung in vorgesehener Zeit vom oberen in den unteren Glaskolben rieselt; Symbol der unwiederbringlich dahinfließenden Zeit und des Todes.

Sandviper, Giftschlange →Vipern.

Sandwespen (Ammophila), Gattung schlanker Grabwespen mit stielartig dünnen ersten beiden Hinterleibssegmenten. S. tragen als Larvennahrung durch einen Stich gelähmte Raupen in ihr Nest ein, z.B. die etwa 2 cm lange Art **Ammophila sabulosa.**

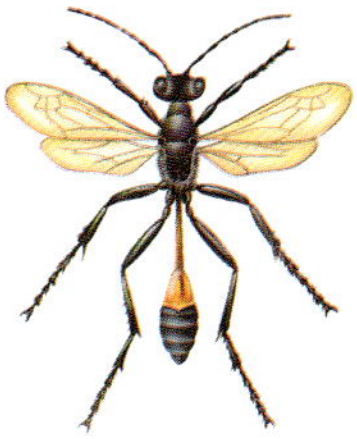

Sandwespen: Ammophila sabulosa (Körperlänge etwa 2 cm)

Sandwich ['zɛntvɪtʃ; nach J. Montagu, 4. Earl of S., *1718, †1792] *das* oder *der,* zwei dünne, gebutterte Weißbrotscheiben, zw. die Fleisch, Wurst, Käse, ein Salatblatt o.Ä. gelegt ist.

Sandwichbauweise ['zɛntvɪtʃ-], im Leicht-, bes. Flugzeugbau, und in der Bautechnik angewendete Bauweise zur Ersparnis von Masse, zur Erhöhung der Formsteifigkeit sowie zur Wärme- und Schalldämmung. Zwischen zwei Deckschichten **(Sandwichplatten)** aus Stahlblech, Aluminium, Pressplatten, Kunststoffen u.a. wird ein zwischenliegender Stützkern (Kernschicht) aus einem Werkstoff geringer Dichte (Hartschaumstoff, Balsaholz, metall. oder nichtmetall. Wabenwerkstoff) eingebracht.

Sandwich Islands ['sænwɪtʃ 'aɪləndz], **1)** früherer Name der Hawaii-Inseln (→Hawaii).

2) antarkt. Inselgruppe, →Süd-Sandwich-Inseln.

Sandwichverbindungen ['zɛntvɪtʃ-], *Chemie:* Komplexverbindungen, in denen das Atom eines Übergangsmetalles zw. zwei Ringmolekülen mit aromat. Charakter (z.B. Cyclopentadien, Benzol) eingebettet ist, z.B. Ferrocen.

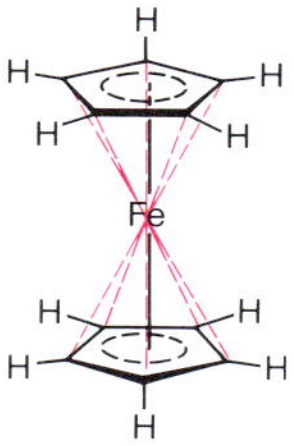

Sandwichverbindungen: Ferrocen

Sandwirbel (Sandhose, Staubwirbel), Luftwirbel mit vertikaler Achse kleinen Ausmaßes in der unteren Atmosphäre. S. können über stark erhitztem Boden durch Aufstrudeln der Bodenluft entstehen und dabei Sand, Staub o.Ä. mitreißen. (→Trombe)

San Fernando, Hafenstadt an der Bucht von Cádiz, auf der vom Festland durch einen 7 km langen Meeresarm getrennten Felsinsel Isla de Léon, SW-Spanien, 83 900 Ew.; Sitz der span. Kriegsmarine mit Observatorium; Werften, Waffenproduktion; in der Umgebung ausgedehnte Salzgärten.

Sanforisieren [nach dem amerikan. Fabrikanten Sanford L. Cluett, *1874, †1968], Verfahren, um Gewebe krumpfecht (→Krumpfen) zu machen.

San Francisco [sæn frən'sɪskəʊ] (volkstüml. Kurzform Frisco), Stadt in Kalifornien, USA, auf einer bis 283 m hohen, 50 km langen und 10 km breiten Landzunge zw. dem Pazifik und der bis 20 km breiten San Francisco Bay, südlich der beide verbindenden Meeresstraße Golden Gate, 734 700 (als Metrop. Area 6,25 Mio.) Ew.; Sitz eines kath. Erzbischofs, vier Univ., bed. Museen (u.a. das S. F. Museum of Modern Art), Theater, Opernhaus, Sinfonieorchester, zoolog. Garten; wichtigster Finanz- und Handelsplatz an der W-Küste der USA, führend im Asienhandel Nordamerikas; Werften, Kraftfahrzeugbau, Luft- und Raumfahrtind., Erdölraffinerien, Nahrungsmittelind., Druckereien und Verlage; bed. Fremdenverkehr (Hauptanziehungspunkte sind neben der schönen Lage das Fischereihafengelände Fisherman's Wharf und die Gefängnisinsel Alcatraz). Über die Meeresstraße Golden Gate führt seit 1937 die damals größte Hängebrücke der Welt, die Golden Gate Bridge (Stützweite 1280 m; →Golden Gate); mit den gegenüberliegenden Städten Oakland und Berkeley durch ein Schnellbahnnetz (mit Unterwassertunneln) verbunden. Die großen Steigungen innerhalb des Stadtgebietes überwindet die Cable Car (seilgezogene Straßenbahn, seit 1873); internat. Flughafen. – 1776 als span. Missionsstation errichtet (S. F. de Asís), neben der sich die Siedlung Yerba Buena bildete; 1821–47 in mexikan. Besitz, 1848 in S. F. umbenannt und an die USA abgetreten. Nach Zerstörung durch Erdbeben und Großfeuer (1906) erfolgte ein rascher Wiederauf-

San Francisco: Blick über die Innenstadt mit der 1968–72 erbauten, 260 m hohen Transamerica Pyramid (links) auf die San Francisco Bay (im Hintergrund); die seit 1873 verkehrende Cable Car ist eine Straßenbahn, bei der sich der motorlose Wagen mithilfe eines Greifers an ein unter der Straßenoberfläche verlaufendes endloses Stahlzugseil anhängt (rechts)

Frederick Sanger

Eugen Sänger

Sangerhausen 2) Stadtwappen

bau, bei dem architekton. Meisterwerke entstanden, u.a. die City Hall (1912–15). – Auf der **Konferenz von S. F.** (25. 4.–26. 6. 1945) wurde die Charta der UN beschlossen. Der **Frieden von S. F.** (8. 9. 1951) beendete den 2. Weltkrieg zw. Japan und seinen Gegnern (außer der UdSSR und ihren Verbündeten).

🕮 WAFFENDER, M.: *S. F. Ein Reisebuch in den Alltag. Neuausg. Reinbek 33.–36. Tsd. 1993. – S. F. Traumstadt am Pazifik, hg. v.* A. SHUGAAR. *A. d. Engl. Stuttgart u. a. 1995.*

Sänfte *die,* ein von Menschen oder Tieren getragenes Gestell zur Personenbeförderung, bei Babyloniern, Ägyptern, Römern und Chinesen gebräuchlich; im europ. MA. war sie im 17. Jh. als **Portechaise** (»Tragstuhl«) verbreitet.

Sanga [amharisch] *der,* ostafrikan. Hausrinderrasse mit starkem Höcker auf dem Vorderrücken.

Sanga *der* (Sangha), rechter Nebenfluss des Kongo, rd. 600 km lang, entspringt in den südl. Kamerunbergen, Zentralafrikan. Rep., durch Zusammenfluss von Mambéré und Kadéi, mündet in der Rep. Kongo; schiffbar.

Sangallo (da Sangallo), italien. Baumeister- und Bildhauerfamilie aus Florenz. – Bed. Vertreter: **1)** Antonio d. Ä., eigtl. A. Giamberti, *Florenz 1455, †ebd. 27. 12. 1534, Bruder von 3), Onkel von 2); schuf mit der Kirche Madonna di San Biagio in Montepulciano (1518–29, Kuppelbau über grch. Kreuz) den vollkommensten Zentralbau der Renaissance.

2) Antonio d. J., eigtl. A. Cordiani, *Florenz um 1483, †Terni 3. 8. 1546, Neffe von 1) und 3); leitete nach Raffaels Tod den Bau der Peterskirche. Sein Hauptwerk ist der Palazzo →Farnese in Rom.

3) Giuliano, eigtl. G. Giamberti, *Florenz 1445, †ebd. 20. 10. 1516, Bruder von 1), Onkel von 2); baute, die Gedanken →Brunelleschis weiterentwickelnd, die Kirche Madonna delle Carceri in Prato (erster Kuppelbau der Renaissance über grch. Kreuz, 1485–91), die Villa Medicea in Poggio a Caiano bei Florenz (1480–85), wirkte als päpstl. Architekt in Rom (1514/15 Bauleiter der Peterskirche).

San Gimignano: Die aus dem 12.–14. Jh. stammenden Geschlechtertürme dienten den mächtigen Familien als Zufluchtsorte und sollten außerdem ihr Ansehen vergrößern

Sangarédi, Bergbaustadt im W der Rep. Guinea mit einem der reichsten Bauxitlager der Erde; Eisenbahn zum Hafen Kamsar.

Sanger ['sæŋə], Frederick, brit. Biochemiker, *Rendcombe (Cty. Gloucestershire) 13. 8. 1918; erhielt für die Aufklärung der Struktur des Insulins 1958 den Nobelpreis für Chemie und für Untersuchungen zur Basensequenz in Nucleinsäuren 1980 erneut den Nobelpreis für Chemie (mit P. Berg und W. Gilbert zusammen).

Sänger, Eugen, Raketen- und Raumfahrtforscher, *Preßnitz (heute Přísečnice, bei Komotau) 22. 9. 1905, †Berlin 10. 2. 1964; machte bereits um 1930 Raketenversuche, wurde 1956 Vors. der Dt. Gesellschaft für Raketentechnik und Raumfahrt.

Sangerhausen, 1) Landkreis im RegBez. Halle, Sa.-Anh., (1996) 690 km² und 71500 Einwohner.

2) Krst. von 1) in Sa.-Anh., im südöstl. Harzvorland, 28700 Ew.; Rosarium (15 ha), Rosenmuseum, Spenglermuseum; Maschinen- und Fahrradbau, Bekleidungs-, Nahrungsmittelind.; der seit 1951 wirtschaftsbestimmende Kupferschieferbergbau wurde 1990 eingestellt. – Roman. Ulrichskirche, Altes (um 1446, Ruine) und Neues Schloss (1586, 1616–22). – 991 erstmals erwähnt; seit 1260 Stadt.

Sängerknötchen (Schreiknötchen), stecknadelkopfgroße Knötchen auf den Stimmbändern infolge Überanstrengung der Stimme, häufig berufsbedingt, mitunter auch bei Kleinkindern.

Sängerkrieg auf der Wartburg, →Wartburgkrieg.

San Germano [-dʒer'ma:no], bis 1871 Name von →Cassino.

San Gimignano [-dʒimi'ɲa:no], Stadt in der Toskana, Italien, Prov. Siena, 7000 Ew.; Fremdenverkehr. – Die Stadt zeigt eine von Geschlechtertürmen (12.–14. Jh.) bestimmte Silhouette; mittelalterl. Stadtmauer, Dom (12. Jh.) und Paläste. Das histor. Zentrum wurde von der UNESCO zum Weltkulturerbe erklärt.

San Giuliano Terme [-dʒu'lia:no-] (bis 1935 Bagni San Giuliano), Gemeinde und Heilbad in der Toskana, Italien, Prov. Pisa, am Fuß des Monte Pisano, 28200 Ew.; schwefel- und kalkhaltige Thermen (34–41 °C).

Sangria [span.] *die,* bowlenähnl. span. Getränk aus Rotwein, Fruchtstücken (Zitrusfrüchte), auch Fruchtsaft und Weinbrand.

Sanguineti, Edoardo, italien. Schriftsteller, *Genua 9. 12. 1930; Prof. für italien. Lit. in Genua; gilt als Haupt des avantgardist. »Gruppo '63«;

schrieb Gedichte, literaturkrit. Werke und Romane (»Capriccio italiano«, 1963; »Das Gänsespiel«, 1967).

Edoardo Sanguineti

Sanguinetti, Julio María, uruguayischer Politiker, * Montevideo 6. 1. 1936; Journalist, Mitgl. der Colorado-Partei, wandte sich nach dem Putsch 1973 gegen die Militärherrschaft. 1983 wurde er Gen.-Sekr. seiner Partei. Nach der Militärdiktatur war er 1985-90 Staatspräsident (erneut seit 1995).

Julio María Sanguinetti

Sanguiniker [zu lat. sanguis »Blut«] *der,* einer der vier Persönlichkeitstypen der antiken Temperamentenlehre (Hippokrates, Galen); leicht ansprechbarer, erregbarer, unbeständiger Mensch.

Sanherib, assyr. König (704–681 v. Chr.), Sohn und Nachfolger Sargons II., eroberte Babylon, Sidon und Jaffa, ließ Assur und seine neue Residenz Ninive prachtvoll ausbauen; 681 ermordet.

Sanidin [grch.] *der,* ein monokliner Kalifeldspat (→ Feldspäte).

Sanierung [lat.], **1)** *Betriebswirtschaftslehre:* ökonom., organisator., finanzielle und rechtl. Maßnahmen zur Abwendung des Konkurses wegen drohender dauerhafter Zahlungsunfähigkeit oder hoher Verluste. S.-Konzepte sollen v. a. die Ursachen für Fehlentwicklungen, die im innerbetriebl. Bereich (zu hohe Produktionskosten) liegen oder durch äußere Faktoren (Nachfragerückgang) bedingt sein können, beseitigen. Dies kann u. a. durch Veränderung des Produktionsprogramms, Änderung der Organisations- und Personalstruktur, Auswechslung des Managements, Verkauf von bes. verlustbringenden Unternehmensteilen geschehen. Bei finanzwirtsch. Problemen können Maßnahmen wie Herabsetzung des Grund- oder Stammkapitals, Zuführung neuen Kapitals, Stundung oder Ersetzung kurzfristiger Verbindlichkeiten in langfristiges Fremdkapital ergriffen werden.

2) *Städtebau:* (Stadt-S.) die Gesamtheit aller städtebaul. Maßnahmen, die v. a. der Verbesserung der Wohn- und Lebensbedingungen städt. Bev.gruppen in älteren Wohnvierteln dienen sollen (Restaurierung oder Abriss und Neuaufbau).

Sanikel *der* (Sanicula), Gattung der Doldenblütler; in Dtl. verstreut in Laub- und Mischwäldern der 20–50 cm hohe **Gewöhnl. S. (Europ. S., Heildolde,** Sanicula europaea) mit handförmigen Blättern; Blüten weiß oder rötlich, in kleinen Dolden. Die Blätter und Wurzelstöcke enthalten Saponine, Bitter- und Gerbstoffe.

Sanitäter, ausgebildeter Helfer in erster Hilfe, tätig für das Rote Kreuz u. a. zivile Gesundheitsdienste bei Unfällen, Krankentransporten und in Katastrophenfällen.

Sanitätsdienst, *Militärwesen:* die Gesamtheit der Personen, Hilfsmittel und Maßnahmen, die die Erhaltung, Förderung und Wiederherstellung der Gesundheit des Soldaten zum Ziel haben. Im Krieg steht der S., mit dem Roten Kreuz (oder entsprechenden Symbolen) gekennzeichnet, unter dem besonderen Schutz des Völkerrechts (Genfer Konvention vom 12. 8. 1949). In den dt. Streitkräften bildet der S. einen eigenständigen Bereich (→ Bundeswehr).

Sanitätsrat, bis 1918 in Dtl. verliehener Ehrentitel für verdiente Ärzte, seit 1945 wieder in einigen Ländern der Bundesrep. Dtl. eingeführt. In *Österreich* beratendes und begutachtendes Organ im Gesundheitsministerium.

San Joaquin [sæn wɔˈkiːn] *der,* Fluss in Kalifornien, USA, 563 km lang, entspringt in der Sierra Nevada, durchfließt das südl. Kaliforn. Längstal und mündet mit dem Sacramento River in die Bucht von San Francisco; dient der Bewässerung.

San José [saŋxoˈse], **1)** Hptst. von Costa Rica, 1160 m ü. M. im zentralen Hochbecken am Fuß der Zentralkordillere; 313 400 Ew.; Erzbischofssitz, drei Univ.; wichtigstes Handels- und Ind.zentrum des Landes; internat. Flughafen. – 1736 gegr., wurde 1823 Hauptstadt.

San José 1)
Stadtwappen

2) [sæn (h)əʊˈzeɪ], Stadt und Winterkurort in Kalifornien, USA; 816 900 Ew.; Univ., Museen; Obstbau und -verarbeitung, Hightech-Ind. (S. J. liegt am Rande des Silicon Valley).

3) San José de Cúcuta, Stadt in Kolumbien, → Cúcuta.

San-José-Schildlaus [saŋxoˈse-] (Quadraspidiotus perniciosus), Abk. **S. J. S.,** aus Ostasien (Amurgebiet) stammende, über Kalifornien weltweit verschleppte Deckelschildlaus. Die unter einem schwärzl. Rundschild von 1 bis 2 mm Durchmesser sitzenden Weibchen sind bein- und augenlos, die etwa 1 mm langen, orangeroten Männchen sind geflügelt. Gefährl. Schädling auf Stein-, Kern- und Beerenobst, auch auf Zier- und Nutzgehölzen sowie auf einigen Stauden.

San Juan 1): Das bis auf das Jahr 1539 zurückgehende Castillo de San Felipe del Morro ist die älteste Festung der Stadt

San Juan [-ˈxu̯an], **1)** Hptst. von Puerto Rico, an der N-Küste, 443 400 Ew.; Kulturzentrum mit Univ., Erzbischofssitz, zugleich wichtigster Wirtschafts-, Handels- und Fremdenverkehrsort sowie

Haupthafen der Insel; Erdölraffinerie, chemisch-pharmazeut., elektron., Metall-, Nahrungs- und Genussmittelind.; internat. Flughafen. – Die auf einer Insel gelegene Altstadt (v.a. 16.–19. Jh.) und der Gouv.-Palast La Fortaleza (1846) wurden von der UNESCO zum Weltkulturerbe erklärt. Die Altstadt wird im W beherrscht vom Castillo de San Felipe del Morro (1539, 1783 umgebaut), das aus sechs übereinander liegenden Wehranlagen (bis 43 m ü. M.) und einem System unterird. Gänge besteht. – S. J. wurde 1521 von den Spaniern gegründet.

2) Provinz-Hptst. in Argentinien, am Fuß der Vorkordillere, 119 500 Ew.; Erzbischofssitz; Univ., Erdbebenwarte; Weinkellereien, Konservenfabriken.

Sankey-Diagramm ['sænkɪ-; nach dem ir. Ingenieur H. R. Sankey, *1853, †1921], die graf. Darstellung des Energieflusses im Verlauf eines techn. Prozesses, erfasst Energieausnutzung und -verluste.

Sankt [lat.], Abk. **St.,** heilig (vor Namen).

Sankt Andrä, Stadt in Kärnten, Österreich, im mittleren Lavanttal, 10 600 Ew.; Fremdenverkehr. – Wallfahrtskirche Maria-Loreto (1683-87), kath. Pfarrkirche (ehem. Bischofskirche, 14. und 15. Jh.). – Erhielt 1335 Stadtrecht.

Sankt Andreasberg (Bergstadt S. A.), Stadt im Landkreis Goslar, Ndsachs., im Oberharz, 650 m ü. M., 2 600 Ew.; heilklimat. Kurort und Wintersportplatz; histor. Silbererzbergwerk mit Heimatmuseum; Apparate- und Gerätebau. S. A. war Zentrum der Harzer Kanarienvogelzucht (»Harzer Roller«); seit dem 13. Jh. Bergbau auf Blei- und Silbererz (1910 eingestellt).

Sankt Anton am Arlberg, Gemeinde im Bezirk Landeck, Tirol, Österreich, 1 300 m ü. M., 2 300 Ew.; Skimuseum; bed. Wintersportplatz im Stanzer Tal an der Arlbergstraße und -bahn; Seilbahnen, Sprungschanze.

Sankt Augustin, Stadt im Rhein-Sieg-Kreis, NRW, 55 000 Ew.; Theolog. Hochschule (der Steyler Mission; mit Völkerkundemuseum), FH Rhein-Sieg; Sitz von zahlr. Instituten und Fachverbänden, u. a. Konrad-Adenauer-Stiftung; Bundeswehreinrichtungen; Computerindustrie; Flugplatz Bonn-Hangelar.

Sankt Blasien

Das Kloster Sankt Blasien ging im 10. Jahrhundert als eigenständige Benediktinerabtei aus der 858 von Rheinau aus gegründeten »Cella Alba« hervor. 1361 kam Sankt Blasien unter österreichische Herrschaft. Sein Territorialbezirk im Schwarzwald und im Breisgau sowie die 1613 gekaufte Herrschaft, die den Abt zu einem schwäbischen Reichsgrafen machte, verschafften dem Kloster einen bedeutenden politischen Einfluss. 1786 wurde der Abt in den Reichsfürstenstand erhoben. Nach der Säkularisierung (Aufhebung der Klöster) fiel Sankt Blasien 1806 an Baden.

Die 1727–42 geschaffene barocke Vierflügelanlage der Abtei brannte 1768 ab. Die klassizistische Klosterkirche St. Blasius wurde von Michel d'Ixnard zwischen 1770 und 1783 erbaut, ihre Kuppel ist mit einem Durchmesser von 32 m die drittgrößte der Erde.

Sankt Blasien: Die Kuppel der 1770–83 nach Plänen des französischen Baumeisters Michel d'Ixnard erbauten Klosterkirche Sankt Blasius ist mit einem Durchmesser von 32 m die drittgrößte der Erde

Sankt Avold (frz. Saint-Avold), Stadt in Lothringen, Frankreich, im Dép. Moselle, an der Rossel, 17 100 Ew.; Kunststoff-, Chemiefaser- und chem. Ind., Maschinenbau; Großkraftwerk.

Sankt Bartholomä, Wallfahrtskirche am →Königssee.

Sankt Bernhard, zwei Alpenpässe, →Großer Sankt Bernhard, →Kleiner Sankt Bernhard. (ÜBERSICHT Alpenstraßen)

Sankt Blasien, Stadt im Landkreis Waldshut, Bad.-Württ., heilklimat. und Kneippkurort im südl. Schwarzwald, 762 m ü. M., 4 400 Ew.; Herstellung von Schneeräumgeräten und Kunststoffartikeln. Im Ortsteil **Menzenschwand** Uranerzvorkommen (Abbau 1965–90). – Ehem. Benediktiner-Fürstabtei (948 gegr., seit 1934 Jesuitengymnasium) mit klassizist. Kuppelkirche Sankt Blasius (1768–83; restauriert 1874 und 1977), deren Kuppel die drittgrößte der Welt ist.

Sankt Florian (früher Markt S. F.), Marktgemeinde im Bezirk Linz-Land, Oberösterreich, 5 100 Ew.; Museen; Herstellung von Bauernmöbeln. – Das im 8. Jh. entstandene Kloster wurde 1071 Augustinerchorherrenstift.; barocke Stiftsbauten (1686–1708, u. a. von J. Prandtauer), Stiftskirche mit Brucknerorgel, Bibliothek.

Sankt Gallen, 1) Kanton der Schweiz, 2 014 km², (1995) 442 400 Ew. (überwiegend deutschsprachig); Hptst. ist St. Gallen; erstreckt sich vom Bodensee im N über das Toggenburg bis zum oberen Zürichsee, umfasst im O die linke Seite des

Alpenrheintals, einen Teil des Säntis (2501 m ü. M.) und reicht über die Churfirsten (2306 m ü. M.) und den Walensee bis in die Glarner Alpen. Vorherrschend ist die Viehhaltung, v. a. Milchwirtschaft; in den Tälern, bes. im Rheintal, werden Gemüse, Mais, Tabak und Wein angebaut. Der Kanton ist traditionell ein Zentrum der Textilind., ferner Gießereien, Maschinen- und Apparatebau; bed. Fremdenverkehr. – 1803 errichtet.

2) Hptst. von 1), im Alpenvorland, südlich des Bodensees, 75200 Ew.; kath. Bischofssitz; Hochschulen für Wirtschafts-, Rechts- und Sozialwiss. sowie für klin. Medizin, Fachschulen, Museen, Theater, botan. Garten; jährlich Messe für Land- und Milchwirtschaft; Textilind., Maschinenbau. – Im Mittelpunkt der Stadt liegt die ehem. Benediktinerabtei (UNESCO-Weltkulturerbe). Die barocken Bauten – Stiftskirche, Klostergebäude, Stiftsbibliothek (1755–61) – wurden von P. Thumb, J. M. Beer u. a. geschaffen. – An der Stelle der um 612 entstandenen Einsiedelei des hl. Gallus wurde um 719 eine Abtei gegründet (9.–11. Jh. Blüte auf kulturellem Gebiet); seit 1206 galt der Abt als Reichsfürst. 1454 wurde die Stadt zugewandter Ort der Eidgenossenschaft; 1798 Ende der Stiftsherrschaft; ab 1803 Hptst. des Kantons; 1805 Aufhebung des Klosters.

Sankt Georgen im Schwarzwald, Stadt im Schwarzwald-Baar-Kreis, Bad.-Württ., an der Quelle der Brigach, 862 m ü. M., 14200 Ew.; Fremdenverkehrsort (Wintersport); Uhren-, feinmechan. Ind., Maschinenbau.

Sankt-Georgs-Kanal (engl. Saint George's Channel), Meeresstraße zwischen Wales und Irland, 80–150 km breit, verbindet die Irische See mit dem Atlantik.

Sankt Gilgen, Gemeinde im salzburg. Salzkammergut, Österreich, am W-Ufer des Sankt-Wolfgang-Sees; 546 m ü. M., 3400 Ew.; Holzind.; Fremdenverkehr.

Sankt Goar, Stadt im Rhein-Hunsrück-Kr., Rheinl.-Pf., am linken Mittelrheinufer, 3300 Ew.; Weinbau; Schiffbau, Winterhafen; reger Fremdenverkehr. – Spätgot. Stiftskirche (Wandmalereien); oberhalb die Burg →Rheinfels. – Vor 1264 Stadtrecht; seit 1568 durch den Ausbau der Festung Rheinfels gesichert.

Sankt Goarshausen, Stadt im Rhein-Lahn-Kr., Rheinl.-Pf., am rechten Ufer des Mittelrheins, 1600 Ew.; Weinbau; Fremdenverkehr. – Rathaus (1532), Stadtbefestigung. Oberhalb die Burgen Katz (→Katzenelnbogen) und Maus, stromaufwärts die →Lorelei. – Anfang 13. Jh. erstmals erwähnt, 1324 Stadtrecht.

Sankt Gotthard, 1) *der* (italien. San Gottardo), Pass unter dem Gotthardmassiv, ÜBERSICHT Alpenstraßen.

2) (ungar. Szentgotthárd), Ort im Bez. Vas, SW-Ungarn, im Raabtal an der ungarisch-österr. Grenze, 8200 Ew. – Bei S. G. siegten die kaiserl. Truppen unter Fürst R. Montecuccoli am 1. 8. 1664 über die Türken.

Sankt Helena (engl. Saint Helena), brit. Insel im südl. Atlant. Ozean, 122 km², (1997) 5600 Ew.; Hauptort und Hafen ist Jamestown. Die Insel ist vulkan. Ursprungs, bis 823 m ü. M., mit ozeanisch mildem Klima; weitgehend Grasland; Anbau von Getreide, Kartoffeln u. a.; Viehzucht und Fischfang. – 1502 von Portugiesen entdeckt; 1659 von der engl. Ostind. Kompanie erworben; seit 1834 brit. Kronkolonie (zus mit den Inseln Ascension und Tristan da Cunha). Hier lebte 1815–21 Napoleon I. als Gefangener.

📖 MARQUET, M.: *S. H. – Insel ohne Geschichte? Wien 1986.*

Sankt Immer, dt. Name für →Saint-Imier.

Sankt Ingbert (amtlich St. Ingbert), Stadt im Saar-Pfalz-Kr., Saarland, 40800 Ew.; Fraunhofer-Inst. für Medizintechnik und Mikrosystemtechnik; Stahl-, Eisenverarbeitung, Autozulieferind., Brauerei; bis 1956 Kohlebergbau. – S. I. wurde 888 erstmals urkundlich erwähnt; seit 1829 Stadt.

Sanktion [lat. »Heilung«; »Strafandrohung«] *die,* **1)** *Recht:* die Androhung eines Rechtsnachteils, die dem Gesetzesgebot zu effektiver Geltung verhelfen soll; im Staatsrecht früher auch ein wichtiges Staatsgesetz (→Pragmatische Sanktion). Im Völkerrecht wirtsch. oder polit. staatl. Maßnahmen gegenüber einem anderen Staat zur Unterbindung von Völkerrechtsverletzungen oder Durchsetzung von Wiedergutmachungsansprüchen. Nach Art. 39 ff. UN-Charta werden unter S. kollektive Maßnahmen gegen ein Völkerrechtssubjekt im Falle einer Friedensbedrohung, bei Angriffshandlungen oder (Art. 94) bei Nichtbefolgen einer Entscheidung des Internat. Gerichtshofes bezeichnet.

2) *Soziologie:* die von der Gesellschaft oder von ihren einzelnen Gruppen getroffenen oder in Aussicht gestellten Maßnahmen zur Anerkennung, Bestätigung oder Korrektur des Verhaltens von Einzelnen oder Gruppen. Sie kann positiver (Belobigung, Preis- und Ordensverleihung, soziale Chancen) oder negativer Art (Tadel, Strafe, Zwang, Ausschluss, Degradierung) sein und ist ein Mittel der sozialen →Kontrolle.

Sankt Joachimsthal, Stadt in der Tschech. Republik, →Jáchymov.

Sankt Johann, 1) S. J. im Pongau, Bezirkshauptort im Bundesland Salzburg, Österreich, an der Salzach, 615 m ü. M., 8900 Ew.; Textildruckerei, Polstermöbelfabrik; Fremdenverkehr (Liechtensteinklamm mit 80 m hohem Wasserfall).

2) S. J. in Tirol, Marktgemeinde im Bezirk Kitzbühel, Tirol, Österreich, an der Kitzbüheler

Sankt Gallen 1)
Kantonswappen

Sankt Gallen 2)
Stadtwappen

Ache, 660 m ü. M., 7200 Ew.; Bundesfachschule für Fremdenverkehr; Holzind.; Fremdenverkehr; Verkehrsknotenpunkt.

Sankt Leonhard im Lavanttal, Bad, → Bad Sankt Leonhard im Lavanttal.

Sankt-Lorenz-Golf (engl. Gulf of Saint Lawrence), Randmeer des Atlant. Ozeans an der Ostküste Nordamerikas, mit dem Mündungstrichter des Sankt-Lorenz-Stroms.

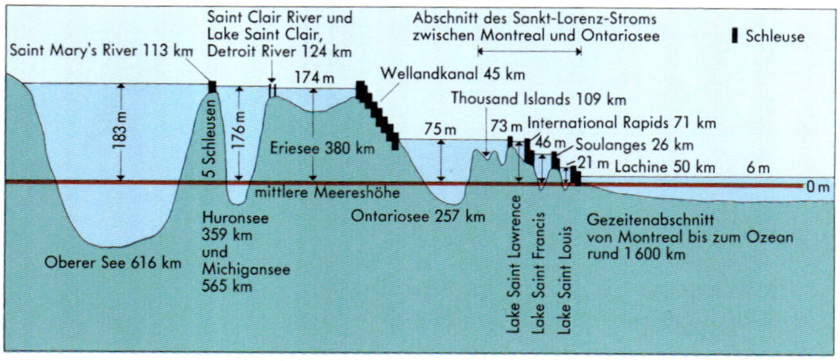

Sankt-Lorenz-Seeweg (schematische Darstellung)

Sankt-Lorenz-Seeweg (engl. Saint Lawrence Seaway), 1951/54–1959 von den USA und Kanada gemeinsam eingerichteter Großschifffahrtsweg in Nordamerika, ermöglicht die Schifffahrt zw. den Großen Seen und dem Atlantik durch Ausbau (Kanäle, Schleusen, Flussvertiefungen) des → Sankt-Lorenz-Stroms zw. Ontariosee und Montreal. Dadurch ist ein durchgehender Verkehr über 3770 km bis in die Mitte des Kontinents bei einem Höhenunterschied von 184 m möglich.

Sankt-Lorenz-Strom (engl. Saint Lawrence River), Strom im östl. Nordamerika, 1287 km lang, mit dem Saint Louis River (Minnesota, USA) und der Durchquerung der Großen Seen ergibt sich eine Gesamtlänge von 4023 km; bildet bis oberhalb Montreal die Grenze zw. den USA und Kanada und fließt dann auf kanad. Boden. Nach seinem Ausfluss aus dem Ontariosee bildet er mehrfach von Kanälen umgangene Stromschnellen und -inseln. Bei Quebec beginnt der lange Mündungstrichter, der sich bis auf 150 km verbreitert und dann in den Sankt-Lorenz-Golf übergeht.

Sankt Petersburg
Stadtwappen

Sankt Märgen, Gemeinde im Landkreis Breisgau-Hochschwarzwald, Bad.-Württ., im südlichen Schwarzwald, 889 m ü. M., 1900 Ew.; Luftkurort. – Entstand um das 1118 gegr. Augustinerkloster (1806 aufgehoben).

Sankt Moritz [auch -mo'rıts] (bündnerroman. San Murezzan), Fremdenverkehrsort im Kt. Graubünden, Schweiz, 5400 Ew., im Oberengadin, 1810 m ü. M., am **Sankt Moritzer See** (0,78 km^2, 44 m tief); Museen; berühmter Wintersportplatz; im Ortsteil **S.-M.-Bad,** 1760 m ü. M., Heilbad (Kohlensäurequelle und Moor); Endpunkt der Albula- und Berninabahn; Bergbahnen nach Corviglia (2489 m ü. M.) und auf den Piz Nair (3057 m ü. M.).

Sankt Pauli, Stadtteil von Hamburg, Hafenviertel, mit Fischmarkt und dem Vergnügungsviertel an der Reeperbahn.

Sankt Paul im Lavanttal, Marktgemeinde im Bezirk Wolfsberg, Kärnten, Österreich, 5700 Ew.; Werkzeugfabrik. – Benediktinerstift (1091 gegr.) mit Stiftskirche (1159–92).

Sankt Peter, Gemeinde im Landkreis Breisgau-Hochschwarzwald, Bad.-Württ., am Fuß des Kandel im Hochschwarzwald, 2400 Ew.; Inst. für Sozialforschung und Betriebspädagogik; Luftkurort; Priesterseminar der Erzdiözese Freiburg in dem von den Zähringern als Hauskloster und Grablege gegr. Kloster; Bibliothek; Barockkirche (1724–27).

Sankt Peter-Ording, Gemeinde im Kr. Nordfriesland, Schlesw.-Holst., an der W-Küste der Halbinsel Eiderstedt, 4200 Ew.; Nordseeheilbad mit Schwefelsolquelle.

Sankt Petersburg (russ. Sankt-Peterburg, Kurzform Petersburg, 1914–24 Petrograd, 1924–91 Leningrad), Hptst. des Gebiets Leningrad, Russland, nach Moskau zweitwichtigstes russ. Kultur-, Wirtschafts- und Verkehrszentrum, im Mündungsdelta der Newa am Finn. Meerbusen (Ostsee), durch einen 25,4 km langen Hochwasserdamm mit Schiffsschleusen geschützt, 5,04 Mio. (eigentl. Stadtgebiet 4,84 Mio.) Ew.; Kern der Stadt ist die Peter-und-Pauls-Festung. Das Zentrum liegt links der Newa, aufgelockert durch breite Straßen (Prospekte), große Plätze und Grünanlagen; nach W schließen sich auf der Wassili-Insel das Wissenschaftsviertel, weiterhin Ind.anlagen, nach SW Molen und Hafenviertel, nach S und SO Arbeitervorstädte an. Auf der rechten Newaseite befindet sich heute das Hauptind.gebiet; Univ. (gegr. 1819), Akademie der Wiss., etwa 40 weitere Hochschulen, zahlr. Forschungsinstitute, Observatorium (→ Pulkowo), 50 Museen (bes. die Eremitage) und Galerien, etwa 2000 Bibliotheken, 13 Theater, Philharmonie u. a. Institutionen. Neben dem Bau von Schiffen, Werkzeugmaschinen, Traktoren und Turbinen haben die elektrotechnisch-elektron., Textil-, chem., opt., Nahrungsmittel- und graf. Ind. die größte Bedeutung; westlich von S. P. Kernkraftwerk (Sosnowy Bor). S. P. ist der wichtigste russ. Ostseehafen, am Endpunkt des Wolga-Ostsee-Wasserwegs, sowie ein bed. Binnenhafen und Eisenbahnknotenpunkt. Im innerstädt. Verkehr hat die U-Bahn größte Bedeutung; im S der Stadt internat. Flughafen.

Stadtbild: Drei Bauepochen verleihen der Stadt ihr unverwechselbares Erscheinungsbild: Bis 1725 entstanden erste einfache Barockbauten unter niederländisch-dt. Einfluss (Architekt D. Trezzini), bis 1760 die italien.-barocken Großbauten (Architekt B. F. Rastrelli) und 1760–1850 klassizist. Bauwerke. Als erstes größeres Bauensemble entstand seit 1703 die Peter-und-Pauls-Festung mit der Peter-und-Pauls-Kathedrale (1712–32, Umbau 1787; Turm 1751); Trezzini erbaute den Sommerpalast Peters d. Gr. (1714), ungefähr gleichzeitig mit dem Menschikow-Palast (D. Fontana und G. Schädel; um 1740 umgebaut) und der Kunstkammer (1718–34) auf der Wassili-Insel. Rastrelli schuf auf dem Südufer der Newa neben der Admiralität (1704 ff., 1806–23 von A. D. Sacharow umgestaltet) den sog. Vierten Winterpalast (1754–63; das Innere klassizistisch erneuert). Er erbaute u. a. auch das Smolny-Kloster mit Kathedrale (1748–54; klassizist. Innenausbau 1832–35). Bauten des Klassizismus sind weiterhin die Kleine Eremitage (1764–67), die Akademie der Schönen Künste (1764–88; beide J.-B. M. Vallin de la Mothe), die Akademie der Wiss. (1783–89 von G. Quarenghi), die Eremitage (1775–84 von J. M. Velten), die Alexander-Newski-Kathedrale (1776–90 von I. E. Starow) im Alexander-Newski-Kloster, die Kasaner Kathedrale (1802–12 von A. N. Woronichin und I. J. Starow) sowie die Isaak-Kathedrale (1817–57 von A. Monferrand) und die Neue Eremitage (1839–52 von L. von Klenze, Ausführung W. P. Stassow). Unter K. I. Rossi entstanden: Platz der Künste mit dem Palast des Großfürsten Michael (heute Russ. Museum; 1819–25), Anlage um das heutige Puschkin-Theater (1829–32), ehemaliges Generalstabsgebäude und Triumphbogen am Schlossplatz (1811–29) und Petersplatz (Dekabristenplatz) mit Gebäude des Senats und der Synode (1829–34). Das histor. Zentrum von S. P. wurde von der UNESCO zum Weltkulturerbe erklärt. – In der Umgebung von S. P. die Schlösser →Pawlowsk, →Petrodworez, →Puschkin.

Geschichte: Unter Peter I., d. Gr., begann 1703 auf einer Insel im Newamündungsdelta der Bau der Peter-und-Pauls-Festung, in deren Schutz sich ein Hafenplatz und ab 1706 die Stadt entwickelte. 1712 wurde S. P. die Hptst. des Russ. Reiches, jedoch blieb Moskau die Krönungsstadt der Zaren. Die unter Heranziehung ausländ. Baumeister planmäßig und großzügig angelegte Residenz wurde bald zum Kultur- und Wissenschaftszentrum des Landes (1724/25 Gründung der Akademie der Wiss., 1757 der Akademie der Schönen Künste); sie nahm einen raschen wirtsch. Aufschwung. 1837 wurde als erste Eisenbahnstrecke in Russland die Linie Petersburg–Zarskoje Selo eröffnet. In S. P. fand 1825 der Aufstand der →Dekabristen statt. Die Stadt war Zentrum der Revolution von 1905 sowie der Februar- und der Oktoberrevolution von 1917; mit der Übersiedlung der Sowjetreg. nach Moskau (März 1918) verlor sie ihre Vorrangstellung. Im 2. Weltkrieg widerstand sie trotz enormer Opfer ihrer Bev. einer fast 900-tägigen Blockade durch dt. Truppen (Anfang Sept. 1941–27. 1. 1944).

📖 TOPF, S.: *Leningrad. Zürich 1983.* – *Leningrad,* *bearb. v.* R. MEISEL *u. a. Hamburg 1989.* – BECHTOLSHEIM, H. VON: *St. Petersburg. Biographie einer Stadt. München u. a.* [4]*1994.*

Sankt Petersburger Ballett (1860–1917 Marien-Theater, 1935–91 Kirow-Ballett), neben der Truppe des Moskauer Bolschoi-Theaters führendes russ. Ballettensemble; ging aus einer 1738 von Jean-Baptiste Landé (†1748) in Sankt Petersburg für die Kinder der Angestellten des Hofes gegr. Ballettschule hervor und wurde unter M. Petipa weltbekannt.

Sankt Pölten
Stadtwappen

Sankt Pölten, Stadt mit eigenem Statut, westlich von Wien, an der Traisen, Landeshptst. von Niederösterreich (seit 1986), 50 000 Ew.; Bundesakademie für Sozialarbeit, Museen, Theater; Maschinen- und Anlagenbau, Textil-, Kunststoff-, Papier-, Möbel- u. a. Industrie. – Roman. Domkirche (im 18. Jh. barockisiert), Franziskanerkirche (1757–68), Rathaus (16. Jh.), Karmeliterinnenkirche (1712), barocke Bürgerhäuser. Der neue Kulturbezirk wird u. a. von H. Hollein (Ausstellungshalle) und K. Kada (Festspielhaus) gebaut. – Erhielt 1159 Stadtrecht.

Sankt Veit an der Glan [-faɪt-], Bezirksstadt in Kärnten, Österreich, im Klagenfurter Becken, 12 000 Ew.; Museen; Holz-, Papier-, Textilind., Herstellung von Gummiwaren. – Mittelalterl. Stadtbild mit Stadtpfarrkirche St. Veit (frühes 13. Jh., spätgotisch umgebaut), ehem. Klarissinnen-

Sankt Petersburg: Der 1811–29 errichtete Triumphbogen im ehemaligen Generalstabsgebäude am Schlossplatz ist 27 m hoch und hat eine Spannweite von 17 m; er wird von einer Siegesgöttin mit dem Lorbeerkranz in der Hand in einem von sechs Pferden gezogenen Wagen bekrönt

San Marino

Fläche: 60,6 km²
Einwohner: (1995) 25 000
Hauptstadt: San Marino
Verwaltungsgliederung: 9 Castelli (Bezirke)
Amtssprache: Italienisch
Nationalfeiertag: 3. 9.
Währung: Italienische Lira
Zeitzone: MEZ

Staatswappen

RSM
Internationales Kfz-Kennzeichen

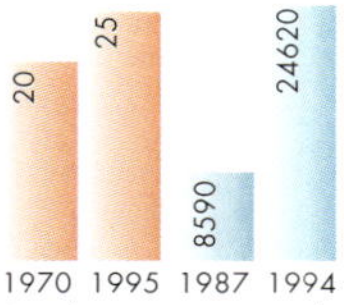

Bevölkerung (in Tausend) Bruttosozialprodukt je Ew. (in US-$)

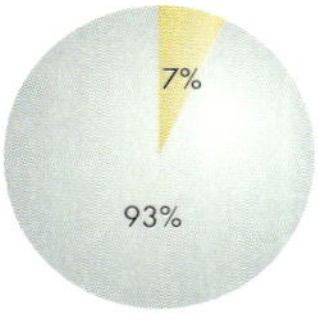

Bevölkerungsverteilung 1993

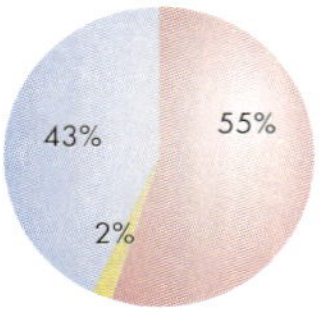

Erwerbstätige 1994

kirche (1323 gegr.), Rathaus (1468), Bürgerhäuser. – 1131 erstmals, 1268 als Stadt erwähnt; 1174–1518 »Herzogstadt« (Hptst.) Kärntens.

Sankt Wẹndel, 1) Landkreis im Saarland, 476 km², (1996) 96 500 Einwohner.

2) Krst. von 1), im Saarland, an der oberen Blies, 27 700 Ew.; Missionsmuseum; Druckerei. – Die Wallfahrtskirche mit dem Sarkophag des hl. Wendelin ist eine spätgot. Hallenkirche. Nördlich der Stadt entstand seit 1970/71 ein Skulpturenpark. – 1180 erstmals erwähnt, erhielt 1332 Stadtrecht.

Sankt Wọlfgang im Sạlzkammergut, Marktgemeinde im Bezirk Gmunden, Österreich, 2 700 Ew., 549 m ü. M., am N-Ufer des vielbesuchten **Sankt-Wolfgang-Sees** (**Abersee;** 13,5 km², bis 114 m tief); starker Fremdenverkehr. – Pfarrkirche (Wallfahrtskirche; 1430–77) mit Hochaltar von M. Pacher (1471–81); Wallfahrtsbrunnen (1515). – Seit 1416 Markt.

Şanlıụrfa [ʃanlə-] (bis 1983 Urfa), Hptst. der türk. Prov. Ş. in SO-Anatolien, am NW-Rand der Harranebene, 278 500 Ew.; Nahrungsmittel- und Textilind. – Mittelalterl. Stadtbefestigung mit Zitadelle; zahlr. Moscheen, die an Stelle christl. Kirchen errichtet wurden. – Bereits in altoriental. Zeit bed.; in hellenist. Zeit **Osrhoe** und **Edessa** gen., 637–1031 arabisch **(Ar-Ruha),** 1098–1144/45 Zentrum eines Kreuzfahrerstaates, dann seldschukisch, ab 1516 bzw. 1637 osmanisch.

Sanlụ́car de Barrameda [-ðe βarra'meða], Stadt in der Prov. Cádiz, Spanien, an der Mündung des Guadalquivir, 50 000 Ew.; Sherrykellereien; Seebad; Jacht- und Fischereihafen; Ausfuhr von Wein, Gemüse und Apfelsinen. – Von S. de B. aus trat Kolumbus 1498 seine 3. Amerikafahrt und Magalhães 1519 seine Weltumseglung an.

San Luịs Potosí, 1) Staat in Mexiko; reicht vom Hochland über die Sierra Madre Oriental bis in das karib. Küstentiefland; intensive Landwirtschaft, bed. Bergbau.

2) Hptst. von 1), 1877 m ü. M., im zentralen Hochland, 659 000 Ew.; Univ.; Textil-, Schuh- u. a. Ind., Zentrum eines Silberbergbaugebietes mit Silberhütten und Arsengewinnung. – Gegr. 1589; gut erhaltenes kolonialzeitl. Stadtbild.

San Marino, Hptst. der gleichnamigen Rep. auf der Apenninhalbinsel, 4 400 Einwohner. – Die Stadt mit ihren engen, steilen Gassen und z. T. in den Fels gehauenen Stiegen ist von mittelalterl. Gepräge. Kirche San Francesco (1361 begonnen; im 18. Jh. verändert), im Palazzo Valloni (1477; im 17. Jh. erweitert) Gemäldesammlung.

San Marino (amtlich italien. Repubblica di S. M.), Kleinstaat in Europa, auf der Apenninhalbinsel südwestlich von Rimini, wird allseits von italien. Staatsgebiet umgeben.

Staat und Recht: S. M. ist eine souveräne parlamentar. Republik. Die Verf. beruht auf dem 1939 und 1971 revidierten Statut von 1600. Als Staatsoberhaupt agieren zwei aus den Reihen des Parlaments auf sechs Monate gewählte »Regierende Kapitäne«, die zugleich Vors. des Großen und Generalrats (Legislativorgan; 60 Abg.), des Staatsrats (Exekutivorgan) und des Rates der Zwölf (Verf.organ) sind. Parteien: Christlich-Demokrat. Partei (PDCS), Fortschrittlich-Demokrat. Partei (PDP), Sozialist. Partei (PSS).

Landesnatur: Die sich auf der Ostabdachung des Etrusk. Apennins von N nach S über 12 km erstreckende Rep. wird vom Rücken des steil nach N abfallenden Monte Titano (bis 756 m ü. M.) durchzogen; an seinem Gipfel die alten Befestigungsanlagen (Guaita, Fratta oder Cesta, Montale). Klima und Vegetation entsprechen denen der umliegenden Landschaften Italiens.

Bevölkerung: Die Bevölkerung ist italien. Ursprungs, über 20 000 Staatsbürger leben im Ausland, v. a. in Italien. Die überwiegende Mehrheit der Bev. ist katholisch.

Wirtschaft, Verkehr: Die Grundlagen der Wirtschaft sind der Fremdenverkehr und der Verkauf von Briefmarken; außerdem Getreide- und Weinbau, Rinderzucht; Zement-, Kunststoff-, Textil- und Keramikindustrie. S. M. hat seit 1862 mit Italien eine Zoll- und Währungsunion. Das

Straßennetz umfasst 237 km. Die Hptst. San Marino ist mit der Adriastadt Rimini über die »Strada Panorama« sowie über eine Seilbahn nach Borgo Maggiore verbunden. Im Sommer besteht ein Hubschrauber-Liniendienst mit Rimini.

Geschichte: Erstmals in der →Pippinschen Schenkung (754) als »Castellum Sancti Marini« erwähnt, erlangte S. M. im 13./14. Jh. die Unabhängigkeit; letzte Gebietserweiterungen 1462; 1862 Abschluss einer Zollunion, 1897 eines (1953 erneuerten) Freundschaftsvertrages mit Italien.

San Martịn, José de, argentin. General, *Yapeyú (Prov. Corrientes) 25. 2. 1778, †Boulogne-sur-Mer 17. 8. 1850; span. Offizier, wurde 1814 Oberbefehlshaber der argentinisch-chilen. Truppen, die 1817 die Unabhängigkeit Chiles erkämpften. Er besetzte 1821 Lima und wurde »Protektor« von Peru; konnte sich mit S. de Bolívar nicht verständigen und ging 1824 nach Frankreich ins Exil.

Sanmen-Stauwerk [chines. »drei Tore«], Stauanlage am mittleren Hwangho, Prov. Shanxi, China. Die 929 m lange und 108 m hohe Sperrmauer staut den Fluss zu einem 250 km langen See (2350 km²). Das Stauwerk bewässert 2,5 Mio. ha Baumwoll- und Getreideland, das Kraftwerk hat eine Kapazität von 250 MW. Die mit der Anlage erbaute Stadt **Sanmenxia** hat 157000 Einwohner.

San Marino: Die im 11. Jh. erbaute Burg Guaita ist die älteste Befestigungsanlage auf dem 756 m hohen Monte Titano

San Mịguel de Tucumạ́n [-miɣel-], Stadt in Argentinien, →Tucumán.

Sannazạro, Iacopo, italien. Dichter, *Neapel 28. 7. 1456 (?), †ebd. 24. 4. 1530; stand im Dienst der aragones. Könige von Neapel; schrieb von humanist. Geist erfüllte lat. Werke und in italien. Sprache Lyrik (»Rime«, hg. 1530), Fest- und Lustspiele. Sein Roman »Arcadia« (unvollständiger Erstdruck 1502, vollständig 1504) wurde zum Muster für die europ. Schäferdichtung.

San Pedro [sam'peðro], **1) S. P. de Macorís** (auch Macorís), Provinz-Hptst. der Dominikan. Rep., 78600 Ew.; wichtiger Ausfuhrhafen; Univ.; Zuckerfabrik.

2) S. P. Sula, Dep.-Hptst. in NW-Honduras, zweitgrößte Stadt des Landes, 353800 Ew.; Mittelpunkt eines Bananen- und Zuckerrohranbaugebiets, wichtigster Ind.standort des Landes; internat. Flughafen. – Gegr. 1533.

San-Pédro [frz. sãpe'dro], Hafenstadt im SW der Rep. Elfenbeinküste, 48000 Ew.; mit Großhafen, bes. für Holzexport, Flughafen.

San Rẹmo, Kurort in Ligurien, Italien, Prov. Imperia, an der Riviera di Ponente, 56800 Ew.; Blumenmarkt; Schlagerfestival. Unterhalb der engen maler. Altstadt liegt die Neustadt entlang der Küste mit Hotels, Villen, Theater, Spielkasino, Parkanlagen und Gärten. – Die **Konferenz von S. R.** (19. 4.–26. 4. 1920) zw. Großbritannien, Frankreich und Italien lehnte eine Revision des Versailler Vertrages ab.

San Salvadọr, 1) Hauptstadt von El Salvador, am Fuß des gleichnamigen Vulkans (1967 m ü. M.); 422600 Ew.; Erzbischofssitz, Akademie der Wiss., vier Univ., TU, Nationalbibliothek und -museum, zoolog. und botan. Garten; Nahrungsmittel-, Textil-, Tabak- und chem. Ind.; internat. Flughafen. – S. S. wurde 1524 von den Spaniern gegr., seit 1841 Hptst. der Rep. El Salvador. Die Stadt wurde mehrfach von Erdbeben zerstört.

2) (Watling Island) Insel der Bahamas, Hauptort ist Cockburn Town; soll die von den Indianern **Guanahani** gen. Insel sein, wo C. Kolumbus erstmals in der Neuen Welt landete. (→Samana Cay)

Sansandịng, Ort in Mali, am linken Nigerufer, nordöstlich von Ségou; der Markala-Staudamm südwestlich von S. (1947 erbaut) staut den Wasserspiegel des Niger um 5 m, dient der Bewässerung von rd. 40000 ha Reis-, Baumwoll- und Zuckerrohrfeldern.

Sansculotten [sãky'lɔtən; frz. »ohne Kniehosen«], urspr. in der Frz. Revolution Spottname für die Republikaner, weil sie im Ggs. zur aristokrat. Mode keine Kniehosen (Culottes), sondern lange Hosen (Pantalons) trugen; später gleichbedeutend mit den Republikanern aus dem Kleinbürgertum.

San Sebastịạ́n (bask. Donostia), Hptst. der Provinz Guipúzcoa und des span. Baskenlandes, 183900 Ew.; Hafenstadt und Seebad am Golf von Biscaya; Univ., Theater, ethnograph. und ozeanograph. Museum; Internat. Filmfestival; die Ind. ist

San Sebastián
Stadtwappen

im östl. Vorortbereich konzentriert; großer Fischereihafen; Fremdenverkehr. – Das Bild der Altstadt ist weitgehend von Barockbauten geprägt. – S. S., zuerst 1014 erwähnt, war Hafen des Königreichs Navarra, hieß im MA. **Izurum,** entwickelte sich unter kastil. Herrschaft zu einem wichtigen internat. Handelsplatz; war bed. als Festung in den spanisch-frz. Kriegen.

San Severo, Stadt in Apulien, Italien, Prov. Foggia, 55 500 Ew.; landwirtsch. Handelszentrum, Weinkellereien. – Kirche San Severo (12. Jh.); 12 km südlich liegt die Ruine von Schloss Fiorentino, dem Sterbeort von Kaiser Friedrich II.

Sansevierie: Die Blätter der Bajonettpflanze werden bis zu 1,5 m lang und bis zu 7 cm breit

Sansevierie [nach dem italien. Gelehrten Raimondo di Sangro, Fürst von Sanseviero, *1710, †1771] *die* (Sansevieria), Gattung der Agavengewächse aus den trop. Gebieten Indiens und Afrikas. Dem kriechenden Erdspross entspringen meist schwertförmige, derbe Blätter, die bei einigen Arten wertvolle Fasern liefern; als Zimmerpflanzen kultiviert, z.B. die **Bajonettpflanze** (Sansevieria trifasciata), deren weißlich-gelb gesäumte Blätter bis zu 1,5 m lang und bis zu 7 cm breit werden.

Sansibar (engl. Zanzibar), **1)** Insel im Ind. Ozean vor der O-Küste Afrikas, 1660 km² mit (1988) 375 500 Ew. Die Insel besteht aus gehobenem Korallenkalk (bis 120 m ü.M.), im W von fruchtbaren Lehmböden bedeckt; Anbau von Gewürznelken, Kokospalmen, Reis.

2) Landesteil von Tansania, umfasst die Inseln S. und →Pemba.

3) Hptst. von 2) und Haupthafen von 1), an der W-Küste der Insel, 157 600 Ew., zweitgrößte Stadt Tansanias; Handelszentrum, Fischwirtschafts- und Sprachforschungsinstitut; Herstellung von Lederschuhen, Silber- und Elfenbeinarbeiten, Zigarettenfabrik; Fischerei; internat. Flughafen. – Die oriental. Altstadt besitzt Steinhäuser mit reich geschnitzten Fronttüren und zahlr. Moscheen. – Ende des 18./Anfang des 19. Jh. Zentrum des Elfenbein- und Sklavenhandels.

Jacopo Sansovino: Die Markusbibliothek in Venedig (Baubeginn 1536) wurde 1583–88 von dem italienischen Baumeister Vincenzo Scamozzi vollendet

Sanskrit [von altind. saṁskṛta »geregelt«] *das,* die klassisch gewordene Form des Altindischen, das zur indoar. Gruppe der indogerman. Sprachen gehört; in der durch Grammatiker (v.a. Panini, 5. Jh. v. Chr.) normierten Gestalt bis 1000 n. Chr. alleinige Literatursprache, bis heute gepflegt als Gelehrtensprache und als hl. Sprache der Brahmanen. Gemeinsam mit dem Vedischen bildet S. das Altindoarische (Altindische), oft wird S. aber auch synonym mit dem Altindischen verwendet; die in den Veden überlieferte älteste Sprache wird dann statt Vedisch auch als ved. S. bezeichnet. Das Alphabet, für das als Schrift die Devanagari (→indische Schriften) benutzt wird, ist nach phonet. Reihen gegliedert.

📖 MORGENROTH, W.: *Lehrbuch des S. Grammatik, Lektionen, Glossar. Leipzig ⁶1989.*

Sansovino, 1) Andrea, eigtl. Contucci, italien. Bildhauer und Baumeister, *Monte San Savino (bei Arezzo) um 1460, †ebd. 1529; lernte in Florenz bei A. del Pollaiuolo und G. da Sangallo, deren Tradition er weiterführte, obwohl er den Übergang zur Hochrenaissance vollzog (Marmorgruppe der Taufe Christi am Baptisterium zu Florenz, 1502); übertrug Motive antiker Triumphbögen auf das Wandgrabmal (Rom, Santa Maria del Popolo, 1506–09).

2) Jacopo, eigtl. Tatti, italien. Baumeister und Bildhauer, *Florenz 1486, †Venedig 27. 11. 1570; Schüler von 1), seit 1527 in Venedig, wo er die Markusbibliothek (seit 1536, 1583–88 von V. Scamozzi vollendet), die Münze (1537–45), den Palazzo Corner (seit 1537) u.a. baute; eröffnete die klass., zu Palladio führende Epoche der venezian. Architektur; zahlr. Bildwerke: u.a. Bronzetür der Sakristei der Markuskirche, Venedig (seit 1545); Neptun und Mars auf der Freitreppe des Dogenpalastes, Venedig (1554–67).

Sanssouci [sãsu'si; frz. »sorgenfrei«], Schloss in Potsdam, in einem nach Entwürfen von G. W. von Knobelsdorff angelegten Park (280 ha). Über einem Terrassenhang liegt das Schloss, ein nach Skizzen Friedrichs II., d. Gr., 1745–47 von Knobelsdorff errichteter einstöckiger Bau, der zu den Hauptwerken des dt. Rokoko gehört. Auf der Gartenterrasse befindet sich seit 1991 das Grab Friedrichs d. Gr.; östlich vom Schloss die Bildergalerie (1755), westlich die Neuen Kammern (1771–73, Umbau der ehem. Orangerie von Knobelsdorff). Am Westende des Parks ließ Friedrich d. Gr. 1763–69 das **Neue Palais** in klassizistisch gemäßigtem Barock erbauen und als Abschluss des Ehrenhofs im W die beiden Communs (Wirtschaftsgebäude). Weitere Bauten des Parks entstanden im 19. Jh., so v.a. im S Schloss **Charlottenhof** (1826–29, nach

Plänen K. F. Schinkels) und im N die **Orangerie** (1851–60). Schloss und Park wurden von der UNESCO zum Weltkulturerbe erklärt.

📖 *250 Jahre S. Texte u. Bilder, hg. v.* H.-J. GIERSBERG *u.* HARALD MÜLLER. *Berlin 1994.*

San Stefano (türk. Yeşilköy), Vorort von Istanbul. – Im **Vorfrieden von S. S.** (3. 3. 1878), der den Russisch-Türk. Krieg 1877/78 beendete, wurde die Abtretung Bessarabiens an Russland, die Unabhängigkeit Serbiens, Montenegros und Rumäniens sowie die Autonomie des um Makedonien und Ostrumelien vergrößerten Bulgarien vereinbart. Brit. und österr. Einspruch führten zum → Berliner Kongress.

Santa Ana, Hptst. des Dep. S. A., El Salvador, am Fuß des Vulkans S. A. (2381 m ü. M.); 202300 Ew.; Univ.; Kaffeeverarbeitung, Herstellung von Textilien und Lederwaren.

Santa Anna (Santa Ana), Antonio Lopez de, mexikan. General und Politiker, *Jalapa 21. 2. 1794(?), †Mexiko 20. 6. 1876; war 1833–36, 1841–44 und 1846/47 Präs. und regierte 1853–55 als Diktator.

Santa Barbara ['sæntə 'bɑ:bərə], Stadt in S-Kalifornien, USA, am Pazifik, 85600 Ew.; Univ.; Seebad; Elektronikind. und -forschungseinrichtungen. – Die Altstadt mit spanisch-mexikan. Charakter steht unter Denkmalschutz.

Santa Catarina, Küstenstaat im S von → Brasilien, Hptst.: Florianópolis; Anbau von Mais, Weizen, Hülsenfrüchten, Maniok, Baumwolle, Tabak, Kaffee und Zuckerrohr; Vieh- (bes. Schweine-) und Geflügelzucht; Kohlevorkommen (die wichtigsten Brasiliens); Industrie bes. um Blumenau und Joinvile; im Hinterland ausgedehnte dt., im S italien. Ackerbaukolonien.

Santa Clara, Provinz-Hptst. im zentralen Kuba, 205000 Ew.; Univ.; Zucker-, Tabakindustrie.

Santa Cruz [-'kruð], **1) S. C. de la Sierra,** Hptst. des Dep. S. C., Bolivien, 694600 Ew.; Univ., Erzbischofssitz; Erdölraffinerie; internat. Flughafen.

2) S. C. de Tenerife, span. Provinz, umfasst den westl. Teil der Kanar. Inseln (Teneriffa, La Palma, Gomera, Hierro), 3381 km², (1995) 787400 Ew.

3) S. C. de Tenerife, Hptst. von 2) und der Insel Teneriffa (Kanarische Inseln), an der NO-Küste, 222900 Ew.; Museen; bed. Hafen; Erdölraffinerie; Seekabelstation; chem., Fischkonservenind.; Spielcasino: internat. Flughafen. – Barocke Altstadt.

Santa-Cruz-Inseln ['sæntə 'kru:z-], Inselgruppe der Salomonen im südwestl. Pazifik, Teil des Staates Salomoninseln, 960 km², rd. 5400 Ew., bes. Melanesier; Hauptinseln: Santa Cruz und Vanikoro.

Santa Fe, 1) Provinz-Hptst. in Argentinien, am Paraná, 342800 Ew.; Erzbischofssitz, zwei Univ.; Handels- und Verarbeitungszentrum des reichen landwirtsch. Umlands; Zink- und Kupferschmelze; Straßentunnel nach Paraná; Überseehafen; Flughafen. – S. F. wurde 1573 als **Santa Fe de Vera Cruz** gegründet.

Sanssouci: Die Gartenfront des 1745–47 nach Plänen von Georg von Knobelsdorff errichteten Schlosses wird durch die parabolisch geschwungenen Weinbergterrassen mit der großen Freitreppe in der Mittelachse bestimmt

2) ['sæntə feɪ], Hptst. des Staates New Mexico, USA, 2130 m ü. M., in den Rocky Mountains, 56000 Ew.; mehrere Indianer- u. a. Museen, Opernfestspiele im Sommer; bed. Fremdenverkehr. – Zahlr. Häuser im Zentrum sind in Adobebauweise errichtet. – S. F., 1609/10 gegr., war im 18. und 19. Jh. ein bed. Handelszentrum.

Santa Isabel, 1) bis 1973 Name von → Malabo, der Hptst. von Äquatorialguinea.

2) Insel der Salomonen, bis 1219 m ü. M., 4687 km², rd. 15500 Ew., meist Melanesier; Hauptort: Kia.

Santal, zu den Mundavölkern gehörendes, Santali sprechendes Volk in O-Indien, 3,2 Mio. Menschen; Reisbauern.

Santa Maria, 1) portugies. Insel, die südöstlichste der Azoren, bis 587 m ü. M., 97 km², 6500 Ew.; Hauptort: Vila de Porto; internat. Flughafen.

2) Stadt im Staat Rio Grande do Sul, Brasilien, 151000 Ew., darunter viele Deutschstämmige; Univ.; Fleischverarbeitung, Möbelindustrie.

Santa Marta, Hptst. des Dep. Magdalena, N-Kolumbien, 194000 Ew., Hafen am Karib. Meer; TU, meereskundl. Forschungsinst.; Ausfuhr von Bananen, Kaffee und Baumwolle.

Santa Monica ['sæntə 'mɔnɪkə], Stadt in Kalifornien, USA, am Pazifik, in der Metrop. Area von Los Angeles, 86900 Ew.; Forschungsinstitut der Kunst- und Geistesgeschichte, Museum für moderne Kunst; Elektronikind.; Seebad.

Santiago de Chile 1): Blick über die Stadt am Río Mapocho auf die Anden (im Hintergrund)

Santana, amerikan. Rockgruppe, gegr. 1967 in San Francisco von dem mexikan. Gitarristen und Sänger Carlos S. (* 1947), deren Mitgl. lateinamerikan., afrikan. und amerikan. Einflüsse in die Gruppe einbrachten; spielt Latinrock. Zu ihren Hits zählen u. a. »Black Magic Woman« und »Oye Como Va«.

Santiago de Chile 1) Stadtwappen

Santander, 1) Hptst. der Region Kantabrien, Spanien, Hafenstadt und Seebad an der kantabr. Küste; 194 200 Ew.; Univ., meeresbiolog. Inst.; Museen; internat. Tanz- und Musikfestival; Erzverschiffung, Stahlerzeugung, Werften, Metall verarbeitende, chem., elektrotechn. Industrie. – Im MA. bed. Hafen.

2) ehem. Provinz in N-Spanien, bildet heute die autonome Region Kantabrien.

Santander 1) Stadtwappen

Santarém [santaˈrẽj], **1)** Distrikt im W Portugals, entspricht etwa dem →Ribatejo, 6 747 km², (1991) 442 700 Einwohner.

2) Hptst. von 1), am unteren Tejo (1234 m lange Brücke), 23 700 Ew.; Museum; Marktzentrum. – Spätgot. Kirche Nossa Senhora da Graça (1380 ff.), barocke Jesuitenkirche (1676).

George de Santayana

Santayana, George de, amerikan. Philosoph und Schriftsteller span. Herkunft, * Madrid 16. 12. 1863, † Rom 26. 9. 1952; lehrte 1889–1912 an der Harvard University; kulturkrit. und kulturphilosoph. und zugleich utop. Schriften über Moral, Kunst und Urteilskraft der Vernunft. S. schrieb formgewandte Gedichte und den erfolgreichen Roman »Der letzte Puritaner« (1936).

Weitere Werke: The life of reason, 5 Bde. (1905–06); Scepticism and animal faith (1923); Realms of being, 4 Bde. (1927–40); Die Christusidee in den Evangelien (1946).

Santer, Jacques, luxemburg. Politiker, * Wasserbillig 18. 5. 1937; Rechtsanwalt, Mitgl. der Christlichsozialen Volkspartei (CSV), 1972–74 Gen.-Sekr., 1974–82 Präs. seiner Partei, 1984–95 Min.-Präs.; seit 1995 Präs. der EU-Kommission.

Santiago [santˈjaɣo; von span. San Diego »hl. Jakob«], **1) S. de Chile,** Hauptstadt von Chile, am Austritt des Río Mapocho in das Chilen. Längstal, am Fuß des Cerro Santa Lucía, 4,63 Mio. Ew., in der Región Metropolitana 5,68 Mio. Ew.; Mittelpunkt des geistigen Lebens des Landes, Erzbischofssitz; vier staatl. Univ., kath. und Techn. Univ., Militärakademie, Nationalbibliothek, wiss. Akademien, Goethe-Inst., Observatorien, Museen, Theater; bedeutendstes Ind.zentrum Chiles mit guten Verkehrsverbindungen, U-Bahn; Häfen sind Valparaíso und San Antonio; internat. Flughafen. – Die 1541 gegr. Stadt ist im Kolonialstil schachbrettartig angelegt; sie wurde häufig durch Erdbeben zerstört. Älteste, noch erhaltene Sakralbauten aus der span. Kolonialzeit sind die Kirchen San Francisco (1572–1618) und la Compañía (1863 ausgebrannt); bed. auch Kathedrale (1748–1830), Kirche la Merced (1746 ff.), Rathaus (1785–90), Casa Real de la Moneda (1784 ff., heute Regierungspalast); Bauten des 19. und 20. Jh. stark europäisch beeinflusst.

🕮 Bähr, J.: *S. de Chile. Mannheim 1978.* – Cuadra, M.: *Architektur in Lateinamerika. Darmstadt 1991.*

2) S. de Compostela, Stadt in Galicien, NW-Spanien, Prov. La Coruña, am SO-Hang des Monte Pedroso, 91 400 Ew.; bed. Wallfahrtsort (Endpunkt des Jakobsweges); Erzbischofssitz, Univ. (1501 gegr.), zahlr. kirchl Seminare und Schulen; Museum für zeitgenöss. Kunst; Holz-, Nahrungsmittel-, Metallind., Druck- und Verlagswesen; internat. Flughafen. – Roman. Kathedrale mit Fassade im Stil des Churriguerismus (18. Jh.), spätgot. Kreuzgang (16. Jh.). Erzbischofspalast (12./13. Jh.), Pilgerherberge Hostal de los Reyes Católicos (1499 gegr., 1501–11 erbaut; heute Hotel); größter Barockbau ist das Kloster S. Martín Pinario (899 gegr., Ausbau bis ins 19. Jh.), mehr als 40 Kirchen des 12.–18. Jahrhunderts. Die Altstadt wurde von der UNESCO zum Weltkulturerbe erklärt. – S. war im MA. die Hptst. des Königreichs Galicien, seit dem 9. Jh. neben Jerusalem und Rom der bedeutendste christl. Wallfahrtsort (813 Auffindung des Jakobusgrabes).

🕮 *Der Jakobsweg. Mit einem mittelalterl. Pilgerführer unterwegs nach S. de Compostela, hg. u. übers. v.* K. Hebers. *Tübingen* ⁵*1995.*

3) S. de Cuba, Provinz-Hptst. in Kuba, am Fuß der Sierra Maestra, an geschützter Bucht, 440 100 Ew.; Erzbischofssitz, Univ.; vielseitige Ind., Erdölraffinerie, nach Havanna der wichtigste Hafen von

Kuba, internat. Flughafen. – S. wurde 1514 gegründet und war 1523–56 Hptst. von Kuba. Die Burg San Pedro de la Roca aus dem 17. Jh., ein gut erhaltenes Beispiel spanisch-amerikan. Militärarchitektur, wurde zum UNESCO-Welterbe erklärt.

4) S. del Estero, Provinz-Hptst. im NW von Argentinien, am Río Dulce, 189 500 Ew.; zwei Univ.; Verarbeitungsindustrie für landwirtsch. Produkte; Flugplatz.

5) S. de los Caballeros, Provinz-Hptst. in der Dominikan. Rep., im Cibaobecken, 316 000 Ew.; Univ., TU; Wirtschaftszentrum im N des Landes.

Santillana [santiˈʎana], Iñigo López de Mendoza, Marqués de, span. Dichter, *Carrión de los Condes (Prov. Palencia) 19. 8. 1398, †Guadalajara 25. 3. 1458; der bedeutendste Vertreter der Frührenaissance in Spanien, schrieb neben Gedichten didaktisch-moral. Inhalts die ersten span. Sonette und die erste Poetik in span. Sprache. Bes. beliebt war seine Sammlung von Spruchweisheiten (hg. 1494).

Säntis *der,* höchste Erhebung des Alpsteins in den Appenzeller Alpen, Schweiz, 2503 m ü. M.; viel besuchter Aussichtsberg; Seilbahn von der Schwägalp; Sendeanlagen und Fernsehsenderüberwachungsstation der PTT.

Santo André [ˈsantu-], Stadt im Staat São Paulo, Brasilien, 615 100 Ew.; räumlich und wirtsch. eng mit São Paulo verbunden; Industriestandort.

Santo Domingo (1936–61 Ciudad Trujillo), Hptst. der Dominikan. Rep., an der S-Küste der Insel Hispaniola, 2,1 Mio. Ew.; bedeutendster Hafen des Landes; Erzbischofssitz, vier Univ., darunter die älteste Univ. Amerikas (1538 gegr.), TU, Akademien; Wirtschaftszentrum des Landes, internat. Flughafen. – Stadtkern mit kolonialzeitl. Charakter (UNESCO-Weltkulturerbe). – Gegr. 1496 von C. Kolumbus' Bruder Bartholomäus.

Santonin [lat.] *das,* der gegen Spulwürmer wirkende Bestandteil der **Zitwerblüten (Flores cinae,** »Wurmsamen«), der Blütenknospen des Korbblütlers **Zitwer (Artemisia cina).**

Santorin, die grch. Insel →Thera.

Santos [-tus], Hafenstadt im Staat São Paulo, Brasilien, auf der Küsteninsel São Vicente, 428 500 Ew.; FH; neben Rio de Janeiro wichtigster Hafen Brasiliens, bed. Umschlagplatz für Kaffee.

Santo Tomé de Guayana, Stadt in Venezuela, →Ciudad Guayana.

Sanwa Bank, eine der weltgrößten Banken, Sitz: Osaka; entstanden 1990 durch die Fusion u. a. der Konoike Bank (gegr. 1877) mit der Bank of Yamaguchi (gegr. 1879).

São Francisco [sãu frãˈsisku] *der* (Rio S. F.), Strom in Brasilien, 2 900 km lang; entspringt in der Serra da Canastra, mündet in den Atlant. Ozean; Kraftwerke an den Staudämmen **Três Marias** (500 MW), **Sobradinho** (1 050 MW), an den 84 m hohen Wasserfällen **Cachoeira de Paulo Afonso** (2 900 MW) sowie **Moxotó** (4 000 MW) und **Itaparica** (2 500 MW).

São Leopoldo [sãu ljoˈpoldu], Stadt im Staat Rio Grande do Sul, Brasilien, 95 000 Ew.; Univ.; Ind.standort. – S. L. wurde 1824 als erste dt. Siedlung in S-Brasilien gegründet.

São Luis [sãu ˈluis] (früher S. L. do Maranhão), Hptst. und wichtigster Hafen des Staats Maranhão, auf einer Insel an der NO-Küste Brasiliens; 696 400 Ew.; Erzbischofssitz; Univ.; Nahrungsmittel-, Tabak-, Textil-, Lederindustrie. – 1612 von Franzosen gegründet. Die von Gebäuden des 16. und 17. Jh. geprägte Altstadt wurde von der UNESCO zum Weltkulturerbe erklärt.

São Miguel [sãu miˈɣɛːl], größte Insel der Azoren, Portugal, 747 km², 130 000 Ew.; Hauptort: Ponta Delgada (Hafen, Flughafen).

Jacques Santer

São Paulo 2): Stadtwappen

São Paulo 2): Die Praça da Sé im historischen Zentrum wird durch die 1954 geweihte neugotische Kathedrale und den Justizpalast (links) beherrscht

São Tomé und Príncipe

Fläche: 964 km²
Einwohner: (1995) 133 000 Ew.
Hauptstadt: São Tomé
Amtssprache: Portugiesisch
Nationalfeiertag: 12. 7.
Währung: 1 Dobra (Db) = 100 Céntimos
Zeitzone: MEZ

Staatswappen

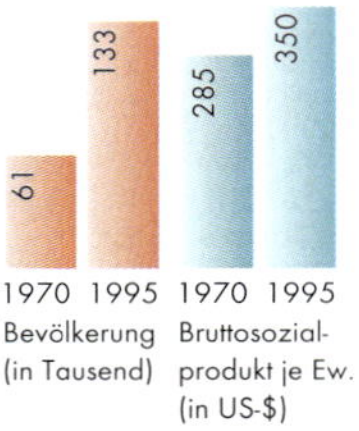

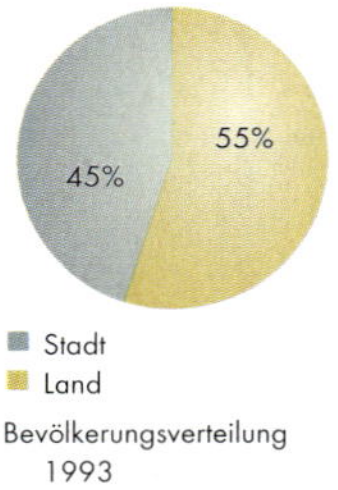

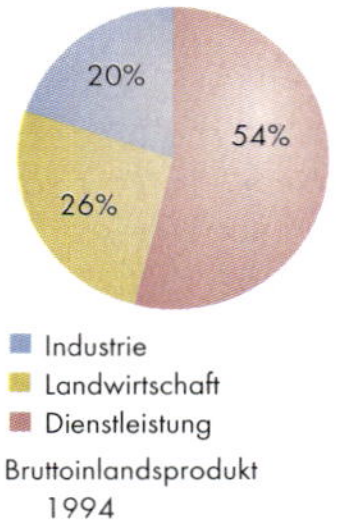

Saône [so:n] *die,* größter Nebenfluss der Rhone (von rechts), in O-Frankreich, 482 km lang, entspringt südwestlich von Épinal in den Monts Faucilles, mündet in Lyon. Der Unterlauf ist Teil der Rhein-Rhone-Wasserstraße; Verbindungen zur Loire, zu Yonne und Seine und zur Mosel; geringer Schiffsverkehr.

Saône-et-Loire [so:nel'wa:r], Dép. in Burgund, O-Frankreich, 8575 km², (1995) 553 000 Ew.; Hptst.: Mâcon.

São Paulo [sãu̯m'pau̯lu], **1)** Bundesstaat im S von → Brasilien. – Das Gebirge Serra do Mar trennt die schmale Küstenebene von dem nach W abfallenden Hochland. Die Bev. besteht v. a. aus portugies. Einwanderern, die sich mit der indian. Bev. vermischt haben (Mamelucos), sowie aus Einwanderern anderer Nationen (bes. italien., dt., span. und japan. Herkunft). – Anbau von Kaffee, Baumwolle, Zuckerrohr, Getreide, Tabak, Zitrusfrüchten, Gemüse; Rinder- und Schweinezucht. S. P. ist der am höchsten industrialisierte Staat Brasiliens.

2) Hptst. von 1) und größte Stadt Brasiliens, in einem flachen Becken des Rio Tiete, 9,65 Mio. Ew., in der Metrop. Area 16,57 Mio. Ew.; Erzbischofssitz; Museen, mehrere Univ., wiss. Akademien und Inst., Goethe-Inst., TH, Seruminstitut → Butantan, botan. Garten, Zoo. S. P. ist Hauptsitz des Kaffeehandels und die führende Industriestadt Brasiliens mit Kraftfahrzeug-, chem., elektron., Metall-, Textil- und Bekleidungs-, Nahrungs- und Genussmittel-, Maschinen- und Papierind.; Film- und Fernsehstudios; U-Bahn, zwei internat. Flughäfen. S. P. ist die am schnellsten wachsende Metropole Lateinamerikas. Die Ind.konzentration hat zu einer starken Binnenwanderung innerhalb des Landes, ausgedehnten Elendsvierteln sowie extremer Umweltverschmutzung geführt. – S. P. ist eine moderne, in großen Teilen von Hochhäusern geprägte Metropole mit bed. Bauten der internat. und neuen brasilian. Architektur (z. B. von O. Niemeyer, J. Guedes). Die neugot. Kathedrale wurde 1954 fertiggestellt. – S. P. wurde 1554 als Jesuitenmission gegründet und 1683 Hptst. des neuen Kapitanats S. P. Am 7. 9. 1822 rief Peter (Pedro) I. hier die Unabhängigkeit Brasiliens aus. Bild S. 191

São Tiago [sãu 'tjagu], die größte der Kapverdischen Inseln (→ Kap Verde), 991 km², (1990) 199 300 Ew.; Hptst.: Praia.

São Tomé [sãutu'mɛ], Hptst. von São Tomé und Príncipe, an der NO-Küste der Insel S. T., 43 400 Ew.; Hafen, internat. Flughafen.

São Tomé und Príncipe [sãutu'mɛ - 'prĩsipi] (amtlich portugies. República Democrática de São Tomé e Príncipe), Inselstaat in Westafrika, umfasst die im Golf von Guinea gelegenen Inseln São Tomé und Príncipe sowie kleine Felsinseln.

Staat und Recht: Nach der Verf. von 1990 ist S. T. u. P. eine präsidiale Republik. Staatsoberhaupt ist der auf fünf Jahre direkt gewählte Präsident. Er ernennt und entlässt die Reg. unter Vorsitz des MinPräsidenten. Die Legislative liegt bei der Nationalversammlung (55 Abg., auf vier Jahre gewählt). Wichtigste Parteien: Demokrat. Annäherungspartei (PCD-GR), Befreiungsbewegung für S. T. u. P./Sozialdemokrat. Partei (MLSTP/PSD).

Landesnatur: Beide Inseln sind vulkan. Ursprungs; die Hauptinsel São Tomé erreicht 2 024 m, Príncipe 948 m ü. M. Das Klima ist tropisch feucht; vorherrschend ist trop. Regenwald, in höheren Lagen trop. Bergwald.

Bevölkerung: Die »Foros« genannte einheim. Bev. setzt sich aus Bantu und Mischlingen zusammen. Allg. Schulpflicht besteht vom 8. bis 12. Lebensjahr; die Analphabetenquote liegt bei 33 %. Die Bev. gehört mehrheitlich dem christl. Glauben an.

Wirtschaft, Verkehr: In der Landwirtschaft ist Plantagenanbau vorherrschend (Kakao, Kaffee, Kokos- und Ölpalmen, bes. für den Export); für Eigenbedarf Anbau von Maniok, Bataten, Jamswurzel. In der Ind. v. a. Verarbeitung landwirtsch. Produkte, ferner Holz- und Textilindustrie. Die Länge des Straßennetzes beträgt 380 km. Haupthafen und internat. Flughafen bei São Tomé, einen weiteren Hafen besitzt Santo António, der Hauptort von Príncipe.

Geschichte: 1470 wurden die damals unbewohnten Inseln durch den Portugiesen P. de Escobar entdeckt und seit 1475 mit portugies. Sträflingen, Juden und Sklaven kolonisiert. 1631–44 waren die Inseln in niederländ. Besitz; sie wurden 1735 portugies. Kolonie, 1951–75 portugies. Überseeprovinz (seit 1973 innere Autonomie) und 1975 unabhängig. Staatspräs. M. Pinto da Costa (1975–91) errichtete, gestützt auf die Befreiungsbewegung von São Tomé und Príncipe (MLSTP) ein Einparteiensystem, gegen das sich 1986 eine offiziell verbotene Opposition, die GR, formierte. Nach Einführung eines Mehrparteiensystems 1990 ging die PCD-GR bei den Wahlen 1991 als Sieger hervor; Präs. wurde der Parteilose M. Trovoada (1996 wieder gewählt). Die Wahlen von Okt. 1994 gewann die frühere Einheitsparei MLSTP-PSD (Namenszusatz seit 1990).

São Vicente [sãuvi'sɛ̃ntə], **1)** eine der Kapverdischen Inseln, 227 km², (1990) 62 700 Ew.; Hauptort: Mindelo, Wirtschaftszentrum und Haupthafen der Rep. →Kap Verde.

2) Kap S. V., 62 m hoher Kalksteinsporn der Algarve-Küste, Portugal, der südwestlichste Punkt des europ. Festlands.

SAP AG, EDV-Unternehmen, weltgrößter Anbieter von Standard-Anwendungssoftware für Großrechner und Client-Server-Systeme; gegr. 1972; Sitz: Walldorf.

Sapelli [afrikan.] *das,* rotbraunes Holz mit streifiger Struktur der Zedrachgewächsart Entandrophragma cylindricum aus Äquatorialafrika; Ausstattungs- und Konstruktionsholz.

Saphir [auch -'fiːr, grch.] *der,* blauer, grüner, gelber oder auch farbloser →Korund, einer der wertvollsten Edelsteine.

Sapir [sə'pɪə], Edward, amerikan. Ethnologe und Sprachwissenschaftler dt. Herkunft, *Lauenburg in Pommern (heute Lębork) 26. 1. 1884, †New Haven (Conn.) 4. 2. 1939; widmete sich bes. den nordamerikan. Indianersprachen; gilt als Begründer der Ethnolinguistik. Nach seinem, von B. L. Whorf erweiterten linguist. Relativitätsprinzip (S.-Whorf-Hypothese) prägen die Strukturen einer Grammatik das Bewusstsein ihrer Sprecher und bestimmen Denken und soziales Handeln.

Saponine [zu lat. sapo »Seife«], Pflanzenglykoside, die Steroide oder Triterpene als Aglykon enthalten und die in Wasser seifenartige kolloidale Lösungen bilden. S. haben hämolyt. und antibiot. Wirkungen und sind toxisch für Fische. Sie dienen als oberflächenaktive Stoffe in Fotoemulsionen, Feinwaschmitteln und Schaumlöschern.

Sapor (Schapur), pers. Herrscher aus der Dynastie der Sassaniden, bed. v.a.: **1) S. I.,** König (242–272); besiegte 260 bei Edessa den röm. Kaiser Valerian und nahm ihn gefangen; eroberte Antiochia und Dura-Europos.

2) S. II., König (309–379); führte Kriege gegen Rom und konnte 363 die Gebiete jenseits des Tigris zurückgewinnen. Unter S. kam es zu einer schweren Verfolgung der Christen, die als Verbündete Roms galten.

Saporoschje (ukrain. Saporischschja, bis 1921 Alexandrowsk), Hptst. des Gebiets S., Ukraine, 895 000 Ew.; Verkehrsknotenpunkt am Dnjepr, der bei S. zum Kachowkaer Stausee gestaut wird (Wasserkraftwerke Dnjeproges I und II, insgesamt 1 486 MW); Hochschulen, Philharmonie; Hütten-, Stahl-, Walz-, Aluminium-, Automobilwerke, Maschinen-, Schiffbau, chem. Industrie. Wärmekraftwerk (2 400 MW), bei S. Kernkraftwerk (5 000 MW).

Sapote (Zapote, Sapotille) *die,* **1)** (Sapotillbaum, Manilkara, Achras sapota), in den Tropen verbreiteter Baum der **Sapotengewächse,** mit strahligen Blüten, breiigen Obstfrüchten und Chiclegummi lieferndem Milchsaft.

2) (Weiße S., Casimiroa edulis), mittelamerikan. Obstbaum der Rautengewächse.

Sappanholz (Ostindisches Rotholz), neben Pernambukholz das wertvollste Farbholz, von Caesalpinia sappan, als Möbelholz geschätzt.

Sappho: Das in Herculaneum freigelegte Fresko stellt möglicherweise Sappho dar

Sappho ['zapfo], grch. Dichterin, lebte wie der Dichter Alkaios um 600 v. Chr. in Mytilene auf Lesbos, wo sie im Kult der Aphrodite und im Dienst der Musen junge Mädchen aus vornehmen Kreisen um sich sammelte. Diese von religiösen Vorstellungen getragene Gemeinschaft wurde später verzerrt als »lesbisch« gesehen. Nach späterer Sage soll S. sich aus unerwiderter Liebe zu dem Jüngling Phaon vom Leukad. Felsen gestürzt haben. – S. war die bedeutendste Lyrikerin der Antike. In ihrer in äol. Dialekt geschriebenen Dichtung spiegelt sich persönl. Erleben. Horaz nahm das Versmaß der Lieder ihres ersten Buches als »sapphisches« Maß (**sapphische Strophe,** ÜBERSICHT Metrik) zum Vorbild für viele Oden.

Sapporo: Stadtwappen

GIEBEL, M.: *S. Reinbek 1995.*

Sapporo, Hptst. der Insel (und der Präfektur) Hokkaidō, Japan, 1,732 Mio. Ew.; kulturelles und wirtsch. Zentrum der Insel; zwei Univ., Ainu-Museum; Genussmittel-, Textil- und Holzind.; bed. Fremdenverkehrsort für Wintersport; Austragungsort der Olymp. Winterspiele 1972; U-Bahn, internat. Flughafen. – Ab 1871 angelegt.

Giuseppe Saragat

Saprobilen [grch.] (Saprobionten), Fäulnisbewohner, Lebewesen, die von und in verwesenden Stoffen leben (→Saprophyten, →Saprozoen). Im **S.-System,** einer Zusammenstellung von Mikroorganismen, Pflanzen und Tieren, die durch ihr Auftreten Verunreinigungen der Gewässer anzeigen, werden die Verunreinigungsgrade (nach abnehmender Verunreinigung) als polysaprob, α-mesosaprob, β-mesosaprob und oligosaprob unterschieden.

Saprolegnia [grch.], Gattung der Algenpilze, in Gewässern an toten Tieren und geschwächten lebenden Fischen.

Sapropel [grch.] *das,* der →Faulschlamm.

Saprophagen [grch.], Organismen, die sich von verwesenden Kadavern ernähren. (→Nekrophagen)

saprophil [grch.], Fäulnis liebend (Organismen).

Sarajevo: Stadtwappen

Saprophyten [grch.] (Moderpflanzen, Humuspflanzen), pflanzl. Saprobien (bes. Bakterien und Pilze), die sich von pflanzl. oder tier., toten, verwesenden oder faulenden Stoffen ernähren, meist ohne Blattgrün (z.B. →Fichtenspargel).

Saprozoen [grch.], tier. Saprobien, die in verwesenden Stoffen leben und sich von diesen ernähren.

Sara [hebr. »Herrin«] (urspr. Sarai), im A. T. Frau Abrahams und Mutter Isaaks (1. Mose 21, 1–7).

Sappho

Stark in die Natur eingebundenes Erleben spiegeln die folgenden Verse der Sappho wider:

»Hierher (komm) aus Kreta zu diesem heiligen Tempel, wo dir ein anmutiger Hain von Apfelbäumen (geweiht ist), Altäre aber voll Weihrauchdampf,
drinnen rauscht kühles Wasser zwischen Apfelzweigen, von Rosen ist der ganze Platz beschattet, von flirrenden Blättern fließt Schlummer nieder,
dabei blüht eine Pferde weidende Wiese voller Frühlingsblumen, die Winde hauchen honigsüße Düfte ...
Eben hier nimm, kyprische Herrin, deine Kränze, schenk uns ein in goldenen Bechern gemischt mit Festesfreuden Nektar ...«

Sarabande [frz. -'bãd; span., aus pers.] *die,* spanisch-lateinamerikan. Tanz im Dreiertakt, im 16./17. Jh. als lebhafter, erot. Paartanz (Tanzlied) verbreitet; zw. 1650 und 1750 war sie ein fester Bestandteil der Suite.

Sarabande: Beginn der »Sarabande mit zwei Variationen« aus der Suite d-Moll von Georg Friedrich Händel (1733)

Sarafan [russ., aus pers.] *der,* ärmelloses Oberkleid der russ. Frauentracht des 18. und 19. Jh. mit weitem Ausschnitt; darunter wurde ein weites, blusiges Hemd getragen.

Saragat, Giuseppe, italien. Politiker (Sozialist), *Turin 19. 9. 1898, †Rom 11. 6. 1988; 1926–43 im Exil, 1946 Präs. der Verf.gebenden Versammlung. 1947 spaltete sich unter seiner Führung jener Flügel von der Sozialist. Partei ab, der eine enge Zusammenarbeit mit den Kommunisten ablehnte. S. war mehrfach Gen.-Sekr. der Sozialdemokrat. Partei; 1963/64 Außenmin., 1964–71 Staatspräsident.

Saragossa (span. Zaragoza), **1)** Provinz in Aragonien, Spanien, 17274 km², (1991) 837300 Einwohner.

2) Hptst. von 1), am Ebro, 592700 Ew.; Erzbischofssitz, Univ. (gegr. 1542), Theater, Museen; Messepalast; Spielcasino; Maschinenbau, Kraftfahrzeug-, Metall-, Textil-, Lebensmittel-, chemisch-pharmazeut. und Elektroind., Waggonbau, Druckereien; internat. Flughafen. – Reste maur. Bauten; got. Kathedrale La Seo (1316–1520), Wallfahrtskirche Nuestra Señora del Pilar (1681 begonnen), Adelspaläste; siebenbogige Ebrobrücke (15. Jh.). – S., das iber. **Salduba,** wurde 27 v. Chr. röm. Veteranenkolonie; 712–1118 maurisch, dann von König Alfons I. zur Hptst. Aragoniens erhoben. Von den napoleon. Truppen wurde S. erst nach langem Widerstand erobert (1809).

Sarajevo, Hptst. von Bosnien und Herzegowina, am O-Rand des Beckens von S., an der Miljacka, 526000 Ew.; Sitz eines orth. Metropoliten, eines kath. Erzbischofs und des Oberhaupts der bosnischen und herzegowin. Muslime, Univ., islam. Hochschule, Museen, Theater, Nationalbibliothek; Maschinenbau, Textil-, Tabak-, Nahrungsmittel- u.a. Ind.; Verkehrsknotenpunkt, internat. Flughafen. – Austragungsort der Olymp. Winterspiele 1984; Moscheen, orth. Erzengelkirche (16. und 18. Jh.; Museum). – 1415 erstmals genannt; kam 1463 unter osman. Herrschaft; seit 1850 Hptst. Bosniens, kam mit ihm 1878 an Österreich-Ungarn und 1918/20 zu Jugoslawien; 1941–45 kroatisch, seit 1947 Hptst. von Bosnien und Herzegowina. Seit April 1992 von serb. Verbänden belagert und schwer zerstört; 1993 unter UN-Verw. gestellt. – Die Ermordung des österr. Erzherzogs Franz Ferdinand in S. am 28. 6. 1914 wurde zum Anlass für den 1. Weltkrieg.

📖 Filipovic, Z.: *Ein Jahr in der Hölle. S. – anno domini 1993. A. d. Kroat. Wien 1994.* – Prstojevic, M.: *S., die verwundete Stadt. A. d. Kroat. Ljubljana u. a. 1994.*

Sarakatschanen (Karakatschanen), griechisch sprechende Bev.gruppe aromunischer Herkunft, die im 18. und 19. Jh. aus Griechenland nach Bulgarien einwanderte.

Saramago [-'maγu], José, portugies. Schriftsteller, *Azinhaga (bei Santarém) 16. 11. 1922; bed., auch internat. erfolgreicher Romancier, gestaltet vielschichtig meist histor. Themen mit engem Bezug zur Gegenwart: »Hoffnung im Alentejo« (1980), »Geschichte der Belagerung von Lissabon« (1989), »Die Stadt der Blinden« (1997) u. a.; erhielt 1998 den Nobelpreis für Literatur.

Sarangi *die,* nordind. Streichinstrument mit seitlich eingezogenem Korpus und breitem Hals sowie einer Hautdecke. Unter den 3–4 Spielsaiten aus Darm verlaufen 11–15 Resonanzsaiten.

Saransk, Hptst. der Rep. Mordwinien innerhalb der Russ. Föderation, am Insar, 312 100 Ew.; Univ.; chem., pharmazeut., elektrotechn. Ind., Maschinen- und Gerätebau.

Saragossa 2): Die am Ufer des Ebro liegende Wallfahrtskirche Nuestra Señora del Pilar geht bis auf das Jahr 1681 zurück und wurde erst im 20. Jh. vollendet

Sarapis (Serapis), ägyptisch-grch. Gott (gebildet aus Osiris und Apis); Retter und Heilgott, der in allen Nöten half.

Sarapul, Stadt in der Rep. Udmurtien, Russ. Föderation, an der Kama, 111 000 Ew.; Maschinenbau-, elektrotechn., Holz-, Leder- und Nahrungsmittelindustrie; wichtiger Flusshafen.

Sarasate y Navascuéz [-i naβas'kueθ], Pablo de, span. Geiger, *Pamplona 10. 3. 1844, † Biarritz 20. 9. 1908; Violinvirtuose und Komponist; M. Bruch, É. Lalo, C. Saint-Saëns u. a. widmeten ihm Violinwerke.

Pablo de Sarasate y Navascuéz (um 1885)

Sarasvati (Saraswati) [Sanskrit »die Wasserreiche«], ind. Göttin; urspr. Flussgöttin, später Göttin der Rede und Gelehrsamkeit; Gattin Brahmas.

Saratow, Hptst. des Gebiets S. in Russland, an der unteren Wolga, 909 000 Ew.; Univ., TH u. a. Hochschulen, Museen, Oper; Maschinen-, Motoren-, Flugzeug-, Apparatebau, chem., vielseitige Leichtind.; Umschlaghafen, Bahnknotenpunkt, Flughafen; oberhalb von S. der **Saratower Stausee** (1950 km²) und Wasserkraftwerk (1380 MW); bei S. Erdöl- und Erdgasgewinnung (Fernleitung nach Moskau und in andere Städte).

José Saramago

Sarawak, Gliedstaat von Malaysia, an der NW-Küste der Insel Borneo, mit Sabah zu Ost-Malaysia gehörig, 124 449 km², (1993) 1,65 Mio. Ew. (rd. 30 % Iban, 29 % Chinesen, 21 % Malaien u. a.); Hptst. ist Kuching. S. ist im O gebirgig, die Küstenebene im W z. T. Sumpf- und Mangrovenlandschaft. Der bis vor wenigen Jahren noch drei Viertel der Fläche bedeckende trop. Regenwald ist durch Holzeinschlag und Landwirtschaft stark reduziert worden. Gewonnen werden Kautschuk, Holz, Sago, Kopra, Reis, Pfeffer; Gold, Erdöl, Antimon. – S. wurde im 15. Jh. Teil des Sultanats Brunei; bildete erst 1842 ein selbstständiges Staatengebilde (Belehnung des Briten J. Brooke mit der Provinz); seit 1888 brit. Protektorat; 1946–63 brit. Kolonie, seitdem Gliedstaat von Malaysia.

Sarazenen, im Altertum Name der Araber, die NW-Arabien und die Halbinsel Sinai bewohnten; im MA. ausgedehnt auf alle Araber, später auf alle Muslime der Mittelmeerwelt, bes. auf die Gegner der Kreuzfahrer.

Sarcelles [sar'sεl], Stadt im Dép. Val-d'Oise, Frankreich, 57 100 Ew.; Wohnstadt im nördl. Vorortbereich von Paris.

Sarangi

Sardinien: Wappen

Sarcina [grch.-lat.] *die* (Sarzina, Sarzine), Gattung grampositiver, anaerober Bakterien; Kokken, die durch Teilung paketförmige Körper bilden; leben in Luft, Boden und Flüssigkeiten.

Sardanapal, grch. Name des assyr. Königs Assurbanipal.

Sardelle [italien.] *die,* die →Anchovis.

Sarden, die Bewohner der Insel →Sardinien, hervorgegangen aus ligur. Urbev. und zugewanderten Phönikern, Griechen, Römern, Mauren, Spaniern und Genuesen. Die Sprache der S., das **Sardische,** bewahrt am stärksten unter den roman. Sprachen eine archaische, dem Latein nahe Form.

Sardes: Die erhaltenen ionischen Säulen bildeten die Ringhalle (Peristase) des Artemistempels; im Vordergrund sind die Reste einer kleinen frühchristlichen Kirche zu erkennen

Sardes (Sardis, grch. Sardeis), im Altertum bed. Stadt im westl. Kleinasien, war bis 546 v.Chr. die Hptst. des Königreichs Lydien, danach Sitz pers. Satrapen. Seit 188 v.Chr. gehörte S. zum Pergamen., seit 133 v.Chr. zum Röm., später zum Byzantin. Reich. Die bei Ausgrabungen in S. gefundenen lyd. Inschriften mit aramäischer Übersetzung erschlossen die lyd. Sprache. Der gewaltige Artemistempel (um 300 v.Chr. begonnen) wurde nie ganz vollendet.

SAR-Dienst [SAR Abk. für engl. **s**earch **a**nd **r**escue »suchen und retten«], von den Mitgliedsländern der International Civil Aviation Organization (ICAO) jeweils zu unterhaltender nat. Such- und Rettungsdienst für in Not befindl. Luftfahrzeuge. Nach Vereinbarungen ist in Dtl. die Bundeswehr für die Durchführung des SAR-D. verantwortlich **(militärischer SAR-D. der Bundeswehr).** Um die Kapazitäten voll auszunutzen, unterstützt der SAR-D. auch den Seenot- sowie den zivilen Rettungsdienst.

Sardine [italien.] *die* (Pilchard, Sardina pilchardus), bis zu 25 cm langer Heringsfisch an den europ. Küsten des Atlantiks; junge S. kommen eingesalzen oder in Olivenöl eingelegt **(Öl-S.)** in den Handel.

Sardinien (italien. Sardegna), nach Sizilien die zweitgrößte Insel Italiens, 23813 km^2, mit Nebeninseln (als autonome Region) 24090 km^2, (1995) 1,659 Mio. Ew.; Hptst. ist Cagliari. Die autonome Region S. ist in die vier Prov. Cagliari, Nùoro, Oristano und Sassari eingeteilt. S. ist von Korsika durch die Straße von Bonifacio getrennt, buchtenreich, gebirgig (Gennargentu 1834 m ü.M.), mit vulkan. Hochflächen und Anschwemmungsebenen. S. hat typ. Winterregenklima mit heißen und trockenen Sommern. Durch die Trockenlegung der fieberverseuchten Sumpfgebiete wurde (bes. nach 1945) die Malaria zurückgedrängt. Die *Bevölkerung* nimmt trotz anhaltender Auswanderung zum italien. Festland langsam zu. – Die *Wirtschaft* erfuhr u.a. durch Bodenreform, Talsperrenbau (Omodeo- und Coghinasstausee sind die größten Italiens), durch Ind.-Ansiedlung, v.a. Erdölraffinerien (Cagliari, Sulcis, Porto Torres, Porto Foxi), Papier- (Arbatax) und Kunstfaserproduktion (Ottana), kräftige Impulse. Der Bergbau, v.a. auf Zink, Blei und Braunkohle, hat erheblich an Bedeutung verloren. S. hat die höchsten Anteile der italien. Viehwirtschaft an Schafen und Ziegen; Fischerei; Fremdenverkehr.

Geschichte: Auf vorgeschichtl. Bewohner weisen die →Nuraghen hin. Seit dem 9.Jh. v.Chr. siedelten Phöniker und Griechen auf S., im 5.Jh. v.Chr. kam die Insel unter karthag. Herrschaft, seit 238 v.Chr. war sie röm. Prov. Nach wechselnden Besetzungen in der Völkerwanderungszeit wurde sie ab 711 wiederholt von Sarazenen überrannt. 1016 befreiten Pisa und Genua zus. mit dem Papst S.; Pisa erlangte die Herrschaft auf S. Ende des 13.Jh. Von Genua verdrängt, belehnte der Papst aber 1297 das Haus Aragón mit S.; 1713 Österreich zugesprochen, kam es 1718/20 im Tausch gegen Sizilien an das Haus Savoyen (→Piemont). – Eine Autonomiebewegung erreichte 1948 die Errichtung einer mit Sonderstatut ausgestatteten Region Sardinien.

🕮 *Kunst u. Kultur S.s. Vom Neolithikum bis zum Ende der Nuraghenzeit, Redaktion:* J. THIMME, *Ausst.-Kat. Bad. Landesmuseum Karlsruhe 1980.* – EXEL, R.: *S. Geologie, Mineralogie, Lagerstätten, Bergbau. Bern 1986.* – PAULI, R.: *S. Geschichte, Kultur, Landschaft. Köln* ^{7}*1990.*

Sardine (Länge bis zu 25 cm)

sardonisches Lachen, *Medizin:* (Risus sardonicus), Starre der Gesichtsmuskulatur, die den Eindruck eines (verzerrten) Lachens hervorruft, typ. Krankheitszeichen bei Wundstarrkrampf.

Sardonyx [grch.] *der,* weiß und rot bis braun gestreifter →Chalcedon; Schmuckstein.

Sardinien: Blick in das Tal von Quirra in der Provinz Nùoro

Sardou [sar'du], Victorien, frz. Dramatiker, *Paris 7. 9. 1831, †ebd. 8. 11. 1908; war erfolgreich mit histor. Dramen und amüsanten Lustspielen, u. a. »La Tosca« (1887, von G. Puccini 1900 vertont), »Madame Sans-Gêne« (1893, mit É. Moreau); auch Libretti für J. Offenbach, C. Saint-Saëns.

Sarduy ['sarðu̯i], Severo, kuban. Schriftsteller, *Camagüey 25. 2. 1937, †Paris 8. 6. 1993; lebte seit 1960 in Frankreich; beeinflusst von Nouveau Roman, Strukturalismus und Semiotik (Gruppe »Tel Quel«); schrieb experimentelle Lyrik, Essays und Romane.

Sargans, Bezirkshauptort im Kanton St. Gallen, Schweiz, im Alpenrheintal, 4500 Ew.; Apparate- und Heizungsbau. – Schloss (15./16. Jahrhundert).

Sargassosee, Teil des Nordatlantik, südlich der Bermudas; bemerkenswert ist das Auftreten von schwimmendem Beerentang; Laichgebiet der →Aale.

Sargent ['sɑːdʒənt], John Singer, amerikan. Maler, *Florenz 12. 1. 1856, †London 15. 4. 1925; ausgebildet in Paris, lebte ab 1884 v. a. in London; entwickelte einen von den Impressionisten ausgehenden elegant-effektvollen Porträtstil; auch Landschafts- und Genrebilder.

Sargodha [seə'gəʊdə], Stadt in Pakistan zw. Jhelum und Chenab, 291 400 Ew.; Mittelpunkt eines Bewässerungsgebietes im Pandschab, Baumwollverarbeitung, Lebensmittel-, chem. Industrie.

Sargon [hebr.] (akkad. Scharrukin), Name mehrerer altorientalischer Könige:

1) S. von Akkad, erster Herrscher der Dynastie von Akkad (um 2235–2180 v. Chr.); unternahm Feldzüge nach Syrien und SW-Iran und begründete das erste von Semiten regierte Großreich in Mesopotamien mit der Hptst.: →Akkad.

2) S. II., König von Assyrien (721–705 v. Chr.); begründete die Dynastie der Sargoniden; eroberte Samaria, Urartu und 710 Babylonien; seine Residenz war Dur-Scharrukin (→Chorsabad).

Sari [Sanskrit] *der,* Wickelgewand der ind. Frau.

Sarin *das,* ein zu den Nervengasen zählender Kampfstoff (chemisch der Methylfluorophosphonsäureisopropylester). S. wirkt irreversibel auf die Acetylcholinesterase und führt so zu Atemlähmung und Herzstillstand. Es wurde im 2. Weltkrieg in Dtl. entwickelt, aber nicht angewendet.

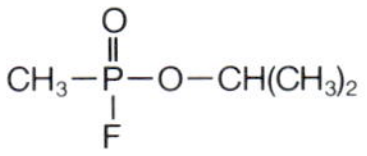

Sarin

Sarjan, Martiros Sergejewitsch, armen. Maler, Grafiker und Bühnenbildner, *Nachitschewan (heute zu Rostow am Don) 28. 2. 1880, †Jerewan 5. 5. 1972; malte v. a. farbkräftige, dekorative Landschaften, Stillleben und Porträts, die häufig von Reiseeindrücken des Orients geprägt sind und fauvist. Einfluss zeigen. BILD S. 198

Victorien Sardou

Sark [sɑːk] (frz. Sercq), eine der Kanalinseln unter der Hoheit der brit. Krone, 5 km², 550 Ew.; 11 km östlich von Guernsey; von Kliffküsten gesäumt.

Sarkasmus [grch., zu sarkázein »zerfleischen«] *der,* beißender, verletzender Spott, Hohn.

Sarkin [grch.] *das,* das →Hypoxanthin.

sarko... [grch. sárx »Fleisch«], fleisch...

Sarkoidose [grch.] *die* (Boeck-Krankheit [nach dem norweg. Dermatologen Caesar Boeck, *1845, †1917]), akute oder chron. vielgestaltige, meist gutartige Systemerkrankung ungeklärter Ursache mit knotigen Wucherungen lymphoretikulärer Zellen **(Granulome)** und Neigung zu bindegewebiger Umwandlung **(Fibrose);** befallen sind v. a. die Lymphknoten der Lungenwurzeln und die Lunge. Die Behandlung erfolgt mit Corticoiden.

Severo Sarduy

John Singer Sargent: »Claude Monet beim Malen am Waldrand« (1888; London, Tate Gallery)

Martiros Sergejewitsch Sarjan: »Jerewan« (1924; Sankt Petersburg, Russisches Museum)

Sarkom [grch.] *das,* bösartige Geschwulst (→Krebs) von Binde- und Stützgewebe.

Sarkophag [grch. »Fleischfresser«] *der,* Prunksarg aus Stein, Holz, Ton oder Metall. In Ägypten trat im Alten Reich die Kastenform des S. mit flach gewölbtem Deckel auf, geschmückt mit Bilderfolgen aus dem Alltagsleben, seit der 11. Dynastie auch mit Reliefs. Im Mittleren Reich kam der anthropoide S. auf, der der menschl. Gestalt angenähert ist. Beide S.-Formen fanden im Mittelmeerraum Verbreitung. Von Griechen gearbeitete Kasten-S. des 5. und 4. Jh. v. Chr., mit Profilen und bemalten Reliefs, wurden in der Königsgruft der phönik. Hafenstadt Sidon gefunden. In Etrurien wurden – vereinzelt seit dem 6. Jh., zahlreich im 2. Jh. v. Chr. – S. in Klinen- oder Kastenform mit wie zum Bankett lagernden Deckelfiguren geschaffen. Die Römer schmückten die Vorderseite ihrer seit dem 2. Jh. n. Chr. zahlreichen S. ornamental oder mit Reliefs aus der Mythologie und dem tägl. Leben. Ihr Stil wurde von der altchristl. S.-Plastik übernommen und in heilsgeschichtl. Darstellungen weiterentwickelt. Im MA. wirkte die Grundform des S. in der Tumba fort wie auch in den seit der Renaissance errichteten Grabmälern mit der Darstellung eines S. im Mittelpunkt. Weitere BILDER Christentum, etruskische Kunst, frühchristliche Kunst, merowingische Kunst, Christian Daniel Rauch, römische Kunst

📖 *Die antiken Sarkophagreliefs, hg. im Auftrag des Dt. Archäolog. Instituts mit Benutzung der Vorarbeiten v.* F. MATZ *u. a., hg. v.* B. ANDREAE *u.* G. KOCH, *auf zahlr. Bde. ber. Berlin 1890 ff., teilw. Nachdr.* – GERKE, F.: *Die christl. S.e der vorkonstantin. Zeit. Berlin 1940, Nachdr. ebd. 1978.* – *Frühchristl. S.e in Bild u. Wort, bearb. v.* T. KLAUSER *u. a. Olten 1966.* – KOCH, G. *u.* SICHTERMANN, H.: *Röm. S.e. München 1982.* – NIWINSKI, A.: *21th dynasty coffins from Thebes. Mainz 1988.* – KONIKOFF, A.: *Sarcophagi from the Jewish catacombs of ancient Rome. Neuausg. Stuttgart 1990.*

Sarkosin [grch.] *das* (N-Methylaminoessigsäure, Methylglycin), Methylierungsprodukt des Glykokolls, das v. a. in Muskeln als Abbauprodukt des Kreatins vorkommt. S. ist eine farblose kristalline Substanz, deren Fettsäurederivate **(Sarkoside)** zur Herstellung grenzflächenaktiver Reinigungsmittel (z. B. schäumende Zahnpasten) verwendet werden.

Sarmaten (Sauromatai), im Altertum iran. Nomadenvolk in der südruss. Steppe, in zahlr. Stämme gegliedert (u. a. Jazygen, Roxolanen), mit den Skythen nahe verwandt und diesen in der Kultur ähnlich; als Reiter und Bogenschützen gefürchtet. Die S. bedrohten die grch. Kolonien an der N-Küste des Schwarzen Meers und stießen im 1. Jh. v. Chr. bis zur Donaumündung vor.

Sarnen, Hauptort des Kantons Obwalden, Schweiz, am N-Ufer des **Sarner Sees** (7,7 km²), 8500 Ew.; Heimatmuseum, Kunststoff-, Nahrungsmittelind., Herstellung von Elektrogeräten, Kristallglas, Möbeln; Fremdenverkehr. – Frauenkloster (17. Jh.), Rathaus (1729–32), barocke Pfarrkirche (1739–42).

Sarntal (italien. Valle Sarentina), linkes Nebental des Etschtals in Südtirol, Italien, von der Talfer durchflossen, die bei Bozen in den Eisack mündet. Hauptort ist Sarnthein (6000 Ew.), Mineralbad.

Sarkophag: Der äußere von drei der menschlichen Gestalt nachgebildeten Sarkophagen des Tutanchamun (um 1340 v. Chr.; Kairo, Ägyptisches Museum)

Saronischer Golf (Golf von Ägina), Teil des Ägäischen Meeres zw. Attika und der nordöstl. Peloponnes, Griechenland; durch den Kanal von Korinth mit dem Golf von Korinth verbunden.

Saroszyklus (Sarosperiode, Chaldäische Periode), ein bereits den Chaldäern bekannter Zeitraum von 18 Jahren und 11⅓ Tagen, nach dessen Ablauf sich Sonnen- und Mondfinsternisse wiederholen.

Saroyan [səˈrɔɪən], William, amerikan. Schriftsteller, * Fresno (Calif.) 31. 8. 1908, † ebd. 18. 5. 1981; Sohn eines armen. Einwanderers, schrieb impressionist. Erzählungen und Romane vom amerikan.

Sarracenie: Die Purpursarracenie wird als Schnitt- und Topfpflanze kultiviert

Alltag (»Ich heiße Aram«, Erz., 1940; »Menschl. Komödie«, R., 1943; »The man with the heart in the highlands & other early stories«, Erz., hg. 1989). Seine Theaterstücke sind moderne Märchen (»Ein Leben lang«, 1939; »Die Höhlenbewohner«, 1958).

Šar planina ['ʃar-] *die* (alban. Mali i Sharit), Gebirge zw. Makedonien und Jugoslawien (Kosovo), im Titov vrh 2747 m ü. M.; bewaldet, Weidewirtschaft; Wintersport.

Sarracenile [nach dem frz. Arzt J. A. Sarracin, *1659, †1736] *die* (Schlauchpflanze, Wasserkrug, Sarracenia), Gattung der Schlauchpflanzengewächse, in Mooren und Feuchtgebieten Nordamerikas, Stauden mit Insekten fangenden Schlauchblättern und einzeln stehenden Blüten. Als Zierpflanze wird z. B. die Purpur-S. kultiviert.

Sarraute [sa'ro:t], Nathalie, geb. Tscherniak, frz. Schriftstellerin russ. Herkunft, *Iwanowo 18. 7. 1902; lebt seit 1908 in Paris, bis 1937 Anwältin. Als Vertreterin des →Nouveau Roman sucht sie die Wirklichkeit allein durch die Sprache zu fassen, u. a. in »Die goldenen Früchte« (1961), »Sagen die Dummköpfe« (1976), und in Prosatexten, u. a. »Der Wortgebrauch« (1980); schrieb auch Dramen, Hörspiele und Essays (»Zeitalter des Argwohns«, 1956); Autobiographie »Kindheit« (1983).

📖 RYKNER, A.: *N. S. Paris 1991.*

Sarre [sa:r], frz. Name der →Saar.

Sarrebourg [sar'bu:r], frz. Name der Stadt →Saarburg.

Sarreguemines [sargə'min], frz. Name der Stadt →Saargemünd.

Sarrusophon *das,* nach dem frz. Militärkapellmeister M. Sarrus (Patent 1856) benanntes, dem Saxophon ähnliches Blechblasinstrument mit doppeltem Rohrblatt. Das S. wird in versch. Größen gebaut und findet v. a. in frz. und italien. Blaskapellen Verwendung, das Kontrabass-S. auch im Sinfonie- und Opernorchester.

Sarstedt, Stadt im Landkreis Hildesheim, Ndsachs., 17 800 Ew.; an der Innerste; Institute der Univ. Hannover und der Tierärztl. Hochschule Hannover; Metall verarbeitende und Verpackungsmittelindustrie.

Sarthe [sart], **1)** *die,* Fluss im westl. Frankreich, 285 km lang, entspringt im Hügelland der Perche, vereinigt sich mit der Mayenne zur Maine und mündet in die Loire.

2) Dép. in NW-Frankreich, in der Region Pays de la Loire, 6206 km^2, (1995) 519 000 Ew.; Hptst. ist Le Mans.

Sarto, Andrea del, eigtl. Andrea d'Agnolo, italien. Maler, *Florenz 16. 7. 1486, †ebd. 29. 9. 1530; schuf groß angelegte Kompositionen (Fresken in der Kirche Santissima Annunziata, Florenz; Tafelbilder, Palazzo Pitti, Florenz, u. a.) in leuchtenden, von mildem Helldunkel umfangenen Farben.

Sartre [sartr], Jean-Paul, frz. Philosoph und Schriftsteller, *Paris 21. 6. 1905, †ebd. 15. 4. 1980; 1931–45 Gymnasialprof., seit dieser Zeit eng ver-

William Saroyan

Nathalie Sarraute

Sarrusophon: Kontrabass-Sarrusophon (um 1925)

bunden mit S. de Beauvoir; 1940/41 in dt. Kriegsgefangenschaft, 1942–44 Mitgl. der Résistance. 1945 begann sein vielseitiges publizist. und polit. Wirken: Er gründete die Zeitschrift »Les temps modernes«, sympathisierte mit dem Kommunismus, kritisierte jedoch scharf die sowjet. Interventionen in Ungarn (1956) und in der Tschechoslowakei (1968); er engagierte sich für die Beendigung des Algerienkriegs und war Vors. des »Russell-Tribunals« gegen den Vietnamkrieg. – S. ist der Hauptvertreter des frz. Existenzialismus (→Existenzphilosophie). Die frühen Schriften (u. a. »Das Imaginäre«, 1940) sind von E. Husserls Phänomenologie beeinflusst. In seinem philosoph. Hauptwerk »Das Sein und das Nichts. Versuch einer phänomenolog. Ontologie« (1943) stellt S. dem nichtmenschl. Sein (»An-sich-Sein«), das, mit sich identisch, einfach ist, was es ist, das Bewusstsein als eigene Seinsweise gegenüber, das nicht mit sich identisch ist (»Für-sich-Sein«). Seiner selbst bewusst, wird sich der Mensch zum Problem und ist gezwungen, aus dieser »Freiheit« heraus sich zu »entwerfen«. Der damit verbundenen Ungewissheit entspringen die Gefühle der »Verlassenheit« und »Angst« und die Flucht in die Seinsweise des »An-sich«. – Dem Marxismus näherte S. sich mit »Kritik der dialekt. Vernunft« (2 Bde., 1960–85).

Jean-Paul Sartre mit seiner Lebensgefährtin Simone de Beauvoir

Die existenzialist. Problematik prägt auch S. belletrist. Werke: »Der Ekel« (R., 1938). Sein Konzept der »Littérature engagée«, Lit. als Beitrag zur Weltveränderung (»Was ist Literatur?«, 1947), ist bes. in den Dramen verwirklicht: »Die Fliegen«, eine Bearbeitung des Orest-Stoffes, uraufgeführt 1943 im besetzten Paris, »Bei geschlossenen Türen« (1945), »Die schmutzigen Hände« (1948), »Die Eingeschlossenen« (1960). Das dreibändige Romanwerk »Die Wege der Freiheit« (1945–51, 4. Bd. Fragment »Die letzte Chance«, 1981) zeigt vor dem Hintergrund von Span. Bürgerkrieg und 2. Weltkrieg Möglichkeiten menschl. Verhaltensweisen. S. wandte die existenzialist. Sichtweise auch in Künstlerbiographien an, u. a. »Saint Genet, Komödiant und Märtyrer« (1952) und »Der Idiot der Familie. Gustave Flaubert 1821–1857« (3 Bde., 1971/72). Seine Kindheit reflektiert er in »Die Wörter« (1964). Den Nobelpreis für Literatur (1964) lehnte er ab.

📖 LAPOINTE, F.: *J.-P. S. and his critics. An international bibliography 1938–75. Bowling Green (Oh.) ²1981.* – HARTMANN, K.: *Die Philosophie J.-P. S.s. Berlin u. a. ²1983.* – HENGELBROCK, J.: *J.-P. S. Freiheit als Notwendigkeit. Einf. in das philosoph. Werk. Freiburg im Breisgau u. a. 1989.* – COHEN-SOLAL, A.: *S. 1905–80. A. d. Frz. Neuausg. Reinbek 1991.*

Sartrouville [sartru'vil], Gemeinde im Dép. Yvelines, Frankreich, an der Seine, 50 400 Ew.; Maschinen-, Schiffbau; elektron. Industrie.

SAS, Abk. für →**S**candinavian **A**irlines **S**ystem.

Sasebo, Hafenstadt im NW Kyūshūs, Japan, 245 100 Ew.; wichtiger Marinehafen; Schiff-, Maschinenbau, Nahrungsmittelindustrie.

Saskatchewan [səs'kætʃɪwən], **1)** *der,* Fluss in Kanada, 547 km lang, entspringt mit seinen zwei Quellflüssen **North S.** (1287 km) und **South S.** (mit Bow 1392 km) in den Rocky Mountains. Er mündet in den Winnipegsee; mit dessen Ausfluss, dem Nelson River, bildet er eine 2575 km lange Wasserstraße.

2) die mittlere der Prärieprovinzen Kanadas, 652 330 km^2, (1991) 988 900 Ew.; Hptst. ist Regina. Im S überwiegt die Prärie, als Ackerland (Weizen, Hafer, Gerste, Flachs) und als Viehzuchtgebiet genutzt. Über 60% der kanad. Weizenernte stammen aus S.; im N vorwiegend Wälder (Holzwirtschaft). Kalilagerstätten (bei Saskatoon), Braunkohle, Erdöl, Erdgas, Gold, Kupfer, Zink; am Athabascasee bei Uranium City umfangreiche Uranlager. – Im 17. Jh. von frz. und engl. Pelzhändlern erschlossen; kam 1670 an die Hudson's Bay Company, die es 1869 an Großbritannien verkaufte; seit 1870 ist S. Teil Kanadas, seit 1905 Provinz.

Saskatoon [səskə'tu:n], Stadt in der kanad. Provinz Saskatchewan, am South Saskatchewan, 186 100 Ew.; Univ. (gegr. 1967); Nahrungsmittel-,

sassanidische Kunst: Die mit Rubinen und Smaragden verzierte Goldschale schmückt in der Mitte eine Gemme aus Bergkristall mit einem Bildnis des sassanidischen Großkönigs Chosrau I. Anuschirwan (6. Jh.; Paris, Bibliothèque Nationale)

Maschinen-, Möbelind.; bei S. die größten Kalilagerstätten der Erde.

Sassafrasbaum [frz.-span.] (Sassafras), Gattung der Lorbeergewächse im östl. Nordamerika und in O-Asien. Die wichtigste Art ist der im östl. Nordamerika verbreitete **Echte S. (Fenchelholzbaum, Nelkenzimtbaum,** Sassafras albidum, Sassafras officinale), 10–12 m hoch mit überwiegend dreilappigen, sich im Herbst orange- und scharlachrot verfärbenden Blättern; Blüten grünlich gelb; Früchte erbsengroß, schwarz, mit fleischigem, rotem Stiel. Aus der Wurzel wird Sassafrasöl gewonnen, Verwendung zur Parfümierung von Seifen und als Aromastoff.

Sassaniden (Sasaniden), pers. Herrscherdynastie (224–651), ben. nach Sassan (Sasan; †208). Dessen Enkel Ardaschir I. (224–241) beendete die Herrschaft der Parther (Arsakiden) und begründete das zweite pers. Großreich (→Iran, Geschichte). Nach dem Sturz der S. durch die Araber (642) wurde ihr letzter Vertreter, Jesgerd III., 651 ermordet.

sassanidische Kunst, die iran. Kunst zur Zeit der →Sassaniden. Die Baukunst bildete von der →parthischen Kunst entwickelte Formen, bes. des →Iwans fort. Reste sassanid. Palastanlagen mit Tonnengewölben und Kuppeln sind erhalten in Ktesiphon, Firusabad (Palast Ardaschirs I.) und Sarwistan. Die Plastik ist v.a. durch große gut erhaltene Felsreliefs in der Nähe von Persepolis bekannt, die Belehnungen sassanid. Könige durch Ahura Masda, Kampf- und Jagdszenen darstellen. Die meisten und besten Felsreliefs entstanden im 3. Jh. n.Chr. Im Kunsthandwerk wurden v.a. in der Toreutik Spitzenleistungen hervorgebracht. Getriebene Silberschalen und sassanid. Gewebe waren weit über die Grenzen Persiens hinaus verbreitet. Durch diese wertvollen Erzeugnisse wurde der Einfluss der s. K. v.a. der islam. Kunst, auch der europ. Kunst des frühen MA. vermittelt.

📖 FINSTER, B. *u.* SCHMIDT, JÜRGEN: *Sasanid. u. frühislam. Ruinen im Iraq. Berlin 1977.* – TRÜMPELMANN, L.: *Die Sasaniden, in: Kunst der Völkerwanderungszeit, hg. v.* H. ROTH. *Berlin u. a. 1979.*

Sassari, 1) Provinz im N der Insel Sardinien, Italien, 7520 km^2, (1995) 459400 Einwohner.

2) Hptst. von 1), nahe der NW-Spitze Sardiniens, 121800 Ew.; Erzbischofssitz; Univ. (gegr. 1565), Museum; Handelszentrum mit chem., Metall-, Elektroind.; Hafen ist Porto Torres (mit Erdölraffinerie). – Dom (11.–13. Jh., mit barocker Fassade); in der Nähe die ehem. Abteikirche Santissima Trinità di Saccargia (1116–1200) im romanisch-pisan. Stil mit mächtigem Turm.

Sassari 2): Stadtwappen

Sassendorf, Bad, →Bad Sassendorf.

Saßnitz, Stadt und Ostseebad auf Rügen, Meckl.-Vorp., an der O-Küste (Halbinsel Jasmund), 12100 Ew.; Museum für Unterwasserarchäologie; Fährhafen mit Verbindungen nach Trelleborg (Schweden) und im Sommer nach Rønne (auf Bornholm, Dänemark), vom Stadtteil Mukran nach Klaipėda (Litauen). Fischereihafen mit Fischverarbeitung, Kreidewerk. – Ab 1824 Badeort; seit 1957 Stadt.

Saßnitz Stadtwappen

Sassari 2): Die ehemalige Abteikirche Santissima Trinità di Saccargia wurde 1116–1200 im romanisch-pisanischen Stil erbaut

Sassolin [nach dem Fundort Sassa, Toscana] *das* (Borsäure), farbloses, weißes, auch gelbl., triklines Mineral der chem. Zusammensetzung $B(OH)_3$; schuppige Täfelchen; Sublimationsprodukt aus heißen Tiefenwässern.

Sassoon [sə'su:n], Siegfried Lorraine, engl. Schriftsteller, *Brenchley (Cty. Kent) 9. 8. 1886, †Heytesbury (Cty. Wiltshire) 1. 9. 1967; nahm als Freiwilliger am 1. Weltkrieg teil. Seine Lyrik ist leidenschaftl. Auflehnung gegen sinnloses Töten; seine autobiograph. Prosa wurde durch die einfühlsame Darstellung des ländl. England bekannt.

Satanspilz (Hutbreite bis zu 30 cm)

Sastre, Alfonso, span. Schriftsteller, *Madrid 20. 2. 1926; schrieb zunächst sozial engagierte, gegenwartsbezogene Dramen, die u. a. von B. Brecht beeinflusst sind (»Der Tod des Toreros«, 1960). Sein späteres Werk ist von tiefer Skepsis gegenüber jeder Ideologie, Autorität und Herrschaft gezeichnet (»Crónicas romanas«, 1979).

📖 *Span. Theater im 20. Jh., hg. v.* W. FLOECK. *Tübingen 1990.*

SAT.1

SAT.1, private dt. Fernsehanstalt, gegr. 1984 von der Satelliten Fernsehen GmbH; Sitz: Mainz; Hauptgesellschafter sind die Kirch-Gruppe und die Axel Springer Verlag AG.

Satan [hebr. »Widersacher«] *der,* im A. T. zunächst der Gegner im Krieg und vor Gericht, später der Ankläger vor Gott (Sach. 3,1 f) und Widersprecher (Zweifler) Gottes (Hiob 1,6 ff); im nachbibl. Judentum die personifizierte widergöttl. Macht (auch Belial, Beelzebub) und das Haupt der Dämonen; in der christl. Dämonologie ein gefallener Engel; weitgehend mit →Luzifer bzw. dem →Teufel gleichgesetzt.

Satanismus *der,* urspr. Bez. für die literar. Beschäftigung mit dem Bösen in der engl. und frz. Lit. des 19. Jh.; dann die rituelle Verehrung und Verherrlichung des Bösen, personifiziert als (»Gott«) Satan, verbunden mit einer Umwertung geltender eth. Prinzipien. Im christlich geprägten Kulturkreis findet der S. seinen Ausdruck u. a. in der Pervertierung der Liturgie zur »schwarzen Messe« (→Teufelsmesse).

V. a. in den USA, aber auch in Europa haben in jüngerer Zeit satanist. Tendenzen Ausdruck gefunden (z. B. in der Gruppe um Charles Manson) und auch die Populärkultur – in Musik (Heavymetalgruppen), Film (Kenneth Anger; »Rosemaries Baby«, 1968, von R. Polanski, nach dem Roman von Ira Levin) und Literatur (S. King) – und den Lebensstil bes. von Jugendlichen (»Gruftis«, »schwarze Szene«) beeinflusst.

📖 FRICK, K. R. H.: *Satan u. die Satanisten, 3 Bde. Graz 1982–86.* – DVORAK, J.: *S. Schwarze Rituale, Teufelswahn u. Exorzismus. Geschichte u. Gegenwart. München 1990.* – ZACHARIAS, G.: *Satanskult u. Schwarze Messe. Neuausg. München [4]1991.*

Satanspilz (Boletus satanas), seltener, dem Dickfußröhrling ähnlicher Röhrling; giftig; Hut bis zu 30 cm breit, grauweiß, klebrig; Röhren karminrot, Geruch aasartig.

Satellit [lat.] *der,* **1)** *Astronomie:* Begleiter eines Planeten (→Monde).

2) *Raumfahrt:* (künstl. S.) i. d. R. unbemannter Raumflugkörper, der mithilfe einer Trägerrakete oder (seit 1982 bei Erd-S.) von einem Raumtransporter gestartet bzw. ausgesetzt wird und einen Planeten (z. B. die Erde, deshalb auch **Erd-S.**) oder Mond umrundet. Alle anderen S. werden i. Allg. **Orbiter** genannt.

Je nach Aufgabe werden S. eingeteilt in **wiss. S.** zur Erforschung des näheren und weiteren Umfeldes der Erde, z. B. der oberen Atmosphäre, des Magnetfeldes, der kosm. Strahlung; **astronom. S.** zur Erforschung der Sonne, anderer Fixsterne, Suche nach Röntgenstrahlenquellen; **biomedizin. S.** oder **Bio-S.** zum Studium des Verhaltens von Pflanzen und Tieren bei Schwerelosigkeit; **meteorolog. S.** oder **Wetter-S.** für meteorolog. Beobachtungen; **Erdfernerkundungs-S.** oder **Erderforschungs-S.** sowie **geodät. S.** zu Vermessungszwecken in der Kartographie, Geophysik und Geodäsie; **Kommunikations-S.** oder **Nachrichten-S.** zur Übertragung von Hörrundfunk- und Fernsehsendungen und Kommunikationsdaten aller Art; **Navigations-S.** zur kontinuierl. Positionsbestimmung im Schiffs- und Flugverkehr sowie in der Raumfahrt; **Rettungs-S.** zur Positionsbestimmung havarierter Schiffe und Flugzeuge; **Geheim-S.** oder **militär. S.** für Überwachungs- und Kommunikationsaufgaben (mit sinkender Bedeutung). Wetter-, Nachrichten- und Navigations-S. bilden die Gruppe der kommerziell bes. interessanten **Anwendungssatelliten.** Mit Ausnahme der Bio-S. und einiger militär. S. verbleiben S. auf ihren Umlaufbahnen, bis sie in der Erdatmosphäre verglühen. Die Funktionsdauer von S. schwankt je nach Einsatzzweck zw. wenigen Tagen und mehreren Jahren, die Verweilzeit in der Umlaufbahn je nach Bahnhöhe bis zu einigen Tausend Jahren.

Die äußere Form von S. wird von der Zweckmäßigkeit sowie der Beschränkung durch den verfügbaren Nutzlastraum in der Raketenoberstufe oder im Raumtransporter bestimmt; ihr Aussehen wird von Auslegern für die Messinstrumente und Solarzellenflächen geprägt. Hauptbestandteile sind: Struktur (Grundgerüst), Nutzlast (z.B. Messgeräte, spez. fotograf. Kameras), Telemetrie- und Kommandoanlage, Energieversorgungs-, Klimaregelungs-, Stabilisierungs- und Lageregelungseinrichtung. Moderne S., v.a. Kommunikations-S., sind dreiachsenstabilisiert, d.h., durch ein System von kleinen Düsen u.a. kann ein S. gleichzeitig zum Erdmittelpunkt, senkrecht zur Äquatorebene und in Bahnrichtung stabilisiert werden. Nur wenn die Bordinstrumentierung keine fest definierte Orientierung im Raum benötigt, wird auf ein aufwendiges Lageregelungssystem verzichtet.

Die Bahnen von S. um die Erde sind Raumflugbahnen. Sie haben die Form von Kegelschnitten und sind nur im Sonderfall ideale Kreisbahnen. Um eine gewünschte S.-Bahn erreichen zu können, muss der S. horizontal zur Erdoberfläche mit bestimmter Höhe, Geschwindigkeit und Richtung in die Umlaufbahn eingeschossen werden. Kleinere Abweichungen können durch Lagekorrekturen ausgeglichen werden. Der erdnächste Punkt einer Umlaufbahn ist das Perigäum, der erdfernste das Apogäum. In rd. 36000 km Höhe beträgt die Umlaufzeit genau 24 Stunden; der S. scheint für den ird. Beobachter am Himmel fixiert (geostationäre Umlaufbahn). Wegen der Erddrehung ist es vorteilhaft, S. in Richtung Osten zu starten; die dadurch dem S. zusätzlich verliehene Geschwindigkeit ist am Äquator am größten. Weitere BILDER INTELSAT, ROSAT, Satellitengeodäsie

📖 BURROUGHS, W. J.: *Die Weltwettermaschine. Satellitentechnik, Wettervorhersage u. Klimaveränderungen. A.d. Engl. Basel u.a. 1993.* – KAPPAS, M.: *Fernerkundung nah gebracht. Bonn 1994.*

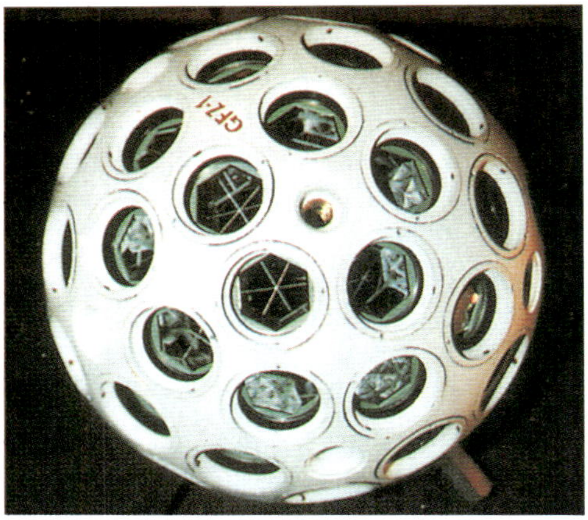

Satellitengeodäsie: Der 1995 gestartete deutsch-russische Geodäsiesatellit GFZ-1 ist mit 60 Laserreflektoren bestückt und hat einen Durchmesser von nur 21,5 cm; mithilfe von Laserbodenstationen kann die Flugbahn bis auf wenige Zentimeter genau bestimmt werden

Satellit 2): Der 1968 gestartete deutsche Satellit HEOS-2 diente der Erforschung der kosmischen Strahlung und des Magnetfelds der Erde (links); Endmontage des 1991 gestarteten Erdfernerkundungssatelliten ERS1 der ESA

Satellitenfernsehen, Übertragung von Fernsehprogrammen mithilfe von →Fernsehsatelliten.

Satellitengeodäsie, Teilgebiet der Geodäsie, das sich mit Messungen zu künstl. Erdsatelliten und deren geodät. Nutzung befasst. Eingesetzt werden bodengebundene und raumgestützte Messverfahren. Wichtigste Resultate der S. sind u.a. die aus den Satellitenbahnanalysen hergeleiteten großräumigen (>1000 km) Strukturen des Schwerefelds und des →Geoids.

Satellitenmeteorologie, die Erfassung meteorolog. Daten vom Satelliten aus durch Fernmessung.

Satellitennavigation, Verfahren der Funknavigation, das auf der Auswertung der Funksignale spezieller künstl. Satelliten beruht. Dem Benutzer eines S.-Systems wird die genaue Bahn und die Weltzeit vom beobachteten Satelliten mitgeteilt, indem Zeitmarken und aktuelle Bahnparameter einer der Sendefrequenzen aufmoduliert und ständig ausgestrahlt werden. Zur Abstandsmessung wird der →Doppler-Effekt ausgenutzt, der aufgrund der Satellitenbewegung als Änderung der Empfangsfrequenz beim Beobachter auftritt. Anhand der gegen die Zeit aufgetragenen Frequenzkurve (Doppler-Kurve) lässt sich der Zeitpunkt der größten Annäherung bestimmen (markiert durch den Wendepunkt der Kurve), zu dem die Verbindungslinie Satellit–Beobachter senkrecht zur Satellitenbahn steht. Ein Netz von Bodenstationen überwacht die Satellitenbahnen, und eine Zentrale berechnet laufend die Bahndaten, die in bestimmten Zeitabständen dem Satelliten über Funk zur Erneuerung der Speicherdaten übermittelt werden. Ein modernes, im Ausbau befindl. S.-

Erik Satie

System der USA zur militär. und zivilen Nutzung ist →GPS. Dieses wird auch bei dem 1995 begonnen S.-Programm **ESN** (Abk. für Europ. Satellitennavigation) der ESA, der Europ. Kommission und der Flugsicherungsorganisation Eurocontrol genutzt. Es soll das Potenzial der S. für die Steuerung des Luft-, Wasser- und Landverkehrs auch für zivile Anwender nutzbar machen und gewährleisten, dass die Daten zuverlässig und in der erforderl. Genauigkeit zur Verfügung stehen.

📖 Bauer, M.: *Vermessung u. Ortung mit Satelliten. Heidelberg ³1994.*

Satellitenstaat, ein völkerrechtlich unabhängiger Staat, der aber unter dem bestimmenden Einfluss einer Großmacht steht.

Satellitenstadt, →Trabantenstadt, →Stadt.

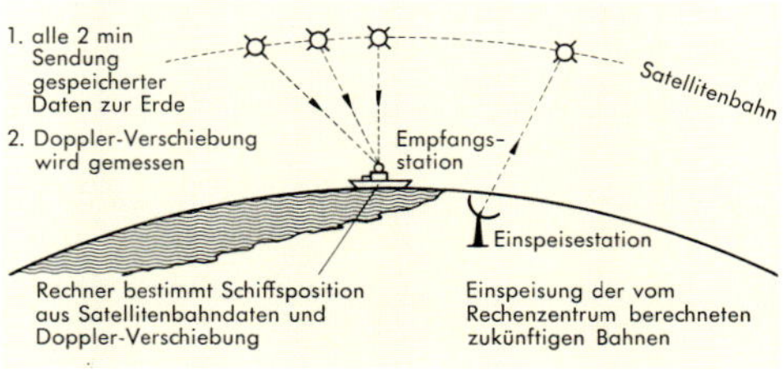

Satellitennavigation: Prinzip der auf dem Doppler-Effekt beruhenden Satellitennavigation, die an jedem Punkt der Erde eine Ortsbestimmung hoher Genauigkeit ermöglicht

Satemsprachen [altiran. satem »hundert«], eine Gruppe der →indogermanischen Sprachen.

Saterland, Gemeinde im Landkreis Cloppenburg, Ndsachs., 12300 Ew.; etwa 1600 Ew. sprechen **Saterfriesisch,** sie bilden die kleinste Sprachinsel Europas. – Gardinenherstellung; Marinefunksendestelle. – Die Saterländer Moore beiderseits der Sagter Ems wurden seit der Jh.wende von der Torfind. abgebaut; zus. mit der Kultivierung erfolgte 1960–80 die größte Flurbereinigung (über 12000 ha) auf dem Gebiet der damaligen Bundesrep. Deutschland.

Sathmar, Stadt in Rumänien, →Satu Mare.

Sathmarer Schwaben, Gruppe der →Rumäniendeutschen, im SW von Satu Mare, um Carei (dt. Großkarol); Nachkommen der 1712–1815 angesiedelten, meist kath. oberschwäb. Bauern (v.a. aus dem Bodenseegebiet); ihre Zahl ging nach 1945 stark zurück, seit etwa 1980 starke Auswanderung in die Bundesrep. Deutschland.

Erik Satie

Von ihm stammt das längste Klavierstück der Musikgeschichte »Vexations« (1896). Es besteht weitgehend aus einer einstimmigen, sehr langsam zu spielenden Melodie mit zwei Akkordeinsprengseln. Das allerdings muss laut kompositorischer Anweisung 840-mal gespielt werden. Je nachdem, wie schnell der Künstler spielt, dauert »Vexations« etwa 27 bis 28 Stunden! Der Name des Stückes bedeutet übrigens in deutscher Übersetzung so viel wie »Ärger«, »Schikane«.

Satie, Erik, frz. Komponist, *Honfleur 17. 5. 1866, †Paris 1. 7. 1925; prägte einen vom Impressionismus unabhängigen, modern-klassizist. Klangstil. S. schrieb u.a. Ballette, Klavierstücke und das sinfon. Drama »Socrate« (1919).

Satin [za'tɛ̃, frz.] *der,* →Atlas.

Satire [von lat. satira »mit verschiedenen Früchten gefüllte Schüssel«] *die,* Literaturgattung, die durch Spott, Ironie, Übertreibung bestimmte Personen, Anschauungen, Ereignisse oder Zustände kritisieren oder verächtlich machen will. Sie kann sich mit allen literar. Formen verbinden (Epigramm, Dialog, dramat. Spiel, Roman). Komischsatir. Darstellungsarten sind auch →Parodie und →Travestie.

Die S. ist, nach Ansätzen in der grch. Dichtung (Aristophanes), wesentlich römisch-lat. Ursprungs. Sie erscheint zuerst bei Lucilius (2. Jh. v. Chr.). Erneuerer der S. war Horaz; ihm folgten Persius und Juvenal. Gemeinsam ist diesen S. die metr. Form. Von anderer Art sind die menippeischen S. mit ihrer lässigen Mischung von Poesie und Prosa (→Varro). In Senecas polit. Pamphlet, der »Apocolocyntosis« (»Verkürbissung«) des Kaisers Claudius, und in Petronius' Sittenroman »Saturae« ist diese Kunstform fortgesetzt, in Lukians Dialogen erneuert. Satir. Sittenschilderung zeigt auch das lat. Epigramm (Martial). Das MA. kennt v.a. die gereimte **Moral-S.** (Rügedichtung, Stände-S.; auch Tierdichtung). Im 16. Jh. wird die S. zu einer beherrschenden Gattung: zeitsatir. Narrendichtungen (→Narr), S. als Kampfmittel in der religiösen Auseinandersetzung (»Epistolae obscurorum virorum«, →Dunkelmännerbriefe, zwei Sammlungen u.a. von U. von Hutten; T. Murner, J. Fischart u.a.). Während der Renaissance entstanden in allen europ. Nationen bedeutende S.: in Spanien S. von M. de Cervantes Saavedra (»Don Quijote« als S. auf die Ritterromane) und F. G. de Quevedo y Villegas, in Italien von G. Parini, in Frankreich von F. Rabelais, P. Scarron, N. Boileau-Despréaux, in England von J. Marston, J. Donne, J. Dryden; ihnen entsprechen im dt. Barock J. M. Moscherosch, F. von Logau, J. W. Lauremberg und der Prediger Abraham a Sancta Clara. In Frankreich gelangte die S. durch Voltaire zu einem Höhepunkt, in England durch A. Pope, D. Defoe, S. Johnson, J. Swift, H. Fielding. Im 19. und 20. Jh. wurde die soziale und polit. S. wieder stärker belebt, im Vormärz durch K. Immermann, H. Heine, in dramat. Form durch J. N. Nestroy; ferner durch S. Butler, G. B. Shaw, N. W. Gogol, M. J. Saltykow-Schtschedrin, M. M. Soschtschenko. Satir. Elemente finden sich bei W. Busch, F. Wedekind, C. Sternheim,

H. Mann, K. Kraus, L. Thoma, B. Brecht, K. Tucholsky, E. Kästner, M. Frisch, F. Dürrenmatt, M. Walser, H. M. Enzensberger, G. Grass u. a. Die S. ist auch Bestandteil des → Kabaretts. A. Huxley, G. Orwell, E. Waugh schrieben satir. Utopien.

Die **Literatur-S.** als Waffe im Kampf gegen bestimmte Schriftsteller erreichte Höhepunkte in der S. der Dunkelmännerbriefe und als eigenständige Gattung in der Goethezeit. Wort- und Bild-S. (→ Karikatur) verbinden sich in den im 19. Jh. aufkommenden **satirischen Witzblättern** (→ Fliegende Blätter, → Kladderadatsch, → Simplicissimus, → Punch).

📖 *Die engl. S., hg. v.* W. WEISS. *Darmstadt 1982.* – KNOCHE, U.: *Die röm. S. Göttingen* [4]*1982.* – ARNTZEN, H.: *S. in der dt. Literatur. Geschichte u. Theorie, auf 2 Bde. ber. Darmstadt 1989 ff.* – TAUSCHER, R.: *Literar. S. des Exils gegen Nationalsozialismus u. Hitlerdeutschland. Von F. G. Alexan bis Paul Westheim. Hamburg 1992.*

Satischje, bis 1938 Name der russischen Stadt → Elektrostal.

Satisfaktion [lat.] *die,* Genugtuung durch Ehrenerklärung (Zurücknahme der Beleidigung) oder durch Duell.

Satledsch *der,* Nebenfluss des Indus, → Sutlej.

Satō, Eisaku, japan. Politiker, * Tabuse (Präfektur Yamaguchi) 27. 3. 1901, † Tokio 2. 6. 1975; 1964–72 MinPräs. und Vors. der Liberaldemokrat. Partei, schloss 1965 mit Südkorea einen Vertrag über die Normalisierung der Beziehungen, erreichte 1972 die Rückgabe der Ryukyuinseln einschl. Okinawas von den USA. 1974 Friedensnobelpreis (zus. mit S. MacBride).

Satire: Titelblatt der von Ulrich von Hutten verfassten und 1517 erschienenen zweiten Sammlung der »Epistolae obscurorum virorum« (Dunkelmännerbriefe), die als beispielhafte literarische Satire bis heute nachwirkt

Eisaku Satō

Sator-Arepo-Formel, ein erstmals aus Pompeji überliefertes, aus 25 Buchstaben bestehendes Quadrat, bei dem die Buchstaben zu fünf Wörtern dergestalt angeordnet sind, dass die Formel von allen Seiten (also vorwärts, rückwärts, von oben nach unten und von unten nach oben) gleich lautend lesbar ist.

S	A	T	O	R
A	R	E	P	O
T	E	N	E	T
O	P	E	R	A
R	O	T	A	S

Sator-Arepo-Formel

Satori [japan.], im Zen-Buddhismus (→ Zen) das Erleuchtungserlebnis, in dem das Wesen der Welt jenseits der Subjekt-Objekt-Trennung, das Absolute und Unbegrenzte, erfahren wird.

Satrap [mhd. satrapas, zu grch. satrápes, aus pers.] *der,* im Perserreich der Achaimeniden Statthalter einer Prov. **(Satrapie)** mit höchster administrativer, richterl. und militär. Macht; von Alexander d. Gr. und den Seleukiden auf die zivile Macht beschränkt.

Satsuma [japan.] *die,* früh reifende, kernlose Mandarinensorte.

Sattel, 1) *Geographie:* Einsattelung, Senke im Verlauf eines Bergzuges.

2) *Geologie:* → Falte.

3) *Musik:* bei Saiteninstrumenten mit Griffbrett eine an dessen oberem Ende angebrachte Querleiste, auf der die Saiten aufliegen.

4) *Pferdesport:* aus Leder bestehende Sitzvorrichtung für den Reiter auf dem Pferderücken. Der Reiter muss im tiefsten Punkt des S. sitzen, um auf das Pferd einwirken zu können. Für Spring-, Dressur- und Vielseitigkeitsprüfungen wird i. Allg. der **engl. S.** (Sport-S., Pritschen-S.) verwendet. Der **Renn-S.** für Galopprennen ist bes. leicht. Beim früher übl. **Damen-S.** befinden sich beide Beine der Reiterin an der linken Seite des Pferdes.

Satteldach, eine Dachform, bei der zwei schräge Flächen am First zusammenstoßen.

Sattelkraftfahrzeug (Sattelzug), ein Lastkraftwagen, bestehend aus Sattelzugmaschine (Sattelschlepper) ohne Ladefläche und (auswechselbaren) Sattelanhängern (Sattelauflieger); höchstzulässiges Gesamtmasse i. d. R. 40 t, Länge 15,5 m.

Sattelrobbe, Art der → Seehunde.

Sättigung, 1) *Chemie:* a) Zustand einer → Lösung (gesättigte Lösung); b) S. von chem. Bindungskräften (→ Absättigung).

2) *Elektronik:* bei nichtlinearen Bauelementen wie u. a. Elektronenröhren, Halbleiterdioden und Transistoren mögl. Betriebszustand, bei dem die Kollektor-Emitter-S.-Spannung (Restspannung) dem Betrag nach wesentlich kleiner ist als die Basis-Emitter-Spannung (Steuerspannung).

3) *Farbmetrik:* einer der drei Empfindungsanteile einer Farbe (neben Farbton und Helligkeit).

4) *Meteorologie:* der Dampfdruck der Luft, der dem maximal möglichen entspricht.

5) *Physik:* eine obere Grenze **(S.-Zustand)** in einem physikal. System, die von einer physikal. Größe als konstanter Wert **(S.-Wert)** erreicht, aber nicht überschritten werden kann, z.B. S. der Magnetisierung.

6) *Wirtschaft:* die Erreichung eines Zustands, bei dem ein wirtschaftl. Bedürfnis v.a. durch Bedarfsdeckung am Markt befriedigt ist.

Satu Mare (dt. Sathmar, ungar. Szatmárnémeti), Hptst. des Kreises S. M. in NW-Rumänien, am Szamos, 131 400 Ew.; Bischofssitz; Geschichtsmuseum, Theater; Maschinenbau, Metall-, Textil-, Nahrungsmittel-, Möbelind., Weinbau; Flughafen. – Von dt. Siedlern (→Sathmarer Schwaben) gegr., 1213 erstmals erwähnt; gehörte bis 1919 und 1941–45 zu Ungarn.

saturiert [lat.], zufrieden gestellt; selbstzufrieden.

Saturn, 1) *der, Astronomie:* nach Jupiter der zweitgrößte Planet unseres Sonnensystems (Zeichen ♄), dessen scheinbarer Durchmesser je nach Erdabstand zw. etwa 14'' (ca. 1650 Mio. km) und 20'' (ca. 1200 Mill. km) liegt. Schon mit einem einfachen Fernrohr ist das ausgeprägte **Ringsystem** des S. zu erkennen. Dieses umgibt den Planeten in der um etwa 27° zur Bahnebene geneigten Äquatorebene, sodass es im Verlauf eines S.-Jahres unter versch. Neigungswinkeln zu beobachten ist. Die S.-Ringe wurden bereits von G. Galilei beobachtet, aber erst 1655 von C. Huygens als solche erkannt. Nach den heutigen Erkenntnissen besitzt der S. nicht weniger als sieben Ringgruppen, die (mit zunehmendem Planetenabstand) als D-, C-, B-, A-, F-, G- und E-Ringe bezeichnet werden. Der im Fernrohr äußere Ring A hat eine Breite von ca. 14 700 km und weist in seinem äußeren Bereich eine 200 km schmale Lücke (enkesche Teilung) auf. Die zw. den Ringgruppen A und B befindl., ca. 4500 km breite Teilungslinie **(cassinische Teilung)** wurde bereits 1675 von P. Cassini entdeckt. Während die Ausdehnung des aus Gesteins- und Eisbrocken (bis etwa 10 m Durchmesser) bestehenden Ringsystems sehr groß ist (Breite z.B. des E-Rings über 100 000 km), beträgt seine Dicke nur etwa 400–500 m.

Astronomische und physikalische Daten des Saturn

Äquatordurchmesser	120 000 km
Poldurchmesser	108 000 km
Bahnexzentrizität	0,055
Masse	$5{,}684 \cdot 10^{26}$ kg
mittlere Dichte	0,69 g/cm³
Rotationsdauer am Äquator	10 h 14 min
Dauer eines Umlaufes um die Sonne	29,628 Jahre
mittlere Entfernung zur Sonne	1,432 Mrd. km

Bislang haben drei Raumsonden den S. erforscht: Pioneer 11 (1979), Voyager 1 (1980) und Voyager 2 (1981). Pioneer 11 entdeckte u.a. ein äußerst gleichmäßig geformtes Magnetfeld des S., Voyager 1 und 2 konnten mit hoch auflösenden Kameras in den klass. Ringbereichen tausende Einzelringe und Ringgruppen mit schwächeren Teilungen erkennen, eine Reihe von weiteren Monden nachweisen und die Turbulenzen sowie die chem. Zusammensetzung der S.-Atmosphäre untersuchen. Neben Wasserstoff und Helium, den Hauptbestandteilen, konnten Methan, Ammoniak, Äthan, Acetylen und verwandte Moleküle nachgewiesen werden. Man nimmt an, dass das Innere des S. aus drei Schichten besteht: einer äußeren aus einem flüssigen Gemisch aus Wasserstoff und Helium, an die sich nach innen (bedingt durch den hohen Druck) eine Zone aus metall. Wasserstoff anschließt und einem innersten eisenreichen festen Kern etwa von der Größe der Erde.

Die Existenz von 18 **S.-Monden** gilt als gesichert, einige weitere werden noch vermutet; bis auf die neun »klass.« S.-Monde **(Mimas, Enceladus, Tethys, Dione, Rhea, Titan, Hyperion, Iapetus, Phoebe)** handelt es sich aber um Objekte von nur bis zu etwa 300 km Durchmesser. Titan, der größte S.-Mond und wohl der ungewöhnlichste Satellit im Sonnensystem, ist von einer dichten Atmosphäre umgeben, die bei einem Bodendruck von etwa 1,5 bar zu über 80 % aus Stickstoff besteht sowie Argon, Methan und Spuren komplexerer Moleküle enthält, darunter auch zahlr. Kohlenwasserstoffverbindungen. Trotz dieser an die frühe Erdatmosphäre erinnernden Zu-

Saturnmonde

Name (Entdeckungsjahr)	Durchmesser in km[1]	mittlere Entfernung von Saturn in km	siderische Umlaufperiode in Tagen
Pan (1991)	20	133 600	0,575
Atlas (1980)	40×20	137 700	0,60
Prometheus (1980)	140×100×80	139 400	0,61
Pandora (1980)	110×90×70	141 700	0,63
Janus (1978)	220×200×160	151 400	0,69
Epimetheus (1978)	140×120×100	151 500	0,69
Mimas (1789)	392	185 600	0,94
Enceladus (1789)	500	238 000	1,37
Tethys (1684)	1 060	294 700	1,89
Calypso (1980)	34×22×22	294 700	1,89
Telesto (1980)	34×28×26	294 700	1,89
Dione (1684)	1 120	377 400	2,74
Helene (1980)	36×32×30	378 100	2,74
Rhea (1672)	1 530	526 700	4,52
Titan (1655)	5 150	1 222 000	15,95
Hyperion (1848)	410×260×220	1 481 000	21,28
Iapetus (1671)	1 460	3 561 000	79,33
Phoebe[2] (1898)	160	12 954 000	550,40

[1] bei einigen kleineren Monden etwas unsicher. – [2] bewegt sich rückläufig

Saturn 1): Die Echtfarbenfotografie des Saturns und seiner Monde Tethys und Dione wurde von der Raumsonde Voyager 1 aufgenommen, als sie im November 1980 am zweitgrößten Planeten unseres Sonnensystems vorbeiflog

sammensetzung dürfte auf Titan die notwendige Energie für die Synthese komplexer Makromoleküle gefehlt haben, die auf der Erde der Entstehung des Lebens vorausgegangen ist: die Temperatur an der Titanoberfläche liegt bei etwa −179 °C.

2) *Mythologie:* (Saturnus) altital. Gottheit der Saaten und der Fruchtbarkeit, schon früh dem grch. Kronos gleichgesetzt.

3) *die, Raumfahrt:* Bez. für eine Serie schwerer amerikan. Trägerraketen (S. I, S. IB, S. V), vor allem für Apollo-Raumfahrzeuge; 1965–72 für den Start von drei Pegasus-Mikrometeoriten-Satelliten sowie innerhalb des Apollo-Programms, 1973 zum Start von Skylab und 1975 beim Apollo-Sojus-Raumflugunternehmen eingesetzt. BILD Rakete

Saturnalilen *Pl.,* altröm. Fest zu Ehren des Gottes Saturn am 17. 12. nach Beendigung der Herbstaussaat. Zu den Festbräuchen gehörten: Aufhebung der Standesunterschiede, gegenseitiges Beschenken, Gelage.

Saturnismus [nach dem Planeten Saturn, bei den Alchimisten Symbol für Blei] *der,* die →Bleivergiftung.

Satyr [grch.] *der, grch. Mythos:* Fruchtbarkeitsdämon im Gefolge des Dionysos, lüstern und Wein liebend; dargestellt meist als Mischwesen, halb Mensch, halb Pferd (oder Bock), verwandt mit →Silen; im röm. Mythos →Faun.

Satyrhuhn (Tragopan), Gattung der Fasanenvögel in Bergwäldern des Himalaja und S-Chinas, mit bunten, schwellbaren hornförmigen Hautauswüchsen am Oberkopf und Kehllappen sowie hell gesprenkeltem Gefieder; fast doppelt so groß wie Haushühner. S. halten sich auf Bäumen auf, wo sie auch brüten.

Satyriasis [grch.] *die,* krankhaft gesteigerter Geschlechtstrieb bei Männern.

Satyrspiel, Form des antiken grch. Dramas, in der Satyrn den Chor bildeten. Das S. wurde als Nachspiel zu einer trag. Trilogie aufgeführt, deren Welt es in burlesker Weise parodiert.

Satz, 1) *Datenverarbeitung:* (Datensatz) eine als Einheit behandelte Gruppe von Daten.

2) *Drucktechnik:* der von Hand oder maschinell hergestellte Schriftsatz, wobei der Bleisatz aus einzelnen Typen (→Letter) vom Fotosatz und vom digitalen Lichtsatz abgelöst wurde. (→Setzerei)

3) *Logik* und *Mathematik:* (Theorem, Lehrsatz) die bewiesene Aussage einer Theorie.

4) *Musik:* a) das in sich geschlossene mehrtaktige Formglied eines Musikstücks, svw. →Periode; b) vollständiger, in sich abgeschlossener Teil eines größeren Ganzen (Suite, Konzert, Sonate, Sinfonie, Quartett); c) Setzweise, d. h. die Art, in der ein Tonstück ausgearbeitet ist: schlichter S. (Note gegen Note), kunstvoller S., zwei-, drei-, vierstimmiger S., homophoner, polyphoner S. usw.

5) *Physik:* a) physikal. Gesetz (z. B. die Erhaltungs-S.); b) die Gesamtheit bestimmter Größen, z. B. ein S. von Quantenzahlen.

6) *Sport:* Spielabschnitt in Rückschlagspielen, der nach der für das jeweilige Spiel vorgeschriebenen Punktezahl beendet ist.

7) *Sprachwiss.:* aus kleineren Einheiten bestehende textl. Einheit, die intuitiv als eine abgeschlossene Einheit innerhalb eines Kontextes aufgefasst wird. Von der Antike bis ins 19. Jh. (gele-

Satyr: Der Ausschnitt aus dem »Dionysosmosaik« zeigt einen Satyrn, der eine Mänade bedrängt (3. Jh.; Köln, Römisch-Germanisches Museum)

Satzzeichen

Die hier angeführten Regeln der **Interpunktion** sind nicht vollständig und betreffen keine Zweifelsfälle.

Der **Punkt** (.) steht
- am Ende des Aussagesatzes: *Es ist kalt.*
- nach Zahlen, um sie als Ordnungszahlen zu kennzeichnen: *am 1. April, Otto I.*
- bei Abkürzungen, die im vollen Wortlaut gesprochen werden: *z. B., z. T., dgl., usw.*

Das **Semikolon** (;) steht
- anstelle eines Punktes zw. selbstständigen Sätzen, die gedanklich eng verbunden sind: *Es war so lustig; wir haben Tränen gelacht.*
- statt des Kommas zwischen nebengeordneten Sätzen einer Satzverbindung: *Die Angelegenheit ist erledigt; darum wollen wir nicht mehr davon sprechen.*
- bei längeren Aufzählungen, um Gruppen abzugliedern: *alle jagdbaren Tiere des Waldes und Feldes; Hirsche, Rehe, Wildschweine; Hasen, Fasane, Rebhühner.*

Das **Komma** (,)
- steht innerhalb eines Satzes bei Aufzählungen (sofern sie nicht durch »und« bzw. »oder« verbunden sind), herausgehobenen Satzteilen sowie Einschüben und Zusätzen: *Alles lacht, singt, tanzt. Hier gedeihen Weizen, Mais, Gemüse und Wein. Ludwig XIV., König von Frankreich, ließ sich Versailles als Residenz ausbauen. Wir müssen gehen, und zwar sofort.*
- steht bei Datumsangaben: *Leipzig, den 1. 1. 1998.*
- steht zw. Satzteilen, die durch anreihende Konjunktionen verbunden sind: *Sie ist nicht nur ein intelligentes, sondern auch ein liebenswürdiges Mädchen.*
- steht vor entgegensetzenden Konjunktionen: *erledigt, aber unbefriedigend.*
- dient der Abtrennung des erweiterten Infinitivs:*) *Er hatte keine Möglichkeit, den Artikel zu lesen. Sie ging in die Stadt, um einzukaufen.*
- trennt nebengeordnete selbstständige Sätze:*) *Kommst du mit, oder musst du noch arbeiten?*
- trennt Haupt- und Nebensatz (Gliedsatz): *Als er eintrat, verstummten alle. Ich bin sehr froh, dass sie wieder gesund ist.*
- trennt Nebensätze (Gliedsätze) versch. Grades: *Er glaubt nicht, dass er das Buch, das man ihm empfohlen hatte, lesen müsste.*

Das **Fragezeichen** (?) steht nach einem Fragewort oder am Ende eines direkten Fragesatzes: *Wie? Was wünschen Sie?*

Das **Ausrufezeichen** (!) steht nach einem Ausruf sowie am Ende eines Ausrufe-, Aufforderungs- oder Wunschsatzes: *Herein! Komm doch! O wären wir doch schon zu Hause!* Auch um einem Satz Nachdruck zu verleihen: *Ich sage es dir nicht noch einmal!*

Der **Gedankenstrich** (–)
- steht vor und nach eingeschobenen Satzstücken und Sätzen, die das Gesagte ergänzen: *Dieses Stück – das letzte des Meisters – wird selten gespielt.*
- bezeichnet eine Pause: *Plötzlich – ein Schrei.*
- steht anstelle eines Kommas bei besonderer Betonung des Gegensatzes: *Wir versuchten alles – leider ohne Erfolg.*

Der **Doppelpunkt** (:) steht
- vor der wörtlich angeführten Rede: *Er sagte: »Ich gehe jetzt«.*
- vor angekündigten Aufzählungen: *Die Woche hat sieben Tage: Montag, Dienstag, Mittwoch …*
- vor angekündigten Satzstücken, vor einer Zusammenfassung oder Folgerung: *Das Ende war vorauszusehen: Er verlor alles, was er hatte.*

Anführungszeichen (»…«)
- stehen vor und hinter der wörtlich angeführten Rede: *»Ich bin«, sagte sie, »in wenigen Tagen zurück«.*
- dienen der Kennzeichnung eines Buchtitels, einer Überschrift, einer wörtlich angeführten Textstelle: *Goethes »Faust«. So ein »Geklingel«, wie er das nannte.* Auch wenn Wörter einen iron. Sinn erhalten sollen: *Das sind »bessere« Leute.*

*) nach der neuen amtlichen Rechtschreibung kann hier ein Komma zur Verdeutlichung der Satzstruktur gesetzt werden, es muss aber nicht zwingend stehen

---

gentlich bis heute) wird der S. als Verbindung von Wörtern, die einen Gedanken (eine Sinneinheit) ausdrückt, als log. Urteil, in dem über einen Gegenstand (Subjekt) etwas ausgesagt wird (Prädikat) oder als sprachl. Ausdruck einer Gesamtvorstellung aufgefasst. Die strukturalist. Sprachwiss. seit F. de Saussure betrachtet den S. als eine Einheit, die sich erst im Sprechen konstituiert und im Normalfall vom Bekannten (Thema) zum Neuen (Rhema) fortschreitet. Im amerikan. Strukturalismus (L. Bloomfield u. a.) wird der S. ausschließlich unter formalen Aspekt beschrieben, als syntakt. Form, die durch keinerlei grammat. Konstruktion in eine größere sprachl. Form eingebettet ist. A. N. Chomsky unterscheidet zw. einer Tiefenstruktur, die die Bedeutung, und einer Oberflächenstruktur, die die Form bestimmt. Sätze sind alle sprachl. Einheiten, die durch grammat. Regeln generiert werden können. Seit Chomsky hat sich die Auffassung durchgesetzt, dass der S. eine Einheit der Sprache (Langue) ist, im Ggs. zur Äußerung als ei-

Satzzeichen

Die Ursprünge unserer heutigen Zeichensetzung erfand Aristophanes von Byzanz. Er war Vorsteher der Bibliothek von Alexandria, und seinem textdetektivischen Fleiß verdanken wir die Überlieferung von Schriften Hesiods, Homers und anderer. Er führte drei Satzzeichen ein: Am Satzende stand ein hoher Punkt, ein mittlerer Punkt entsprach unserem Semikolon und ein tief gestellter Punkt dem heutigen Doppelpunkt.
*Die heute üblichen Satzzeichen gehen auf den italienischen Buchdrucker und Verleger Aldus Manutius (*1449, †1515) zurück.*

Saudi-Arabien

Fläche: 2 150 000 km²
Einwohner: (1995) 17,88 Mio.
Hauptstadt: Riad
Verwaltungsgliederung: 13 Provinzen
Amtssprache: Arabisch
Nationalfeiertag: 23. 9.
Währung: 1 Saudi Riyal (S.Rl.) = 20 Qirshes = 100 Hallalas
Zeitzone: MEZ +2 Std.

ner Einheit des Sprechens (Parole). Im Rahmen der Pragmalinguistik gilt ein S. als »Muster für kleinste vollständige Sprechakte«. – Die Beschreibung des S. ist Gegenstand der →Syntax. Die Sätze werden nach versch. Gesichtspunkten unterschieden: nach Formtypen (Aussage-, Ausrufe-, Frage- oder Aufforderungs-S.), nach der syntakt. Funktion (Haupt-, Neben-S.), nach der Fügung (einfacher, zusammengesetzter S.) und der S.-Form (Stirn-, Kern-, Spann-S., Infinitivgruppe). Traditionelle Grammatiken stellen den Aufbau des S. aus S.-Gliedern dar; strukturelle Grammatiken beschreiben den S. nach seiner Zusammensetzung aus Teilen oder nach der wechselseitigen Abhängigkeit der Teile.

Satzlehre, *Sprachwiss.:* die →Syntax.

Satzspiegel, *Drucktechnik:* die von Text und Bildern (die über den S. hinausreichen können) eingenommene Fläche einer Druckseite.

Satzung (Statut), allg. das schriftlich niedergelegte Recht einer auf gemeinsame Beschlussfassung ausgerichteten Organisation. Im Privatrecht wird unter S. die Grundordnung eines rechtl. Zusammenschlusses (z.B. AG, Verein) verstanden, die dessen Zweck und die wichtigsten Befugnisse seiner Organe regelt. Im öffentl. Recht sind S. Rechtsvorschriften, die ein dem Staat eingeordneter selbstständiger Verband (z.B. Gemeinde) zur Regelung eigener Angelegenheiten aufgrund ihrer S.-Autonomie hoheitlich einseitig erlässt. Das Recht zum Erlass von S. ist Ausfluss des Selbstverwaltungsrechts. In bestimmten Fällen bedarf die S. einer staatl. Genehmigung.

Satz vom ausgeschlossenen Dritten, *Philosophie:* logisches Grundgesetz (Axiom), →tertium non datur.

Satz vom Widerspruch, *Philosophie:* →Widerspruch.

Satz vom zureichenden Grund, *Philosophie:* nach W. Leibniz ein Seins- und Erkenntnisprinzip, wonach keine Begebenheit wirkl. und keine Aussage wahr sein kann, ohne dass ein Grund gegeben wäre, warum sie gerade so sind.

Satzzeichen, schriftl. Zeichen, die zur Verdeutlichung der syntakt. Struktur dienen. (ÜBERSICHT)

Sau, weibl. Hausschwein.

Saualpe, Gebirgszug der Zentralalpen, westlich des Lavanttales, Kärnten, Österreich, in der Ladinger Spitze 2 079 m ü. M.

Säuberung, in autoritären oder diktator. Reg.systemen die Entfernung politisch missliebiger Personen in großer Zahl aus leitenden, aber auch nachgeordneten Stellungen in Staat und Gesellschaft. Erstmals in Frankreich zur Zeit der Schreckensherrschaft der Jakobiner 1792–95, im 19. Jh. z. B. im Dt. Bund während der Demagogenverfolgung angewendet. Im 20. Jh. instrumentalisierte der Nationalsozialismus die polit. S. als ein wesentl. Mittel zur administrativen Durchsetzung seiner rassist. Ideologie. In der Sowjetunion entwickelte Stalin die S. zu einem Instrument zur Durchsetzung seiner persönl. Herrschaft (bes. 1935–39; →Tschistka). In den sowjet. Einflussgebieten nach dem 2. Weltkrieg spielte sie eine wesentl. Rolle bei der Durchsetzung des sowjet. Gesellschaftssystems, in der VR China löste die Kulturrevolution (1966–69) eine S.-Welle aus. – Die Entnazifizierung in Dtl. durch die Siegermächte des 2. Weltkrieges erfolgte ebenfalls im Sinne einer Säuberung.

Saudi-Arabi|en (amtlich arab. Al-Mamlaka al-Arabijja as-Saudijja, Königreich S.-A.), Staat auf der Arab. Halbinsel, grenzt im W an das Rote Meer, im N an Jordanien, Irak und Kuwait, im O an den Pers. Golf, im SO an Katar und die Vereinigten Arab. Emirate, im S an Oman und an Jemen; der Grenzverlauf ist z. T. umstritten (daher schwanken die Flächenangaben).

Staat und Recht: S.-A. ist eine absolute Monarchie. Eine geschriebene Verf. existiert nicht. Staatsoberhaupt, oberster Inhaber der Exekutive und Legislative sowie nominell geistl. Oberhaupt ist der König. Seine Machtposition basiert auf der Scharia; in der Praxis hat er die geistl. Würdenträ-

Staatswappen

KSA

Internationales Kfz-Kennzeichen

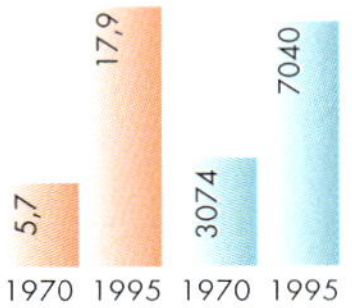

Bevölkerung (in Mio.)
Bruttosozialprodukt je Ew. (in US-$)

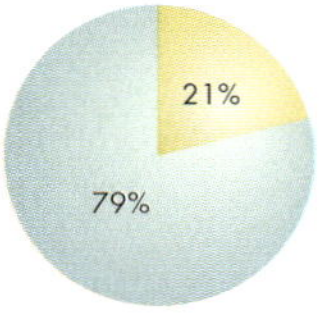

Stadt
Land
Bevölkerungsverteilung 1995

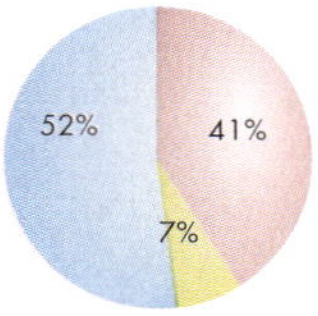

Industrie
Landwirtschaft
Dienstleistung
Bruttoinlandsprodukt 1995

ger (Rat der Schriftgelehrten) sowie die komplizierten inneren Machtstrukturen der Dynastie zu berücksichtigen. Der König steht dem von ihm ernannten Ministerrat vor. Am 1. 3. 1992 wurden drei Reformgesetze veröffentlicht, die Grundzüge einer Verf. sowie eine Reform der Verw.struktur beinhalten. Am 20. 8. 1993 wurde per Dekret des Königs die Beratende Versammlung (Schura-Rat) gebildet, eine mit beschränkten Vollmachten ausgestattete Volksvertretung. Die 60 Mitgl. werden vom Monarchen auf vier Jahre berufen. Parteien existieren nicht.

Landesnatur: S.-A. umfasst den größten Teil der Arab. Halbinsel. Es ist ein Hochland, überwiegend aus kristallinen Hügelländern und jungen Lavadecken bestehend, das vom Pers. Golf langsam nach W ansteigt und mit gebirgsartigem Rand zum Vorland des Roten Meeres abfällt. Bedingt durch das trockenheiße Klima, nehmen Wüsten (größte ist die Rub al-Chali) und Wüstensteppen 99 % der Staatsfläche ein. Nur im Bereich von Trockentälern (Wadis) und am Fuß von Bergstufen können sich durch Quellen und Grundwasser Oasen bilden.

Bevölkerung: Die Bevölkerung ist infolge der wüstenhaften Landesnatur auf wenige städt. Zentren und kleine Gebiete mit gesicherter Wasserversorgung (Oasen) konzentriert. Sie besteht fast nur aus Arabern; rd. 15 % Nomaden (Beduinen). – Es besteht keine allg. Schulpflicht; die Analphabetenrate beträgt 38 % (bei Frauen 52 %); es gibt sieben Univ. (in Riad zwei, in Medina, Dharan, Djidda, Damman und Mekka). – Die Bev. bekennt sich zum Islam, mehrheitlich zur sunnit. (bes. zur strenggläubigen Bewegung der →Wahhabiten), eine Minderheit zur schiit. Richtung (Ismailiten).

Wirtschaft, Verkehr: Grundlage ist der Erdölsektor, der fast 90 % der Exporterlöse (zweitgrößter Exporteur der Welt) erbringt. Die Förderung liegt im Wesentlichen bei der ARAMCO. S.-A. (Mitgl. der OPEC) verfügt über 25 % der Erdölvorräte der Welt sowie über große Erdgasreserven. Die Erdöleinnahmen werden u. a. für Sozialleistungen, für Entwicklungshilfe und für die Ind.förderung verwendet. Bei Jubail am Pers. Golf und Janbo am Roten Meer entstanden Ind.zentren mit Grundstoff- und Verarbeitungsind. auf Erdöl- und Erdgasbasis (Raffinerien, petrochem., Stahlwerke, Aluminiumhütten). Der zweite wichtige Wirtschaftssektor ist der Pilgerverkehr zu den hl. Stätten des Islams in Mekka und Medina. Landwirtschaft ist nur bei künstl. Bewässerung möglich. Haupthandelspartner sind Japan, USA, Großbritannien und Deutschland. – S.-A. verfügt über 43 200 km befestigte Straßen. Zwei Eisenbahnlinien (571 bzw. 465 km) verbinden Damman mit Riad. Seehäfen sind Djidda und Damman, Erdölhäfen Janbo, Jubail und Ras Tanura. Internat. Flughäfen in Dharan, Djidda und Riad.

Geschichte: Über die Geschichte des Gebiets von S.-A. bis zum 18. Jh. →Arabische Halbinsel. – Die zentralarab. Beduinen schlossen sich um 1740 den Wahhabiten an, die unter der Familie Saud von Nedjd aus einen innerarab. Staat schufen (Hptst. seit 1821: Riad), der 1818 an die Osmanen fiel. 1883–1902 aus Riad vertrieben, verdrängte sie unter Abd al-Asis III. Ibn Saud von Kuwait aus die Osmanen aus NO-Arabien (1902 Rückeroberung

Saudi-Arabien: Die turmartigen, mit Zinnen gekrönten und aus Lehmziegeln errichteten Gebäude, die im Untergeschoss als Stall- und Vorratsräume genutzt werden, sind typisch für die Dörfer im Hochland von Asir im Südwesten des Landes

des Emirats Riad Nedjd), 1924/25 auch den Scherifen von Mekka, Husain Ibn Ali, der sich zum König des Hidjas gemacht hatte. 1926 ließ sich Ibn Saud zum König des Nedjd und Hidjas (seit 18. 9. 1932 **Königreich S.-A.**) ausrufen. 1933 wurde die Arabian-American Oil Company (ARAMCO) gegründet. Die steigende Erdölförderung leitete eine Modernisierung ein (u.a. Verkehrs- und Schulwesen, Bewässerungssystem). Ibn Sauds Sohn, König Saud (1953–64), wurde 1964/65 von seinem Bruder Feisal entmachtet; er öffnete S.-A. dem westl. Lebensstil (enge Kooperation mit den USA), ohne die autokrat. Herrschaftsform zu lockern, und vollzog (v.a. im jemenit. Bürgerkrieg noch Gegner Nassers) nach 1967 eine Annäherung an Ägypten. Nach Feisals Ermordung (1975) setzten König Chalid (1975–82) und König Fahd (seit 1982) dessen Innen- und Außenpolitik (1979 Einschwenken in die arab. Ablehnung des ägyptisch-israel. Friedensvertrages) fort. Innerhalb der OPEC vertritt S.-A. eine gemäßigte Preispolitik. Im Juli 1987 und 1988 kam es, ausgelöst durch iran. Pilger, während der Wallfahrten in Mekka zu schweren Unruhen und zu Spannungen mit Iran. Nach der Besetzung Kuwaits durch den Irak am 2. 8. 1990 wurde S.-A. zum Aufmarschgebiet einer multinat. Streitmacht, im 2. → Golfkrieg 1991 arab. Hauptgegner Iraks.

Nach diesem Kriege wurde die Armee rasch um mehr als 40% auf nun fast 97000 Mann vergrößert; im Bereich des Großgeräts (v.a. Kampfpanzer und Kampfflugzeuge) wurden umfangreiche Beschaffungsmaßnahmen eingeleitet. Polit. Reformforderungen kam König Fahd nur in einem sehr begrenzten Maß entgegen. In diesem Sinne wurde 1993 ein Konsultativrat geschaffen. Angesichts der verstärkten Ausrichtung der Außenpolitik (seit 1991) auf die USA sieht sich das saud. Herrscherhaus innenpolitisch mit einer fundamentalistisch-islam. Opposition konfrontiert, die die amerikan. Militärpräsenz in S.-A. als Besatzung im »geheiligten Ursprungsland des Islam« betrachtet. Im Nov. 1995 und im Juni 1996 verübten islamist. Extremisten Bombenanschläge auf Militäreinrichtungen der USA in S.-A. (zahlr. Tote). – Im Jan. 1995 führten Grenzstreitigkeiten zw. S.-A. und Jemen um erdölreiche Gebiete zu bewaffneten Auseinandersetzungen, die jedoch bereits im folgenden Monat durch ein »Memorandum der Verständigung« beigelegt wurden.

🕮 *S.-A. Natur, Geschichte, Mensch u. Wirtschaft*, hg. v. H. Blume. *Tübingen u.a. 1976.* – Kopf, W.: *Saudiarabien. Insel der Araber. Stuttgart 1982.* – Philipp, H.-J.: *Saudi Arabia. Bibliography on society, politics, economics, 2 Bde. München 1984–89.* – Heck, G. *u.* Wöbcke, M.: *Arab. Halbinsel. S.-A., Kuwait, Bahrain, Qatar, Vereinigte Arabische Emirate, Oman, Jemen. Köln 1996.*

Saudistel, die → Gänsedistel.

Fahd, König von Saudi-Arabien (seit 1982)

Sauer *die* (frz. Sûre), linker Nebenfluss der Mosel, entspringt im belg. Teil der Ardennen, mündet bei Wasserbillig in Luxemburg, rd. 170 km lang.

Sauer, 1) August, Literarhistoriker, *Wiener Neustadt 12. 10. 1855, †Prag 17. 9. 1926; begründete die stammes- und landschaftskundl. Methode der Literaturwissenschaft.

2) Wilhelm, Orgelbauer, *Friedland (Kr. Mecklenburg-Strelitz) 23. 3. 1831, †Frankfurt (Oder) 9. 4. 1916; gründete ebd. 1857 eine bed. Orgelbaufirma; baute u.a. Orgeln in Leipzig (Thomaskirche, 1889), Bremen (Dom, 1894), Berlin (Kaiser-Wilhelm-Gedächtniskirche, 1895), Breslau (Jahrhunderthalle, 1913).

Ferdinand Sauerbruch (um 1925)

Sauerbruch, Ernst Ferdinand, Chirurg, *Barmen (heute zu Wuppertal) 3. 7. 1875, †Berlin 2. 7. 1951; begründete die Thoraxchirurgie (Einführung des Druckdifferenzverfahrens) und entwickelte eine neuartige Hand- und Unterarmprothese **(S.-Hand),** die durch Benutzung der Muskeln des Amputationsstumpfes willkürlich bewegt werden kann.

Sauergräser, die → Riedgräser.

Sauerklee (Oxalis), Gattung der S.-Gewächse, v.a. im trop. und halbtrop. Amerika und im südl. Afrika. In Mitteleuropa wächst, bes. in Wäldern,

Sauerbruch

Für wen betätigte sich Ernst Ferdinand Sauerbruch auch noch als Zahnarzt?

Für Wladimir Iljitsch Uljanow, genannt Lenin. Sauerbruch arbeitete 1916 in Zürich. Als er vor einem Spital einen Mann sitzen sah, der offensichtlich an schrecklichen Zahnschmerzen litt, fragte er ihn, warum er nicht zum Zahnarzt gehe. Lenin, der Mann mit der dicken Backe, lebte zu dieser Zeit in der Schweiz im Exil. Nachdem er Sauerbruch erzählt hatte, dass es ihm am nötigen Geld mangele, nahm der ihn mit ins Krankenhaus und zog ihm kostenlos den Zahn. Dies erzählte Sauerbruch in seiner 1951 erschienenen Autobiographie mit dem Titel »Das war mein Leben«.

Sauerklee: Waldsauerklee (Höhe 8–15 cm)

der **Wald-S.** (Oxalis acetosella), eine bis 15 cm hohe, oxalsäurehaltige Staude mit unterirdisch kriechender Grundachse, dreizähligen, kleeblattähnl. Blättern und weißer, rötlich geäderter Blüte; auf Brach- und Kulturland eingebürgert u.a. der südeurop. **Horn-S.** (Oxalis corniculata). – Zierpflanze ist der bis 25 cm hohe **Glücksklee** (Oxalis deppei) aus Mexiko, mit lang gestielten Blättern und hellroten, im Schlund weißgrünen Blüten.

Sauerland (Süderland), der NO-Teil des Rhein. Schiefergebirges, zw. Sieg, Möhne und Ruhr, umfasst den Arnsberger Wald, das Ebbe- und Lennegebirge, die Hochfläche von Winterberg, das Hoch-S. mit Rothaargebirge (Kahler Asten 841 m ü.M.) und Waldecker Upland (Langenberg 843 m ü.M.). Im W geht das S. in das Bergische Land über. Von zahlr. Flussläufen (u.a. Bigge, Lenne, Ruhr, Lahn, Eder) sind die Rumpfflächen des S. in tiefe Kerbtäler zerschnitten. Charakteristisch sind ein raues Klima mit hohen Niederschlägen. Überwiegend Forst-, Weide- und Wiesenwirtschaft. Traditionelle Kleineisenindustrien bestehen heute noch in Hagen, Iserlohn, Lüdenscheid, Altena; daneben Sägewerke, Papierfabriken. Zahlr. Talsperren zur Wasserversorgung des Ruhrgebietes. Das S. ist Erholungsgebiet für den Ballungsraum Rhein-Ruhr.

Willibald Sauerländer

Sauerländer, Willibald Paul Walther, Kunsthistoriker, *Waldsee (heute Bad Waldsee) 29. 2. 1924; 1970–89 Direktor des Zentralinst. für Kunstgesch. in München; seit 1970 Mithg. der »Kunstchronik« und des »Münchner Jahrbuchs der bildenden Kunst«. Verfasste u.a. »Got. Skulptur in Frankreich 1140–1270« (1970); »Das Jh. der großen Kathedralen, 1140 bis 1260« (1990).

Max Sauerlandt

Sauerlandt, Friedrich August Max, Kunsthistoriker, *Berlin 6. 2. 1880, †Hamburg 1. 1. 1934; wurde 1908 Museumsdirektor in Halle (Saale), 1919 in Hamburg; setzte sich früh für die zeitgenöss. Kunst, v.a. die expressionist. Malerei ein.

Säuerling, → Mineralquelle.

Sauermilch, die → Dickmilch.

Sauerstoff [nach grch.-lat. Oxygenium »Säurebildner«], chem. Symbol **O,** Element aus der sechsten Hauptgruppe des → Periodensystems der chem. Elemente; Ordnungszahl 8, relative Atommasse 15,9994, Dichte von festem S. (bei –252 °C) 1,426 g/cm^3, Dichte von flüssigem S. (beim Siedepunkt) 1,118 g/cm^3, Schmelzpunkt –218,7 °C, Siedepunkt –183,0 °C. S. tritt normalerweise als O_2, d.h. **molekular** auf. Neben der zweiatomigen ist unter natürl. Bedingungen auch eine dreiatomige Form des S., das → Ozon, stabil. Der sehr reaktionsfähige **atomare S.** bildet sich aus O_2 unter dem Einfluss einer Glimmentladung oder aus Ozon durch Photolyse (z.B. in der Erdatmosphäre). S. ist bei normaler Temperatur ein farb-, geruch- und geschmackloses Gas (in sehr dicker Schicht bläulich); flüssiger und fester S. sind hellblau gefärbt. S. ist sehr reaktionsfähig und reagiert mit vielen Elementen bzw. Verbindungen unter Wärme- und Lichtentwicklung, z.T. sogar explosionsartig. Diese Reaktionen des S. werden → Oxidation (bes. bei raschem Verlauf auch Verbrennung) genannt; die dabei entstehenden Verbindungen des S. werden als → Oxide bezeichnet. S. ist auf der Erde mit 49,5 Massenprozent das häufigste chem. Element; er wird technisch durch Luftverflüssigung und anschließende fraktionierende Destillation gewonnen. In den Handel kommt technisch erzeugter S. meist in blauen Stahlflaschen unter einem Druck von 200 bar. – S. wird technisch sehr vielfältig verwendet. Mit Wasserstoff oder Acetylen benutzt man ihn in Gebläsebrennern zur Erzielung hoher Verbrennungstemperaturen z.B. für das autogene Schweißen oder zum Schmelzen von Metallen. Auch bei der Gewinnung von Metallen (→ Sauerstoffmetallurgie) und bei chemisch-techn. Prozessen wie bei der Vergasung von Kohle und Öl und in therm. Crackverfahren spielt S. eine große Rolle. Außerdem wird S. bei vielen chem. Oxidationsreaktionen benötigt. Flüssiger S. dient z.B. als Oxidator für Raketentreibstoffe. – S. wurde 1774 von J. Priestley und (unabhängig von Priestley) von K. W. Scheele entdeckt. Die Mitwirkung des S. bei der Oxidbildung, Verbrennung und Atmung erkannte A. L. de Lavoisier (1774).

📖 ELSTNER, E. F.: *Der S. Mannheim u. a. 1990.*

Sauerstoffbedarf des Wassers, Maß zur Erfassung organ. Schmutzstoffe im Wasser. Man unterscheidet → chemischen Sauerstoffbedarf (CSB) und → biochemischen Sauerstoffbedarf (BSB).

Sauerstoffbehandlung, Anwendung von mit Sauerstoff angereicherter Luft oder (kurzfristig) von reinem Sauerstoff mithilfe von Inhalationsgeräten (Sauerstoffmaske), über Endotrachealtuben (Intubation), Nasensonden (Insufflation) oder Beatmungsgeräte. Sie dient v.a. in der ersten Hilfe der Behebung von akuten Sauerstoffmangelzuständen (Hypoxie) bei Atem- und Herz-Kreislauf-Störungen, akuten asthmat. Anfällen, Schockzuständen, Herzinfarkt, Vergiftungen, bei operativen Eingriffen oder Geburtskomplikationen, bei Frühgeborenen erfolgt die S. im → Inkubator. Bei der **Sauerstoffüberdruckbehandlung** atmen die Patienten in Überdruckkammern Sauerstoffgemische ein, wodurch es infolge des erhöhten Sauerstoffpartialdrucks zu einer vermehrten Lösung im Blutplasma und einer erhöhten Sauerstoffkonzentration in den Geweben kommt (Anwendung bei Kohlenoxidvergiftung, Druckluftkrankheit, peripheren Durchblutungsstörungen).

Sauerstoffblasverfahren, → Sauerstoffmetallurgie.

Sauerstoffgeräte, Atem[schutz]geräte, die den Aufenthalt in einer Umgebung gestatten, in der für die Atmung nur unzureichende Sauerstoffmengen zur Verfügung stehen, z. B. in großen Höhen (Höhenatemgeräte), im Wasser (→Tauchgeräte) oder in einer mit nichtatembaren Gasen angereicherten Umgebungsluft. – Bei den **Kreislauf-, Regenerations-** oder **Isoliergeräten,** die den Benutzer unabhängig von der Umgebung machen, durchläuft die Luft wiederholt den Kreislauf Lunge-Gerät-Lunge: Entstehendes Kohlendioxid und Wasser werden in der sog. Regenerationspatrone absorbiert; verbrauchter Sauerstoff wird automatisch aus einer Sauerstoffflasche ergänzt.

Sauerstoffmetallurgie, metallurg. Verfahren, die auf der Verwendung sauerstoffangereicherter Luft oder von technisch reinem Sauerstoff beruhen. Ältere Blasverfahren (Bessemer-, Thomas-Verfahren) wurden durch die Sauerstoffblasverfahren verdrängt; insbesondere das LD-Verfahren (**L**inz-**D**onawitzer-Verfahren), ein Sauerstoffblasverfahren für phosphorarmes Roheisen. Durch eine in den Konverter geführte, wassergekühlte Blaslanze wird die Schmelze mit reinem Sauerstoff gefrischt.

Sauerwurm, Raupe des →Traubenwicklers.

Saufeder, Stangenjagdwaffe, in Europa im 16.–18. Jh. verbreitet; heute noch in außereurop. Gebieten in Gebrauch.

Säugetiere (Säuger, Mammalia), weltweit verbreitete, höchstentwickelte Klasse der Wirbeltiere mit mehr als 4500 Arten von etwa 5 cm bis über 30 m Länge und einem Gewicht von etwa 3 g (kleinste Spitzmaus- und Nagetierarten) bis weit über 100 t (Blauwal); die Jungen werden von der Mutter mit in besonderen Milchdrüsen erzeugter Milch gesäugt. Mit Ausnahme der Eier legenden Kloakentiere sind alle S. lebend gebärend. – Die S. sind gleichwarm (»Warmblüter«), lediglich bei Winterschläfern (z. B. Feldmäuse, Igel, Hamster) kann die Körpertemperatur zeitweise stark herabgesetzt werden. Alle S. atmen durch Lungen. Körper- und Lungenkreislauf einschl. Herzkammer und -vorkammer sind getrennt. – Das Gebiss ist stark differenziert. – Fast alle S. haben zwei Extremitätenpaare (mit Ausnahme der Wale und Seekühe); das vordere Paar kann zu Flügeln umgestaltet sein (Flattertiere). – Die Leibeshöhle der S. ist durch das Zwerchfell in Brust- und Bauchhöhle getrennt. Die Geschlechtsorgane sind paarig entwickelt. – Die Sinnesorgane der S. sind meist sehr hoch entwickelt, ebenso das Gehirn. Die Hirnrinde ist oft stark gefurcht. – Die weibl. Geschlechtsorgane und die von ihnen abhängige Form der Keimesentwicklung und Brutpflege sind Grundlage der systemat. Einteilung der S. in die drei Unterklassen **Prototheria** (Eier legende S.: einzige Ordnung Kloakentiere), **Metatheria** (Beutel-S.: einzige Ordnung Beuteltiere) und **Eutheria** (Plazentatiere) mit den Ordnungen: Insektenfresser, Rüsselspringer, Fledertiere, Riesengleiter, Spitzhörnchen, Herrentiere, Nebengelenktiere, Schuppentiere, Nagetiere, Raubtiere, Hasentiere, Waltiere, Röhrchenzähner, Rüsseltiere, Seekühe, Schliefer, Unpaarhufer, Paarhufer. In einer neueren Einteilung der S. werden nur noch zwei Unterklassen unterschieden: Prototheria (»Vor- und Ur-S.«: einzige Ordnung Kloakentiere) und Theria (»Echte« S.: alle übrigen Ordnungen).

Stammesgeschichte: Die S. haben sich aus den »säugetierähnl. Reptilien« (Therapsida) entwickelt. Die ältesten S.-Funde (v. a. Zähne und Kiefer) stammen aus der Oberen Trias (v. a. aus der Zeit von vor etwa 220 Mio. Jahren): kleine, meist mausgroße Tiere, die sich wahrscheinlich von Insekten, aber auch kleinen Amphibien und Reptilien oder Pflanzen ernährten. Die schnelle weitere Entfaltung der S. setzte erst nach der Wende Kreide/Tertiär (vor 65 Mio. Jahren), nach dem Aussterben der großen Reptilien und im Zusammenhang mit der Kontinentalverschiebung ein. Dadurch bedingt konnten z. B. in dem seit Ende der Kreide isolierten Australien die evolutiv zurückgebliebenen Kloaken- und Beuteltiere zur Vorherrschaft kommen.

📖 THENIUS, E.: *Die Evolution der S. Stuttgart u. a. 1979.* – MÜLLER, ARNO H.: *Lehrbuch der Paläozoologie, Bd. 3, Tl. 3: Mammalia. Jena* [2]*1989.* – *Brockhaus – die Bibliothek. Grzimeks Enzyklopädie S., Beiträge v.* R. APFELBACH *u. a., 5 Bde. u. Registerbd. Neuausg. Leipzig u. a. 1997.*

Saugglockenentbindung, die →Vakuumextraktion.

Saugkürettage [-taːʒə] (Vakuumkürettage), stoßweise Entleerung der Gebärmutterhöhle mit einem elektr. Absauggerät, angewendet z. B. bei Schwangerschaftsabbruch.

Säugling, das Kind im ersten Lebensjahr, in den ersten 28. Lebenstagen als →Neugeborenes bezeichnet (WHO-Definition). Das Geburtsgewicht liegt normalerweise zw. 2800 und 4100 g (Durchschnitt 3400 g), die Körperlänge zw. 48 und 54 cm (Durchschnitt 50 cm). Bei einem Geburtsgewicht unter 2500 g handelt es sich meist um Frühgeborene (→Frühgeburt). Der S. hat eine Pulsfrequenz von 100 bis 130 je Minute und atmet durchschnittlich 40- bis 50-mal in der Minute. – Im Unterschied zu den anderen neugeborenen Primaten, die als Nestflüchter bei der Geburt annähernd die Körperproportionen der erwachsenen Tiere besitzen und eine weitgehende Beherrschung der arteigenen Motorik aufweisen, weicht der S. in seinen Körperproportionen erheblich von denen des Erwachsenen ab und erwirbt erst im 12.–15. Monat

Saufeder

Das kleinste **Säugetier** *der Erde ist eine Fledermaus, genauer gesagt: die Hummelfledermaus. Sie hat eine Gesamtlänge von etwa 3 cm und ein Gewicht von ca. 2 Gramm. Sie jagt in den Wäldern Mittel- und Nordthailands nach millimetergroßen Wespen, Läusen und Fliegen. Entdeckt wurde der Wicht erst im Oktober 1973.*

u.a. die Fähigkeit der (arttyp.) zweibeinigen Fortbewegung. Die Besonderheit der menschl. S.-Zeit besteht v.a. darin, dass in ihr Reifungsprozesse ablaufen, die bei anderen Primaten noch in die Embryonalzeit fallen. So erfolgt die Massen- und Größenzunahme beim S. etwa ebenso rasch wie noch in der letzten Phase der intrauterinen Entwicklung, während sich im Anschluss an die S.-Zeit das Wachstumstempo erheblich verlangsamt.

Entscheidend für eine ausgeglichene Entwicklung des S. ist eine intensive emotionale Zuwendung durch die Eltern oder eine andere dauernd anwesende Bezugsperson. Die ersten Wochen des Lebens sind primär durch die biolog. Funktionen der Lebenserhaltung bestimmt, die in Form von Reflexen bereits ausgebildet sind (z.B. Saugreflex zur Nahrungsaufnahme); der S. ist in dieser Zeit ein ganz auf seine leibl. Vorgänge und Gefühle ausgerichtetes Wesen. Im zweiten bis dritten Monat beginnt die spontane Hinwendung des S. zur Umwelt (erkennbar am Lächeln, später auch am Betätigungstrieb bei der Nachahmung und am Spiel). Im Verlauf des ersten Vierteljahres erlangt der S. die Fähigkeit zur Beherrschung der Augenmuskeln und damit zum Fixieren eines Gegenstandes. Mit 2–3 Monaten kann er den Kopf halten und die Arme bewegen, wobei Bewegungen mit dem Auge verfolgt sowie zunehmend kontrolliert und gesteuert werden, bis etwa mit sechs Monaten das gezielte Greifen möglich wird; Gegenstände werden intensiv untersucht. In den letzten drei Monaten des ersten Lebensjahres werden das Stehen, später das freie Laufen erlernt. Das Greifen mit Daumen und Zeigefinger u.a. differenzierte Bewegungsformen bilden sich heraus. – Die ersten Lautäußerungen des S. sind das Schreien; das zweite Stadium der Sprachentwicklung beginnt mit dem Lallen, der spieler. Wiederholung einzelner Vokale und Konsonanten und setzt sich im zweiten Lebensjahr mit der Bildung von Wörtern fort. Mit dem Erlernen des Gehens und Sprechens geht das S.-Alter in das des Kleinkinds über (→Kind).

Henri Sauguet

📖 *Schwangerschaft, Geburt u. Säuglingspflege, hg. v.* K. Stehr *u.a. Aus dem Amerikan. München u.a.* *⁸1992.* – Niessen, K.-H.: *Ernährung des S. Stuttgart ⁴1995.* – Rauterberg, K.: *Normale Entwicklung des S. u. ihre Abweichungen. Stuttgart u.a. ⁵1996.*

Säuglingsskorbut, die →Moeller-Barlow-Krankheit.

Säuglingssterblichkeit (Säuglingssterbeziffer), *Bevölkerungsstatistik:* Anzahl der im ersten Lebensjahr gestorbenen Säuglinge, bezogen auf 1000 Lebendgeborene; ergänzend wird auch eine Sterblichkeitsrate von Kindern unter fünf Jahren berechnet. Die S. gilt als Indikator für den medizin. und hygien. Standard eines Landes; die Werte lagen 1994 in den EU-Staaten bei durchschnittlich 6,2 gestorbene Säuglinge auf 1000 Lebendgeborene, in den Entwicklungsländer bei durchschnittlich 70.

Säuglingssterblichkeit in ausgewählten Staaten[1]

Staat	1970	1980	1995
Ägypten	116,3	76,0	40,0
Äthiopien	159,0	155,0	114,0
Australien	17,9	10,7	5,9[2]
Chile	82,2	33,0	12,0
Deutschland	22,5	12,4	5,3
Frankreich	18,2	10,0	4,9
Japan	13,1	7,5	4,3
Mexiko	68,5	38,5	17,0[2]
Nigeria	114,0	118,0	114,0
Österreich	25,9	14,3	5,4
Schweden	11,0	6,9	4,2
Schweiz	15,1	9,1	5,1
Russland	22,9	22,0	18,2
USA	20,0	12,4	7,9[2]

[1] im ersten Lebensjahr Gestorbene je 1 000 Lebendgeborenen. – [2] 1994

Säuglingstod, der →plötzliche Kindstod.

Saugnapf, scheiben-, napf-, gruben- oder schalenförmiges Haftorgan an der Körperoberfläche mancher Tiere (z.B. Bandwürmer, Blutegel).

Saug|rüssel, *Technik:* Gasrückführsystem an der Zapfpistole einer Kraftstofftanksäule, das das Austreten gesundheitsschädl. Kohlenwasserstoffdämpfe (v.a. Benzol in bleifreiem Benzin) bei der Kfz-Betankung verhindert; dazu ist dem Kraftstoffrohr eine Saugleitung zur Gasrückführung vom Fahrzeugtank in den unterird. Vorratstank übergestülpt. Das Absaugen der Dämpfe erfolgt über eine Saugpumpe oder, nach gasdichtem Abschluss der Saugleitung am Tankstutzen mit einer Gummimanschette, mittels Druckausgleichs. Mit S.-Anlagen können zw. 70 und 76% der flüchtigen Kraftstoffanteile zurückgehalten werden. – In Dtl. sind seit 1991 (Bundes-Immissionsschutz-Ges.) Gasrückführsysteme für alle Tankstellen vorgeschrieben.

Sauguet [soˈgɛ], Henri, eigtl. H.-Pierre Poupard, frz. Komponist, *Bordeaux 18. 5. 1901, †Paris 22. 6. 1989; gehörte zur École d'Arcueil, einer Komponistengruppe um E. Satie; schrieb in neoklassizist. und neoromant. Stil Opern, Ballette, Orchesterwerke, Bühnen- und Filmmusik.

Saugwürmer (Trematoda), Klasse der Plattwürmer; Schmarotzer mit blind geschlossenem Darm, zwittrigen Geschlechtsorganen und Halte- und Klammerorganen (Saugnäpfen, Haken). Das **Doppeltier** (Diplozoon paradoxum), das aus zwei zwittrigen Einzeltieren in Begattungsstellung kreuzweise zusammenwächst, schmarotzt auf Fischkiemen. Weitere S. sind u.a. Leberegel und Pärchenegel.

Saul [hebr. »der Erbetene«], erster König von Israel (um 1020–1004 v. Chr.), aus dem Stamm Benjamin; schlug die Ammoniter und danach die Philister. Nach dem A. T. vom ganzen Volk zum König erhoben (1. Sam. 10), machte S. das Königtum zur festen Institution; verfiel später in Verfolgungswahn, der sich bes. gegen seinen Nachfolger David richtete; nahm sich nach einer Niederlage gegen die Philister das Leben (1. Sam. 31).

Saul, jüd. Name des Apostels → Paulus.

Säule, *Baukunst:* über kreisförmigem Grundriss stehende senkrechte Stütze im Steinbau, die sich im Ggs. zum Rundpfeiler i. Allg. leicht nach oben verjüngt. Sie besteht aus Basis (die auch fehlen kann), Schaft und Kapitell. Die Basis wird von einer i. d. R. quadrat. Platte (Plinthe) und verschieden profilierten Wülsten (Torus) und Kehlen (Trochilus) gebildet. Der **Säulenschaft,** aus einem Stück (Monolith) oder mehreren Teilstücken (Trommeln) gearbeitet, kann durch senkrechte konkave Rillen (Kanneluren) oder Ornamente gegliedert sein. Bei grch. und von ihnen stilistisch abhängigen S. ist häufig eine leichte Schwellung (Entasis) des Schafts zu finden. Man unterscheidet ferner spiralförmig gedrehte Schlangen-S., Knoten-S. sowie S. mit Schaftring (gewirtelte S.). S. als Architekturglieder stehen entweder frei oder sind – meist als Halb- oder Dreiviertel-S. – mit der Wand verbunden. S. sind mitunter in Gruppen geordnet (gekuppelte S., Vierlings-S., S.-Bündel). Einzeln stehende S. ohne direkten Zusammenhang mit einem Bauwerk sind i. d. R. Denkmäler, die an histor. Ereignisse oder Personen erinnern (Sieges-S., Ehren-S., Grab-S.) oder als Danksagung für Hilfe in der Not (Votiv-S., Dreifaltigkeits-S.) errichtet wurden. – Die Ägypter bildeten ihre S. vorwiegend nach pflanzl. Vorbildern (Lotos-S., Papyrus-S., Palmen-S.). Die grch. Baukunst bildete die klass. → Säulenordnung aus. Bei den Römern, wie schon bei den Griechen, dienten einzeln stehende S. vorwiegend als Träger von Statuen. Seit der Spätantike wurden die S. auch durch Rundbogen miteinander verbunden, was die Einschiebung eines → Kämpfers zw. Kapitell und Bogenansatz zur Folge hatte; künstlerisch ausgestaltet wurde v. a. das Kapitell. In der Gotik wurde die S. mit Diensten (→ Dienst) versehen oder durch den Bündelpfeiler ersetzt. Seit der Renaissance wurden die antiken S.-Formen wieder aufgenommen. Die moderne Baukunst bevorzugt als Stütze den Pfeiler.

📖 FORSSMAN, E.: *S. u. Ornament. Stockholm u. a. 1956.* – CHITHAM, R.: *Die Säulenordnungen der Antike u. ihre Anwendung in der Architektur. A. d. Engl. Lizenzausg. Wiesbaden 1994.*

Säulen des Herkules, → Heraklessäulen.

Säulenheilige, die → Styliten.

Säulenkaktus (Cereus), Gattung in Südamerika beheimateter Kaktusgewächse; hochwüchsige, oft baum- oder strauchförmige Kakteen mit stark gerippten Sprossen und großen, langröhrigen Blüten; z. T. Gewächshaus- oder Kübelpflanzen.

Säulenordnung, die von der Säule bestimmte Proportionierung (Ordnung) des architekton. Aufbaus in der antiken Baukunst. Den beiden grundverschiedenen Säulentypen (dor. und ion. Säule) sind auch verschiedene Gebälk- und Dachelemente zugehörig. Der untere Säulendurchmesser steht in einer geregelten Proportion zu Säulenhöhe, Abstand der Säulenachsen, Kapitell- Gebälk- und Giebelhöhe.

Die in der peleponnes. Baukunst entstandene **dorische S.** hat verhältnismäßig gedrungene Säulen, die ohne Fuß (Basis) auf dem Unterbau (Stylobat) stehen. Der Schaft zeigt meistens 20 flache Furchen (Kanneluren), die sich in scharfen Graten berühren. Er erfährt eine kräftige Schwellung mit Verjüngung nach oben (Entasis), endet mit einer, auch mehreren Einkerbungen und trägt das Kapitell mit einem kissenförmigen Teil (Echinus) über einigen Ringen (Anuli) und der quadrat. Deckplatte (Abakus). Auch das Gebälk ist dreiteilig. Zuunterst liegt der glatte Architrav (Epistyl), der oben mit einer kantigen Leiste (Taenia) abgeschlossen ist, an der unter den Triglyphen die Tropfleisten (Regulae nebst Guttae) hängen. Es folgt der Fries mit den Triglyphen (je eine über und zw. den Säulen) und den oft skulpierten Metopen. Das Gesims (Geison) ragt schräg vor und hat unten flache Hängeplatten mit je drei Tropfenreihen (Mutuli) über den Triglyphen und den Metopen. An den Giebelseiten ist das ansteigende Geison ungegliedert; auf ihm liegt der Dachrand (Sima). An den Langseiten des Daches bildet die

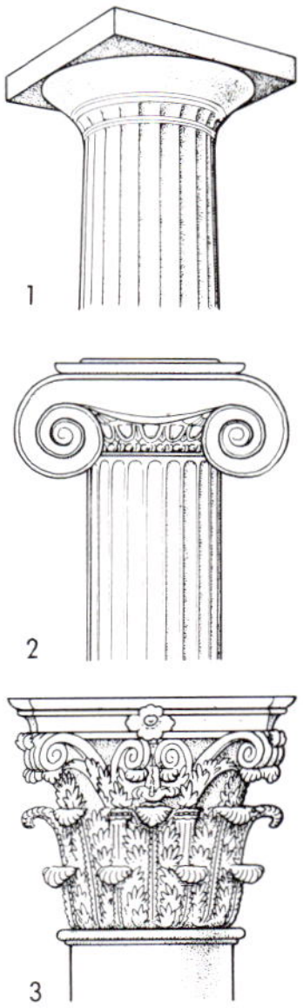

Säulenordnung: 1 dorisches Kapitell, 2 ionisches Kapitell, 3 korinthisches Kapitell

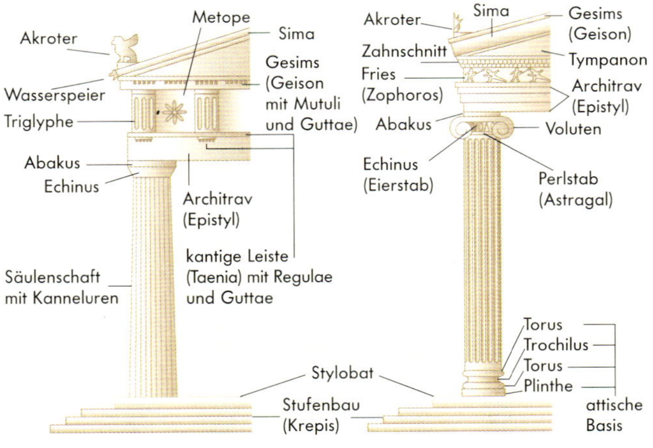

Säulenordnung: dorische Ordnung (links) und ionische Ordnung

Saumur: In dem aus dem 14. Jh. stammenden, später umgebauten Schloss befinden sich heute zwei Museen

Sima eine Traufrinne, mit Wasserspeiern vor den Flachziegeln und mit Stirnziegeln (Antefixe) als Abschluss der Deckziegelreihen.

Die in der Baukunst der Insel- und ostion. Bereiche Griechenlands entwickelte **ionische S.** hat eine schlankere und weniger verjüngte Säule mit 24 tieferen Kanneluren zw. flachen Stegen. Sie steht auf einer Basis (Spira) und besteht im ostion. Bereich aus einer quadrat. Plinthe, einer doppelten Hohlkehle (Trochilus) und einem Wulst (Torus), in der jüngeren attisch-ion. S. nur aus einem Trochilus zw. zwei Wulsten (att. Basis). Das Kapitell besteht aus einem als Eierstab gebildeten Echinus, darunter in Ionien ein Perlstab (Astragal), darüber ein Polster (Pulvinum), das an den Seiten in großen Spiralen eingerollt ist (Voluten), und einem ganz flachen Abakus. Das Gebälk war urspr. zweiteilig, aus Architrav und Gesims aufgebaut. Der Architrav gliedert sich in drei Schichten (Fasciae) und einen krönenden Eierstab; das Gesims hat einen kräftigen Zahnschnitt, eine glatte Traufplatte und eine rings umlaufende Sima mit Wasserspeiern. In Attika ersetzte man den Zahnschnitt durch einen glatten Fries, der Reliefs tragen konnte (Zophoros).

Saulgau Stadtwappen

Die **korinthische S.** mit hohen Säulen und reichem Blattkapitell ist eine Ableitung aus der attisch-ion. S.; das Gebälk wurde in der röm. Baukunst mit Ornamenten überladen und erhielt unter dem Geison eine Konsolenreihe; eine in röm. Zeit entwickelte Abart ist das →Kompositkapitell.

📖 Chitham, R.: *Die S. der Antike u. ihre Anwendung in der Architektur. A. d. Engl. Stuttgart 1987.*

Saulgau, Stadt im Landkreis Sigmaringen, Bad.-Württ., in Oberschwaben, 17 100 Ew.; Landmaschinen-, Textil-, Möbelind.; Schwefeltherme.

Saumfarn: Kretischer Saumfarn

Saumfarn (Pteris), Gattung der Tüpfelfarngewächse v. a. in den Tropen und Subtropen; vielgestaltige Erdfarne mit längs des Blattrandes angeordneten Sporangienhäufchen, die durch den trockenhäutigen, umgeschlagenen Rand bedeckt sind. Zierpflanze ist der bis in das Mittelmeergebiet vorkommende **Kretische S.** (Pteris cretica).

Saumtier, trittsicheres Tragtier, das im Gebirge eingesetzt wird, bes. Maultier, Maulesel.

Saumur [so'myr], Stadt im frz. Dép. Maine-et-Loire, an der Mündung des Thouet in die Loire, 31 900 Ew.; Kavallerieschule (1764 gegr.); Weinbau; Wein- und Sektkellereien, Likörherstellung, Konserven-, Tabak-, Textilindustrie. – Im ehem. Schloss mit got. Kern (14. Jh.) und Renaissanceumbauten (16. Jh., im 19. Jh. restauriert) heute zwei Museen.

Sauna [finn.] *die* (finnisches Bad), kombiniertes Heißluft-Dampf-Bad in einer mit Holz ausgekleideten Kabine, bei dem trockene Hitze (etwa 70–100 °C) und Dampfstöße (durch Wassergüsse auf die glühend heißen Ofensteine) miteinander abwechseln. Nach einem 10–20 Minuten dauernden S.-Gang erfolgt eine Abkühlung in der freien Luft, unter der temperierten Dusche oder in kaltem Wasser bzw. im Schnee (kann 3- bis 4-mal wiederholt werden). Anwendung: zur Steigerung des Wohlbefindens (Anregung von Kreislauf und Stoffwechsel), Abhärtung gegen Erkältungskrankheiten, u. a. auch medizinisch bei Störungen des vegetativen Nervensystems und bei rheumat. Erkrankungen. S.-Bäder werden bei schonender Anwendung auch von Herz- und Kreislaufpatienten vertragen.

Saunders ['sɔ:ndəz], James, engl. Dramatiker, *Islington (Greater London) 8. 1. 1925; schrieb zunächst vom absurden Theater beeinflusste Dramen (»Wirklich schade um Fred«, 1960; »Nachbarn«, 1964; »Ein Duft von Blumen«, 1965); spätere Werke behandeln auch polit. und soziale Belange und deuten eine Wende zum Realismus an (»Spiele«, 1973; »Leib und Seele«, 1978); Hör- und Fernsehspiele, Adaptionen literar. Erzählwerke.

Saura, 1) Antonio, span. Maler, Grafiker und Schriftsteller, *Huesca 22. 9. 1930, Bruder von 2); löst in seinen v. a. aus Schwarz-, Weiß- und Brauntönen gestalteten Bildern die menschl. Figur bis ins Abstrakte auf. S. schuf u. a. Lithographien zu den Tagebüchern F. Kafkas (1988); war auch als Bühnenbildner tätig.

2) Carlos, span. Filmregisseur, *Huesca 4. 1. 1932, Bruder von 1); drehte Spielfilme, zunächst im neoverist. Stil, später magisch-mythisch geprägt (Einfluss von L. Buñuel), u. a. »Die Straßenjungen« (1959), »Anna und die Wölfe« (1972), die Tanzfilmtrilogie »Bluthochzeit« (1981), »Carmen« (1983), »Liebeszauber« (1985) sowie »Ay Carmela!« (1990), »Dispara! « (1993).

Säure, nach der Theorie von Johannes Nicolaus Brønsted (*1879, †1947) und Thomas Martin

Lowry (* 1874, † 1936) eine chem. Verbindung, die, in Wasser oder anderen polaren Lösungsmitteln gelöst, in positive Wasserstoffionen (Protonen) und negativ geladene Säurerestionen dissoziiert (→Säure-Base-Theorie). Die Lösungen sind Elektrolyte, werden durch Basen und Alkalien neutralisiert und lösen insbesondere unedle Metalle unter Bildung von deren Salzen auf. Je nach Anzahl der Protonen, die von einem Säuremolekül oder -ion abgegeben werden können, spricht man von einwertigen (monoprotonischen, einbasigen), zweiwertigen (diprotonischen, zweibasigen) usw. S. Nach der Zusammensetzung unterscheidet man zw. **Wasserstoff-S.,** die nur aus Wasserstoff und einem weiteren Element bestehen, und S., deren Anion aus mehreren Atomen zusammengesetzt ist (z. B. die **Sauerstoff-S.).** Die Stärke einer S. ist vom Lösungsmittel abhängig. In wässriger Lösung werden die Protonen in einer Gleichgewichtsreaktion auf Wassermoleküle übertragen. Ein Maß für die Konzentration der dabei gebildeten Oxoniumionen (H_3O^+) ist der →pH-Wert. Die wichtigsten anorgan. S. (Mineralsäuren) sind Schwefelsäure, Salpetersäure, Salzsäure und Phosphorsäure. Die wichtigste organ. S. ist die Essigsäure.

Antonio Saura: »Dora Mar« (1963; Privatbesitz)

Säureanhydrid, →Anhydrid.

Säure-Base-Haushalt, allg. Bez. für versch. physiolog. Regelmechanismen, die der Aufrechterhaltung des für den optimalen Ablauf der Stoffwechselvorgänge notwendigen pH-Wertes von 7,4 (±0,02) im Blut und in den anderen Körperflüssigkeiten dienen. Zur Konstanthaltung dieses Säure-Base-Gleichgewichts tragen die Puffereigenschaften des Blutes und der Gewebe, der Gasaustausch in der Lunge und die Ausscheidungsmechanismen der Niere bei. Störungen des S.-B.-H. im Körper führen zu Azidose oder Alkalose und sind mitunter lebensbedrohlich.

Säure-Base-Theorie, Theorie, die die Begriffe Säure und Base definiert und ihr Reaktionsverhalten erklärt. Die erste gültige S.-B.-T. stellte 1884 S. Arrhenius auf, nach der sich Säuren unter Abspaltung von Wasserstoffionen (H^+-Ionen) und Basen unter Abspaltung von Hydroxidionen (OH^--Ionen) in Wasser lösen. Die von J. N. Brønsted (* 1879, † 1947) und T. M. Lowry (* 1874, † 1936) 1923 entwickelte Theorie beschränkt sich nicht auf wässrige Systeme, sondern gilt für beliebige Lösungsmittelsysteme. Sie definiert Säuren **(Brønsted-Säuren)** als Protonen abspaltende Verbindungen (Protonendonatoren), Basen **(Brønsted-Basen)** als Protonen aufnehmende Verbindungen (Protonenakzeptoren). Die Säure geht durch Protonenabgabe in die korrespondierende Base, die Base durch Protonenaufnahme in die korrespondierende Säure über; Säure und Base bilden ein **protolyt. System.** Nach dem 1938 von G. N. Lewis aufgestellten umfassenderen Konzept, das unabhängig vom Proton ist, bestehen Säuren **(Lewis-Säuren)** aus Molekülen oder Ionen mit einer Elektronenpaarlücke (Elektronenpaarakzeptoren) und Basen **(Lewis-Basen)** aus Molekülen oder Ionen mit einem nicht bindenden Elektronenpaar (Elektronenpaardonatoren). Die versch. S.-B.-T. werden häufig nebeneinander verwendet.

Säure-Base-Titration, Verfahren der →Maßanalyse zur quantitativen Bestimmung von Säuren oder Basen (→Neutralisation). Je nachdem, ob als Maßlösung eine Säure (z. B. Salzsäure) oder eine Base (z. B. Natronlauge) verwendet wird, spricht man von Acidimetrie oder Alkalimetrie. Zur Bestimmung des Äquivalenzpunktes werden Säure-Base-Indikatoren (→Indikatorfarbstoffe) verwendet oder Änderungen der Leitfähigkeit (→Konduktometrie) bzw. des pH-Wertes gemessen.

Säurehalogenide, chem. Verbindungen, die aus anorgan. und organ. Sauerstoffsäuren durch Ersatz der Hydroxylgruppe (–OH) durch Halogene entstehen.

Säurerest, Atom oder Atomgruppe mit negativer Ladung, die zurückbleibt, wenn von Säuremolekülen positive Wasserstoffionen (Protonen) abgespalten werden, z. B. Cl^-, PO_4^{3-}.

saurer Regen, Bez. für säurehaltige Niederschläge, die bei der Verbrennung fossiler Energieträger (Kohle, Erdöl, Erdgas) als Folge der Emission von Schwefeldioxid (SO_2) und Stickoxiden

James Saunders

Carlos Saura

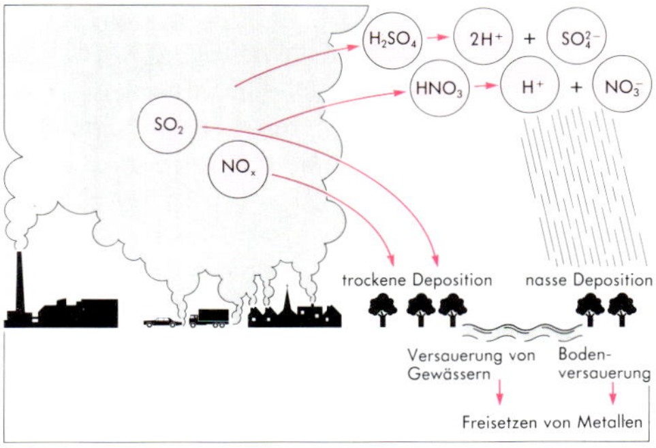

saurer Regen: Schema der Hauptwege der emittierten Säurebildner

(NO_x) in die Atmosphäre entstehen. Hier werden diese Verbindungen z.T. zu Schwefel- und Salpetersäure umgesetzt und mit Regen, Schnee, Hagel und Nebel niedergeschlagen. Dabei gelangen die Säuren in die Bodenschicht und die Kronenschicht der Wälder, wo sie als Schadfaktoren bei der Entstehung der Waldschäden (→Waldsterben) eine Rolle spielen. Durch die Versauerung des Bodens kommt es einerseits zur Auswaschung von Nährstoffen, andererseits werden in größerer Menge schädl. Metallionen, z.B. Aluminium, freigesetzt, die die Wurzelhaare der Bäume oder die →Mykorrhiza schädigen. Die Folge ist eine verminderte Aufnahme von Nährstoffen und Wasser. Der Wassermangel führt zur Vergilbung von Nadel- und Laubblättern und ihrem verfrühten Abfall.

Ferdinand de Saussure

📖 JANSEN, W. *u.a.: S. R. Stuttgart 1987.*

Säurewecker, 1) *Lebensmitteltechnik:* Reinkulturen von Milchsäurebakterien, die bei der Herstellung milchsaurer Produkte (z.B. Sauerkraut) zur Einleitung der Gärtätigkeit zugesetzt werden.

2) *Medizin:* (Säurelocker) Stoffe, die die Bildung von Magensäure anregen, z.B. Alkohol, Coffein, Gewürze.

Claude Sautet

Säurezahl, *Chemie:* Größe zur Kennzeichnung des Gehaltes an freien organ. Säuren in Fetten und Ölen. Die S. gibt die Masse an Kaliumhydroxid, KOH, (in mg) an, die zur Neutralisation der in 1 g Probe enthaltenen Säuren erforderlich ist.

Saurier [grch.], ausgestorbene größere bis sehr große Reptilien (bis zu 20 m Länge), mit z.T. ausgeprägtem Sozialverhalten, die im Paläo- und Mesozoikum etwa 200 Mio. Jahre lang die Erde bevölkerten. Die S. lebten auf dem Land (→Dinosaurier), im Wasser (z.B. →Ichthyosaurier, →Plesiosaurier) oder in der Luft (→Flugsaurier), ernährten sich entweder räuberisch oder waren Pflanzenfresser. Das Aussterben der S. vor etwa 65 Mio. Jahren wird hypothetisch u.a. als Folge eines durch Planetoideneinschlag bewirkten enormen Klimawechsels mit Vernichtung der Vegetation erklärt.

Saurier

Als einer der größten Raubsaurier gilt mit 13,7 m Körperlänge der Carcharodontosaurus saharicus. Gefunden wurde er im marokkanischen Teil der Sahara; er lebte vor circa 90 Millionen Jahren. Kopf und Gebiss haben gewaltige Ausmaße, aber eine Intelligenzbestie war der Riesensaurier nicht: In einem an die zwei Meter großen Schädel war das Gehirn so groß wie ein Hühnerei!

Saussure [soˈsyːr], **1)** Ferdinand de, schweizer. Sprachforscher, *Genf 26. 11. 1857, †Vufflens-le-Château (Waadt) 22. 2. 1913; begründete mit dem Gedanken eines systemat. Zusammenhangs zw. allen sprachl. Erscheinungen die moderne Linguistik und beeinflusste den sprachwiss. →Strukturalismus; trennte die Analyse der Sprechakte (→Parole) von der des Sprachsystems (→Langue); schrieb »Grundfragen der allg. Sprachwiss.« (hg. 1916).

2) Horace Bénédict de, schweizer. Naturforscher, *Conches (heute zu Genf) 17. 2. 1740, †Genf 22. 1. 1799; Prof. in Genf; bestieg 1787 als Zweiter den Montblanc und stellte durch barometr. Höhenmessung fest, dass dieser der höchste Berg Europas ist; entwickelte u.a. das Haarhygrometer.

Sauternes [soˈtɛrn] *der,* berühmtester der frz. edelsüßen Weißweine, in fünf Gemeinden um den Ort Sauternes (Dép. Gironde) erzeugt.

Sautet [soˈtɛ], Claude, frz. Filmregisseur, Drehbuchautor, *Montrouge (Dép. Hauts-de-Seine) 23. 2. 1924; drehte »schwarze Filme«, Gesellschaftsmelodramen und Familiendramen, u.a. »Die Dinge des Lebens« (1969), »Das Mädchen und der Kommissar« (1970), »Eine einfache Geschichte« (1977), »Ein Herz im Winter« (1993).

sautillé [sotiˈje; frz. »gehüpft«] (italien. saltato, dt. Springbogen), bei Streichinstrumenten eine Strichart in schnellem Tempo, bei der der Bogen aufgrund seiner Elastizität springt und die Saite kurz anreißt.

Sava (Sabas), eigtl. Rastko, serb. Nationalheiliger und Schriftsteller, *um 1175, †Tarnowo (heute Weliko Tarnowo) 14. (12.?) 1. 1236; seit 1192 Mönch auf dem Athos; 1208 Rückkehr nach Serbien; erreichte 1219 vom grch. Patriarchen die Unabhängigkeit der serb. Kirche, deren erster Erzbischof er wurde; übte großen Einfluss auf die serb. Literatur aus. Tag: 14. 1.

Savaii, die größte Samoainsel, →Westsamoa.

Savannah [səˈvænə], Stadt in Georgia, USA, nahe der Mündung des Savannah River in den Atlantik, 137 600 Ew.; Sitz eines kath. und eines anglikan. Bischofs; State College; Schiffbau, Holz-, Papier- und chem. Ind., Erdölraffinerie; bed. Seehafen; Standort der amerikan. Streitkräfte. – Im Stadtbild dominieren Gebäude des frühen 19. Jh. –

Gegr. 1733 durch den brit. General J. E. Oglethorpe, bis 1786 Hauptstadt Georgias.

Savanne [indian.] *die,* klimat. Vegetationsgürtel der wechselfeuchten Tropen, d. h. alle Gebiete (außerhalb der Hochgebirge) zw. den trop. Regenwäldern und den Wüsten. Unterschieden werden: Feucht-, Trocken-, Dorn- und Wüsten-S. Die S. bestehen aus Grasfluren (teils baumlos, teils mit einzelnen Bäumen oder Baumgruppen) oder aus lichtem S.-Wald.

Savart [sa'va:r], Félix, frz. Arzt und Physiker, *Mézières (heute zu Charleville-Mézières) 30. 6. 1791, †Paris 16. 3. 1841; leitete aus Versuchen 1820 mit J. B. →Biot das nach beiden benannte Grundgesetz des Elektromagnetismus ab.

Save *die* (slowen., kroat. und serb. Sava), rechter Nebenfluss der Donau, im N der Balkanhalbinsel, 945 km lang, entspringt in Slowenien in den Jul. Alpen (zwei Quellflüsse), durchfließt das Becken von Ljubljana, das kroat. Tiefland und mündet bei Belgrad.

Saverne [sa'vɛrn], frz. Name von →Zabern.

Friedrich Carl von Savigny:
Holzschnitt nach einem Aquarell von Franz Krüger (um 1825)

Savigny ['zavınji], Friedrich Carl von, Rechtslehrer und preuß. Staatsminister, *Frankfurt am Main 21. 2. 1779, †Berlin 25. 10. 1861; 1810–42 Prof. in Berlin, 1842–48 preuß. Min. für Gesetzgebung. S. war der einflussreichste dt. Jurist des 19. Jh. Gemeinsam mit K. F. Eichhorn gab er seit 1815 die »Zeitschrift für geschichtl. Rechtswissenschaft« heraus, mit der sich die Gründung der →historische Schule verbindet. Ihr Programm beruht im Kern auf der theoret. Annahme, das geltende Recht lasse sich nicht aus evidenten, naturrechtl. Einsichten ableiten, sondern nur als Produkt des sich in der Geschichte »organisch« entwickelnden »Volksgeistes« auffassen. Eine herausragende Stellung nahm S.s achtbändiges »System des heutigen röm. Rechts« (1840–49) ein, in dem von wenigen allgemeinen Grundbegriffen ausgehend der Versuch unternommen wird, das Privatrecht in seiner Gesamtheit »systematisch« darzustellen.

Weitere Werke: Abhandlung der Lehre vom Besitz (1803); Gesch. des röm. Rechts im MA., 6 Bde. (1815–31).

Savimbi, Jonas, angolan. Politiker, *Munhango (Distr. Moxico) 3. 8. 1934; 1962–64 Außenmin. der Exilregierung, gründete 1966 die UNITA, die nach der Unabhängigkeit →Angolas (1975) unter seiner Führung einen Guerillakrieg gegen die MPLA-Regierung unter Präs. J. E. dos Santos führte. S. und dos Santos unternahmen versch. Anläufe zur Beendigung des Bürgerkrieges, zuletzt 1994.

Jonas Savimbi

Savoie [sav'wa], **1)** frz. Name von →Savoyen.

2) Dép. in SO-Frankreich, in den Alpen, 6028 km², (1995) 365000 Ew.; Hptst. ist Chambéry.

Savona, 1) Prov. in der Region Ligurien, Italien, 1545 km², (1995) 283600 Einwohner.

2) Hptst. von 1), 65300 Ew.; Hafenstadt an der Riviera di Ponente; naut. Schule; Schiffbau, Eisen- und Stahl-, chem., elektrotechn., Glasindustrie.

Savona 2)
Stadtwappen

Savonarola, Girolamo, italien. Bußprediger, *Ferrara 21. 9. 1452, †(hingerichtet) Florenz 23. 5. 1498; wurde 1476 Dominikanermönch; predigte seit 1482 v. a. in Florenz und verkündete das nahe Gericht Gottes; betrieb die Reform seines Klosters und der Kirche im Geist der alttestamentl. Propheten und nahm entscheidend an der polit. Neugestaltung von Florenz teil, wo er nach der Vertreibung der Medici (1494) Christus zum König eines theokratisch geprägten Gemeinwesens ausrief. Dem u. a. daraufhin von Papst Alexander VI. auferlegten Predigtverbot kam er nicht nach, was seine Exkommunikation (1497) und Verhaftung (1498) zur Folge hatte. S. wurde der Inquisition übergeben und nach schwerer Folter als Schismatiker und Häretiker gehängt und verbrannt. Seine Schriften wurden jedoch 1558 für rechtgläubig erklärt.

📖 ANTONETTI, P.: *S.: Ketzer oder Prophet? Eine Biographie. A. d. Frz. Zürich 1992.*

Girolamo Savonarola
(Ausschnitt eines Gemäldes von Fra Bartolomeo, um 1495)

Savonlinna (schwed. Nyslott), Stadt in der Prov. Mikkeli, Finnland, 28600 Ew.; Sägewerk, Sperrholz, Maschinenfabrik; Mittelpunkt der Schifffahrt auf dem Saimaa-System; Fremdenverkehr. Auf einer Felseninsel die Burg **Olavinlinna** (1474–77), z. T. Museum (Opernfestspiele).

Savoyen (frz. Savoie, italien. Savoia), histor. Gebiet in den frz. Alpen, an der Grenze zu Italien; in die beiden Dép. Savoie und Haute-Savoie geteilt. – Im Altertum von kelt. Allobrogern bewohnt, kam S. 121 v. Chr. unter röm. Herrschaft. 443 n. Chr. siedelte Aetius die Burgunder in S. **(Sapaudia)** an. Sie wurden 532 durch die Franken unterworfen, ihr Land Teil des fränk. Teilreichs →Burgund. Seit 1032/34 gehörte S. zum Hl. Röm. Reich. Die Grafen (seit 1416 Herzöge) von S. machten das oberitalien. →Piemont zu ihrem Kernland. 1796–1814 und seit 1860 zu Frankreich. – Das Haus S. stellte seit 1720 die Könige von Sardinien, seit 1861 die Könige von Italien.

📖 *Histoire de la Savoie, hg. v.* P. GUICHONNET *u. a. Neuausg. Toulouse 1984.*

Savoyen
Historisches Wappen

Wolfgang Sawallisch

Dorothy Sayers

Sax: Fund aus Oberlenken, Kreis Merzig-Wadern, Eisen (etwa 1/10 der Originalgröße)

Savoyer Alpen, Teil der Westalpen zw. Lac d'Annecy und Genfer See in Frankreich, Italien und der Schweiz, mit der Montblancgruppe.

Sawallisch, Wolfgang, Dirigent, *München 26. 8. 1923; war 1960–70 Chefdirigent der Wiener Symphoniker sowie 1961–72 Generalmusikdirektor des Philharmon. Staatsorchesters Hamburg; wurde 1971 Generalmusikdirektor, 1982 auch Direktor der Bayer. Staatsoper in München. 1993 übernahm er die Leitung des Philadelphia Orchestra; v. a. geschätzt als Interpret des dt. Repertoires.

Sawatch Range [sə'wɔtʃ 'reɪndʒ], Teil der südl. Rocky Mountains in Colorado, USA, im Mount Elbert 4399 m ü. M.; Molybdänerze.

Sax *der,* einschneidiges Kurzschwert der Franken und Sachsen; 40–60 cm lang, 3–4 cm breit; in merowing. und karoling. Zeit (5.–9. Jh.) die vorherrschende Hieb- und Stichwaffe in Mittel- und Westeuropa. Eine etwas größere Variante des S. ist der in Quellen (Gregor von Tours) bezeugte **Skramasax.**

Sax, Antoine Joseph, gen. Adolphe S., belg. Instrumentenbauer, *Dinant 6. 11. 1814, †Paris 4. 2. 1894. Verbesserungen an der Klarinette und akust. Studien führten ihn zur Konstruktion des →Saxophons; ab 1842 eigene Werkstatt in Paris.

Saxaul [türk.] *der* (Saksaul, Haloxylon ammodendron), knorriges Bäumchen der vorder- und zentralasiat. Salzsteppen aus der Familie der Gänsefußgewächse, mit gegliederten Ästen, Schuppenblättern und einfachen Blüten.

Saxo Grammaticus, altdän. Geschichtsschreiber, *wohl auf Seeland um 1150, †um 1220; vermutlich Geistlicher und Schreiber des Erzbischofs Absalon von Lund. Seine »Gesta Danorum« (1185) enthalten viele Sagen (u. a. Hamlet, →Hrolf Krake) und sind eine bed. Geschichtsquelle.

Saxophon *das,* von A. J. Sax um 1840 entwickeltes Blasinstrument mit weiter kon. Schallröhre aus Metall und einem Klarinettenmundstück mit einfachem Rohrblatt. Das S. wird heute in acht Größen gebaut (vom Sopranino in Es oder F bis zum Subkontrabass in B). Sopranino und Sopran-S. haben eine gerade Form, bei allen übrigen S. (Alt, Tenor, Bariton, Bass, Kontrabass, Subkontrabass) ist das Schallstück aufwärts gebogen; der Klang ist horn- bis klarinettenähnlich. – Eine bed. Rolle spielt das S. seit 1920 in der Jazzmusik.

📖 *Die S.e, Beiträge v.* K. VENTZKE *u.* C. RAUMBERGER. *Frankfurt am Main 1979.*

Saxothuringische Zone, Teil des →Variskischen Gebirges.

Say [sɛ], Jean Baptiste, frz. Volkswirtschaftler, *Lyon 5. 1. 1767, †Paris 15. 11. 1832; gilt als Begründer der klass. Nationalökonomie in Frankreich; systematisierte und verbreitete die Ideen von A. Smith. Auf S. geht die Einteilung der Volkswirtschaftslehre in Produktion, Distribution und Konsumtion zurück. Bekannt wurde er v. a. durch seine Theorie der Produktionsfaktoren sowie seine Theorie der Absatzwege, das **saysche Theorem;** danach müssen Angebot und Nachfrage in einer Volkswirtschaft stets gleich hoch sein, sodass keine allg. Überproduktion möglich ist, da sich jede Produktion selbst ihre wertmäßig entsprechende kaufkräftige Nachfrage schaffe.

Sayers ['seɪəz], Dorothy Leigh, engl. Schriftstellerin, *Oxford 13. 6. 1893, †Witham (Cty. Essex) 17. 12. 1957; schrieb zu den Klassikern der Gattung zählende Kriminalromane (meist um den Amateurdetektiv Lord Peter Wimsey), die sich durch verfeinerte Charakterdarstellung auszeichnen (»Weißes Gift«, 1930; »Mord braucht Reklame«, 1933 u. a.). Später schrieb sie auch religiöse Dramen, einen Hörspielzyklus über Jesus (»Zum König geboren«, 1943).

Sayn und Wittgenstein, noch bestehendes, urspr. edelfreies rhein. Adelsgeschlecht, das von der Burg Sayn bei Bendorf (im Westerwald) ausging und 1361 die Grafschaft Wittgenstein mit Burg an der oberen Lahn erbte; 1605 Aufspaltung in Sayn-Wittgenstein-Berleburg (1792 reichsfürstlich), Sayn-Wittgenstein-Sayn (1861 preuß. Fürstenstand) und Sayn-Wittgenstein-Hohenstein (1801 reichsfürstlich).

Saxophon (von links): Sopran-, Alt-, Tenor- und Baritonsaxophon

sb, Einheitenzeichen für →**Stilb.**

Sb, chem. Symbol für →Antimon.

S-Bahn (kurz für Stadtschnellbahn), Transportsystem der Eisenbahnen zur schnellen Personenbeförderung in Ballungsräumen, meist auf eigenen Gleisen mit elektr. Triebwagenzügen oder Wendezügen. Kennzeichnend ist eine häufige und zeitlich regelmäßige Zugfolge (»Taktfahrplan«);

Höchstgeschwindigkeit zw. etwa 80 km/h und 120 km/h.

SBB, Abk. für →**S**chweizerische **B**undes**b**ahnen.

Sbeïtla, Stadt in Tunesien, rd. 40 km östlich von Kasserine, 8 000 Ew. – S. steht an der Stelle des röm. **Sufetula,** einer unter den flav. Kaisern gegr. großen Stadt, heute ausgedehnter Ruinenbez., u. a. mit Forum, Tor des Antoninus Pius, Tempeln der Kapitolin. Trias (das Kapitol in Rom nachahmend), Theater, Thermen, Aquädukt, christl. Kirchen.

s. Br., Abk. für **s**üdliche(r) **Br**eite, →Breite.

SBZ, Abk. für →**S**owjetische **B**esatzungs**z**one.

Sc, chem. Symbol für →Scandium.

sc. (sculps.), *bildende Kunst:* auf graf. Blättern Abk. für →**sc**ulpsit.

Scaevola, röm. Sagengestalt, →Mucius.

Scala (Teatro alla S.), Opernhaus in Mailand, 1776–78 von G. Piermarini erbaut, 1943 fast völlig zerstört, 1946 wieder aufgebaut. Dem großen prachtvollen Logentheater (3600 Plätze) wurde 1955 die **Piccola-S.** (600 Plätze) angegliedert.

Scala (nlat. Scaliger), ghibellin. Adelsgeschlecht Norditaliens, besaß 1277–1387 die Stadtherrschaft von Verona. Einflussreicher Vertreter: Cangrande I. Della S. (*1291, †1329), seit 1311 Reichsvikar und seit 1318 Generalkapitän des lombard. Ghibellinenbunds; er zog Dichter (u. a. Dante) und Gelehrte an seinen Hof. – Bekannt sind die spätgot. Grabmäler der S. (Scaliger-Gräber) in Verona.

Scalfaro, Oscar Luigi, italien. Politiker, *Novara 9. 9. 1918; Jurist, seit 1946 politisch in der Democrazia Cristiana tätig, mehrfach Min., wurde 1992 zum Staatspräs. Italiens gewählt.

Scaliger, **1)** Joseph Justus, frz. klass. Philologe, *Agen 5. 8. 1540, †Leiden 21. 1. 1609, Sohn von 2); nahm als Kalvinist an den Hugenottenkriegen teil; Textkritiker, Sprachforscher; Begründer der wiss. Chronologie (→Julianisches Datum).

2) Julius Caesar, frz. klass. Philologe und Dichter italien. Herkunft, *Riva del Garda 23. 4. 1484, †Agen 21. 10. 1558, Vater von 1); bestimmte mit seiner lat. »Poetik« (hg. 1561), die dichter. Theorie und Praxis in den europ. Literaturen bis ins 18. Jh. entscheidend im gelehrt-humanist. Sinne.

Scall [skɔ:l, Kw.] *das, Telekommunikation:* seit Dez. 1994 in ganz Dtl. eingeführter Funkrufdienst der Dt. Telekom AG. Über S. können in Ziffernfolgen (max. 15 Ziffern sind möglich) codierte Meldungen im Radius von etwa 25 km an S.-Empfangsgeräte (Pager) übermittelt werden.

Scandinavian Airlines System [skændɪˈneɪvjən ˈeəlaɪnz ˈsɪstɪm], Abk. **SAS,** Stockholm, skandinav. Luftverkehrsgesellschaft, 1946 entstanden aus einer schwed., norweg. und dän. Gesellschaft.

Scandium [nach Scandia, dem nlat. Namen für »Skandinavien«] *das,* chem. Symbol **Sc,** Element aus der dritten Nebengruppe des →Periodensystems der chem. Elemente; Ordnungszahl 21, relative Atommasse 44,9559, Dichte 2,985 g/cm³, Schmelzpunkt 1539 °C, Siedepunkt 2832 °C. S. ist ein silberweißes, unedles Leichtmetall, das von Wasser und verdünnten Säuren angegriffen wird. Es findet sich in größeren Mengen nur in den sehr seltenen Mineralen Thortveitit und Sterretit; bisher keine größere techn. Bedeutung. Zur Reindarstellung von S. trennt man meist das Metall in Form seines Chlorids, $ScCl_3$, mit Ionenaustauschern von den Begleitelementen ab und führt dann eine →Schmelzflusselektrolyse durch.

Scanner [ˈskænə, engl.] *der* (Abtaster), **1)** *Datenverarbeitung:* (Bildabtaster) Sammelbez. für Eingabegeräte zum opt. Abtasten von Bildern (z. B. auch Strichcodes) oder anderen, auch dreidimensionalen Objekten mittels eines Lichtablenkers (der selbst als S. bezeichnet wird) und zur rasterförmigen Auflösung der vorliegenden Information in Bildpunkte (Pixel) unter Umwandlung der registrierten Schwarz-, Weiß-, Grau- oder Farbwerte in entsprechende Bitmuster.

📖 LIMPER, W.: *Scannerpraxis. Einsatz u. Anwendung moderner Scannertechnik. München 1992.* – KAMMERMEIER, P. u. A.: *Scannen u. drucken. Bonn u. a. 1995.*

2) *Medizin:* diagnost. Geräteeinheit, die v. a. in der Ultraschalldiagnostik, der Computertomographie und der Szintigraphie durch Verbindung einer Abtasteinrichtung (Detektor, Schallkopf) mit einem bildgebenden Empfangsteil (Drucker, Bildschirm) der Darstellung von Gewebs- und Organstrukturen dient.

Oscar Scalfaro

Scanning [ˈskænɪŋ, engl.] *das* (Scannen), **1)** *allg.:* punktweises →Abtasten von Informationsträgern und Untersuchungsobjekten.

2) *Wirtschaft:* ein Datenerfassungssystem für Verkäufe auf der Basis elektron. Kassenterminals, das eine artikelspezif. Erfassung am Verkaufspunkt (Point of Sale) und damit ein integriertes Warenwirtschaftssystem im Handel ermöglicht.

Joseph Justus Scaliger (zeitgenössischer Kupferstich)

Scapa Flow [ˈskæpə ˈfləʊ], große Bucht der Orkneyinseln, Schottland, mit Erdölterminal Flotta; in beiden Weltkriegen brit. Flottenstützpunkt; 1918/19 Internierungsplatz eines großen Teils der dt. Hochseeflotte.

Scapigliatura [skapiʎʎaˈtura; zu italien. scapigliare »die Haare zerzausen«, »ausschweifend leben«], Bez. für eine Gruppe meist lombard. Künstler und Schriftsteller in Mailand und in Piemont zw. 1860 und 1880, die in betonter Ablehnung des bürgerl. Lebensstils, des polit. Konformismus und des herrschenden literar. Geschmacks eine Erneuerung der Kunst forderten; bed. Vertreter: G. Rovani, E. Praga, A. Boito.

Scaramuccia [skaraˈmuttʃa, italien.], *Theater:* →Skaramuz.

Domenico Scarlatti: Auszug aus einer Cembalosonate in d-Moll

Scarborough ['skɑ:bərə], Stadt in der County North Yorkshire, England, an der Nordsee, 43 100 Ew.; Hafen (Küstenschifffahrt, Fischerei), Maschinen-, Fahrzeugbau, Druckereien; Seebad. – Reste röm. Befestigungen; Kirche des 12. Jahrhunderts.

Alessandro Scarlatti (Ausschnitt eines zeitgenössischen Gemäldes)

Scarlatti, 1) Alessandro, italien. Komponist, *Palermo 2. 5. 1660, †Neapel 22. 10. 1725, Vater von 2); wirkte als Kapellmeister in Rom sowie 1684–1702 und wieder ab 1708 in Neapel. S.s stilgeschichtl. Leistung für die Oper ist die Durchbildung der Da-capo-Arie, die reichere Ausgestaltung der Orchesterbegleitung und die Ausbildung der dreiteiligen italien. Ouvertüre. Von seinen über 100 Opern, die einen Höhe- und Wendepunkt in der Geschichte der Gattung bilden, sind nur wenige erhalten; er schrieb außerdem Oratorien, Kantaten, Messen, Psalmen, Motetten, Madrigale.

📖 *A. S. u. seine Zeit, Beiträge v.* C. CARUSO *u. a., hg. v.* M. LÜTOLF. *Bern u. a. 1995.*

2) Domenico, italien. Komponist, *Neapel 26. 10. 1685, †Madrid 23. 7. 1757, Sohn und Schüler von 1); wirkte u. a. seit 1720 als Kapellmeister am Hof in Lissabon, ging 1729 als Cembalist nach Sevilla und 1733 nach Madrid. S. erschloss der Klaviermusik durch melod. Freiheit und Beweglichkeit des Satzes neue Wege. Er schrieb geistl. und weltl. Vokalmusik, Opern sowie über 550 fast ausschl. einsätzige Cembalosonaten.

Johannes Schaaf

📖 *D. S., hg. v.* H.-K. METZGER *u. a. München 1986.*

Scarpa, Carlo, italien. Architekt und Designer, *Venedig 2. 6. 1906, †Sendai (Japan) 28. 11. 1978. Bei seinen Museums- und Ausstellungseinrichtungen befasste er sich mit neuen Gestaltungen des Vorhandenen, er renovierte und ergänzte; sein »restauro critico« (krit. Restauration) akzentuierte die Baustile und setzte bewusste Kontraste.

Schaben

An der niederländischen Universität Nimwegen wurde herausgefunden, dass Schaben Methangas produzieren, ebenso wie dies Krebse, Tausendfüßler, Termiten und andere Gliederfüßler tun. Denn diese Tierchen leben, besonders in den Tropen, gern in Symbiose mit Methan bildenden Bakterien. Man schätzt ihre weltweite Produktion auf 10 bis 300 Millionen Tonnen jährlich. Und damit verstärken sie den Treibhauseffekt.

Scarron [ska'rɔ̃], Paul, frz. Schriftsteller, *Paris 4. (?) 7. 1610, †ebd. 7. 10. 1660; ab 1638 gelähmt, ⚭ mit Françoise d'Aubigné, der späteren Madame de Maintenon. S. ist der Hauptvertreter der antiklass., burlesken Literatur des 17. Jh.; er schrieb u. a. satir. parodist. Gedichte, Lustspiele, eine »Vergiltravestie« (7 Bücher, 1648–53) und den »Komödianten-Roman« (2 Bde., 1651–57); bed. wegen seiner scharf beobachtenden Milieuschilderungen.

SCART-Steckverbinder, 21-poliger Stecker zum Verbinden von Videogeräten untereinander oder mit einem Fernsehempfänger.

Scat [skæt, amerikan.] *der,* Gesangsstil des Jazz, bei dem mit Silben ohne Wortsinn eine Melodie improvisiert wird. Der S.-Gesang wurde bereits im New-Orleans-Jazz (L. Armstrong) gepflegt und erlebte im Bebop einen Höhepunkt. Sänger sind u. a. E. Fitzgerald, S. Vaughan, D. Gillespie.

Scattering ['skætərɪŋ, engl.] *das,* ungeordnete Reflexion (Streuung) elektromagnet. Meter- und Dezimeterwellen an Turbulenzzentren, Schichten oder Gasblasen der Troposphäre. S. führt zu Überreichweiten und wird in S.-Richtfunkverbindungen (Streustrahlverbindungen) ausgenutzt.

Scelsi ['ʃɛlsi], Giacinto, eigtl. Conte Giacinto S. di Valva, italien. Komponist und Schriftsteller, *La Spezia 8. 1. 1905, †Rom 9. 8. 1988; durch Reisen nach Asien stark von fernöstl. Religion und Philosophie geprägt; seine Musiksprache ist oft von außermusikal. Vorgaben bestimmt. S.s musikal. Schaffen umfasst Orchesterwerke, Kammermusik und Vokalwerke. Daneben veröffentlichte er Gedichte und ästhet. Schriften.

Scesaplana [ʃesa-] *die,* → Schesaplana.

Schaaf, Johannes, Regisseur, *Stuttgart 7. 4. 1933; ab 1967 Spielfilme, Vertreter des »jungen dt. Films« (»Tätowierung«, 1967; »Momo«, 1986);

auch Theater- und Opernregisseur (München, Stuttgart und bei den Salzburger Festspielen).

Schạbbes *der,* **1)** jidd. Bez. für Sabbat.

2) → Kippah.

Schaben (Blattaria, Blattodea), weltweit verbreitete Ordnung der Insekten; Körper flach, mit langen Fühlern und häufig rückgebildeten Flügeln; meist Nachttiere; Vorratsschädlinge und Überträger von Krankheits- und Fäulniserregern auf Nahrungsmittel. Die **Orientalische S.** (**Küchen-S., Kakerlak,** Blatta orientalis), 20–30 mm lang, ist dunkelbraun; sie gelangte, wie die größere **Amerikan. S.** (Periplaneta americana), durch den Handelsverkehr in alle Erdteile. In Mitteleuropa heimisch ist bes. die **Deutsche S.** (**Haus-S.,** Blattella germanica), bis 15 mm lang, hellbraun mit zwei dunklen Längsstreifen.

Schaber, 1) *Archäologie:* altsteinzeitl. Werkzeug mit retuschierter Arbeitskante, meist aus Feuerstein, zum Abschaben von Tierhäuten und zum Glätten von Holz- und Knochengeräten.

2) *Technik:* einschneidiges Werkzeug zum Abnehmen feiner Späne, wodurch die Form-, Maß-, Lagegenauigkeit sowie die Oberflächengüte verbessert werden soll. Die Spandicke ist abhängig von der Anpresskraft.

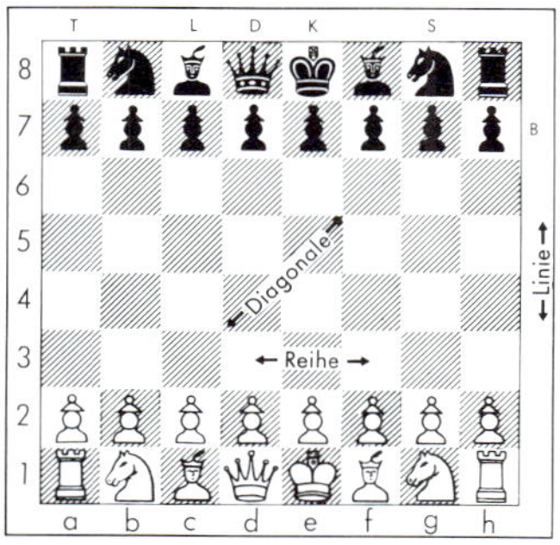

Schachspiel: Aufstellung der Schachfiguren zu Beginn der Partie; B = Bauer, D = Dame, K = König, L = Läufer, S = Springer, T = Turm

Schabkunst, *graf. Technik:* → Kupferstich.

Schablọne *die,* ausgeschnittene Form, Vorlage zum Übertragen bestimmter Umrisse, Muster, Formen.

Schabrạcke [türk.] *die,* verzierte Decke unter dem Pferdesattel.

Schach, → Schachspiel.

Schachbrett, aus 64 (8 × 8) quadrat., abwechselnd hell und dunkel gehaltenen Feldern bestehendes Brett zum → Schachspiel.

Schachbrettblume (Schachblume, Fritillaria meleagris), bis 30 cm hohe, geschützte Art der Gattung Fritillaria (Liliengewächs); Pflanzen mit wechselständigen Blättern, nickenden Blüten und schachbrettartig purpurrot und weißlich gefleckten Blütenhüllblättern; in Dtl. selten, auf Feuchtwiesen; auch als Zierpflanze kultiviert.

Schachcomputer [-kɔmpju:tər], elektronischer Rechner, der Schachpartien gegen Personen oder andere S. spielen kann. Die meisten S. besitzen eine »Eröffnungsbibliothek«, in der die bekanntesten Eröffnungen gespeichert sind, sowie eine Anzahl gespeicherter Meisterpartien. Die Eingabe der Züge erfolgt über eine Tastatur oder ein Sensorfeld, die Ausgabe des vom S. gewählten Zuges i. Allg. über eine Anzeige oder auf einem Bildschirm. Die Spielstärke des S. ist meist einstellbar. Im Mai 1997 gewann zum ersten Mal ein S. (»Deep Blue«) gegen den amtierenden Weltmeister (G. Kasparow).

Schạchen *der,* Jagdschloss König Ludwigs II. von Bayern südlich von Garmisch-Partenkirchen (1866 m ü. M.) am Wettersteingebirge; schlichte Holzkonstruktion, im Obergeschoss ein reich dekorierter »maur.« Saal (1872–73); Alpengarten.

Schächer, alte dt. Bez. für: Räuber, Mörder; im N. T. für die beiden zus. mit Jesus Gekreuzigten.

Schachspiel (Schach), Brettspiel für zwei Personen, bei dem verschiedenartige und verschiedenwertige Schachfiguren auf dem Schachbrett ihrer Gangart entsprechend bewegt werden. Spielgedanke ist, den gegner. König matt zu setzen oder infolge entscheidenden Figurenverlusts zur Aufgabe zu veranlassen. Das Brett wird so gelegt, dass das Eckfeld links vom Spieler schwarz ist. Jeder Spieler verfügt in der Grundaufstellung über 16 weiße bzw. schwarze Figuren, und zwar über 8 Offiziere (König, Dame, 2 Türme, 2 Läufer, 2 Springer) und 8 Bauern. In einem wettkampfmäßig betriebenen S. (Schachpartie, Partie), bei dem sich die beiden Spieler unmittelbar am Brett gegenübersitzen (Turnierschach), wird (um gleiche Bedingungen zu schaffen) zur Kontrolle der Bedenkzeit (z. B. 3 Stunden für 60 Züge) eine Schachuhr eingesetzt. Außerdem besteht der Zwang zur Notation. – Eine Partie gliedert sich in drei Phasen: a) die Eröffnung schafft eine möglichst günstige Ausgangsposition für das Mittelspiel; eine exakte, positionell richtige Behandlung ist deshalb bes. wichtig; b) das Mittelspiel mit seinen zahlr. strateg. und takt. Möglichkeiten ist das eigentl. S.; es schafft die Grundlage für c) das Endspiel, die wichtigste Phase der Partie; der Gegner soll matt gesetzt oder zur Aufgabe gezwungen werden. Kennzeichnend für das Endspiel ist die geringe Zahl der noch auf dem Brett verbliebenen Figuren und das aktive Eingreifen des Königs. Grundregeln des S. sind: Weiß hat den ersten Zug; die Partner ziehen abwechselnd; keine Figur darf auf ein Feld ziehen, das bereits von einer eigenen besetzt ist, gegner. Figuren können dagegen geschlagen und vom Brett genommen werden; keine Figur (mit Ausnahme des Springers) darf über andere Figuren hinwegziehen; mit Ausnahme des Bauern kann jede Figur vor- und rückwärts ziehen; jede be-

Schaben: 1 Weibchen und Männchen der Orientalischen Schabe (Länge 20–30 mm), 2 Deutsche Schabe (Länge bis 15 mm)

Schachbrett-blume (Höhe bis zu 30 cm)

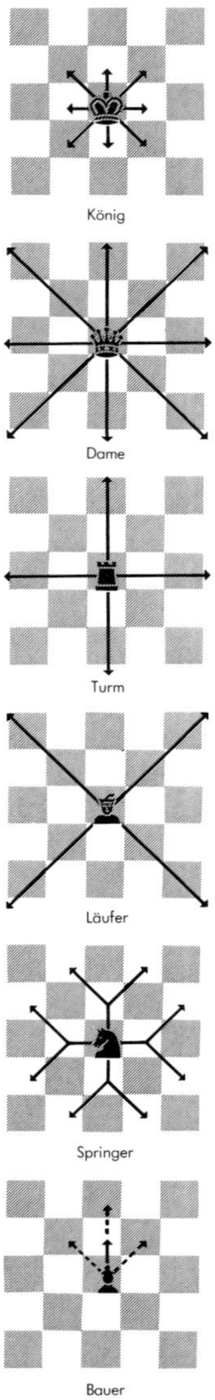

Schachspiel: Gangarten der Schachfiguren

rührte Figur muss gezogen werden. – Aus der Vielzahl der Spielsysteme sind das **Match** (zwei Gegner spielen mehrere Partien gegeneinander) und das **Rundenturnier** (bei Schachturnieren bis 20 Spieler spielt jeder gegen jeden gewöhnlich eine Partie) hervorzuheben. – Das S. entstand vermutlich vor 2000 bis 2500 Jahren in Indien, um das Jahr 1000 kam es nach Europa. Weltmeisterschaften seit 1886, Europameisterschaften seit 1957.

📖 *Meyers Schach-Lexikon, hg. v.* O. Borik. *Mannheim u. a. 1993.*

Schacht, *Bergbau:* senkrecht (seiger) oder schräg (tonnlägig) angelegter Grubenbau von im Verhältnis zur Länge kleinem Querschnitt. Ein **seigerer S. (Richt-S.)** steht überwiegend im Nebengestein; der **tonnlägige S.** kann inner- und außerhalb der Lagerstätte verlaufen. Ein **Tages-S.** geht von über Tage aus. Der **Haupt-S.** wird ständig zum Ein- und Ausfahren der Bergleute, zur Förderung, zum Ein- und Ausziehen der Wetter und zum Abführen der Grubenwässer benutzt. Sein Querschnitt, die **S.-Scheibe,** ist in versch. Abteilungen **(Trume)** unterteilt. Ein **Neben-S.** dient nur einer der genannten Aufgaben (z.B. Förder-, Wetter-S.); ein **Blind-S.** verbindet mehrere Sohlen unter Tage. – Das Niederbringen des S. (S.-Abteufen) geschieht im festen Gestein durch Bohr- und Schießarbeit. Beim Senkschacht- oder Spundwandverfahren wird die geschlossene S.-Wandung als Ganzes vorgetrieben. Ein anderes Verfahren ist das S.-Bohren oder Großbohrlochverfahren mit Bohrern, die den vollen Querschnitt des S. erzeugen. Lockere, auch Wasser führende Schichten durchteuft man mit dem Gefrierverfahren, bei dem durch Einleiten eines Kälteträgers ein Mantel aus gefrorenem Boden hergestellt wird. Eine Verfestigung und Wasserundurchlässigkeit des Gebirges erreicht man auch mit dem Zementierverfahren.

Schạcht, Hjalmar, Bankier und Politiker, *Tinglev (bei Tondern) 22. 1. 1877, †München 3. 6. 1970; war 1923–30 Reichswährungskommissar und Reichsbankpräs.; Mitbegründer der DDP (Austritt 1926), förderte die Ernennung Hitlers zum Reichskanzler. Als Reichsbankpräs. (erneut 1933–39), Wirtschaftsmin. (1934–37) und Generalbevollmächtigter für die Wehrwirtschaft (1935–37) unterstützte er die Finanzierung der dt. Aufrüstung, u.a. durch die Ausgabe von Mefo-Wechseln (Sonderwechsel); 1937–44 Min. ohne Geschäftsbereich. Wegen Kontakten zu Widerstandskreisen von Juli 1944 bis Kriegsende inhaftiert, im Nürnberger Prozess gegen die Hauptkriegsverbrecher 1946 freigesprochen, danach von den dt. Behörden bis 1948 inhaftiert. Seit 1953 Mitinhaber des von ihm gegr. »Privatbankhauses S. & Co.«, Düsseldorf.

📖 Boelcke, W. A.: *Die deutsche Wirtschaft 1930–1945. Düsseldorf 1983.*

Schachtelbeteiligung (Schachtel), die Kapitalbeteiligung einer Kapitalgesellschaft **(Schachtelgesellschaft)** an einer anderen Kapitalgesellschaft von mindestens 10 %. Der Gewinn, den ein Unternehmen aus einer S. erzielt, wird als Schachteldividende bezeichnet. Die Schachtelgesellschaft kann selbst wieder an anderen Kapitalgesellschaften beteiligt sein, sodass die Verfügung über eine größere Kapitalmasse erzielt wird. Eine S. von mehr als 25 % wird als Sperrminorität bezeichnet.

Schachtelhalm (Equisetum), einzige rezente Gattung der S.-Gewächse, fast weltweit verbreitet; ausdauernde Pflanzen mit Wurzelstöcken; kleine, zähnchenartige Blätter; Sporangien zu kolbenartigen Ansammlungen vereinigt. Die häufigste heim. Art ist der als Unkraut gefürchtete **Acker-S.** (Equisetum arvense), bis 50 cm hoch; v.a. auf Äckern und an Wegrändern. Er wurde früher wegen der kieselsäurehaltigen Zellwände der Epidermis zum Putzen von Zinngeschirr (»Zinn-, Scheuerkraut«) verwendet. – Auf nassen Waldböden wächst der **Wald-S.** (Equisetum sylvaticum); Sporangien tragende, bleiche Frühjahrstriebe, vegetative Halme mit zahlr. bogig herabhängenden Seitenästen.

Schachtelprivileg, Steuerbefreiung oder Minderung der Steuerbelastung von Ausschüttungen (Schachteldividenden) und Schachtelbeteiligungen; dient der Vermeidung oder Minderung der Doppelbesteuerung im Rahmen der Vermögen- und Gewerbesteuer bei Schachtelgesellschaften.

Schächten [von hebr. šạhaṭ »schlachten«], rituelle Schlachtmethode im Judentum, die durch einen Schächter (»Schochet«) mit vorschriftsmäßigem Schächtmesser (»Challaf«) ausgeführt werden muss. Mit einem Halsschnitt werden Schlagadern, Luft- und Speiseröhre durchtrennt, was die rasche Bewusstlosigkeit des Schlachttieres und sein völliges Ausbluten gewährleistet, um dem Blutgenussverbot zu entsprechen.

Schachtförderung, *Bergbau:* der Transport von Personen, abgebauten Mineralen, taubem Gestein, Material u.a. in einem Schacht, wird mit Aufzügen für große Belastung und große Förderhöhen (→Fördermaschine) durchgeführt. Bei der **Gestellförderung** werden die Förderwagen auf Fördergestellen (Körben) zutage gefördert; bei der **Gefäßförderung** leert man die Förderwagen unter Tage in Bunker.

Schachty [ˈʃaxti] (bis 1920 Alexandrowsk-Gruschewski), Stadt im Gebiet Rostow, Russland, im Donez-Kohlebecken, 224000 Ew.; TH, Bergbauforschungsinstitut; Steinkohlenbergbau, Großkraftwerk, Textil- und Bekleidungs-, keram., Nahrungsmittelind., Maschinenbau; Flughafen.

Schạck, Adolf Friedrich Graf von (seit 1876), Schriftsteller, *Brüsewitz (bei Schwerin) 2. 8. 1815,

†Rom 14. 4. 1894; Beziehungen zum Münchener Dichterkreis, schrieb Gedichte, Epen und Dramen; Übersetzungen aus dem Spanischen, Persischen und Indischen. Seine bed. Gemäldesammlung, die er Kaiser Wilhelm II. zum Geschenk machte, befindet sich heute im Besitz des Landes Bayern (**S.-Galerie** in München).

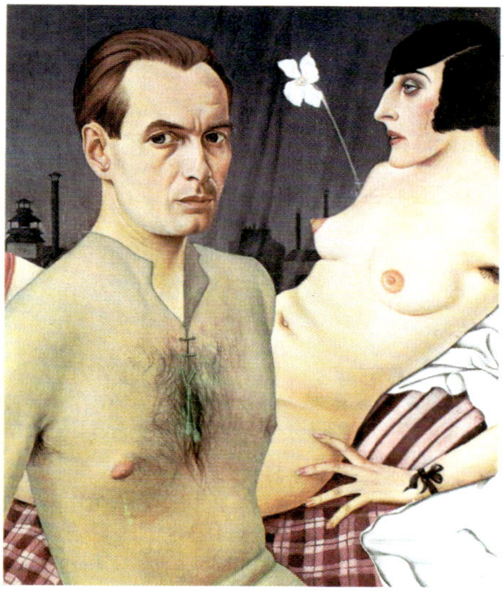

Christian Schad: »Selbstbildnis« (1927; Privatbesitz)

Schad, Christian, Maler und Grafiker, *Miesbach 21. 8. 1894, †Stuttgart 25. 2. 1982; Vertreter der Neuen Sachlichkeit; lebte 1915–20 in Zürich und Genf, wo er mit den Dadaisten verkehrte und 1918 eine eigene Form des Photogramms (»Schadographie«, →Fotografik) entwickelte; 1920–25 in Italien, danach in Berlin; Porträts, auch Akte, später z. T. vielfigurige Bilder.

Schädel (Kranium, Cranium), der Teil des Skeletts, der die knöcherne (oder knorpelige) Grundlage des Kopfes beim Menschen und bei den Wirbeltieren bildet; beim Menschen und bei den meisten Wirbeltieren über Gelenkhöcker beweglich mit der Wirbelsäule verbunden. Der S. umschließt das Gehirn und die Sinnesorgane des Kopfes sowie den Anfangsteil des Atmungs- und Verdauungstraktes. – Im Verlauf der Individualentwicklung gehen dem ganz aus Knochen bestehenden Knochen-S. das Desmocranium (als erste bindegewebige S.-Anlage) und der embryonal bei allen Wirbeltieren angelegte, bei Haien und Rochen erhalten bleibende Knorpel-S. voraus.

Beim Menschen besteht der **Hirn-S.** (Gehirn-S., Neurocranium) aus acht Knochen (Stirnbein, zwei Scheitel-, zwei Schläfenbeine, Hinterhaupt-, Sieb- und Keilbein). Das **Stirnbein** bildet die oberen Ränder der beiden Augenhöhlen und die paarige Stirnhöhle. Auf beiden S.-Seiten befindet sich je ein **Scheitelbein;** diese bilden den wesentl. Teil des →Schädeldachs. Ebenfalls beidseitig liegt je ein **Schläfenbein,** das das Gehör- und Gleichgewichtsorgan enthält. Im **Hinterhauptbein** liegen das **Hinterhauptloch,** durch welches das Rückenmark verläuft, und die **Hinterhaupthöcker,** ein paariger Gelenkhöcker, an dem die Halswirbelsäule ansetzt. Das **Keilbein** steht mit allen Knochen des Hirn-S. und den meisten Knochen des Gesichts-S. in Verbindung. Es besitzt eine Grube (Türkensattel), in die die Hypophyse eingebettet ist. Als Skelettgrundlage der Nase dient das am Stirnbein gelegene **Siebbein.** Der **Gesichts-S.** (Viszerocranium) besteht aus 14 Knochen (je zwei Nasen-, Oberkiefer-, Tränen-, Joch-, Gaumenbeine und untere Nasenmuscheln, Pflugscharbein, Unterkiefer). Alle Knochen (außer Unterkiefer) sind durch Nähte fest miteinander verbunden. Die **S.-Basis** bildet den Boden des Hirn-S.; sie setzt sich zus. aus Hinterhauptbein, Felsenbein, Keilbein, den die Augen umschließenden Teilen des Stirnbeins und dem Siebbein.

Schädel, Hans, Architekt, *Randersacker (bei Würzburg) 14. 2. 1910, †ebd. 31. 12. 1996. Durch neue räuml. Konzeptionen gab er dem dt. Kirchenbau nach dem 2. Weltkrieg neue Anstöße, u. a. St. Kilian in Schweinfurt (1951) und St. Joseph in Würzburg-Oberdürrbach (1969).

Schädelbruch (Schädelfraktur), Zusammenhangstrennung der knöchernen Schädelkapsel; häufig an der Schädelbasis **(Schädelbasisbruch, Basisfraktur)** infolge Gewalteinwirkung mit Gefährdung der hier hindurchtretenden Nerven und Gefäße (oft mit Blutungen aus Ohr und Nase und Blutergüssen im Augenbereich), seltener am Schädeldach, hier auch bei örtlich begrenzter Gewalteinwirkung als Eindellung **(Impressionsfraktur).** Der S. ist meist mit Gehirnerschütterung oder Gehirnquetschung verbunden.

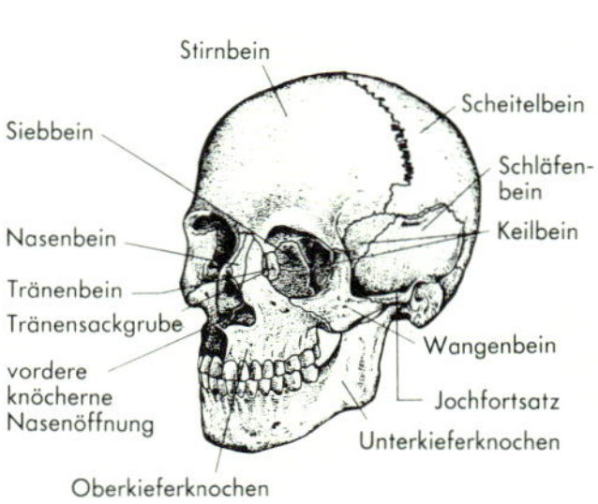

Schädel: Schema eines Menschenschädels von vorn

Schädeldach (Kalotte), das Dach der Schädelhöhle; beteiligte Knochen sind Hinterhaupt-, Scheitel-, Schläfen- und Stirnbein.

Schädel|index, prozentuales Verhältnis zw. Länge und Breite des menschl. Schädels.

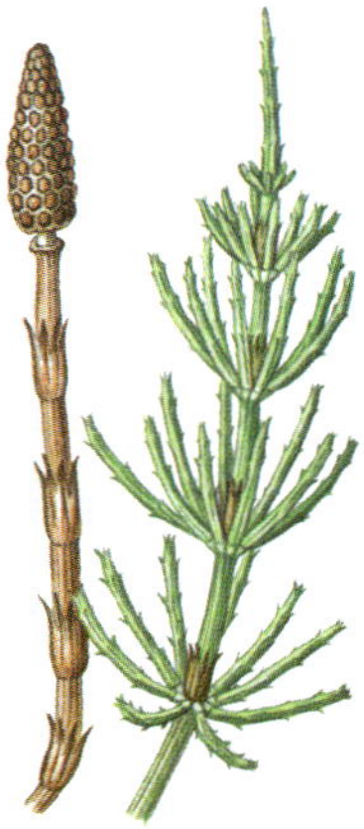

Schachtelhalm: Frühjahrstrieb (links) und grüner (Sommer-)Trieb des Ackerschachtelhalms

Hjalmar Schacht

Schädelkult, die Verehrung der Schädel Verstorbener, wobei der Schädel als Sitz der übernatürl. Kraft (→Mana) gilt; i. d. R. mit der Vorstellung der Übertragung dieser Kraft auf die den Schädel Verehrenden verbunden; bereits in der Altsteinzeit nachweisbar.

Schädel|lehre, die →Kraniologie.

Schädel|lose (Acrania), Unterstamm der Chordatiere; fischähnliche Meerestiere ohne Schädel, Wirbelsäule und Gliedmaßen; einzige Familie →Lanzettfischchen.

Schädelnähte, meist stark geschlängelt (Zackennaht) verlaufende bindegewebige Verbindungen der Schädelknochen; nach Abschluss des Wachstums verknöchert; am auffälligsten die S. des Schädeldachs wie die quer verlaufende **Kranznaht** (zw. Stirnbein und Scheitelbeinen) und die längs der Mittellinie ziehende **Pfeilnaht** (zw. den Scheitelbeinen).

Wolfgang Schadewaldt

Schädelstätte, dt. Bez. für →Golgatha.

Schaden, *Recht:* jeder Nachteil, den eine Person infolge eines Ereignisses erleidet (→Schadensersatz). Der Vermögens-S. (materieller S.) besteht in einer Einbuße an in Geld bewertbaren Gütern; der Nichtvermögens-S. (ideeller, immaterieller S.) ist der S. an sonstigen Gütern (z. B. Gesundheit, Ehre). Beim unmittelbaren S. ist der S. am verletzten Gut selbst entstanden, während beim mittelbaren (Folge-)S. ein anderes Rechtsgut als das unmittelbar verletzte geschädigt ist.

Schadensersatz, der Ausgleich eines eingetretenen Schadens. Voraussetzung für einen Anspruch auf S. ist das Vorliegen einer Rechtsnorm, auf die der Geschädigte den Anspruch stützen kann (ansonsten trägt jeder Schäden, die an seinen Rechtsgütern entstehen, selbst). Eine S.-Pflicht kann sich aus der Verletzung von Pflichten im Rahmen eines bestehenden Schuldverhältnisses ergeben oder – bei Verletzung eines →absoluten Rechts – aus dem Recht der unerlaubten Handlung (Deliktsrecht) oder aus Gefährdungshaftung. Das schädigende Verhalten muss dabei für die Entstehung eines Schadens adäquat kausal sein, also dem Verantwortlichen billigerweise zurechenbar sein, sowie – außer im Fall der Gefährdungshaftung – rechtswidrig und schuldhaft (→Verschulden) sein. Bei Vermögensschäden ist der S.-Berechtigte so zu stellen, als hätte das schädigende Ereignis nicht stattgefunden. Bei Vertragsverletzung ist grundsätzlich das volle **Erfüllungsinteresse** (positives Interesse) des Geschädigten zu ersetzen; dieser ist vermögensmäßig so zu stellen, wie er stehen würde, wenn er die versprochene Leistung vertragsgemäß erhalten hätte. Im Unterschied dazu umfasst das **negative Interesse,** das z. B. als Folge der Anfechtung auszugleichen ist, nur den **Vertrauensschaden,** also den Schaden, den jemand dadurch erleidet, dass er auf die Gültigkeit des Rechtsgeschäfts vertraut hat. Inhaltlich ist nach dem Gesetz (§ 249 BGB) der S. primär durch Wiederherstellung des ursprüngl. Zustands in Natur (z. B. Reparatur einer beschädigten Sache) zu leisten **(Naturalrestitution).** Bei Personen- und Sachschäden kann der Geschädigte aber stattdessen auch die Zahlung des zur Herstellung erforderlichen Geldbetrags verlangen. Der Schuldner seinerseits ist zur Entschädigung in Geld berechtigt, wenn die Herstellung nur mit unverhältnismäßigen Aufwendungen möglich wäre. Für Nichtvermögensschäden ist S. in Geld gemäß § 253 BGB nur dann zu leisten, wenn das Gesetz dies ausdrücklich bestimmt, also v. a. im Fall des § 847 BGB (Schmerzensgeld). Ein Mitverschulden des Geschädigten (auch bei der Abwendung der Schadensfolgen) kann zur Minderung des S.-Anspruchs führen (§ 254 BGB). – Das Recht in *Österreich* (§§ 1295–1341 ABGB) und in der *Schweiz* (bei unerlaubter Handlung Art. 41 ff., bei Vertragsverletzung Art. 97 ff. OR) gewähren S. aus ähnl. Gründen und unter vergleichbaren Voraussetzungen. Das Ausmaß hängt i. Allg. vom Grad des Verschuldens ab.

Hans Joachim Schädlich

Schadewaldt, Wolfgang, klassischer Philologe, *Berlin 15. 3. 1900, †Tübingen 10. 11. 1974; vielseitige Studien zur Kultur der Antike und der Neuzeit; starke Anregungen gingen von seiner Homerforschung aus, u. a. Nachweis der Einheit der »Ilias«; war seit 1966 wiss. Leiter des »Goethe-Wb.«; Mithg. zahlr. Zeitschriften; Übersetzer, u. a. von Homer (»Odyssee«, 1958), Sophokles und Pindar.

Schädlich, Hans Joachim, Schriftsteller, *Reichenbach/Vogtl. 8. 10. 1935; 1959–76 wiss. Mitarbeiter an der Akademie der Wiss. der DDR, 1976 Protest gegen die Ausbürgerung von W. Biermanns, 1977 Ausreise in die Bundesrep. Dtl. Seine subtilen Prosastücke in »Versuchte Nähe« (1977) machen die Kluft zw. Mensch und Staat erfahrbar; erhielt 1996 den Kleist-Preis. – *Weitere Werke:* »Der Sprachabschneider« (Kinderbuch, 1980), »Mechanik« (Prosa, 1985), »Tallhove« (R., 1986), »Schott« (R., 1992).

Schädlingsbekämpfung, die Bekämpfung von Schädlingen mit dem Ziel, Schäden von Pflanzen, Tieren oder Menschen, von Nahrungsmitteln, Vorräten und sonstigen Materialien abzuwenden oder auf ein tolerierbares Maß zu begrenzen. Nach der Art der ergriffenen Maßnahmen und Mittel unterscheidet man abiot. (mechan., physikal. und chem.) und biot. (biotechn., biolog. und ökolog.) Verfahren. Größte Verbreitung hat die mit der Verabreichung giftiger Substanzen arbeitende, schnell anwendbare und wirkende **chem. S.** gefunden. Die meisten der gegen tier.

Johann Gottfried Schadow: Die Marmorgruppe stellt die Kronprinzessin Luise mit ihrer Schwester Friederike dar (1795–97; Berlin, Skulpturensammlung)

Organismen eingesetzten Stoffe sind **Nervengifte.** Die lipidlösl. **Kontaktgifte** dringen über die Körperoberfläche in den Tierkörper ein. Die **Atemgifte** gelangen über das Atmungssystem, die **Fraßgifte** über den Darm in die Hämolymphe. **System. Mittel** werden durch die Blätter oder Wurzeln aufgenommen, mit dem Saftstrom in der Pflanze fortgeleitet, gelangen durch Diffusion von Zelle zu Zelle und werden von fressenden oder saugenden Gliederfüßern aufgenommen. Die chem. S. mit Schädlingsbekämpfungsmitteln (Pestiziden) hat erhebl. Erfolge in der Seuchenbekämpfung und zus. mit anderen chem. Pflanzenschutzmaßnahmen eine augenfällige Hebung der landwirtsch. Produktion erzielt. Mit diesen Erfolgen gekoppelt traten jedoch neue Gefährdungen der Umwelt und der menschl. Gesundheit auf, z. B. durch Rückstände in oder an Lebensmitteln, in Wohnungen und an Textilien. Besorgnis erregend ist v. a. die Anhäufung der Wirkstoffe in der Nahrungskette, die beim Menschen schwere Vergiftungen, Krebsschäden und andere Erkrankungen zur Folge haben kann. Außerdem haben fast alle bekannten Schädlingsarten bereits gegen chem. Wirkstoffe resistente (vielfach multiresistente) Populationen entwickelt.

Bei der **biotechn. S.** werden künstlich erzeugte physikal. oder chem. (v. a. artspezif.) Schlüsselreize zweckentfremdet ausgenutzt; Lichtfallen mit UV-Licht bestimmter Wellenlänge locken z. B. nachtaktive Fluginsekten an. Die **biolog. S.** sucht v. a. die Populationsdichte von Schädlingen zu begrenzen. Dazu bedient man sich v. a. der natürl. Feinde, die als Räuber, Schmarotzer oder Krankheitserreger oft Individuen nur einer Art schädigen oder töten; z. B. werden Marienkäfer sowie Schweb- und Florfliegenlarven gegen Blattläuse eingesetzt. Zur **ökolog. S.** gehören die Wiederherstellung einer artenreichen Biozönose durch Einschränkung von Monokulturen, der Schutz einheim. Nützlinge und die Verbesserung ihrer Lebensbedingungen.

📖 KRIEG, A. *u.* FRANZ, J. M.: *Lehrbuch der biolog. S. Berlin u. a. 1989. – Pflanzenschutz, S., Informationen, hg. v.* I. *u.* G. WALTHER. *Stuttgart 1991. – Wirksubstanzen der Pflanzenschutz- u. Schädlingsbekämpfungsmittel, bearb. v.* W. PERKOW *u.* H. PLOSS, *Loseblatt-Ausg. Berlin u. a.* [3]*1993.*

Schadow [-do], **1)** Friedrich Wilhelm von (seit 1845), Maler, *Berlin 6. 9. 1788, †Düsseldorf 19. 3. 1862, Sohn von 2); schloss sich in Rom den →Nazarenern an, mit denen er 1816/17 die Wandmalereien in der Casa Bartholdy schuf; ab 1819 Prof. der Berliner Akademie, 1826–59 Direktor der Düsseldorfer Akademie (»Düsseldorfer Schule«).

2) Johann Gottfried, Bildhauer und Grafiker, *Berlin 20. 5. 1764, †ebd. 27. 1. 1850, Vater von 1); leitete nach Studienjahren in Rom seit 1788 die Berliner Hofbildhauerwerkstatt und wurde 1815 Direktor der Akademie. Als bedeutendster Bildhauer des dt. Klassizismus vereinigte er in seinen Werken sinnl. Naturerfassung und realist. Porträtwiedergabe mit idealer Form. Zu seinen Haupt-

Friedrich Wilhelm von Schadow: »Die Kinder des Künstlers« (1830; Düsseldorf, Kunstmuseum)

werken gehören das Grabmal des Grafen von der Mark (1790/91; Berlin, Museumsinsel, Nationalgalerie), die Quadriga auf dem →Brandenburger Tor (Entwurf 1789, 1794 aufgestellt, 1945 zerstört, 1958 durch Rekonstruktion ersetzt), die Marmorgruppe der Kronprinzessin Luise mit ihrer Schwester Friederike (1795–97; Berlin, Skulpturensammlung). Zahlr. Bildnisbüsten; auch Radierungen und Lithographien sowie kunsttheoret. Schriften.

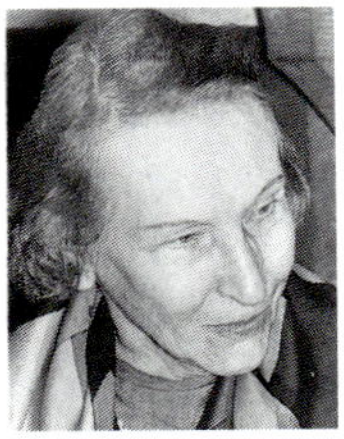
Oda Schaefer

Schadstoffe, chem. Stoffe, die das ökolog. Gleichgewicht stören und Menschen, Tiere oder Pflanzen bedrohen; befinden sich in Luft (Rauch, Auspuffgasen), Gewässern (Ind.abwässern) und Erde (Mülldeponien). Problematisch ist die S.-Anreicherung in der Nahrungskette.

Schaeder ['ʃɛ:-], Hans Heinrich, Orientalist, *Göttingen 31. 1. 1896, †ebd. 13. 3. 1957; arbeitete bes. über religions- und kulturgeschichtl. Fragen des pers. Raums.

Albrecht Schaeffer
(Zeichnung, 1928)

Schaefer ['ʃɛ:-], Oda, eigtl. O. Lange, geb. Kraus, Schriftstellerin, *Berlin 21. 12. 1900, †München 4. 9. 1988; ⚭ mit dem Schriftsteller Horst Lange; schrieb musikalisch-farbige und naturverbundene Lyrik (»Die Windharfe«, 1939; »Grasmelodie«, 1959), Erzählungen und Hörspiele sowie Erinnerungen.

Schaeffer, 1) ['ʃɛ:-], Albrecht, Schriftsteller, *Elbing 6. 12. 1885, †München 5. 12. 1950; lebte 1939–50 in den USA; suchte als Lyriker und Erzähler antike und mittelalterlich-christl. Elemente zu verbinden. Sein Hauptwerk ist die Romantrilogie »Helianth« (1920–24); auch Übersetzer.

2) [ʃɛ'fɛ:r], Pierre, frz. Toningenieur und Komponist, *Nancy 14. 8. 1910, †Aix-en-Provence 19. 8. 1995. Seine 1948 durchgeführten Geräuschexperimente bildeten den Anstoß zur Entwicklung der →konkreten Musik; 1968–76 Prof. für experimentelle Musik am Pariser Conservatoire.

Werke: Symphonie pour un homme seul (1950, endgültige Fassung 1953); Étude aux objets (1959, Neufassung 1967); Le trièdre fertile (1975); Ballette, Bühnen- und Filmmusik.

Schafbremse, eine Art der →Nasenbremsen.

Schäfchenwolken, →Wolken.

Schafe (Ovis), Gattung der Böcke, v.a. in den Gebirgen S-Europas, Asiens und Nordamerikas; in Trupps oder Herden lebende Wiederkäuer mit den Arten **Wild-S.** (Ovis ammon) und **Dickhorn-S.** (Ovis canadensis). Beide Arten (nach anderer Auffassung gibt es bis zu acht Arten) haben zahlr. Unterarten. Körperlänge etwa 110–200 cm, Schulterhöhe 65–125 cm (Männchen deutlich größer als Weibchen); ohne Kinnbart, mit flacher Stirn und bei den Böcken oft mächtigen, gewundenen Hörnern. In Europa lebt das **Mufflon** (Ovis ammon musimon), in den Hochgebirgen Zentralasiens der **Argali** (Riesenwild-S., Altai-Wild-S., Ovis ammon ammon). Der **Arkal** (Ovis orientalis arcal) kommt in Restbeständen im nordöstl. Iran vor. Im Hochland von Pamir lebt das **Pamir-S.** (**Marco-Polo-S.,** Ovis ammon palii); Hörner beim Männchen mächtig entwickelt, mit großen Windungen. Das **Haus-S.** (Ovis ammon aries) stammt vermutlich von versch. Unterarten der Wild-S. ab und wurde seit der frühen Steinzeit domestiziert. Die ältesten europ. Hausschafrassen waren Torf-S. und Kupferschaf.

Die sehr zahlr. **S.-Rassen,** die weltweit zur Fleisch-, Woll-, Pelz-, Milch-, Käse- und Fettgewinnung gezüchtet werden, kann man nach dem Haarkleid unterteilen in die noch sehr ursprüngl., v.a. in Afrika vertretenen **Haar-S.** (mit kurzer, regelmäßig im Frühjahr und Herbst wechselnder, für die Wollgewinnung ungeeigneter Behaarung aus groben, glatten, meist kurzen Grannenhaaren und feinen, gekräuselten, relativ schwach entwickelten Flaumhaaren) und die **Woll-S.,** die sich ihrerseits in die mischwolligen S. (Unterhaar stark verlängert, deutlich vom Oberhaar unterschieden), die schlichtwolligen S. (Oberhaar nur noch spurenweise vorhanden und kaum noch markhaltig) und die reinwolligen S. (merinowollige S.; nur noch stark entwickelte Unterwolle vorhanden) untergliedern lassen. Zu den **mischwolligen S.** zählen u.a.: die Heidschnucke, die mittel- und ostasiat. Fettsteiß-S., die in O-Asien, in den Balkanländern und in Afrika verbreiteten Fettschwanz-S. (zu denen auch das Karakul-S. gehört), das in zahlr.

Schafe (von oben): Die in der Lüneburger Heide lebende Heidschnucke zählt zu den mischwolligen Schafen, das Deutsche Schwarzköpfige Fleischschaf zu den schlichtwolligen Schafen

Schlägen auf Gebirgsweiden in SO-Europa und S-Russland anzutreffende Zackel-S. (männl. Tiere mit langen, geraden, in sich schraubig gedrehten Hörnern oder auch hörnerlos) und das von diesem abstammende süddt. Zaupel-S. Die **schlichtwolligen S.** sind in Dtl. v.a. durch folgende Rassen vertreten: Dt. Schwarzköpfiges Fleisch-S., Dt. Weißköpfiges Fleisch-S., v.a. in Holstein, Oldenburg und Mecklenburg; Leine-S., Rhön-S., Bergamasker-S., Marsch-S. Zu den **reinwolligen S.** gehören die Vertreter der Rassengruppe Merinoschaf.

Die genügsamen, an Klima, Gelände und Futter äußerst anpassungsfähigen Haus-S. lassen sich auf der Weide durch Hütehunde leicht in größeren Herden zusammenhalten. Sie werden etwa alle 2–3 Wochen für etwa 24–36 Stunden brünstig; die Tragzeit beträgt gewöhnlich 150 Tage, nach denen 1–3 Lämmer geworfen werden. Haus-S. werden durchschnittlich 8–10 Jahre alt. – Die S.-Schur wird in Dtl. bei der Vollschur (Jahresschur) im April bis Mai und zusätzlich bei der Halbschur im Herbst durchgeführt.

Schäfer, Wilhelm, Schriftsteller, *Ottrau (Schwalm-Eder-Kreis) 20. 1. 1868, †Überlingen 19. 1. 1952; schrieb naturalist. Dramen und Bauerngeschichten. Nationalistisch-schwärmer. Gedanken bestimmen seine fortschrittsfeindl. Deutung der Geschichte in dem Prosaepos »Die dreizehn Bücher der dt. Seele« (1922); Verfasser des Romans »Hauptmann von Köpenick« (1930).

Schäferdichtung (Hirtendichtung, Pastorale, bukolische Dichtung, arkadische Dichtung), beliebte literar. Gattung der europ. Renaissance und des Barock; Dichtung, die sich gegenüber der Wirklichkeit in eine idyll. Welt (Arkadien) der Hirten flüchtet. Theokrit schrieb nach 300 v. Chr. Hirtengedichte (→Idylle), an die im 1. Jh. v. Chr. Vergil mit seiner »Bucolica« (auch »Eclogae« genannt) anknüpfte. Die →Pastorelle der Troubadours enthielt Hirtenmotive; ihr gab Adam de la Halle im 13. Jh. dramat. Form. Die S. der Renaissance knüpfte an die Antike an (G. Boccaccio, F. Petrarca). – Den europ. **Schäferroman** mit seinem Wechsel von Vers und Prosa begründete J. Sannazaros »Arcadia« (1502), das dramat. Schäferspiel B. Guarinis »Il pastor fido« (1590). Das italien. Vorbild wirkte auf Westeuropa: 1559 erschien die »Diana« des Portugiesen J. de Montemor, 1590 die »Arcadia« von P. Sidney, der Schäferroman »L'Astrée« (6 Tle., 1607–27) des Honoré d'Urfé. In Dtl. verfasste M. Opitz mit seiner »Schäfferey von der Nimfen Hercinie« (1630) den ersten originalen Schäferroman; es folgten die Gedichte der Nürnberger »Pegnitzschäfer«, das Spiel »Die gelibte Dornrose« (1660) von A. Gryphius, P. von Zesens Roman »Adriatische Rosemund« (1645). Die Gesellschaftskultur des Rokoko verhalf der S. zu ihrem letzten Höhepunkt: Prosaidyllen von S. Geßner, Lyrik des jungen Goethe, Singspiele (Pastoralen) und Dramoletts von J. W. L. Gleim, C. F. Gellert und Goethe.

Schäferhunde, versch. Rassen und Schläge des Haushundes; urspr. nur als Hütehunde eingesetzt, später auch als Schutz- und Begleithunde, z. B. Dt. Schäferhund, Bobtail und Collie (BILD)

Schäferhunde: Deutscher Schäferhund (Widerristhöhe 60–65 cm)

Schaff, Adam, poln. Philosoph, *Lemberg 10. 3. 1913; 1957–68 Leiter des Inst. für Philosophie und Soziologie der Poln. Akademie der Wiss.; seit 1963 Präs. des Europ. Zentrums für Sozialwiss. in Wien, seit 1972 Prof. in Wien; vertritt eine am Individuum orientierte Interpretation des Marxismus und konfrontiert ihn mit Positionen der Sprachphilosophie, v.a. des Strukturalismus. – *Werke:* Marxismus und das menschl. Individuum (1965); Perspektiven des modernen Sozialismus (1988).

Wilhelm Schäfer

Schäffer, 1) Bogusław, poln. Komponist und Musiktheoretiker, *Lemberg 6. 6. 1929; studierte u.a. bei L. Nono; wurde 1965 Mitarbeiter des Experimentalstudios des Poln. Rundfunks; seit 1989 Prof. am Mozarteum in Salzburg. S. komponierte u.a. »Nokturn« (1953; erstes poln. Orchesterwerk in Zwölftontechnik), »Berlin '80« (1980, für Klavier und Live-Elektronik), Oper »Liebesblicke« (1990). Veröffentlichungen u.a. über die Klassiker der Zwölftontechnik (2 Bde., 1961–64).

📖 STAWOWY, L.: *B. S. Leben, Werk, Bedeutung. A. d. Poln. Innsbruck 1991.*

Bogusław Schäffer

2) Fritz, Politiker, *München 15. 5. 1888, †Berchtesgaden 29. 3. 1967; war 1929–33 Vors. der Bayer. Volkspartei (BVP), 1945 Mitbegründer der CSU, 1945 bayer. Min.Präs.; verfolgte als Bundesfinanzmin. (1949–57) eine an der Geldwertstabilität orientierte Politik des »knappen Geldes«; 1957–61 Bundesjustizminister.

Schaffermahlzeit, seit 1545 feierl. Abschiedsessen der Reeder und Schiffer in Bremen am 2. Freitag im Februar; heute mit Einladung für bed. Persönlichkeiten des öffentl. Lebens.

Schaffhausen, 1) Kanton der Schweiz, 298 km², (1995) 74 000 Ew., umfasst die Bezirke Oberklettgau, Reiat, Schaffhausen, Schleitheim, Stein, Unterklettgau. S. liegt rechts (nördlich) des

Fritz Schäffer

Schaffhausen 1)
Kantonswappen

Schaffhausen 2)
Stadtwappen

Rheins, nach drei Seiten von Bad.-Württ. umschlossen; der größte Teil gehört landschaftlich zum Randen. Rd. die Hälfte der Fläche wird landwirtsch. genutzt (Getreide, Obst, Gemüse, Wein); hoher Waldanteil. Wasserkraftwerke; bed. Ind.: Maschinen-, Apparatebau, Herstellung von Uhren, Nahrungsmitteln u. a. – Der Kanton S. wurde 1803 aus den nach 1415 von der Stadt erworbenen Gebieten gebildet.

2) Hptst. von 1), am rechten Rheinufer, 404 m ü. M., 34 100 Ew.; Museen; Apparate- und Maschinenbau, Metall-, Uhren-, chem. Ind.; Fremdenverkehr. – Ehem. Klosterkirche Allerheiligen der Hirsauer Bauschule (1104), Reste der Stadtmauer, Türme, Höhenfeste Munot (16. Jh.), Bürgerhäuser (16.–18. Jh.). Südwestlich der **Rheinfall** (rd. 20 m tief, 150 m breit), der größte Wasserfall Mitteleuropas. – Entstand um 1045, wurde 1080 dem 1049 gegr. Benediktinerkloster Allerheiligen übertragen; ab etwa 1280 und 1415 Reichsstadt (1330–1415 an die Habsburger verpfändet); ab 1454 zugewandter Ort, ab 1501 Mitgl. der Eidgenossenschaft. Seit 1831 ist S. Hptst. des Kantons.

📖 Schib, K.: *Geschichte der Stadt u. Landschaft S. Schaffhausen 1972.*

Schäffle, Albert Eberhard Friedrich, Volkswirtschaftler und Soziologe, *Nürtingen 24. 2. 1831, †Stuttgart 25. 12. 1903; versuchte durch Übertragung biolog. Gesetze auf Staat und Gesellschaft ein einheitl. System der Sozialwiss. aufzubauen; propagierte einen korporativen Sozialismus und übte entscheidenden Einfluss auf Bismarcks Sozialgesetzgebung aus.

Martin Schaffner: Die im Auftrag des südwestdeutschen Patriziers Asamus Stedelin bemalte Tischplatte zeigt allegorische Motive (1533; Kassel, Staatliche Kunstsammlungen)

Schaffner, 1) Hans, schweizer. Politiker, *Gränichen (bei Aarau) 16. 12. 1908; Rechtsanwalt, Mitgl. der FDP; leitete als Bundesrat (1961–69) das Volkswirtschafts-Departement. S. war maßgeblich an der Gründung der EFTA beteiligt; 1966 Bundespräsident.

2) Jakob, schweizer. Schriftsteller, *Basel 14. 11. 1875, †Straßburg 25. 9. 1944; urspr. Schuster, seit 1913 in Dtl.; bejahte zuletzt den Nationalsozialismus; verfasste realist. und autobiograph. Romane und Erzählungen (»Johannes«, 2 Bde., 1922).

3) Martin, Maler und Bildschnitzer, *um 1478/79, †Ulm nach 1546; seit 1526 Stadtmaler in Ulm; malte Altartafeln und Porträts (Hutzaltar im Ulmer Münster, 1521; Porträt des Eitel Besserer, 1516, Ulm, Stadtmuseum).

Schafgarbe (Achillea), Korbblütlergattung mit meist fein zerteilten Blättern und weißen oder gelben, selten rötl. Blüten; auf Wiesen und an Wegrändern die **Gemeine S.** (Achillea millefolium), Arzneipflanze; einige Arten sind Zierpflanzen.

Schafhaut, das Amnion, →Mutterkuchen.

Schafkälte, in Mitteleuropa häufig auftretender Kälterückfall Mitte Juni (wenn die Schafe geschoren werden).

Schafkopf, altes dt. Kartenspiel, ben. nach der dem S. ähnl. Figur, die sich bei der Strichnotierung der Gewinn- und Verlustpunkte ergab. Gespielt wird mit der dt. Skatkarte oder der frz. Karte (32 Blatt) unter vier Personen. Heute wird S. meist durch den Doppel-S. oder **Doppelkopf** ersetzt, der mit zwei Kartenspielen gespielt wird, aus denen man die »Sieben« und »Achten« (bisweilen auch die »Neunen«) entfernt.

Schaflausfliege, →Lausfliegen.

Schafott [frz.] *das* (Blutgerüst), auf der Richtstätte aufgeschlagenes Gerüst, auf dem die Hinrichtungen durch Enthauptung stattfanden.

Schafpocken, die →Windpocken.

Schaft, 1) *Architektur:* Hauptteil der →Säule.

2) *Weberei:* (Flügel, Kamm) Rahmen mit ausgespannten Drähten zum Anheben der Kettfäden beim Weben.

Schah [pers. »König«] *der,* pers. Bez. des Herrschers. **Schah-in-schah** (»König der Könige«) war der Titel des Kaisers von Iran.

Schah-Name [pers.] *das,* das pers. »Königsbuch« des →Firdausi.

Schakale [Sanskrit-pers.-türk.], zusammenfassende Bez. für drei Arten der Hundeartigen in SO-Europa, Asien und Afrika, überwiegend in trockenen, offenen Gebieten; Körper schlank und hochbeinig, Schwanz buschig. S. sind scheu und überwiegend nachtaktiv. Sie ernähren sich v. a. von Kleintieren, Aas und Abfällen. Der **Gold-S.**

(**Wolfsschakal,** Canis aureus) ist im nördl. und mittleren Afrika, von SO-Europa bis S-Asien verbreitet; Körperlänge 70–85 cm, Schulterhöhe 45–50 cm. Der **Schabracken-S.** (Canis mesomelas) ist in O- und S-Afrika weit verbreitet; Körperlänge bis 90 cm. Der **Streifen-S.** (Canis adustus) ist in fast ganz Afrika verbreitet; Körperlänge bis 90 cm.

Schakale: Schabrackenschakal (Körperlänge bis zu 90 cm)

Schäkel *der,* u-förmiger, mit einem Schraub- oder Steckbolzen verschließbarer Bügel zum Verbinden von Ketten oder Takelageteilen.

Schalauen, histor. Landschaft im ehem. Ostpreußen, beiderseits der unteren Memel um Ragnit und Tilsit, heute zu Russland und Litauen.

Schälblasen|ausschlag (Pemphigoid des Neugeborenen), durch Staphylokokken verursachte Hautkrankheit bei Neugeborenen und jungen Säuglingen; pfenniggroße, mit Flüssigkeit prall gefüllte Blasen, die leicht aufplatzen. Behandlung durch antisept. Mixturen, Puder oder auch Antibiotika.

Schalck-Golodkowski, Alexander, Wirtschaftsfunktionär in der DDR, *Berlin 3. 7. 1932; Oberst des MfS, war als Leiter der Außenhandelsorganisation **Kommerzielle Koordinierung (KoKo)** v.a. für die Devisenbeschaffung zuständig. Ein parlamentar. Untersuchungsausschuss untersuchte 1991–94 die Strukturen von KoKo und die Rolle S.-G.s. In einem Prozess vor dem Berliner Landgericht (1995–96) wurde S.-G. wegen illegaler Waffengeschäfte zu einer Haftstrafe (ein Jahr auf Bewährung) verurteilt.

Schale, 1) *allg.:* flaches, halbkugeliges Gefäß.

2) *Bautechnik:* Flächentragwerk hoher Steifigkeit mit gekrümmter Mittelfläche und einer im Verhältnis zur Flächenausdehnung geringen Dicke. Ausführung in Stahl- und zunehmend in Spannbeton, v.a. für große Stützweiten.

Schalenmodell, Bez. für eine Gruppe quantenmechan. Näherungsverfahren (Einteilchenmodelle) zur Berechnung der Wellenfunktionen und Energieeigenwerte der Grundzustände des Atomkerns (→Kernmodelle) und der Elektronenhülle eines Atoms. Die Struktur der Atomhülle wird durch die Angabe der von Elektronen besetzten Einteilchenzustände (Orbitale) beschrieben (→Elektronenkonfiguration), die energetisch unterscheidbare, als **Schalen** bezeichnete Elektronengruppen gleicher Hauptquantenzahlen bilden. Die Bez. »S.« wurde außerdem von einer Schalenstruktur der räuml. Dichteverteilung der Elektronen abgeleitet.

Schalen|obst, Handelsbez. für hart- oder trockenschalige Früchte bestimmter Holzgewächse wie Walnuss, Haselnuss, Edelkastanie und Mandel, deren Samen essbar sind.

Schalensteine (Näpfchensteine), Felsen oder einzelne Steine, auch Decksteine vorgeschichtl. Megalithgräber, mit künstl. schalenförmigen Vertiefungen (dienten vermutlich kult. Zwecken).

Schalenweichtiere (Conchifera), Unterstamm 1 mm bis über 6 m körperlanger Weichtiere mit rd. 125 000 Arten in Meeres- und Süßgewässern sowie am Festland. Man unterscheidet fünf Klassen: Napfschaler, Schnecken, Kahnfüßer, Muscheln und Kopffüßer.

Schalenwild, *Jägersprache:* Wild mit Hufen (Schalen), z.B. Wisent, Elch, Rotwild, Damhirsche, Rehe, Steinbock, Gams- und Schwarzwild.

Schaljapin, Fjodor Iwanowitsch, russ. Sänger (Bass), *Ometewa (bei Kasan) 13. 2. 1873, †Paris 12. 4. 1938; sang u.a. an der Hofoper in Moskau, der Mailänder Scala und der Metropolitan Opera in New York; wurde durch seine schauspieler. und musikal. Gestaltung weltbekannt, v.a. als Boris Godunow in Mussorgskis gleichnamiger Oper.

Schäl|kur (Peeling), der Ablösung der obersten Hautschichten dienende Behandlungsmaßnahme bei hartnäckigen, mit Narbenbildung verlaufenden Hautkrankheiten (v.a. Akne) unter Verwendung von Schälsalben, die Vitamin-A-Säure oder Peroxide enthalten.

Schall [ahd. scal, zu scellan »tönen«, »lärmen«], mechan. Schwingungen **(S.-Schwingungen)** und Wellen **(S.-Wellen)** eines materiellen elast. Mediums, insbesondere im Frequenzbereich des menschl. Hörens (**Hör-S.** i.e.S.). Harmon. (reine) Schwingungen mit Frequenzen zw. etwa 16 und 20 000 Hz werden als Ton, period. (aber nicht sinusförmige) als Klang, unregelmäßig überlagerte als Geräusch empfunden. Die periodisch von ihrer Erregungsquelle ausgehenden Schwankungen der Massendichte breiten sich als S.-Wellen aus. Bei einem festen S.-Geber wird die Schwingung auf das umgebende Medium (i. Allg. Luft) und durch dieses auf das Gehör übertragen. Längsschwingungen (Longitudinalwellen) können in Gasen, Flüssigkeiten und Festkörpern auftreten, Querschwingun-

Schafgarbe: Gemeine Schafgarbe

Fjodor Schaljapin

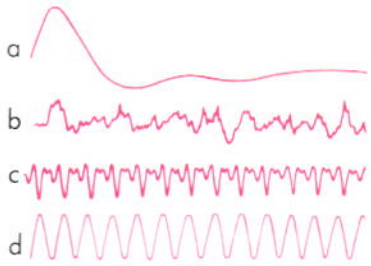

Schall: Druckschwankungen der Luft in Abhängigkeit von der Zeit bei a Knallen, b Geräuschen, c Klängen, d Tönen gen (Transversalwellen) nur in festen Körpern **(Körper-S.).** Schwingungen unterhalb des Hörbereichs (< 16 Hz) heißen **Infra-S.,** oberhalb ca. 20 kHz →Ultra-S.; bei Frequenzen über etwa 1 GHz spricht man von **Hyper-S.** Die Lehre vom S. ist die Akustik. S.-Wellen können reflektiert und gebrochen werden; auch Beugung und Interferenz lassen sich unter geeigneten Bedingungen nachweisen. Wie bei allen Wellenvorgängen tritt auch der →Doppler-Effekt auf. Der S. breitet sich mit →Schallgeschwindigkeit aus. Auf einen festen Körper auftreffende S.-Wellen üben auf diesen einen rasch wechselnden Druck aus **(S.-Druck);** gleichzeitig werden auf den Körper mechan. Größen wie Impuls und Energie **(S.-Energie)** übertragen.

Schallaburg, Burg bei Melk, Niederösterreich, um 1100 gegr., 1572–1600 zum Renaissanceschloss ausgebaut.

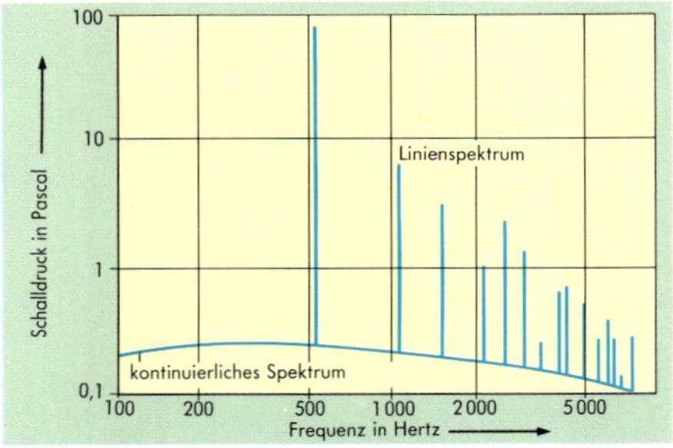

Schallanalyse 1): Schallspektrum des Geräuschs eines Motorrads bei Vollgas im Stand; Schalldruck und Frequenz sind im logarithmischen Maßstab dargestellt

Schall|analyse, 1) *Akustik:* (Schallspektroskopie) Verfahren zur Zerlegung eines Schallsignals in seine sinusförmigen Teiltöne, um deren Amplitude (Intensität), Frequenz und Phase zu bestimmen. Dabei liefert die Anwendung der →harmonischen Analyse das **Schallspektrum,** das die Abhängigkeit der Schallintensität (bzw. des Schalldrucks) von der Frequenz des Schallsignals darstellt. Der Schall wird meist durch ein Mikrofon in eine elektr. Spannung umgewandelt, aus der durch elektr. Filter die einzelnen harmon. Schwingungen ausgefiltert und nacheinander oder gleichzeitig registriert und gemessen werden. **(Ton-)Frequenzspektrometer** teilen mithilfe parallel geschalteter elektr. Filter das Frequenzgebiet in Frequenzintervalle. Häufig verwendete Filteranordnungen sind Terz- oder Oktavsiebe, mit denen das Schallspektrum in Terzen bzw. Oktaven eingeteilt wird. Andere Verfahren zur S. nutzen Interferenz- und Beugungseffekte.

2) *Sprache:* von dem Germanisten E. Sievers ausgebildetes Verfahren der Zuordnung von phonet. Eigenschaften gelesener Texte zu Körperbewegungen des Interpreten. Die S. dient auch als Hilfsmittel der Textkritik.

Schall|aufzeichnung (Phonographie), die Speicherung von Schallvorgängen (Musik, Sprache u.a.) auf einem Träger, wobei mithilfe von Mikrofonen die Schallvorgänge in elektr. Signale umgesetzt werden. Diese werden beim Nadeltonverfahren elektromechanisch mit einem Schneidstichel als Rille auf Schallplatten, beim Lichttonverfahren optisch als Lichtspur auf Filmmaterial, bei der magnet. S. magnetisch als Tonspur auf Magnettonträger aufgezeichnet. Bei der Compactdisc (CD) wird das (digitale) Signal mithilfe eines Lasers auf einer lichtempfindl. Beschichtung aufgezeichnet.

Schallbecher, die klangverstärkende Erweiterung der Röhrenenden von Blasinstrumenten.

Schalldämmung, →Dämmstoffe.

Schalldämpfer, →Auspuff.

Schalldruckpegel, Formelzeichen L_p (auch L), das logarithmierte Verhältnis des Schalldrucks p (→Schall) auf einen Bezugsschalldruck p_0, meist $2 \cdot 10^{-5}$ Pa, in Dezibel (dB), $L_p = 20 \lg (p/p_0)$ dB. Der Schalldruck p_0 wird auch als Hörschwelle bezeichnet, er entspricht einem S. von 0 dB. (→Lautstärke, →Schallpegelmesser).

Schallgeschwindigkeit, die Geschwindigkeit c_s, mit der sich Schallwellen (→Schall) in einem Medium ausbreiten. In Gasen und Flüssigkeiten treten nur longitudinale Schwingungen auf, die sich als period. Druck- und Dichteänderungen bemerkbar machen und sich mit der für das Medium charakterist. S. ausbreiten. In festen Körpern entsprechen den Schallwellen longitudinale oder transversale Schwingungen der Gitterbausteine um ihre Ruhelage. Der Wert der S. hängt von den Deformationseigenschaften des Ausbreitungsmediums ab und ändert sich v.a. in Gasen mit Druck, Dichte und Temperatur; z.B. beträgt die S. für Luft bei 15 °C (Bodennähe) rd. 340 m/s, bei −50 °C (10 000 m Höhe) rd. 300 m/s. In anisotropen Kristallen ändert sich die Größe der S. mit der Ausbreitungsrichtung. – In der Luftfahrt wird die S. in Luft als Bezugsgeschwindigkeit zur dimensionslosen Angabe der Fluggeschwindigkeit (→Mach-Zahl) verwendet.

Schallgeschwindigkeit in m/s*)

Messing	3 420	Quecksilber	1 430
Blei	1 250	Alkohol	1 170
Eisen	5 170	Luft	331
Tannenholz	5 260	Sauerstoff	316
Wasser	1 464	Wasserstoff	1 284

*) in Festkörpern und Flüssigkeiten bei 15 °C, in Gasen bei 0 °C und Normaldruck

Schallloch, Öffnung in der Decke oder im Resonanzboden von Saiteninstrumenten; rund, oft mit einer Rosette versehen bei Zupfinstrumenten, c-förmig bei Violen, f-förmig bei Violinen.

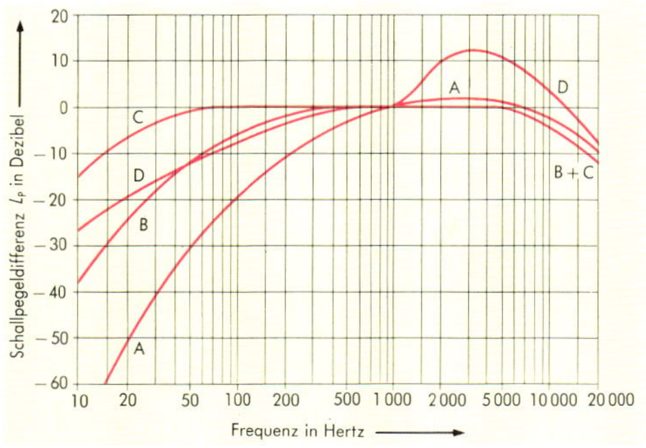

Schallpegelmesser: Frequenzbewertungskurven A, B, C und D für das Übertragungsmaß des Schallpegelmessers

Schallmauer, *Flugtechnik:* bildhafte Bez. für die bei Annäherung an die Schallgeschwindigkeit auftretende starke Zunahme des Luftwiderstands von Flugzeugen und Flugkörpern, die von Beeinträchtigungen des Auftriebs, der Stabilität und der Steuerbarkeit begleitet wird. Durch die Verdrängungswirkung des mit Schall- oder Überschallgeschwindigkeit bewegten Körpers werden auf einer mit dem Körper mitbewegten kegelmantelförmigen Fläche (→Mach-Kegel) sprunghafte Druckänderungen (Verdichtungsstöße) verursacht, die als Knall wahrgenommen werden. Der Knall ist auf der Erde nur in einem Gebiet hörbar, das durch die Schnittlinie des Mach-Kegels mit der Erdoberfläche begrenzt wird (»Lärmteppich«). Durch die mit ihm verbundene plötzl. Druckänderung können Fensterscheiben bersten.

Schall|ortung, Standortbestimmung in der Schifffahrt mittels Ultraschall (→Echolot).

Schallpegelmesser, Gerät zum Messen des →Schalldruckpegels. Ein Mikrofon wandelt den Schall in eine seinem Druck proportionale elektr. Wechselspannung um, die verstärkt, mit elektr. Filtern bewertet und gleichgerichtet einem Messinstrument zugeführt wird. Für das Übertragungsmaß des S. wurden international spezielle, als Frequenzbewertung A, B, C und D bezeichnete Frequenzgänge vereinbart, um die Messwerte der frequenzabhängigen Empfindlichkeit des menschl. Ohres anzugleichen, d.h., die tiefen und sehr hohen Töne werden gegenüber dem tatsächlich anliegenden physikal. Signal unterbewertet. Angezeigt wird der bewertete Schalldruckpegel L in Dezibel (dB) mit Angabe der verwendeten Bewertung, z.B. L_A oder dB (A) bei Geräuschmessungen.

Schallplatte, kreisrunde Scheibe aus Kunststoff (Polyvinylchlorid) als Trägermedium für die Speicherung von Schallsignalen. Bei der analogen S. sind die Schallsignale in spiralförmigen, zum Mittelpunkt der S. verlaufenden Rillen gespeichert. Die Rillenauslenkung schwankt analog zur Schallamplitude und kann mithilfe des Tonabnehmers eines Plattenspielers in elektr. Spannung und später wieder in Schall umgewandelt werden. Die analoge S. ist beidseitig abspielbar. Die Schallaufzeichnung wird fest aufgeprägt und lässt sich nicht löschen oder überspielen. BILD S. 234

S. werden mit einer Drehzahl von 33 1/3 oder 45 U/min abgespielt. Ihre Speicherkapazität ist aufgrund des nichtkonstanten, frequenzabhängigen Rillenabstandes gegenüber den früher benutzten Schelllack-S. größer. S. mit 45 U/min und nur einem Musiktitel je Plattenseite bezeichnet man als **Single-S.,** solche mit ebenfalls 45 U/min und mit mehreren Titeln je Seite oder längerer Spielzeit als **Extended-Play-S.** oder **Maxi-Single.** S., die mit 33 1/3 U/min abgespielt werden, heißen **Langspielplatten** (Abk. LP, von engl. long playing record). Die Weiterentwicklung führte zur nur einseitig bespielten →Compactdisc, die heute die herkömmliche S. weitestgehend verdrängt hat.

Recht: Urheberrechtlich geschützte Werke dürfen auf S. nur mit Zustimmung des Berechtigten (Urheber) und der ausübenden Künstler übertragen werden (§§ 15, 16, 73 Urheberrechts-Ges.). Das ausschl. Recht, die S. zu vervielfältigen und zu verbreiten, steht dem Tonträgerhersteller zu.

Schallspektrum, →Schallanalyse.

Schallück, Paul, Schriftsteller, * Warendorf 17. 6. 1922, † Köln 29. 2. 1976; gehörte zur »Gruppe 47«; setzte sich in seinen vorwiegend realist. Romanen und Hörspielen mit der jüngsten dt. Vergangenheit auseinander (»Ankunft null Uhr 12«, 1953; »Engelbert Reineke«, 1959); auch Theater-

Schallmauer

»Geheim« ist der Flugbericht überschrieben, den der Pilot Charles E. Yeager über seinen 14 Minuten langen Flug vom 14. Oktober 1947 abgeliefert hat. Zusammen mit zwei anderen Testpiloten war er für das Hochgeschwindigkeitsprogramm der US Air Force ausgewählt worden, und an diesem Tag durchbrach er als erster Mensch die Schallmauer: In 13 000 Metern Höhe flog er mehr als 20 Sekunden lang mit Mach 1,06. Noch schneller war er 1953, als er in 23 000 Metern Höhe mit Mach 2,44 flog, also mehr als doppelt so schnell wie der Schall. Bei seinem Erstflug wurde das Raketenversuchsflugzeug Bell XS-1 von einer Boeing B-29 in die Luft gebracht und nach dem Steigflug abgeworfen. Danach erst zündeten die vier Brennkammern des Versuchsflugzeugs, das von da an den Steigflug aus eigener Kraft bis zur endgültigen Höhe fortsetzte.

Die Entwicklung von Militärflugzeugen war also die treibende Kraft beim Ansturm auf die Schallmauer. Viel später erst begann das Zeitalter des zivilen Überschallflugs, als 1968 die sowjetische Tupolev Tu-144 zum Erstflug startete und 1969 die britisch-französische Concorde folgte, die eine Reisefluggeschwindigkeit von Mach 2,04 in 15 000 Metern Höhe erreicht.

stücke und Fernsehspiele; Mitbegründer der dt.-jüd. Bibliothek »Germania Judaica« in Köln.

Schallwellen, → Schall.

Schally [ˈʃælı], Andrew Victor, amerikan. Physiologe und Biochemiker poln. Herkunft, * Vilnius 30. 11. 1926; erhielt für Isolierung, Strukturaufklärung und Synthese von Peptidhormonen des Gehirns 1977 mit R. Guillemin und R. Yalow den Nobelpreis für Physiologie oder Medizin.

Andrew V. Schally

Schalmei [über altfrz. chalemie zu lat. calamus »Rohr«], Sammelname für alle Blasinstrumente mit einfachem oder doppeltem Rohrblatt; i. e. S. ein mittelalterl., aus Arabien stammendes Holzblasinstrument mit Doppelrohrblatt (urspr. in Windkapsel), enger Mensur und 6 bis 7 Grifflöchern; Vorläufer der Familie der Bomharte.

Schalom [hebr. »Friede!«], jüd. Grußformel, verkürzt aus **S. alechem** (»Friede über dir/euch«).

Schalotte [nach der israel. Stadt Aschkelon] (Aschlauch, Allium ascalonicum), Kulturart des Lauchs; die Zwiebel besteht aus mehreren Teilzwiebeln; mild schmeckende Gemüsepflanze.

Schal|stein, grünl. bis bräunl. devon. Diabas- oder Keratophyr-Tuffit, der sich schalig absondert.

Schalt|algebra, von C. E. Shannon erschlossenes Anwendungsgebiet der booleschen Algebra zur rechner. Behandlung beim Entwurf und zur Beschreibung binärer Schaltungen, bes. für Anlagen zur digitalen Informationsverarbeitung. Die S. verknüpft die Variablen **(Schaltvariablen),** die nur die beiden mögl. Zustände »1« oder »0« annehmen können, nach log. Regeln. Die prakt. Ausführung erfolgt in Verknüpfungsgliedern (Gatter, log. Schaltungen), deren Eingänge mit den Variablen beschaltet werden und die pneumatisch (z. B. über Ventile), mechanisch (z. B. über Hebel), bes. aber elektrisch durch elektron. Schaltkreise aufgebaut sein können. In der Elektronik sind die beiden Schaltzustände 1 und 0 gekennzeichnet durch das Vorhandensein oder Nichtvorhandensein einer Spannung oder eines Stroms. Die S. kennt drei Grundformen der Verknüpfungsfunktionen: Die Negation **(NICHT-Verknüpfung, -Glied)** invertiert den Eingangssignalwert A, d. h., am Ausgang entsteht der Ausgangssignalwert $Q = \bar{A}$. Bei der Konjunktion **(UND-Verknüpfung, -Glied)** $Q = A \wedge B$ ist der Ausgangssignalwert dann gleich 1, wenn an allen Eingängen gleichzeitig der Signalwert 1 ansteht. Die Disjunktion **(ODER-Verknüpfung, -Glied)** $Q = A \vee B$ liefert den Ausgangssignalwert 1 immer dann, wenn mindestens ein Eingangssignalwert gleich 1 ist. Weitere wichtige Verknüpfungsfunktionen werden durch **NOR-** und **NAND-Glieder**, die eine Reihenschaltung von Oder- bzw. Und- und Nicht-Gliedern darstellen, sowie EXOR-(Antivalenz-) und EX-NOR-(Äquivalenz-)Glieder ausgeführt.

Schaltalgebra: Schaltzeichen der Verknüpfungsglieder

Operation	DIN	US-Norm	Logische Funktion
UND	x_1, x_2 – & – y	x_1, x_2 – y	$y = x_1 x_2$
ODER	x_1, x_2 – ≥1 – y	x_1, x_2 – y	$y = x_1 + x_2$
Verstärker	x_1 – 1 – y	x_1 – y	$y = x_1$
NAND	x_1, x_2 – & ○– y	x_1, x_2 ○– y	$\bar{y} = x_1 x_2$ oder $y = \overline{x_1 x_2}$
NOR	x_1, x_2 – ≥1 ○– y	x_1, x_2 ○– y	$\bar{y} = x_1 + x_2$ oder $y = \overline{x_1 + x_2}$
NICHT	x_1 – 1 ○– y	x_1 ○– y	$\bar{y} = x_1$ oder $y = \bar{x}_1$
XOR	x_1, x_2 – =1 – y	x_1, x_2 – y	$y = \bar{x}_1 x_2 + x_1 \bar{x}_2$ oder $y = x_1 \oplus x_2$
XNOR	x_1, x_2 – =1 ○– y	x_1, x_2 ○– y	$y = \bar{x}_1 \bar{x}_2 + x_1 x_2$ oder $y = \overline{x_1 \oplus x_2}$ oder $y = x_1 \oplus \bar{x}_2$

Schallplatte: In der Presse sind oben und unten die Pressmatrizen und Etiketten für die beiden Seiten der Schallplatte befestigt, dazwischen befindet sich der Massekuchen aus Kunststoffgranulat, der dann unter Druck und Hitze zur fertigen Schallplatte verpresst wird

Schalt|anlage, Anlage zur Verteilung elektr. Energie und zum Schalten, Steuern und Überwachen z. B. von Leitungen und Geräten.

Schalter (Schaltgerät), Gerät zum Öffnen oder Schließen elektr. Stromkreise mit Schaltkontakten. Nach dem Antrieb werden S. ohne Kraftantrieb (Hand-, Fuß-Hebel-S.) und S. mit Kraftantrieb

(Druckluft-, Motor-, Magnetantrieb) unterschieden. Zum Sichern der Ausschaltenergie wird beim Einschalten eine Feder gespannt. Selbst-S. werden mit therm. Auslösern für Überströme und mit magnet. Auslösern für Kurzschlussströme ausgerüstet. Unterschieden werden nach Betriebsspannung Nieder- und Hochspannungs-S.; nach Ausschaltvermögen Leer-, Trenn-, Last-, Motor- und Leistungs-S.; nach Einsatz Schutz-, Grenz-, Steuer-S. sowie Ind.-S. und Installations-S. Elektromagnetisch betätigte S. in der Elektronik →Relais, in der Elektroenergietechnik →Schütz. Im Haushalt finden v.a. Dreh-, Kipp-, Wipp- und Druckknopf-S. Verwendung.

Schaltgetriebe, *Technik:* 1) Rädergetriebe, bei dem durch einen Schaltvorgang An- und Abtrieb unterbrochen und Antriebsdrehzahl und -drehrichtung geändert werden können, z.B. bei Zahnradgetrieben durch Verschieben von Rädern, durch Betätigen formschlüssiger Klauenkupplungen im Stillstand und Synchronlauf (→Kraftwagengetriebe). Kraftschlüssig arbeitende Getriebe lassen sich bei Drehzahlunterschieden zw. den zu kuppelnden Teilen schalten. 2) →Sperrgetriebe zum schrittweisen Bewegen eines Abtriebsgliedes. Der während der Bewegungsphase vorhandene Zwanglauf ist in der Ruheperiode aufgehoben, sodass das Abtriebsglied durch ein Gesperre in seiner Ruhelage gesichert werden muss; Ausführung beispielsweise als Klinken- oder Malteserkreuzgetriebe.

Schaltjahr, jedes Jahr, das im Unterschied zum Gemeinjahr von 365 Tagen einen zusätzlichen Tag **(Schalttag)** oder Monat **(Schaltmonat)** enthält, um den Unterschied zw. reinem Kalenderjahr und (meist) Sonnenjahr auszugleichen; im gregorian. Kalender kommt in jedem vierten Jahr der 29. Februar hinzu. (→Kalender)

Schaltkreisfamilien (Logikfamilien), Typengruppen integrierter Schaltkreise, die nach der Herstellungstechnologie und nach den verwendeten Transistoren in unipolare (MOS = engl. metal oxide semiconductor) und bipolare S. unterteilt sind. **Unipolare S.** sind die pMOS- (Verwendung von p-Kanal-Transistoren), die nMOS- (n-Kanal-Transistoren) und die CMOS-Technik (CMOS = engl. complementary metal oxide semiconductor; Transistoren beider Leitungstypen). Bei den **bipolaren S.** unterscheidet man u.a. RTL (engl. resistor transistor logic), DTL (Dioden-Transistor-Logik) und TTL oder T^2L (Transistor-Transistor-Logik). Die ECL (emittergekoppelte Transistorlogik) zeichnet sich durch extrem hohe Schaltgeschwindigkeit und I^2L (integrierte Injektionslogik) durch geringen Leistungsbedarf aus. Die einzelnen S. verwenden unterschiedliche log. Pegel. Man spricht von positiver Logik, wenn der Wahrheitswert 1 durch eine positivere, und von negativer Logik, wenn der Wert 1 durch eine negativere Spannung als der Wert 0 dargestellt wird.

Schaltplan (Schaltbild, Schaltschema), zeichner. Darstellung einer elektr. Anlage oder eines Gerätes. Im S. sind alle Bauelemente, Leitungsverbindungen oder der Stromverlauf durch Symbole **(Schaltzeichen** und **Schaltkurzzeichen)** dargestellt (DIN 40700/1 u.a.). Der Übersichts-S. demonstriert meist nur die Funktionsweise der entsprechenden Schaltung.

Schaltsekunde, zur Anpassung der bürgerl. an die astronom. Zeitmessung eingeschobene oder ausgelassene Sekunde. (→UTC)

Schalttafel, Tafel mit allen Bedien- und Überwachungseinrichtungen einer elektr. Anlage.

Schalttag, →Schaltjahr.

Schalt|uhr, Uhr mit Schalteinrichtungen zum selbsttätigen Schalten elektr. Stromkreise. **Programm-S.** dienen zur Steuerung eines bestimmten Programms, z.B. bei Maschinensteuerung, Straßenbeleuchtung, Verkehrsampeln.

Schaltung, 1) *Elektrotechnik* und *Elektronik:* a) das Betätigen eines Schalters; b) die Anordnung der elektr. Verbindungen zw. den Bauelementen (Stromquellen, Kapazitäten, Induktivitäten, Transistoren, Motoren, Transformatoren u.a.) in elektr. und elektron. Anlagen oder Geräten, wobei man

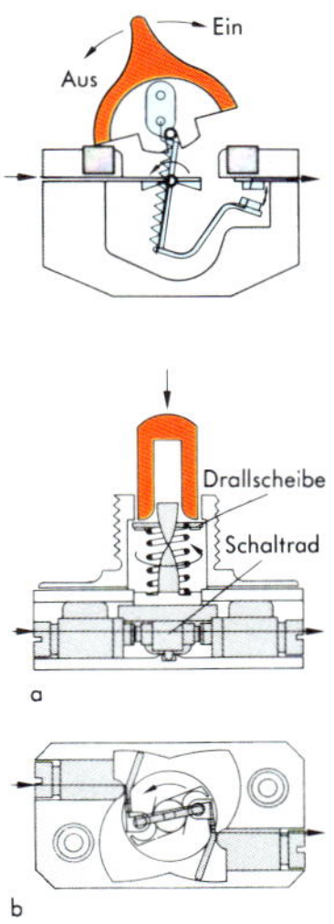

Schalter: Schema eines Kippschalters (oben) und Druckknopfschalters; a Längsschnitt, b Querschnitt

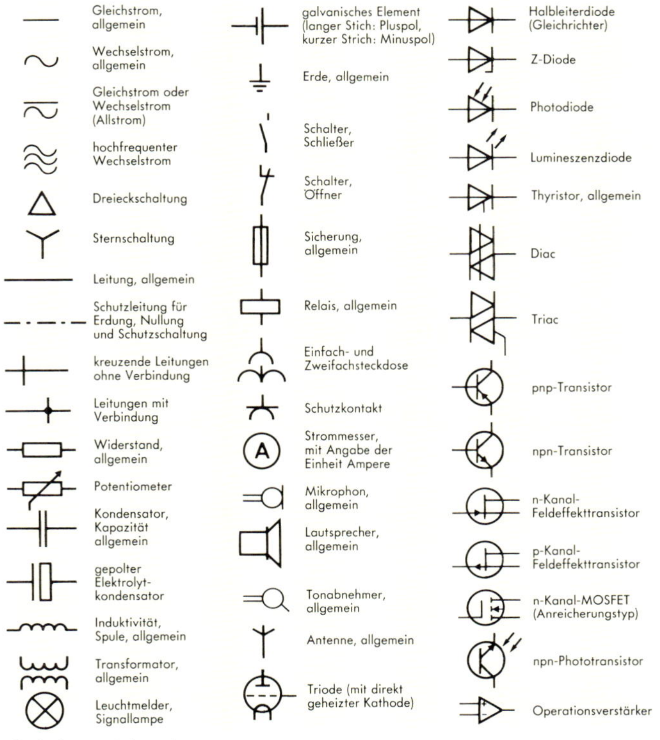

Schaltplan: Schaltzeichen

zw. analogen S. und digitalen S. unterscheidet, die zur Verarbeitung stetiger Signale dienen bzw. im Schalterbetrieb arbeiten. Grund-S. haben spezielle Namen (Dreiecks-, Stern-, Reihen-, Parallel-, Kipp-S.); heute sind zunehmend →integrierte Schaltungen wichtig.

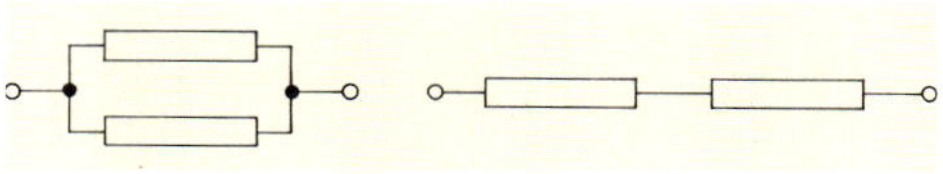

Schaltung 1): Schema einer Parallel- und einer Reihenschaltung (rechts)

2) *Kfz-Technik:* Bedienung und Anordnung der Gänge im →Kraftwagengetriebe.

Schaltvariable, Variable, die nur endlich viele Werte annehmen kann (→Schaltalgebra).

Schaltwarte, *Elektrotechnik:* in Großanlagen die zentrale Stelle (Kommandostelle), von der aus z. B. im Kraftwerk die Stromerzeugung sowohl technisch als auch betriebswirtsch. überwacht und gesteuert wird. In der S. sind die erforderl. Bedienelemente und Instrumente untergebracht. Zum Überblick dient das Blind- oder Leuchtschaltbild, das eine schemat. Abbildung der Anlage ist und auf dem der jeweilige Schaltzustand erkennbar ist.

Rafik Schami

Schaltwerk, *Digitaltechnik:* eine Funktionseinheit aus Verknüpfungs- und Speichergliedern, in der vorgesehene (programmierte) Folgen von Schaltvorgängen ablaufen.

Schalt|zeichen, →Schaltplan.

Schalung, *Bautechnik:* Hilfskonstruktion, die eingebrachten frischen Beton bis zum Erhärten aufnimmt, oft aus Holzplatten. Größere S. werden von Lehrgerüsten unterstützt. Die **Gleit-** oder **Kletter-S.** wird abschnittsweise verwendet.

Yitzhak Schamir

Scham, 1) *Anatomie:* die →Vulva.

2) *Psychologie:* unlustbetonte Gefühlsreaktion, die von vegetativen Erscheinungen (Erröten, Herzklopfen) und bestimmten Verhaltensreaktionen (Blickvermeidung) begleitet sein kann und durch einen sozialen Kontext bedingt ist: zum einen durch das Eindringen anderer in die eigene Intimsphäre, zum anderen durch die Einsicht in ein tatsächl. oder vermeintl. Versagen (v. a. auch dessen Bekanntwerden) gegenüber sozialen Erwartungen und Normen.

📖 DUERR, H. P.: *Nacktheit u. S. Frankfurt am Main [4]1992.*

Schamadrossel: Männchen (Größe etwa 25 cm)

Schamadrossel [Hindi] (Copsychus malabaricus), zur Familie der Drosseln gehörender Singvogel (Größe etwa 25 cm) in Indien; Rücken des Männchens blauschwarz mit weißem Bürzel, Brust und Bauch sind rostbraun.

Schamane [tungus.] *der,* Bez. für eine magisch-religiöse Autorität, die zentrale Gestalt des →Schamanismus.

Schamanismus, eine Technik der Ekstase verschiedener nordeuras., ost- und zentralasiat. Relegionen, in deren Mittelpunkt der Schamane steht. Er (oder sie) versetzt sich mithilfe der Schamanentrommel, durch andauernden Tanz, das Klingeln von am Gewand befestigten Glöckchen und Metallstückchen sowie durch Einnahme von Rauschmitteln in einen Trancezustand, in dem er eine Seelenreise unternimmt und sich mit Geistern in Verbindung setzt. Er ist Mittler zw. der Welt der Geister und der menschl. Gemeinschaft. Das Ziel ist, übersinnl. Erkenntisse zu erlangen, böse Geister zu bannen und gnädige Geister als Beistand und Hilfe für die Menschen zu gewinnen. Der S. ist keine eigenständige Religion, sondern eine in versch. Religionen anzutreffende magisch-ekstat. Praxis. Am besten untersucht ist der S. in arkt., sibir. und zentralasiat. Kulturen. Die Schamanentrommel gilt als Sitz der hilfreichen Geister, die aus ihr und durch den Schamanen sprechen. Der so besessene Schamane kann die kosm. Ordnung wiederherstellen; im Einzelnen bedeutet das: Kranke zu heilen, Unheil abzuwehren, Tote zu geleiten und Prognosen für Vorhaben abzugeben.

📖 MÜLLER, KLAUS E.: *S. München 1997.*

Schambein, paariger Beckenknochen, der bei Säugetieren (einschl. des Menschen) durch die Symphyse (Schamfuge) knorpelig verbunden ist.

Schambyl, Stadt in Kasachstan, →Dschambul.

Schamhügel (Schamberg, Venusberg, Mons pubis, Mons veneris), bei der Frau die behaarte Körpergegend oberhalb der äußeren Geschlechtsorgane.

Schami, Rafik, eigtl. Suheil Fadél, Schriftsteller syr. Herkunft, *Damaskus 23. 6. 1946; Chemiker, lebt seit 1971 in der Bundesrep. Dtl.; seit 1982 freier Schriftsteller; schreibt Kurzerzählungen und v. a. moderne Märchen in der Tradition oriental. Geschichtenerzähler (»Der erste Ritt durchs Nadelöhr«, 1985; »Märchen von Malula«, 1992; »Sehnsucht fährt schwarz. Geschichten aus der Fremde«, 1988).

Schamir (Shamir), Yitzhak, israel. Politiker, *Ruzinoy (Ostpolen) 15. 10. 1915; kämpfte seit 1935 gegen die brit. Mandatsherrschaft in Palästina. 1955–65 arbeitete er in leitender Position im israel. Geheimdienst Mossad; seit 1970 Mitgl., 1983–93 Vors. der Cherut; seit 1973 Mitgl., 1977–80 Präs. der Knesset. 1980–83 und 1984–86 war er Außenmin., 1983–84 und 1986–92 MinPräs. In seiner Amtszeit als MinPräs. verhandelte Israel im Okt. 1991 erstmals direkt mit seinen arab. Nachbarn.

Schamlippen (Labien, Labia pudendi), ein oder zwei paarige Hautfalten der äußeren weibl. Geschlechtsorgane, bei der Frau die beiderseits der Schamspalte liegenden behaarten **großen S.** (Labia majora) und die den Scheidenvorhof begrenzenden, mit dem Kitzler in Verbindung stehenden unbehaarten **kleinen S.** (Labia minora).

Schammasch [hebr.] *der* (jidd. Schammes), der Synagogendiener und Assistent des Gemeindevorstehers.

Schamoni, 1) Peter, Filmregisseur und -produzent, *Berlin 27. 3. 1934, Bruder von 2); gehörte zu den einflussreichsten Produzenten des »jungen dt. Films«. – *Filme:* Schonzeit für Füchse (1966); Frühlingssinfonie (1983); Max Ernst – Mein Vagabundieren – Meine Unruhe (1991).

2) Ulrich, Filmregisseur, *Berlin 9. 11. 1939, †ebd. 9. 3. 1998, Bruder von 1); gehörte zu den Vertretern des »jungen dt. Films«. – *Filme:* Es (1965); Das Traumhaus (1980); So lebten sie alle Tage (TV-Serie, 1984).

Schamotte *die,* gebrannter, feuerfester, gemahlener und gesiebter Ton, mit Schiefer- und Bindeton vermischt und bei etwa 1400 °C zu S.-Steinen oder -Waren (Muffeln u. a.) gebrannt.

Schandau, Bad, →Bad Schandau.

Schändung, →Sexualstraftaten, → Störung der Totenruhe.

Schanfigg *das,* Talschaft im Kt. Graubünden, Schweiz, von der Plessur durchflossen; wichtigster Kurort ist Arosa.

Schanghai [ˈʃaŋhaɪ, ʃaŋˈhaɪ] (amtlich Shanghai), Stadt in O-China, im Delta des Jangtsekiang an seinem rechten Mündungsarm Huangpu Jiang, als regierungsunmittelbar verwaltetes Stadtgebiet 6300 km² und 13,6 Mio. Ew. (davon in der Stadt S. 6,9 Mio. Ew.). Zahlr. Univ. und Hochschulen, mehrere Inst. der Chines. Akademie der Wiss., Observatorium, Museen, mehrere Theater; Satellitenbodenstation. Die einstige Handelsmetropole entwickelte sich nach 1949 zu einer der bedeutendsten Ind.städte Chinas, v. a. Eisen- und Stahlind., Metallverarbeitung, elektrotechn. und elektron., Textilind., bed. chem. Ind.; in Qinshan Kernkraftwerk (seit 1991); der Hafen (Fluss- und Hochseehafen) mit Hafenanlagen auf 80 km Länge ist der größte Chinas, U-Bahn, internat. Flughafen. 1984 zur »offenen« Stadt für Auslandsinvestitionen erklärt; Schaffung einer Freihandelszone und Wiedereröffnung der Börse (1992). – Long-hua-Tempel mit siebenstöckiger Pagode aus der Song-Zeit (960–1279); Park Yuyuan (16. Jh.) mit Huxin-Ting-Pavillon; Tempel des Jadebuddha (19. Jh.). Im späten 19. Jh. entstand am Ufer des Huangpu Jiang der »Bund«, eine Uferstraße mit bemerkenswerten Bauten im westl. Stil, z. B. ein Zollgebäude im Tudorstil mit 33 m hohem Turm. – Seit dem 12. Jh. Entwicklung zur Hafen- und Handelsstadt; 1553 zum Schutz vor japan. Piraten umwallt; im Opiumkrieg 1842 von den Briten erobert und durch den Vertrag von Nanking (1842) dem ausländ. Handel geöffnet; 1937–45 von Japan besetzt.

Schanker [frz. chancre, von lat. cancer »Krebs«], ein Geschwür bei Geschlechtskrankheiten. Der **harte S.** (Ulcus durum) ist ein linsen- bis bohnengroßes schmerzloses Erstgeschwür bei Syphilis. Beim **weichen S.** (Ulcus molle), der durch das Bakterium Haemophilus ducreyi hervorgerufen wird, tritt einige Tage nach der Ansteckung ein weiches, zackiges Geschwür auf; gewöhnlich entzünden sich dabei die Leistenlymphknoten und bilden schmerzhafte, oft in Eiterung übergehende Anschwellungen (Bubonen).

Schansi, Provinz in China, →Shanxi.

Schantung, Provinz in China, →Shandong.

Schanze, *Militärwesen:* Stützpunkt in Feldbefestigungen, oft kleine Anlage mit Erdwall.

Schanzkleid, *Schifffahrt:* im Ggs. zur Reling eine feste, das freie Oberdeck eines Schiffs nach außen abschließende Schutzwand; auch ein aus Segeltuch oder Kunststoffgewebe hergestellter Bezug für die Reling.

Schanz|zeug, militär. Bez. für zur Ausführung von Erd- und Holzarbeiten mitgeführtes Werkzeug (Spaten, Äxte usw.).

Schapel (Schappel), kranzartiger Kopfputz für Frauen und Männer im MA.; auch die Jungfrauenkrone einiger süddt. Volkstrachten.

Schaper, Edzard Hellmuth, schweizer. Schriftsteller dt. Herkunft, *Ostrów Wielkopolski 30. 9. 1908, †Bern 29. 1. 1984; lebte in Estland, Finnland und Schweden; 1951 Übertritt zur kath. Kirche. Sein Erzählwerk ist durch eine gleichnis- und legendenhafte Darstellung religiöser Themen gekennzeichnet: Der Mensch und sein Gewissen in Grenzsituationen (»Die sterbende Kirche«, R., 1936; »Der letzte Advent«, R., 1949; »Das Feuer Christi«, Dr., 1965; »Taurische Spiele«, R., 1971; »Geschichten aus vielen Leben«, 1977).

Peter Schamoni

Ulrich Schamoni

Edzard Schaper

Schanghai: Die Stadt, hier an einem Nebenfluss des Huangpu Jiangs, ist durch Bauten im westlichen Stil, darunter die Hauptpost (rechts) aus der britischen Kolonialzeit, geprägt

Meyer Schapiro

Kurt Scharf

Schapiro [ʃəˈpɪərəʊ], Meyer, amerikan. Kunsthistoriker litauischer Herkunft, *Šiauliai 23. 9. 1904, †New York 3. 3. 1996; lebte seit 1907 in New York und lehrte seit 1928 an der Columbia Univ.; von bed. Einfluss auf die moderne Kunstgeschichte und v. a. auf die zeitgenöss. amerikan. Kunst.

Schapur, pers. Könige, →Sapor.

Schar, *Mathematik:* Menge zusammengehöriger Kurven **(Kurven-S.)** oder Flächen, die jeweils durch eine Gleichung oder ein Gleichungssystem mit veränderl. Parametern **(S.-Parameter)** beschrieben werden; z. B. wird durch die S.-Gleichung $(x-c)^2+y^2=4$ eine S. von Kreisen (S.-Parameter $c \in \mathbb{R}$) mit dem Radius 2 beschrieben.

Scharade [frz.] *die,* Rätsel, bei dem das Lösungswort in sinnvolle Silben oder Teile zerlegt wird, die umschrieben oder pantomimisch dargestellt werden.

Scharben, die →Kormorane.

Scharbeutz, Gemeinde im Kr. Ostholstein, Schlesw.-Holst., an der Lübecker Bucht, 11 000 Ew.; Ostseeheilbad mit 6 km langem Badestrand. – 1974 durch Zusammenschluss der Gemeinden Haffkrug-S. und Gleschendorf entstanden.

Scharbockskraut (Feigwurz, Ranunculus ficaria, Ficaria verna), bis 20 cm hohe, ausdauernde und Brutknöllchen bildende Hahnenfußart in Europa und im Orient; mit rundlich-herzförmigen, lackglänzenden Blättern und gelben Blüten.

Schärding, Bezirksstadt in Oberösterreich, am Inn, 5 400 Ew.; Granitsteinwerke, Brauereien, Molkerei; Grenzübergang nach Deutschland. – Maler. Stadtbild (Mauern, Türme, Tore, Bürgerhäuser, 16.–19. Jh.); Pfarrkirche St. Georg (14. Jh., Umbau 1720–26). – 804 erstmals erwähnt, seit 1369 Stadt; bis 1779 zu Bayern.

Schardja [-dʒa] (Schardscha), Scheichtum der →Vereinigten Arabischen Emirate.

Schären, *Textiltechnik:* das geordnete Aufwickeln einzelner Fadenbänder einer Kette auf eine Schärtrommel.

Schärfentiefe: Schärfenunterschied desselben Motivs unter Beibehaltung der Objektivbrennweite mit großer (links) und mit kleiner Blendenöffnung

Schären [schwed. skär], kleine, buckelartige Felsinseln und -klippen, die in Schwärmen auftreten und als **S.-Hof** bes. der skandinav. Küste **(S.-Küste)** vorgelagert sind; entstanden durch Eindringen des Meer- oder Seewassers in die eiszeitlich geformte Rundhöckerlandschaft (→Rundhöcker).

Scharf, Kurt, evang. Theologe, *Landsberg an der Warthe 21. 10. 1902, †Berlin (West) 28. 3. 1990; seit 1935 Präses des Bruderrates der Bekennenden Kirche in Brandenburg; 1957–60 Vors. des Rates der EKU, 1961–67 des Rates der EKD; 1966–76 Bischof der Evang. Kirche in Berlin-Brandenburg; blieb jedoch in seinen bischöfl. Funktionen auf Berlin (West) beschränkt; wirkte als entschiedener Pazifist in zahlr. Organisationen.

Schärf, Adolf, österr. Politiker, *Nikolsburg (heute Mikulov, Südmähr. Gebiet) 20. 4. 1890, †Wien 28. 2. 1965; Rechtsanwalt, 1933/34 Mitgl. des Bundesrats, 1934, 1938 und 1944 in Haft; 1945–57 Abg. im Nationalrat, Vors. der SPÖ und Vizekanzler; 1957–65 Bundespräsident.

Scharf|abstimmung, automatische, Abk. **AFC,** automat. Nachstimmung der Zwischenfrequenz des Oszillators eines Überlagerungsempfängers im UKW-Bereich.

Schärfentiefe (veraltet Tiefenschärfe), *Optik:* die Tiefe des Raumes vor und hinter der Gegenstandsebene, die durch ein opt. Gerät noch genügend scharf abgebildet wird. Exakt scharf erscheint nur der genau in der Einstellebene des Objektivs liegende Gegenstandspunkt, alle anderen Punkte werden mehr oder weniger unscharf abgebildet, d. h., sie erzeugen in der Bildebene Zerstreuungskreise. Je kleiner diese sind, desto schärfer erscheint die Abbildung (bei fotograf. Aufnahmen durch die Korngröße des Filmmaterials begrenzt). Fügt man in den Strahlengang eine Blende zur Verengung des Lichtbündels ein, erhält man kleinere Zerstreuungskreise und damit einen größeren S.-Bereich; die Verringerung der Brennweite führt ebenfalls zu einem größeren Schärfentiefebereich.

Scharff, Edwin, Bildhauer und Grafiker, *Neu-Ulm 21. 3. 1887, †Hamburg 18. 5. 1955; schuf in ausdrucksstark vereinfachten Formen Einzelfiguren, Porträts, Tierplastiken, Reliefs (Bronzetür der Klosterkirche Marienthal bei Wesel, 1945–49); auch Radierungen, Lithographien, Illustrationen.

Scharfrichter (Henker), die zur Vollstreckung von Todesstrafen bestellte besoldete Person. Seit dem 13. Jh. berufsmäßig eingesetzt, galt ihr Gewerbe als »unehrlich« (→ Unehrlichkeit). Andere Bez. waren Freimann, Carnifex, Schinder.

Scharhörn, zu Hamburg gehörende Düneninsel im Wattenmeer in der Elbmündung, 408 ha. Im östl. Teil der Insel befindet sich ein 2,7 km² großes Naturschutzgebiet mit Vogelschutzwarte.

Schari (frz. Chari) *der,* Hauptzufluss zum Tschadsee, im nördl. Zentralafrika, rd. 1400 km lang, entsteht aus den Quellflüssen **Bamingui** und **Gribingui** und dem Nebenfluss **Ouham.**

Scharia [arab.] *die* (Scheriat, islamisches Recht), das religiös begründete, auf Offenbarung zurückgeführte Recht des Islam; es regelt nicht nur Rechtsfragen (z.B. Ehe- oder Strafrecht) i.e.S., sondern beinhaltet auch Kultvorschriften, Normen der Sozialethik u.a. und stellt somit eine umfassende Lebensordnung dar. – Die S. ist aus der systematisierenden Arbeit der islam. Gesetzesgelehrten des 7. bis 10. Jh. hervorgegangen und beruht auf dem Koran, ergänzt durch die →Sunna. Rechtsquellen sind neben dem Koran der Rechtsbrauch (die Tradition der islam. Rechtsprechung), das Gewohnheitsrecht (die in der Bev. oder einzelnen Bev.gruppen übl. Rechtsdeutung) und das Urteil des Rechtsgelehrten. Seit dem 19. Jh. wurde das Rechtssystem in fast allen islam. Ländern europ. Vorbildern angeglichen, jedoch zeigt sich in jüngster Zeit im Zuge der Reislamisierung eine deutl. Rückbesinnung auf die S., v.a. im Bereich des Familien- und Strafrechts (Kodifizierungen des Personenstands- und Familienrechts z.B. in Tunesien 1956, Irak 1959, Süd-Jemen 1974; des Strafrechts in Libyen 1972–74).

📖 *Der Islam in der Gegenwart, hg. v.* W. Ende *u.* U. Steinbach. *München* [4]*1995.*

Schari-Nil-Sprachen, Zweig der nilosaharan. Sprachen, gesprochen bes. in Sudan, NW-Uganda, NO-Zaire, Tschad und in der Zentralafrikan Rep. Nach J. Greenberg zählen zu den S.-N.-S. die Einzelsprachen Kunama und Berta, die →nubischen Sprachen, die →nilotischen Sprachen und das Zentralsudanische.

Scharlach [von mlat. scarlatum »rot gefärbtes Gewand«] *der,* österr. *das* (Scarlatina), meldepflichtige, durch hämolysierende Streptokokken verursachte, meist durch Tröpfcheninfektion übertragene Infektionskrankheit v.a. im Kindesalter. Nach einer Inkubationszeit von 3–4 (8) Tagen treten plötzlich hohes Fieber (mitunter auch Schüttelfrost) mit schwerem Krankheitsgefühl, Kopfschmerzen und Erbrechen auf. Dazu kommen Halsschmerzen und ein flammend »scharlachrot« gefärbter Rachen und Gaumen. Auf der anfangs weißlich belegten Zunge treten die roten, entzündeten Geschmackspapillen hervor **(Himbeerzunge).** Der S.-Ausschlag (Exanthem) erscheint auf der Haut 1–3 Tage nach Beginn der Erkrankung und besteht aus stecknadelkopfgroßen, dicht stehenden, hochroten Flecken; v.a. an Brust und Rücken, in den Leistenbeugen und an der Innenseite der Oberschenkel; verblasst nach 2–4 Tagen. In der 2. und 4. Woche beginnt sich die Haut zu schuppen, v.a. an Handtellern und Fußsohlen, auch am Rumpf. Komplikationen sind u.a. Mittelohr-, Nieren- und Herzentzündungen. S. hinterlässt meist lebenslange Immunität.

Hans Scharoun: Die 1960–63 erbaute Berliner Philharmonie ist das Hauptwerk des Architekten

Scharmützelsee, Rinnensee in Brandenburg, südlich von Fürstenwalde/Spree, 13,8 km², bis 29 m tief, am N-Ufer Bad Saarow-Pieskow.

Scharnhorst, Gerhard Johann David von (seit 1802), preuß. General, *Bordenau (heute zu Neustadt am Rübenberge) 12. 11. 1755, †Prag 28. 6. 1813; seit 1807 Generalmajor und Vors. der militär. Reorganisationskommission, in der er mit Gneisenau zusammenarbeitete; 1807–10 Leiter des neu geschaffenen Kriegsministeriums. S. führte im Zusammenhang mit den preuß. Reformen die Heeresreform durch (u.a. März 1813 Einführung der allg. Wehrpflicht und Aufbau eines »Volksheeres« mittels des →Krümpersystems); 1813 als Generalstabschef Blüchers bei Großgörschen (2. 5.) schwer verwundet.

📖 Stübig, H.: *S. Die Reform des preuß. Heeres. Göttingen u.a. 1988.*

Scharnier [frz.] *das, Technik:* Gelenk aus zwei Platten mit eingerollten Ösen, in die ein Verbindungsstift gesteckt wird.

Scharnitz, Gemeinde in Tirol, Österreich, 948 m ü.M., an der Isar, 1050 Ew., Fremdenverkehr. S. liegt unterhalb des Passes S., über den Straße und Bahnlinie von Mittenwald über Seefeld in Tirol nach Innsbruck führen.

Scharoun [-ˈruːn], Hans Bernhard, Architekt, *Bremen 20. 9. 1893, †Berlin (West) 25. 11. 1972; war 1946–58 Prof. an der TU ebd., 1955–68 Präs. der Akademie der Künste in Berlin (West). Als Vertreter der organ. Architektur zählte er in den 20er-Jahren zur Avantgarde des Neuen Bauens. Er

Adolf Schärf

Gerhard Johann David von Scharnhorst: (Ausschnitt eines zeitgenössischen Gemäldes)

Rudolf Scharping

Salman Schasar

Schattenblume: Zweiblättrige Schattenblume mit Blütenstand und Beeren

trat sowohl im Siedlungsbau (Breslau, 1929) als auch im Wohnungshochbau (Stuttgart, 1954–59) hervor; Hauptwerk ist das Gebäude für die Berliner Philharmonie (1960–63). Zu seinem Spätwerk gehören maßstabsetzende Theater-, Museums-, Schul- und Bibliotheksbauten (u.a. Staatsbibliothek Preuß. Kulturbesitz in Berlin, 1967–78).

📖 *H. S. Chronik zu Leben u. Werk, Beiträge v.* J. F. Geist *u. a. Berlin 1993.*

Schärpe, breites Band, meist über die rechte Schulter zur linken Hüfte oder quer um den Leib getragen, heute für hohe Orden, früher Abzeichen von Krieg führenden Parteien.

Scharping, Rudolf, Politiker, *Niederelbert (bei Montabaur) 2. 12. 1947; 1985–91 SPD-Fraktionschef und 1985–93 Landesvors. von Rheinland-Pfalz, war 1991–94 MinPräs. von Rheinland-Pfalz, 1993–95 Bundesvors. der SPD; seit 1994 MdB, 1994–98 Fraktionsvors. seiner Partei im Bundestag; seither Bundesmin. der Verteidigung.

Scharrbilder, Erdzeichnungen in der Wüstenebene S-Perus, riesige geometrische Figuren, auch Tiere, Pflanzen und Menschen, die erst aus der Höhe vollständig zu erkennen sind. Sie werden der Kultur der → Nazca zugeordnet; die Deutung (u. a. als astronom. Kalender) ist umstritten.

📖 Reiche, M.: *Geheimnis der Wüste. Stuttgart* [5]*1985.*

Scharte (Serratula), Gattung der Korbblütler in Eurasien und N-Afrika; Stauden mit z. T. unterseits weißfilzigen Blättern; Blütenköpfchen bestehen nur aus Röhrenblüten. Einzige heim. Art ist die **Färber-S.** (Serratula tinctoria) mit purpurfarbenen Blüten; auf Moorwiesen und in lichten Wäldern; liefert gelben Farbstoff.

Scharte, 1) *Geographie:* schmaler Einschnitt in einem Gebirgskamm.

2) *Militärwesen:* schmal zulaufende Öffnung in Befestigungen und Bunkern für Gewehre (Schieß-S.), Geschütze (Geschütz-S.), auch nur zur Beobachtung des Gegners (Beobachtungsscharte).

Schasar, Salman, israel. Politiker, *Mir (Gebiet Minsk) 6. 10. 1889, †Jerusalem 5. 10. 1974; seit 1924 in Palästina, dort Mitbegründer der Mapai und einer der Organisatoren der Gewerkschaftsorganisation Histadrut; 1949–63 Mitgl. der Knesset, 1949–50 Erziehungsmin.; 1963–73 Staatspräsident.

Schatten

Auf einer Schneefläche sieht man seinen Schatten leicht bläulich. Warum?

Während die direkt von der Sonne beschienene Schneefläche die gelbe Sonnenfarbe aufweist, wird die Schattenfläche nur vom blauen Himmel beleuchtet und erscheint deshalb blassblau.

Scharrbilder: Die Vogeldarstellung bei Palpa in Südperu ist etwa 50 m lang

Schäßburg (rumän. Sighişoara, ungar. Segesvár), Stadt in Siebenbürgen, Rumänien, an der Großen Kokel, 38 600 Ew.; Maschinenbau, Textil-, Bekleidungs-, Nahrungsmittel-, Fayence- und Möbelindustrie. – Befestigte Unter- und Oberstadt mit Uhrturm (14. Jh.), Marienkirche des ehem. Dominikanerklosters (13. Jh., heutige Anlage barockisiert 1677/78), Bergkirche (um 1484 vollendet). – Gegr. nach 1191 von dt. Kolonisten.

Schatt el-Arab [arab. »Araberstrom«] *der,* der gemeinsame Mündungsstrom von Euphrat und Tigris, z. T. Grenzfluss zw. Irak und Iran, mündet in den Pers. Golf; bed. Schifffahrtsstraße. Die beiden Ufer sind altes Kulturland mit ausgedehnten Dattelpalmenhainen.

Schatten, 1) *Optik:* der dunkle Raum hinter einem beleuchteten undurchsichtigen Körper **(Schlag-S.).** Eine punktförmige oder eine als solche wirkende Lichtquelle wirft einen scharf begrenzten S. Bei der Beleuchtung eines Körpers durch eine ausgedehnte Lichtquelle ist der Raum, in den kein Licht fällt **(Kern-S.),** von einem Gebiet umgeben **(Halb-S.),** das nur von einem Teil der Lichtquelle Licht erhält.

2) *Psychologie:* nach C. G. Jung die Zusammenfassung der dem bewussten Erleben verborgenen bzw. unentwickelten Seiten der eigenen Person.

Schattenbild, → Schattenriss.

Schattenblume (Maianthemum), Gattung der Liliengewächse (bis zu 20 cm hoch); Stauden mit weißen Blüten; **Zweiblättrige S.** (Maianthemum bifolium) in schattigen Laubwäldern mit giftigen roten Beerenfrüchten.

Schattenkabinett, im parlamentar. System ein Gremium (oft nur eine Namensliste) der stärksten Oppositionspartei, das bei einer Ablösung der Regierung das neue Kabinett bilden soll.

Schattenmaskenröhre, Sammelbez. für Farbfernsehbildröhren mit im Röhreninneren vor dem Leuchtschirm angeordneter Loch-, Schlitz-, Streifen- oder Gittermaske, durch deren Öffnungen die drei farbgebenden Elektronenstrahlen das jeweils zugehörige Leuchtstoffelement treffen.

Schattenmorelle, Sauerkirschsorte (→Kirsche).

Schattenpflanzen (Schwachlichtpflanzen), Pflanzen, die auch bei geringer Lichtmenge ausreichend assimilieren, z.B. Sauerklee im Fichtenwald.

Schattenriss (Schattenbild), Wiedergabe einer Person oder eines Gegenstandes als einfarbige Fläche ohne Binnenzeichnung mit den genauen Konturen des Schattens. S. wurden getuscht, häufig aus Papier geschnitten und auf kontrastierenden Grund gelegt. Für das Porträt hatte man den seitlich mit einer gerahmten Glasscheibe fest verbundenen Silhouettierstuhl entwickelt. Auf der Rückseite der Scheibe ließ sich auf geöltem Papier der Umriss des Kopfes, hinter dem i.d.R. eine Lichtquelle angebracht wurde, leicht nachzeichnen. Durch das chines. →Schattenspiel angeregt, erschien das S.-Bildnis **(Silhouette)** im 17. Jh. in Europa, war ab 1760 in Mode und verlor erst mit dem Aufkommen der Fotografie seine Bedeutung. Im 19. Jh. stellte man auch Pflanzen, Tiere und genrehafte Szenen als S. dar. Dem S. verwandt ist der **Scherenschnitt,** bei dem die Darstellung aus Papier oder ähnl. Stoff ausgeschnitten und auf einer andersfarbigen Unterlage befestigt wird.

Schattenriss von Friedrich Schiller (links) und Johann Wolfgang von Goethe (um 1790)

Schattenspiel (Schattentheater), zweidimensionale Form des →Figurentheaters, in dem an Stangen gehaltene flache Figuren aus Leder, Pergament, Papier, Holz u.a. mithilfe einer Lichtquelle als Schatten auf einen Schirm aus Stoff oder Pergament geworfen werden; die Arme sind meist beweglich, die Figuren oft perforiert und bemalt; ferner gibt es das S. von menschl. Händehaltungen. Das S. war in den versch. Kulturen und Religionsbereichen O-Asiens, des Orients und N-Afrikas verbreitet. Sein Ursprung dürfte in China liegen. In Ägypten lässt sich das S. seit dem 12. Jh. n. Chr. nachweisen. Auf Java und Bali wird das **Wayang kulit** genannte S. von einem Gamelanorchester begleitet, der Spieler ist auch der Sprecher. Das türk. S. **(Karagöz)** wurde wohl von China (über die Seidenstraße) angeregt. In Europa ist das S. seit dem 18. Jh. bekannt und wurde von den Romantikern gepflegt.

Schattenspiel: Die javanische Schattenspielfigur zeigt den indischen Sonnengott Surya (Stuttgart, Linden-Museum)

📖 MAYER, FRED: *Schattentheater. Zürich 1979.* – RAMM-BONWITT, I.: *Figurentheater. Stuttgart u.a. 1991.*

Schattenwirtschaft, Wirtschaftstätigkeit, die zur gesamtwirtsch. Wertschöpfung beiträgt, sich jedoch nicht über offizielle Märkte vollzieht und in der amtl. Statistik nicht, nur z.T. oder indirekt ausgewiesen wird wie v.a. Tätigkeiten der hauswirtschaftl. Selbstversorgung (Haushaltsproduk-

Schattenriss

*Étienne de Silhouette (*1709, †1767), Finanzminister des französischen Königs Ludwig XV., machte sich durch seine rigorosen Sparpläne, die die Privilegien des französischen Adels beschnitten, äußerst unbeliebt. Um als Vorbild zu dienen, ließ er in seinem Schloss die Ölbilder abhängen und ersetzte sie durch selbst gefertigte Scherenschnitte. Daraufhin suchten ihn die Adligen verächtlich zu machen, indem sie alles Billige, also auch Umrissporträts, als »à la Silhouette« bezeichneten.*

16 B 15/12

tion), zu denen die Hausarbeit, Eigenarbeit und Eigenleistungen (z. B. bei Hausbau, Wohnungsrenovierung, Reparaturen) sowie Leistungen im sozialen und kulturellen Bereich ohne Erwerbsabsicht (etwa in Form von Nachbarschaftshilfe, sozialen Diensten, ehrenamtl. Tätigkeiten) gehören. Weiter zählen zur S. auch illegale Transaktionen von Gütern und Dienstleistungen, die getätigt werden, um Steuern und Sozialabgaben zu hinterziehen (z. B. Geschäfte ohne Rechnung u. a.) oder um staatl. Regulierungen (z. B. Arbeitsschutzbestimmungen, Umweltauflagen) zu umgehen; sie werden unter der Bez. →Schwarzarbeit zusammengefasst. Die S. in Form von Eigenproduktion, Eigenarbeit und Selbstversorgung bildet die entscheidende Subsistenzbasis in vielen Entwicklungsländern und wird hier meist informeller Sektor genannt. Als Ursachen der in ihrem Umfang zunehmenden S. werden die folgende Ursachen genannt: 1) die gestiegene Belastung mit staatl. Abgaben und Regulierungen, 2) die zurückgegangene Erwerbsarbeitszeit, 3) Änderungen der gesellschaftl. Wertorientierungen, die es erleichtern, dass Werte wie Selbstbestimmung und Sinnerfüllung manchmal besser oder gar nur außerhalb des marktl. und staatl. Regelungssystems v. a. im Rahmen der Selbstversorgungswirtschaft sowie der privaten sozialen Dienste wahrgenommen werden können und 4) die Lückenhaftigkeit der Versorgung mit öffentl. Sozialleistungen und Einrichtungen der Infrastruktur. Die S. entzieht wegen ihrer erhebl. Kostenvorteile (z. B. durch legale Eigenarbeit und illegale Schwarzarbeit) um so mehr Nachfrage bei offiziellen Anbietern, je größer das Kosten- und Preisgefälle zugunsten der schattenwirtschaftl. Alternativen ist. Andererseits schafft S. auch zusätzl. offizielles Angebot, z. B. Bau- und Heimwerkermärkte. Negative Folgen der S. sind u. a. die Einnahmeausfälle bei Steuern und Sozialabgaben sowie die gesetzeswidrige Existenzgefährdung legaler Anbieter.

📖 DÖHRN, R.: *S. u. Strukturwandel in der Bundesrep. Dtl. Berlin 1990.* – WERNER, C.: *Die Beschäftigungswirkungen der S. Pfaffenweiler 1990.*

Entwicklung der Schattenwirtschaft[1]

Jahr	Deutschland[2]		Österreich		Schweiz	
	in %	Mrd. DM	in %	Mrd. öS	in %	Mrd. sfr
1975	5,75	103	2,04	13	3,20	12
1980	10,80	208	2,69	27	4,90	14
1985	11,20	233	3,92	53	4,60	17
1990	12,20	287	5,47	99	6,20	22
1995	13,90	481	7,32	170	6,89	25
1996[3]	14,50	514	8,32	201	7,51	27
1997[3]	15,00	548	8,93	220	8,04	29

[1] in % des Bruttoinlandsprodukts und absolut. – [2] ab 1995 Werte für Gesamtdeutschland. – [3] vorläufige Prognose, da offizielle Statistiken nicht vorliegen

Schattner, Karljosef, Architekt, * Gommern 4. 8. 1924; seit 1957 Leiter des Diözesanbauamtes in Eichstätt, wo er v. a. mit der Umgestaltung histor. Gebäude für die Zwecke der Kath. Univ. betraut war. Durch die Verwendung kontrastierender Formen, Materialien und Konstruktionsweisen versucht S. eine Symbiose alter und neuer Architektur zu realisieren.

Karljosef Schattner: Die Bibliothek Ulmer-Hof der 1980 gegründeten Katholischen Universität in Eichstätt befindet sich in einem historischen Gebäude der ehemaligen Fürstenresidenz

Schatulle [lat.] *die,* **1)** *Kunsthandwerk:* Behältnis aus Holz oder Leder für Schmuck u. Ä., im MA. häufig als Minnegabe kunstvoll gestaltet.

2) *Politik:* Privatkasse eines Herrschers mit besonderen Einnahmequellen.

Schatz [ahd. scaz »Geld«], **1)** *allg.:* kostbarer Besitz, Vermögen.

2) *Recht:* **S.-Fund,** der Fund einer Sache, die so lange verborgen war, dass ihr Eigentümer nicht zu ermitteln ist; unterscheidet sich vom Fund durch die Länge der bis zum Auffinden verstrichenen Zeit. Der S. gehört zur Hälfte dem Entdecker, zur Hälfte dem Eigentümer der Sache, in der der S. verborgen war (§ 984 BGB); landesrechtlich z. T. abweichend geregelt.

Schatz|anweisungen, kurz- und mittelfristige Schuldverschreibungen, die von öffentl. Gebietskörperschaften ausgegeben werden. **Verzinsl. S.** sind mittelfristige Papiere (Laufzeit von einem bis zu mehreren Jahren), wie festverzinsl. Anleihen mit Zinsscheinen ausgestattet; sie werden zu einem bestimmten Termin fällig. **Unverzinsl. S. (U-Schätze)** sind kurz- oder mittelfristige Papiere (6–24 Monate), die Verzinsung erfolgt im Zuge der Tilgung; der Ausgabekurs liegt unter dem Rückzahlungsbetrag, wobei die Differenz (»Abgabesatz«) die Zinsvergütung für die Laufzeit darstellt. Kürzerfristige **Schatzwechsel** sind Solawechsel; sie werden über feste Beträge ausgestellt und von der Dt. Bundesbank unter Abzug des Diskonts bis zur Rückzahlung (Abgabesatz) abgegeben. Die übl. Laufzeit beträgt 90 Tage. Die Einlösung, ggf. der Rückkauf, erfolgt durch die Dt. Bundesbank zulasten des Ausstellers.

Unverzinsl. S. und Schatzwechsel sind **Geldmarktpapiere** und dienen der kurzfristigen Beschaffung von Mitteln für den Aussteller (»schwebende Schuld«), zugleich aber der Steuerung des Geldvolumens und der Liquidität der Kreditinstitute; von der Dt. Bundesbank können sie zur →Offenmarktpolitik eingesetzt werden.

Schatzkanzler, →Chancellor.

Schätzung, 1) *Statistik:* Verfahren zur annähernden Bestimmung unbekannter Parameter auf der Grundlage vorhandener, genauer Zahlenangaben aus Stichproben oder Zeitreihen, z. B. durch →Interpolation, →Extrapolation oder Ausgleichsrechnung (→Regression, →Methode der kleinsten Quadrate).

2) *Steuerrecht:* Verfahren zur Ermittlung der Besteuerungsgrundlagen, sofern diese durch unzureichende Angaben und/oder Belege des Steuerpflichtigen vom Finanzamt nicht anders ermittelt oder berechnet werden können.

Schätzungswert (Taxwert), der von einem Sachverständigen zum Zwecke des Verkaufs, der Verpachtung, Versicherung oder Beleihung durch Schätzung ermittelte Wert eines Gegenstandes.

Schaube, lose fallender, vorn offener weiter Überrock mit breitem Schalkragen und langen, mit Quer- und Längsschlitz zum Durchgreifen versehenen Ärmeln; vom späten 15. Jh. bis ins frühe 17. Jh. Bestandteil der Oberbekleidung beider Geschlechter.

Schäuble, Wolfgang, Politiker (CDU), *Freiburg im Breisgau 18. 9. 1942; Jurist, seit 1972 MdB, 1982–84 parlamentar. Geschäftsführer der CDU/CSU-Bundestagsfraktion, 1984–89 Bundesmin. im Bundeskanzleramt, 1989–91 Bundesmin. des Inneren, führte 1990 auf seiten der Bundesrep. Dtl. die Verhandlungen mit der Dt. Dem. Rep. über den Einigungsvertrag. Seit dem Attentat vom 12. 10. 1990 ist er querschnittsgelähmt; seit Nov. 1991 Vors. der CDU/CSU-Bundestagsfraktion, seit Nov. 1998 auch Vors. der CDU.

Schau|brote, dt. Bez. für die im A. T. gen. zwölf ungesäuerten Brote, die auf einem Tisch **(Schaubrottisch)** im Heiligtum lagen (2. Mose 25,30); urspr. als Gottesspeise gedacht, später als Zeichen des Gottesbundes gedeutet.

Schaudinn, Fritz Richard, Zoologe, *Röseningken (Ostpreußen) 19. 9. 1871, †Hamburg 22. 6. 1906; entdeckte 1905 mit Erich Hoffmann (*1868, †1959) den Erreger der Syphilis.

Schauenburg, ehem. Grafschaft, →Schaumburg.

Schauer, räumlich begrenzter, kurzer, heftiger Niederschlag (Regen-, Schnee-, Hagelschauer).

Schauerleute [niederländ. sjouwen »hart arbeiten«], Hafenarbeiter für das Stauen und Verladen von Schiffsfrachten.

Schauer|roman, eine bewusst auf Schauereffekte angelegte Hauptgattung der Trivial- und Unterhaltungsliteratur seit der 2. Hälfte des 18. Jh., in der das Irrationale als Wirklichkeit vorgestellt wird. (→Gothic Novel)

Schaufel, 1) *allg.:* Arbeitsgerät mit einem leicht nach oben gezogenen Stahlblatt an einem Holzstiel zum Fortschaufeln von Materialien.

2) *Jägersprache:* schaufelartige Verbreiterung des oberen Stangenteils älterer Elch- und Damhirsche; auch der Stoß (Schwanz) des Auerhahns.

3) *Strömungsmaschinen:* zylindrisch oder räumlich gekrümmte, blattähnl. Teile des →Laufrades oder des →Leitrades, die das strömende Medium umlenken.

Schäufelein (Schäuffelein, Scheufelin), Hans Leonhard, Maler und Holzschnittzeichner, *Nürnberg (?) um 1480/85, †Nördlingen 1538/40; dort seit 1515 tätig; schuf unter dem Einfluss Dürers Altarbilder. S. wurde v. a. durch seine Holzschnitte für Kaiser Maximilian I. bekannt (»Theuerdank«, »Weißkunig«).

Schaufensterdekorateur [-'tør] *der,* Schauwerbegestalter, Ausbildungsberuf der Ind. (3 Jahre); gestaltet werbekräftige Warenauslagen.

Wolfgang Schäuble

Hans Schäufelein: »Abendmahl« (1515; Ulm, Münster)

Richard von Schaukal

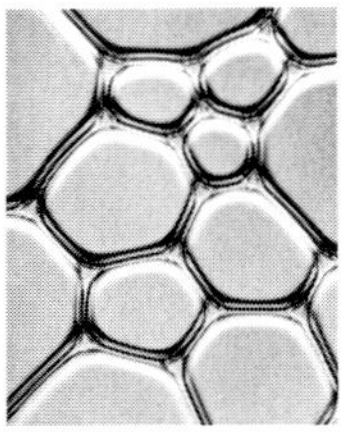
Schaum: Die Gasblasen im Seifenschaum sind durch Lamellen voneinander getrennt

Schaufuss, Peter, dän. Tänzer und Choreograph, *Kopenhagen 26. 4. 1949; wurde 1965 Mitglied des Königl. Balletts Kopenhagen; seit Mitte der 1970er-Jahre Gastsolist bei führenden Ballettkompanien; 1984–90 Künstler. Direktor des London Festival Ballet, 1990–93 Künstler. Leiter des Balletts der Dt. Oper Berlin, seit 1994 Direktor des Königl. Balletts Kopenhagen.

Schauhing, Stadt in China, →Shaoxing.

Schauinsland, Berg im südl. Schwarzwald, bei Freiburg im Breisgau, Bad.-Württ., 1284 m ü. M.; Seilschwebebahn; Motorsportrennstrecke, Skigelände; Sonnenforschungsinstitut.

Schaukal, Richard von (seit 1918), österr. Schriftsteller, *Brünn 27. 5. 1874, †Wien 10. 10. 1942; Lyriker, Erzähler und Essayist aus konservativ-religiösem und deutsch-österr. Traditionsbewusstsein. Seine Formkunst ist von den frz. Symbolisten beeinflusst.

Schaukelwellen, →Seiches.

Schaulaufen, *Eis-, Rollkunstlauf:* Darbietung ohne Wettkampfcharakter, meist der Erst- bis Drittplatzierten einer Meisterschaft.

Schaulen, Stadt in Litauen, →Šiauliai.

Schaum, thermodynamisch instabiles Zweiphasensystem, bei dem gasgefüllte Blasen in einer Flüssigkeit oder einem Feststoff feinst verteilt sind. In flüssigen S. sind die Gasblasen durch Flüssigkeitsfilme (Lamellen) voneinander getrennt. Ihre Bildung wird durch Tenside (Schäumer) ermöglicht, durch →Antischaummittel verhindert. Feste S. sind z. B. Bimsstein oder Aerogele.

Schaum|aluminium, leichter, fester Baustoff mit guten Wärme- und Schallisolationseigenschaften, hergestellt durch Mischen von Metallhydriden mit flüssigem Aluminium bei 657 °C.

Schaumann, Ruth, Schriftstellerin, Bildhauerin, Grafikerin, *Hamburg 24. 8. 1899, †München 13. 3. 1975; Lyrik, Erzählungen, Romane von kath. Frömmigkeit und romant. Formempfinden. Ihre Bücher erschienen z. T. mit eigenen Illustrationen.

Schaumburg, 1) Landkreis im RegBez. Hannover, Ndsachs.; 676 km², (1996) 163 700 Ew.; Verw.sitz ist Stadthagen.

2) (Schauenburg) ehemalige Grafschaft, benannt nach der Burg S. im Wesertal, reichte bis zum Steinhuder Meer. Die Grafen von S. wurden 1111 mit der Grafschaft Holstein belehnt (fiel 1460 nach deren Aussterben an Oldenburg); die Stammgrafschaft kam an ein Nebenlinie, nach deren Erlöschen 1640 zw. Hessen-Kassel (1866 an Preußen) und dem Haus Lippe (→Schaumburg-Lippe) geteilt.

Schaumburg-Lippe, historisches Territorium; reichte von den Bückebergen bis zum Steinhuder Meer; Haupt- und Residenzstadt war Bückeburg. – Bei der Aufteilung der alten Grafschaft Schaumburg 1640 erhielt Graf Philipp zur Lippe den NW-Teil, nunmehr S.-L. genannt. 1777 ging die Grafschaft an die Linie Lippe-Alverdissen (1807 gefürstet) über. 1918 wurde S.-L. Freistaat. – 1946 ging es im Kreis S.-L. (seit 1977 Kreis Schaumburg) in Ndsachs. auf.

Schäumen, Herstellung von →Schaumstoffen.

Schaumglas, schwammartig geblähtes, mit Gasbläschen durchsetztes undurchsichtiges Glas von hoher Wärme- und Schalldämmung. Als Blähmittel dienen Koks, Magnesium- und Calciumcarbonat. Anwendung in der Bau- und Isoliertechnik.

Schaumgummi, →Schaumstoffe.

Schaumkalk, 1) (Schaumerde), im Zechsteindolomit Thüringens vorkommende weiße, zerreibbare Massen aus reinem Aragonit, $CaCO_3$, der sich durch Umwandlung von Gips, $CaSO_4 \cdot 2\,H_2O$, bildet.

2) durch Auswitterung porös gewordener gelblich grauer Kalkstein im Unteren Muschelkalk.

Schaumkraut (Cardamine), Kreuzblütlergattung; Kräuter mit Trugdolden ähnl. Blütentrauben und zweiklappig aufspringenden Schoten. In Mitteleuropa heimisch ist das **Wiesen-S.** (Cardamine pratensis) mit blasslilafarbenen bis weißen Blüten, auf feuchten Wiesen und in Auenwäldern (Höhe 20–60 cm).

Schaumkunststoffe, zu Schaumstoffen verarbeitete Kunststoffe der verschiedensten Art. Es werden dafür geschmolzene Thermoplaste und niedermolekulare Vorstufen von Duroplasten mit Treibmitteln verschäumt. Als Poren bildende Treibmittel (Blähmittel) dienen permanente Gase (Stickstoff, Luft), flüssige Stoffe (Kohlenwasserstoffe, Halogenkohlenwasserstoffe) sowie feste Substanzen, die sich bei höheren Temperaturen unter Gasbildung zersetzen. Bei **Hart-S. (Hartschaumstoffen)** ist die elast. Verformbarkeit gering, **Weich-S.** zeigen schaumgummiähnl. Verhalten. **Struktur-S. (Integral-S.)** haben eine feste, nicht geschäumte Außenhaut, sie werden als Formteil oder Halbzeug z. B. durch Spritzgießen hergestellt. Große techn. Bedeutung als Dämmstoff und Verpackungsmaterial hat Polystyrolpartikel-S. (Styropor®). Aus Polyurethanen (PUR) lassen sich Weich- und Hart-S. herstellen. PUR-Weich-S. dient als Material für Polster, Schwämme u. a.; PUR-Hart-S. findet in der Bauind. (Dämmplatten) und in der Kältetechnik Anwendung.

Schaumlöscher, ein →Feuerlöscher mit Schaum als Löschmittel.

Schaumstoffe, künstlich hergestellte Werkstoffe mit zelliger Struktur und einer Rohdichte, die niedriger ist als die der Gerüstsubstanz. Sie werden durch versch. Schäumungsverfahren meist aus organ. hochpolymeren Stoffen hergestellt (→Schaumkunststoffe). Man kann aber auch anorgan. Materialien zu S. verarbeiten, z. B. Schaumbeton. Die mit Luft oder Gas gefüllten Zellen können in sich geschlossen sein (geschlossenzellige S.) oder untereinander in Verbindung stehen (offenzellige S.). S. aus Festkautschuk kann eingeteilt werden in Schwammgummi (offenzellig), Moosgummi (gemischtzellig) und Zellgummi (überwiegend geschlossenzellig). **Schaumgummi** wird aus einer vulkanisationsfähigen Latexmischung hergestellt. Die Mischung wird nach dem Zusatz von Schaummitteln zu einem stabilen Schaum aufgeschlagen und dann in einer Form bei etwa 100 °C vulkanisiert. – Fluorchlorkohlenwasserstoffe (v. a. R 11 = FCKW 11) dürfen in der EU nicht mehr als Treibmittel eingesetzt werden; Ersatzstoffe sind u. a. Hydrofluoralkane und Kohlendioxid.

Schau|münze, Münze, die in bes. schöner Prägung zugleich als Erinnerungsstück ausgegeben wird.

Schaumverhütungsmittel, die →Antischaummittel.

Schaumwein, ein Wein, der infolge seines hohen Kohlendioxidgehalts beim Öffnen der Flasche schäumt. Der Kohlensäuregehalt wird durch die zweite Gärung eines jungen Weins mithilfe von Zuckerzusatz und Reinhefen (die Fülldosage) erzeugt. S. muss im geschlossenen Gefäß bei 20 °C einen Überdruck von mindestens 3 bar aufweisen. S. gehobener Qualität wird als Qualitäts-S., in Dtl. auch als **Sekt** bezeichnet (mindestens 10 % Alkohol; 6 Monate Lagerung, 3,5 bar Druck), in Spanien als **Cava,** in Frankreich außerhalb der Champagne als **Crémant.** Der Grundwein ist meist eine Mischung (Cuvée) aus unterschiedl. Lagen und Jahrgängen, um einen markentyp. Geschmack zu erzielen. Mindestens zu 85 % aus Riesling bereiteter Sekt wird als **Rieslingsekt** bezeichnet; stammt der Grundwein überwiegend aus einer bestimmten Lage oder aus einem Jahrgang (mindestens zu 85 %), ist deren Angabe üblich **(Lagensekt, Jahrgangssekt).** – Drei Herstellungsverfahren sind üblich: Bei der **traditionellen Flaschengärung** erfolgt der gesamte (zweite) Gärvorgang in der Flache, die einzelnen Flaschen werden im Laufe des Reifungsprozesses (mit dem Hals nach unten) regelmäßig gerüttelt und zum Abschluss entheft. Dazu wird der Flaschenhals vereist und die Hefe mit dem Korken entfernt; dieser Vorgang wird Degorgieren genannt. Die klass. Flaschengärung ist in allen Ländern der EU zulässig, die Bez. Méthode champenoise ist dem berühmtesten S., dem Champagner, vorbehalten (seit 1. 9. 1994). Beim **Transvasierverfahren** erfolgt die zweite Gärung in Flaschen, die nicht gerüttelt werden; zum Filtrieren wird der S. in Tanks umgefüllt (transvasiert) und dann wieder in Flaschen gefüllt. Bei der **Vergärung in Großraumbehältern** wird erst nach Herstellung des S. auf Flaschen abgefüllt. – Die Zugabe der **Versanddosage** (in Wein gleicher Cuvée gelöster Zucker), die die Geschmacksrichtung von brut nature bis halbtrocken bestimmt, er-

Schaumwein: Geschmacksangaben und Zuckergehalt

Bezeichnungen	*Zucker (g/l)*
naturherb	0–3
extra brut, extra herb	0–6
brut, herb	0–15
extra sec, sehr trocken, extra dry	12–20
sec, trocken, dry	17–35
demi-sec, halbtrocken, medium dry	33–50
doux, mild	über 50

folgt nach dem Degorgieren bzw. nach der Filtrationsenthefung vor dem endgültigen Verschließen der Flaschen mit dem typ. Sektkorken und sichernder Drahtumwicklung. – 1996 hatten in Dtl. 1387 Sektkellereien einen innerdt. Absatz von (umgerechnet) rd. 435,6 Mio. Liter S. (98 % Qualitäts-S.), exportiert wurden (umgerechnet) rd. 27,5 Mio. Liter S., importiert rd. 82,6 Mio; der Pro-Kopf-Verbrauch betrug rd. 4,8 l.

🕮 TROOST, G. *u.* HAUSHOFER, H.: *Sekt, Schaum- u. Perlwein. Stuttgart 1980.* – CANTINI, P.: *Champagner u. Spumante. A. d. Italien. München 1996.*

Schaumweinsteuer, Verbrauchsteuer auf Schaumwein und schaumweinähnl. Getränke; seit Inkrafttreten des Europ. Binnenmarktes am 1. 1. 1993 geregelt auf der Grundlage des Verbrauchsteuer-Binnenmarkt-Ges. (Art. 4) i. d. F. v. 21. 12. 1992. Das dem Bund zufließende Aufkommen betrug (1996) 1,06 Mrd. DM.

Schaumzikaden (Cercopidae), Familie der Zikaden; die Larven leben häufig in einem schützenden, speichelähnl. Schaum (»Kuckucksspeichel«), den sie durch Einpumpen von Luft in eine proteinhaltige Flüssigkeit erzeugen. Schaumklümpchen, z. B. der **Wiesen-S.** (Philaenus spumarius), finden sich im Sommer an vielen Pflanzen.

Schaumkraut: Wiesenschaumkraut (Höhe 20–60 cm)

Schaumzikaden: Die Larve der Wiesenschaumzikade ist von »Kuckucksspeichel« umgeben; um die Larve besser erkennen zu können, wurde ein Teil des speichelähnlichen Schaums entfernt

Schauprozess, in totalitären Staaten Gerichtsverfahren mit polit. Demonstrationseffekt; dient dazu, politisch missliebige Personen auszuschalten und zugleich die Bev. einzuschüchtern; z. B. in der UdSSR zur Zeit der Großen →Tschistka, im nat.-soz. Dtl. gegen Kommunisten und gegen Angehörige der Widerstandsbewegung (vor dem »Volksgerichtshof«), im Ostblock 1949 in Ungarn (gegen L. Rajk) und Bulgarien (gegen T. Kostow), 1952 in der Tschechoslowakei (gegen R. Slánský), 1957 in der DDR (gegen W. Janka/W. Harich).

Schauspiel, 1) das →Drama.

2) Theaterstück, das vorwiegend auf dem gesprochenen Wort aufgebaut ist, im Unterschied zu Singspiel, Oper, Musical.

Arthur L. Schawlow

Schauspieler, allg. der (berufsmäßige) Darsteller in darstellenden Medien (Theater, Film, Fernsehen); i. w. S. auch der Sprecher von Hörspielen. Mittels Sprache, Gestik, Mimik, Maske und Kostüm wie auch mittels Tanz und Gesang gestaltet der S. schriftlich fixierte Rollen (literar. Vorlagen), wobei mehr oder weniger stark auch Improvisationen einfließen.

Geschichte: Die Entwicklung des S.-Berufes in Europa geht auf die grch. Antike zurück. Aus dem Dionysoskult entwickelten sich Aufführungen durch berufsmäßig geschulte Chöre, die aus freien Bürgern bestanden; in Rom rekrutierten sich die S. vorwiegend aus Sklaven oder Freigelassenen. Mit dem Wiederaufleben des Dramas im MA. bildeten sich zunächst Laienspielgruppen. Erste Berufsschauspieler waren Mitglieder der Wandertruppen der Commedia dell'Arte 1508 in Italien. Durch die →englischen Komödianten angeregt, bildeten sich in Dtl. Anfang des 17. Jh. erste deutschsprachige Wandertruppen. Der Verachtung des Bürgertums für den Berufsstand des S. stand seit Beginn des 18. Jh. die Bewunderung für wenige Stars und Virtuosen gegenüber. Die Gründung von Nationaltheatern im 18. Jh., von Hof- und Stadttheatern im 19. Jh. trug zur allmähl. sozialen Anerkennung des Berufsstandes bei (→Theater). – Die Ausbildung von S. an Hochschulen für darstellende Kunst oder an Privatschulen stellt Stimmbildung und Körperschulung in den Mittelpunkt; außerdem wird ein Rollenrepertoire erworben.

Andrei Schdanow

Schauspielkunst, die Kunst des Schauspielers; ihre Mittel sind Sprache, Mimik und Gestik. Die S. hat ihren Ursprung im natürl. Spiel- und Nachahmungstrieb des Menschen sowie im religiösen Mythos. Die S. in der grch. Antike war in erster Linie Vortragskunst; die Schauspieler waren durch Maske und Kothurn entpersönlicht, schauspieler. Wirkung wurde durch Haltung, Gestik und stimml. Vortrag erzielt. Im röm. Theater tendierte die S. zu größerer Realistik. In der neueren S. herrschte in der →Commedia dell'Arte das typenhafte improvisierte Spiel, bei den →englischen Komödianten eine realistisch-derbe, auf Wirkung abgestellte Spielweise vor. Im klass. frz. Schauspiel trat die geprägte (höf.) Form an die Stelle der ungebändigten Natur, anstelle gefühlsbetonten Sprechens reine Deklamation. Im modernen Theater ist seit Ende des 19. Jh. der pathetisch-rhetor. Stil immer stärker einem realist., individualisierenden Darstellungsstil gewichen. Bei Reflexionen über die S. stehen auch im 20. Jh. die Fragen nach der Rollenidentifikation des Schauspielers, nach dem künstler. Schaffensprozess (Nachahmung von Beobachtetem oder Einbildungskraft der Fantasie) im Zentrum.

Schausteller, Person, die gewerbsmäßig Jahrmärkte und Volksfeste mit ihrem der Unterhaltung und Belustigung dienenden Unternehmen beschickt, z. B. Schießbuden, Karussells, Zelte u. Ä. für Auftritte von Artisten und Zauberkünstlern, Tiermanegen. Für S. ist laut GewO (§ 55) eine Reisegewerbekarte erforderlich.

Schawlow [ˈʃɔːləʊ], Arthur Leonard, amerikan. Physiker, *Mount Vernon (N. Y.) 5. 5. 1921; seit 1961 Prof. an der Stanford University, erhielt für seine Beiträge zur Entwicklung der Laserspektroskopie 1981 zus. mit N. Bloembergen den Nobelpreis für Physik.

Schdanow, 1948–89 Name der ukrain. Stadt →Mariupol.

Schdanow, Andrei Alexandrowitsch, sowjet. Politiker, *Mariupol 26. 2. 1896, †Moskau 31. 8. 1948; seit 1934 Sekretär des ZK der KPdSU sowie Vors. der Leningrader Parteiorganisation, galt seither als Nachfolger Stalins; war maßgeblich an der Großen →Tschistka (1935–39) beteiligt; seit 1939 Mitgl. des Politbüros; bereitete 1940 die Annexion der balt. Staaten vor, organisierte die Verteidigung Leningrads 1941–44; legte Kunst und Wissenschaft auf eine bolschewist. Parteilichkeit fest; ab 1947 Leiter des Kominform.

Scheat [arab.], 1) der Stern β im Sternbild Pegasus; 2) der Stern δ im Sternbild Wassermann.

Schebbes, *Judentum:* →Kippah.

Schechtel [-x-], Fjodor Franz Ossipowitsch, russ. Architekt, *Sankt Petersburg 7. 8. 1859, †Moskau 7. 7. 1926; schuf mit Bauten wie der Villa Rjabuschinski (1900–02, heute Gorki-Museum) und dem Jaroslawler Bahnhof (1902) in Moskau russ. Varianten des Jugendstils; später Hinwendung zum Konstruktivismus.

Scheck (amerikan. Check, engl. Cheque), eine auf den Namen des Empfängers oder auf den Inhaber ausgestellte, übertragbare Anweisung an eine Bank zur Zahlung einer Geldsumme aus dem Guthaben des Ausstellers. In Dtl. wird das S.-Recht durch das S.-Gesetz vom 14. 8. 1933 geregelt. Der S. muss im Text der Urkunde die Bez. S. enthalten, ferner die unbedingte Anweisung auf eine bestimmte Geldsumme, den Namen der bezogenen Bank, Tag und Ort der Ausstellung und die Unterschrift des Ausstellers. Beim **Inhaber-S.** (in Dtl. überwiegend) wird keine bestimmte Person als Empfänger bezeichnet oder der Nennung einer solchen der Zusatz »oder Überbringer« beigefügt. Dieser S. wird als →Inhaberpapier formlos übertragen. Nennt der S. als Empfänger eine bestimmte Person ohne Überbringerklausel **(Namens-S.),** ist er →Orderpapier. Durch Vermerk »nicht an Order« kann er ein →Rektapapier **(Rekta-S.)** werden. Ein im Inland ausgestellter S. ist binnen acht Tagen zur Zahlung vorzulegen. Die bezogene Bank ist nur dem Aussteller gegenüber zur Einlösung verpflichtet; dem Inhaber gegenüber besteht eine solche Pflicht auch bei Deckung nicht. Wird der rechtzeitig vorgelegte S. nicht eingelöst (anders bei einem →Eurocheque, der bis 400 DM immer eingelöst werden muss), kann Rückgriff gegen den Aussteller oder einen Indossanten auf Zahlung genommen werden. Voraussetzung dafür ist die Beurkundung (→Protest) oder bankmäßige Bescheinigung der Nichteinlösung. Bei einem **Verrechnungs-S.** mit der Klausel »nur zur Verrechnung« (in der Praxis häufig nur zwei parallele schräge Striche in der oberen linken Ecke des S., dann »gekreuzter S.« gen.) darf der Betrag nicht bar ausgezahlt (ansonsten **Bar-S.**), sondern muss einem Konto des Empfängers gutgeschrieben werden. Ein S. kann erst nach Ablauf der Vorlegungsfrist widerrufen werden. Ist ein S. abhanden gekommen, kann er vor Ablauf der Vorlegungsfrist gesperrt und im Aufgebotsverfahren (→Aufgebot) für kraftlos erklärt werden. Der sich seit dem 19. Jh. von England verbreitende S. ist von grundlegender Bedeutung für den bargeldlosen Zahlungsverkehr. – Das *österr.* (S.-Gesetz von 1955) und das *schweizer.* S.-Recht (in den Art. 1100–1144 OR mit wenigen Abweichungen geregelt) folgen den gleichen Grundsätzen wie das dt. Recht.

📖 WAIDELICH, B.: *Wechsel u. S. Stuttgart u. a.* ^{3}*1995.* – HEFERMEHL, W.: *Wechselgesetz u. Scheckgesetz. München* ^{20}*1997.*

Schecke (Hänslein), in der Männerkleidung der 2. Hälfte des 14. Jh. eng taillierter, halb- bis dreiviertellanger Leibrock, meist mit Hüftgürtel (Dusing) getragen.

Schecken, Bez. für gescheckte Tiere, Rassen oder Rassengruppen der Haussäugetiere.

Scheckenfalter, Gattungsgruppe bis 4,5 cm spannender Tagfalter, Flügel oberseits rotgelb mit schwarzer Gitterzeichnung.

Scheckkarte, von kontoführenden Geldinstituten ausgestellte Ausweiskarte, die garantiert, dass der vorgelegte Scheck unter bestimmten Voraussetzungen bis zu einem garantierten Höchstbetrag (400 DM beim Eurocheque) vom bezogenen Geldinstitut eingelöst wird.

Schede, Paul, nlat. Dichter, →Melissus.

Schedel, Hartmann, Arzt, Humanist und Geschichtsschreiber, *Nürnberg 13. 2. 1440, †ebd. 28. 11. 1514; seit 1466 Stadtarzt in Nürnberg, wo er 1482 Mitgl. des Größeren Rats wurde. S. verfasste eine berühmte Weltchronik **(Schedelsche Weltchronik)** in aufwendiger Druckausgabe (mehr als 1800 Holzschnitte, u.a. 32 reale Stadtansichten; 1493, lat. und dt.).

Schedir [arab.], Stern 2. Größe, α im Sternbild Kassiopeia.

Scheel, 1) Mildred, Röntgenfachärztin, *Köln 31. 12. 1932, †ebd. 13. 5. 1985, seit 1968 ⚭ mit 2); war Initiatorin und Vorstands-Mitgl. (ab 1979 Präs.) der 1974 gegr. »Dt. Krebshilfe e. V.«.

Walter Scheel

2) Walter, Politiker (FDP), *Solingen 8. 7. 1919, ⚭ mit 1); Wirtschaftsberater, 1953–74 MdB, 1961–66 Bundesmin. für wirtsch. Zusammenarbeit, 1967–69 Vizepräs. des Dt. Bundestags, 1968 bis 1974 Vors. der FDP, 1969–74 Außenmin. und Vizekanzler; beteiligte sich maßgeblich an der Bildung der sozialliberalen Koalition und deren Ostpolitik. 1974–79 war er Bundespräsident.

Scheele, Carl (Karl) Wilhelm, schwed. Chemiker dt. Herkunft, *Stralsund 9. 12. 1742, †Köping (Västmanland) 21. 5. 1786; einer der bedeutendsten Chemiker des 18. Jh.; entdeckte unabhängig von J. Priestley 1771/72 den Sauerstoff, ferner Chlor, Blau-, Wein- und Milchsäure sowie Glycerin.

Scheelit [nach C. W. Scheele] *der,* tetragonales Mineral der chem. Zusammensetzung $CaWO_4$; Mohshärte 4,5–5, Dichte 5,9–6,1 g/cm^3; grau, gelb oder braun, fett-, z. T. diamantglänzend, tafelig oder krustenförmig; wichtiges Wolframerz.

Scheelit: braune Scheelitkristalle auf Quarz

Scheer, Reinhard, Admiral, *Obernkirchen 30. 9. 1863, †Marktredwitz 26. 11. 1928; seit 1916 Chef der Hochseeflotte, die er in der Seeschlacht vor dem Skagerrak (1916) führte.

Scheerbart, Paul, Schriftsteller, *Danzig 8. 1. 1863, †Berlin 15. 10. 1915; schrieb Gedichte, fantast.

Victor von Scheffel (zeitgenössische Lithographie)

Georges Schehadé

Philipp Scheidemann

Erzählungen; seine skurril-utop. Visionen weisen auf Dadaismus und Surrealismus hin (»Ich liebe dich! Ein Eisenbahnroman mit 66 Intermezzos«, R., 1897).

Scheffel, altes dt. Hohlmaß, zw. 23 und 222 l.

Scheffel, Josef Victor von (seit 1876), Dichter, *Karlsruhe 16. 2. 1826, †ebd. 9. 4. 1886; anfangs Gerichtsbeamter, später Archivar und Bibliothekar im Schloss zu Donaueschingen. Seine Schriften sind u.a. gekennzeichnet durch freiheitl. Gesinnung und romant. Naturfreude. Bekannt wurden sein Versepos »Der Trompeter von Säckingen« (1854) und sein Roman »Ekkehard« (1855). S. verfasste viele Studentenlieder (»Gaudeamus«, 1868).

Scheffler, Johann, Dichter, →Angelus Silesius.

Schehadé [ʃəa'de], Georges, libanes. Schriftsteller frz. Sprache, *Alexandria (Ägypten) 2. 11. 1910, †Paris 18. 1. 1989; lebte seit 1976 in Paris; seine Dramen sind lyrisch, surrealistisch-traumhaft, absurd: »Sprichwörterabend« (1954), »Die Reise« (1961), »Die Auswanderer« (1965) u.a.; schrieb auch surrealist. Lyrik und Romane.

Scheherazade [-'zadə] (Scheherezade), die Märchenerzählerin in →Tausendundeiner Nacht.

Scheibe, Richard, Bildhauer, *Chemnitz 19. 4. 1879, †Berlin (West) 6. 10. 1964; gestaltete v.a. Aktfiguren von lyr. Ausdruck, auch Porträts sowie Ehrenmale.

Scheibenbäuche (Cyclopteridae), Familie etwa 10–50 cm langer Knochenfische in nördl. Meeresregionen; Bauchflossen fast stets zu einer breiten Saugscheibe verwachsen.

Scheibenblumengewächse (Cyclanthaceae), Familie der Einkeimblättrigen im trop. Amerika; Milchsaft führende Kräuter oder Stauden mit kolbenähnl. Blütenständen, z.B. die →Kolbenpalme.

Scheibenfinger, eine Art der →Haftzeher.

Scheibenhantel, →Hantel.

Scheibenpilze, Gruppe der Schlauchpilze.

Scheibenquallen (Schirmquallen, Scyphozoa), Klasse meeresbewohnender Nesseltiere; meist mit Generationswechsel zw. festsitzendem **Polyp** und frei schwimmender **Qualle** oder **Meduse.** Aus den Eiern entstehen frei schwimmende Wimperlarven, die sich festsetzen und zu einem Polypen entwickeln. Sein mit Tentakeln bewehrtes Mundende schnürt sich ringförmig ab und bildet so durch Sprossung eine junge Meduse. Die geschlechtsreifen Medusen sind meist pilzhutförmig oder scheiben- bis glockenförmig. Auf der Innenseite des Schirmes liegt der Mund. Zu den S. gehören Becher-, Wurzelmund- und Fahnenquallen.

Scheibenröhre, eine Elektronenröhre mit scheibenförmigen Elektroden, die zur Verringerung von Laufzeiteffekten in sehr kleinem Abstand voneinander angeordnet sind; die S. dient zum Erzeugen oder Verstärken von Dezimeterwellen und kann als Senderöhre in UHF-Fernsehsendern eingesetzt werden.

Paul Scheerbart: Federzeichnung von Oskar Kokoschka (1915)

Scheibenzüngler (Discoglossidae), Familie der →Froschlurche mit großflächig am Mundboden festgewachsener Zunge, die nicht vorstreckbar ist; in Europa: →Geburtshelferkröte und →Unken.

Scheich [arab. »Ältester«] *der,* urspr. das Oberhaupt eines arab. Stammesverbandes; seit dem 13. Jh. auch Titel des geistl. und weltl. Oberhaupts einer religiösen Bruderschaft; wurde später zum Ehrentitel der islam. Geistlichen u.a. Personen mit theolog. Bildung; ihn führen auch die arab. Dorfältesten und die Oberhäupter eines islam. Herrschaftsgebiets **(Scheichtum).**

Scheide, 1) *Anatomie:* (Vagina) Teil der inneren weibl. Geschlechtsorgane; beginnt mit dem **S.-Gewölbe** und öffnet sich nach außen in den **Scheidenvorhof.**

2) *Botanik:* (Blatt-S.) der den Stängel umfassende Basisteil (Blattgrund) von Blättern (z.B. bei Gräsern).

3) *Waffenwesen:* schmales Behältnis aus Leder, Holz, Metall für Hieb- und Stichwaffen.

Scheidegg *die,* zwei Pässe im Berner Oberland, Schweiz: die **Große S.,** 1962 m ü.M., verbindet Meiringen mit Grindelwald, die **Kleine S.,** 2061 m, verbindet Grindelwald mit Lauterbrunnen.

Scheidemann, 1) Heinrich, Organist und Komponist, *Wöhrden (Kr. Dithmarschen) um 1596, †Hamburg Anfang 1663; einer der bedeutendsten Meister der norddt. Orgelschule; schrieb Orgelwerke und Lieder nach Texten von J. Rist.

2) Philipp, Politiker, *Kassel 26. 7. 1865, †Kopenhagen 29. 11. 1939; war 1903–18 MdR, seit 1913 einer der Führer der SPD-Fraktion im Reichstag; Okt.–Nov. 1918 Staatssekretär ohne Geschäftsbereich; rief am 9. 11. 1918 (→Novemberrevolution) die Republik aus, Nov. 1918–Jan. 1919 Mitgl. des Rats der Volksbeauftragten, 1918–20 Mitgl. der Nationalversammlung, danach bis 1933 MdR, Febr.–Juni 1919 MinPräs. der »Weimarer Koalition«; 1920–25 Oberbürgermeister von Kassel; ging 1933 ins Exil.

📖 GELLINEK, C.: *P. S. Eine biograph. Skizze. Köln u. a. 1994.*

Scheidemünze, → Münze.

Scheiden|entzündung (Vaginitis, Kolpitis), akute oder chron. Entzündung der Scheidenschleimhaut durch Krankheitserreger, z. B. Bakterien, Trichomonaden und Pilze (Candida), oder Östrogenmangel; Hauptsymptome sind Ausfluss, Juckreiz sowie Brennen am Scheideneingang.

Scheidenkatarrh (Knötchenseuche), bei Kühen eine meist beim Deckakt übertragene ansteckende Entzündung mit Knötchenbildung in der Scheide; kann zu Unfruchtbarkeit führen.

Scheidenkrampf (Vaginismus), Überempfindlichkeit des Scheideneingangs gegen Berührung mit der mögl. Folge eines Krampfes der Beckenbodenmuskulatur.

Scheidenmuscheln (Messermuscheln, Solenidae), Familie bis zu 20 cm langer Muscheln mit mehreren Arten im O-Atlantik, Mittelmeer und Schwarzen Meer; an europäischen Küsten z. B. die **Große Scheidenmuschel** (Solen vagina; Länge bis zu 12 cm); die Schalen ähneln einer Messerscheide.

Scheidenvorfall (Prolapsus vaginae), Hervortreten der Scheide vor die Vulva (meist durch Bindegewebsschwäche, v. a. nach mehreren Geburten, bei körperlich schwer arbeitenden Frauen); geringere Grade werden als **Scheidensenkung** (Descensus vaginae) bezeichnet.

Scheidewasser, → Salpetersäure.

Johann Hermann Schein: Holzschnitt aus dem 1609 in Wittenberg erschienenen »Venus Kräntzlein«

Scheidt, 1) Kaspar, Dichter, * um 1520, † Worms 1565; übertrug F. Dedekinds lat. Gedicht »Grobianus« (1549) in dt. Reimpaare (1551); schrieb »Lobrede von wegen des Meyen« (1551).

2) Samuel, Organist und Komponist, getauft Halle (Saale) 3. 11. 1587, † ebd. 24. 3. 1654; Schüler von J. P. Sweelinck in Amsterdam, ab 1620 Hofkapellmeister in Halle; war einer der bedeutendsten prot. Kirchenmusiker seiner Zeit und Meister der Variationenform in der weltl. und kirchl. Instrumentalmusik. Im Druck erschienen von ihm u. a. die Motetten »Cantiones sacrae« (1620), »Geistl. Concerten« (1631–40), eine Sammlung von Orgelwerken »Tabulatura nova« (1624), die in Dtl. erstmals in moderner Fünfnotenliniennotation erschienen, sowie »LXX Symphonien« (1644).

Scheidung, → Ehescheidung.

Schein, Johann Hermann, Komponist, * Grünhain (Kr. Aue-Schwarzenberg) 20. 1. 1586, † Leipzig 19. 11. 1630, dort seit 1616 Kantor der Thomaskirche. S. verband die mehrstimmige prot. Kirchenmusik mit den neuen italien. Stilformen (Monodie) und der Generalbassbegleitung. Seine viersätzigen Orchestersuiten bedeuten den Anfang selbstständiger dt. Instrumentalmusik. Bedeutsame weltl. Werke sind das »Venus Kräntzlein« (1609; Chorlieder und Instrumentalsätze), das »Banchetto musicale« (1617; 20 Variationssuiten) und die »Musica boscareccia« (1621, 1626, 1628; dreistimmige, italienisch beeinflusste dt. Lieder). Zur geistl. Musik gehören u. a. das »Cymbalum Sionium« (1615; dt. und lat. Motetten) und die »Opella nova« (1618–26; geringstimmige geistl. Konzerte mit Generalbass).

scheinbare Größe, der Sehwinkel, unter dem ein Objekt einem Beobachter erscheint. Aus der s. G. und dem Abstand vom Beobachter kann die wahre oder lineare Größe berechnet werden.

scheinbare Helligkeit, die Helligkeit, mit der ein kosm. Objekt dem Beobachter erscheint, gemessen in → Größenklassen.

Scheindolde (Trugdolde), Blütenstand, dessen Einzelblüten in einer Fläche stehen (wie bei der Dolde), aber nicht derselben Stelle entspringen.

Schein|eller (Klethra, Clethra), Gattung trop. und subtrop. Heidekrautgewächse mit weißen, duftenden Blüten in Trauben oder Rispen. Die Art **Clethra arborea** von den Kanar. Inseln wird in Gewächshäusern kultiviert.

Scheiner, 1) Christoph, Mathematiker, Physiker und Astronom, * Markt Wald (Kr. Unterallgäu) 25. 7. 1575, † Neisse (heute Nysa) 18. 6. 1650; wurde ebd. Vorstand des Jesuitenkollegs. S. erfand 1603 den Pantographen (Storchschnabel), entdeckte 1611 unabhängig von J. Fabricius und G. Galilei die Sonnenflecken und bestimmte aus deren Beobachtung die Umdrehungszeit der Sonne; im »scheinerschen Versuch« wies er die Akkomodation des Auges nach.

2) Julius, Astrophysiker, * Köln 25. 11. 1858, † Potsdam 20. 12. 1913; arbeitete bes. auf dem Gebiet der Spektroskopie, erfand das Universalsensitometer, das die Empfindlichkeit fotograf. Schichten in (heute veralteten) **S.-Graden** misst.

Scheidenmuscheln: Große Scheidenmuschel (Länge bis zu 12 cm)

Samuel Scheidt (Kupferstich aus »Tabulatura nova«, 1624)

Christoph Scheiner (Ausschnitt eines zeitgenössischen Gemäldes)

Scheinfeld, Stadt im Landkreis Neustadt a.d. Aisch-Bad Windsheim, Bayern, im Steigerwald, 4800 Ew. – Schloss Schwarzenberg (1607–16 aus einer mittelalterl. Burg entstanden) mit Archiv 1948–89 verbotener tschech. und slowak. Literatur. – 796 erstmals erwähnt; 1405 Stadt.

Scheinfeld: Das 1607–16 aus einer mittelalterlichen Burg im Renaissancestil entstandene Schloss Schwarzenberg beherbergt ein Archiv für tschechische und slowakische Literatur, die 1948–89 nicht erscheinen durfte

Scheinfrucht, *Botanik:* → Frucht.

Scheinfüßchen, das → Pseudopodium.

Scheingeschäft (simuliertes Geschäft), ein von beiden Vertragsteilen nur zum Schein, also ohne Rechtsbindungswillen geschlossenes Geschäft; es ist nichtig. Wird durch ein S. ein anderes Rechtsgeschäft verdeckt, so finden die für das verdeckte Rechtsgeschäft geltenden Vorschriften Anwendung (§117 BGB). Keine S. sind Umgehungsgeschäfte oder Strohmanngeschäfte. Dasselbe gilt in *Österreich* (§916 ABGB) und der *Schweiz* (Art. 18 OR).

Scheingewinn, fiktiver Gewinn, der in Zeiten sinkenden Geldwertes als Differenz zw. niedrigerem Einkaufswert und höherem Wiederbeschaffungswert der Wirtschaftsgüter entsteht; im Steuerecht als echter Gewinnanteil behandelt. Da die S.-Besteuerung zu einer Vermögensminderung führt, ist in Dtl. die Bildung einer gewinnverlagernden Preissteigerungsrücklage erlaubt.

Scheinleistung, *Elektrotechnik:* Produkt aus den Effektivwerten von Stromstärke und Spannung bei Wechselstrom; Einheit Voltampere (VA).

Scheinleitwert (Admittanz), der Kehrwert des komplexen Widerstands im Wechselstromkreis.

Scheinmohn (Meconopsis), Gattung der Mohngewächse. Die westeurop. gelb blühende Art **Meconopsis cambrica** (bis zu 30 cm hoch) blüht von Juni bis Oktober und wird seit 1640 kultiviert.

Scheinmohn: Meconopsis cambrica (Höhe bis zu 30 cm)

Scheinproblem, Grundbegriff des antimetaphysisch orientierten → logischen Empirismus. Sätze der Metaphysik – über Gott, die Freiheit, Unsterblichkeit, das Nichts usw. – drücken S. aus, weil sich keine Bedingungen und Verfahren für ihre Verifizierung angeben lassen.

Scheintod, hochgradige Reduzierung der Stoffwechselprozesse eines lebenden Organismus, z.B. infolge starker Unterkühlung oder Schlafmittelvergiftung.

📖 KOCH, T.: *Lebendig begraben. Geschichte u. Geschichten vom S. Leipzig 1990.* – SCHÄFER, S.: *S. Auf den Spuren alter Ängste. Berlin 1994.*

Scheinträchtigkeit, hormonale Erkrankung der Hündin, bei der ohne vorangegangene bzw. bestehende Trächtigkeit Anzeichen einer Laktation vorhanden sind und eine Veränderung des Wesens zu beobachten ist; tritt v.a. bei Hündinnen kleiner und mittelgroßer Rassen auf, i. Allg. 4–8 Wochen nach der Läufigkeit.

Scheinwerfer, Leuchte, die durch scharfe Bündelung von Lichtstrahlen hohe Beleuchtungsstärke in einer Richtung erzeugt. Ein S. enthält in einem Gehäuse Lichtquelle, Reflektor, Abschlussscheibe und für Sonderzwecke (Marine, Bühne) Verdunklungsvorrichtungen (Blende) und Farbfilter. Als Lichtquelle dienen z.B. Spezial- und Halogenglühlampen, Höchstdruck-Quecksilberdampflampen und Xenonhochdrucklampen. Der Reflektor ist ein meist parabol. Hohlspiegel, in dessen Brennpunkt sich die Lichtquelle befindet. Die Abschlussscheibe ist aus Klarglas oder, falls eine bestimmte Streuung gewünscht wird, aus Riffelglas.

Scheinwiderstand (Impedanz), komplexer Widerstand im Wechselstromkreis; SI-Einheit: Ohm (Ω); Kehrwert ist der Scheinleitwert.

Scheitel, 1) *Anatomie:* (Vertex) Spitze eines Organs; höchstgelegener, mittlerer Teil des Kopfes.

2) *Baukunst:* der höchste Punkt eines Bogens oder Gewölbes.

3) *Geologie:* der äußerste Teil der Biegung einer Sattelfalte.

4) *Geometrie:* a) ein Punkt einer Kurve oder Fläche, in der die Krümmung extremal wird; b) der Schnittpunkt der beiden Schenkel eines Winkels.

Scheitel|auge (Parietalauge), bei versch. Reptilien unter der (lichtdurchlässigen) Haut und dem **Scheitelloch** des Schädels nach oben gerichtetes, unpaares, ausgestülptes Blasenauge mit Linse, Glaskörper und Sehzellen; kann noch Helligkeit wahrnehmen.

Scheitelbein, paariger Knochen des → Schädels.

Scheitelfaktor, bei einer Wechselgröße (z.B. Wechselspannung) der Quotient aus Scheitelwert und Effektivwert.

Scheitelpunkt, der → Zenit.

Scheitelwert, der größte Augenblickswert einer Wechselgröße; bei einer Sinusgröße die **Amplitude.**

Scheitelzelle, eine bes. teilungsfähige (meristemat.) Zelle bei Algen, Moosen und Farnen.

Scheki, Stadt in Aserbaidschan, → Şäki.

Schelde [niederländ. 'sxɛldə] *die* (frz. Escaut), Hauptfluss Mittelbelgiens, 430 km lang, entspringt in Frankreich nördlich von Saint-Quentin und mündet in mehreren Armen, die mit der Maas verbunden sind, in den Niederlanden in die Nordsee. Die S. ist fast von ihrer Quelle an schiffbar. Von den beiden Hauptarmen ist die **Westerschelde** bis Antwerpen internat. Seeschifffahrtsstraße, die **Oosterschelde** durch einen Damm gesperrt.

Scheler, Max, Philosoph, * München 22. 8. 1874, † Frankfurt am Main 19. 5. 1928; Prof. in Köln und in Frankfurt; schloss sich der Phänomenologie E. Husserls an und entwickelte in Abhebung von der formalen Ethik Kants eine materiale Wertethik, in deren Mittelpunkt das aprior., intuitive Werterfassen durch die Person steht. S. gehört zu den Mitbegründern der Wissenssoziologie und (neben H. Plessner) der Anthropologie.

Werke: Der Formalismus in der Ethik und die materiale Wertethik (1913–16, 2 Tle.); Vom Ewigen im Menschen (1921); Die Wissensformen und die Gesellschaft (1926); Die Stellung des Menschen im Kosmos (1928); Philosoph. Weltanschauung (1929).

Schellenbaum aus Deutschland (19. Jh.; Nürnberg, Germanisches Nationalmuseum)

📖 MADER, W.: *M. S. Reinbek 12.–13. Tsd. 1995.* – NOTA, J. H.: *M. S. Der Mensch u. seine Philosophie. A. d. Engl. Fridingen an der Donau 1995.*

Schelew, Schelju, bulgar. Politiker, * Wesseliniwo (Bez. Schumen) 3. 3. 1935; Philosoph; 1964 Ausschluss aus der KP; 1989–90 Vors. der oppositionellen »Union der Demokrat. Kräfte« (UDK), war 1990–97 Staatspräsident.

Schelju Schelew

Schelf [engl.] *der* und *das* (Festlandsockel), *Geographie* und *Geologie:* der vom Meer überspülte Saum der Kontinente (rd. 7,5 % des Meeresbodens) bis etwa 200 m Tiefe, in der die S. mit scharfem Gefällknick in den Kontinentalabhang übergehen. **S.-Meere** sind z. B. die Nordsee und die Ostsee.

Beim **S.-Eis** handelt es sich um auf dem Land entstandenes Eis, das auf dem Meer über dem S. schwimmt. In der Antarktis ist eine Fläche von 1,54 Mio. km² von S.-Eis bedeckt. Die Dicke des S.-Eises beträgt am seewärtigen Rand 200–300 m, sie kann bis zur Küste auf 1000 m zunehmen; die Dicke ist durch Zustrom vom Festland, Streckung, Stauchung, Abschmelzen und Anfrieren bestimmt. Das S.-Eis fließt mit wenigen Kilometern pro Jahr seewärts. Am Schelfeisrand entstehen durch Abbruch Eisberge. Die größten Schelfeisvorkommen befinden sich im Rossmeer (Ross-Schelfeis) und im Weddellmeer (Filchner-Ronne-Schelfeis) in der Antarktis, kleinere Vorkommen gibt es in der Arktis. Der S. ist der Bildungsraum des größten Teils der marinen Ablagerungen und Lagerstätten (v. a. Erdöl und Erdgas, oolith. Eisen- und Manganerze, Salze, Phosphorit, Schwermineral- und Edelsteinseifen). Seitdem Aufschluss- und Förderverfahren den Zugang zu den in den S.-Gebieten lagernden Rohstoffen erlauben, ist das wirtschaftspolit. Interesse an ihnen außerordentlich gestiegen (Nordsee, Golf von Mexiko u. a.).

Max Scheler

Staats- und Völkerrecht: Der S., nicht das darüber liegende hohe Meer, gehört zum Staatsgebiet des Uferstaates und unterliegt dessen Nutzungsrechten. Abgrenzung und Rechtsstatus des S. sind in der Seerechtskonvention von 1982 geregelt. Die Aufteilung des S. unter der Nordsee ist zusätzlich durch Verträge der Bundesrep. Dtl. von 1971 mit Dänemark, den Niederlanden und Großbritannien festgelegt. Innerstaatlich unterliegt die Ausbeutung der Bodenschätze des zu Dtl. gehörenden Teils des S. dem Bergrecht.

Maria Schell

Schell, **1)** Maria, schweizer. Schauspielerin, * Wien 15. 1. 1926, Schwester von 2); bes. im dt. Film der 1950er-Jahre erfolgreich: »Die letzte Brücke« (1953), »Die Ratten« (1955), »Rose Bernd« (1956), »Schinderhannes« (1958); auch Bühnen- und Fernsehrollen.

2) Maximilian, schweizer. Schauspieler, Regisseur, * Wien 8. 12. 1930, Bruder von 1); urspr. Büh-

Maximilian Schell

nenschauspieler und -regisseur; spielte im Film (»Das Urteil von Nürnberg«, 1961; »Das Schloß«, 1968; »Die Akte Odessa«, 1974; »Der Rosengarten«, 1989; »Justiz«, 1993); führte Regie u.a. in den Filmen »Der Richter und sein Henker« (1975), »Geschichten aus dem Wienerwald« (1978), »Marlene« (Film-Dokumentation, 1984).

Schellack [niederländ.], hartes, zähes, in Alkohol lösl. Harz, das aus dem Sekret der Lackschildlaus gewonnen wird. S. findet sich u.a. in Möbelpolituren, Isolierlacken und Siegellack.

Schellen, dem Karo entsprechende Farbe der dt. Spielkarte.

Schellenbaum (Halbmond), Rasselinstrument in Militärkapellen, eine Tragstange mit halbmondförmigen Metallaufsätzen, an denen Glöckchen, Schellen und Rossschweife hängen. Der S. kam aus der türk. Janitscharenmusik im 16. Jh. nach Europa. BILD S. 251

Schellenten (Männchen, Größe etwa 45 cm)

Schell|enten (Bucephala), Gattung der Entenvögel an Binnengewässern. Die Erpel der heim. S. (Bucephala clangula), etwa 45 cm lang, haben einen grün schillernden schwarzen Kopf und Vorderhals sowie einen weißen Fleck vor dem Auge; sie erzeugen im Flug mit den Handschwingen ein klingendes Geräusch.

Schellentracht, die um 1400 verbreitete Mode, die Kleidung mit Glöckchen (Schellen) zu besetzen; erhalten in der Narrentracht.

Schellentrommel, →Tamburin.

Schellfische (Länge bis zu 1 m)

Schellfische (Dorsche, Gadidae), Familie der Dorschartigen, mit lang gestrecktem Körper, 1–3 Rückenflossen, einer oder zwei Afterflossen und meist einem Bartfaden am Kinn. Die meisten S. leben in kalten oder gemäßigten Meeren und sind beliebte Speisefische, z.B. der **Schellfisch** (Melanogrammus aeglefinus), bis zu 1m lang und 10–12 kg schwer.

Schelling, 1) Caroline von, Schriftstellerin, *Göttingen 2. 9. 1763, †Maulbronn 7. 9. 1809, ⚭ mit 2); Tochter des Orientalisten J. D. Michaelis. Sie ging 1792 nach Mainz, wo sie, beeinflusst von J. G. A. Forster, der mit der revolutionären frz. Besatzungsmacht sympathisierenden Partei nahe trat; deswegen 1793 in Königstein im Taunus gefangen gesetzt; 1796 Heirat mit A. W. Schlegel, 1803 Scheidung und Heirat mit F. W. J. von Schelling. Ihr Haus war Mittelpunkt der Geselligkeit des frühromant. Jenaer Kreises; neben ihrem Anteil an A. W. Schlegels Werk eigene Besprechungen literar. Werke; bed. Briefwechsel.

Helmut Schelsky

Caroline von Schelling (Ausschnitt eines Gemäldes von Johann Friedrich August Tischbein, 1789) und **Friedrich von Schelling** (Zeichnung von Franz Krüger, 1844)

2) Friedrich Wilhelm Joseph von, Philosoph, *Leonberg 27. 1. 1775, †Bad Ragaz 20. 8. 1854, 1803–09 ⚭ mit 1); studierte, mit Hegel und Hölderlin befreundet, im Tübinger Stift, wurde 1798 durch Vermittlung Goethes als Prof. nach Jena berufen und war dort eng mit dem Kreis der Romantiker verbunden. 1803 nahm er einen Ruf nach Würzburg an. Nach 1806 wirkte er in München, 1820–26 in Erlangen, wurde 1827 Prof. in München, 1841 in Berlin. – S.s Philosophie bildet kein einheitliches System. Vielmehr bemühte sich S. in mehreren aufeinander folgenden Phasen um eine endgültige Fassung der ihn bewegenden Fragen. Von Fichte ausgehend, entwarf der junge S. nach natur- und kunstphilosoph. Ansätzen auf der Suche nach dem Unbedingten ein System des absoluten Idealismus, das Geist und Natur, Subjekt und Objekt als im Absoluten ununterschieden (»indifferent«) und nur in der Entwicklung des Absoluten zu Gegensätzen »auseinander gelegt« darstellt (Identitätsphilosophie). Das Naturgeschehen sieht S. als einen dialekt. Prozess des Werdens in einer dynam. Stufenfolge an. Sein Spätwerk (Philosophie der Mythologie und der Offenbarung) ist gekennzeichnet durch die Voraussetzung der absoluten Transzendenz Gottes und den Gedanken der Selbstbegrenzung der menschl. Vernunft. – S.s Einfluss erstreckt sich auf die Naturphilosophie,

Scheltopusik: Die bis zu 1,4 m lange Panzerschleiche lebt im lichten Unterholz, auf Wiesen und Feldern

die russ. Religionsphilosophie (W. S. Solowjow), die Anthropologie und Psychologie (A. Schopenhauer, F. Nietzsche, S. Freud, M. Scheler), die Existenzphilosophie, die Lebensphilosophie und den dialekt. Materialismus E. Blochs.

Werke: Ideen zu einer Philosophie der Natur (1797); Von der Weltseele (1798); System des transcendentalen Idealismus (1800); Philosoph. Untersuchungen über das Wesen der menschl. Freiheit ... (1809); Philosophie der Mythologie (1842); Philosophie der Offenbarung (2 Bde., hg. 1858).

📖 KIRCHHOFF, J.: *F. W. J. von S. Reinbek 1994.* – FRANK, M.: *Eine Einf. in S.s Philosophie. Frankfurt am Main* ^{2}*1995. – S.s Weg zur Freiheitsschrift. Legende u. Wirklichkeit, hg. v.* H. M. BAUMGARTNER *u.* W. G. JACOBS. *Stuttgart 1996.*

Schelmenroman (pikaresker Roman, Picaroroman), aus Spanien kommende Romangattung, die im Unterschied zum idealistisch-fantast. Ritterroman realistisch das Leben spitzbüb. Schelme (span. »pícaros«), Landstreicher und Glücksritter schildert. Der S. ging von dem anonymen →Lazarillo de Tormes (1554) aus; es folgten »Das Leben des Guzmán von Alfarache« von M. Alemán (1599–1604), »Der abenteuerl. Buscón« von F. G. de Quevedo y Villegas (1626), in Frankreich u.a. »Gil Blas von Santillana« von A. R. Lesage (1715–35), in Dtl. »Der Landzstörtzer Gusman von Alfarache« von Aegidius Albertinus (1615; basierend auf Alemáns »Guzmán«), J. J. C. von Grimmelshausens »Der Abentheurliche Simplicissimus Teutsch« (1669). An die Tradition des S. knüpften später in Dtl. T. Mann (»Bekenntnisse des Hochstaplers Felix Krull«, 1954), G. Grass (»Die Blechtrommel«, 1959) und E. Strittmatter »Der Wundertäter« (1957–80) an; in jüngerer Zeit tragen v.a. Werke jüdisch-amerikan. Autoren Züge des Schelmenromans.

📖 *Pikarische Welt. Schriften zum europ. S., hg. v.* H. HEIDENREICH. *Darmstadt 1969.* – BAUER, M.: *Der S. Stuttgart u. a. 1994.*

Schẹlsky, Helmut, Soziologe, *Chemnitz 14. 10. 1912, †Münster 24. 2. 1984; Prof. u.a. in Münster; Arbeiten zur Soziologie bes. der Jugend und der Familie und zur Bildungsreform; Kritiker marxist. Theorien. – *Werke:* Wandlungen der dt. Familie in der Gegenwart (1953); Die skept. Generation (1957); Die Arbeit tun die anderen. Klassenkampf und Priesterherrschaft der Intellektuellen (1975); Politik und Publizität (1983).

Scheltopụsik [russ.] *der* (Ophisaurus apodus), bis zu 1,4 m lange Art der Panzerschleichen im Mittelmeerraum, mit stummelförmigen Resten der Hinterbeine, Vorderbeine fehlen.

Schemạ Ịsrael [hebr. »Höre, Israel!«] (Schema), jüd. Hauptgebet (nach den Anfangsworten von 5. Mose 6, 4); Bestandteil des tägl. Synagogengottesdienstes; Symbol des jüd. Monotheismus, jüd. Märtyrer- und Sterbegebet.

Schembartlauf: Darstellung aus einem Schembartbuch (um 1550; Nürnberg, Stadtbibliothek)

Schembartlauf [mhd. schem(e)bart »bärtige Maske«], spätmittelalterl. Fastnachtsaufzug der Nürnberger Patrizierfamilien, von 1449 an chronistisch verzeichnet; seit 1475 wurden Wagen mitgeführt; 1539 wegen Verspottung eines Geistlichen verboten. – Aus dem 16., 17. und 18. Jh. sind Stadtchroniken und Bilderhandschriften (Schembartbücher), die den S. beschreiben, erhalten.

Schembartlauf

Die Kostüme der Schembartläufer waren einheitlich, wechselten jedoch jährlich, wobei die Gesichtsmasken gleich blieben. Daneben traten zum Teil auch Einzelgestalten wie Teufel, Narren, Heiden und bewaffnete Scheinboten (lasterhafte Boten) auf.
Von 1449 an ist das Patrizierfest in Chroniken verzeichnet, seit 1475 wurden Umzugswagen auf Kufen mit Jahr für Jahr wechselnden Darstellungen mitgeführt. Diese »Höllenbauwerke« dienten der Veranschaulichung christlicher Vorstellungen von der Hölle und waren mit Symbolen der Sündhaftigkeit ausgestattet, z. B. mit Glücksrad, Seelenfresser, Narrenschiff oder Höllenszenen. Zuletzt wurde die Hölle zum Zeichen der Abkehr vom sündhaften Leben zerstört und verbrannt.
1539 wurde der Schembartlauf verboten, nachdem sich ein evangelischer Prediger durch seine Darstellung auf einem von Teufeln besetzten Schiff verspottet gesehen hatte. Aus dem 16., 17. und 18. Jahrhundert sind Stadtchroniken und etwa 80 Bilderhandschriften, die den Schembartlauf beschreiben, sowie Gedichte von Hans Sachs erhalten. In nationalsozialistischer Zeit wurde der Schembartlauf zur Unterstützung des geforderten germanischen Kulturbewusstseins wieder belebt.

Max von Schenkendorf (Stahlstich nach einer zeitgenössischen Zeichnung)

Schemenlaufen [mhd. schem(e) »Fastnachtsmaske«], Maskenumzug, noch lebendig in Imst in Tirol (etwa alle vier Jahre).

Schẹmnitz, Stadt in der Slowak. Republik, → Banská Štiavnica.

Schẹngener Abkommen, internat. Abkommen zw. einigen Mitgl.staaten der EG über den schrittweisen Abbau der Grenzkontrollen sowie über eine gemeinsame Sicherheits- und Asylpolitik; benannt nach dem luxemburg. Ort Schengen, in dem am 14. 6. 1985 zw. Belgien, der Bundesrep. Dtl., Frankreich, Luxemburg und den Niederlanden die Vereinbarung geschlossen wurde, ab 1. 1. 1991 (der Termin konnte nicht eingehalten werden) auf Personen-, Waren- und Fahrzeugkontrollen an den gemeinsamen Grenzen zu verzichten. Näheres regelt das Schengener Durchführungsübereinkommen (SDÜ) vom 19. 6. 1990 (»Schengen II«), dem auch Griechenland, Italien, Österreich, Portugal und Spanien beitraten, das aber erst am 26. 3. 1995 und nicht in allen Vertragsstaaten in Kraft getreten ist. Diese Zusatzvereinbarung sieht Maßnahmen zur Gewährleistung der inneren Sicherheit und zur Verbrechensbekämpfung (bes. der Drogenkriminalität) nach Wegfall der Grenzkontrollen sowie die Einrichtung eines gemeinsamen polizeil. Fahndungs- und Informationssystems in Straßburg vor.

Schenjang, Stadt in China, → Shenyang.

Schẹnk (Schenck), Johann, österr. Komponist, * Wiener Neustadt 30. 11. 1753, † Wien 29. 12. 1836; schrieb u. a. volkstümlich-humorvolle Singspiele (»Der Dorfbarbier«, 1796), war kurze Zeit der Lehrer L. van Beethovens.

Hermann Scherchen

Schenkel, 1) *Anatomie:* oberer und unterer Abschnitt der hinteren Gliedmaßen der Wirbeltiere bzw. der unteren Gliedmaßen des Menschen.

2) *Geometrie:* → Winkel.

Schenkelhalsbruch, Knochenbruch im Bereich des Übergangs zw. Oberschenkelkopf und -schaft; die Heilungstendenz ist infolge unzureichender Blutversorgung schlecht. Die *Behandlung* erfolgt operativ durch Schenkelhalsnagelung, auch durch Endoprothese.

Wilhelm Scherer (Ausschnitt eines zeitgenössischen Holzstichs)

Schẹnkendorf, Max von, Lyriker, * Tilsit 11. 12. 1783, † Koblenz 11. 12. 1817; nahm am Freiheitskampf gegen Napoleon I. teil; schrieb volkstümlich gewordene patriot. (»Freiheit, die ich meine«) und religiöse, vom Karlsruher Kreis um H. Jung-Stilling beeinflusste Lieder.

Schẹnker, Friedrich, Komponist und Posaunist, * Zeulenroda 23. 12. 1942; 1964–82 Soloposaunist im Rundfunk-Sinfonieorchester Leipzig; Komponist expressiver Werke, u. a. »Michelangelo-Sinfonie« (1982), Kammeroper »Büchner« (1979), Funkoper »Dantons Tod« (1987), Sinfonie für zwei Streichorchester und Streichquartett (1994).

Schenkung, Vertrag über eine unentgeltl. Zuwendung, durch die jemand aus seinem Vermögen einen anderen bereichert. Die sofort vollzogene S. **(Hand-S.)** bedarf keiner besonderen Form. Für das **S.-Versprechen** ist dagegen notarielle Beurkundung vorgeschrieben. Der Formmangel wird durch Vollzug der S. geheilt. Widerruf der S. und Rückforderung des Geschenks ist bei grobem Undank des Beschenkten und bei nachträgl. Verarmung zulässig (§§ 516–534 BGB). Die **S. von Todes wegen** ist ein formbedürftiges S.-Versprechen unter der Bedingung, dass der Beschenkte den Schenker überlebt. – Das *österr.* (§§ 938–956 ABGB) und das *schweizer.* Recht (Art. 239–252 OR) sind im Wesentlichen entsprechend.

Schenkungsteuer, → Erbschaftsteuer.

Schẹnk von Stauffenberg, → Stauffenberg.

Scheol [hebr.] *der, A. T.:* die Unterwelt (Ez. 32, 17–32). (→ Hölle)

Scherben *der, Keramik:* durch Brennen aus der Masse (Ton) entstandener keram. Werkstoff, der porös oder dicht gesintert sein kann.

Scherbengericht, der → Ostrakismos.

Scherbenkobalt, feinkörnig-dichte, schalige Massen des Minerals Arsen; auf Gängen mit Silber- und Kobalterzen.

Scherbẹtt [arab.] *der* oder *das,* → Sorbett.

Schẹrchen, Hermann, Dirigent, * Berlin 21. 6. 1891, † Florenz 12. 6. 1966; setzte sich bes. für die zeitgenöss. Musik ein; gründete 1954 ein elektroakust. Experimentalstudio in Gravesano (Schweiz); schrieb u. a. »Lb. des Dirigierens« (1929).

Scherenschnäbel: Schwarzmantelscherenschnabel (Größe bis zu 50 cm)

Schere, 1) *allg.:* Werkzeug mit zwei zueinander bewegl. Schneiden, die zum spanlosen Trennen oder Einschneiden von Stoffen streifend gegeneinander bewegt werden. Die Breite des Schneidspaltes muss dabei normalerweise kleiner sein als die Dicke des Materials. Die **Hand-S.** besteht aus zwei drehbar verbundenen Schenkeln mit angeschliffenen Schneiden (z. B. Blech-S. für kurze Schnitte, Durchlauf-S. für lange Schnitte, Loch-S. für runde Schnitte). Ortsfeste **Handhebel-S.** für Bleche oder dicke Papierlagen haben eine fest stehende und eine bewegl. Schneide (Obermesser). Zu den meist elektrisch angetriebenen **Maschinen-S.,** ebenfalls mit nur einer bewegl. Schneide, zählen die Tafel-S. zum Schneiden von Blechtafeln und die Parallel-S. zum Erzielen paralleler Blech-

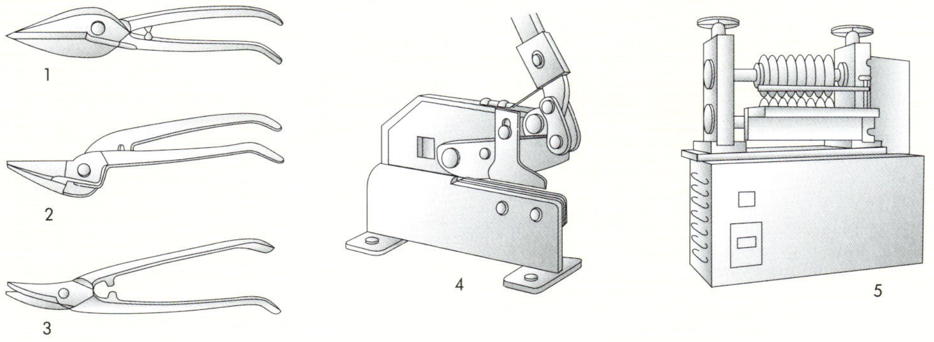

Schere 1): 1 Blechschere, 2 Durchlaufschere, 3 Lochschere, 4 Hebelschere, 5 Kreismesserschere

kanten. **Messer-S.** haben gerade, bogenförmige oder einem Profil angepasste Messer. Bei der **Rollen-S.** ist eine der Schneiden kreisförmig ausgebildet. **Kreismesser-S.** arbeiten mit rotierenden, kreisförmigen Messern und **Streifen-S.** mit nebeneinander liegenden Kreismessern. In Hüttenwerken werden Warmwalzerzeugnisse mit der **Warm-S.** geschnitten (Block-, Brammen- und Knüppel-S.). – Einfache S. aus Kupfer oder Bronze waren bereits den Ägyptern bekannt. In der La-Tène-Zeit kam die Bügel-S. mit federndem Bügel auf. In der röm. Kaiserzeit trat die zweigliedrige S. in der noch heute üblichen Form, im 14. Jh. die Scharnier-S. erstmals auf.

2) *Sport:* ein Element beim Turnen am Pauschenpferd, bei dem die seitwärts schwingenden, gestreckten Beine in der höchsten Lage ihre Position zum Gerät ändern.

3) *Zoologie:* Greifwerkzeug am vordersten Beinpaar mancher Krebstiere (z. B. Hummer) und an den Kiefertastern mancher Spinnentiere (z. B. Skorpion).

Scherenschnäbel (Rynchops), Gattung der Regenpfeifervögel mit drei Arten an Gewässern Afrikas (Braunmantelscherenschnabel, Rynchops flavirostris), S-Asiens (Halsbandscherenschnabel, Rynchops albicollis) und Amerikas (Schwarzmantelscherenschnabel, Rynchops niger). Die S. tauchen den den Oberschnabel weit überragenden Unterschnabel beim Beuteflug ins Wasser.

Scherenschnitt, → Schattenriss.

Sche̱rer, Wilhelm, Germanist, *Schönborn (heute zu Göllersdorf, Niederösterreich) 26. 4. 1841, † Berlin 6. 8. 1886; Prof. u. a. in Wien und Berlin. S. versuchte, sprachl. und literar. Erscheinungen nach dem Prinzip von Ursache und Wirkung zu erklären und (nach naturwiss. Vorbild) exakt zu beschreiben (»Geschichte der dt. Litteratur«, 1883).

Scherf, bis ins 15. Jh. (vorwiegend in N-Dtl.) Bez. für den Halbpfennig; sprichwörtlich für »kleinste Münze« **(Scherflein).**

Schẹrf, Henning, Politiker (SPD), *Bremen 31. 10. 1938; Verwaltungsbeamter, 1971 in die Bremer Bürgerschaft gewählt, seit 1978 in versch. Ressorts Mitgl. des Senats; wurde 1995 Bürgermeister und Senatspräsident.

Scheri̱f [arab. »erhaben«, »edel«] *der,* Titel der Nachkommen Mohammeds, die vom 10. Jh. bis 1924 in Mekka, seit dem 16. Jh. auch in Marokko herrschten.

Schermaus (Arvicola terrestris), maulwurfsgroße Wühlmaus Eurasiens mit dichtem, glänzendem Fell, die in flach unter der Bodenoberfläche verlaufenden Gängen lebt.

Schermaus: Die Schermaus wird bis zu 20 cm lang und kann in Kulturland schädlich werden

Paul Scherrer

Scherpilzflechte, die → Trichophytie.

Schẹrrer, Paul, schweizer. Physiker, *St. Gallen 3. 2. 1890, † Zürich 25. 9. 1969; seit 1920 Prof. an der Eidgenöss. TH Zürich, entwickelte mit P. Debye das → Debye-Scherrer-Verfahren.

Schẹrtenleib, Hansjörg, schweizer. Schriftsteller, *Zürich 4. 11. 1957; veröffentlicht seit 1981 Ge-

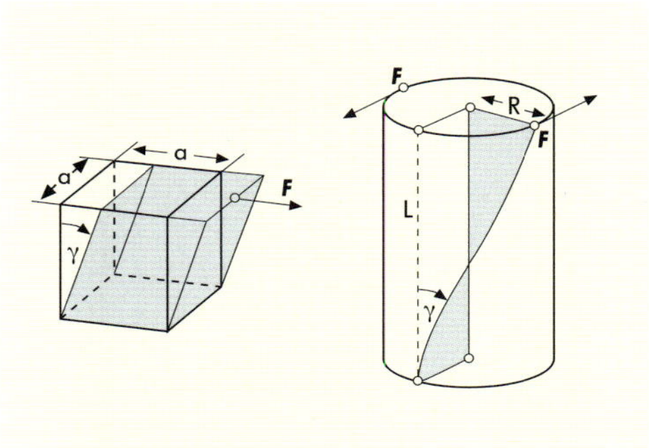

Scherung: Scherung eines Würfels mit der Seitenlänge a (links) und Torsion eines Zylinders mit der Länge L und dem Radius R

dichte, Hörspiele, Romane und Erzählungen, die sich durch fantasiereiche Bilder, atmosphär. Dichte und sprachl. Genauigkeit auszeichnen (»Der stumme Gast«, Ged., 1989; »November. Rost«, Ged., 1997; »Die Ferienlandschaft«, R., 1983; »Die Geschwister«, R., 1988; »Das Zimmer der Señora«, R., 1996).

Scherung (Schiebung, Schub), *Mechanik:* die Verformung eines (an seiner Grundfläche festgehaltenen) elast. Körpers ohne Volumenänderung durch tangential an den Ober- bzw. Seitenflächen angreifende Kräfte ***F***. Die dadurch im Innern des Körpers auftretende Schubspannung (Scherspannung) ist dem Scherungswinkel (der Scherung) γ proportional. Der Proportionalitätsfaktor wird durch den →Schubmodul angegeben, sein Kehrwert ist der Schubkoeffizient (Schubzahl). Ein Sonderfall der S. ist die Torsion eines Zylinders. Erreicht die Schubspannung bei einer bestimmten Beanspruchung ihren krit. Wert, beginnt der Werkstoff zu fließen (→Fließen); erreicht sie die Schubfestigkeit, so entsteht ein **Gleitbruch** (Abscheren des Werkstoffs), falls nicht schon vorher die größte Normalspannung die Trennfestigkeit erreicht hat **(Trennbruch).**

scherzando [skɛr-, italien.], musikal. Vortragsbezeichnung: scherzend.

Scherzgeschäft, nicht ernstlich gemeinte Willenserklärung, die in der Erwartung abgegeben wird, der Mangel der Ernstlichkeit werde erkannt; sie ist nichtig, verpflichtet aber zum Schadensersatz, wenn der andere auf die Gültigkeit der Erklärung vertraut hat (§§ 118, 122 BGB).

Scherzo ['skɛrtso; italien. »Scherz«] *das,* lebhaft bewegtes Musikstück von meist heiterer Grundhaltung in ³/₄- oder ³/₈-Takt, in der Form Hauptsatz-Trio-Hauptsatz, von L. van Beethoven anstelle des Menuetts in die Sonate (Sinfonie, Streichquartett) als 2. oder 3. Satz eingeführt; auch als selbstständiges Stück, meist für Klavier, z. B. von F. Chopin, J. Brahms.

Schesaplana *die* (Scesaplana), mit 2 965 m ü. M. der höchste Gipfel des Rätikons, über den die Grenze zw. Österreich (Vorarlberg) und der Schweiz (Graubünden) verläuft; auf der österr. Seite um den Lünersee (1970 m ü. M.) Naturschutzgebiet.

Scheuch, Erwin Kurt, Soziologe und Volkswirtschaftler, *Köln 9. 6. 1928; seit 1964 Prof. ebd., seit 1965 Direktor des Zentralarchivs für empir. Sozialforschung; Arbeiten zur vergleichenden Sozialforschung sowie zur Anwendung und Weiterentwicklung der Methoden der empir. Sozialforschung.

Scheuchzer, Johann Jakob, schweizer. Naturforscher, *Zürich 2. 8. 1672, †ebd. 23. 6. 1733; beschrieb fossile Pflanzen und Tiere, erforschte in geograph., mineralog., botan. und zoolog. Hinsicht das schweizer. Hochgebirge. S. schrieb das erste Werk über fossile Pflanzen (»Herbarium diluvianum«, 1709) und wurde damit zum Begründer der Paläobotanik.

Scheuerleiste, *Schifffahrt:* um Boote und kleine Schiffe laufendes, z. T. mit Flach- oder Halbrundeisen beschlagenes Holz zum Schutz beim An- und Ablegen.

Scheuermann-Krankheit [nach dem dän. Röntgenologen Holger Scheuermann, *1877, †1960] (Adoleszentenkyphose), im Jugendalter auftretende Verknöcherungsstörung der Brust- und Lendenwirbelsäule, bei der es durch Auflockerung der Wirbelabschlussplatten zu einer zunehmenden Rundrückenbildung kommt. *Behandlung* durch Krankengymnastik, Schwimmen, Bewegungsübungen, mitunter durch Anlegen eines speziellen Rumpfgipses und Korsetts.

Scheuklappe (Scheuleder), Sichtblende, seitlich am Kopfgestell (Zaum) des Kutschpferdes.

Johann Jakob Scheuchzer: Ausschnitt einer zeitgenössischen Radierung

Scheune (Scheuer), landwirtsch. Gebäude, in dem Getreide, Stroh, Heu u. a. aufbewahrt wird, meist mit zwei gegenüberliegenden Toren **(Hof-S.).** Der Raum zw. den Toren **(Tenne)** diente früher zum Be- und Entladen sowie zum Aufstellen der Dreschmaschine.

Scheveningen ['sxe:vənɪŋə], Seebad in den Niederlanden, Stadtteil von →Den Haag.

Schewardnadse, Eduard, georg. Politiker, *Mamati 25. 1. 1928; 1965–72 Innenmin. der Georg. SSR, 1972–85 1. Sekretär der dortigen KP; wurde 1985 Mitgl. des Politbüros der KPdSU. Als Außenmin. der Sowjetunion (1985–90 und Nov. bis Dez. 1991) beteiligte er sich maßgeblich an der außenpolit. Umsetzung der von M. Gorbatschow eingeleiteten Politik der Perestroika bes. in der Entspannungs- und Abrüstungspolitik; förderte die polit. Umwälzungen im Ostblock (1989–91), die Vereinigung Dtl.s und die Zusammenarbeit mit den Westmächten; 1990 Rücktritt und Austritt aus der KPdSU. Im Zuge der Annahme einer neuen Verfassung durch die Bevölkerung bei gleichzeitigen Präsidentschafts- und Parlamentswahlen am 5. 11. 1995 wurde der seit März 1992 als Staatsoberhaupt fungierende S. zum Staatspräs. Georgiens gewählt.

Schewtschenko, 1964–91 Name der kasach. Stadt →Aktau.

Taras Schewtschenko: Ausschnitt einer zeitgenössischen Radierung

Schewtschenko, Taras Hryhorowytsch (Grigorjewitsch), ukrain. Dichter und Maler, *Morinzy (Gebiet Tscherkassy) 9. 3. 1814, †Sankt Petersburg 10. 3. 1861; Leibeigener, 1838 freigekauft; 1847 Verbannung und Schreibverbot, 1857 begnadigt. S., der bedeutendste Dichter der Ukraine, hat die ukrain. Dichtung als eigenständige Nationalliteratur konstituiert. Seine volkstüml. Dichtung umfasst v.a. lyr., politisch-soziale und histor. Poeme und Balladen. Mit Werken zu Geschichte und Gegenwart der Ukraine galt er als Prophet und Märtyrer der nat. Sache und Unabhängigkeit. S. war auch ein bed. Maler, v.a. Porträts und Historienbilder, später auch Landschaften; zahlr. graf. Werke.

🕮 *Taras Ševčenko. Sein Leben u. sein Werk, hg. v.* J. Bojko *u. a. Wiesbaden 1965.*

Schia [arab. »Partei«] *die,* die Partei des vierten Kalifen, →Ali **(Schiat Ali),** die →Schiiten.

Schiaparelli [skja-], Giovanni Virginio, italien. Astronom, *Savigliano (Prov. Cuneo) 14. 3. 1835, †Mailand 4. 7. 1910; arbeitete über Meteore, bestimmte die Rotationszeit von Merkur und Venus und widmete sich bes. der Marsforschung. Die von ihm entdeckten Linien auf dem Mars (»Canali«) werden heute als opt. Täuschungen angesehen.

Eduard Schewardnadse

Schibam (Shibam), Stadt im Wadi Hadramaut, Jemen, 8 000 Ew.; Oasenwirtschaft. – Bed. südarab. Architektur mit etwa 500 auf engstem Raum zusammenstehenden, bis acht Stockwerke hohen Lehmhäusern (UNESCO-Weltkulturerbe).

Schibboleth [hebr. »Ähre«] *das, A. T.:* das Wort, an dessen anderer Aussprache ([s] statt [ʃ]) die Gileaditer die feindl. Ephraimiter erkannten (Ri. 12, 5 f); *bildungssprachlich:* Losungswort.

Schicht, 1) *Geologie:* durch Ablagerung (Sedimentation) entstandener plattiger Gesteinskörper von großer seitl., aber geringer senkrechter Ausdehnung.

2) *Soziologie:* (soziale S.) eine Gruppe von Menschen, die nach bestimmten sozialen Merkmalen (Ausbildung, Einkommen u. a., neuerdings auch Wohn- und Arbeitsbedingungen, Gesundheits- und Altersvorsorge) als ungefähr gleich eingeschätzt werden können. (→Schichtung)

Giovanni Schiaparelli

Schicht|arbeit, Aufteilung der Betriebszeit in einen Arbeitsturnus mit regelmäßig mehrmals täglich wechselnder Besetzung eines Arbeitsplatzes. S. wird im Zweischicht- (Früh- und Spätschicht) und Dreischichtsystem geleistet und kann aus techn. (z. B. Hochofenbetrieb), organisator. (durchgehende Dienstleistung) und wirtsch. (optimale Auslastung moderner Anlagen) Gründen erforderlich sein; i. d. R. mit tariflich oder durch Betriebsvereinbarung festgelegten Erholungszeiten verbunden. Sonderregelungen der S. gelten für Frauen, werdende und stillende Mütter sowie Jugendliche. Vom arbeitsmedizin. Standpunkt aus gesehen stellt die S. ein Gesundheitsrisiko dar.

Schichtenkunde, *Geologie:* die →Stratigraphie.

Schichtflut, bei Starkregen in sonst niederschlagsarmen Gebieten (trockene Subtropen, wechselfeuchte Tropen) flächenhaft abströmende, schlammbeladene Wassermassen mit beachtl. Abspülung von Lockermaterial.

Schichtgesteine, die →Sedimentgesteine.

Schichtgitter (Schichtstrukturen), Kristallgitter, in denen die chem. Einzelbausteine schichtenweise angeordnet sind; der Zusammenhalt ist innerhalb der Schichten stets stärker als zw. ihnen, z. B. bei Graphit.

Schichtladung (Ladungsschichtung), *Motorentechnik:* eine im Motor ansetzende Maßnahme, um unter Beibehaltung eines günstigen Kraftstoffver-

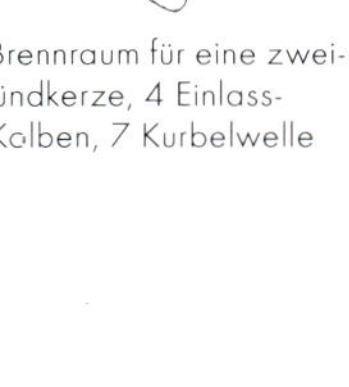

Schichtladung: Querschnitt durch einen Zylinder mit unterteiltem Brennraum für eine zweistufige Verbrennung; 1 Hauptbrennraum, 2 Nebenbrennraum, 3 Zündkerze, 4 Einlassventil für Nebenbrennraum, 5 Einlassventil für Hauptbrennraum, 6 Kolben, 7 Kurbelwelle

brauchs die Abgasemission von Ottomotoren zu verbessern. Da Kraftstoff-Luft-Gemische mit Luftüberschuss geringe schädl. Abgasanteile enthalten, werden solche mageren, nicht mehr zündfähigen Gemische getrennt von einem fetten Gemisch dem Brennraum des Zylinders in einer Art Schichtung zugeführt. Ziel der S. ist es, an der Zündkerze ein gut zündfähiges Kraftstoff-Luft-Gemisch (Nebenbrennraum) und im übrigen (Haupt-)Brennraum ein mageres Gemisch zu erzeugen (zweistufige Verbrennung). Bei Dieselmotoren stellen das Vorkammer- und das Wirbelkammerverfahren echte S.-Verfahren dar.

Schichtlücke, *Geologie:* Ausfall von geolog. Schichten in einem stratigraph. Verband infolge fehlender Sedimentation **(Sedimentationslücke),** Abtragung **(Erosionslücke)** oder tekton. Bewegungen **(Diskordanz).**

Schichtstoffe (Schichtpressstoffe, Laminate), Werkstoffe aus schichtweise angeordneten und mit einem Bindemittel (z.B. Phenolharz, Melaminharz) imprägnierten Bahnen aus organ. oder anorgan. Materialien (z.B. Papier, Pappe, Zellstoff, Gewebe mit organ. oder anorgan. Fasern; Furniere). Erzeugnisse aus S. sind Hartpapier-, Hartpappe-, Hartgewebeplatten und -rohre, die v.a. als Isoliermaterial, Träger für gedruckte Schaltungen und im Maschinenbau Verwendung finden.

Schichtstufe, *Geomorphologie:* Geländestufe, die innerhalb einer Folge schwach geneigter, unterschiedlich widerständiger Gesteinsschichten durch Abtragung entsteht. Die morphologisch härtere Schicht (**Stufenbildner,** z.B. Kalkstein, Sandstein) wird als Stufe herausmodelliert, die unterlagernde weichere Schicht (z.B. Ton, Mergel) weiträumig abgetragen. Der Steilabfall der S. wird **Stirn,** die Oberkante **Trauf,** die flache Abdachung zum Stufenrückland **Lehne** oder **Landterrasse** genannt. Ein isolierter Rest einer zurückverlegten S. ist ein →Zeugenberg. Ein Gebiet mit mehreren S. und Landterrassen wird als **S.-Landschaft** bezeichnet (z.B. →Schwäbisch-Fränkisches Schichtstufenland). Ist das Schichtpaket so stark geneigt, dass bei der Stufenbildung die Lehne nicht deutlich flacher ist als die Stufe selbst, spricht man von **Schichtkamm** oder **Schichtrippe** (z.B. im Niedersächs. Bergland).

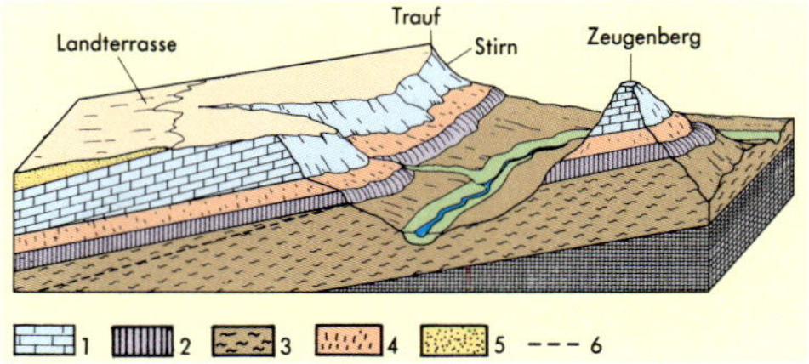

Schichtstufe: 1 harte (wasserundurchlässige) Kalke (Hauptstufenbildner), 2 weniger mächtige Kalkbank mit geringerer Stufenbildung, 3 und 4 mergelige Schichten, 5 junge Deckschichten, 6 Grundwasserspiegel

Christian Gottlieb Schick: »Heinrike Danneker« (1802; Stuttgart, Staatsgalerie)

Schichtung, 1) *allg.:* Aufbau in versch. Schichten; Gliederung, z.B. vertikale Verteilung meteorolog. Parameter in der Atmosphäre.

2) *Geologie:* die schichtenförmige Ablagerung (Sedimentation) bzw. Lagerung von Gesteinen, bes. von Sedimentgesteinen, von Tuffen u.a. pyroklast. Gesteinen. S. zeigt sich durch Änderung der Ablagerungsbedingungen, v.a. durch Wechsel des sich absetzenden Gesteinsmaterials oder durch Verfestigung einer Schicht vor Bildung der nächstjüngeren während einer Ablagerungspause.

3) *Soziologie:* (soziale S.) die Sicht einer Gesellschaft als vertikal aufgebaute Gesamtheit, wobei einzelne soziale Gruppen (Schichten) danach angeordnet sind, in welchem Maße sie durch gemeinsame Merkmale bezüglich sozialer (Chancen-)Gleichheit bzw. Ungleichheit bestimmbar sind. Menschen, deren Merkmale als ungefähr gleichwertig und gegenüber anderen Menschen als höher- oder geringwertig eingeschätzt werden, bilden eine soziale →Schicht. Im funktionalist. S.-Modell ist soziale S. das Ergebnis eines mit der modernen Gesellschaft einhergehenden Differenzierungs- und Spezialisierungsprozesses (Arbeitsteilung).

Schichtvulkan, der →Stratovulkan.

Schichtwolken, Form der →Wolken.

Schick, Christian Gottlieb, Maler, *Stuttgart 15. 8. 1776, †ebd. 7. 5. 1812; Vertreter des Klassizismus; ausgebildet in Paris, wo er 1798–1802 Schüler von J.-L. David war; in Rom (1802–11) verkehrte er im Kreis der Deutschrömer. Seine Porträts gehören zu den herausragenden Leistungen der dt. Kunst seiner Zeit.

Schickard, Wilhelm, Mathematiker, Theologe und Orientalist, *Herrenberg 22. 4. 1592, †Tübingen 23. 10. 1653; vielseitiger Gelehrter und Erfinder; konstruierte um 1623 die erste Rechenmaschine für die vier Grundrechenarten.

Schickele, René, elsäss. Schriftsteller, *Oberehnheim (Obernai) 4. 8. 1883, †Vence (Dép. Alpes-Maritimes) 31. 1. 1940; emigrierte während des 1. Weltkrieges in die Schweiz; ab 1914 Herausgeber der pazifist. Zeitschrift »Die weißen Blätter«; emigrierte 1932 erneut (nach Südfrankreich). S., einer der Wortführer des Expressionismus, gestaltete menschl. Schicksale zw. Völkern und Kulturen und kämpfte für eine europ. Kultureinheit. Er verfasste Romane (»Das Erbe am Rhein«, 3 Bde., 1925–31), Erzählungen, Dramen (»Hans im Schnakenloch«, 1915), Lyrik und Essays.

Schicksal, 1) das, was dem Menschen widerfährt; 2) die Macht, die den Lebensweg des Menschen lenkt, urspr. ein Hochgott, z. B. Allah, bzw. die Funktion einer dem Hochgott unterstellten Gottheit, z. B. der grch. Moiren, der röm. Fortuna, der german. Nornen; 3) die vom »Weltgesetz« oder der »Weltvernunft« gestiftete Ordnung.

Schickschuld, eine Schuld, die durch den Schuldner an den Gläubiger zu versenden ist, z. B. Geldschuld, Versendungskauf. Erfüllungsort ist der Wohnsitz des Schuldners.

René Schickele: Bleistiftzeichnung von Ludwig Meidner (1912)

Schiebebühne, brückenartige, in Querrichtung verschiebbare Plattform mit Gleis zum Umsetzen von Schienenfahrzeugen auf Parallelgleise.

Schieber, 1) *Tanz:* volkstümliche Bez. für den →Onestep.

2) *Technik:* Absperrorgan für Rohrleitungen, bei dem eine Platte oder ein Keil geradlinig und parallel zum im Rohr fest eingebauten Sitz bewegt wird und so den Durchfluss reguliert.

Schiedam: Die Kornbörse wurde 1786–92 im Louis-seize-Stil erbaut

Schieberegister (engl. Shiftregister), elektron. Schaltung aus mehreren →Flipflops, die so hintereinander geschaltet sind, dass bei einem Taktimpuls eine Stufe stets den Signalzustand ihres Vorgängers vor dem Takt annimmt. Bei jedem Taktimpuls verschiebt sich die im vorangehenden Flipflop gespeicherte Information (1 Bit) um eine Stelle weiter. S. werden zur Serien-Parallel-Umsetzung und als Speicherregister benutzt.

Schieblehre, ältere Bez. für →Messschieber.

Schied, karpfenartiger Fisch, →Rapfen.

Schiedam [sxi:'dam], Stadt in der Prov. Südholland, Niederlande, westlich von Rotterdam, 71 900 Ew.; Schiff-, Kran-, Stahl-, Fahrzeug-, Maschinenbau, Glas-, chem. Industrie, Geneverbrennereien, Herstellung von Seilen, Segeln und Flaggen; Hafenanlagen. – Altes Stadtbild mit spätgot. Sint-Janskerk (15. Jh.; Ausstattung 17. Jh.); spätgot. Rathaus (Mitte 16. Jh., mehrfach verändert), Kornbörse (1786–92 im Louis-seize-Stil. – Stadtrecht seit 1275.

Wilhelm Schickard (Ausschnitt eines zeitgenössischen Kupferstichs)

Schieder, Theodor, Historiker, *Oettingen 11. 4. 1908, †Köln 8. 10. 1984; war 1942–45 Prof. in Königsberg, 1948–76 in Köln; wandte sich nach 1945 verstärkt der vergleichenden Erforschung europ. Nationalbewegungen und der Geschichtstheorie (»Geschichte als Wissenschaft«; 1965) zu; Hg. der »Histor. Zeitschrift« (seit 1957) und des »Hb.s der europ. Geschichte« (7 Bde., 1968–87).

Theodor Schieder

Schieder-Schwalenberg, Stadt im Kr. Lippe, NRW, im Lipper Bergland, 9 800 Ew.; Kneippkurort; Textil-, Möbelind., Fahrzeugbau. – Im Stadtteil Schwalenberg zahlr. Ackerbürgerhäuser in Fachwerkbauweise (16.–18. Jahrhundert).

Schiedsgerichtsbarkeit, 1) *Völkerrecht:* (internationale S.) die friedl. Beilegung von Streitigkeiten zw. Staaten durch von den Streitteilen berufene Richter in einem besonderen Verfahren (oft **Arbitration** genannt). Die Entscheidung eines Streitfalles durch ein internat. Schiedsgericht setzt voraus, dass die Beteiligten sich der S. unterworfen haben, häufig durch eine Schiedsklausel in internat. Verträgen. Der ordnungsmäßig ergehende Schiedsspruch ist für alle Seiten bindend. Durch die aus den Haager Friedenskonferenzen hervorgegangenen Abkommen von 1899 und 1907 ist der Ständige Schiedsgerichtshof in Den Haag errichtet worden, der aber an Bedeutung verloren hat; er ist vom →Internationalen Gerichtshof in Den Haag zu unterscheiden. Die Staaten werden durch die Charta der UN (Art. 33) auf die S. als Mittel der friedl. Streiterledigung verwiesen. Dtl. ist durch Art. 24 Abs. 3 GG verpflichtet, zur Regelung zwischenstaatl. Streitigkeiten Vereinbarungen über eine allgemeine, umfassende, obligatorische internat. S. beizutreten. – I.w.S. versteht man unter internat. S. alle Arten der schiedsrichterl. Streitbeilegung, die durch völkerrechtl. Vereinbarung begründet wurden.

2) *Zivilrecht:* als **schiedsrichterliches Verfahren** Verhandlung und Entscheidung privatrechtl. Streitigkeiten durch ein privates, also nichtstaatl. **Schiedsgericht,** das von den Beteiligten durch **Schiedsvertrag** bestellt wurde, anstelle des staatl. Gerichts (§§ 1025 ff. ZPO). Der Schiedsvertrag bedarf, ausgenommen unter Vollkaufleuten, der Schriftform und ist nur zulässig in Bezug auf Streitgegenstände, über die die Parteien einen Vergleich schließen können, nicht jedoch bei Wohnraummietsachen. Der **Schiedsspruch** hat für die Parteien die Wirkung eines rechtskräftigen gerichtl. Urteils. Die Zwangsvollstreckung kann jedoch erst betrieben werden, wenn der Schiedsspruch bei Gericht hinterlegt und von diesem für vollstreckbar erklärt worden ist. Das Schiedsverfahren wird im internat. Handelsverkehr oft gewählt, weil es u.a. zu schnellen und kostengünstigen Entscheidungen führt. Auch im *Arbeitsrecht* hat die S. Bedeutung, bes. bei der Entscheidung von Rechtsstreitigkeiten der Tarifvertragsparteien aus Tarifverträgen (§§ 101 ff. Arbeitsgerichts-Ges.). – Auch in *Österreich* und der *Schweiz* ist die S. gebräuchlich.

📖 GLOSSNER, O. *u.a.: Das Schiedsgericht in der Praxis. Heidelberg ³1990.*

Schiedsgutachten, die Entscheidung über streitige Tatfragen (z.B. Wert, Preis, Schaden) durch einen vertraglich bestellten Gutachter; das Gericht ist grundsätzlich an das S. gebunden.

Schiedsmann, in den meisten dt. Bundesländern ein ehrenamtlich zur gütl. Schlichtung und zu Sühneversuchen bestelltes Organ der Rechtspflege (§ 380 StPO); wird vor Erhebung der →Privatklage tätig. Der S. kann beim Fehlschlagen des Sühneversuchs nicht entscheiden.

Schiedsrichter, 1) *Recht:* Richter eines Schiedsgerichts (→Schiedsgerichtsbarkeit).

2) *Sport:* Unparteiischer, der bei sportl. Wettkämpfen die Einhaltung der Regeln überwacht. Häufig hat er die alleinige Entscheidungsbefugnis (z.B. bei Ballspielen); oft unterstützt von Assistenten und Linienrichtern. Ferner Mitgl. des Schieds- oder Kampfgerichts, des von der zuständigen Sportbehörde bestellten Gremiums.

Schiefblatt, die Pflanzengattung →Begonie.

schiefe Ebene, *Mechanik:* ungenau für →geneigte Ebene.

Schiefer [ahd. scivaro »Gesteinssplitter«], in dünne, ebene Platten spaltbares, v.a. toniges Gestein.

Schieferton, diagenetisch verfestigter Ton, der noch quell- und schneidbar ist und nach Schichtebenen spaltet.

Schieferung, Gefügeeigenschaft v.a. toniger Gesteine, die bewirkt, dass sie entlang engständiger, etwa paralleler und ebener Flächen spaltbar sind. Die S. kann parallel **(Isoklinal-** oder **Parallel-S.)** oder quer **(Quer-** oder **Transversal-S.)** zur Schichtung eines Sedimentgesteins verlaufen.

Schiefhals (Torticollis), Schiefstellung des Kopfes aufgrund von Fehlbildung der Halswirbelsäule, Muskelverkürzung, Narbenbildung am Hals, Sehstörungen oder Lähmungen.

Schiele, Egon, österr. Maler und Zeichner, * Tulln 12. 6. 1890, † Wien 31. 10. 1918. Ausgehend vom →Jugendstil der Wiener Sezession (Freundschaft mit G. Klimt) wandte sich S. mit der Gründung der »Neukunst-Gruppe« (1909) einem psychoanalytisch-visionären Expressionismus zu. Seine Akt- und (Selbst-)Bildnisdarstellungen sowie Landschaften gehören zu den Meisterleistungen der Kunst des 20. Jahrhunderts.

Schielen (Strabismus), das Abweichen der Augenachsen von der normalen Parallelstellung beim Blick in die Ferne. Ursache ist eine angeborene oder erworbene Fusionsschwäche als Folge von Brechungsfehlern, Augenmuskelanomalien oder erbl. Disposition. Bei den unterschiedl. Formen des **latenten S.** (z.B. latentes Einwärts-S. oder Esophorie, latentes Auswärts-S. oder Exophorie) sind die Abweichungen nur bei Ermüdung oder bei einäugigem Sehen erkennbar. Das durchgängig in Erscheinung tretende **manifeste S.** besteht meist als **Begleit-S.** (Strabismus concomitans), bei dem das schielende Auge das fixierende bei allen Bewegungen begleitet. Die häufigste Form, das **Einwärts-S.** (Strabismus convergens), entsteht überwiegend durch Übersichtigkeit, die bereits bei

Fernblick zu einer Akkommodation mit begleitendem Konvergenzimpuls führt. Das **Auswärts-S.** (Strabismus divergens) tritt seltener auf und wird meist durch Kurzsichtigkeit verursacht. Im Ggs. zum Begleit-S. wird das **Lähmungs-S.** (Strabismus paralyticus) durch angeborene oder erworbene Schädigung eines Augenmuskels oder seiner Nerven verursacht; das betroffene Auge verharrt dabei in Schielstellung. – Die *Behandlung* des S. ist zur Erhaltung der vollen Sehkraft erforderlich; das von dem schielenden Auge erzeugte Bild wird zur Vermeidung von Doppelbildern zentral unterdrückt. Die Folge ist v.a. beim Einwärts-S. ein Verlust der Sehschärfe, bei angeborenem S. unterbleibt die Entwicklung zu normaler Sehschärfe; es kommt zu Schwachsichtigkeit. Angeborenes S. wird schon in den ersten Lebensmonaten durch Übungsbehandlung (Pleoptik) mit Abdeckung des gesunden Auges (Okklusivbehandlung) und ggf. durch Korrektur eines Brechungsfehlers durch eine Brille (etwa ab dem 15. Lebensmonat) behandelt, später durch Sehschulung (Orthoptik). Bei stärkerem S. ist eine operative Augenmuskelkorrektur erforderlich.

Schienbein, *Anatomie:* →Bein.

Schiene, 1) *allg.:* Vorrichtung zur Führung eines Gegenstandes auf einer bestimmten Bahn; bes. ein durchlaufender stählerner Träger, der zur Aufnahme von Radlasten und zur Spurführung von Schienenfahrzeugen (Aufnahme von Seitenkräften) dient. **Eisenbahn-S.,** →Eisenbahnbau; **Straßenbahn-S.** sind Rillen-S., d.h., der Spurkranz der Räder läuft in einer Rille.

Egon Schiele: »Selbstbildnis« (1911; New York, Metropolitan Museum of Art)

Schienenechsen: Der Bänderteju lebt in Erdhöhlen und kann bis über 1 m lang werden

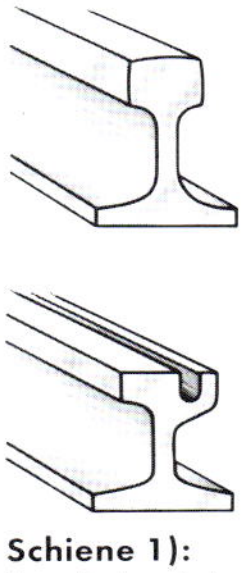

Schiene 1): Eisenbahn- (oben) und Straßenbahnschiene

2) *Medizin:* Stützvorrichtung aus festem oder biegsamem Material zum Ruhigstellen, Fixieren oder Entlasten von verletzten oder entzündeten Gliedmaßen, bes. bei Knochenbrüchen.

Schienenbahnen (Schienenfahrzeuge), Oberbegriff für alle in fester Spur laufenden Bahnen, z.B. Eisenbahnen, Schwebezüge.

Schienenbremsen, →Eisenbahnbremsen.

Schienen|echsen (Tejus, Teiidae), Echsenfamilie von eidechsen- oder schlangenförmiger Gestalt und mit langer, tief gespaltener Zunge im mittleren Nord- bis nach Südamerika. Der bis über 1 m lange **Bänderteju** (Tupinambis teguixin) frisst kleine Tiere, Eier und Früchte. Oft farbenprächtig sind die etwa 50 cm langen, z.T. baumbewohnenden **Ameiven** (Ameiva).

Schienen|omnibus, omnibusähnlicher, leichter zweiachsiger →Triebwagen mit unterflur angeordnetem Verbrennungsmotor.

Schierke, Gemeinde im Landkreis Wernigerode, Sa.-Anh., 600–650 m ü.M., im Harz, südlich des Brockens, 900 Ew.; heilklimat. Kurort, Wintersportplatz; Schmalspurbahn auf den Brocken.

Schierling (Conium), Gattung der Doldenblütler; einzige europ. Art ist der durch Coniin giftige **Gefleckte S.** (Conium maculatum), ein 0,8–1,8 m hohes, unangenehm riechendes zweijähriges Kraut; Stängel bläulich bereift und wie die Blattstiele an der Basis rot gefleckt. Im antiken Athen wurde u.a. Sokrates zum Selbstmord mit einem S.-Saft enthaltenden Trank (»S.-Becher«) veranlasst.

Schierling: Gefleckter Schierling (Höhe 0,8–1,8 m)

Schierlingstanne, andere Bez. für die Gattung →Hemlocktanne.

Schiermonnikoog [sxi:rmɔnɪ'ko:x], westfries. Insel in der niederländ. Provinz Friesland, 39 km², 900 Ew.; Seebad.

Schießbaumwolle, →Nitrocellulose.

Schießbefehl, schlagwortartige Bez. für die bereits seit 1948 geübte Praxis, »illegale« Grenzübertritte aus der Sowjet. Besatzungszone bzw.

der DDR unter Einsatz der Schusswaffe zu verhindern. Die Einzelheiten des Schusswaffengebrauchs an der →innerdeutschen Grenze waren bis 1982 ausschließlich in streng geheimen und an die Grenzsoldaten nur mündlich ausgegebenen Dienstvorschriften geregelt. Eine förml. Rechtsgrundlage erhielt der S. erst durch §27 des Grenz-Ges. vom 25. 3. 1982, der den Schusswaffengebrauch u.a. zur Verhinderung von Verbrechen gestattete. Wegen der Tötungsdelikte an der innerdt. Grenze wurden gegen E. Honecker u.a. Mitgl. des Nat. Verteidigungsrates der DDR sowie gegen ehem. Grenzsoldaten der DDR Strafverfahren durchgeführt. Diese warfen komplizierte völker-, verfassungs- und strafrechtl. Probleme auf.

Schießen, 1) *Sport:* →Schießsport.

2) *Waffenkunde:* das Abfeuern von Geschossen und Raketen auf ein Ziel mittels Fernkampfwaffen, wobei deren ballist. Eigenschaften, die Zielentfernung und -bewegungen, opt. und Witterungsbedingungen u.Ä. sowie die im Ziel beabsichtigte Wirkung zu berücksichtigen sind.

Schießpulver, Gemenge aus etwa 75% Kaliumnitrat (Salpeter), 15% Holzkohle und 10% Schwefel, das sich bei 270°C entzünden lässt und nicht brisant (Entzündungsgeschwindigkeit rd. 400 m/s) zu Gasen (Stickstoff, Kohlendioxid, Kohlenmonoxid, geringe Anteile Methan, Schwefelwasserstoff und Wasserstoff) und den »Pulverdampf« bildenden Feststoffen (z.B. Kaliumcarbonat, Kaliumsulfat, Kaliumthiosulfat) reagiert. S. ist der älteste Explosivstoff und war jahrhundertelang auch der einzige. Heute hat S. noch in der Pyrotechnik, als Anzündmittel, Jagdpulver und – wegen seiner schiebenden Wirkung – bei der Gewinnung rissfreier Gesteinsblöcke Bedeutung.

Schießscharte, *Baukunst:* →Scharte.

Schießsport (Sportschießen), Sportart, bei der mittels Schusswaffen fest stehende Ringscheiben (auch gezogen: Laufende Scheibe) oder Wurfscheiben (traditionelle Bez. Wurftauben) möglichst genau (Ringbewertungen) oder möglichst oft (Wurfscheiben) in der vorgeschriebenen Zeit zu treffen sind. Die Platzierung ergibt sich aus der erreichten Punkt- oder Trefferzahl. Bei den Olymp. Disziplinen werden verwendet: Gewehr (Kleinkaliber 50 m), Freie Pistole (50 m), Schnellfeuerpistole (25 m), Schrotflinte (→Trapschießen, Doppeltrapschießen, →Skeetschießen). S. ist auch Bestandteil des modernen Fünfkampfes (Pistole) und des Biathlons (Kleinkalibergewehr). I.w.S. gehören zum S. auch Bogenschießen, Vorladerschießen und Armbrustschießen. Weltmeisterschaften seit 1890, olymp. Sportart seit 1896, Europameisterschaften seit 1955.

Schießstand, mit Seiten- und Hochblenden oder durch Sicherheitszonen geschützte Anlage zum schul- oder sportmäßigen Schießen mit Handfeuerwaffen.

Schiff, 1) *Baukunst:* Innenraum einer Kirche. Bei mehrschiffigen Bauten, der →Basilika und der →Hallenkirche, besteht das Langhaus aus einem **Mittel-S.,** das von zwei oder auch vier parallel laufenden **Seiten-S.** begleitet wird. Es wird von einem **Quer-S.** im O durchkreuzt, oft auch von einem zweiten im W. Die Saalkirche besteht nur aus einem Schiff.

2) *Schifffahrt:* im Vergleich zum Boot größeres Wasserfahrzeug zur Beförderung von Gütern oder Personen, zum Fischfang, für hoheitl. Aufgaben u.a. Zwecke. Die Schwimmfähigkeit eines S. beruht auf dem archimed. Prinzip (→Auftrieb) und dem senkrechten Übereinanderliegen von Gewichts- und Auftriebsschwerpunkt. Maßgeblich für die Stabilität sind die S.-Form, v.a. die Breite (bestimmt die Höhenlage des →Metazentrums) und die von der Zuladungsverteilung abhängige Lage des Gewichtsschwerpunkts. Man unterscheidet 1) nach Konstruktionsart: Verdrängungs-S., Gleit-S., Unterwasser-S., Tragflügel- und Luftkissen-S.; 2) nach Einsatzgebiet: Binnen-(Fluss-)S., Küsten-S., See-S.; 3) nach Zweck und Flagge: a) Handels-S.: Fahrgast-S., Fracht-S., Massengut-S., Tank-S., Container-S., Fischerei-S. u.a. b) Behörden-S.: Feuer-S., Lotsen-S., Wasserschutzpolizei-S. u.a. c) →Kriegsschiffe.

Ein **S.-Körper** ist ein durch Kurven mit permanent sich ändernder Krümmung begrenzter Körper. Die Mittschiffsebene ist die Symmetrieebene: Backbord- (von hinten nach vorn gesehen links) und Steuerbordseite sind i.d.R. spiegelbildlich gleich. Vorn ist der Bug, hinten das Heck. Der konstruktive Aufbau besteht aus Längsverbänden (Kiel, Längsband, Deck, Stringer, Außenhaut) und Querverbänden (Spant, Schott), die einen aus Rahmen und Trägerrosten gebildeten Kastenträger formieren. Die **S.-Hauptantriebsanlage** besteht entweder aus mit Öl oder seltener durch Kernreaktor beheiztem Dampfkessel mit Turbine, Kondensator u.a. (Dampfturbine) oder aus Dieselmotor oder Gasturbine. Daneben sind umfangreiche

Schiff

Die Auseinandersetzung zwischen den Befürwortern der Schiffsschraube und denen des Schaufelradantriebs wurde durch einen Wettkampf beendet. Mitten in der Nordsee wurden im April 1845 die »Rattler«, erstes schraubengetriebenes Schiff der Royal Navy, und die schaufelradgetriebene »Alecto« am Heck mit Tauen aneinander gebunden. Auf das Startsignal hin fuhren beide mit ihren 200-PS-Dampfmaschinen in entgegengesetzter Richtung. Die Sache war rasch entschieden: Die »Rattler« zog die »Alecto« mit sage und schreibe 2,8 Knoten (5,2 km/h) hinter sich her.

Schiff 2)

1

4

2

3

5

1 Mehrzweckfrachtschiff »Paloma«, Baujahr 1985 | 2 Kreuzfahrschiff »Majesty of the Seas«, 74 000 BRT, 2 744 Passagiere, 822 Besatzungsmitglieder, Baujahr 1991/92 | 3 Roll-on-roll-off-Schiff »Lillooet«, 22 094 BRT, Baujahr 1979 | 4 Die seemännische und navigatorische Führung eines Schiffs erfolgt von der Kommandobrücke | 5 Blick in den Maschinenraum eines turbinengetriebenen Schiffs mit der Dampfturbine im Vordergrund

Hilfsmaschinen (Generatoren, Pumpen, Lüfter, Spille, Winden u.a.) erforderlich. Den Vortrieb erzeugt heute üblicherweise die →Schiffsschraube, die Schiffsgeschwindigkeit wird i.d.R. in Knoten (kn) angegeben. S. werden durch ein oder mehrere im oder außerhalb des Schraubenstroms angebrachte, durch eine elektr. Rudermaschine bediente →Ruder am Hinterschiff gesteuert.

S. werden auf Werften gebaut. Nach der Art des für den eigentl. S.-Körper verwendeten Materials ist zw. Stahl-, Holz-, Leichtmetall- und Kunststoff-(GFK-)Schiffbau zu unterscheiden. Kompositbau ist eine Mischbauweise, z.B. stählerne Innenverbände, Außenhaut und Deck aus Holz. Bei großen S. wird für den S.-Körper ausschließlich Stahl verwendet. Im Kleinschiff- und Bootsbau wird Holz zunehmend durch GFK, weniger durch Leichtmetall verdrängt. Stahl-S. werden heute in Sektionen gebaut (→Schiffbau).

Geschichte: Der Urtyp des S. ist der Einbaum. Sehr alt sind auch Boote aus Rinde, Häuten, Binsen u.Ä. Aus dem Einbaum entstanden das Doppel- und Auslegerboot (Katamaran, urspr. in Ozeanien, heute auch als Sportboot) und schließlich das Kiel-S. mit Planken. Ruder-S. gab es auf den Flüssen Chinas bereits im 3. Jt. v. Chr., auf dem Nil unter den Pharaonen, ferner bei Phönikern und Griechen (Trieren). Das feste Steuerruder und der Kompass trugen zur Hochseetüchtigkeit der Schiffe bei. Im Mittelmeer wurden die geruderten Galee-

Geschichte der Schifffahrt

16.–10. Jt. v. Chr.	Beginn der Schifffahrt mit Fellbooten
9. Jt. v. Chr.	Ältester Bootsfund: Fellbootfragment von Husum
Nach 8000 v. Chr.	Erste Einbäume
6000 v. Chr.	Landwirtschaft wird per Boot vom Vorderen Orient donauaufwärts verbreitet; seitdem Donau das Tor nach Mitteleuropa
5000 v. Chr.	Ältester Nachweis für Segelschiff auf dem Nil
3000 v. Chr.	Hochkulturen des Mittelmeeres beginnen weitreichende Küstenschifffahrt zu entwickeln
2. Jt. v. Chr.	Im Zinnhandel fahren Mittelmeerschiffe über Gibraltar hinaus zu atlantischen Küstenhäfen
700 v. Chr.	Erster Nachweis für phönizische Bireme (Kriegsschiff mit zwei Ruderreihen übereinander)
600 v. Chr.	Griechen gründen Massilia (heute Marseille); die Rhône wird Einfallstor für die Schifffahrt nach Mitteleuropa
Um 50 v. Chr.	Mittelmeer wird römisches Binnenmeer; römische Schifffahrt auch an europäischer Atlantik- und Kanalküste und auf den gallischen Flüssen
5 n. Chr.	Römische Flottenexpedition von Rheinmündung um Kap Skagen; seitdem römische Handelsschifffahrt in Ostsee bis zur Weichselmündung
Frühes 5. Jh.	Ende der Römerherrschaft im Westteil des Reiches; Angeln und Sachsen aus Jütland und Norddeutschland besetzen England
793	Wikinger kreuzen die offene Nordsee und überfallen englische Küste; Beginn der Hochseenavigation und der Wikingerüberfälle
um 1000	Wikinger segeln über Island und Grönland nach Amerika (Neufundland)
1066	Normannen erobern England (letzter Wikingerzug)
1159	Gründung der Stadt Lübeck und der Hanse; Beginn der Vorherrschaft deutscher Handelsschifffahrt in Nord- und Ostsee
1380	Bremer Hansekogge, besterhaltenes Handelsschiff des späten Mittelalters
1492	Columbus entdeckt in spanischen Diensten Amerika
1493	Ältester Nachweis für Kriegsschiff mit Kanonendeck unter Hauptdeck und Stückpforten
1498	Der Portugiese Vasco da Gama erreicht Indien
1519–22	Erste Weltumsegelung durch Magellan; Europäisierung der Erde beginnt; Vorherrschaft Portugals und Spaniens
1588	Seeschlacht der Armada; England und Holland brechen Spaniens Vorherrschaft
1602	Gründung der Niederländischen Ostindischen Companie; Holland wird der »Fuhrmann Europas« auf den Meeren
1651	Englands Navigationact leitet den Aufstieg Englands zur führenden Seefahrernation im 18. und 19. Jh. ein
1776–83	Unabhängigkeitskrieg der USA: Erster Schritt zur Freiheit der Meere; auch deutsche Handelsschiffe engagieren sich im Überseehandel
1807	Erstes erfolgreiches Dampfschiff (auf dem Hudson zw. New York und Albany)
1816	Erstes Dampfschiff in Deutschland
1838	Beginn des Linienverkehrs mit Dampfern über den Atlantik (England–USA)
1847	Erste Dampferlinie zwischen europäischem Kontinent und USA (Bremerhaven–New York); danach Gründung von Hapag und Norddt. Lloyd, die um 1910 die größten Reedereien der Welt sind
1850	»Brandtaucher«, erstes U-Boot in Kiel
1862	»Monitor«, erstes Eisenschiff (Amerika)
1886	»Glückauf«, erster Tankdampfer in Bremerhaven
1897	»Turbinia«, erstes Schiff mit Dampfturbinen (England)

ren zu hoher Vollkommenheit durchgebildet, in N- und W-Europa entstanden die Segelboote (Wikinger-S.), die sich über Koggen, Hulken und Karavellen zu den großen Segel-S. (nach 1800) entwickelten. Die Entwicklung der Dampf-S. begann Ende des 18. Jh. in Nordamerika und Großbritannien mit Raddampfern (erste Atlantiküberquerung 1819). Mitte des 19. Jh. wurde Eisen und seit etwa 1880 Stahl als Schiffbaumaterial allg. eingeführt. Nach Vervollkommnung der Kolbendampfmaschinen dienten seit etwa 1900 als Antriebsmaschinen zunehmend Dampfturbinen und seit 1910 Dieselmotoren; die erste Antriebsanlage mit Kernenergie wurde 1955 (amerikan. U-Boot »Nautilus«), der erste Gasturbinenantrieb 1966 (Containerschiff »Admiral William M. Callaghan«) in Betrieb genommen.

📖 GÖTTLICHER, A.: *Die S.e der Antike. Eine Einf. in die Archäologie der Unterwasserfahrzeuge. Berlin 1985. – Das große Buch der Schiffstypen, bearb. v.* A. DUDSZUS *u. a. Neuausg. Augsburg 1995. – Die großen Passagierschiffe der Welt. Illustriertes Schiffsregister, bearb. v. A.* KLUDAS. *Neuausg. Hamburg 1997.*

Schiff, 1) András, ungar. Pianist, *Budapest 21. 12. 1953; bekannt v. a. als Interpret der Werke J. S. Bachs, W. A. Mozarts und B. Bartóks.

2) Heinrich, österr. Violoncellist und Dirigent, *Gmunden 18. 11. 1952; v. a. bekannt als Interpret der Werke J. S. Bachs und zeitgenöss. Komponisten; darüber hinaus Gastdirigent u. a. in London und Dresden; seit 1990 künstler. Leiter der Northern Sinfonia (Newcastle) und seit 1995 Chefdirigent des Musikkollegiums Winterthur sowie des Philharmon. Orchesters Kopenhagen.

Schifffahrtsweg, 1) Binnenwasserstraße, bes. Schifffahrtskanal.

2) nautisch festgelegte Verkehrsstrecken der Seeschifffahrt; zuweilen für die gleichen Schifffahrtslinien je nach Jahreszeit verschieden.

Schiff Argo (Argo), Sternbild des Südhimmels, das wegen seiner Größe in die Sternbilder Segel des Schiffes (Vela), Heck des Schiffes (Puppis), Kiel des Schiffes (Carina) und (Schiffs-)Kompass (Pyxis) aufgeteilt wurde.

Schiffbau, die Herstellung von Schiffen, meist auf einer →Werft. Der S. verläuft über Entwurf, Konstruktion und Fertigungsplanung zur Bauausführung entweder in konventioneller Bauweise mit Flachkiel und Spanten auf der Helling oder beim Stahl-S. üblich in Sektionsbauweise im Baudock (Trockendock) oder der Vormontagehalle. Der Linienriss des Schiffes wird durch Konstruktionsdias im Maßstab 1:10 festgelegt, mit deren Hilfe Brennschneidmaschinen automatisch die Platten zuschneiden, die dann mittels hydraul. Pressen verformt und zu Sektionen (bis zu 100 t Gewicht) zusammengeschweißt werden, aus denen das Schiff zusammengebaut wird. Die Inneneinrichtungen, Maschinenanlagen u. Ä. werden nach dem →Stapellauf eingebaut.

Schiffchen, 1) *Botanik:* Blütenteil der Schmetterlingsblütler.

2) *Chemie:* kleine, längl. Schale aus Porzellan, Quarz u. a.; dient zum Erhitzen von Stoffen im Gasstrom.

3) *Textiltechnik:* 1) bei Nähmaschinen der Greifer (Schlingenfänger), der den Unterfaden durch die Nadelfadenschlinge führt; 2) bei Webmaschinen der →Schützen, der die Schussfäden in das von den Kettfäden gebildete Fach (Webfach) einträgt.

4) *Uniform:* schirmlose, in der Mitte längs gefaltete Uniformmütze.

Schifferpatent, Befähigungsnachweis zum Führen eines Schiffes, in der Seeschifffahrt seit 1932 Kapitänspatent (→Kapitän). In der Binnenschifffahrt wird das S. nach Ablegung einer Prüfung allg. und für bestimmte Flüsse und Kanäle ausgestellt.

Schifferstadt, Stadt im Landkreis Ludwigshafen, Rheinl.-Pfalz, in der Oberrheinebene, 18 700 Ew.; Tabakverarbeitung, Süßwarenind., Gemüsebau. – Ehem. Rathaus (1558) mit überdachter Freitreppe. – Entstand aus einem 868 erstmals erwähnten Königshof, seit 1950 Stadt.

Schifffahrt, das Befahren von Binnengewässern und Meeren mit Schiffen, insbesondere als Handels-S. zur gewerbsmäßigen Beförderung von Personen **(Fahrgast-** oder **Personen-S.)** oder Gütern **(Fracht-S.);** je nach dem Fahrtbereich spricht man von **See-S.** (Fahrten über die Meere) und **Binnen-S.** (Fahrten auf Flüssen, Seen und Kanälen). – In der See-S. unterscheidet man die **Linien-S.,** bei der die Schiffe planmäßig auf einer festgelegten Reiseroute bestimmte Häfen anlaufen und v. a. Stückgut befördern, sowie die **Tramp-S.,** bei der die Schiffe je nach Ladungsanfall und -angebot zw. beliebigen Häfen verkehren. Darüber hinaus wird in der See-S. nach Fahrtgebieten zw. großer, mittlerer, kleiner Fahrt und Küsten-S. (Fahrten im Küstenbereich sowie zu vorgelagerten Inseln) unterschieden.

Träger der S. sind Reeder, Reedereien oder der Staat. Theoretisch ist die S. für jede Nation frei, praktisch bedarf sie zwischenstaatl. Handelsverträge. Außerdem schließen sich Reedereien internat. zu **S.-Konferenzen** zusammen, um die Beförderungsbedingungen und -tarife sowie Frachtraten u. Ä. zu regulieren. Die techn. Entwicklung der See-S., die den Transport immer größerer Gütermengen in immer kürzerer Zeit ermöglicht, ist ein wesentl. Grund für die Expansion des über See abgewickelten Welthandels. Kennzeichen der modernen S. sind zunehmende Schiffsgrößen, erhöhte Fahrtgeschwindigkeit, neue Umschlagtechniken (z. B. Container-, Lash- und Roll-on/Roll-off-Verkehr), aber auch ökolog. Probleme durch Verschmutzung der Meere, v. a. durch (Tanker-)Havarien.

Geschichte: Die S. reicht in die ältesten Zeiten der Kultur zurück (Felsbilder). Binnen-S. ist für das 3. Jt. v. Chr. in China und Ägypten bezeugt. Um 1000 v. Chr. befuhren die Phöniker das Mittelmeer, das Rote Meer und die Straße von Gibraltar. Um 470 v. Chr. hatten die Griechen die Vorherrschaft im östl. Mittelmeer. Während in der Antike nur Küsten-S. betrieben wurde, gingen die Normannen (seit Ende des 8. Jh.) zur Hochsee-S. nach England, Schottland, Island, Grönland und Nordamerika über. Im 11. Jh. entstand der Wirtschaftsbund der dt. →Hanse. Gleichzeitig blühte die S. der Venezianer und Genuesen. 1418 begannen die Entdeckungsfahrten der Portugiesen (Afrika, Ostindien), Ende des 15. Jh. die der Spanier (Amerika; →Entdeckungsgeschichte). Während die Seegeltung der Spanier und Portugiesen sank, stieg die der Niederlande im 16. Jh. Ihre Seeherrschaft wurde von der Englands abgelöst (Navigationsakte, 1651). Engl. Gesellschaften versahen als Erste

Geschichte der Schifffahrt (Fortsetzung)

1898	Erstmals gewinnt ein deutscher Schnelldampfer das »Blaue Band«; deutscher Schiffbau hat Weltniveau erreicht
1912	»Selandia«, erstes seegehendes Motorschiff (Dänemark)
1929	Schnelldampfer »Bremen« läutet letzte Runde im Wettlauf um das »Blaue Band« ein
1955	Erstes Schiff mit Atomantrieb: U-Boot »Nautilus« (USA)
1961	Eröffnung Fährlinie Oslo–Kiel; Beginn des Fährverkehrs auf langen Strecken
1966	Beginn der ersten Containerschifflinie auf dem Nordatlantik
1972	Ende der Atlantik-Linienschifffahrt im Passagierdienst; nur noch Kreuzfahrten

Schiffbau: Die Hinterschiffssektion mit den Wellenböcken wird in der Vormontagehalle an den bisher fertig gestellten Schiffskörper montiert

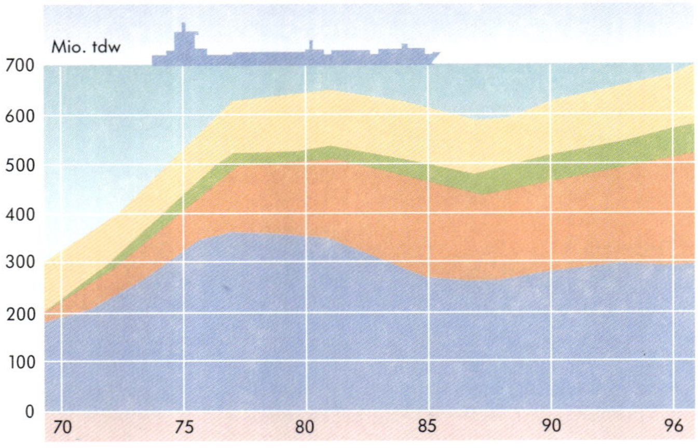

Schifffahrt: Tonnagebestand der Welthandelsflotte

um 1840 einen regelmäßigen Dienst zw. Europa und Amerika. Die Dampf-S. brachte einen großen Aufschwung des Seeweltverkehrs.

📖 WESTPHAL, G.: *Lexikon der Schiffahrt. Reinbek 1981.* – BRENNECKE, J.: *Geschichte der Schifffahrt. Künzelsau ²1986.* – KLUDAS, A.: *Die Geschichte der dt. Passagierschiffahrt, 5 Bde. Neuausg. Augsburg 1994.*

Schifffahrts|abgaben, amtl. Gebühren für die Benutzung der Leuchtfeuer, Seezeichen, Fahrwasser, Kanäle, kanalisierten Flüsse, Schleusen und Hafenliegeplätze. Die Höhe der S. richtet sich nach Größe des Schiffes, Gewicht und Art der geladenen Güter, bei Fahrgastschiffen nach der Zahl der zugelassenen Personen.

Schifffahrtsgerichte, innerhalb der ordentl. Gerichtsbarkeit besondere Spruchkörper für Binnenschifffahrtssachen. Zuständig sind das Amtsgericht, in 2. Instanz das Oberlandesgericht als »Schifffahrtsobergericht«, bei zulässiger Revision der BGH. Das Verfahren richtet sich im Übrigen nach dem Ges. über das Verfahren in Binnenschifffahrtssachen vom 27. 9. 1952. – Daneben bestehen S. für die Rhein- und die Moselschifffahrt.

Schifffahrtspolizei, →Strom- und Schifffahrtspolizei.

Schifffahrtsrecht, die Rechtsvorschriften zur →Binnenschifffahrt sowie das →Seerecht.

Schifffahrtszeichen, Farb- oder Formsignale mit fester Kennung zur Sicherung und Erleichterung des Schiffsverkehrs sowie zum Schutz von Wasserstraßen und deren Anlagen; über die S. auf See →Seezeichen.

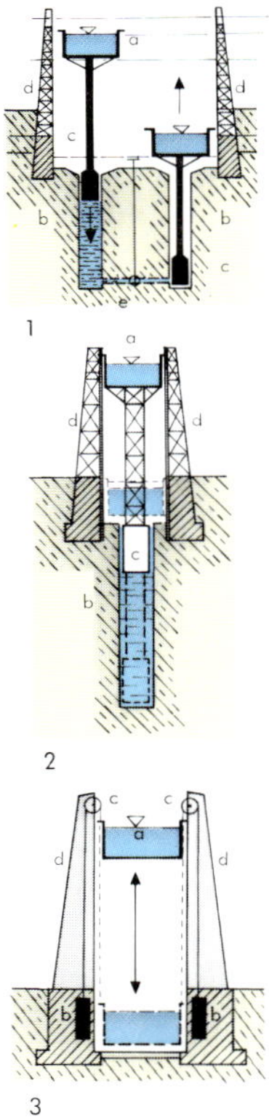

Schiffshebewerk: 1 hydraulisches Hebewerk (a Trog, b Druckzylinder, c Druckkolben, d Führung, e Druckwasserleitung); 2 Schwimmerhebewerk (a Trog, b Schwimmerschacht, c Schwimmer, d Führung); 3 Gegengewichtshebewerk (a Trog, b Gegengewichte, c Umlenkrollen, d Trag- und Führungsturm)

Schiffs|attest, *Binnenschifffahrt:* Erlaubnis für Bauart und Ausrüstung eines Binnenschiffs; durch Schiffsuntersuchungskommissionen zeitlich befristet ausgestellt.

Schiffsbohrmuschel (Pfahlmuschel, Schiffsbohrwurm, Bohrwurm, Teredo navalis), wurmförmige, 15–20 cm lange Meeresmuschel mit zurückgebildeten, raspelartig gezähnten Schalen, mit denen sie im Holz von Hafenbauten, Schiffen u.a. bohrt und erhebl. Schaden anrichten kann.

Schiffsbrief, →Schiffsregister.

schiffsche Basen [nach dem dt. Chemiker Hugo Schiff, *1834, †1915] (Azomethine), *Chemie:* Bez. für gut kristallisierende, beständige Kondensationsprodukte aus Aldehyden u.a. Carbonylverbindungen und primären Aminen mit der Gruppierung $R^1R^2C{=}N{-}R^3$ ($R^{1,2,3}$ aromat. oder aliphat. Rest, $R^{1,2}$ auch Wasserstoff). Die s. B. liegen den Azomethinfarbstoffen zugrunde.

Schiffs|eichung, *Binnenschifffahrt:* amtl. Feststellung der von einem Schiff entsprechend seiner Eintauchung verdrängten Wassermenge. Durch die Eichung wird die Tragfähigkeit des Schiffes festgelegt und durch ein Eichzeichen gekennzeichnet. An der Eichskala (Tiefgangskala) lässt sich das Gewicht der Ladung ablesen. Eichscheine werden von den Schiffseichämtern ausgestellt. – Bei Seeschiffen →Schiffsvermessung.

Schiffs|eigner, der Eigentümer eines der Binnenschifffahrt dienenden Schiffs; in der Seeschifffahrt der →Reeder.

Schiffsgrab, im vor- und frühgeschichtl. N-Europa zwei Arten der Totenbestattung: 1) die Beisetzung von Toten in häufig prunkvoll ausgestatteten Segelbooten **(Bootgräber),** bes. 7.–11. Jh. (→Gokstad, →Oseberg, →Sutton Hoo); 2) schiffsförmige Steinsetzungen um normale Gräber herum, seit der jüngeren Bronzezeit bis zur Wikingerzeit in Südskandinavien.

Schiffshalter, *Zoologie:* einzige Familie der →Kopfsauger.

Schiffshebewerk (Hebewerk), Vorrichtung zum Heben oder Senken eines Schiffs beim Übergang zw. zwei Wasserstraßen mit großem Höhenunterschied (heute meist über 30 m). S. bestehen aus einem wassergefüllten Stahltrog, in den das Schiff einfährt. Der Trog kann in einem Stahlgerüst senkrecht oder auf einer geneigten Ebene auf Gleisen auf- und abbewegt werden. Bei den Senkrechthebewerken werden Schwimmer-, Gegengewichts- und hydraul. Hebewerk unterschieden.

Schiffshypothek, das →Schiffspfandrecht.

Schiffsklassifikation, Einteilung der Handelsschiffe nach ihrer Bauausführung in Güteklassen durch öffentlich-rechtl. Klassifikationsgesellschaften, in Dtl. durch den →Germanischer Lloyd. Als Ausweis erhält das Schiff das **Klassenzertifikat.**

Schiffsmakler (Schiffsklarierer), Makler, der Schiffsraum, Ladungen, Liegeplätze u.Ä. vermittelt; übernimmt auch die Betreuung von Schiffen in fremden Häfen u.a. bezüglich Löschen, Laden, Zollformalitäten.

Schiffspapiere, die an Bord eines Schiffes mitzuführenden Papiere, die über Schiff, Besatzung und Fahrgäste, Ladung und Fahrt Auskunft geben, z.B. Schiffszertifikat, Messbrief, Schiffszettel, Schiffssicherheitszeugnis, Konnossement.

Schiffspfandrecht (Schiffshypothek), das dem Grundpfandrecht entsprechende Pfandrecht an einem in das →Schiffsregister eingetragenen Schiff zur Sicherung einer Forderung; geregelt im Gesetz über Rechte an eingetragenen Schiffen und Schiffsbauwerken vom 15. 11. 1940. Bestellung und Übertragung des S. erfolgen durch Einigung und Eintragung im Schiffsregister. Dem S.-Gläubiger haften das Schiff nebst Zubehör und Versicherungsrechten.

Schiffsregister, öffentl., beim Amtsgericht des Heimathafens geführtes, dem Grundbuch vergleichbares und ähnlich aufgebautes Register für Seeschiffe **(See-S.),** Binnenschiffe und Schiffsbauwerke **(Binnen-S.).** Eingetragen werden Name und techn. Daten des Schiffs, Eigentümer, Schiffshypotheken u.a. Über die Eintragung wird eine Urkunde ausgestellt, bei Seeschiffen das **Schiffszertifikat,** bei Binnenschiffen der **Schiffsbrief.**

Schiffs|schraube (Schiffspropeller), meist am Heck angeordnetes Vortriebsmittel für Schiffe, im Prinzip drei bis sieben aus einer archimed. Spirale herausgeschnittene Flügel mit der Nabe als Mittelpunkt. Die Flügel haben tragflügelartigen Querschnitt; sie saugen mit der Vorderseite das Wasser an (Saugseite) und drücken es mit der Rückseite als Schub spiralig verdreht achteraus (Druckseite). Der Schub wird über Wellenleitung und Drucklager auf den Schiffskörper übertragen. **Festpropeller** haben feste Flügel. Das Umsteuern von Vor- auf Rückwärtsfahrt erfolgt über die Maschine, bei kleineren Anlagen über ein Wendegetriebe. **Verstellpropeller** haben verstellbare Steigung der Flügel, um diese jeweils optimal an die unterschiedl. Belastungen sowie an Vor- und Rückwärtsfahrt anpassen zu können.

Schiffs|sicherheitsvertrag, der 1948 in London unterzeichnete, durch den Internat. S. von 1960 ersetzte Vertrag über Bau und Ausrüstung der Seeschiffe, Rettungsmittel, Sicherheit der Seefahrt u.a. Die Bundesrep. Dtl. trat dem S. 1953 bei.

Schiffs|sicherheitszeugnis, an Bord mitzuführende amtl. Bestätigung, dass ein Schiff den internat. und nat. Schiffssicherheitsvorschriften entspricht, für dt. Seeschiffe befristet ausgestellt von der See-Berufsgenossenschaft.

Schiffs|tagebuch, →Logbuch.

Schiffsvermessung, die amtl. Feststellung der →Bruttoraumzahl von Seeschiffen, für die ein internat. **Schiffsmessbrief** erteilt wird. Zuständig ist in Dtl. das Bundesamt für Seeschifffahrt und Hydrographie. Bei Binnenschiffen →Schiffseichung.

Schiffszertifikat, →Schiffsregister.

Schigatse, Ort in Tibet, →Shigatse.

Schiguliberge, Bergufer der Wolga innerhalb ihrer Schleife östlich des Samaraer Stausees, Russland, bis 375 m ü. M.; Nationalpark.

Schiiten, die kleinere der beiden Hauptgruppen des Islam (etwa 10% der Muslime). Die S. erkennen im Unterschied zu den Sunniten als »Partei Alis« (Schiat Ali) nur Ali und seine Nachkommen als rechtmäßige Nachfolger (Imame) Mohammeds an. Die S. zerfallen in mehrere Gruppen. Die größte, die **Imamiten** (»Zwölfer-S.«), verbreitet v.a. im Iran und im Südirak, erkennen zwölf Imame an, wobei die Wiederkehr des verborgenen 12. Imams als →Mahdi am Ende der Zeiten erwartet wird. Kleinere Gruppen sind die **Ismailiten**

Schifffahrtszeichen auf deutschen Binnenwasserstraßen (Auswahl)

Schiffshebewerk: Vorder- (links) und Seitenansicht des Schiffshebewerk Lüneburg bei Scharnebeck am Elbeseitenkanal; das senkrecht fördernde Gegengewichtshebewerk hat eine Hubhöhe von 38 m

(»Siebener-S.«), verbreitet v.a. in Ostafrika, Westindien und Zentralasien, die nur sieben, die **Saiditen** (»Fünfer-S.«) im Jemen, die nur fünf rechtmäßige Imame anerkennen, und die extremen S. (Nusairier), die den Kalifen Ali als göttl. Wesen verehren. Aus dem schiit. Islam hervorgegangen sind die heute eigenständigen religiösen Gemeinschaften der Drusen und des Bahaiismus. – Im Iran und Irak bilden die S. die Mehrheit. Geistiges Zentrum ist die theolog. Hochschule in Kum, Hauptwallfahrtsorte sind Nedjef und Kerbela.

📖 HALM, H.: *Der schiit. Islam. Von der Religion zur Revolution. München 1994. – Der Islam in der Gegenwart, hg. v.* W. ENDE *u.* U. STEINBACH. *München [4]1996.*

Schild 5): Setzschild der Stadt Erfurt (14. Jh.; Erfurt, Städtisches Museum)

Schikane [frz.] *die,* **1)** *bürgerl. Recht:* böswillig bereitete Schwierigkeit. Nach §226 BGB ist die Ausübung eines Rechts unzulässig, wenn sie nur den Zweck haben kann, einem andern Schaden zuzufügen (Rechtsmissbrauch); u.U. besteht Schadensersatzpflicht. – Ähnlich das *österr.* (§1295 ABGB) und das *schweizer.* Recht (Art. 2 ZGB).

2) *Motorsport:* zum Abbremsen zwingende Schwierigkeit einer Rennstrecke.

3) *Wasserbau:* an Einlaufbauwerken eingebautes Hindernis zum Herabsetzen der Strömungsgeschwindigkeit des Wassers.

Schikaneder, Emanuel, Bühnendichter und Theaterleiter, *Straubing 1. 9. 1751, †Wien 21. 9. 1812; vielseitiger Theatermann, gründete 1801 das Theater an der Wien, schrieb rd. 100 Stücke und Singspiele, darunter das Libretto zu Mozarts Oper »Die Zauberflöte«.

Schikoku, japan. Insel, →Shikoku.

Schild [ahd., eigtl. »Abgespaltenes«], **1)** *Astronomie:* (Sobieskischer S., lat. Scutum) Sternbild der Äquatorzone.

Emanuel Schikaneder: Ausschnitt eines Punktierstichs (um 1800)

2) *Geologie:* Festlandskern aus präkambr. Gesteinen, die durch gebirgsbildende und metamorphe Vorgänge zusammengeschweißt worden sind und seitdem Hebungstendenz zeigen, z.B. Balt. S., Kanad. S., Indischer Schild.

3) *Heraldik:* Wappen-S. (→Heraldik).

4) *Kerntechnik:* Ummantelung des Reaktorkerns eines Kernreaktors zur Verhinderung des Strahlungsaustritts.

5) *Waffentechnik:* Schutzwaffe gegen Hieb, Stich und Wurfgeschosse aller Art, i.d.R. aus Holz, Flechtwerk, Leder oder Metall, oft mit figürl. oder ornamentalem Schmuck. Die ältesten S. sind in Europa aus der Urnenfelderzeit überliefert. – Im Altertum war der S. ein Ehrenzeichen des Kriegers. Schon seit dem 2. Jt. erfolgte eine Differenzierung in die leichteren **Parier-S.** und die den Körper weitgehend umschließenden **Groß-S.** Der german. S., seit der Bronzezeit bekannt, war meist aus Holz, selten aus Bronze. Im MA. führte man zunächst den hölzernen Rund-S.; daneben entstand aus dem viereckigen S. der große dreieckigspitze Reiter-S., der sich im Spät-MA. zur kleinen,

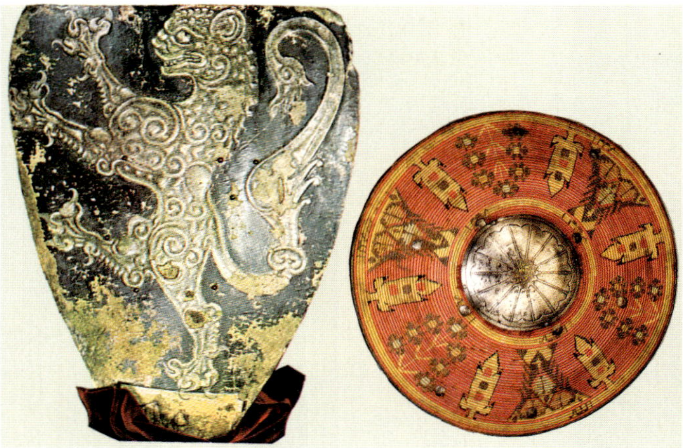

Schild 5): Normannischer Reiterschild mit Löwendekor (12. Jh.; Zürich, Schweizerisches Landesmuseum) und Osmanischer Rundschild aus Ruten der Rotangpalme (17. Jh.; Karlsruhe, Badisches Landesmuseum); rechts daneben Rundschild aus der Aztekenkultur mit figürlichem Dekor aus Federmosaik (15. Jh.; Mexiko, Museo Nacional de Anthropología)

nur den Oberkörper deckenden Tartsche entwickelte. Der Fußkrieger gebrauchte seit dem 14. Jh. den großen, rechteckigen Setz-S. (Pavese), der sich als Hand-S. bis ins 16. Jh. erhielt. Gegen Ende des 16. Jh. verlor der S. seine waffentechn. Bedeutung. Manche Naturvölker haben (z. T. verzierte) **Kampf-S.,** auch S. für rein zeremonielle Zwecke.

Schildblatt (Peltiphyllum), Gattung der Steinbrechgewächse mit der einzigen, in Kalifornien an Bachrändern wachsenden Art **S.** (Peltiphyllum peltatum); meterhohe Staude mit schirmartigen Blättern und roten Blüten; Gartenzierpflanze.

Schildblume, die →Aspidistra.

Schildbogen (Wandbogen), *Baukunst:* der Bogen an der Stelle, an der Wand und Gewölbe zusammentreffen.

Schildbürger, die durch einfältiges Handeln bekannt gewordenen Bürger der fiktiven Stadt Schilda (dem heutigen Schildau bei Torgau zugeschrieben). Das 1598 erschienene Volksbuch »Die S.« ist eine Bearbeitung des »Lalebuchs«.

Schildchen (Scutellum), das schildförmige Keimblatt der Gräser.

Schilddrüse (Glandula thyreoidea), beim Menschen und bei den Wirbeltieren in unterschiedl. Form und Lage vorkommende endokrine Drüse. Beim Menschen liegt die S. vor der Luftröhre im vorderen Halsteil. Sie besteht aus zwei Seitenlappen, die durch einen etwa fingerdicken queren Strang (Isthmus) verbunden sind. Die S. gehört zu den wenigen Organen, die großen Gewichts- und Volumenschwankungen unterworfen sind. Sie enthält zwei Arten von Drüsenzellen, die zwei Arten von Hormonen erzeugen. In den **Follikelzellen** entstehen die jodhaltigen Hormone Thyroxin (T_4) und Trijodthyronin (T_3). Sie steuern die Intensität der Stoffwechselvorgänge, steigern v. a. den Energieumsatz und sind von entscheidender Bedeutung für Wachstum und Differenzierung des Gesamtorganismus. Daneben wirken sie auf den Kohlenhydrat-, Fett- und Eiweißstoffwechsel ein und haben Einfluss auf das Nervensystem. Die **C-Zellen** erzeugen das Calcitonin, das an der Regelung des Calciumstoffwechsels beteiligt ist. Die Tätigkeit der S. wird vom Hypophysenvorderlappen durch das thyreotrope Hormon (TSH) gesteuert. Auf Erkrankungen der S. beruhen →Basedow-Krankheit, Kretinismus, →Kropf, →Myxödem.

Schildfarn (Polystichum), Gattung mittelgroßer Farne mit 1–3fach gefiederten Blättern und schildförmigem Schleier, in Wäldern; vier in Dtl. geschützte Arten.

Schildgebirge, Gebirge in Ungarn, →Vértesgebirge.

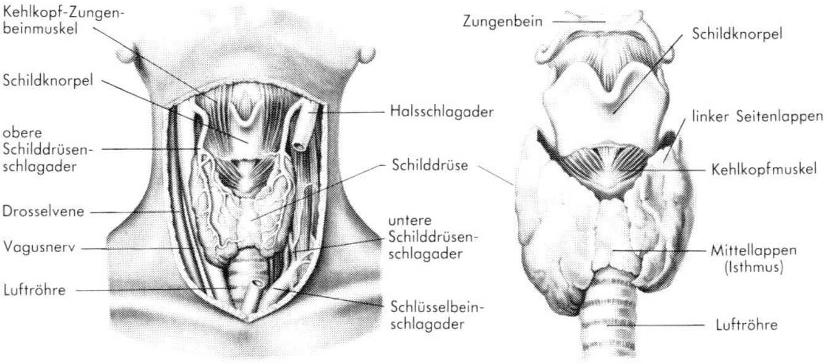

Schilddrüse (von links): schematische Darstellung ihrer Lage und Gefäßversorgung sowie ihrer Nachbarorgane

Schildkröten (Testudines), Ordnung der Reptilien mit etwa 200 Arten weltweit in trop. und gemäßigten Gebieten an Land, in Süßwasser und in Meeren. Charakteristisch ist der Knochenpanzer, der sich aus einem gewölbten Rückenpanzer (Carapax) und einem flachen Bauchpanzer (Plastron) zusammensetzt und untrennbarer Bestandteil des Skeletts ist. Äußerlich ist der Panzer meist von Hornplatten, seltener von lederartiger Haut bedeckt. Kopf, Hals, Extremitäten und der kurze Schwanz können zumeist vollständig in den Panzer zurückgezogen werden. Zum besseren Verschluss kann der Panzer mit quer verlaufenden Gelenken an der Bauch- **(Dosen-S.)** oder Rückenseite **(Gelenk-S.)** ausgestattet sein. Landbewohnende Arten ernähren sich vorwiegend von pflanzl., wasserbewohnende häufiger von tier. Nahrung. Die Fortpflanzung erfolgt durch Eier, die stets an Land in selbst gegrabene Gruben abgelegt und verscharrt werden.

S. sind sehr urtüml. Reptilien. Die ältesten Funde sind aus der oberen Trias nachgewiesen. Die heute lebenden S. werden in zwei Unterordnungen eingeteilt: 1) Die **Halswender** (Pleurodira) legen den Kopf durch horizontale s-förmige Krümmung der Wirbelsäule seitlich unter den Panzer. Zu ihnen gehören die Familien Pelomedusen-S. und Schlangenhals-S. 2) Die **Halsberger** (Cryptodira) ziehen den Kopf durch vertikale s-förmige Krümmung des Halses unter den Panzer. Zu ihnen gehören die Familien Tabasco-S., Alligator-S., Schlamm-S., Großkopf-S., Sumpf-S., Land-S., Meeres-S., Leder-S., Papua-S., Weich-S. und Echte Weichschildkröten.

S. gehören zu den am stärksten bedrohten Reptilien, u. a. durch Schildpattgewinnung (Karett-S.), Ausnehmen der Gelege oder direkte Bejagung zu Nahrungszwecken (Suppen-S.), durch massenhaftes Absammeln für den Tierhandel (Land-S.) so-

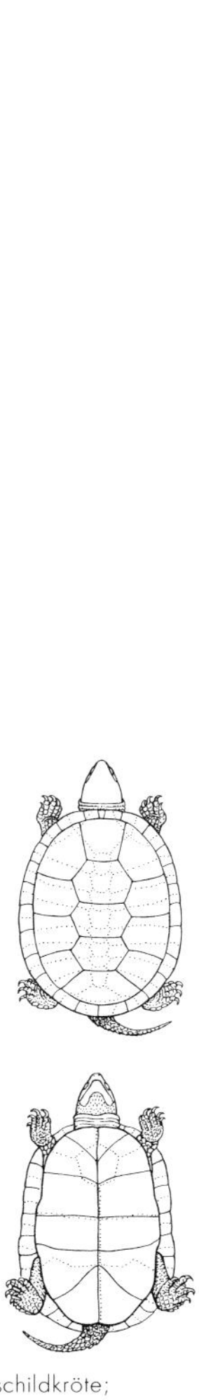

Schildkröten: Rücken- und Bauchpanzer einer europäischen Sumpfschildkröte; die durchgehenden Striche markieren die Hornplatten, die punktierten die darunter liegenden Knochenplatten wie Zerstörung der Eiablageplätze (durch Bebauung). Einfuhrverbote z. B. für S.-Suppe und Schildpatt sowie Aufzuchtprogramme sollen der Dezimierung entgegenwirken.

Schildkröten

In der antiken Mythologie ist die Schildkröte wegen ihrer Fruchtbarkeit Aphrodite zugeordnet, aufgrund ihres langen Lebens ist sie mit dem Heilgott Asklepios verbunden. Auch Japaner und Chinesen verehren die Schildkröte als Symbol langen Lebens. In vielen Kulturen, z. B. in China, war sie Symbol des Kosmos, wobei der nach oben gewölbte Schildbuckel – Himmel – und ihre flache Unterseite – Erd(scheibe) – diese Vorstellung hervorgerufen haben dürften. Im chinesischen Mythos half sie Pan Gu bei der Erschaffung der Welt. Die Unterseite des Panzers der Schildkröte diente im alten China der Wahrsagung. Oft notierte man auf ihr den Anlass einer Befragung, etwa die Klärung von Schuld oder Unschuld eines Mannes, und archivierte anschließend den Panzer. Diese Notizen sind die frühesten chinesischen Schriftzeugnisse. Auch in Indien wurde die Schildkröte mit der Schöpfung in Verbindung gebracht. Die Fähigkeit des Tieres, sich ganz in seinen Panzer zurückzuziehen, ist im Hinduismus zudem Symbol vollkommener Meditation. Im alten Amerika wurde die Erde nach dem Glauben vieler Völker der nordöstlichen Kontinenthälfte auf dem Rücken einer im Urmeer schwimmenden Schildkröte geschaffen.

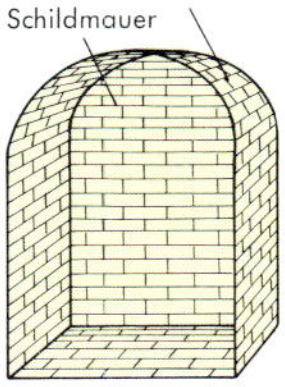

Schildmauer

Schildläuse (Coccina), Unterordnung der Pflanzenläuse, fast weltweit verbreitet, mit 0,5–35 mm langen Arten. Die mit Mundwerkzeugen ausgestatteten, Pflanzensäfte saugenden Weibchen bilden Schutzhüllen aus, die meist aus Wachs und einer Lackschicht (→Schellack) bestehen. Die Männchen sind meist geflügelt und besitzen keine Mundwerkzeuge. Die Eier bleiben durch Sekret am Körper des Weibchens haften oder entwickeln sich unter dessen Rückenschild, wobei das Muttertier abstirbt. Die aus dem Ei schlüpfenden »Wanderlarven« sorgen für die Verbreitung und saugen sich an neuen Orten fest; gefürchtete Pflanzenschädlinge, v. a. die Deckel-S., Napf-S. und Schmierläuse; Kermes-S. liefern roten Farbstoff.

Schildmauer, *Baukunst:* stirnseitiger Abschluss eines Gewölbes; auch eine hohe, breite Mauer auf der Hauptangriffsseite einer Burg.

Schild|ottern, die →Kobras.

Schildpatt [zu niederdt. padde »Kröte«], abgelöste Hornplatten vom Panzer der Echten →Karettschildkröte; für Zierkämme, Brillenfassungen, Knöpfe u. a. Der Import von S. nach Dtl. ist verboten (Washingtoner Artenschutzabkommen).

Schildvulkan, flacher, schildförmiger Lavavulkan (ohne Aschenförderung), dessen Form auf dünnflüssige, bas. (vorwiegend basalt.) Lavamassen, die vom Scheitelgebiet radial ausflossen, zurückgeht; typisch für den Vulkanismus des Mittelozean. Rückens und der Hot Spots; Vorkommen u. a. auf Island und Hawaii.

Schildwache, im MA. die Wache vor der Wachstube bei den aufgehängten Schilden; später militär. Wachtposten, oft im Schilderhaus.

Schilf, Bez. für das Schilfrohr und die schilfrohrähnl. bestandbildenden Pflanzen (Rohrkolben u. a.) in der Verlandungszone von Gewässern.

Schilfrohr, weltweit verbreitete Gattung ausdauernder Gräser mit drei formenreichen Arten; v. a. das (auch einheim.) bis 4 m hohe **Gemeine S.** (Phragmites communis) mit langen scharfrandigen Blättern und ästiger Rispe aus rotbraunen Ährchen. Die Halme werden u. a. zur Herstellung von Matten und zum Dachdecken (Reet) verwendet.

Schilka *die,* linker Quellfluss des Amur, in Ostsibirien, Russland, entsteht durch den Zusammenfluss von Onon und Ingoda; 560 km lang.

Schilksee, Ortsteil von Kiel nördlich des Nord-Ostsee-Kanals, Ostseebad an der W-Seite der Kieler Förde, Segelsportzentrum; Austragungsort der olymp. Segelregatten 1972.

Schill *der,* **1)** Fisch, der →Zander.

2) durch Wellen am Flachstrand ausgeworfene und angereicherte ganze oder zertrümmerte (Bruch-S.) Hartteile von Organismen (Schalen von Muscheln oder Schnecken).

Schill, Ferdinand von, *Wilmsdorf (heute zu Possendorf, Weißeritzkreis) 6. 1. 1776, ⚔ Stralsund 31. 5. 1809; preuß. Offizier, trat 1806/07 bei der Verteidigung Kolbergs hervor, scheiterte beim Versuch, 1809 eine allg. Erhebung gegen Napoleon I. auszulösen.

Schiller, 1) Johann Christoph Friedrich von (seit 1802), Dichter, *Marbach am Neckar 10. 11. 1759, †Weimar 9. 5. 1805. Sein Vater, Johann Kaspar S. (*1723, †1796), absolvierte die militär. Laufbahn und war seit 1775 Verwalter der Hofgärten auf der Solitude bei Stuttgart; seine Mutter war Elisabeth Dorothea, geb. Kodweis (*1732, †1802).

Der junge Schiller. S. trat auf Befehl des Herzogs Karl Eugen in die »Militär-Pflanzschule« (seit 1775 »Hohe Karlsschule« in Stuttgart; →Karlsschule) ein, studierte die Rechte, seit 1775 Medizin, wurde 1780 Regimentsmedikus in Stuttgart. Daneben schrieb er Gedichte und das Sturm-und-Drang-Drama »Die Räuber«, dessen Uraufführung (13. 1. 1782) am Mannheimer Hof- und Nationaltheater ein überwältigender Erfolg wurde. Für eine unerlaubte Reise nach Mannheim (ins kurpfälz. »Ausland«) erhielt S. zweiwöchigen Arrest und das herzogl. Verbot jeder weiteren poet. Betätigung. Er floh im Sept. 1782 mithilfe seines Freundes J. A. Streicher aus Stuttgart, hielt sich in Frankfurt am Main, dann in Oggersheim (heute zu Ludwigshafen am Rhein) auf. Aus sehr schwieriger

Friedrich von Schiller: Gemälde von Gerhard von Kügelgen (1808/09; Frankfurt am Main, Freies Deutsches Hochstift)

materieller Lage half ihm Karoline von Wolzogen, die ihm auf ihrem Gut Bauerbach bei Meiningen Zuflucht gewährte. 1783/84 hatte S. eine Anstellung als Theaterdichter in Mannheim (Aufführung von »Die Verschwörung des Fiesko von Genua«, 1783; »Kabale und Liebe«, 1784). Vergeblich suchte er durch Gründung einer Zeitschrift (»Rhein. Thalia«, 1785/86, bis 1791 als »Thalia« fortgesetzt) seine wirtsch. Lage zu bessern, nachdem sein Vertrag in Mannheim nicht verlängert worden war.

In Sachsen, Weimar und Jena. Im April 1785 kam er auf Einladung von C. G. Körner nach Leipzig, wo u. a. die Ode »An die Freude« (gedruckt 1803) entstand. Im gleichen Jahr folgte er Körner nach Dresden. Dort arbeitete er am »Don Carlos« (zunächst u. d. T. »Dom Karlos, Infant von Spanien«, Dr., 1787) und an dem Fragment gebliebenen Roman »Der Geisterseher« (2 Bde., 1787–89). 1787 übersiedelte er nach Weimar (bereits 1784 hatte Herzog Karl August ihn zum »Fürstl. Rat« ernannt), wo er Kontakte zu J. G. Herder und C. M. Wieland bekam. Eine – zunächst folgenlose – Begegnung mit Goethe hatte er 1788. Erste Frucht seiner histor. Studien war die »Geschichte des Abfalls der vereinigten Niederlande von der span. Regierung« (1788). 1789 erhielt S. auf Goethes Vorschlag eine nicht fest besoldete Geschichtsprofessur in Jena (Antrittsvorlesung »Was heißt und zu welchem Ende studiert man Universalgeschichte?«). 1790 heiratete er Charlotte von Lengefeld (*1766, †1826) und zog nach Jena. Dort setzte er seine histor. Arbeiten fort (»Geschichte des Dreißigjährigen Krieges«, 3 Bde., 1790–92) und beschäftigte sich, an J. J. Winckelmann anknüpfend, mit der Antike (»Die Götter Griechenlands«, Ged., 1788). Da sich sein Gesundheitszustand verschlechterte, musste er die Professur 1791 aufgeben. Im gleichen Jahr ermöglichte ihm ein dreijähriges Ehrengehalt des dän. Hofes, sich philosoph. Studien zu widmen, v. a. befasste er sich mit der Ethik und Ästhetik I. Kants, die er weiterentwickelte, so in den ästhet. Schriften »Über Anmut und Würde« (1793) und den Briefen »Über die ästhet. Erziehung des Menschen« (1795). Zus. mit dem Verleger J. G. Cotta, mit W. von Humboldt und J. G. Fichte entstand der Plan einer literar. Zeitschrift, die die sittl. Verbesserung der Gesellschaft durch die Verbindung von Wahrheit und Schönheit bewirken sollte (»Die Horen«, 1795–97).

Die Freundschaft mit Goethe. Mit S.s Einladung an Goethe, an den »Horen« mitzuarbeiten, begann der intensive geistige Austausch der beiden Dichter. Er brachte ein Höchstmaß einander ergänzender und korrigierender künstler. Produktivität, die im »Briefwechsel« (hg. zuerst von Goethe 1828–29) dokumentiert ist. Unmittelbare poet. Frucht dieser Zusammenarbeit sind die →Xenien und das »Balladenjahr« 1797–98 (von S. u. a.: »Der Taucher«, »Die Kraniche des Ibykus«, »Der Kampf mit dem Drachen«, »Die Bürgschaft«, »Der Handschuh«, »Der Gang nach dem Eisenhammer«, »Ritter Toggenburg«). Die Balladen erschienen sämtlich im »Musenalmanach«, den S. 1795–99 jährlich herausgab. Dafür und für die »Horen« verfasste er auch seine großen philosoph. Gedichte (»Das Ideal und das Leben«, 1795; »Der Spaziergang«, 1795; »Das Lied von der Glocke«, 1799), in denen er seine ästhet. Theorien dichterisch umsetzte. In den »Horen« erschien auch seine Abhandlung »Über

Schiller

»Die Räuber«

Schillers Einstand als dramatischer Dichter glich einem Paukenschlag. »Die Räuber«, 1781 im Selbstverlag, anonym und mit fingiertem Druckort erschienen, wurden am 13. 1. 1782 im Nationaltheater Mannheim aufgeführt (nachdem Schiller auf Veranlassung des Theaterdirektors W. H. von Dalberg einige Kürzungen und Milderungen angebracht hatte). Ein Augenzeuge berichtete: »Das Theater glich einem Irrenhause ... Es war eine allgemeine Auflösung wie im Chaos, aus dessen Nebeln eine neue Schöpfung hervorbricht ...« Der Held des Dramas, Karl Moor, der sich in seiner freiheitlichen Opposition gegen die Gesellschaftsordnung als Rächer der Unterdrückten und als Vollstrecker einer höheren, sittlichen Instanz versteht, verstrickt sich in Schuld und liefert sich freiwillig der Justiz aus, Franz Moor, der intrigante und kriminelle Bruder, der auch die Existenz Gottes leugnet, tötet sich selbst. In dem von subjektiver Empörung und Freiheitspathos getragenen Drama wird schließlich die – göttlich legitimierte – Weltordnung wiederhergestellt. Schiller war bei der Uraufführung selbst anwesend. Als er sich nach einer weiteren Mannheimreise ohne Erlaubnis des württembergischen Herzogs aus Stuttgart entfernt hatte, wurde er mit 14 Tagen Arrest und Schreibverbot bestraft.

Friedrich von Schiller: Zeichnung von Gottfried Schadow (1804), daneben seine Totenmaske

naive und sentimental. Dichtung« (1795/96), die dem modernen Dichter die Aufgabe zuweist, die gestörte Harmonie zw. Mensch und Natur wiederherzustellen.

Letzte Jahre in Weimar (1799–1805). 1799 siedelte S. nach Weimar über und wandte sich nun ganz dem dramat. Schaffen zu. Nach dem Abschluss der langjährigen Arbeit an der »Wallenstein«-Trilogie (»Wallensteins Lager«, »Die Piccolomini«, »Wallensteins Tod«, zus. gedruckt 1800) vollendete er in rascher Folge seine reifen Dramen, zunehmend gegen Krankheit ankämpfend: »Maria Stuart« (1801), »Die Jungfrau von Orléans« (1802), »Die Braut von Messina« (1803), »Wilhelm Tell« (1804). Das letzte Drama, »Demetrius« (hg. 1815), blieb unvollendet. Daneben schuf er für das von Goethe geleitete Weimarer Nationaltheater Übersetzungen und Bearbeitungen von Shakespeare, Gozzi und Racine. Ausgenommen »Die Braut von Messina«, verwendete S. histor. Stoffe.

Schiller als Dichter und Philosoph. Schon früh kam S. der Urkonflikt von Trieb und Geist, Natur und Freiheit zum Bewusstsein. Die Jugendlyrik steht stark unter Klopstocks Einfluss, sie ist pathetisch und spekulativ. Von Anfang an wird die Freiheitsidee leidenschaftlich verfochten und in verschiedenen Varianten dramatisch behandelt: so schon in den »Räubern«, wo der Held aus Weltverbesserungswillen zum Verbrecher wird, so in dem bürgerl. Trauerspiel »Kabale und Liebe«, worin der Idealismus des unbedingten Gefühls sich gegen die im Absolutismus gegebenen gesellschaftl. Bedingungen auflehnt. Entscheidend wurde für S. die Auseinandersetzung mit Kants Philosophie, die er selbstständig weiterentwickelte: Für S. ist vollendete Sittlichkeit – Würde – allein in der Versöhnung von Pflicht und Neigung möglich, während Kant das Primat der Pflicht betont. In der Anmut erscheinen geistige und leibl. Schönheit als ästhet. Harmonie vereint (»Über Anmut und Würde«). Die jeweilige Eigenart seiner von Ideen gelenkten Dichtung und der naturhaften Dichtung Goethes verglich S. mit der Unterschiedlichkeit antiker und moderner Kunst: jene naturnah, diese die Natur suchend (»Über naive und sentimentalische Dichtung«). Das Drama »Don Karlos« spiegelt den Übergang vom frühen, subjektiven Ansatz zum philosoph. Ideendrama, worin weltgeschichtlich-sittl. Entscheidungen ausgetragen werden; in der Figur des Marquis Posa verkörpert sich das Ideal einer kommenden höheren und freien Menschheit. Hatten S.s frühe Dramen seine Fähigkeit zu realist. Darstellung gezeigt (Musikus Miller in »Kabale und Liebe«), so war es das Bestreben des klass. Dramatikers S., alles historisch und psychologisch Einmalige und Zufällige, alle bloß stoffl. Realität in die zeitlose Form des Schönen zu verwandeln, weil nur die aller Wirklichkeit über-

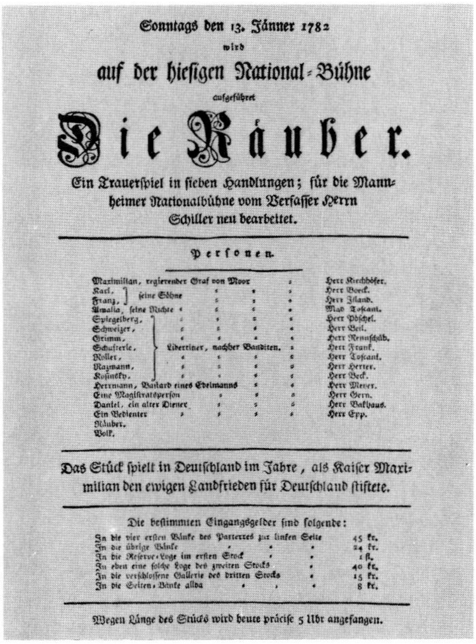

Sonntags den 13. Jänner 1782

wird

auf der hiesigen National-Bühne

aufgeführet

Die Räuber.

Ein Trauerspiel in sieben Handlungen; für die Mannheimer Nationalbühne vom Verfasser Herrn Schiller neu bearbeitet.

Personen.

Maximilian, regierender Graf von Moor	Herr Kirchhöfer.
Karl, } seine Söhne	Herr Boeck.
Franz, } seine Söhne	Herr Jffland.
Amalia, seine Nichte	Mad. Toscani.
Spiegelberg,	Herr Pöschel.
Schweizer,	Herr Beil.
Grimm,	Herr Rennschüb.
Schufterle, } Libertiner, nachher Banditen.	Herr Frank.
Roller,	Herr Toscani.
Razmann,	Herr Herter.
Kosinsky,	Herr Beck.
Herrmann, Bastard eines Edelmanns	Herr Meyer.
Eine Magistratsperson	Herr Gern.
Daniel, ein alter Diener	Herr Bakhaus.
Ein Bedienter	Herr Epp.
Räuber.	
Volk.	

Das Stück spielt in Deutschland im Jahre, als Kaiser Maximilian den ewigen Landfrieden für Deutschland stiftete.

Die bestimmten Eingangsgelder sind folgende:

In die vier ersten Bänke des Parterres zur linken Seite	45 kr.
In die übrige Bänke	24 kr.
In die Reserve-Loge im ersten Stock	1 fl.
In eben eine solche Loge des zweiten Stocks	40 kr.
In die verschlossene Gallerie des dritten Stocks	15 kr.
In die Seiten-Bänke allda	8 kr.

Wegen Länge des Stücks wird heute präcise 5 Uhr angefangen.

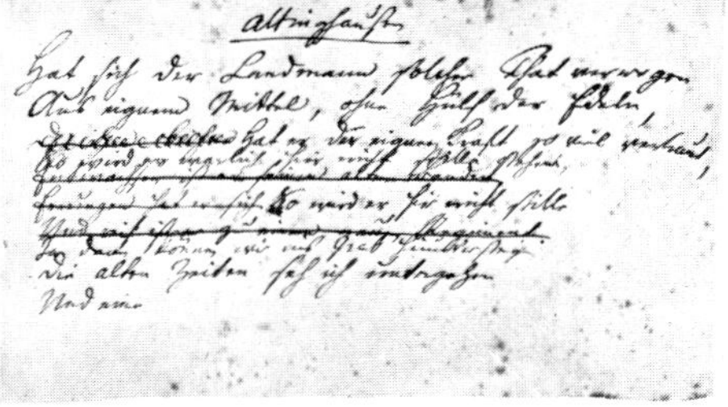

Friedrich von Schiller: Theaterzettel zu der am Mannheimer Hof- und Nationaltheater inszenierten Uraufführung der »Räuber« am 13. Januar 1782; darunter Autograph aus seinem letzten vollendeten Drama »Wilhelm Tell« (1804; 2. Szene, 4. Akt)

legene Kunst dem Menschen seine höhere und eigtl. Bestimmung offenbare. In Teilen der »Wallenstein«-Trilogie und im «Demetrius«-Fragment zeigt sich jedoch zugleich eine stärker realist. Haltung des Geschichtsdramatikers S. Die klass. Dramen mit ihrem Sinn für dramat. Steigerung kennzeichnet der trag. Konflikt des zw. den Zwang der phys. Notwendigkeiten und die Berufung zu moral. Freiheit, zw. Wirklichkeit und Idee, Schicksal und Selbstrealisierung gestellten Menschen. Für S. besitzt der Mensch die unverlierbare Fähigkeit, seine metaphys. Freiheit, auch um den Preis des Lebens, zu behaupten oder die preisgegebene wieder zu ergreifen. – S.s Lyrik ist Ausdruck des Gedankens von der Teilhabe des Menschen an der idealen Wertwelt. Als Erzähler ist S. nur in der Zeit der Herausgabe der »Thalia« sowie mit dem Romanfragment »Der Geisterseher« hervorgetreten. Er erwies sich hier als illusionsloser Psychologe, der sich auch von kriminalist. Stoffen angezogen fühlte. Den künstler. Höhepunkt fand S.s Prosa in seinen philosophisch-ästhet. Schriften. – S. ist im 19. Jh. der eigtl. dt. Nationaldichter geworden. Danach bewirkte die rasche Auflösung des idealist. Denkens durch die ökonom. und naturwissenschaftl. Entwicklung, dass seine Kunst als rhetorisch und pathetisch empfunden wurde. Im 20. Jahrhundert wurden die Werke vielfach neu gedeutet.

📖 MIDDELL, E.: *F. S. Leben u. Werk. Leipzig* *²1982.* – KOOPMANN, H.: *S. Eine Einführung. München u. a. 1988.* – OELLERS, N.: *S. Stuttgart 1993.* – GUTHKE, K. S.: *S.s Dramen. Idealismus u. Skepsis. Tübingen u. a. 1994.* – BURSCHELL, F.: *F. S. Reinbek 195.–199. Tsd. 1995.*

2) Karl, Volkswirtschaftler und Politiker (SPD), * Breslau 24. 4. 1911, † Hamburg 26. 12. 1994; Verfechter des Keynesianismus; 1947–72 Prof. in Hamburg und Leiter des Inst. für Außenhandel und Überseewirtschaft; 1948–53 Wirtschaftssenator in Hamburg, 1961–65 in Berlin; 1966–72 Bundeswirtschafts-, 1971/72 zugleich Bundesfinanzmin.; war maßgeblich an der Ausarbeitung des Stabilitätsgesetzes (1967) beteiligt und suchte durch die »Konzertierte Aktion« die Zusammenarbeit der Sozialpartner zu fördern; 1972 wegen Kritik an seiner wirtschaftspolit. Konzeption Rücktritt als Min. und Parteiaustritt (1980 Wiedereintritt), seitdem wirtschaftspolit. Berater.

Schillerfalter (Apatura), Gattung der Fleckenfalter; in Mitteleuropa u. a. der geschützte **Große S.** (Apatura iris) mit blau bis violett schillernden Flügeln, Spannweite 6,5 cm.

Schillergesellschaft, Deutsche, literarisch-wiss. Vereinigung; aus dem 1895 gegr. Schwäb. Schillerverein hervorgegangen; Sitz: Marbach am Neckar; Aufgaben: Verwaltung und Ausbau des →Schiller-Nationalmuseums, Förderung der Schillerforschung, Sammlung und Erforschung der dt. Literatur seit dem 18. Jahrhundert.

Schiller

Die erste Begegnung zwischen Goethe und Schiller fand am 14. Dezember 1779 im Weißen Saal des Stuttgarter Schlosses statt. Goethe machte gerade mit Herzog Karl August von Weimar Station auf einer Reise in die Schweiz und nahm abends an der Preisverleihung zum Stiftungstag der Militärakademie teil. Dabei wurden die Preise anlässlich der Abschlussprüfungen verliehen, und Goethe, schon ganz Dichterfürst, stand auf der Bühne neben Karl August und Herzog Karl Eugen. Dreimal stieg Schiller die vier Stufen hinauf und nahm Silbermedaillen und Diplome für praktische Medizin, Arzneimittellehre und Chirurgie entgegen. »Wie gerne hätte ich mich bemerkbar gemacht«, sagte er später. Aber Goethe war nur mäßig interessiert, und erst neun Jahre später trafen sie sich bei von Lengefelds in Rudolstadt wieder.

Schillerkragen, offener, über dem Jackenkragen getragener Hemdkragen.

Schillerlocke, 1) Blätterteigrolle mit Schlagsahne; 2) geräucherte eingerollte Bauchlappen des Dornhais.

Schiller-Nationalmuseum, Marbach am Neckar. Die Sammlungen des 1903 vom Schwäb. Schillerverein gegr. Museums umfassen Bildnisse, Handschriften und Erstdrucke von F. Schiller, F. Hölderlin, E. Mörike und den schwäb. Romantikern. Mit dem S.-N. verbunden ist das 1955 gegr. **Deutsche Literaturarchiv;** es erschließt literar. Handschriften und Korrespondenzen, gedruckte Quellen und Sekundärliteratur (Spezialbibliothek mit 350 000 Bänden, Sondersammlungen), dient literaturwiss. Forschung.

Schillerfalter: Männchen des Großen Schillerfalters (Spannweite 6,5 cm)

Schillerpreise, Kultur- und Literaturpreise: Schiller-Gedächtnispreis des Landes Baden-Württemberg, die S. der Städte Mannheim und Marbach am Neckar sowie der »Große Schiller-Preis« der Schweizer Schillerstiftung.

Karl Schiller

Schiller|spat (Bastit), Mineral, Pseudomorphose von Serpentin nach Enstatit oder Bronzit.

Schillerwein, Roséwein, der durch die gemeinsame Kelterung von roten und weißen Trauben gewonnen wird.

Schilling, 1) urspr. german. Bez. für den oströmisch-byzantin. Solidus. 2) im karoling. Münzsystem Rechnungsmünze (Solidus), 12 Pfennige (Denare) = 1 S., 20 S. = 1 Pfund; seit dem 13. Jh. Geldstück (12-Pfennig-Stück; auch →Groschen gen.); seit dem 14. Jh. Silbermünze (in S-, SW- und N-Dtl., z.T. bis 1873) mit territorial unterschiedl. Wert. 3) in Großbritannien →Shilling. 4) Währungseinheit in Österreich: 1 S. (S) = 100 Groschen.

Tom Schilling

Schilling, **1)** Johannes, Bildhauer, *Mittweida 23. 6. 1828, †Klotzsche (heute zu Dresden) 21. 3. 1910. Seine Werke (u.a. Niederwalddenkmal, 1877–83) stehen in der Tradition von C. D. Rauch.

2) Tom, Tänzer und Choreograph, *Esperstedt (Kr. Artern) 23. 1. 1928; studierte u.a. bei D. Hoyer und M. Wigman; Solist in Dresden und Leipzig, seit 1965 Chefchoreograph (bis 1991) und künstler. Leiter (bis 1993) des Tanztheaters der Kom. Oper Berlin; Choreographien u.a. zu »Abraxas« (1966), »Schwarze Vögel« (1975), »Wahlverwandtschaften« (1983), »Aschenbrödel« (1991).

Schillings, Max von (seit 1912), Komponist, *Düren 19. 4. 1868, †Berlin 24. 7. 1933; 1919–25 Intendant der Staatsoper Berlin. Zunächst von R. Wagner ausgehend, näherte er sich später dem frz. Impressionismus und dem italien. Verismo; schrieb Opern (u.a. »Mona Lisa«, 1915), das Melodram »Das Hexenlied« (1902), Orchester-, Kammermusik, Vokalwerke.

Schilluk, Volk in der Rep. Sudan, →Shilluk.

Schiltberger, Hans (Johannes), Orientreisender, *Freising 1380, †um 1440; kam zw. 1396 und 1427 in türk. und mongol. Diensten nach Kleinasien, Ägypten, Turkestan, auf die Krim und in den Kaukasus. Sein Reisebuch erschien um 1476 in Augsburg.

Otto Schily

Schiltigheim [frz. ʃiltigˈɛm], Stadt im Unterelsass, Frankreich, Dép. Bas-Rhin, an Ill und Rhein-Marne-Kanal, 29 300 Ew.; Großbrauereien, Maschinen- und Gerätebau.

Schily, Otto, Politiker, *Bochum 20. 7. 1932; Rechtsanwalt, ab März 1983 MdB, 1983/84 Fraktionssprecher der Grünen; trat 1989 der SPD bei; seit 1998 Bundesmin. des Inneren.

Schimäre, eingedeutscht für →Chimäre.

Schimmel, **1)** *Mikrobiologie:* staub- oder mehlartiger, meist weißer oder bläul. bis grünl. Überzug auf toten tier. oder pflanzl. Materialien bzw. auf Lebewesen; hervorgerufen durch bestimmte Strahlen- oder →Schimmelpilze.

2) *Zoologie:* weißhaariges Pferd, das im Unterschied zu Albinos stets dunkelhaarig geboren wird. Die Umfärbung **(Schimmelung)** dauert etwa zehn Jahre.

Annemarie Schimmel

Schimmel, Annemarie, Orientalistin, *Erfurt 7. 4. 1922; setzt sich mit dem Islam und seiner Begegnung mit der abendländ. Kultur auseinander; ein Forschungsschwerpunkt ist die islam. Mystik (Sufismus); trat durch zahlreiche Übersetzungen aus Sprachen der islam. Welt hervor. 1995 erhielt sie den Friedenspreis des Dt. Buchhandels.

Werke: Myst. Dimensionen des Islam (1975); Rumi (1978); Und Muhammad ist Sein Prophet (1981); Muhammad Iqbal (1989); Der Islam (1990).

Schimmelkraut, das →Filzkraut.

Schimmelpilze, Sammelbez. für zahlr. mikroskopisch kleine Pilze aus versch. systemat. Gruppen (Algenpilze, Jochpilze, Schlauchpilze, Deuteromyzeten), die als Saprophyten oder Parasiten tote oder lebende Tiere und Pflanzen oder sonstige organ. Materialien mit Schimmel überziehen; z.T. gefährl. Vorratsschädlinge und Krankheitserreger. Einige S. besitzen erhebl. wirtsch. Bedeutung als Lieferanten von Antibiotika (Pinselschimmel), von Enzymen (Gießkannenschimmel) und durch die Schimmelreifung von Camembert und Roquefort (durch Penicilliumarten).

Schimmelreiter, in der dt. Sage und im Volksglauben dämon. Wesen oder wilder Jäger; zeigt sich bes. in der Adventszeit und in den Zwölf Nächten. – Novelle von T. Storm (1888).

Schimpansen [afrikan.] (Pan), Gattung der Menschenaffen mit zwei Arten in Äquatorialafrika: Der **S.** (Pan troglodytes) wird im männl. Geschlecht bis 1,70 m hoch, im weibl. bis 1,30 m, mit schwarzem bis schwarzbraunem Fell, bewegl. Lippen, platter Nase, menschenähnl. Ohren. Der **Bonobo** oder **Zwerg-S.** (Pan paniscus) ist kleiner, schlanker, hat fleischfarbene Lippen. S. stehen im Verhalten dem Menschen am nächsten; sie leben in kleinen Horden und ernähren sich von pflanzl. und tier. Kost. S. sind zu einsichtigem Verhalten und zum Herstellen einfachster Werkzeuge befähigt. BILD Affen

Schindel [lat. scintula], **1)** *Hausbau:* kurzes Brettstück, als Dachdeckung oder an die Außenwände genagelt.

2) *Heraldik:* Rechteckmuster auf dem Wappenschild.

Schinderhannes, eigtl. Johann Bückler, Räuberhauptmann, *Miehlen (Rhein-Lahn-Kr.) 25. 5. 1783 (1777?), †(hingerichtet) Mainz 21. 11. 1803; führte eine Straßenräuberbande in Hunsrück und Taunus. – Drama von C. Zuckmayer (1927).

Schindewolf, Otto Heinrich, Geologe und Paläontologe, *Hannover 7. 6. 1896, †Tübingen 10. 6. 1971; Prof. in Berlin und Tübingen; befasste sich mit morpholog. und morphogenet. Untersuchungen an Fossilien und deren Stammesgeschichte; schrieb »Grundfragen der Paläontologie« (1950).

Schindler, **1)** Anton, Dirigent, *Meedl (heute Medlov, bei Uničov, Nordmähr. Gebiet) 13. 6. 1798, †Bockenheim (heute zu Frankfurt am Main) 16. 1. 1864; wirkte in Wien, Münster und Aachen; seit 1814 mit L. van Beethoven befreundet (erste Beethoven-Biographie, 1840).

Rudolph M. Schindler: Lovell Beach House in Newport Beach, Calif. (1925–26)

2) Rudolph Michael, amerikan. Architekt österr. Herkunft, *Wien 5. 9. 1887, †Los Angeles 22. 8. 1953; Schüler von O. Wagner in Wien; ab 1921 in Los Angeles; baute v.a. Einfamilienhäuser, in denen er die Betonskelettbauweise als eine offene und dynam. Raumstruktur anwandte.

Schinkel, Karl Friedrich, Baumeister und Maler, *Neuruppin 13. 3. 1781, †Berlin 9. 10. 1841; dort Schüler von D. und F. Gilly, seit 1803 in Italien, von wo er über Paris 1805 nach Berlin zurückkehrte. Sein Frühwerk ist geprägt von der romant. Hinwendung zum MA.; neben Gemälden schuf er Dioramen und Panoramen sowie erste architekton. Entwürfe. Aus Baugesinnung und Schönheitsideal der Antike, Anlehnung an nat. Traditionen und Überlegungen der Zweckmäßigkeit entwickelte er einen vorbildhaft wirkenden klassizist. Stil. Zu seinen Hauptwerken gehören die Neue Wache (1816–18; 1931 durch Ausbau des Innern von H. Tessenow zum Ehrenmal umgestaltet), das Schauspielhaus (1819–21), das Alte Museum (1822–30), die Friedrichswerdersche Kirche (1824–30; seit 1987 S.-Museum) in Berlin (alle Bauten nach schweren Kriegsschäden wieder hergestellt); in Potsdam entstand die Nikolaikirche (1830–37). Sein Wirken in der Oberbaudeputation in Berlin war von maßgebendem Einfluss im ganzen preuß. Gebiet, wo nach seinen Plänen und Richtlinien gebaut und Denkmalpflege betrieben wurde **(S.-Schule);** auch Entwürfe für das Ausland (u.a. Königsschloss auf der Akropolis; Schloss Orianda auf der Krim). Seit 1815 Leiter des Dekorationswesens der Hoftheater, entwarf er bis 1830 zahlr. Bühnendekorationen (u.a. zur »Zauberflöte« von Mozart). Weitere BILDER Klassizismus, Lithographie

📖 BERGDOLL, B.: *K. F. S. A. d. Engl. München 1994.* – BÜCHEL, W.: *K. F. S. Reinbek 1994.*

Schinken, gepökelte und geräucherte (roher S.) oder gekochte Schweinskeule oder -schulter.

Schintoismus, → Shintō.

Schinznach Bad, Gemeinde im Kt. Aargau, Schweiz, 360 m ü. M., am rechten Aareufer, gegenüber von **Schinznach Dorf** (Motorenind., Knopffabrik), 1200 Ew.; Heilbad dank Schwefeltherme.

Schiphol [sxɪp'hɔl], Flughafen von Amsterdam.

Schipkapass, Pass im mittleren Balkan, Bulgarien, 1185 m ü. M.; die Passstraße verbindet Gabrowo und Kasanlak. – Im russ.-türk. Krieg 1877/78 suchte die Türkei vergeblich, den von russ. Truppen am 19. 7. 1877 besetzten S. zurückzuerobern.

Schippen, dt. Name der frz. Spielkartenfarbe → Pik.

Schippers ['ʃɪpəz], Thomas, amerikan. Dirigent, *Kalamazoo (Mich.) 9. 3. 1930, †New York 15. 12. 1977; dirigierte u.a. an der Mailänder Scala, Metropolitan Opera in New York; 1970–77 Chefdirigent des Cincinnati Symphony Orchestra.

Karl Friedrich Schinkel (zeitgenössischer Stich)

Schirach, Baldur von, Politiker (NSDAP), *Berlin 9. 5. 1907, †Kröv 8. 8. 1974; führte 1928–32 den NS-Studentenbund sowie als Reichsjugendführer der NSDAP (1931–40) und Jugendführer des Dt. Reiches (ab 1933) alle NS-Jugendorganisationen; wurde als ehemaliger Gauleiter und Reichsstatthalter von Wien (1940–45) im Nürnberger Hauptkriegsverbrecherprozess 1946 wegen Beteiligung an Judendeportationen zu 20 Jahren Haft verurteilt, die er in Berlin-Spandau verbüßte.

Schiras (Shiraz), Provinz-Hptst. in Iran, 1585 m ü. M., in einem Becken des Zagrosgebirges, 965 100

Karl Friedrich Schinkel: Die 1830–37 erbaute klassizistische Nikolaikirche in Potsdam wurde (ebenso wie das barocke Rathaus rechts davon) nach Zerstörung im Zweiten Weltkrieg wiederhergestellt

Schirm
als Herrschaftssymbol: in Ägypten (um 1 000 v. Chr.) und in Venedig (16. Jh.); darunter japanischer Schirm (18. Jh.)

Ew.; Univ.; Teppichherstellung, Zucker-, Zement- u. a. Ind., Erdölraffinerie; Handelszentrum mit großem Basar. – Bed. schiit. Wallfahrtsort mit dem 1834 erbauten Mausoleum von Schah Tscheragh. S. ist Geburts- und Sterbeort der pers. Dichter Saadi und Hafis; Freitagsmoschee (875 gegr., 1199–1218 erneuert), Zitadelle (18. Jh.), Wakil-Moschee und -Basar (beide 19. Jh.). Im NO die Ruinen von Persepolis und Pasargadai, im S die von Firusabad.

Schịre *der,* Nebenfluss des Sambesi, →Shire.

Schirgiswạlde (sorb. Šěrachow), Stadt im Landkr. Bautzen, Sachsen, an der Spree, im Lausitzer Bergland, 3 100 Ew.; Erholungsort; Textil-, Lederwarenind., Druckerei. – Barocke Pfarrkirche (1739–41), zahlr. Lauben- und Umgebindehäuser. – Im 13. Jh. gegr., 1665 Stadt.

Schirm, schützender Gegenstand, z. B. Ofen-, Wand-, Wind-, Lampen-, Sonnen- und Regen-S. – Der Sonnen-S. ist älter als der Regen-S. und war in den Hochkulturen des Ostens (China, Japan) sowie im Orient Herrschaftssymbol. Es gab mehrstöckige S. sowie solche aus Federn, Palmblättern u. a. Die christl. Kirche übernahm den S. als Privileg für Würdenträger. Im 13. Jh. entwickelte sich daraus der Baldachin. Als Gebrauchsgegenstand im 16. Jh. in Italien als Mehrpersonen-S. verwendet, setzte sich der Regen-S. (für einzelne Träger) im 18. Jh. durch. Um 1815 erfand ein Franzose den »Knicker« (bei dem der Stock abgewinkelt werden konnte), 1852 ein Engländer das Stahlgestell (statt Fischbein). 1928 wurde der zusammenlegbare Taschen-S. konstruiert.

Schirmbaum (Musanga smithii), häufiger Waldbaum des trop. Westafrika aus der Familie Maulbeergewächse, der sehr leichtes Holz liefert.

Schịrmer, 1) Johann Wilhelm, Maler, *Jülich 7. 9. 1807, †Karlsruhe 11. 9. 1863; stellte italien. und dt. »Ideallandschaften«, oft mit bibl. Staffage, dar. Sein Werk steht zw. Romantik und Realismus und beeinflusste u. a. A. Böcklin und A. Feuerbach.

2) Walter F. (Franz), Anglist, *Düsseldorf 18. 12. 1888, †Bonn 22. 3. 1984. Seine Werke betonen ideengeschichtl. Aspekte: »Gesch. der engl. Literatur von den Anfängen …« (1937, u. d. T. »Gesch. der engl. und amerikan. Literatur …«, 2 Bde., [3]1959–60).

Schiras: Das 1834 völlig neu errichtete Mausoleum von Schah Tscheragh ist das bedeutendste Heiligtum des schiitischen Wallfahrtsortes

Schirmgitter|röhre, eine →Elektronenröhre mit vier Elektroden (Tetrode), bei der durch ein Schutzgitter die Gitter-Anoden-Kapazität sinkt, die Verstärkung (gegenüber einer Triode) aber steigt.

Schirmlinge (Schirmpilze), Lamellenpilze mit weißen Sporen und einem aufgespannten Schirm gleichendem Fruchtkörper; essbar der bis 25 cm hohe **Große S. (Parasolpilz,** Lepiota procera).

Schirmquallen, die →Scheibenquallen.

Schirọkko [arab.] *der* (italien. Scirocco) heißer staubbeladener Südwind im Mittelmeergebiet, der von der Sahara her Tropikluft heranführt (in Nordafrika und Vorderasien **Samum, Gibli** oder **Chamsin** genannt); in Italien, Dalmatien, Griechenland und Spanien ist er feucht, sonst trocken.

Schịrrmann, Richard, Lehrer, *Grünfelde (bei Heiligenbeil) 15. 5. 1874, †Grävenwiesbach (Taunus) 13. 12. 1961; gründete 1910 das Dt. Jugendherbergswerk.

Schịsma [grch. »Trennung«] *das, Kirchengeschichte:* die nicht aufgrund von Lehrdifferenzen vollzogene Trennung der kirchl. Einheit **(Kirchenspaltung).** – Die beiden folgenreichsten S. der Kirchengeschichte sind das trotz Wiederannäherung bis heute bestehende **Morgenländ. S.** (Trennung der vier ostkirchl. Patriarchate, Kon-

Schirm

Er hatte im alten Ägypten eine eigene Hieroglyphe.

In frühen Schriften symbolisiert diese Hieroglyphe zum einen Herrscherwürde und -macht, zum anderen aber auch »khabit«, den Schatten des Menschen. Zudem wurde ihr Zeugungskraft zugeschrieben.

In späterer Zeit taucht auf Sarkophagen der Gegenstand selbst in eigentümlicher Darstellung auf: Der Gott Schu und die Göttin Nu bildeten zusammen einen Schirm, wobei Schu den Stock und Nu das Dach formt.

stantinopel, Alexandria, Antiochia, Jerusalem, von der →lateinischen Kirche, 1054) und das **Abendländ. S.** (1378–1417, beigelegt durch das Konstanzer Konzil), als zwei (zeitweise drei) Päpste gleichzeitig Anspruch auf die Leitungsgewalt in der Kirche erhoben.

Schitomir (ukrain. Schytomyr), Hptst. des Gebietes S., im N der Ukraine, am Teterew, 303 000 Ew.; landwirtsch. Hochschule, Museen, Gemäldegalerie; Messgeräte-, Musikinstrumentenbau, Chemiefaserwerk, Bekleidungsind.; Verkehrsknotenpunkt, Flughafen. – Im 9. Jh. gegründet.

Schivelbein [-f-], Stadt in Polen, →Świdwin.

Schiwkow [ʒ-], Todor, bulgar. Politiker, *Prawez (Gebiet Sofia) 7. 9. 1911, †Sofia 5. 8. 1998; Buchdrucker; seit 1932 Mitgl., 1954–89 Erster Sekretär (seit 1981 Gen.-Sekr.) der KP Bulgariens; 1962–71 Min.-Präs., 1971–89 Staatsratsvors. Im Nov./Dez. 1989 wurde er zum Rücktritt von allen Partei- und Staatsämtern gezwungen, 1990 verhaftet, 1991 der Unterschlagung von Staatsgeldern angeklagt und 1992 verurteilt; danach unter Hausarrest.

schizo... [grch.], spalt..., gespalten...

Schirmlinge: der bis 25 cm hohe Große Schirmling ist ein guter Speisepilz

Schizogonie [grch.] *die,* ungeschlechtl. Vermehrung durch Vielfach- oder Zerfallsteilung, v. a. bei Sporentierchen (Sporozoa).

Schizophrenie [grch.] *die* (Dementia praecox), Gruppe von psych. Erkrankungen, bei denen der Strukturzusammenhang der Persönlichkeit verloren geht und für die tief greifende, unterschiedlich ausgeprägte Störungen charakteristisch sind. In charakterist. Weise gestört sind u. a.: 1. das Eigenbewusstsein (die Grenze zw. Ich und Außenwelt ist aufgehoben; eigene Körperteile, Gedanken und Gefühle werden als fremd bzw. von außen gesteuert erlebt); 2. die affektive Beziehung zur Umwelt (Mimik und Gefühlsäußerung erscheinen reduziert oder unangemessen); 3. die Wahrnehmung (Nebensächliches erscheint übergewichtig, Zufälliges von besonderer, meist bedrohl. Bedeutung; eigene Gedanken werden als »Stimmen« gehört). Auch andere Halluzinationen und Wahnideen sind häufig. Je nach Vorherrschen bestimmter Störungen werden versch. Formen der S. unterschieden: die bereits im Jugendalter (Manifestation zw. 15. und 25. Lebensjahr) beginnende, von Gefühls- und Willensstörungen gekennzeichnete **Hebephrenie;** die bes. durch Störungen der Willkürbewegungen (Stupor oder Erregung) gekennzeichnete **Katatonie;** die **Paraphrenie,** bei der Wahn und Halluzinationen im Vordergrund stehen. – Die Ursache ist bis jetzt unbekannt. Als mögl. Gründe werden genet. Disposition, soziale Faktoren und Störungen des Neurotransmitterstoffwechsels diskutiert. Die *Behandlung* erfolgt medikamentös mit Psychopharmaka (Neuroleptika). Hinzu kommen Psycho-, Arbeits- und Beschäftigungstherapie zur Verbesserung der zwischenmenschl. Beziehungen und zur berufl. und sozialen Rehabilitation.

Schisma

Eine zeitgenössische Quelle berichtet über den Ausbruch des Großen Schismas 1378:

»Noch in demselben Jahre kam es zu einem heftigen Konflikt zwischen dem Papst (Urban VI.) und den Kardinälen, von denen ihm nur wenige treu blieben; von den anderen wurde behauptet, er sei nicht kanonisch gewählt worden und zum Papste erhoben, weil ihn die Kardinäle unter dem Druck der Römer erkoren hätten. Der Papst setzte die Kardinäle, die ihn gewählt hatten, ab und ernannte andere, weil die ihm nicht gehorchen wollten. Daraufhin traten alle Kardinäle, die ihn erhoben hatten, zusammen und wählten einen anderen Papst ... und nannten ihn Klemens VII.«

Todor Schiwkow

📖 *Schizophrene Erkrankungen, hg. v.* W. Bender *u. a. Braunschweig u. a. 1988.* – Arieti, S.: *S. Ursachen, Verlauf, Therapie. A. d. Amerikan. Neuausg. München 1990.*

schizothym [grch.], nach E. Kretschmer dem leptosomen Körperbau (→Konstitutionstypen)

Johann Schirmer: Landschaft (1854; Essen, Museum Folkwang)

entsprechender Temperamentstypus mit empfindl. bis empfindsamer Gemütsverfassung, bevorzugter Zuwendung zur eigenen Innenwelt und geringer Kontaktbereitschaft.

Schkeuditz, Stadt im Landkreis Leipziger Land, Sachsen, 13 700 Ew.; Observatorium mit Kleinplanetarium; Mode- und Kongresszentrum; Herstellung von klimatechn. Anlagen für Eisenbahnwagen sowie von Kälteaggregaten; Rauchwarenveredelung, Möbelbau. Am nordöstl. Stadtrand der internat. Flughafen Leipzig/Halle. – Spätgot. Hallenkirche (1517). – Bei der 981 erstmals erwähnten Burg S. entstand 1210 die Stadt.

Schkipetaren (Shqiptar, von albanisch shqip »Fels«), Eigenbez. der Albaner.

Schlachtschiff: Das im August 1940 in Dienst gestellte deutsche Schlachtschiff »Bismarck« wurde im Mai 1941 von britischen Streitkräften im Nordatlantik versenkt

Schklowski, Wiktor Borissowitsch, russ. Literaturtheoretiker und Schriftsteller, *Sankt Petersburg 24. 1. 1893, †Leningrad (heute Sankt Petersburg) 5. 12. 1984; Mitbegründer und führender Vertreter des russ. →Formalismus; schrieb »Theorie der Prosa« (1925), Romane (»Zoo oder Briefe nicht über die Liebe«, Briefroman, 1923) und Biographien; ferner »Schriften zum Film« (1965).

Schkopau, Gemeinde im Landkreis Merseburg-Querfurt, Sa.-Anh., an der Saale, 3 000 Ew.; chem. Großind. (Buna), Braunkohlenkraftwerk.

Fabian von Schlabrendorff

Schlabrendorff, Fabian von, Jurist, *Halle (Saale) 1. 7. 1907, †Wiesbaden 3. 9. 1980; nahm 1943 an einem missglückten Attentatsversuch auf Hitler teil, wurde im Zusammenhang mit den Ereignissen des 20. 7. 1944 verhaftet und zum Tode verurteilt, entging jedoch der Vollstreckung des Urteils; 1967–75 Bundesverfassungsrichter. Er schrieb: »Offiziere gegen Hitler« (1946).

Schlacht [ahd. slahta »Tötung«], großräumige, aus mehreren Gefechten bestehende Kampfhandlung versch. Waffengattungen, die durch ihren Ausgang die Kriegslage entscheidend beeinflusst.

Schlachta [poln. szlachta »Geschlecht«] *die,* der poln. Adel, der vom 14. bis ins 18. Jh. die poln. Nation verkörperte. Die Mitgl. der S. **(Schlachtschitzen)** hatten allein die Staats-, Landes- und höheren Kirchenämter inne und schlossen die Bürger und Bauern zudem vom Grundbesitz aus. Nach dem Januaraufstand 1863 verlor die S. ihre überragende polit. Bedeutung.

Schlachthof (Schlachthaus), kommunale, private oder genossenschaftl. Einrichtung zum Schlachten der für den menschl. Genuss bestimmten Tiere und zur Aufbereitung des Fleischs unter behördl. und tierärztl. Aufsicht. S. unterliegen einer landesbehördl. Zulassung. Die Gemeinden können durch Satzung **Schlachtzwang** anordnen, der sich auf das Schlachten sämtl. oder einzelner Viehgattungen erstreckt. Einrichtung und Betrieb von S. richten sich nach Hygienevorschriften, die auf dem Fleischhygiene-Ges. vom 24. 2. 1987 und der Fleischhygiene-VO vom 30. 10. 1986 beruhen. Hinsichtlich der Viehseuchenbekämpfung in S. gelten v. a. die Bestimmungen des Tierseuchen-Ges. vom 28. 3. 1980 i. d. F. v. 22. 2. 1991. Angeschlossen sind Kühlräume, Anlagen zum Reinigen und Brühen bestimmter Organe und zur schnellen und geruchlosen Beseitigung von Abfällen sowie ein Seuchenhof zur Absonderung kranker Tiere.

Schlachtschiff, großes Kriegsschiff mit starker Artilleriebestückung und Panzerung; trat seine führende Rolle im 2. Weltkrieg an den Flugzeugträger ab. Der **Schlachtkreuzer** war gegenüber dem S. geringer gepanzert und bewaffnet.

Schlachtung (Schlachten), fachgerechtes Töten von Schlachttieren unter Einhaltung bestimmter gesetzl. Vorschriften. So muss u. a. das Schlachttier vor der Tötung betäubt werden, z. B. mithilfe eines Bolzenschussapparates. Jede S. bedarf vorhergehender Schlachttierbeschau (→Fleischhygiene) und muss innerhalb von 24 Stunden nach der Beschau durchgeführt sein. – Haus-S. unterliegen i. Allg. den gleichen gesetzl. Bestimmungen.

Schlacke, 1) *Geologie:* unregelmäßig geformte, blasig-poröse Lavabrocken, entstanden als vulkan. Auswurfprodukt **(Wurfschlacken)** oder an der Unter- oder Oberseite eines Lavastroms.

2) *Technik:* unterschiedl. Schmelzprodukte, die bei der Erzverhüttung im Schmelzfluss aus der Gangart der Erze und den Zuschlägen oder auch bei der Metallraffination neben dem Metallkonzentrat entstehen und aufgrund der geringeren Dichte auf den geschmolzenen Metallen schwimmen. S. sind meist kalk- oder silikatreich (bei der Gewinnung von →Eisen anfallende Hochofen-S.) und werden je nach Zusammensetzung zu Bau- und Isoliermaterialien verwendet. Phosphatreiche S. aus dem →Thomas-Verfahren ist als Düngemittel wichtig.

Schladming, Stadt in der Steiermark, Österreich, am Oberlauf der Enns, 750 m ü. M., 4 200 Ew.; Holzverarbeitung; Fremdenverkehrsort am N-Fuß der **Schladminger Tauern** (Wintersport).

Schlaf, durch Änderungen des Bewusstseins, entspannte Ruhelage und Umstellung versch. vegetativer Körperfunktionen gekennzeichneter Erholungsvorgang des Gesamtorganismus, v.a. des Zentralnervensystems, der von einer inneren, mit dem Tag-Nacht-Wechsel synchronisierten Periodik gesteuert wird; dabei kommt es zu einem Verlust der räumlich-zeitl. und personellen Orientierung durch eine vom Hirnstamm verursachte Funktionsänderung der Hirnrinde. – Lückenhaft sind noch die Einsichten in die Bedeutung des S. als Erholungsphase des Organismus, bes. des Zentralnervensystems. – Ebenso wie die Aufmerksamkeit im Wachen variieren kann, ändert sich auch die **S.-Tiefe,** kenntlich an der Stärke des zur Unterbrechung des S. erforderl. Weckreizes. Mithilfe des Elektroenzephalogramms (EEG) lassen sich die folgenden S.-Stadien unterscheiden: **Tief-S.** (Stadium E), **mitteltiefer S.** (Stadium D), **Leicht-S.** (Stadium C), **Einschlafen** (Stadium B), entspanntes **Wachsein** (Stadium A). Während einer Nacht werden die versch. S.-Stadien (bei insgesamt abnehmender S.-Tiefe) 3- bis 5-mal durchlaufen, begleitet von phas. Schwankungen zahlr. vegetativer Funktionen. Bezeichnend ist z.B. während des Durchlaufens des Stadiums B das Auftreten rascher Augenbewegungen (engl. **r**apid **e**ye **m**ovements, **REM-Phase;** dauert mehrere Minuten bis etwa ½ Stunde, 3- bis 6-mal während der Nacht). Charakteristisch für den REM-S. ist weiter die lebhafte Traumtätigkeit. – S.-Mangel führt zu erhöhter Reizbarkeit, herabgesetzter Konzentrations- und Leistungsfähigkeit; längerer S.-Entzug kann das Gehirn bleibend schädigen. Im Verlauf des menschl. Lebens nimmt die S.-Dauer ab (beim Neugeborenen täglich etwa 16 Stunden, beim Kleinkind 14–13, bei Kindern und Jugendlichen 12–8, bei Erwachsenen bis zu 40 Jahren 8–7 und im späteren Alter etwa 6 Stunden), auch der Anteil des REM-S. (bei Neugeborenen etwa 50%, bei Kindern und Jugendlichen etwa 25–20%, bei Erwachsenen etwa 20% der Gesamtschlafzeit) verringert sich.

📖 BORBÉLY, A. A.: *Das Geheimnis des S. Neuausg. Frankfurt am Main u. a. 1991. – Handbuch des normalen u. gestörten S., hg. v.* M. BERGER. *Berlin u. a. 1992.*

Schlaf, Johannes, Schriftsteller, *Querfurt 21. 6. 1862, †ebd. 2. 2. 1941; verband sich als Student in Berlin mit A. Holz zu gemeinsamem poet. Schaffen im Sinne eines konsequenten Naturalismus (»Papa Hamlet«, Skizzen, 1889; »Die Familie Selicke«, Dr., 1890; ferner allein: »Meister Oelze«, 1892). S. wandte sich später einem lyrisch bewegten Impressionismus zu (»In Dingsda«, 1892), schrieb Romane myst. Allgefühls, entwickelte naturphilosoph. Spekulationen.

Schlaf|apfel, Rosenapfel, →Gallwespen.

Schlafbewegung (Nyktinastie), zeitweiliges Zusammenlegen von Laub- oder Blütenblättern, ausgelöst durch Licht- oder Temperaturreiz. »Schlafstellung« zeigen die Blätter vieler Hülsenfrüchtler sowie des Sauerklees. Die S. beruht auf Ungleichmäßigkeiten des osmot. Drucks (des Turgors, →Osmose) oder des Wachstums.

Schläfe, über den Wangen zw. Auge und Ohr gelegener Kopfbereich bei Wirbeltieren (einschl. des Menschen).

Schläfenbein (Temporale), durch Verschmelzung von drei urspr. getrennten Knochen (Felsenbein, Paukenbein und Schuppenbein) entstandenes Knochenelement der Schläfe; trägt den äußeren Gehörgang sowie die Gelenkgrube für den Unterkiefer.

schlafendes Auge, die →Knospe, die erst im nächsten Frühjahr austreibt.

Schlafkrankheit (afrikanische Trypanosomiasis), im trop. Afrika auftretende lebensgefährl. Infektionskrankheit; Erreger sind zwei Arten von Trypanosomen (Flagellaten), die durch Stechfliegen (Tsetsefliegen) übertragen werden. Kennzeichnend ist v.a. der Befall des Zentralnervensystems mit zunehmender Apathie und Schlafsucht; die S. führt unbehandelt innerhalb von 2–6 Jahren zu Koma und Tod. – *Behandlung:* medikamentös mit Chemotherapeutika wie Suramin (→Germanin), Pentamidin. Vorbeugend wirkt die Anwendung von Insekten vertreibenden Einreibmitteln; eine Chemoprophylaxe mit Pentamidin ist möglich.

Schlaflosigkeit, →Schlafstörungen.

Schlafmäuse (Bilche, Schläfer, Gliridae), Familie der Nagetiere, in Eurasien und Afrika, Busch- und Baumbewohner mit langem Schwanz; Dämmerungs- und Nachttiere mit Winter- oder Trockenzeitschlaf, die Früchte, Insekten, Schnecken, auch junge Vögel fressen. In Mitteleuropa lebt der **Siebenschläfer** (Glis glis), hellgrau, mit buschigem Schwanz, oft in Vogelnistkästen. Die **Baumschläfer** (Gattung Dryomys) sind im östl. Europa heimisch. In Mittel- und Westeuropa lebt der bis 17 cm lange, rötlich graubraune **Gartenschläfer** (Eliomys quercinus). Die kleinste europ. S., die **Haselmaus** (Muscardinus avellanarius), ist mausgroß und gelbrötlich.

Schlafmäuse: Gartenschläfer (Länge bis zu 17 cm)

Schlafmittel (Hypnotika, Somnifera), dämpfend auf das Zentralnervensystem wirkende und damit das Einschlafen oder Durchschlafen fördernde Arzneimittel; man unterscheidet deshalb **Einschlafmittel** (z.B. Nitrazepam) mit 3- bis 4-stündiger Wirkungsdauer und **Durchschlafmittel** (z.B. Phenobarbital) mit 7- bis 8-stündiger Wirkungsdauer. Alle S. beeinflussen das Reaktionsvermögen (Fahrtauglichkeit) und können zu Gewöhnung und Abhängigkeit führen.

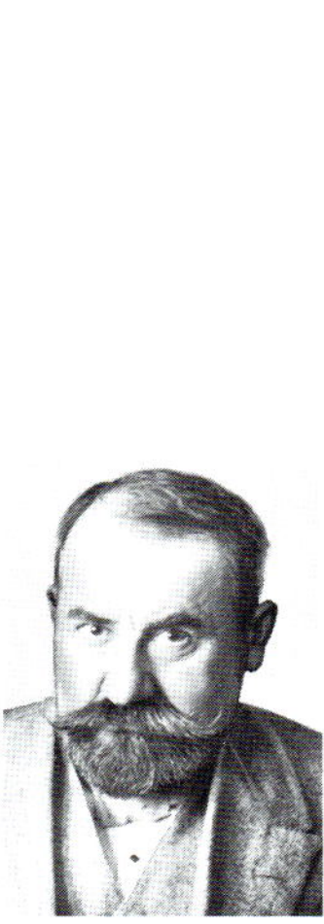

Johannes Schlaf

Schlafstörungen (Schlaflosigkeit, Agrypnie, Asomnie, Insomnie), durch vielfältige Ursachen bedingtes Unvermögen, einzuschlafen oder durchzuschlafen; am häufigsten durch psych. Konflikte hervorgerufen. Als phys. Ursachen kommen v.a. höheres Alter, organ. Hirnerkrankungen, Fieber oder vegetative Labilität in Betracht.

📖 STURM, A. *u.* CLARENBACH, P.: *Checkliste S. Stuttgart u.a. 1997.*

Schlafsucht (Hypersomnie), krankhaftes Schlafbedürfnis, u.a. bei Gehirnerkrankungen und Vergiftungen.

Schlafwandeln, → Somnambulismus.

Schlag, 1) *Forstwirtschaft:* Waldgebiet zur flächenweisen Holznutzung und nachfolgenden Verjüngung.

2) *Landwirtschaft:* Ackerfeld. Beim Fruchtwechsel (→ Fruchtfolge) ist das Ackerland in einzelne S. aufgeteilt, z.B. Getreide-S., Kartoffelschlag.

3) *Tierzucht:* Teilgruppe einer Haustierrasse, die sich durch typ., einheitlich abweichende, vorwiegend genetisch fixierte Merkmale von der Norm des Rassetypus unterscheidet.

Schlag|adern, die → Arterien.

Schlag|anfall (Gehirnschlag, Apoplexie, apoplektischer Insult), plötzlich auftretende Gehirnfunktionsstörung infolge einer Gehirnblutung oder eines Gehirngefäßverschlusses (Embolie, Thrombose). Durch die Ausschaltung unterschiedlich großer Hirnanteile kommt es meist zum plötzl. Bewusstseinsverlust mit Lähmungen, zu Gefühlsstörungen, oft auch zum Sprachverlust **(Aphasie).** Die Lähmungen sind, wenn nicht lebenswichtige Bezirke oder zu große Hirnanteile betroffen werden, oft weitgehend rückbildungsfähig. Sie betreffen meist nur eine Körperhälfte **(Halbseitenlähmung, Hemiplegie):** Bei Blutungen in die linke Hirnhälfte ist die rechte Seite betroffen, beim rechtsseitigen Sitz die linke. Die gelähmten Gliedmaßen sind anfangs schlaff, sie gehen erst später in das krampfhafte (spast.) Stadium über. Ursachen des S. sind Gefäßwandveränderungen (→ Arteriosklerose), meist bei Hochdruckkrankheit. Die Mehrzahl der gefäßabhängigen S. tritt erst im höheren Lebensalter auf.

Maßnahmen: Sofort einen Arzt rufen! Der Kranke ist bequem zu lagern und von beengenden Kleidungsstücken zu befreien. Keine Nahrungs- oder Flüssigkeitszufuhr (Erstickungsgefahr!). Meist erfolgt Klinikaufnahme. Die *Behandlung der Folgen* eines S. erstreckt sich über viele Monate. Durch Massage und gymnast. Übungen sind Besserungen der Lähmungsfolgen zu erzielen.

📖 KRÄMER, G.: *S. von A–Z. Medizin. Fachwörterbücher verstehen. Stuttgart 1997.*

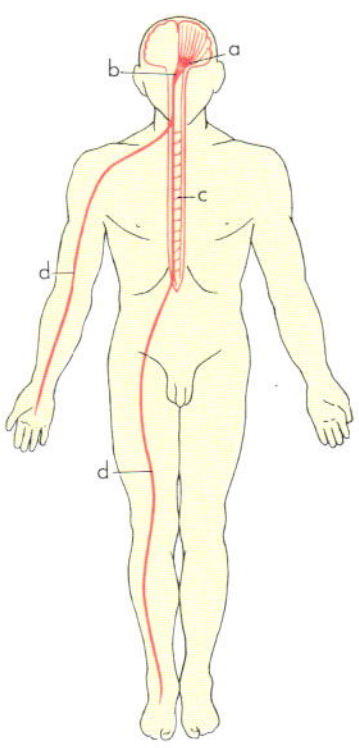

Schlaganfall: schematische Darstellung eines Hirnschlags in der linken Hirnhalbkugel; infolge Kreuzung der Bewegungsnerven (b) werden die rechtsseitigen motorischen Nerven gelähmt, die Blutung tritt in der »inneren Kapsel« auf, wo sich alle Bahnen aus der motorischen Gehirnrindenregion treffen; a Ort der Massenblutung, b Kreuzung der Bewegungsnerven im verlängerten Mark, c Rückenmark, d gelähmte Bewegungsnerven der rechten Körperhälfte

Schlagbohrmaschine, → Bohren.

Schlägel 1): Berufszeichen der Bergleute

Schlägel, 1) *Bergbau:* der Hammer (Fäustel) des Bergmannes; S. und Eisen sind das Berufszeichen der Bergleute.

2) *Musik:* Stab von 30–40 cm Länge zum Anschlagen versch. Schlaginstrumente, meist aus Holz, mit abgerundetem Ende oder einem Kopf aus Schwamm, Filz, Kork, Leder oder Holz; vorwiegend paarig verwendet. Die S. der Trommel heißen **Stöcke,** die des Hackbretts und des Xylophons **Klöppel.**

schlagende Wetter, die → Schlagwetter.

Schlager, populäre, leicht rezipierbare Liedform aus dem Bereich der Unterhaltungskunst. Nach 1850 bezeichnete der Begriff S. zunächst beliebte, aus Oper und Operette übernommene Lieder, die sich schnell verbreiteten, später entstanden eigenständige Musikstücke. Der S. fand durch Schallplatte, Hörfunk, Film und Fernsehen weite Verbreitung. Bes. beliebte S. bezeichnet man als Spitzen-S. **(Hit, Tophit),** S., die sich über längere Zeit behaupten, als **Evergreens,** einst populäre S., die wieder aufgelegt werden, als **Oldies;** bes. rührselige S. heißen im dt. Sprachgebrauch **Schnulzen.**

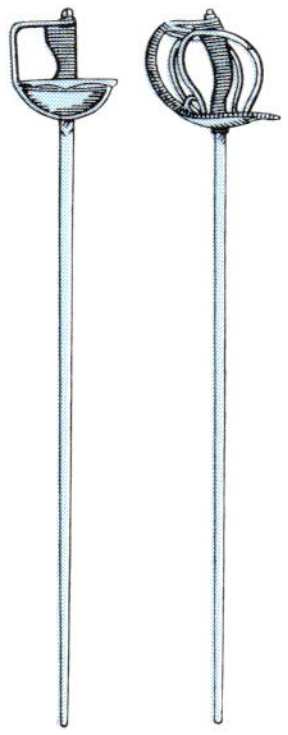
Schläger 2): Glockenschläger (links) und Korbschläger

Schläger, 1) *Sport:* Spielgerät (z.B. im Hockey, Eishockey, Golf, Polo, Tennis, Tischtennis, Badminton, Baseball).

2) *Waffenkunde:* die bei der → Mensur gebräuchl. Hiebwaffe mit gerader Klinge. Beim **Korb-S.** bildet ein Korb von sieben Bügeln den Handschutz; der **Glocken-S.** hat statt des Korbes eine halbkugelförmige Metallglocke.

Schlägerei (Beteiligung an einer S.), Gefährdungsdelikt (§ 227 StGB), nach dem mit Freiheitsstrafe bis zu 3 Jahren oder mit Geldstrafe bestraft wird, wer sich an einer S. oder an einem von mehreren getätigten Angriff beteiligt, in deren Verlauf der Tod eines Menschen oder eine schwere Körperverletzung verursacht werden (auch wenn dem Beteiligten nicht nachzuweisen ist, dass er einen anderen körperlich verletzt hat). Wurde der Beteiligte ohne sein Verschulden hineingezogen, liegt keine Strafbarkeit vor.

Schlageter, Albert Leo, Offizier, * Schönau im Schwarzwald 12. 8. 1894, † (hingerichtet) auf der Golzheimer Heide (bei Düsseldorf) 26. 5. 1923; führte während der Ruhrbesetzung (1923) Anschläge auf Verkehrsverbindungen der frz. Truppen aus und wurde durch ein frz. Kriegsgericht zum Tode verurteilt.

Schlagfestigkeit, Gütemaß für den Widerstand eines Stoffes (Körpers) bei Schlagbeanspruchung (→ Festigkeit); wird im Schlagversuch bestimmt.

Schlag|instrumente (Perkussionsinstrumente), Geräusch- oder Rhythmusinstrumente, deren Tonerzeugung durch Anschlag (unmittelbar, z.B. Trommel; mittelbar, z.B. Rassel) erfolgt. Zu den S. gehören die meisten der Idiophone und Membranophone sowie einige Chordophone (→Musikinstrumente), z.B. Hackbrett. (→Schlagzeug)

Schlagmann, Sportler, der beim Rudern dem Heck, beim Kanusport dem Bug des Bootes am nächsten sitzt oder kniet. Der S. bestimmt Rhythmus und Tempo.

Schlagmetall (Blattmetall, Franzgold, Pariser Gold, unechtes Blattgold), sehr dünn ausgewalzte und geschlagene Metallfolie aus 80% Kupfer und 20% Gold oder 70% Kupfer und 30% Zink.

Schlagreim, Sonderform des Binnenreims: Gleichklang unmittelbar aufeinander folgender Wörter in einem Vers, z.B. »singende, klingende«. (ÜBERSICHT Reim)

Schlagring, Schlagwaffe aus Metallringen, die über die Finger gestreift sind, oft mit Spitzen versehen; waffenrechtlich verboten.

Schlagsahne (Schlagrahm, Schlagobers), dicke, zu einem steifen Schaum schlagbare bzw. geschlagene Sahne, auch gesüßt.

Schlagschatz (Münzgewinn), Differenz zw. Nenn- und Metallwert einer Münze, abzüglich der Prägekosten. In Dtl. fließt der S. dem Bund zu.

Schlagseite, Schräglage eines Schiffes nach einer Seite, z.B. infolge ungleicher Beladung.

Schlagversuch, mechanisch-technolog. Prüfverfahren, bei dem Werkstoffproben oder auch Werkstücke einer ein- bzw. mehrmaligen oder dauernden Beanspruchung auf Schlag ausgesetzt werden und das u.a. zur Ermittlung der Schlagfestigkeit und -zähigkeit sowie der Schlaghärte dient. Man unterscheidet den Schlagbiege-, Schlagzug-, Schlagstauch- und Schlagverdrehversuch. Der wichtigste S. ist der Kerbschlagbiegeversuch.

Schlagwaffen, Trutzwaffen wie Holzkeule, Streitkolben, Morgenstern und Streitaxt, im Altertum, MA., im 16. und 17. Jh. vom Fußvolk und von der Reiterei geführt.

Schlagwetter (schlagende Wetter), explosionsfähige Gemische aus Luft und Methan, die meist in Steinkohlengruben auftreten. Sie können bei einem Methangehalt von 5–14% durch Funken und offene Flammen eine Verpuffung oder Explosion verursachen **(S.-Explosion),** worauf häufig Kohlenstaubexplosionen folgen.

Schlagwort, 1) *allg.:* kurze, prägnante, oft an Emotionen appellierende und vereinfachende Formulierung, die als Mittel der Propaganda oder der Werbung (Slogan) eingesetzt wird. Im heutigen Sprachgebrauch bes. ein verschwommener polit. Begriff, der i. Allg. unreflektiert angewandt wird.

2) *Buch- und Bibliothekswesen:* ein Wort, mit dem das Thema einer Publikation knapp und treffend beschrieben wird (z.B. für **S.-Kataloge** und Sachbibliographien).

Schlagzeile (engl. Headline), typographisch hervorgehobene Überschrift eines Presseartikels oder Werbetextes; in gesprochener Form auch in Nachrichtensendungen im Rundfunk.

Schlagzeug, im Orchester die Gruppe der Schlaginstrumente (ausgenommen die auch zu den Saiteninstrumenten gehörenden), u.a. große und kleine Trommel, Becken, Triangel, Schrapinstrumente, Rasseln, Gong, Tamtam, Kastagnetten, Röhrenglocken, Xylophon sowie Celesta. Mit dem Orchester-S. werden Rhythmen, Geräusche oder Geräuschkomplexe, auch Melodien und Harmonien erzeugt. Die Pauke wird i.d.R. nicht zum S., sondern zu den Fundamentalbassinstrumenten gezählt.

Schlamm, unverfestigte, feinkörnige, von Wasser durchtränkte Mischung aus Ton, Schluff und Feinsand sowie Mineral- und organ. Stoffen; entsteht primär als Sediment auf dem Grund von Gewässern, sekundär infolge Durchtränkung bereits vorhandener feinkörniger Gesteine mit Wasser. (→Klärschlamm)

Schlämm|analyse, Methode zur quantitativen Bestimmung der durch Siebanalyse nicht mehr erfassbaren Korngrößen (Durchmesser <0,063 mm) von Lockergesteinen (v.a. von Böden und Tonen) anhand der Sinkgeschwindigkeiten.

Schlammbad, dem Moorbad nahe stehende balneolog. Wärmeanwendung, wobei der Körper ganz oder teilweise mit einem Heilschlamm (bes. →Fango) umgeben wird; bes. bei rheumat. Erkrankungen, Neuralgien, Gelenk- und Unterleibskrankheiten angewendet.

Schlammbeißer, Art der →Schmerlen.

Schlammbreccie [-brɛtʃə], das →Fanglomerat.

Schlammfisch (Amia calva), einzige rezente Art der Kahlhechte, bis 90 cm lang, in nordamerikan. Gewässern. Seine Schwimmblase dient als zusätzl. Atmungsorgan. Das Männchen baut ein Nest und bewacht die Brut.

Schlammfliegen, 1) (Großflügler, Megaloptera) seit dem Perm bekannte Insektenordnung, mit zwei Familien weltweit verbreitet: **Wasserflorfliegen** (Sialidae), 2–4 cm Flügelspannweite; **Corydalidae** (Großflügler i.e.S.), in den Tropen, bis 16 cm Flügelspannweite; leben v.a. in Wassernähe an Pflanzen.

2) (Eristalinae) Unterfamilie 5–15 mm spannender Schwebfliegen von oft täuschend bienenähnl. Aussehen **(Mistbienen).**

Schlämmkreide, durch Schlämmen gereinigte und zu Pulver getrocknete Kreide. S. dient als Pigment für Farben, als Poliermittel **(Polierkalk)** u.a. für techn. Zwecke sowie in Zahnputzmitteln.

Schlammpeitzger, Art der →Schmerlen.

Schlammspringer (Schlammhüpfer, Periophthalmus cantonensis), bis 15 cm langer, Luft atmender, zu den Grundeln gehörender Fisch, der in trop. Küstensümpfen lebt; läuft mit armartigen Brustflossen und jagt Insekten sowie Kleinkrebse; große, nahe beieinander stehende Augen.

Schlammspringer in Sprunghaltung (Länge bis zu 15 cm)

Schlammsprudel, der →Schlammvulkan.

Schlammstrom, *Geomorphologie:* 1) die in Gebirgen nach Regengüssen oder bei der Schneeschmelze als Schlamm-Schutt-Strom entstehende →Mure; 2) das bei →Schlammvulkanen abströmende Gemisch von Schlamm und Steinen, dem auch Erdöl und Asphalt beigemengt sein können; 3) Entleerung von Kraterseen in Vulkangebieten, kommt auch unmittelbar bei Vulkanausbrüchen vor, bes. im Zusammenhang mit Regengüssen oder Gletschereis, wobei sich ein Gemisch mit ausgeworfenen Aschen breiartig ergießt (Lahar); 4) submarine Rutschungen; 5) in Dauerfrostgebieten über dem gefrorenen Untergrund in Bewegung gekommene Erdmassen (→Solifluktion).

Schlammteufel, Art der →Riesensalamander.

Schlammvulkan (Schlammsprudel, Salse), Stelle an der Erdoberfläche mit brodelnd oder eruptionsartig austretendem Schlamm-Gas-Gemisch. S. sind nicht vulkan. Ursprungs, sondern an Gasquellen (bes. Methan) in Erdölgebieten gebunden. Dabei wird das durch Grundwasser zu Schlamm aufgeweichte tonige Gestein mitgerissen. Die hierdurch entstehenden **Schlammkegel** können mehrere Hundert Meter Höhe erreichen.

Schlange, 1) *Astronomie:* (Serpens) ein Sternbild der Äquatorzone, das einzige nicht zusammenhängende Sternbild. Es wird durch das Sternbild **S.-Träger** geteilt in den **Kopf der S. (Serpens Caput)** und den **Schwanz der S. (Serpens Cauda).**

2) *Zoologie:* Kriechtier, →Schlangen.

Schlangen (Serpentes), Unterordnung der Schuppenkriechtiere mit sehr gelenkigem Schädel, dessen Dehnbarkeit das Verschlingen großer Beutetiere ermöglicht. Die Zähne sind meist nach hinten eingekrümmt und weisen zum Einführen des Giftes in die Bisswunde bei den Trug- und Giftnattern eine vordere Längsfurche, bei den Vipern und Grubenottern einen zentralen Kanal auf. Die Körperabschnitte der S. gehen ineinander über, nur der Kopf kann etwas verbreitert sein. Beine fehlen; nur die Riesenschlangen und einige urtüml. Familien weisen Reste des hinteren Paares auf. Den Körper bedecken regelmäßig angeordnete Schuppen; meist sind sie auf dem Kopf zu großen Schilden und auf dem Bauch zu breiten Schienen umgestaltet. Muskeln verbinden die Enden der Rippen mit den Bauchschienen und unterstützen somit das Kriechen. Die S. streifen die gesamte Oberhaut, auch die der Lider, die zu einer durchsichtigen Kapsel vor dem Auge verwachsen sind, in period. Häutungen ab **(Häutungshemd, Schlangenhemd).** – S. kommen in allen Erdteilen vor; sie fressen v.a. kleine Wirbeltiere, auch Würmer und Insekten, die →Eierschlangen nur Eier. Zu den S. gehören u.a. →Blindschlangen, →Riesenschlangen, →Nattern, →Giftnattern, →Seeschlangen, →Vipern und →Grubenottern.

Kulturgeschichte: In den Mythen, Legenden und Sagen der meisten Völker spielen S. eine große Rolle. Kultisch wird die S. verehrt (**Ophiolatrie** »Schlangendienst«) als Trägerin chthon. Kräfte, als Seelentier (im Traum und im Tod verlässt die Seele als S. den Körper), als Hüterin von Tempel oder Unterwelt, als Orakeltier oder häusl. Glück bringender Schutzgeist. In Palästina galt die S. als unrein, als Bild böser Menschen, der Sünde und des Satans, aber auch der Klugheit: Eine S. ist die Verführerin des ersten Menschenpaares (1. Mose 3). Im alten Ägypten war die →Uräusschlange

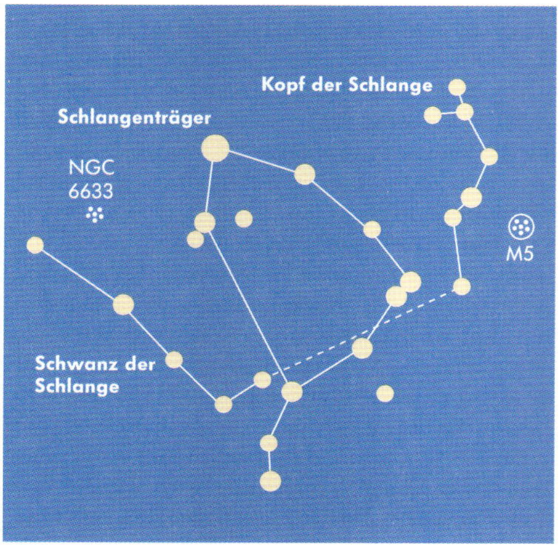

Schlange 1): Sterne der Sternbilder Schlange und Schlangenträger mit dem offenen Sternhaufen NGC 6633 und dem Kugelhaufen M5

Schlangen: Schlange als Symbol des Himmels, auf der peruanischen Insel San Lorenzo gefundene präkolumbische Malerei auf einem Baumwollgewebe (etwa 500 n. Chr.; München, Museum für Völkerkunde)

Symbol der Pharaonen. In Griechenland wurde der Heilgott Asklepios meist mit einer S. dargestellt, als Sinnbild des Lebens, weil die S. sich bei ihrer jährl. Häutung verjüngt. Der Äskulapstab mit der ihn umwindenden S. wurde zum Symbol der Heilkunst. In der german. Mythologie wird Midgard, die Erde, auf der die Menschen leben, vom großen Weltmeer umgeben. In ihm wohnt eine riesige S., die →Midgardschlange. Weiters BILD Abydos

📖 *Biologie:* ARNOLD, E. A. *u.* BURTON, J. A.: *Pareys Reptilien- u. Amphibienführer Europas. A. d. Engl. Hamburg u. a.* ^{2}*1983. – S., bearb. v.* DIETER SCHMIDT *u. a. Leipzig u. a. 1989.*

Kulturgeschichte: EGLI, H.: *Das Schlangensymbol. Geschichte, Märchen, Mythos. Olten u. a.* ^{2}*1985.* – WARBURG, A. M.: *Schlangenritual. Neuausg. Berlin 1996.*

Schlạngenbad, Gemeinde im Rheingau-Taunus-Kr., Hessen, im Rheingaugebirge, 280–320 m ü. M., 6 100 Ew.; hess. Staatsbad mit zehn 17–30 °C warmen Quellen. Bei S. kommt die Äskulapnatter vor.

Schlangengifte, Absonderungen der Giftdrüse von Giftschlangen. Das Gift fließt entweder in einer Rinne des Zahns ab, oder es wird durch einen Kanal des Giftzahns ausgespritzt. S. enthalten Eiweißkörper, die als Enzyme, Neurotoxine (Nervengifte) oder Kardiotoxine (Herzgifte) wirksam werden. Die Neurotoxine, z. B. Kobratoxin, Bungarotoxine, bewirken eine Lähmung der Muskulatur, die Kardiotoxine, z. B. Viperotoxine, führen zum Herzstillstand. Die Enzyme der S., z. B. Phospholipasen, führen u. a. zur Zerstörung von Zellen und Gewebe, zu Blutgerinnungsstörungen und Hämolyse. Die Zusammensetzung der einzelnen S. aus diesen Komponenten ist sehr unterschiedlich, ebenso ihre Giftigkeit (tödl. Dosis des Giftes der Brillenschlange Naja naja 15 mg, Giftmenge je Biss 210 mg; zum Vergleich Kreuzotter Vipera berus: tödl. Dosis 75 mg, Giftmenge je Biss 10 mg). – In Schlangenfarmen gewonnene S. werden zur Herstellung von Antiseren gegen Schlangenbisse verwendet.

Schlangenhalsvögel (Anhingidae), den Kormoranen nahe stehende Familie etwa 90 cm langer Ruderfüßer an subtrop. und trop. Binnengewässern; mit s-förmigem Hals und schlankem Schnabel, mit dem sie unter Wasser Fische aufspießen, u. a. der **Amerikan. S.** (Anhinga anhinga).

Schlangenhalsvögel: Amerikanischer Schlangenhalsvogel (Länge etwa 90 cm)

Schlangenkaktus, 1) (Peitschenkaktus, Aporocactus) Gattung reich verzweigter, epiphyt. Kakteen mit nur wenigen Arten in Mexiko; mit bis 10 cm langen, rotvioletten Blüten.

2) (Nachtkaktus, Selenicereus) Gattung kletternder oder rankender Kakteen in Süd- und Nordamerika; mit meist großen, nur eine Nacht geöffneten Blüten (→Königin der Nacht).

Schlangensterne (Ophiuroidae), Klasse der frei bewegl. Stachelhäuter, mit meist fünf bis zu 70 cm langen Armen, die scharf von der Scheibe abgesetzt sind, zum Kriechen und Klettern dienen, auch erbeutete Kleintiere u. a. zum Mund unterhalb der Scheibe führen, z. B. der **Zerbrechl. S.** (Ophiothrix fragilis) im Mittelmeer und Atlantik.

Schlangenträger (Ophiuchus), ein Sternbild der Äquatorzone (→Schlange).

Schlank|affen (Colobidae), Familie etwa 45–85 cm körperlanger, schlanker Hundsaffen mit etwa 15–110 cm messendem Schwanz und rundem Kopf; Pflanzenfresser. Zu den S. gehören u. a. die →Languren und der in den Urwäldern Borneos lebende **Nasenaffe** (Nasalis larvatus) mit unbehaartem Gesicht und bis 10 cm (bei Männchen) langer, gurkenförmiger Nase.

Schlankaffen: Nasenaffe

Schlarạffenland, Märchenland, in dem Milch und Honig fließen, die gebratenen Tauben dem Trägen in den Mund fliegen, die Faulheit höchste Tugend und Fleiß das schlimmste Laster ist. Vor-

Einar Schleef

stellungen vom S. gehen auf Mythen vom verlorenen Paradies zurück, hinzu kamen Berichte von Reisen in Wunderländer. Sebastian Brant erwähnte 1494 das »Schluraffenland« (von mhd. slur »Faulenzer« und affe »Affe«, »Tor«) P. Bruegel d. Ä. setzte die Vorstellung in ein Gemälde um. Das grimmsche Märchen vom S. ist die Prosabearbeitung einer Lügendichtung des 14. Jahrhunderts.

Schlaraffia, Vereinigung zur Pflege von Geselligkeit, Kunst und Humor unter vorgeschriebenem Zeremoniell; gegr. 1859 von dt. Künstlern und Kunstfreunden in Prag. Die (weltweit) mehr als 250 örtl. Gruppen (»Reyche«) umfassen derzeit 11 000 Mitglieder.

Schlatter-Krankheit [nach dem schweizer. Chirurgen Carl Schlatter, *1864, †1934], meist bei Sport treibenden Jugendlichen auftretende Verknöcherungsstörung im Schienbeinkopf als Folge eines Missverhältnisses zw. Belastung und Belastbarkeit; äußert sich durch Schmerzen beim Gehen. Behandlung durch Ruhigstellen im Gipsverband, bis die Verknöcherung eingetreten ist.

Johann Conrad Schlaun: Anlage des Jagdschlosses Clemenswerth (1737–44) bei Sögel in Niedersachsen

Schlauchboot, Wasserfahrzeug aus beschichtetem Gewebe oder Kunststoff mit schlauchartiger, aufblasbarer Wandung, die in mehrere Kammern geteilt ist. Es dient als Rettungsboot, als Sportfahrzeug und Pioniergerät.

Schlauchpilze (Askomyzeten, Ascomycetes), Klasse der Pilze, deren Myzel aus Hyphen mit Querwänden und chitinhaltiger Zellwand besteht. Der Fortpflanzung dienen zylindr. Sporenblätter (Ascus), in denen sich meist acht Sporen (Ascosporen) bilden, ferner ungeschlechtl. Konidien. Zu den S. gehören Becherlinge, Morcheln, Mutterkorn, Pinselschimmel, Trüffeln.

Schlauchwürmer (Rundwürmer, Nemathelminthes), Tierstamm der Protostomier (Bauchhaarlinge, Hakenrüssler, Fadenwürmer, Kratzer, Rädertiere, Saitenwürmer, Priapswürmer).

Schlaun, Johann Conrad, Baumeister, *Nörde (heute zu Warburg) 5. 6. 1695, †Münster 21. 10. 1773; arbeitete 1720 bei J. B. Neumann, seit 1729 in Münster tätig. In seinem Baustil verschmelzen bodenständige Elemente (Farbwechsel durch Kombination von rotem Ziegel- und gelbem Haustein) und der traditionelle Einfluss der niederländ. Architektur mit Elementen des frz. Klassizismus und des röm. Hochbarock (F. Borromini). – *Werke:* Jesuitenkolleg Büren (1716–20); Neubau von Schloss Augustusburg in Brühl (1725–28); Jagdschloss Clemenswerth (1737–44); in Münster: Rüschhaus (1745–48), Clemenskirche (1745–53), sein eigenes Wohnhaus (1753–56) sowie Erbdrostenhof (1753–57) und Residenzschloss (1767–73, beide nach Zerstörung im 2. Weltkrieg rekonstruiert). Weiteres BILD Brühl

📖 *J. C. S. 1695–1773, hg. v.* K. BUSSMANN *u. a., Ausst.-Kat. Westfäl. Landesmuseum für Kunst u. Kulturgeschichte, Münster. Stuttgart 1995.*

Schlechte, natürl. und nichtschichtparallele Trennfuge im Kohlenflöz.

Schlechtwettergeld, bis 31. 12. 1995 auf Antrag von der Arbeitslosenversicherung gezahlte Lohnersatzleistung im Baugewerbe für witterungsbedingten Arbeits- und Lohnausfall (→ Winterausfallgeld)

Schleef, Einar, Bühnenbildner, Regisseur und Schriftsteller, *Sangerhausen 17. 1. 1944; ab 1972 Arbeiten in Berlin (Ost), v. a. am Berliner Ensemble; seit 1976 in Berlin (West). Seine Arbeiten, u. a. am Frankfurter Schauspiel, am Berliner Ensemble und in Düsseldorf, lösten heftige Diskussionen aus. Als Autor bekannt durch den Roman »Gertrud« (2 Tle., 1980–84) und die Dramen »Berlin ein Meer des Friedens« (1985), »Die Schauspieler« (1986) sowie »Totentrompeten« (1995).

Schlegel, 1) August Wilhelm von (seit 1815), Schriftsteller, Übersetzer, Sprach- und Literaturwissenschaftler, *Hannover 5. 9. 1767, †Bonn 12. 5. 1845, Sohn von 4), Bruder von 6); kam, von C. G. Körner als Mitarbeiter an Schillers »Horen« gewonnen, 1796 nach Jena. Er heiratete 1796 (Scheidung 1803) Caroline Michaelis (→ Schelling, Caroline), wurde 1798 Prof. und legte mit seinem Bruder Friedrich die Grundlagen der romant. Kunstlehre, die er dann in öffentl. Vorlesungen vertrat: 1801–04 in Berlin (»Vorlesungen über schöne Literatur und Kunst«), 1808 in Wien (»Vorlesungen über dramat. Kunst und Literatur«). 1804–17 begleitete er Frau von Staël auf Reisen in Dtl., Italien, Frankreich, Schweden. Seit 1819 begründete er als Prof. an der Univ. Bonn das Studium der

August Wilhelm Schlegel: Ausschnitt eines Punktierstichs des deutschen Kupferstechers Gustav Adolph Zumpe (1822)

altind. Philologie (Herausgabe der Fach-Ztschr. »Ind. Bibliothek« sowie der Texte der »Bhagavadgita«, »Ramayana« u.a.). Seine größte künstler. Leistung ist die Übersetzung von 17 Dramen Shakespeares (1797–1810). Übersetzungen span. (Calderón de la Barca), portugies. und italien. Dichter (Dante) schlossen sich an.

🕮 BRENTANO, B. VON: *A. W. S. Geschichte eines romant. Geistes. Neuausg. Frankfurt am Main 1986.* – SCHIRMER, R.: *A. W. S. u. seine Zeit. Bonn 1986.*

2) Caroline, Frau von 1), → Schelling, Caroline.

3) Dorothea von (seit 1815), Schriftstellerin, * Berlin 24. 10. 1764, † Frankfurt am Main 3. 8. 1839, Frau von 6), Tochter M. Mendelssohns; heiratete 1783 den Bankier Simon Veit, den sie 1798 verließ, um K. W. F. Schlegel zu folgen (Heirat 1804). Sie trat 1804 zur prot., 1808 zur kath. Kirche über; in Wien war sie Mittelpunkt eines literar. Kreises (»Florentin«, R., 1801); auch Übersetzerin.

4) Johann Adolf, Dichter, * Meißen 18. 9. 1721, † Hannover 16. 9. 1793, Vater von 1) und 6), Bruder von 5); Mitgründer der → Bremer Beiträge, schrieb gereimte »Fabeln und Erzählungen« (1769), »Geistl. Gesänge« (3 Tle., 1766–72).

5) Johann Elias, Jurist und Schriftsteller, * Meißen 17. 1. 1719, † Sorø (Dänemark) 13. 8. 1749, Bruder von 4); wurde 1748 Prof. an der dän. Ritterakademie Sorø, war Mitarbeiter J. C. Gottscheds und schrieb später auch für die »Bremer Beiträge«. Seine ernsten Schauspiele (»Orest und Pylades«, 1737–42; »Canut«, 1747; »Hermann«, 1743) sind nach den Regeln des klassischen frz. Dramas geschrieben, seine Lustspiele zeigen lebendigen Dialog. S. schrieb die »Vergleichung Shakespears und Andreas Gryphs« (1741); seine »Gedanken zur Aufnahme des dän. Theaters« (1747) weisen auf Lessings »Hamburg. Dramaturgie« hin.

🕮 BRETZIGHEIMER, G.: *J. E. S.s poet. Theorie im Rahmen der Tradition. München 1986.*

6) Karl Wilhelm Friedrich von (seit 1815), Kulturphilosoph und Dichter, * Hannover 10. 3. 1772, † Dresden 12. 1. 1829, Sohn von 4), Bruder von 1); studierte klass. Philologie; begründete, überwiegend in der Form des pointierten, zur Paradoxie neigenden Aphorismus, die frühromant. Welt- und Kunstanschauung (programmat. Organ war die von ihm und seinem Bruder August Wilhelm 1798–1800 herausgegebene Zeitschrift »Athenäum«). 1798 verband er sich mit Dorothea Veit (→ Schlegel, Dorothea). In seinem Romanversuch »Lucinde« (1799) vertrat er eine neue, freie Auffassung der Liebe. 1802–04 hielt er in Paris, dann in Köln Vorlesungen. In Paris beschäftigte er sich mit Sanskritstudien, aus denen 1808 sein Werk »Über die Sprache und Weisheit der Indier« als erste Wurzel der Indologie und der vergleichenden indogerman. Sprachwiss. hervorging. 1808 konvertierte er zum Katholizismus und trat in den österr. Staatsdienst. S. nahm an den Verhandlungen des Wiener Kongresses und 1815–18 als österr. Legationsrat am Bundestag in Frankfurt am Main teil. 1803–05 gab er die Zeitschrift »Europa« heraus, 1812–13 das »Dt. Museum«. – S. war im Gefolge Herders und neben seinem Bruder August Wilhelm Anreger und geistiger Mittelpunkt der Frühromantik (»Charakteristiken und Kritiken«, 2 Bde., 1801, mit A. W. Schlegel; »Gesch. der alten und

Dorothea Schlegel (Ausschnitt einer anonymen Pastellzeichnung)

Friedrich Schlegel: zeitgenössische Zeichnung (nach einer Lithographie), darunter Autogramm

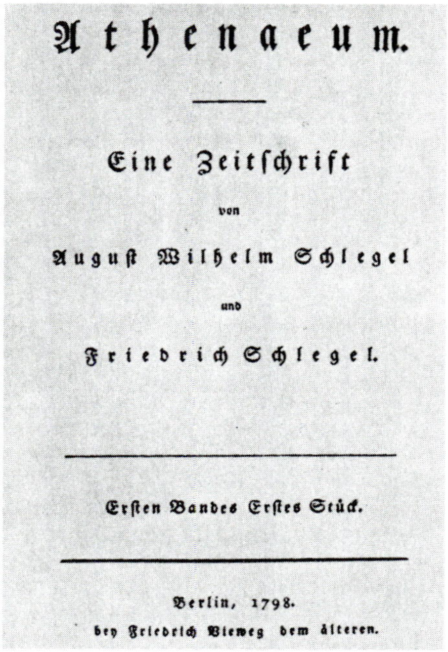

Athenaeum.

Eine Zeitschrift

von

August Wilhelm Schlegel

und

Friedrich Schlegel.

Ersten Bandes Erstes Stück.

Berlin, 1798.

bey Friedrich Vieweg dem älteren.

Schlegel: Titelblatt der ersten Ausgabe der von den Brüdern August Wilhelm und Friedrich gegründeten programmatischen Zeitschrift der Frühromantik »Athenäum« (1798)

neueren Lit.«, 2 Tle., 1813; »Alarcos«, Trauerspiel, 1802).

🕮 GROSSE-BROCKHOFF, A.: *Das Konzept des Klassischen bei F. u. August Wilhelm S. Wien 1981.* – HOTZ-STEINMEYER, C.: *F. S.s »Lucinde« als »Neue Mythologie«. Frankfurt am Main 1985.* – KRAUS, G.: *Naturpoesie u. Kunstpoesie im Frühwerk F. S.s. Erlangen 1985.*

Schlehdorn (Schwarzdorn, Prunus spinosa), Rosengewächs, verbreitet von Europa bis W-Asien; bis 3 m hoher, sparriger Strauch mit in Dornen auslaufenden Kurztrieben, kerbig gesägten Blättern und kleinen, weißen, im Vorfrühling erscheinenden Blüten; Steinfrüchte **(Schlehen)** klein, kugelig, schwarzbläulich bereift, mit grünem, saurem, sich nicht vom Steinkern lösendem Fruchtfleisch; roh erst nach mehrmaligem Durchfrieren genießbar.

Schlehdorn
Die Blüten und Beeren des Schlehdorns galten in der Volksmedizin als heilkräftig; im 12. Jahrhundert werden sie bei Hildegard von Bingen als Mittel gegen Gicht und Magenleiden genannt. Die Botaniker des 16. Jahrhunderts empfahlen sie gegen Durchfall und bei verschiedenen inneren und äußerlichen Krankheiten.

Schlei *die,* lange, flussartig verengte Förde an der O-Küste von Schlesw.-Holst., 43 km lang, im W und NO seenartig erweitert, stellenweise nur 100–300 m breit.

Schleich, Carl Ludwig, Chirurg und Schriftsteller, *Stettin 19. 7. 1859, †Bad Saarow-Pieskow 7. 3. 1922; erfand 1892 die Infiltrationsanästhesie; schrieb neben medizin. Fachbüchern und Prosa, die Erinnerungen »Besonnte Vergangenheit« (1921).

Schleichen (Anguidae), mit Ausnahme von Australien weltweit verbreitete Familie der Echsen, bis 140 cm lang; Schwanz kann abgeworfen werden; mit bewegl. Augenlidern; Gliedmaßen gut ausgebildet bis vollkommen reduziert.

Schleicher, 1) August, Sprachwissenschaftler, *Meiningen 19. 2. 1821, †Jena 6. 12. 1868; war Prof. in Prag und Jena; grundlegende Arbeiten zur Erforschung des Indogermanischen.

2) Kurt von, General und Politiker, *Brandenburg an der Havel 7. 4. 1882, †(ermordet) Neubabelsberg (heute zu Potsdam) 30. 6. 1934; enger Mitarbeiter H. von Seeckts, war an der Vorbereitung des Kabinetts H. Brüning maßgeblich beteiligt und hatte großen Einfluss auf P. von Hindenburg; wurde 1932 Reichswehrmin. und war 1932/33 Reichskanzler. S. suchte vergeblich, durch eine Spaltung der NSDAP eine nat.-soz. Reg.bildung zu verhindern und wurde im Verlauf des Röhmputsches (→Röhm) erschossen.

Schleichkatzen (Viverridae), Raubtierfamilie mit rd. 70 hermelin- bis dachsgroßen Arten. Als Fleisch- oder Allesfresser leben sie in Europa, Asien und Afrika; auf Madagaskar sind sie die einzigen Raubtiere. In der Afterregion liegen Sekretdrüsen (→Zibet). Zur Gattung **Ginsterkatzen** (Viverrinae) gehören die westafrikan. Zibetkatzen, der Linsang (Poiana), die südasiat. Rasse (Viverricula) und die Ginsterkatzen oder Genetten. Die **Ginsterkatze** (Genetta genetta) lebt auch in S-Frankreich und Spanien. Die **Palmenroller** (Paradoxurinae) sind mit dem Binturong (Bärenmarder) und dem Larvenroller vertreten. Auf Madagaskar leben die **Madagaskarmungos** (Galidiinae) und die **Frettkatzen** (Cryptoproctinae); die katzenähnl. **Frettkatze (Fossa,** Cryptoprocta ferox) wird bis zu 80 cm lang und gilt als Verbindungsform zw. S. und Katzen. Arten der **Civetten**

Schlehdorn: Zweig mit Früchten; die Schlehen bleiben bis über den Winter am Strauch hängen

(Hemigalinae) sind u.a. die südasiat. **Ottercivette** (**Mampalon,** Cynogale) und die **Ameisencivetten** (Eupleres) von Madagaskar. Die **Ichneumons** (**Mangusten, Mungos,** Herpestinae) sind über Afrika und Asien verbreitet: in S-Afrika lebt das **Erdmännchen** (**Erdhündchen, Scharrtier, Surikate,** Suricata suricatta).

Schleichkatzen: Frettkatze (Kopf-Rumpf-Länge bis zu 80 cm, Schwanzlänge etwa 70 cm)

Schleichwerbung, Werbung für ein Produkt oder ein Unternehmen in Massenkommunikationsmitteln in nicht für Werbezwecke bestimmten Beiträgen oder in einer Form, die den Werbecharakter verschleiert. Ein Beispiel für S. ist das Productplacement, d.h. die bezahlte Verwendung bestimmter Produkte in Kino- und Fernsehfilmen im Rahmen der Spielhandlung als Staffage oder Requisit sowie das Erwähnen von Markennamen in Serien, Shows, Rundfunkbeiträgen oder das Tragen markierter Kleidungsstücke durch Moderatoren. S. ist in Dtl. unzulässig und verstößt gegen medienrechtl. Vorschriften sowie gegen das Gesetz gegen den unlauteren Wettbewerb.

Schleiden, Stadt im Kr. Euskirchen, NRW, in der Nordeifel, 13 900 Ew.; Holz-, Papier-, Glas- u.a. Ind.; Luft- und Kneippkurort. – Schloss (12. Jh., Um- und Neubauten 14.–18. Jh.). – 1575 Stadtrecht.

Schleiden, Matthias Jakob, Naturforscher, *Hamburg 5. 4. 1804, †Frankfurt am Main 23. 6. 1881; hatte richtungweisenden Einfluss auf die Botanik, die er v.a. entwicklungsgeschichtlich behandelte. S. begründete mit T. Schwann die Zellentheorie der Organismen und betonte die Bedeutung des Zellkerns für die Zellteilung.

Werke: Grundzüge der wiss. Botanik, 2 Bde. (1842/43); Die Pflanze und ihr Leben (1848).

Schleie (Schleierkarpfen, Tinca tinca), bis 50 cm lange europ. Art der Karpfenfische mit kleinen Schuppen und zwei Bartfäden; die S. liebt weichgründige, stille Gewässer; geschätzter Speisefisch. Eine goldgelbe Varietät heißt **Goldschleie.**

Schleier, 1) *Botanik:* 1) (Indusium) zarte Hülle, die bei den Farnen die Gruppen von Sporangien bedeckt. 2) Fruchtkörperhülle bei Lamellenpilzen.

2) *Kleidung:* den Kopf, auch Gesicht und Körper (meist der Frau) verhüllendes Tuch. Der S. stammt vermutlich aus dem Orient. Über Rom und Byzanz gelangte er im MA. in die abendländ. Kleidung. Schwarze S. haben sich in der Trauerkleidung erhalten, der weiße S. gehört zum traditionellen Brautkleid. – In der Religionsgeschichte besitzt der S. als ein Bekleidungsstück, durch das die Würde der Frauen in der Öffentlichkeit gewahrt werden soll, das sie vor Belästigungen schützt und fremden Blicken entzieht, eine große symbol. Bedeutung. Die im islam. Kulturbereich verbreitete und heute v.a. von islam. Fundamentalisten propagierte Verschleierung hat sich aus gesellschaftl. Bedingungen im Verlauf der Geschichte entwickelt, gilt jedoch als »gottgewollt«. Man unterscheidet S., die vor das Gesicht gezogen werden können, in einigen Ländern (z.B. Iran) ist der den ganzen Körper bedeckende Körper-S. (pers. Tschador) gebräuchlich. Das bewusste Ablegen des S. gilt bei islam. Frauen als Zeichen der Emanzipation.

3) *Zoologie:* 1) Federnzone um die Augen bei Eulen. 2) stark verlängerte Flossen bei bestimmten Zierfischen.

Schleier|eule, Vogel, → Eulen.

Schleierkraut, ein → Gipskraut.

Schleiermacher, Friedrich Daniel Ernst, evang. Theologe und Philosoph, *Breslau 21. 11. 1768, †Berlin 12. 2. 1834; wurde in Anstalten der Brüdergemeine erzogen, studierte 1787–89 in Halle (Saale); war 1790–93 Hauslehrer, seit 1796 Prediger und Pfarrer, seit 1810 Prof. in Berlin; seit 1811 Mitgl. der Königl. Akademie der Wiss.; gehörte dem Berliner Romantikerkreis um Henriette Herz und K. W. F. Schlegel an; war maßgeblich an der Gründung der Univ. Berlin und am Zustandekommen der evang. Kirchenunion in Preußen beteiligt. S. war der einflussreichste evang. Theologe seiner Zeit und erlangte darüber hinaus auch als Philosoph, Pädagoge, Wissenschaftsorganisator und Übersetzer Platons Bedeutung. – Auf die evang. Theologie des 19./20. Jh. wirkte er v.a. durch seine Glaubenslehre (»Der christl. Glaube, nach den Grundsätzen der evang. Kirche im Zusammenhang dargestellt«, 2 Bde., 1821/22). Sein »Gesamtsystem der Theologie« baut auf der »philosoph. Theologie« als der »Wurzel« auf, der sich die »histor. Theologie« (Dogmatik u.a.) und die »prakt. Theologie« als »Stamm« und »Krone« zuordnen. Geistesgeschichtlich bedeutsam wurde S.s Auffassung der Religion, die er in seinem, im engen Kontakt mit dem Berliner Romantikerkreis entstandenen Frühwerk »Über die Religion. Reden an die Gebildeten unter ihren Verächtern« (1799 anonym erschienen) entwickelte. S. begreift Religion als ein grundsätzl. menschl. Vermögen, sich durch das »unmittelbare Bewusstsein des Un-

Kurt von Schleicher

Matthias Jakob Schleiden (Ausschnitt eines zeitgenössischen Stahlstichs)

endlichen (des Universums) in Anschauung und Gefühl« – später von ihm »klassisch« als »Gefühl der schlechthinnigen Abhängigkeit« definiert –, jenseits von Wissen oder Pflichthandlung zum Unendlichen zu verhalten. Mit seinem philosoph. Hauptwerk (»Dialektik«, 1839) entwickelte S. das Programm einer »höchsten Wissenschaft« zur Begründung allen Wissens aus der Erkenntnis des Absoluten und bestimmte die Hermeneutik als »universale Kunstlehre des Verstehens«. Letzteres beeinflusste u.a. W. Dilthey, M. Heidegger und H.-G. Gadamer.

Schleifer: Notierung (links) und Ausführung

📖 REUTER, H.-R.: *Die Einheit der Dialektik F. S.s. München 1979.* – RIEMER, M.: *Bildung u. Christentum. Göttingen 1989.*

Friedrich Schleiermacher: zeitgenössische Lithographie nach einer Zeichnung von Franz Krüger, darunter Autogramm

Schleierschwanz (Kometenschweif), Zuchtform des →Goldfisches.

Schleife (engl. loop), *Datenverarbeitung:* Folge von Anweisungen oder Befehlen eines Programms, die mehrmals hintereinander durchlaufen (abgearbeitet) werden kann.

Schleifen, *Fertigungstechnik:* Verfahren der spanenden Formung mittels eines hochtourig rotierenden oder hin- und herbewegten (v.a. beim S. von Hand) Werkzeuges zur Erzeugung von Flächen mit großer Maßgenauigkeit und hoher Oberflächengüte. Werkzeuge sind feste **Schleifkörper** in Form von Scheiben, Ringen oder Segmenten aus **Schleifmitteln,** die als feinkörnige, harte Substanzen (z.B. Quarzsand, Korund bzw. Schmirgel, Bornitrid, Diamant), als Aufschlämmungen, Pasten oder gepresst verwendet werden. Die Schleifverfahren bei Metallen werden in **Flach-S. (Plan-S.)** und **Rund-S.** eingeteilt. Für das Flach-S. sind der Schleifscheibeneingriff (Umfangs-S., Stirn-S.) und die Werkstückbewegung (geradlinig oder kreisend) Gruppierungsmerkmale. Beim Rund-S. unterscheidet man zw. Außenrund- und Innenrund-Schleifen.

Schleifenblume (Iberis), Kreuzblütlergattung mit weißen, violetten oder roten Blüten in doldenähnl. Anordnung; je ein Paar Kronblätter ist stark vergrößert.

Schleifer, *Musik:* Verzierung aus einem schnellen Vorschlag mit zwei oder mehreren stufenweise auf- oder absteigenden Tönen.

Schleiflack, schnell trocknender Kunstharzlack, der sich nach dem Eintrocknen nass mit Schleifpapier oder Bimssteinpulver zu einer Fläche mit besonderem Matteffekt schleifen lässt.

Schleiflade, Art der Windlade (→Orgel).

Schleim (Mukus, Mucus), **1)** bei Mensch und Tieren zähflüssiges, vorwiegend Muzine enthaltendes Sekret der sich in den S.-Häuten befindl. S.-Drüsen. S. besitzt u.a. Schutzfunktion gegenüber Reibung (in Gelenken), Austrocknung der Oberhaut (bei Lurchen) oder mechan. oder chem. schädigenden Einflüssen (an der Magenwand gegen die Magensalzsäure) sowie Transportfunktion als Gleitmittel (für den Nahrungsbrei im Darm oder bei der Kriechbewegung der Schneckenkriechsohle).

2) bei Pflanzen aus Kohlenhydraten bestehende Substanz, Speicherstoff, z.B. in Zwiebeln, in Knollen von Arten der Gattung Knabenkraut und in oberird. Pflanzenteilen (bei Sukkulenten); entsteht durch Verschleimung von Lamellen der Zellwände, z.B. bei Agar-Agar, Karrageen, Leinsamen.

Schleim|aale, →Inger.

Schleimbeutel (Bursa synovialis), mit Flüssigkeit (Synovia) gefüllter Raum als Polster zw. Sehnen oder Bändern und Knochen bzw. an Sehnenansätzen sowie auch zw. Haut und oberflächlich liegenden Knochenpunkten. S. können mit Gelenkhöhlen in Verbindung stehen (Kniegelenk).

Schleimbeutel|entzündung (Bursitis), akute oder chron. Entzündung der Schleimbeutel, bes. über dem Ellenbogen und der Kniescheibe. Durch Verletzung eröffnete Schleimbeutel müssen wegen Infektionsgefahr entfernt werden.

Schleimhaut (Mukosa), feuchtschleimige Gewebeschicht, die das Innere von Hohlorganen (Mundhöhle, Darm, Atem- und Harnwege, Geschlechtswege) auskleidet, jedoch nicht im Herzen und in den Blutgefäßen auftritt; besteht aus Epithel, darunter liegendem Bindegewebe und z.T. glatter Muskulatur.

Schleimpilze (Myxomyzeten, Myxomycetes), heute als Organisationstyp bezeichnete niedere Pilze mit drei Abteilungen: die **Echten S.** (Myxomycota), die **parasit. S.** (Plasmodiophoromycota) und die **zelligen S.** (Acrasiomycota). Charakteristisch für die S. ist ihr Vegetationskörper, der eine vielkernige, meist querwandlose Protoplasmamasse **(Plasmodium)** ist.

Schleinzer, Karl, österr. Politiker, *Sankt Gertraud (heute zu Wolfsberg, Kärnten) 8. 1. 1924,

† (Verkehrsunfall) bei Bruck an der Mur 19. 7. 1975; 1961–64 wiederholt Min., wurde 1970 Gen.-Sekr., 1971 Bundesobmann der ÖVP.

Schleißheim, Ortsteil der Gemeinde Oberschleißheim (10 600 Ew.) im Landkreis München, Bayern. – Altes Schloss (1616), 1944 zerstört, wiederhergestellt; Neues Schloss (1701 ff.), ein Hauptwerk des europ. Barock, heute Staatsgalerie. Am O-Ende des großen Parks liegt das Schlösschen Lustheim (1684–89).

Schleiz, Krst. des Saale-Orla-Kreises, Thür., im östl. Thüringer Schiefergebirge, 9 500 Ew.; Böttger-Gedenkstätte; Herstellung von Glaswaren, Briefmarkenalben, Möbelbau. – Im N liegt die **Plothener Seenlandschaft** mit über 1 000 Fischteichen. – Spätgot. Bergkirche (1359) mit barocker Ausstattung, spätgot. Stadtkirche (15./16. Jh., 1945 zerstört, wieder aufgebaut), das Schloss (16. und 19. Jh.) ist seit 1945 Ruine. – 1232 erstmals erwähnt; seit 1666 Mittelpunkt der Herrschaft Reuß-S. (seit 1806 Fürstentum; 1848–1918 Fürstentum Reuß jüngere Linie); kam 1920 zu Thüringen.

Schlemihl [jidd. Schlemiel] *der,* Pechvogel; in der Erzählung »Peter S.s wundersame Geschichte« von A. von Chamisso (1814) der Mann, der seinen Schatten verkauft und dadurch Verachtung und Grauen unter den Menschen erregt.

Schlemmer, Oskar, Maler, Bildhauer und Bühnenbildner, *Stuttgart 4. 9. 1888, † Baden-Baden 13. 4. 1943; studierte bei A. Hoelzel, lehrte 1920–29 am → Bauhaus, bis 1932 an der Breslauer, bis 1933 an der Berliner Akademie (dann Entlassung und

Oskar Schlemmer: »Schule« (1924; Wiesbaden, Privatbesitz)

Schleißheim: Das Neue Schloss wurde zu Beginn des 18. Jh. von Enrico Zuccalli und Joseph Effner erbaut

Ausstellungsverbot). S., dessen Vorstellungen von einer Integration der Künste bahnbrechend wurden, suchte, bes. auch im Bühnentanz, das menschl. Dasein durch abstrahierte Figuren und deren Verhältnis im Raum darzustellen.

📖 *O. S., bearb. v.* K. VON MAUR *u. a., Ausst.-Kat. Staatsgalerie Stuttgart 1993.*

Schlempe, alkoholfreier Rückstand bei der Branntweinherstellung; wegen des Gehalts an Eiweiß, Stickstoffverbindungen, Fetten u. a. ein sehr gutes Futtermittel.

Schlenther, Paul, Schriftsteller und Theaterleiter, *Insterburg (heute Tschernjachowsk, Gebiet Kaliningrad) 20. 7. 1854, † Berlin 30. 4. 1916; Theaterkritiker der »Voss. Zeitung« in Berlin; Förderer des Naturalismus (bes. von H. Ibsen und G. Hauptmann); 1898–1910 Direktor des Wiener Burgtheaters.

Paul Schlenther (zeitgenössischer Holzstich)

Schlepper, 1) *Landtechnik:* der → Traktor.

2) *Schifffahrt:* kleines, mit kräftiger Maschine (meist Dieselmotor) ausgerüstetes Schiff zum Schleppen und Schieben (»Bugsieren«) von Wasserfahrzeugen ohne Eigenantrieb, zur Unterstützung von Schiffen beim Manövrieren in engen Gewässern **(Hafen-S., Fluss-S.)** oder zur Hilfeleistung in Havarie- und Notfällen **(Bergungsschlepper).**

Schleppnetz, dem Fischfang im Meer dienender, von einem oder zwei Booten (Trawler) gezogener, trichterförmiger Netzsack; mündet in einen langen, engmaschigen Fangbeutel **(Stert).** Das **Grund-S. (Trawl)** läuft nach vorn in zwei lange seitl. Flügel mit je einer Zugleine (Kurrleine) aus; es wird über den Meeresgrund gezogen, wobei die Öffnung unten durch Ketten- oder Kugelbeschwerung, oben durch Schwimmkörper, seitlich durch zwei Scherbretter offen gehalten wird. Das **Schwimm-S.** wird frei schwimmend gezogen

19 B 15/12

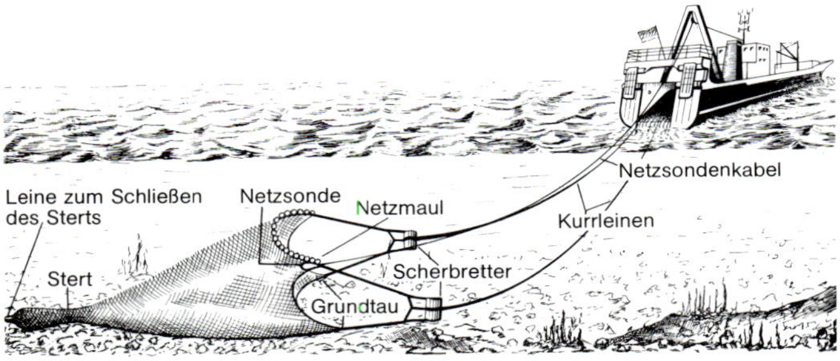

Schleppnetz: von einem Hecktrawler gezogenes Grundschleppnetz

(Länge bis 55 m, Durchmesser der Fangöffnung bis 40 m).

Schleppnetzfahndung, → Fahndung.

Schleppschifffahrt, *Seeschifffahrt:* Überführung von Schwimmkörpern aller Art über See mithilfe von Hochseeschleppern.

Schleppung, *Geologie:* durch Reibung verursachtes Verbiegen von Gesteinsschichten längs Verwerfungen oder aufsteigenden Gesteinskörpern (Salzstock, Vulkan).

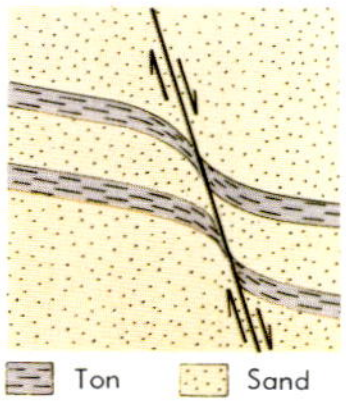

Schleppung von Schichten an einer Verwerfung

Schlern *der* (italien. Monte Sciliar), Gebirgsstock aus Kalken und Dolomitgestein in den Südtiroler Dolomiten, Italien, im Petz 2564 m ü. M.; Naturpark (64 km²) mit dem S.-Teil der Seiser Alm und dem Tschamintal.

Schlesien (poln. Śląsk, tschech. Slezko), histor. Landschaft beiderseits der mittleren und oberen Oder. S. umfasst die O-Abdachung der Sudeten. Ihnen vorgelagert sind die inselartigen Sudetenvorberge, die fruchtbaren Flussebenen an der Oder und ihren Nebenflüssen (Schles. Bucht, mit den flachen Mulden des Breslau-Magdeburger und des Glogau-Baruther Urstromtals) und die flachwelligen Hügelketten der binnenländ. Landschwelle (Nordschles. Landrücken) mit Katzengebirge und Dalkauer Hügeln. Im SO geht der Nordschles. Landrücken südlich der Malapane in die Oberschles. Platte über, zu der das Hügelland des Oberschles. Höhenrückens (Tarnowitzer Höhen mit dem Annaberg) gehört. Die niederschles. Heide (Muskauer, Görlitzer, Saganer Heide) und die Lausitzer Höhen im N tragen v. a. Kiefernwald.

Geschichte: Das um die Mitte des 1. Jt. v. Chr. von den Skythen eroberte Gebiet wurde im 4. Jh. v. Chr. von Kelten besiedelt und kurz vor der Zeitenwende von german. Wandalen in Besitz genommen. Der Name S. leitet sich wohl von einem Teilstamm der Wandalen, den Silingen, ab, die links der Oder um ihr Heiligtum auf dem Zobten lebten. Nach Abzug großer Teile der Germanen während der Völkerwanderungszeit rückten ab dem 6. Jh. slaw. Stämme nach. Im 10. Jh. stand S. unter böhm. Herrschaft, seit 990 besaßen es (von den böhm. Přemysliden häufig angefochten) die poln. Piasten. Nach der Christianisierung wurde 1000 unter Mitwirkung Kaiser Ottos III. das Landesbistum Breslau gegründet und Gnesen unterstellt. 1138 entstand durch Erbteilung das piast. Teilfürstentum S., 1163/73 bildeten sich zwei schles. Herzogtümer heraus: **Nieder-S.** mit Breslau und **Ober-S.** mit Ratibor, Beuthen und etwas später Oppeln. Durch weitere Teilungen nach dem Mongoleneinfall (1241, Tod des Herzogs Heinrich II. in der Schlacht auf der Wahlstatt bei Liegnitz) zerfiel S. in zahlr. Teilherzogtümer. Seit Heinrich I. (1201–38) förderten die schles. Herzöge die Ansiedlung dt. Kolonisten (Entstehung zahlr. Dörfer und Städte dt. Rechts, Klostergründungen). 1327–29 unterstellten sich alle oberschles. und die meisten niederschles. Herzöge der Lehnshoheit Böhmens und kamen dadurch mittelbar an das Hl. Röm. Reich; 1348 wurde S. vom späteren Kaiser Karl IV. in die Krone Böhmens inkorporiert. Die poln. Krone verzichtete seit dem Vertrag von Trentschin (1335) auf ihre Ansprüche auf Schlesien. 1523 erwarb Markgraf Georg von Ansbach-Bayreuth, ein Förderer der sich rasch ausbreitenden Reformation, das Herzogtum Jägerndorf sowie weiteren schles. Besitz. 1526 fiel S. mit Böhmen an die österr. Habsburger. Der Dreißigjährige Krieg (1618–48) fügte dem schles. Gebiet schweren Schaden zu; die Gegenreformation setzte ein. V. a. im 17. Jh. erlebte S. eine kulturelle Hochblüte der barocken Dichtung und Baukunst. Nach dem 1. Schles. Krieg fielen 1742 (Frieden von Berlin) Nieder-S., ein großer Teil Ober-S.s und die böhm. Grafschaft Glatz an Preußen, das diesen Besitz im 2. Schles. Krieg verteidigte (→ Schlesische Kriege). Die 1807 geschaffene preuß. Provinz S. wurde 1815 um große Teile der vorher sächs. Oberlausitz erweitert. Die habsburgisch gebliebenen südl. Teile von Ober-S. (Gebiete um Troppau, Jägerndorf, Teschen, Bielitz und ein Teil des Neißer Bistumlandes) bildeten bis 1918 das Kronland **Österreichisch-S.** (Hptst. Troppau), das nach dem 1. Weltkrieg im Friedensvertrag von Saint-Germain-en-Laye (1919) größtenteils an die Tschechoslowakei kam. Das Teschener Gebiet wurde 1920 zw. der Tschechoslowakei und Polen geteilt; der poln. Teil bildete mit den polnisch gewordenen Gebieten von Ober-S. die Wwschaft Śląsk. Durch den Versailler Vertrag 1919 (in Kraft seit 1920) kamen Gebiete des RegBez. Breslau an Polen, das Hultschiner Ländchen an die Tschechoslowakei. Eine Volksabstimmung sollte über die poln. Ansprüche auf Ober-S. entscheiden; am 11. 2. 1920 übernahm eine »Interalliierte Reg.- und Plebiszitkommission« unter frz. Vorsitz die Verw. des Abstimmungsgebietes. Beim Plebiszit am 20. 3. 1921 stimmten (bei einer Beteiligung von 97 %) 59,6 %

der Bev. für den Verbleib von Ober-S. bei Dtl. Daraufhin brachen im Mai 1921 blutige Kämpfe zw. poln. Freischaren unter W. Korfanty und dt. Freiwilligenverbänden aus (Höhepunkt das Gefecht um den Annaberg am 21. 5. 1921). Am 20. 10. 1921 gab der »Oberste Rat der Alliierten« eine Teilung Ober-S.s bekannt: Der östl. Teil (»Ostoberschlesien« mit dem Ind.schwerpunkt und dem Hauptteil der Kohlenlager) fiel an Polen, der westl. (»Westoberschlesien«) blieb bei Dtl. Durch ein dt.-poln. Abkommen in Genf (15. 5. 1922) wurden minderheitenrechtl. und wirtsch. Sonderbestimmungen getroffen. Die beiden preuß. Prov. Nieder-S. (Hptst.: Breslau) und Ober-S. (Hptst.: Oppeln) waren 1938–41 zusammengefasst; 1938–45 gehörte das Hultschiner Ländchen wieder zu S. 1939 wurden die an Polen verlorenen Gebiete (einschl. des Teschener und des Olsagebietes) dem Dt. Reich wieder angegliedert. 1945 besetzten sowjet. Truppen S., das im Potsdamer Abkommen (2. 8. 1945) unter poln. Verw. gestellt wurde (ausgenommen ein kleines Gebiet westlich der Lausitzer Neiße, heute zum Bundesland Sachsen gehörig). Bei der →Vertreibung der Deutschen (Höhepunkt 1946) mussten rd. 3,2 Mio. Menschen S. verlassen; etwa 500 000 Schlesier verloren ihr Leben. Weitere 700 000 blieben zunächst in S. zurück, v.a. mehrsprachige »Autochthone« (→Polendeutsche). S. wurde mit Menschen aus den an die Sowjetunion gefallenen ostpoln. Gebieten und aus Zentralpolen neu besiedelt. Seit den 50er-Jahren wanderten zahlr. Deutsche aus, nach 1970 (Dt.-Poln. Vertrag von Warschau) setzte erneut eine Aussiedlerbewegung ein. Im →Deutsch-Polnischen Grenzvertrag (14. 11. 1990) wurde die nach dem 2. Weltkrieg praktisch vollzogene Eingliederung von S. in das poln. Staatsterritorium endgültig anerkannt.

📖 *Geschichte S.s, hg. v.* L. PETRY, *2 Bde. Sigmaringen* [2–5]*1988.* – ULLMANN, K.: *S.-Lexikon. Mannheim* [5]*1989.* – *Kontinuität u. Wandel. S. zw. Österreich u. Preußen, hg. v.* P. BAUMGART. *Sigmaringen 1990.*

Schlesi|er, ostdt. Stamm beiderseits der mittleren Oder und der Sudeten; bildete sich im 13. Jh. aus mitteldt., zum kleineren Teil auch aus ober- und niederdt. Siedlern. Bis etwa 1350 wurden mehr als 100 Städte und über 1 000 Dörfer nach dt. (Magdeburger) Recht gegründet und mit Deutschen besiedelt. Die zahlenmäßig schwache slaw. Bev. wurde allmählich assimiliert. Der Osten, bes. von Oberschlesien, blieb ein Übergangs- und Mischgebiet mit stärkerem slaw. Bev.anteil. Die übergroße Mehrheit der (1937) 4,6 Mio. östlich von Oder und Neiße lebenden S. wurde 1945/46 vertrieben, nur eine Minderheit verblieb in →Schlesien.

Schlesinger, 1) [ˈʃleːzɪŋ(g)ə, ˈslesɪndʒə], Arthur Meier jr., amerikan. Historiker, *Columbus (Oh.) 15. 10. 1917; 1946–61 Prof. an der Harvard University, 1961–63 Sonderberater von Präs. J. F. Kennedy, bis 1964 von Präs. L. B. Johnson; ab 1966 Prof. an der City University in New York; erhielt den Pulitzerpreis für seine Bücher »The age of Jackson« (1945) und »Die tausend Tage Kennedys« (1965); schrieb außerdem »The cycles of American history« (1986).

Arthur M. Schlesinger jr.

2) Helmut, Finanz- und Volkswirtschaftler, *Penzberg 4. 9. 1924; 1980–91 Vizepräs. und 1991–93 Präs. der Dt. Bundesbank.

3) [ˈʃleɪzɪŋ(g)ə, ˈslesɪndʒə], John, brit. Regisseur, *London 16. 2. 1926; wurde mit dem Spielfilm »Nur ein Hauch Glückseligkeit« bekannt (1961); drehte ferner »Asphalt-Cowboy« (1968), »Der Tag der Heuschrecke« (1974), »Der Marathon-Mann« (1976), »Madame Sousatzka« (1989), »Cold Comfort Farm« (1994); außerdem Theater- und Operninszenierungen.

John Schlesinger

Schlesische Kriege, preußisch-österr. Kriege zw. 1740 und 1763 um den Besitz Schlesiens. – Aufgrund der aus den Erbverträgen von 1537 der Hohenzollern und der Liegnitzer Piasten abgeleiteten brandenburg. Ansprüche auf das Herzogtum Jägerndorf fiel Friedrich II. von Preußen in Schlesien ein und löste damit den **1. Schles. Krieg** (1740–42) aus. Durch seine militär. Erfolge (Sieg bei Mollwitz, 10. 4. 1741) und die Ausdehnung zum Österr. Erbfolgekrieg gewann Preußen im Frieden von Berlin (28. 7. 1742) ganz Niederschlesien, Teile Oberschlesiens und Glatz. – Den **2. Schles. Krieg** (1744/45) begann Preußen wegen der diplomatisch-militär. Erfolge Österreichs seit 1743. Der Einnahme Prags (16. 9. 1744) folgten Niederlagen, doch konnte Preußen durch seine Siege bei Hohenfriedeberg (4. 6. 1745), Soor (30. 6. 1745) und Kesselsdorf (15. 12. 1745) den Besitz Schlesiens verteidigen. – **3. Schles. Krieg** →Siebenjähriger Krieg.

Schlesischer Weber|aufstand, →Weberaufstand.

Schleswig, 1) Krst. des Kr. Schleswig-Flensburg, in Schlesw.-Holst., am Westende der Schlei, 26 500 Ew.; Behördenstadt; evang. Bischofssitz;

Schleswig 1) Stadtwappen

Schleswig 1): Das ehemalige Residenzschloss Gottorf (16./17. Jh.) beherbergt das Schleswig-Holsteinische und das Archäologische Landesmuseum

Wetteramt; Landesarchiv, -museen, Theater; Nahrungsmittelind., Tauwerkfabrik; Fremdenverkehr; Küstenfischerei. – Dom St. Petri (12.–15. Jh.; mit dem Bordesholmer Altar von H. Brüggemann), das ehem. Residenzschloss Gottorf (v. a. 16./17. Jh.) beherbergt heute das Schleswig-Holstein. Landesmuseum und das Archäolog. Landesmuseum. – S. entstand in der Nachfolge des gegenübergelegenen, um 1050 zerstörten → Haithabu. 1196 erstmals als Stadt bezeichnet.

🕮 Weldt, D.: *S. in Luftbildern. Leer 1985. – S. im Mittelalter. Archäologie einer Stadt, Beiträge v.* V. Vogel *u. a. Neumünster 1989.*

2) ehem. Herzogtum an Eider und Schlei; umfasste ein seit der Karolingerzeit zw. Dänen und Fränk. Reich umstrittenes Gebiet, in dem der dän. König Göttrik (†810) eine Wallanlage errichten ließ (→ Danewerk); kam zw. 1025 und 1035 an den Dänenkönig Knut d. Gr. Seit Ende des 11. Jh. unter der Statthalterschaft des dän. Königshauses, wurde S. ein weitgehend selbstständiges Herzogtum; Abel (*1218, †1252), seit 1232 Herzog von S., war 1250–52 König von Dänemark. Nach Aussterben des schleswigschen Herzoghauses (1375) kam das Gebiet 1386 als dän. Lehen an die Schauenburger (Schaumburg). (→ Schleswig-Holstein)

Schleswig-Flensburg, Kreis in Schlesw.-Holst.; 2072 km², (1996) 190700 Ew.; Krst. ist Schleswig.

Schleswig-Holstein Landeswappen

Schleswig-Holstein, das nördlichste Land der Bundesrep. Dtl., 15770 km², (1996) 2,742 Mio. Ew.; Hptst. ist Kiel.

Landesnatur: S.-H. umfasst den südl. Teil der Halbinsel Jütland sowie die ihm vorgelagerten Inseln: Fehmarn in der Ostsee, die Nordfries. Inseln und Helgoland in der Nordsee. Es gehört zum Norddt. Tiefland mit fruchtbarer, seenreicher (Plöner See, 29 km²) Grundmoränenlandschaft im O, Marschland im W und sandiger Geest in der Mitte; die höchste Erhebung ist der Bungsberg (168 m ü. M.). Die Ostseeküste ist durch Buchten (Förden) reich gegliedert. Der Nordseeküste vorgelagert ist das Watt, aus dem die Nordfries. Inseln, die Marschinseln und die Halligen herausragen. Klimatisch liegt S.-H. im Bereich vorherrschender Westwindlagen mit ausgeprägt ozean. Klima. Im Spätherbst kommt es häufig zu Sturmfluten.

Landtagswahlen in Schleswig-Holstein 1988–96[1)]

Parteien	8.5.1988	5.4.1992	24.3.1996
SPD	46; 54,8%	45; 46,2%	33; 39,8%
CDU	27; 33,3%	32; 33,8%	30; 37,2%
FDP	–; 4,4%	5; 5,6%	4; 5,7%
Die Grünen[2)]	–; 2,9%	–; 4,97%	6; 8,1%
SSW[3)]	1; 1,7%	1; 1,9%	2; 2,5%
DVU[4)]	–; 0,6%	6; 6,3%	–; 4,3%
Andere	–; 2,0%	–; 1,2%	–; 2,4%

[1)] Sitzverteilung und Stimmenanteil der Parteien. – [2)] seit 1993 Bündnis 90/Die Grünen. – [3)] gemäß der Bonner »Grundsatzerklärungen« ist der SSW von der Fünfprozentklausel des Wahl-Ges. ausgenommen. – [4)] Abk. für Deutsche Volksunion

Schleswig-Holstein: Heckenlandschaft

Bevölkerung: Das Bundesland ist überwiegend von Sachsen (Niedersachsen) besiedelt. Die W-Küste und die ihr vorgelagerten Inseln sind von Nordfriesen bewohnt, die ihre Sprache z. T. noch pflegen. Im N um Flensburg lebt eine dän. Minderheit. Der Anteil der Vertriebenen betrug nach dem 2. Weltkrieg rd. 25%. 74,1% (1987) der Ew. sind evangelisch, 19,7% katholisch. Die Bev.dichte (1996: 174 Ew. je km²) liegt unter dem Bundesdurchschnitt (223 Ew. je km²). Regionale Schwerpunkte der Bev.verteilung liegen v. a. an der Ostseeküste (um Lübeck, Kiel, Flensburg), im Umland von Hamburg sowie um Neumünster, Rendsburg, Itzehoe, Husum und Heide. – S.-H. hat eine Univ. in Kiel, vier Fachhochschulen (Flensburg, Kiel, Lübeck, Wedel), in Lübeck Medizin. Univ. und Musikhochschule, zwei PH (Kiel, Flensburg) sowie die Verw.fachschule Altenholz und die Hochschule für Berufstätige in Rendsburg.

Wirtschaft: S.-H., früher ein überwiegend agrarisch geprägtes Land, weist heute eine breit gefächerte Wirtschaftsstruktur auf. Die Landwirtschaft nutzt 68% der Fläche (rd. 54% Ackerland, rd. 45% Dauergrünland). Grünland mit Viehwirtschaft herrscht in den Marschen im W vor, im SO Ölfrüchte, Getreide-, Kartoffelbau. In Dithmarschen und auf Fehmarn ist Gemüsebau verbreitet, in den Elbmarschen daneben auch Obstbau. Nur 9% der Fläche sind Wald; S.-H. hat große Baumschulflächen (Halstenbek-Rellingen). Wichtige Ind.branchen sind Nahrungs- und Genussmittel, Schiff- und Maschinenbau, Elektrotechnik, Baustoffe, Optik u. a.; zu den wirtsch. genutzten Bodenschätzen gehören Salzlager, Erdöl (bei Heide, vor der

Verwaltungsgliederung Schleswig-Holstein (Größe und Bevölkerung 31. 12. 1996)

Verwaltungseinheit	Fläche in km²	Ew. in 1000	Ew. je km²	Verwaltungssitz
Kreisfreie Städte				
Flensburg	56	86,6	1 535	Flensburg
Kiel	117	243,7	2 086	Kiel
Lübeck	214	215,7	1 007	Lübeck
Neumünster	72	81,8	1 143	Neumünster
Kreise				
Dithmarschen	1 436	134,9	94	Heide
Herzogtum Lauenburg	1 263	172,1	136	Ratzeburg
Nordfriesland	2 049	160,7	78	Husum
Ostholstein	1 392	198,3	142	Eutin
Pinneberg	664	284,9	429	Pinneberg
Plön	1 083	127,2	117	Plön
Rendsburg-Eckernförde	2 186	260,7	119	Rendsburg
Schleswig-Flensburg	2 072	190,7	92	Schleswig
Segeberg	1 344	239,7	178	Bad Segeberg
Steinburg	1 056	134,0	127	Itzehoe
Stormarn	766	211,3	276	Bad Oldesloe
Schleswig-Holstein	15 770	2 742,3	174	Kiel

Küste) und Kreidevorkommen. An den Küsten verbreitet Fischerei und Fisch verarbeitende Ind., zentraler Fischereihafen ist Kiel. Hauptanziehungspunkte im Fremdenverkehr sind Sylt und Helgoland, die Ostseeküste und die Holstein. Seenplatte. Als Küstenland hat S.-H. eine lange Schifffahrtstradition. Der Hafen Brunsbüttel an der Unterelbe hat sich zu einem wichtigen Güterumschlagplatz entwickelt; wichtige Ostseehäfen sind Lübeck, Puttgarden und Kiel. Der Nord-Ostsee-Kanal ist nach wie vor eine der meistbefahrenen künstl. Wasserstraßen der Erde.

Verfassung: Nach der Verf. vom 13. 12. 1949 (bis 1990 Landessatzung) liegt die Legislative beim Landtag (89 Abg., auf vier Jahre gewählt), der über das Selbstauflösungsrecht verfügt. Exekutivorgan ist die Reg. unter Vorsitz des vom Landtag gewählten MinPräs. (Richtlinienkompetenz). Der Min.-Präs. kann durch konstruktives Misstrauensvotum gestürzt werden. Die Verf. fixiert als plebiszitäre Elemente Volksinitiative, -begehren und -entscheid.

Geschichte: 1375/86 erwarben die in der Grafschaft (seit 1474 Herzogtum) →Holstein herrschenden Schauenburger (→Schaumburg) endgültig das Herzogtum →Schleswig als dän. Lehen. Als ihr Mannesstamm 1459 erlosch, wählten die Stände 1460 den dän. König Christian I. aus dem Haus Oldenburg zum Landesherrn, der im **Ripener Freiheitsbrief** gelobte, dass Schleswig und Holstein »ewig zusammenbleiben sollten, ungeteilt«. Die Reformation fand 1542 in S.-H. Eingang (Kirchenordnung J. Bugenhagens). 1544 wurden die Herzogtümer abermals (erstmals 1490–1523) geteilt. Die Bauernrepublik Dithmarschen wurde 1559 unterworfen. Seit den dän. Teilungen von 1544 und 1581 gab es in S.-H. zwei Landesherren aus dem Haus Oldenburg: die Nachkommen König Friedrichs II. (*1543, †1588) im »königl. Anteil« und die Nachkommen Herzog Adolfs (*1526, †1586) im »herzogl. Anteil« (Gottorp). Die Gottorper Linie musste ihren Anteil an Schleswig infolge der schwed. Niederlage im 2. Nord. Krieg 1720 an den König-Herzog abtreten. Die 1762 mit Peter III. auf den russ. Kaiserthron gelangte ältere Gottorper Linie verzichtete 1773 auch auf ihren holstein. Anteil zugunsten Dänemarks, das dafür Oldenburg und Delmenhorst an die jüngere Gottorper Linie abtrat. Da um die gleiche Zeit auch andere Splitterterritorien an die königl. Linie fielen, waren die Herzogtümer nun wieder unter einer Krone vereint als Teil des dän. Gesamtstaates. Die Regierungsorgane von S.-H. unterstanden der Dt. Kanzlei in Kopenhagen. Nach dem Untergang des Hl. Röm. Reiches 1806 verfügte der dän. König die Einverleibung des herrenlosen Holstein; doch trat er 1815 (Wiener Kongress) als Herzog von Holstein und →Lauenburg dem Dt. Bund bei, Schleswig wurde jedoch nicht zum Glied des Dt. Bundes erklärt. – Das Aufkommen nat. und liberaler Ideen führte zu verstärkten Spannungen. In den 1832 geschaffenen beratenden Ständeversammlungen wurde u. a. die Erbfolge (Thronnachfolge in S.-H. auch der Augustenburger Nebenlinie des Hauses Oldenburg) und die Sprachenfrage heftig diskutiert: Die »Schleswig-Holsteiner« verfochten unter Berufung auf die Verträge von 1460 die Einheit und Eigenständigkeit des Herzogtums und erstrebten darüber hinaus den ersehnten Anschluss an den Dt. Bund; die »Eiderdänen« (dän. Nationalliberale) wollten ganz Schleswig fest mit Dänemark verbinden. Als Friedrich VII. am 22. 3. 1848 nach der Ernennung eines eiderdän. Ministeriums die Einverleibung Schleswigs in Dänemark anerkannte, erfolgte am 23./24. 3. die schleswig-holstein. Erhebung in Kiel: Der »Herzog« wurde für unfrei erklärt und eine provisor. Regierung eingesetzt. Mit Unterstützung v. a. preuß. Bundestruppen konnte sich S.-H. im **Deutsch-Dän. Krieg (1848–50)** behaupten, geriet aber politisch ebenso

Schleswig-Holstein

Up ewig ungedeelt

Der Wahlspruch Schleswig-Holsteins geht auf König Christian I. von Dänemark (1448–1481) zurück, der nach Erlöschen des holsteinischen Grafenhauses der Schauenburger Schleswig und Holstein in Personalunion mit Dänemark verband und in den Verträgen von Ripen und Kiel 1460 die Zusicherung gab, dass Schleswig und Holstein ewig ungeteilt zusammenbleiben sollten. 1844 verfochten die Schleswig-Holsteiner auf dem deutschen Schleswiger Sängerfest unter Berufung auf die Verträge von 1460 die Einheit und Eigenständigkeit der Herzogtümer und erstrebten den Anschluss an das Deutsche Reich.

wie Preußen unter den Druck der Großmächte Russland und Großbritannien. Preußen zog sich daraufhin im Sommer 1850 zurück. Unter dem Einfluss Österreichs griff Anfang 1851 der Dt. Bund ein: Er erzwang die Entwaffnung der Schleswig-Holsteiner und lieferte zunächst Schleswig, Anfang 1852 auch Holstein den Dänen aus. Die Elbherzogtümer wurden zu einem europ. Problem (Londoner Protokoll, 8. 5. 1852); erneute Versuche der Einverleibung Schleswigs in Dänemark führten zum **Deutsch-Dän. Krieg von 1864** (Erstürmung der Düppeler Schanzen, 18. 4.). Im Frieden von Wien (30. 10. 1864) musste Dänemark ganz S.-H. und Lauenburg an Preußen und Österreich (Kondominium bis 1866) abtreten. Die Spannungen zw. beiden Großmächten (vorübergehende Verständigung in der →Gasteiner Konvention) führten zum Dt. Krieg 1866, der mit der Einverleibung von S.-H. als preuß. Provinz (Prager Frieden, 23. 8. 1866; ab 1876 mit dem Herzogtum Lauenburg, ab 1890 mit Helgoland) endete. 1920 kam durch Volksabstimmung Nordschleswig an Dänemark. – 1946 bildete die brit. Militärreg. aus der preuß. Provinz das Land S.-H. und ernannte T. Steltzer (CDU) zum MinPräs. Nach den ersten Landtagswahlen 1947 konnte die SPD unter H. Lüdemann (1947–49) sowie B. Diekmann (1949/50) absolut regieren; 1950–87 war die CDU die stärkste Partei und stellte (seit 1971 in absoluter Mehrheit) die MinPräs.: W. Bartram (1950/51), F.-W. Lübke (1951–54), K.-U. von Hassel (1954–63), H. Lemke (1963–71), G. Stoltenberg (1971–82), U. Barschel (1982–87). Trotz seines Wahlsieges 1987 trat →Barschel im Okt. 1987 zurück (»Barschel-Affäre«). Nach den Wahlen vom Mai 1988 konnte die SPD eine Alleinreg. unter B. Engholm bilden (im April 1992 knapp bestätigt). Nach Bekanntwerden seiner Falschaussage im Zusammenhang mit der »Barschel-Affäre« trat Engholm im Mai 1993 von allen Ämtern zurück. Bei den Landtagswahlen von 1996 verlor die SPD ihre absolute Mehrheit. Die Nachfolgerin Engholms als Ministerpräsidentin (ab Mai 1993), H. Simonis (SPD), bildete eine Koalitionsreg. aus SPD und Bündnis 90/Die Grünen.

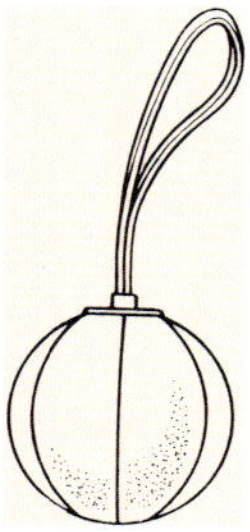

Schleuderball

📖 *S.-H. Ein geographisch-landeskundl. Exkursionsführer, hg. v.* H. SCHLENGER *u. a. Kiel* ^{2}*1970.* – STEWIG, R.: *Landeskunde von S.-H. Stuttgart* ^{2}*1982.* – *S.-H., hg. v.* J. BÄHR *u. a. Berlin u. a. 1987.* – *Stadtlandschaften in S.-H., hg. v.* MANFRED J. MÜLLER *u. a. Neumünster 1990.* – SCHARFF, A.: *Geschichte S.-H.s. Freiburg im Breisgau u. a.* ^{5}*1991.*

Schlẹttstadt (frz. Sélestat), Stadt im Unterelsass im Dép. Bas-Rhin, Frankreich, an der Ill, 15 900 Ew.; Weinbau und -handel, Chemiefaser-, Metall verarbeitende, Textil-, Tabakindustrie. – Münster Saint-Georges (13.–15. Jh.), Kirche Sainte-Foy (Ende des 12. Jh.); Bibliothèque humaniste mit bedeutender Handschriftensammlung, im Lesesaal röm. Keramik und elsäss. Plastik des 15./16. Jh. – S., eine dt. Königspfalz, wurde 1292 Reichsstadt, gehörte 1354–1648 zur elsäss. Dekapolis; 1676 französisch.

Schlẹttwein, Johann August, Nationalökonom, * Weimar 8. 8. 1731, † Dahlen (heute zu Brunn, Kr. Mecklenburg-Strelitz) 24. 4. 1802; Hauptvertreter des dt. Physiokratismus; 1770/71–73 Rat der fürstl. Rentenkammer in Baden, später Prof. in Basel und Gießen (»Grundfeste der Staaten oder die polit. Oekonomie«, 1778).

Schleuder, Wurfwaffe zum Schleudern von Steinen u. a.; man unterscheidet starre (Stab- oder Stock-S. aus Holz) und flexible S. (Band-S. aus Pflanzenfasern oder Leder); in Europa mindestens seit dem Neolithikum bekannt, heute v. a. noch in Afrika als Fernkampfwaffe verbreitet.

Schleuderball, Treibballspiel zweier Mannschaften von je 5 bis 8 Spielern. Das Spielfeld misst 160×15 m. Der 1,5 kg (Männer) bzw. 1 kg (Frauen) schwere Vollball ist hinter die gegner. Mallinie zu werfen, Spielzeit 2×15 Minuten.

Schleuderschwanz (Hardun, Agama stellio), 30–40 cm lange Agame in SO-Europa, W-Asien und NO-Afrika mit drehrundem, stacheligem Schwanz.

Schleudersitz, Rettungsgerät für die Besatzung von Kampf- oder Testflugzeugen; wird mit der darauf sitzenden Person im Gefahrenfall von einem Pulvertreibsatz nach Absprengen des Kabinendachs aus dem Flugzeug katapultiert; etwa 0,6 s nach Verlassen des Flugzeugs wird die Sitzwanne von der Person getrennt und der Rettungsfallschirm automatisch geöffnet.

Schleudertrauma (Halswirbelsäulentrauma, Peitschenhiebsyndrom), typ. Schädigung der Halswirbelsäule durch plötzl. Zurück- und Vorschleudern des Oberkörpers, v. a. bei Auffahrunfällen;

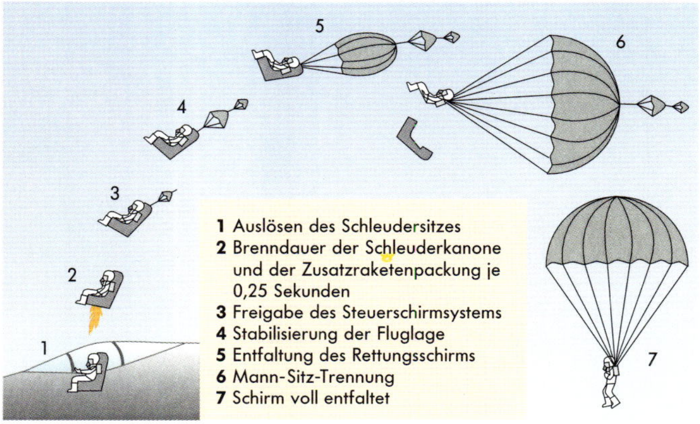

Schleudersitz

Rudolf Schlichter: Bildnis Bert Brecht mit Zigarre (1928; München, Städtische Galerie)

Symptome sind Schmerzen und Missempfindungen (z.B. Taubheitsgefühl) in Schulter und Arm sowie Lähmungen der Armmuskulatur. Behandlung durch Ruhigstellen der Halswirbelsäule (2–6 Wochen), schmerzstillende Mittel und Wärme.

Schleuse [niederländ.], **1)** *Technik:* Kammer mit zwei gasdicht verschließbaren Eingängen zur Überwindung von Druckunterschieden zw. zwei Räumen (z.B. Luft-S.; S. bei Raumfahrzeugen) oder für den Übergang zw. Räumen mit unterschiedl. Luftbeschaffenheit (Vorraum zu strahlungsgefährdeten Räumen oder Reinräumen).

2) *Wasserbau:* Bauwerk an Wasserstraßen, ermöglicht Schiffen den Übergang zw. Gewässerabschnitten versch. Wasserspiegelhöhe. Die meistgebaute Schiffs-S. ist die **Kammer-S.,** eine große Kammer, die an den Enden (Ober-, Unterhaupt) durch Tore (Klapp-, Senk-, Stemm-, Hub-, Schiebe-, Drehtore u.a.) geschlossen werden kann. Zum Füllen und Entleeren der Kammer dienen verschließbare Öffnungen in den Toren oder Kanäle in Wänden und Sohle der Kammer. Bei Schleusung zu Berg wird die Kammer vom Oberwasser her gefüllt, bei Schleusung zu Tal ins Unterwasser entleert. **Spar-S.** haben seitl. Speicherbecken zur wiederholten Benutzung eines Teils des Schleusungswassers. Binnenschiffs-S. sind an Staustufen, Talsperren und Schifffahrtskanälen errichtet, Seeschiffs-S. überwinden durch Tidenerscheinungen, Gezeitenschwankungen und Windstau hervorgerufene Wasserstandsunterschiede (**Dock-S.** haben deshalb nur ein Haupt). An Kanälen weicht man aus Wasserersparnisgründen ab etwa 30 m Stufenhöhe auf → Schiffshebewerke aus.

Schleusingen, Stadt im Landkreis Hildburghausen, Thür., am SW-Rand des Thüringer Waldes, 6 000 Ew.; Behälterglaswerk, Elektromotorenbau, elektrotechn. Industrie. – Schloss Bertholdsburg (1268 bezeugt) wurde im 15.–16. Jh. neu errichtet (Museum), barocke Stadtkirche mit Grablege der Henneberger. – 1232 erstmals erwähnt; 1268 Stadtrecht; 1274–1583 Residenz von Henneberg-S.; kam 1583 an Kursachsen, 1815 an Preußen.

Schleyer, Hanns Martin, Industriemanager, * Offenburg 1. 5. 1915, † (ermordet aufgefunden in Mülhausen, Elsass) 18. 10. 1977; seit 1973 Präs. der Bundesvereinigung der Dt. Arbeitgeberverbände e.V., seit Jan. 1977 auch Präs. des Bundesverbandes der Dt. Ind. e.V.; am 5. 9. 1977 von Mitgl. der RAF entführt.

Schlichten, Aufbringen von filmbildenden und/oder verklebenden Substanzen auf Fäden hoher Feinheit, rauer Oberfläche oder Garne geringer Reißfestigkeit vor dem Weben; schützt im Webprozess vor mechan. Beanspruchung.

Hanns Martin Schleyer

Schlichter, Rudolf, Maler, * Calw 6. 12. 1890, † München 3. 5. 1955; Vertreter des sozialkrit. linken Flügels der → Neuen Sachlichkeit, näherte sich später dem Surrealismus.

Schlichtung, *Arbeitsrecht:* die Hilfeleistung Dritter zur Beendigung von Streitigkeiten zw. Organisationen der Arbeitgeber und Arbeitnehmervertretungen, bes. Gewerkschaften, über den Abschluss kollektivvertragl. Regelungen (Betriebsvereinbarung, Tarifvertrag). Das S.-Verfahren soll Regelungen herbeiführen, um Arbeitskämpfe zu verhindern. Zu unterscheiden sind vereinbarte und staatl. S. Die vereinbarte S. ist nur zulässig, soweit eine Gesamtvereinbarung über den Streitge-

Schleuse 2): Schleusenanlage an der Mündung des Nord-Ostsee-Kanals in die Unterelbe bei Brunsbüttel

genstand nicht oder nicht mehr besteht. Sie beruht überwiegend auf besonderen S.-Abkommen der Tarifvertragsparteien, die zur Errichtung von S.-Stellen (paritätisch besetzt mit Beisitzern und einem unparteiischen Vors.) führen. Ein Arbeitskampf ist erst zulässig, wenn die S.-Verhandlungen ergebnislos geblieben sind. Staatl. Zwangs-S. gibt es in Dtl. nicht. Zur betriebsverfassungsrechtl. S. →Einigungsstellen. – Das *österr.* Arbeitsrecht kennt die S. sowohl im Bereich des Berufs- als auch des Betriebsverfassungsrechts. In der *Schweiz* sind ebenfalls S. für die Beilegung kollektiver Arbeitsstreitigkeiten vorgesehen.

Heinrich Schliemann (Ausschnitt einer zeitgenössischen Lithographie)

Schlick, schlammartige Ablagerung im Meer (→Blauschlick), in Seen und im Überschwemmungsbereich von Flüssen, mit Beimengungen von Feinsand **(S.-Sand),** Kalk **(Kalk-S.)** oder organ. Stoffen.

Schlick, Moritz, österr. Philosoph, *Berlin 14. 4. 1882, †(ermordet) Wien 22. 6. 1936; Studium der Physik und Promotion bei Max Planck; ab 1922 Prof. für Naturphilosophie in Wien; begründete den neopositivist. →Wiener Kreis. – In seiner »Allg. Erkenntnislehre« (1918) stellt S. seinen an D. Hume orientierten Empirismus und seinen erkenntnistheoret. Realismus dar; deutet (entgegen Kant) Sätze der Naturwiss. als synthet. und a posteriori, damit durch Erfahrung widerlegbar. In »Fragen der Ethik« (1930) weist er absolute eth. Werte zurück und vertritt einen eudämonist. Standpunkt.

Schliemann

Heinrich Schliemann berichtet in einem Schreiben an den griechischen König Georg I.:

»Mit der größten Freude kündige ich Eurer Majestät an, dass ich die Gräber entdeckt habe, welche die Überlieferung, die Pausanias getreulich wiedergibt, als die Gräber von Agamemnon, Kassandra, Eurymedon und ihrer Gefährten bezeichnete, die während eines Banketts von Klytämnestra und ihrem Liebhaber Ägisthos ermordet wurden ... Ich habe in den Gräbern unermessliche Schätze gefunden, archaische Gegenstände aus purem Gold.«

Schlicker, *Keramik:* Suspension aus Ton und Wasser; kann als Klebstoff für Tonteile verwendet werden.

Schliefer (Klippschlieferartige, Klippdachse, Hyracoidea), den Rüsseltieren nahe stehende Ordnung nagetierähnlicher, plumper, primitiver Säugetiere, heute nur noch durch die Familie →Klippschliefer vertreten.

Alfred Graf von Schlieffen

Schlieffen, Alfred Graf von, preuß. Generalfeldmarschall (seit 1911), *Berlin 28. 2. 1833, †ebd. 4. 1. 1913; 1891–1905 Chef des Generalstabs der Armee. S. erwarb sich Verdienste um die Ausbildung der Generalstabsoffiziere und den Aufbau techn. Truppen. Er sah die höchste Führungskunst in doppelseitiger Umfassung und anschließender Vernichtung des Gegners. Der 1905 entwickelte **Schlieffenplan** sah für den Fall eines Zweifrontenkrieges vor, zunächst die Masse des Heeres im W einzusetzen und mit Schwerpunkt auf dem Nordflügel durch das neutrale Belgien den linken frz. Flügel zu umfassen und das frz. Heer gegen die Schweiz zu drängen. Erst danach sollte unverzüglich der Schwerpunkt der Truppen nach O verlegt werden. Dieser Plan wurde 1914 nur in abgeschwächter Form angewendet und nicht konsequent durchgeführt. – »Gesammelte Schriften« (2 Bde., 1913), Briefe, hg. v. E. Kessel (1958).

Schliemann, Heinrich, Kaufmann und Altertumsforscher, *Neubukow (Kr. Bad Doberan) 6. 1. 1822, †Neapel 26. 12. 1890; gründete 1847 ein eigenes Kontor in Sankt Petersburg und erwarb als Kaufmann ein großes Vermögen. Ab 1858 unternahm er Bildungsreisen in Europa und im Orient, 1866 begann er in Paris Archäologie zu studieren. Aufgrund genauer Studien Homers entdeckte er 1868 Troja. 1870–82 und 1890 grub er in Troja, 1876 in Mykene, 1880 und 1886 in Orchomenos und 1884/85 in Tiryns, seit 1882 von W. Dörpfeld wissenschaftlich unterstützt. Seinem Finderglück verdankt man die Hebung der Goldschätze von Troja (die er dem Museum für Vor- und Frühgesch. in Berlin schenkte, heute in Moskau) und des reichen Goldschmucks der Königsgräber von Mykene (Athen, Nationalmuseum).

Schriften: Trojan. Alterthümer (1874); Mykenae (1878); Orchomenos (1881); Troja (1884); Tiryns (1886). Selbstbiographie (1892); Briefwechsel, hg. v. E. Meyer, 2 Bde. (1953–58).

🕮 COBET, J.: *H. S. Archäologe u. Abenteurer. München 1997.*

Schlier, blaugrauer, feinschichtiger, sandiger Mergel, oligozäne bis miozäne marine Ablagerungen in der Molasse des nördl. Alpen- und des Karpatenvorlandes.

Schliere, 1) *Optik:* begrenzter Bereich in einem ansonsten homogenen transparenten Medium, der (bedingt durch Inhomogenitäten der chem. Zusammensetzung, Dichte, Temperatur, Druck u.a.) eine von der Umgebung versch. Brechzahl aufweist. Zur Prüfung von Glas, zur Darstellung von Strömungsbildern in Aerodynamik und Wärmelehre und von Schallfeldern in der Akustik werden S. optisch sichtbar gemacht **(Schlierenverfahren).**

2) *Petrologie:* unregelmäßig und unscharf begrenzter Bereich in einem Gestein oder Erzkörper, der in Mineralbestand oder Struktur, meist auch in der Farbe, vom Hauptgestein abweicht.

Schliersee, Marktgemeinde im Landkreis Miesbach, Oberbayern, 777 m ü. M., 6 400 Ew.; am Schliersee (2,2 km², bis 40 m tief); Heimatmuseum, Bauerntheater; Holzverarbeitung, Lackfabrik;

Schlitten 1): Prunkschlitten Maria Theresias (Wien, Kunsthistorisches Museum), darunter Schlitten mit geschnitzten Ornamenten aus dem Fund bei Oseberg, Norwegen (9. Jh; Oslo, Universitetets Oldsaksamling)

Fremdenverkehrsort und Wintersportplatz (am Spitzingsee).

Schließfrucht, *Botanik:* Frucht, die bei der Reife geschlossen bleibt und als Ganzes abfällt, z. B. Haselnuss, Stachelbeere.

Schließmundschnecken (Clausiliidae), artenreiche Familie der Landlungenschnecken. Die Schalenmündung kann durch ein Kalkplättchen verschlossen werden.

Schließmuskel, 1) *Anatomie:* (Sphinkter) ringförmiger Muskel (z. B. After-S., Blasen-S.) zum Verschließen röhrenförmiger Organe.

2) *Zoologie:* Muskel zum Verschließen der Muschelschalen.

Schliff, 1) *allg.:* durch Schleifen bearbeitete Gestalt oder Feingestalt einer Oberfläche.

2) *Geologie:* → Anschliff, → Dünnschliff.

3) *Labortechnik:* Bez. für zugeschliffene, gasdichte Verbindungsstücke von gläsernen Laboratoriumsgeräten, die aus Hülse und Kern bestehen.

Schliffbild, mikrofotograf. Aufnahme eines Metall- oder Mineralschliffs zur Ermittlung des mikrokristallinen Gefüges.

Schlinger, Bez. für Tiere, die unzerkleinerte, oft sehr große Nahrungsbrocken oder ganze Beutetiere hinunterschlucken, wobei die Speiseröhre stark gedehnt wird; z. B. Polypen, Strudelwürmer, viele Fische, Lurche, Schlangen, Vögel, Raubtiere.

Schlingern, bei Schiffen die durch Seegang, Windböen u. a. Impulse bewirkte Pendelbewegung um die Längsachse, wobei das Schiff durch konstruktive Maßnahmen (z. B. Schlingerkiele, -tanks oder -flossen) beim S. stabilisiert werden kann; bei Schienenfahrzeugen die Drehbewegung um die senkrechte Schwerpunktachse, hervorgerufen durch Seitenkräfte zw. Schiene und Spurkranz des Rades.

Schließmundschnecke

Schlingnatter (Glattnatter, Coronella austriaca), ungiftige mitteleurop. Natter, bis 70 cm lang, mit glatten Schuppen, die ihre Beute vor dem Fressen umschlingt; nach der Roten Liste gefährdet.

Schlingpflanzen, die → Lianen.

Schlitten, 1) *Fahrzeugtechnik:* als Beförderungsmittel auf Schnee und Eis dienendes Fahrzeug, das auf zwei Schienen (Kufen) mit Gleitreibung bewegt wird. Kleine S. **(Rodel)** dienen zur gleitenden Talfahrt, größere werden gezogen **(Hunde-S., Pferde-S.)** oder mit einem Motor angetrieben **(Motor-S.).** – In mit S. ausgeübten Sportarten (→ Rennschlittensport, → Bobsport) werden spezielle S. (z. B. → Skeleton) verwendet. – In der ursprüngl. Form ist der S. das älteste und einfachste Hilfsmittel zum Transport von Lasten. Prunk-S. gab es in Dtl. v. a. vom 15. Jh. bis zur Zeit des Klassizismus.

2) *Maschinenbau:* auf Führungen verschiebbares Maschinenteil, das Arbeits- oder Steuerbewegungen ausführt, bes. bei Werkzeugmaschinen.

3) *Schiffbau:* beim Stapellauf der Teil, der das Schiff trägt und auf dem Ablaufgerüst gleitet.

Schlittenhunde (Polarhunde), nord. Hunderassen, die zum Ziehen von Schlitten verwendet werden, z. B. Grönlandhund, Husky, Samojede.

Schlittschuhe für Eiskunstlauf, Eisschnelllauf und Eishockey (von oben)

Schlittschuhe, Spezialschuh zur Fortbewegung auf dem Eis mit scharfkantiger Stahlkufe, der Form nach für den → Eiskunstlauf, den → Eisschnelllauf oder das → Eishockey angepasst. Die **Kunstlauf-S.** haben an der Spitze der Schiene mehrere Zacken. **Eishockey-S.** sind vorn schwach aufgebogen und unverzahnt. Die **Schnelllauf-S.** haben gerade Kufen.

Schlitz, Stadt im Vogelsbergkreis, Hessen, zw. Rhön und Vogelsberg, 10 300 Ew.; Max-Planck-Inst. für Limnologie; Textil-, elektrotechn. Ind. – Geschlossenes mittelalterl. Stadtgebiet mit Mauerring und vier Stadtburgen (16./17. Jh.), Stadtkirche (12.–16. Jh.), Rathaus (1617), Fachwerkhäuser (16.–19. Jh.), im Tal Schloss Hallenburg (18. Jh.). – Um 812 erstmals erwähnt; um 1350 Stadtrecht; Stammsitz der 1116 erstmals gen. Herren von S. (seit 1316 Beiname »von Görtz«). BILD S. 298

Schlitzblume (Spaltblume, Schizanthus), südamerikan. Gattung der Nachtschattengewächse; einjährige, drüsig-klebrige Kräuter mit fiederschnittigen Blättern und Rispen verschiedenfarbiger, zweiseitig gebauter Blüten; Gartenzierpflanze.

Schlitzflügel (Spaltflügel), Flugzeugtragflügel mit einem Schlitz zw. Unter- und Oberseite der Flügelnase (Vorflügel, Hilfsflügel) und der Flügel-

Schlitzblume

Schlitz: Stadtansicht mit dem für die Hinterburg (16. Jh.), eine der vier Stadtburgen, charakteristischen schlanken, runden Bergfried aus dem 14. Jahrhundert

hinterkante (Spaltklappe) zur Erhöhung der Auftriebskräfte durch Beeinflussung der Grenzschicht.

Schlitzrüssler (Solenodontidae), mittelamerikan. Familie der Insektenfresser mit rüsselartiger Nase, u.a. der Haiti-S. (Kopf-Rumpf-Länge 28–33 cm), die einzige auf Hispaniola vorkommende Art.

Schlitzrüssler: Haitischlitzrüssler (Kopf-Rumpf-Länge bis 33 cm)

Schlitztrommel, Aufschlagidiophon, meist aus einem ausgehöhlten Stück Baumstamm von 50 cm bis zu 10 m Länge, mit längs verlaufendem Schlitz. Die Wände beiderseits des Schlitzes sind ungleich dick und ergeben beim Anschlagen (mit Schlägeln) verschiedene Töne. Die S. ist als Kult- und Signalinstrument in Afrika, Lateinamerika, Ozeanien und O-Asien verbreitet.

Schlitzverschluss, spezieller →Verschluss an fotograf. Kameras.

Schlitzwandbauweise, Verfahren im Tiefbau zur Herstellung tief in den Boden reichender Betonwände (bis 1 m dick, bis 8 m tief). Nach dem Aushub eines Schlitzes wird erst eine Stabilisierungsflüssigkeit und dann eine Bewehrung eingebracht, in die Frischbeton vergossen wird. Die verdrängte Stützflüssigkeit wird abgepumpt. Durch Aneinanderreihen mehrerer Abschnitte kann man zusammenhängende **Schlitzwände** herstellen.

Schlọchau, Stadt in Polen, →Człuchów.

Schlọ̄h (Schlöch), Berbergruppe, →Shilh.

Volker Schlöndorff

Schlọ̈ndorff, Volker, Filmregisseur, *Wiesbaden 31. 3. 1939; internat. bekannt durch Literaturverfilmungen: »Der junge Törless« (1965, nach R. Musil), »Michael Kohlhaas – der Rebell« (1969, nach H. von Kleist), »Die verlorene Ehre der Katharina Blum« (1975, mit M. von Trotta, nach H. Böll), »Die Blechtrommel« (1979, nach G. Grass), »Die Fälschung« (1981, nach Nicolas Born), »Eine Liebe von Swann« (1984, nach M. Proust), »Tod eines Handlungsreisenden« (1985, nach A. Miller), »Homo Faber« (1991, nach M. Frisch), »Der Unhold« (1996, nach M. Tournier); seit 1992 einer der Geschäftsführer der Firma »Studio Babelsberg GmbH«.

Schloss, 1) *Baukunst:* Wohn-, auch Regierungssitz von weltl. und geistl. Landesherren, Adligen und reichen Bürgern; dient, im Unterschied zur Burg, repräsentativem Wohnen; oft mit einem Park. Das S. hat sich aus Burgbauten des MA. entwickelt. Die ersten S. waren unregelmäßige, dem Gelände angepasste Anlagen mit Wehrtürmen oder bereits regelmäßig gebaut mit vierseitig umschlossenem Hof, doch mit großen Ecktürmen. In der Frühzeit des eigentl. S.-Baus hielt man am vierseitigen Grundriss mit einem oder mehreren Binnenhöfen fest. Die Blütezeit des S. liegt im Barock. Große Vierflügelanlagen sind selten (Residenz-S. in Berlin, Stockholm). Zukunftweisend war die weiträumige, zur Stadt geöffnete Dreiflügelanlage mit Ehrenhof (Cour d'honneur). Im Klassizismus und Historismus wurden kaum noch neue S. erbaut. Die wenigen neu errichteten Residenz-S. zeigen zwar klassizist. Einzelformen, folgen aber noch weitgehend dem Barocktypus (Koblenz, Oslo, Braunschweig) oder wurden wie das Palais dem städtebaulichen Rahmen eingefügt (Wiesbaden). Im vom Historismus geprägten 19. Jh. wurden auch beim S.-Bau alle bekannten histor. Stile übernommen (bayer. Königsschlösser Neuschwanstein, Herrenchiemsee, Linderhof).

Schlitztrommel aus Papua-Neuguinea; Länge 1,83 m (um 1900; Mannheim, Städtisches Reiß-Museum)

📖 *Paläste, Schlösser, Residenzen,* hg. v. H. Boekhoff u. a. *Sonderausg. Erlangen 1993.*

2) *Technik:* Vorrichtung zum Schließen oder Verriegeln (Sichern) gegeneinander bewegl. Teile, z.B. von Tür und Türrahmen, meist mit einem Schlüssel. Alle S. haben einen im Gehäuse (S.-Kasten) geführten Riegel, der in seinen versch. Stellungen durch Zuhaltungen (unter Federdruck stehende Bügel) festgehalten wird oder als einseitig abgeschrägte Falle durch Zuschlagen der Tür von selbst einfällt **(Schnapp-S.).** Der Schlüssel hebt mit seinem Bart bei Drehung die Zuhaltung an, greift gleichzeitig in Aussparungen des Riegels ein und bewirkt dessen Bewegung. Bauarten: **Einlass-S.** oder **Einsteck-S.** zum Einlassen in Türen oder Wände mithilfe eines Stulps, **Kasten-S.** zum Aufschrauben, **Vorhänge-S.** zum Verbinden von Kettengliedern, **Einsatz-S.** zum Einbau in einfache Schlösser. – Das einfache S. **(Buntbart-S.)** hat nur eine Zuhaltung (daher geringere Sicherheit). Mehrere Zuhaltungen dagegen hat das **Chubb-S.;** der Bart des dazugehörigen Schlüssels ist entsprechend gezahnt oder gestuft. Kernstück des **Sicherheits-S. (Zylinder-S.)** ist ein drehbar im Gehäuse gelagerter Zylinder. In geschlossenem Zustand drücken Federn fünf oder sechs senkrecht zur Achse angeordnete Oberstifte (Gehäusestifte) im Gehäuse nach unten. **Kombinations-S.** werden z.B. durch nebeneinander angeordnete Ringe mit Ziffern- oder Buchstabenreihen geöffnet. Bei **Magnet-S.** wird der Riegel über einen elektromagnet. Mechanismus betätigt (z.B. in Kraftfahrzeugen; Möglichkeit der Zentralverriegelung).

📖 Nüssel, F. u. Pfeiffer-Belli, E.: *Schlüssel u. S. München ^{4}1984.*

3) *Waffenwesen:* bei Handfeuerwaffen derjenige Teil, in den die Patrone eingelegt wird und in dem die Zündung der Pulverladung erfolgt.

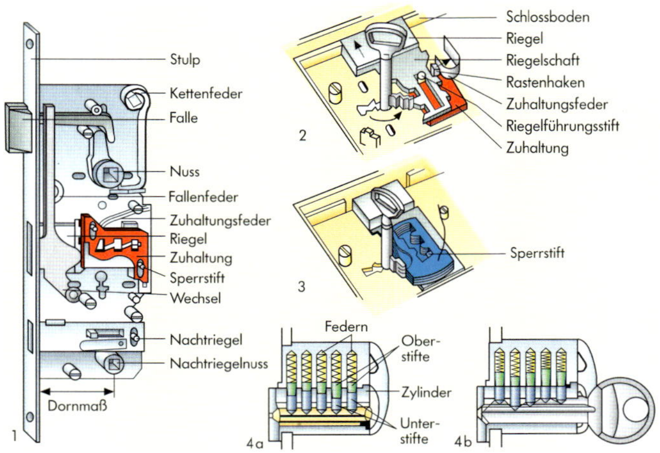

Schloss 2): Schemazeichnung verschiedener Schlösser; 1 Einsteckschloss, 2 Buntbartschloss mit einer Zuhaltung, 3 Chubb-Schloss mit mehreren Zuhaltungen, 4 Sicherheitsschloss; 4a bei herausgezogenem Schlüssel verhindern Stifte das Drehen des Zylinders, 4b beim Hineinstecken des Schlüssels drückt dieser die Stifte hoch, der Zylinder kann gedreht werden

Schlosser, 1) Friedrich Christoph, Historiker, *Jever 17. 11. 1776, †Heidelberg 23. 9. 1861; ab 1817 Prof. ebd.; machte die Prinzipien der Aufklärung zur Grundlage der histor. Urteilsbildung; mit »Weltgeschichte für das dt. Volk« (19 Bde., 1843–57) u.a. bestimmte er das Geschichtsbild des liberalen Bürgertums.

2) Johann Georg, Jurist und Schriftsteller, *Frankfurt am Main 7. 12. 1739, †ebd. 17. 10. 1799; war zuletzt Syndikus ebd.; S. heiratete 1773 Goethes Schwester Cornelia (†1777). Mit Goethe arbeitete er 1772 an den »Frankfurter Gelehrten Anzeigen«; stand weltanschaulich der religiösen Dichtung J. K. Lavaters und F. L. Stolbergs nahe und geriet deshalb in Ggs. zu Goethe. Er veröffentlichte polit., philosoph., volkswirtsch. Aufsätze.

3) Julius von, österr. Kunsthistoriker, *Wien 23. 9. 1866, †ebd. 1. 12. 1938; 1901–22 Direktor des Kunsthistor. Museums, seit 1922 Prof. in Wien; veröffentlichte grundlegende quellenkundliche Arbeiten zur Kunstgeschichte; Herausgeber der »Denkwürdigkeiten« von L. Ghiberti (1912).

Julius von Schlosser (Kohlezeichnung, 1935)

Schloß Holte-Stukenbrock, Gemeinde im Kr. Gütersloh, NRW, 23 700 Ew.; Landespolizeischule; Mähdrescherproduktion, Textil-, Holzindustrie; Großwildpark.

Schloß Neuhaus, seit 1975 Stadtteil von →Paderborn.

Schlot, 1) *allg.:* Schornstein.

2) *Geologie:* meist senkrechter Aufstiegskanal in Vulkanen.

3) *Geomorphologie:* natürl. Schacht im Karst.

Schloss

Die ersten Schlösser wurden schon vor 4 000 Jahren von ägyptischen Erfindern entwickelt. Sie waren zwar ganz aus Holz, hatten aber bereits mehrere senkrechte Zuhaltungen. Das Sicherheitsschloss des Amerikaners Linus Yale, gebaut im Jahre 1848, ist im Grunde eine verbesserte Version dieses alten Prinzips. Dabei wird ein drehbarer Zylinder mit einer Öffnung für den Schlüssel versehen. In diese ragen unterschiedlich lange Stifte. Schiebt man nun einen passenden Schlüssel hinein, so hebt er mit den Vertiefungen zwischen den Zacken die Stifte so weit an, dass sie den Zylinder freigeben und das Schloss sich drehen lässt.

Auch heute noch gehorchen die meisten Schlösser diesem Prinzip. Erst in jüngerer Zeit hat man elektronische Schlösser entwickelt, die auf körperliche Merkmale autorisierter Personen reagieren, also beispielsweise auf Fingerabdrücke. Solche Schlösser geben die Tür nur dann frei, wenn ein Detektor die definierten Merkmale analysiert und mit den abgespeicherten zweifelsfrei zur Deckung gebracht hat.

August Ludwig von Schlözer (Ausschnitt eines Schabkunstblatts, 1779)

Schlotte, 1) *Botanik:* das Blatt der schlauchblättrigen Laucharten, bes. der Zwiebel.

2) *Geomorphologie:* schlotartiger, steil stehender Hohlraum in lösl. Gesteinen (Gips, Kalk), durch die auslaugende Tätigkeit des Sickerwassers entstanden. Wenn S. in Serie auftreten und mit Schutt angefüllt sind, heißen sie **geolog. Orgeln.**

Schlotter, Eberhard, Maler und Grafiker, *Hildesheim 3. 6. 1921; steht in seinen virtuosen, von Goya und E. Schiele beeinflussten Radierungen und Gemälden dem Surrealismus nahe.

Schlottergelenk, Gelenk, das nach Verletzung des Bandapparates oder Erkrankung eines seiner knöchernen Teile abnorm beweglich geworden ist und damit den Halt verloren hat. Am häufigsten betroffen ist das Kniegelenk. Die *Behandlung* erfolgt durch Schienenhülsenapparat oder operativ.

Schlözer, August Ludwig von (seit 1804), Historiker und Publizist, *Gaggstadt (heute zu Kirchberg an der Jagst) 5. 7. 1735, †Göttingen 9. 9. 1809; wurde 1765 in Sankt Petersburg Mitgl. der Akademie und Prof. für russ. Geschichte. 1769–1804 lehrte er in Göttingen; einer der einflussreichsten polit. Publizisten der dt. Aufklärung.

Schlüchtern Stadtwappen

Schluchsee, See im südl. Schwarzwald, Bad.-Württ., 900 m ü.M., südöstlich vom Feldberg, 5,1 km^2, 1929 zu seiner heutigen Größe aufgestaut (108 Mio. m^3 Stauinhalt), Kraftwerk; am NO-Ufer die Gemeinde S., Landkreis Breisgau-Hochschwarzwald, 2600 Ew.; heilklimat. Kurort, Fremdenverkehr.

Schlucht, Col de la [kɔldəla'ʃlukt], Pass in den südl. Vogesen, Frankreich, 1139 m ü.M.; über ihn führt die Straße Gérardmer–Colmar.

Jean Schlumberger

Schlüchtern, Stadt im Main-Kinzig-Kr., Hessen, an der oberen Kinzig, südlich vom →Distelrasen, 16400 Ew.; Metall- und Textilverarbeitung, Möbelfabrik. – Got. Abteikirche (1836 Umbau) mit frühkaroling. Krypta sowie Katharinen-, Andreas- und Huttenkapelle; Klostergebäude (1509–18). Das Lauter-Schlösschen (15. Jh.) ist heute Heimatmuseum. – In Anlehnung an das 880 gegründete Benediktinerkloster entstand die Siedlung S., 1562 als Stadt bezeugt.

Leon Schlumpf

Schluckauf (Singultus), unwillkürl., ruckartige Zwerchfellkontraktion und nachfolgender Stimmritzenverschluss mit plötzl. Unterbrechung der Einatmung, begleitet von einem charakterist. Einatmungsgeräusch.

Schlucken, angeborener, nach der Auslösung unwillkürlich durch das oberhalb des Atemzentrums liegende Schluckzentrum gesteuerter Reflexvorgang **(Schluckreflex).** Bei Berührung der Gaumenbögen, des Zungengrundes oder der hinteren Rachenwand durch feste oder flüssige Stoffe kommt es zum reflektor. Verschluss der Luftröhre, worauf die Nahrung durch die Schlundmuskulatur in die Speiseröhre gepresst und durch die Kontraktionen der Speiseröhrenmuskulatur in den Magen befördert wird.

Schluckimpfung, aktive Immunisierung durch orale Zufuhr eines Lebendimpfstoffs (mit abgeschwächten Erregern), z.B. zur Verhütung der Kinderlähmung.

Eberhard Schlotter: »Landschaft fällt ins Haus« (1969; Privatbesitz)

Schluff (Silt), Lockergestein und Bodenart aus Mineralkörnern mit Durchmessern von 0,002 bis 0,063 mm.

Schluh, Berberstamm in S-Marokko, →Shilh.

Schlumberger [frz. ʃlœbɛr'ʒe], Jean, frz. Schriftsteller und Publizist, *Gebweiler 26. 5. 1877, †Paris 25. 10. 1968; Mitbegründer der »Nouvelle Revue Française« (1908ff.) und des »Théâtre du Vieux Colombier« (1913); schrieb Gedichte, Essays, psycholog. Romane, v.a. über Generationskonflikte (»Ein Glücklicher«, 1921; »Kardinal Retz«, 1924; »Saint-Saturnin«, 1931, u.a.), Dramen.

Schlumberger-Verfahren [nach dem frz. Bergingenieur Conrad Schlumberger, *1878, †1936], geophysikal. Bohrloch-Messverfahren, bei dem aus unterschiedlichen elektr. Widerständen des Gesteins auf die Natur der Gesteinsschichten geschlossen wird.

Schlumpf, Leon, schweizer. Politiker, *Felsberg (bei Chur) 3. 2. 1925; Rechtsanwalt, Mitgl. der Schweizer. Volkspartei; 1966–74 Nationalrat; 1980–87 Bundesrat (Verkehr und Energiewirtschaft), 1984 Bundespräsident.

Schlund (Pharynx), bei Wirbeltieren der hinterste Abschnitt des Kopfdarms. Bei Mensch und Säugetieren mit Schleimhaut ausgekleideter bindegewebig-muskulöser Schlauch, der von der Außenfläche der Schädelbasis bis zum Kehlkopfeingang reicht. Der S. geht in die Speiseröhre über und öffnet sich nach vorn in Nasen-, Mundhöhle und Kehlkopf. Er stellt den oberen Teil der Luftwege dar und leitet den Speisebrei aus der Mundhöhle in die Speiseröhre. Im Mittelteil, dem **Rachen,** kreuzen sich Speise- und Luftweg.

Schlupf, 1) *Kraftfahrzeugtechnik:* der Unterschied zw. Umfangsgeschwindigkeit eines Rades und Fahrgeschwindigkeit.

2) *Technik:* das Zurückbleiben des angetriebenen Teils gegenüber dem treibenden Teil bei kraftschlüssiger Bewegungsübertragung; in der *Elektrotechnik* das Zurückbleiben des Läufers einer Drehstrommaschine gegenüber dem umlaufenden Drehfeld.

Schlupfwespen, 1) i.w.S. alle Hautflügler, die ihre Eier in die Larven oder Eier anderer Insekten ablegen, z.B. Erz- und Gallwespen; 2) i.e.S. die Familie **Echte S. (Ichneumonidae)** mit rd. 30 000 Arten (z.B. Ophion); sie legen ihre Eier in das Wirtstier ab. Die Larven fressen den Wirt meist von innen her aus.

Schlusnus, Heinrich, Sänger (Bariton), *Braubach 6. 8. 1888, †Frankfurt am Main 18. 6. 1952; gefeierter Opernsänger (v.a. Verdi-Interpret) und einer der führenden Liedsänger seiner Zeit.

Schluss, 1) *Logik:* die Ableitung einer Aussage (Konklusion) aus anderen Aussagen (den Prämissen). Nach der Anzahl der Aussagen werden als S.-Formen der **unmittelbare** (eine Prämisse) und der **mittelbare S.** (mehrere Prämissen) unterschieden. Die mittelbaren S. werden in einfache und zusammengesetzte unterteilt. Der **einfache S.** (→Syllogismus) hat zwei Prämissen. Einen aus mehr als zwei Prämissen zusammengesetzten S. nennt man **S.-Kette.** Beim **induktiven S.** wird vom Besonderen auf das Allgemeine geschlossen, umgekehrt beim **deduktiven S.** Die Nichtbeachtung der S.-Regeln führt (auch bei richtigen Prämissen) zum Fehl-S. oder Trug-S. Die S.-Lehre ist das Kernstück der →Logik sowie Gegenstand der →mathematischen Logik. Die erste systemat. S.-Lehre entwickelte Aristoteles.

2) *Musik:* der Abschluss eines Tonsatzes, in der tonalen mehrstimmigen Musik herbeigeführt durch Rückkehr zur Grundharmonie in bestimmter formelhafter Akkordfolge (→Kadenz).

Schlussbilanz, Bilanz am Ende eines Geschäftsjahres (Jahres-) oder bei Auflösung eines Unternehmens (Liquidationsbilanz).

Schlüssel, 1) *Musik:* (Noten-S.) in der Notenschrift von den Tonbuchstaben abgeleitetes Zeichen zu Beginn eines Liniensystems, das die Tonhöhe der aufgezeichneten Musik festlegt.

Schlüssel 1): Notenschlüssel; 1–5 C-Schlüssel, 1 Sopran-, 2 Mezzosopran-, 3 Alt-, 4 Tenor-, 5 Baritonschlüssel; 6–8 F-Schlüssel, 6 Bariton-, 7 Bass-, 8 Subbassschlüssel; 9–10 G-Schlüssel, 9 französischer Violin-, 10 Violinschlüssel

2) *Technik:* Werkzeug zum Drehen, z.B. zum Anziehen und Lösen von Schrauben (→Schraubenschlüssel) oder zum Schließen eines →Schlosses.

Schlüsselbein (Clavicula), längl. Knochen des Schultergürtels zw. Schulterblatt und Brustbein.

Schlüsselblume (Primel, Primula), Gattung der Primelgewächse in der nördl. gemäßigten Zone, auch in der Arktis und Antarktis. Die S. sind Stauden mit rosettig-grundständigen Blättern, blattlosem Blütenschaft und doldigen Blüten. Die häufigsten einheim., im Volksmund **Himmelschlüssel** genannten Arten sind: **Hohe S.** (Primula elatior), bis 30 cm hoch, mit geflügelten Blattstielen und blassgelben Blüten, und **Frühlings-S. (Wiesen-S.,** Primula veris), niedriger, mit längl. Blättern und sattgelben Blüten; beide Frühlingsblumen auf Wiesen und in lichten Laubgehölzen Europas, Vorder- und Innerasiens. Die **Mehlprimel** (Primula farinosa), mit unterseits mehligen Blättern und hellpurpurnen Blüten, wächst auf Moorwiesen Mitteleuropas, bes. der Alpen. Fast alle wild wachsenden S. sind geschützt, bes. die rot blühenden Arten. Zahlreiche S. werden als Zierpflanzen kultiviert.

Schlüsselgewalt, 1) *Familienrecht:* überholte Bez. für die Berechtigung jedes Ehegatten (früher der Frau), Geschäfte zur angemessenen Deckung des Lebensbedarfs der Familie mit Wirkung auch für den anderen Ehegatten zu besorgen (→Eherecht).

2) *Theologie:* die von Mt. 16,19 hergeleitete Kirchengewalt, insbesondere die Vollmacht, die Freisprechung von Sünden zu erteilen bzw. zu versagen; wird in der kath. Kirche geistlich und jurisdiktionell (Petrusamt des Papstes), in den evang. Kirchen nur geistlich verstanden.

Schlüssel|industrie, Zweig der Grundstoff- und Produktionsgüterindustrie, der mit anderen Ind.zweigen eng verflochten ist und dessen Aufträge und Lieferungen die Existenzgrundlage für einen bed. Kreis von Ind.unternehmen bilden (Bergbau, Stahlind., Energieerzeugung, z.T. Bauwesen, Fahrzeugbau).

Schlüsselliteratur, literar. Werke, in denen wirkl. Personen, Orte und Vorkommnisse unter fiktiven Namen und in unterschiedlich schwer enträtselbarer Verschleierung dargestellt werden. S. findet sich in allen Gattungen, einen Schwerpunkt bildet die Epik **(Schlüsselroman).**

Schlüsselqualifikationen, die Gesamtheit der fachübergreifenden, nicht tätigkeitsspezif. und langfristig nutzbaren Kenntnisse und Fähigkeiten. Angesichts des raschen techn. Wandels werden S. zunehmend wichtig. S. sind u.a. Lernfähigkeit, Methodenkompetenz, vernetztes Denken, Flexi-

Schlupfwespen: Ophion

Heinrich Schlusnus

Schlüsselblume: Frühlingsschlüsselblume (Höhe 10–25 cm)

bilität, Kommunikations- und Kooperationsfähigkeit, Sozialkompetenz, Teamfähigkeit.

Schlüsselreiz, → angeborener Auslösemechanismus.

Schlüsseltechnologie, Technologie, die auf der Grundlage industriell verwerteter wiss. Erkenntnisse sowie innovativer Produkte und Fertigungsverfahren eine Schlüsselstellung in der Volkswirtschaft einnimmt bzw. von der dies in Zukunft erwartet wird. S. stärken das techn. und ökonom. Entwicklungspotenzial einer Ind.gesellschaft, sind Wachstumsind. und eröffnen häufig den Zugang zu neuen Ind.zweigen, z.B. die Gentechnologie.

Schlüsselzuweisungen, die im Rahmen des Finanzausgleichs zw. Bund, Ländern und Gemeinden nach bestimmten Verteilerschlüsseln (z.B. Einwohnerzahl, Steuerkraft des Empfängers) ermittelten Zahlungen an einzelne Gebietskörperschaften.

Poul Schlüter

Schlüssigkeit, *Prozessrecht:* die log. Geschlossenheit des Vorbringens und des Antrages einer Partei, sodass das dieses Vorbringen ihre Klage begründet erscheinen lässt.

Schlussleuchte (Schlusslicht, Rücklicht), bei Kraftwagen zwei nach hinten wirkende rote Lichter, bei einspurigen Fahrzeugen nur ein solches Licht.

Schlussnote (Schlussschein), als Beweismittel für Abschluss und Inhalt eines Geschäfts die von einem Handelsmakler auszustellende Urkunde über den Vertragsinhalt; sie muß Parteien, Gegenstand und Bedingungen des Geschäfts enthalten (§ 94 HGB).

Eugen Schmalenbach

Schlussstein, *Bautechnik:* Stein im Scheitel eines Gewölbes, oft ornamental oder als → Abhängling ausgebildet.

Schlüter, 1) Andreas, Bildhauer und Baumeister, *Danzig (?) um 1660, † Sankt Petersburg vor dem 23. 6. 1714; begann mit plast. Arbeiten in Warschau und kam 1694 nach Berlin, wo er 1697 die Schlusssteinreliefs des Zeughauses (Köpfe der Meduse, sterbender Krieger sowie Prachthelme) schuf. 1697/98 entstand das Bronzestandbild Friedrichs III., des späteren preuß. Königs Friedrich I. (früher in Königsberg, Original verschollen, Folgeguss seit 1979 beim Schloss Charlottenburg), seit 1697 das Reiterdenkmal des Gr. Kurfürsten (Lange Brücke, Berlin; nach dem 2. Weltkrieg im Ehrenhof des Schlosses Charlottenburg). Unter den späteren plast. Arbeiten ragen die bleigegossenen Prunksärge der Königin Sophie Charlotte (1705) und König Friedrichs I. (1713; Berlin, Dom) hervor. Seit 1698 leitete S. den Bau des Berliner Schlosses (1945 weitgehend zerstört, 1950 gesprengt und abgetragen), das mit seinen Kolonnaden und dem figurenreichen Lustgartenportal eine eigenwillige Auseinandersetzung mit dem röm. Barock darstellte. 1713 folgte er dem Ruf Peters d. Gr. nach Sankt Petersburg. Weitere BILDER Berlin, Maske

Andreas Schlüter: Bronzebüste des Landgrafs Friedrich II. von Hessen-Homburg (1704; Bad Homburg von der Höhe, Schloss)

2) Otto, Geograph, *Witten 12. 11. 1872, † Halle (Saale) 12. 10. 1959; seit 1911 Prof. in Halle (Saale); einer der Begründer der modernen Anthropogeographie, v.a. der Siedlungsgeographie; Schwerpunkt seiner Arbeiten war die Genese der Kulturlandschaft.

3) Poul, dän. Politiker, *Tondern 3. 4. 1929; Rechtsanwalt, war 1974–93 Vors. der Konservativen Volkspartei und 1982–93 Ministerpräsident.

Schmähschrift, das → Pasquill.

Schmalbiene (Halictus), Gattung kleiner Bienen, die oft in Kolonien in Sand- oder Lehmboden nisten.

Schmalenbach, Eugen, Betriebswirtschaftler, *Schmalenbach (heute zu Halver) 20. 8. 1873, † Köln 20. 3. 1955; Prof. in Köln (1906–33, 1945–50); seine Arbeiten zu Finanzierungs- und Bilanzproblemen (dynam. → Bilanztheorie) beeinflussten die Gestaltung der dt. Einkommensteuer. S. erkannte die Bedeutung fixer Kosten, der Kapazitätsausnutzung und des Beschäftigungsgrades für Unternehmen und Volkswirtschaft.

Schmalkalden Stadtwappen

Schmalkalden, Stadt im Landkreis Schmalkalden-Meiningen, Thür., am SW-Abhang des Thür. Waldes, 19 300 Ew.; FH; Kleineisenind., Werkzeugbau, Sportgeräte- und Spielwarenherstellung, Kranbau; Kurort mit Solbad. – Stadtbefestigung (14.–16. Jh.), Stadtkirche St. Georg (1437–1509), Hessenhof (1551–53), Bürgerhäuser (13.–17. Jh.), Schloss Wilhelmsburg (1585–98, Heimatmuseum). – 874 erstmals gen., 1227 als Stadt bezeichnet; kam 1247 an die Grafen von Henneberg, 1583 an Hessen, 1866 an Preußen; bis 1994 Kreisstadt.

Schmalkalden-Meiningen, Landkreis in Thür., 1210 km², (1996) 146 300 Ew.; Krst. ist Meiningen.

Schmalkaldische Artikel, von M. Luther 1536 für die im Schmalkald. Bund vereinigten evang. Stände verfasste Bekenntnisschrift, in der grundlegende Aussagen reformator. Glaubensverständnisses niedergelegt sind; wurde 1580 in das Konkordienbuch aufgenommen.

Schmalkaldischer Bund, am 27. 2. 1531 in Schmalkalden geschlossener Bund prot. Fürsten und Städte zur Verteidigung der auf dem Augsburger Reichstag von 1530 überreichten → Augsburger Konfession. Hauptleute des Bundes wurden Landgraf Philipp von Hessen und Kurfürst Johann Friedrich von Sachsen. Die polit. Bedeutung des S. B. wuchs mit der Rückeroberung Württembergs und der Wiedereinsetzung Herzog Ulrichs (1534) in sein Amt. Die Schwächung des Bundes begann mit dem bundeswidrigen Verhalten einzelner Reichsstände Anfang der 1540er-Jahre; er zerfiel im Schmalkaldischen Krieg.

📖 FABIAN, E.: *Die Entstehung des S. B. u. seiner Verfassung: 1524/29–1531/35.* Tübingen ²1962.

Schmalkaldischer Krieg, der von Kaiser Karl V., auf dessen Seite auch prot. Fürsten wie Moritz von Sachsen standen, 1546/47 gegen die im Schmalkald. Bund organisierten prot. Mächte geführte Religionskrieg; nach der Gefangennahme Kurfürst Johann Friedrichs I. von Sachsen (Schlacht bei Mühlberg, 24. 4. 1547) und Landgraf Philipps I. von Hessen (Halle, 19. 6. 1547) konnte Karl V. das Augsburger Interim durchsetzen. (→ Passauer Vertrag)

Schmallenberg, Stadt im Hochsauerlandkreis, NRW, an der oberen Lenne, 26 700 Ew.; Fraunhofer-Institut (Aerobiologie), Schieferbergbaumuseum; Strumpf- und Strickwarenfabrik, Elektronik- u. a. Ind.; Luftkurort und Wintersportplatz. – Weitgehend kassizistisch geprägtes Ortsbild mit schiefergedeckten Fachwerkhäusern (nach Stadtbrand von 1822 errichtet); Pfarrkirche St. Cyriakus (12. Jh.). – 1228 erstmals erwähnt, um 1250 Stadtrecht.

Schmalkalden: Blick durch das Renaissanceportal des Ende des 16. Jh. erbauten Schlosses Wilhelmsburg auf die Stadtkirche Sankt Georg (1437–1509)

Schmalnasen|affen, die Altweltaffen, → Affen.

Schmalspur, kleine Schienenspurweite, → Eisenbahnbau.

Schmaltier, *Jägersprache:* weibl. Rot- und Damwild während des 2. Lebensjahrs.

Schmalz, weiches tier. Fett im Unterschied zum → Talg.

Schmarotzer, *Biologie:* → Parasiten.

Schmätzer, Gruppe kleiner, am Boden brütender Singvögel. Der **Stein-S.** (Oenanthe oenanthe) lebt im N der Alten und Neuen Welt; das Männchen ist oben aschgrau, unten weißlich, Flügel und Schwanzspitze schwarz, Bürzel und Schwanzwurzel weiß. Auch als **Wiesen-S.** werden das 12 cm große **Braunkehlchen** (Saxicola rubetra) im westl. Eurasien und das **Schwarzkehlchen** (Saxicola torquata) in der Alten Welt bezeichnet.

Schmeil, Otto, Biologe und Pädagoge, * Großkugel bei Halle (Saale) 3. 2. 1860, † Heidelberg 3. 2. 1943; reformierte den Biologieunterricht, in den er auch morpholog., physiolog. und ökolog. Gesichtspunkte einbezog. Seine Arbeiten »Leitfaden der Zoologie« (1900) und »Leitfaden der Botanik« (1905) wurden zur Grundlage bis in die Gegenwart gebräuchl. biologischer Unterrichtswerke. – *Weiteres Werk:* Flora von Dtl. (1904, mit J. Fitschen).

Schmeißfliegen (Calliphoridae), weltweit verbreitete Familie kräftiger, oft metallisch glänzender Fliegen; sie entwickeln sich vielfach in Aas, wie die **Blaue S.** (Calliphora vormitoria), die ihre Eier bes. an faulendem Fleisch ablegt. Die **Goldfliegen** (Lucilia) und die **Tumbufliege** (Cordylobia anthropophaga) legen ihre Eier auch in Wunden ab und übertragen dadurch Krankheitskeime.

Schmeling, Max, Boxer, * Klein Luckow (Kr. Uecker-Randow) 28. 9. 1905; war 1930–32 Weltmeister im Schwergewicht. 1936 schlug er den bis dahin unbesiegten Joe Louis, gegen den er 1938 im Kampf um den Weltmeistertitel verlor.

Schmeljow, Iwan Sergejewitsch, russ. Schriftsteller, * Moskau 3. 10. 1873, † Paris 24. 6. 1950; schildert das Leben im alten Russland und von Emigranten (»Der Kellner«, R., 1911; »Der niegeleerte Kelch«, Erz., 1921; »Vorfrühling«, R., 1929; »Dunkel ist unser Glück«, R., 2 Bde.; 1937–48, Teilübersetzung).

Schmeller, Johann Andreas, Germanist, * Tirschenreuth 6. 8. 1785, † München 27. 7. 1852; Prof. ebd., begründete die wiss. Erforschung der dt. Mundarten (»Bayer. Wb.«, 4 Bde., 1827–37).

Schmätzer: Braunkehlchen (Größe 12 cm)

Otto Schmeil

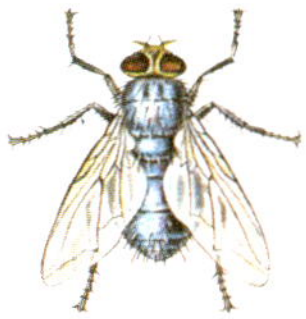

Schmeißfliegen: Blaue Schmeißfliege

Max Schmeling (1965)

Schmelz, 1) *Ton- und Metallarbeiten:* glasartiger Überzug auf Tonwaren (Glasur) oder Metallgegenständen (oft gefärbt).

2) *Zahnmedizin:* (Zahn-S.) glänzende oberste Schicht der Krone und des Zahnhalses.

Schmelz|arbeit, →Emailkunst.

Schmelzen, Übergang eines Stoffes vom festen in den flüssigen Aggregatzustand durch Wärmezufuhr. Das Kristallgitter eines reinen Stoffes zerfällt beim Erreichen des nur vom Druck abhängigen **Schmelzpunkts (Schmelztemperatur, Fließpunkt),** bei dem sich feste und flüssige Phase im Gleichgewicht befinden; er ist identisch mit dem Erstarrungs- bzw. Gefrierpunkt. Während des S. bleibt die Temperatur konstant; die dabei aufgenommene Energie wird als **Schmelzenthalpie** oder **Schmelzwärme** bezeichnet. Die meisten Stoffe vergrößern ihr Volumen beim S.; bei ihnen steigt der Schmelzpunkt mit zunehmendem äußerem Druck. Ausnahmen sind u.a. Wasser, Wismut und Gallium, deren Volumen in festem Zustand größer sind als im flüssigen, sodass der Schmelzpunkt mit steigendem Druck sinkt, z.B. bei Eis um 0,0075 °C/bar. – Stoffgemische und v.a. amorphe Stoffe (z.B. Glas) haben keinen definierten Schmelzpunkt, sie durchlaufen beim Erwärmen meist ein mehr oder weniger ausgedehntes Temperaturintervall **(Schmelzintervall).** Mischungen aus zwei oder mehr Stoffen besitzen meist einen niedrigeren Schmelzpunkt als die reinen Komponenten (→Eutektikum); diese **Schmelzpunkterniedrigung** (die der Gefrierpunkterniedrigung beim Erstarren entspricht) wird z.B. zu Reinheitsbestimmungen ausgenutzt.

Schmelzfarben, →keramische Farben.

Schmelzfluss|elektrolyse (Schmelzelektrolyse), elektrolyt. Abscheidung eines Metalls aus einem schmelzflüssigen Gemisch von Salzen dieses Metalls. Die S. wird zur Gewinnung von Metallen mit sehr hoher Affinität zu Sauerstoff angewandt, die auf normalem chem. Wege nur schwer oder gar nicht aus den Oxiden zum Metall reduziert werden können (v.a. Alkali- und Erdalkalimetalle).

Schmelzkäse, →Käse.

Schmelz|ofen, ein Industrieofen zum Schmelzen und Umschmelzen (Veredeln) von Metallen. Der **Elektroofen** dient bes. zum Umschmelzen und Legieren von Stahl. Im **Kesselofen** werden leicht schmelzbare Metalle (Zinn, Blei, Zink) und deren Legierungen, im **Tiegelofen** schwer schmelzbare Metalle, die vor dem offenen Feuer geschützt werden sollen, geschmolzen. Auf den Herden der **Flamm-** oder **Herdöfen** wird das Metall unmittelbar durch die darüber hinziehende Flamme erhitzt. Im **Schachtofen** rutscht das Metall mit den Brennstoffen nach unten in die Schmelzzone.

Schmelzpunkt, →Schmelzen.

Schmelztuff, der →Ignimbrit.

Schmerlen (Beitzger, Grundeln, Cobitidae), Familie der Karpfenartigen Fische, mit kleinen Schuppen, 6–10 Bartfäden an den wulstigen Lippen, manche Arten mit Darmatmung; **Schlammbeitzger (Schlammbeißer, Beitzger,** Misgurnus fossilis), 20–30 cm lang, schwärzlich und mit gelbbraunen Längsstreifen, in schlammigem Wasser, vor Gewitter unruhig (Wetterfisch); **Steinbeißer (Dorngrundel,** Cobitis taenia), 10 cm lang, über Schlammgrund; **Bartgrundel** (Noemacheilus barbatulus), bis 15 cm lang, in klarem Wasser.

Schmerlen: Bartgrundel (Länge bis 15 cm)

Anton Ritter von Schmerling: (Ausschnitt eines zeitgenössischen Stahlstichs)

Schmerling, Anton Ritter von, österr. Politiker, *Wien 23. 8. 1805, †ebd. 23. 5. 1893; war 1848/49 in der Frankfurter Nationalversammlung Führer der Großdeutschen, ab Juli 1848 Reichsinnenmin., ab Sept. 1848 Reichs-MinPräs. und Reichsaußenmin., 1849–51 österr. Justizmin. Seit 1860 Staatsmin. (1865 Rücktritt), hatte er großen Anteil an der Ausarbeitung der zentralistisch-liberalen Verfassung (»Februarpatent« vom 26. 2. 1861).

Schmerwurz: (Höhe bis zu 4 m)

Schmerwurz (Gemeine S., Tamus communis), einkeimblättrige, windende Staude der Jamswurzelgewächse in Süd- und Westeuropa, Vorderasien und Nordafrika, mit herzförmigen Blättern, schleimiger Knolle, grünl., strahligen, zweihäusigen Blütentrauben und roten Beeren.

Schmerz (Dolor), durch bestimmte äußere oder innere Reize (S.-Reize, nozizeptive Reize) ausgelöste unangenehme Empfindung beim Menschen und bei vielen (bes. höheren) Tieren. S. informiert v.a. über Bedrohungen des Organismus, indem er auf gewebsschädigende Reize (Noxen) anspricht und den Organismus so vor Dauerschäden bewahrt. Als **Eingeweide-S.** (viszeraler S.) wird eine S.-Empfindung bezeichnet, die durch die rasche und/oder starke Dehnung innerer Hohlorgane oder durch starke Kontraktionen (Spasmen) glattmuskeliger Organe, bes. im Zusammenhang mit einer Unterbrechung der Durchblutung, ausgelöst wird. Somat. S. geht als **Oberflächen-S.** von der Haut oder als **Tiefen-S.** von Muskeln, Knochen oder Gelenken aus. Oberflächen-S. ist teilweise von hellem, »schneidendem« Charakter und gut zu orten, anderenteils wird er als dumpf empfunden, ist schlecht zu lokalisieren und dauert länger an. Ähnlich sind auch der Tiefen-S. und der Eingeweide-S. dumpf, schlecht lokalisierbar und können in die Umgebung ausstrahlen. Diese S.-Qualitäten sind von starker Unlust und von Krankheitsgefühl begleitet und lösen oft vegetative Reaktionen wie Übelkeit und Blutdruckabfall aus. S.-Punkte nennt man auf S.-Reize ansprechende Hautstellen. Sie sind der Sitz von S.-Rezeptoren (Nozizeptoren), wahrscheinlich freien Nervenendigungen, die auf bestimmte lokale Wirkstoffe und chem. Zerfallsprodukte reagieren.

📖 *Psychologie des S., hg. v.* E. GEISSNER *u. a. Weinheim 1992.*

Schmerzensgeld, Entschädigung in Geld, die bei Verletzung des Körpers, der Gesundheit oder bei Freiheitsentziehung durch eine →unerlaubte Handlung für einen nichtvermögensrechtl. (immateriellen) Schaden verlangt werden kann. Neben der Entschädigungs- kommt dem S. eine Genugtuungsfunktion zu. Seine Höhe bestimmt sich nach Billigkeit und kann durch Vergleich mit ähnlich gelagerten Fällen (veröffentlicht in S.-Tabellen) bestimmt werden. Der Anspruch ist übertragbar, vererblich und pfändbar (§847 BGB). – Dem Anspruch auf S. ähnlich ist der Anspruch wegen Verletzung des →Persönlichkeitsrechts (nach §823 BGB). – Nach *österr.* Recht (§1325 ABGB) ist der S.-Anspruch abtretbar und unter bestimmten Voraussetzungen vererblich und verpfändbar. Nach *schweizer.* Recht kann jede Verletzung in den persönlichen Verhältnissen, eine Tötung oder Körperverletzung auch ohne Verschulden einen S.-Anspruch auslösen (Art. 47, 49 Obligationenrecht).

Schmerzensmann (Erbärmdebild), Darstellung des leidenden Christus (→Andachtsbild).

Schmerzensmutter (lat. Mater dolorosa), ein die leidende Mutter Christi darstellendes →Marienbild.

Schmerzklinik, Klinik, in der Fachärzte versch. Bereiche zusammenarbeiten, um die jeweiligen Ursachen eines chron. Schmerzzustandes zu klären und gezielt zu behandeln.

schmerzstillende Mittel (Schmerzmittel, Analgetika, Antineuralgika), Arzneimittel, die durch Beeinflussung der Großhirnrinde Schmerzempfindungen abschwächen oder aufheben, ohne andere Funktionen des Zentralnervensystems oder des übrigen Organismus zu beeinträchtigen; die Einteilung erfolgt in stark wirksame (zentral angreifende) und schwach wirksame (peripher angreifende) Analgetika. Zu den **stark wirksamen Analgetika** gehören neben Morphin versch. morphinähnlich wirkende Arzneimittel (z. B. Hydromorphon, Fentanyl, Pethidin). Zu den **schwach wirksamen Analgetika** gehören die Salicylsäurederivate (z. B. Acetylsalicylsäure), die Arylpropionsäurederivate (z. B. Ibuprofen), die Pyrazolderivate (z. B. Phenazon) und die Anilinderivate (z. B. Paracetamol). Die schwach wirksamen Analgetika haben außer der schmerzstillenden auch fiebersenkende und, mit Ausnahme der Anilinderivate, entzündungshemmende Wirkung.

Schmettau, Joachim, Bildhauer und Grafiker, * Bad Doberan 5. 2. 1937; gehört zu den Wegbereitern einer neuen realist. Plastik in Dtl. Seine glatt stilisierten Köpfe und Männerfiguren in Stuck, Marmor oder Bronze sind durch naturalist. Details (Augen, Zigarette, Brille) ironisch verfremdet.

Schmetterlinge (Falter, Schuppenflügler, Lepidoptera), weltweit verbreitete Insektenordnung mit etwa 150 000 Arten. Die Verwandlung (Metamorphose) ist vollständig: Auf das Ei folgen die →Raupe, dann die →Puppe und der Vollkerf (Falter). Die vielgestaltigen Raupen haben kauende Mundwerkzeuge, kurze Fühler, meist sechs

Schmetterlinge

1 Kuhauge (Spannweite 4–5 cm) | **2** Segelfalter (Spannweite bis 7 cm) | **3** Ockergelber Braundickkopffalter (Spannweite 11–13 mm) | **4** Zitronenfalter (Spannweite 5–6 cm) | **5** Tagpfauenauge (Spannweite 5–6 cm) | **6** Rotschillerfalter (Spannweite 4–5 cm)

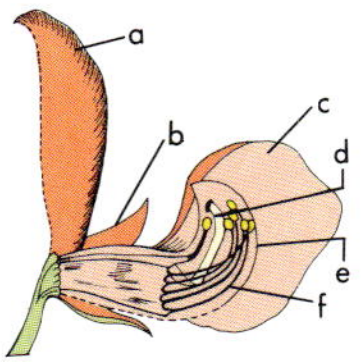

Schmetterlingsblütler: Schema einer Schmetterlingsblüte; a Fahne, b Kelchblatt, c Flügel, d Griffel, e Schiffchen, f Staubblätter

Schmetterlingsfisch (Länge bis zu 10 cm)

Carlo Schmid

Daniel Schmid

Punktaugen. Sie sind oft bunt, glatt oder haben Warzen, Dornen, Haare und leben meist von Blättern, Früchten, Samen, Rinde, Holz oder Pilzen; einige, wie die Motten, fressen Haare, Horn, Federn oder Wachs. Die Puppen ruhen in einem von der Raupe gesponnenen Kokon im Boden oder hängen mit einem Spinnfaden an Bäumen, Steinen u. a. – Die Mundwerkzeuge der S. sind saugend; der eingerollt getragene Rüssel kann die Körperlänge übertreffen. Mit dem Saugrüssel werden bes. Baum-, Blüten- und Fruchtsäfte aufgenommen. Körper und Flügel der S. tragen dachziegelartig angeordnete Schuppen. Selten fehlen die Schuppen weitgehend, sodass die Flügel glasartig durchscheinend sind, z. B. bei der Familie **Glasflügler** (Aegeriidae). Die Farben entstehen durch Farbeinlagerungen (Pigmentfarben), bei den Schillerfarben durch Lichtbrechung (Interferenzfarben). In der Regel sind zwei Paar Flügel vorhanden, das hintere Paar ist oft kleiner. Die sieben bis fast 100 Glieder der Fühler sind verschieden gestaltet. Das Geruchswahrnehmungsvermögen ist hoch entwickelt. Mit den großen Facettenaugen können Farben wahrgenommen werden. Gehörorgane zur Wahrnehmung von Ultraschall finden sich an der Grenze von Brust und Hinterleib, z. B. bei den **Eulen-S.** Häufig sind Duftdrüsen und Duftbaare bei beiden Geschlechtern. Die Duftstoffe werden auf große Entfernungen hin wahrgenommen, sie dienen dem Reizen und Anlocken des Geschlechtspartners (Sexuallockstoffe). Größe, Gestalt und Färbung der S. sind sehr unterschiedlich. Bei Körperlängen zwischen 1 und 60 mm gibt es Flügelspannweiten von 3 bis 300 mm.

🕮 FRIEDRICH, E.: *Hb. der Schmetterlingszucht. Stuttgart ^{2}1983. – Der Kosmos-Schmetterlingsführer, Beiträge v.* I. NOVAK *u. a. A. d. Tschech. Stuttgart ^{5}1992. – S. u. Nachtfalter, bearb. v.* C. A. W. GUGGISBERG *u. a. Stuttgart ^{14}1992.*

Schmetterlingsblütler (Schmetterlingsblütengewächse, Fabaceae, Papilionaceae), weltweit verbreitete Pflanzenfamilie aus der Ordnung der Hülsenfrüchtler mit rd. 9 000 Arten; in den Tropen meist holzige, in den außertrop. Gebieten überwiegend krautige Pflanzen mit schmetterlingsförmiger Blütenkrone aus Fahne (oben), zwei Flügeln (seitlich) und dem Schiffchen (unten) aus zwei verwachsenen Blütenblättern; Blätter meist gefiedert, mit Nebenblättern; Frucht eine Hülse; Symbiose mit Knöllchenbakterien. – S. sind z. B. Klee, Luzerne, Erbse, Linse, Gartenbohne, Sojabohne, Erdnuss, Goldregen und Ginster.

Schmetterlingsfisch (Pantodon buchholzi), bis 10 cm langer Süß- und Brackwasserfisch in Westafrika, mit großen flügelartigen Brustflossen; einer der wenigen → Fliegenden Fische des Süßwassers.

Schmetterlingshafte (Ascalaphidae), Familie der Netzflügler, meist in tropisch-subtrop. Gebieten, mit großen, bunt gefleckten Flügeln; auf den Bergwiesen S-Dtl.s die Art **Ascalaphus macaronius.**

Schmetterlingsmücken (Psychodidae), Familie der Mücken, dunkel gefärbte, schmetterlingsähnl. Insekten mit in Ruhe dachartig liegenden Flügeln; als Larven in faulstoffhaltigen Gewässern. Blutsaugende S. (Sandmücken) übertragen Krankheiten.

Schmetterlingsschwimmen (Butterfly, Delphinschwimmen), Sportschwimmart, Ausführung in Brustlage mit symmetr. Armführung über (nach vorn) und unter (nach hinten) Wasser, koordiniert mit vertikaler Rumpf-Bein-Bewegung, wobei der Impuls aus der Hüfte kommt (Delphinbewegung). Bei Meisterschaften über 100 und 200 m ausgetragen, seit 1956 auch bei Olympischen Spielen.

Schmid [ʃmiːt, ʃmɪt], **1)** Carlo, Politiker, * Perpignan 3. 12. 1896, † Bonn 11. 12. 1979; 1946–53 Prof. für Völkerrecht in Tübingen, dann Prof. für polit. Wissenschaften in Frankfurt am Main; beteiligte sich 1945–47 führend am Aufbau von Württemberg-Hohenzollern; 1947–73 Mitgl. des Parteivorstandes der SPD (führend an der Ausarbeitung des Godesberger Programms beteiligt). 1948/49 Mitgl. des Parlamentar. Rats (maßgebl. Anteil an der Ausarbeitung des GG), 1949–72 MdB, 1949–66 und 1969–72 Vizepräs. des Bundestages, 1966–69 Bundesratsmin., seit 1969 Koordinator für die dt.-frz. Zusammenarbeit; zahlr. literar. und wiss. Publikationen, Übersetzungen aus dem Französischen.

2) Christoph von (seit 1837), kath. Theologe, Pädagoge und Schriftsteller, * Dinkelsbühl 15. 8. 1768, † Augsburg 3. 9. 1854; verfasste, von seinem Freund J. M. Sailer angeregt, Kinder- und Jugenderzählungen, Lesebücher und erbaul. Schriften; weit verbreitet ist seine »Bibl. Geschichte für Kinder« (6 Bde., 1801); von ihm stammt auch das Weihnachtslied »Ihr Kinderlein, kommet«.

3) Daniel, schweizer. Filmregisseur, * Flims (Kt. Graubünden) 26. 12. 1941. Nach dem Grundsatz, Film sei ohne Wirklichkeitsbezug, also »totale Fiktion«, drehte S. seit 1969 u. a. »Thut alles im Finstern, eurem Herrn das Licht zu ersparen« (1970), »Heute nacht oder nie« (1972), »Schatten der Engel« (1975), »Violanta« (1977), »Jenatsch« (1987), »Zwischensaison« (1992).

Schmidli, Werner, schweizer. Schriftsteller, * Basel 30. 9. 1939; zeigt in seinen Romanen die Lebenswelt kleiner Leute in der Schweiz, v. a. »Fundplätze« (1974), »Zellers Geflecht« (1979), »Warum werden Bäume im Alter schön« (1984), »Der Mann am See« (1985), »Hasenfratz« (1987), »Guntens stolzer Fall« (1989), »Kythera oder Das blaue Zimmer« (1991).

Schmidt, 1) Arno, Schriftsteller, *Hamburg 18. 1. 1914, †Celle 3. 6. 1979. Sein durch assoziationsreiche Sprache und eigenwillige Orthographie gekennzeichnetes Werk war zunächst erzähler. Art (»Leviathan«, 1949); es bildete sich bald ein eigenes Kompositionsprinzip aus: S. strebte eine konforme Abbildung der diskontinuierl. Wirklichkeit an, indem er Bewusstseinsprozesse abzubilden versuchte, die er in Textkürzeln (»Fotos«) zu Erzählungen zusammenfügte. Seine Texte verzeichnen autobiograph. Erfahrung (»Die Umsiedler«, 1953), demonstrieren radikale Aggressivität (»Seelandschaft mit Pocahontas«, in: »Rosen & Porree«, 1959) und lassen ihren Autor als wenig kommunikationsfreudigen Sonderling erkennen. Der umfangreiche Roman »Zettels Traum« (1970) ist bes. von J. Joyce, S. Freud und E. A. Poe beeinflusst. Zu seinem Werk gehören auch wiss. Biographien (»Fouqué und einige seiner Zeitgenossen«, 1958) und Essays (Sammlungen »Dya na sore«, 1958; »Belphegor«, 1961) sowie Übersetzungen aus dem Englischen.

📖 *A. S. Leben – Werk – Wirkung, hg. v.* M. M. SCHARDT *u. a. Reinbek 1990.* – MÜTHER, K.-H.: *Bibliographie A. S., 2 Bde. Bielefeld 1992–97.*

Arno Schmidt

2) Auguste, Frauenrechtlerin, *Breslau 3. 8. 1833, †Leipzig 10. 6. 1902; Mitbegründerin des »Allgemeinen Dt. Frauenvereins« (1865) und »Allgemeinen Dt. Lehrerinnenvereins« (1890) sowie des »Bundes Dt. Frauenvereine«, dessen Vorsitzende sie war (seit 1894).

3) Erich, Literaturhistoriker, *Jena 20. 6. 1853, †Berlin 30. 4. 1913; Prof. in Straßburg, Wien, Berlin. Als Schüler W. Scherers wandte er dessen positivist. Methode v. a. auf Gestalten und Probleme der Literatur des 18. und 19. Jh. an (»Lessing ...«, 3 Tle., 1884–92). Er entdeckte 1887 Goethes »Urfaust«.

4) Franz, österr. Komponist, *Preßburg 22. 12. 1874, †Perchtoldsdorf 11. 2. 1939; schuf, auf der Grundlage der klass.-romant. Tradition einen eigenen Stil entwickelnd, die Opern »Notre Dame« (1914) und »Fredigundis« (1922), Orgelwerke, Kammer-, Orchestermusik und das Oratorium »Das Buch mit sieben Siegeln« (1938).

5) Fritz, Betriebswirtschaftler, *Wahrenbrück (Kr. Elbe-Elster) 13. 3. 1882, †Oberursel (Taunus) 1. 2. 1950; untersuchte v. a. die Auswirkungen von Konjunkturschwankungen und Inflation auf Unternehmen und entwickelte die organ. →Bilanztheorie.

Helmut Schmidt

6) Guido, österr. Politiker, *Bludenz 15. 1. 1901, †Wien 5. 12. 1957; 1936–38 Staatssekr., Febr./März 1938 Außenmin.; 1947 von der Anklage wegen Hochverrats freigesprochen.

7) Helmut, Politiker (SPD), *Hamburg 23. 12. 1918; 1953–62 und 1965–87 MdB, 1961–65 Innensenator in Hamburg, 1967–69 SPD-Fraktionsvors. im Dt. Bundestag, 1968–84 stellv. Bundesvors. der SPD, 1969–72 Bundesverteidigungs-, 1972–74 Bundesfinanz-, 1972 auch Bundeswirtschaftsmin.; übernahm nach dem Rücktritt W. Brandts (SPD) am 16. 5. 1974 dessen Amt als Bundeskanzler an der Spitze einer SPD/FDP-Regierung. Innenpolitisch sah sich S. bes. mit wirtschafts- und sozialpolit. Fragen sowie mit energie- und rechtspolit. Problemen konfrontiert (u. a. Bekämpfung des Terrorismus). Außenpolitisch setzte S. die Politik W. Brandts fort, bes. in den Bemühungen um Entspannung im Ost-West-Konflikt. Angesichts der von der Sowjetunion betriebenen Politik der Hochrüstung trat er für den NATO-Doppelbeschluss ein. Nach dem Auseinanderbrechen der SPD/FDP-Koalition wählte der Bundestag im Rahmen eines konstruktiven Misstrauensvotums gegen S. am 1. 10. 1982 den CDU-Vors. H. Kohl zum Bundeskanzler. 1983 wurde S. Mitherausgeber der Wochenzeitung »Die Zeit«.

📖 CARR, J.: *H. S. Aus dem Engl. Neuausg. München 1987.* – NAYHAUSS, M. GRAF VON: *H. S. Mensch u. Macher. Neuausg. Bergisch-Gladbach 1990.*

8) Johannes, Sprachforscher, *Prenzlau 29. 7. 1843, †Berlin 4. 7. 1901; Indogermanist, Prof. in Graz und Berlin, begründete die Auffassung von der allmählichen räuml. Verbreitung sprachlicher Neuerungen (Wellentheorie).

9) Joseph, rumän. Sänger (Tenor), *Dawideny (Bukowina) 4. 3. 1904, †Girenbad (Gem. Hinwil, Kt. Zürich) 16. 11. 1942; wurde als Konzertsänger sowie durch Rundfunk, Schallplatte und Tonfilm (»Ein Lied geht um die Welt«, 1933) weltbekannt.

Wilhelm Schmidt

10) Martin Johann, gen. Kremser-Schmidt, österr. Maler und Radierer, *Grafenwörth (Bez. Tulln) 25. 9. 1718, †Stein (heute zu Krems an der Donau) 28. 6. 1801; schuf spätbarocke Deckenfresken (Dürnstein, Göttweig) und Altarbilder (Melk, Krems), Zeichnungen und Radierungen.

11) Wilhelm, Ethnologe, *Hörde (heute zu Dortmund) 16. 2. 1868, †Freiburg (Schweiz) 10. 2.

1954; Mitgl. der Steyler Missionsgesellschaft; Prof. in Wien und Freiburg, begründete die Wiener Schule (Kulturkreislehre) und entwickelte die These vom →Urmonotheismus. – *Werk:* Der Ursprung der Gottesidee (12 Bde., 1912–55).

Schmidt-Isserstedt, Hans, Komponist und Dirigent, *Berlin 5. 5. 1900, †Holm (Kr. Pinneberg) 28. 5. 1973; studierte u.a. bei F. Schreker; 1945–71 Chefdirigent des NDR-Sinfonieorchesters in Hamburg; trat bes. als Mozart-Interpret hervor.

Karl Schmidt-Rottluff: »In der Dämmerung« (1912; Privatbesitz)

Karl Schmidt-Rottluff: Frauenkopf, Holzschnitt (1915)

Hans Schmidt-Isserstedt

Schmidt-Rottluff, Karl, eigtl. K. Schmidt, Maler und Grafiker, *Rottluff (heute zu Chemnitz) 1. 12. 1884, †Berlin (West) 10. 8. 1976; gründete 1905 mit E. L. Kirchner und E. Heckel die »Brücke« und lebte seit 1911 meist in Berlin, wo er seit 1947 an der Hochschule für Bildende Kunst in Berlin (West) lehrte. Seine mit heftigen Farben und derben Umrissen gemalten Bilder gehören zu den frühesten des Expressionismus, dessen führender Meister er wurde. Eindrücke afrikan. Kunst verstärkten seine Neigung zu kubisch-elementaren Formen, die den Stil seiner kraftvollen Holzschnitte bestimmen. Später milderte sich sein Stil zu einer beruhigten Plastizität und eher pastosen Farben, die im Spätwerk noch einmal eine intensive, fast plakative Leuchtkraft gewannen.

K. S.-R. Das graph. Werk seit 1923, hg. v. E. RATHENAU. *New York 1964, Nachdr. ebd. 1976. – K. S.-R. Retrospektive, hg. v.* G. THIEM *u.* A. ZWEITE, *Ausst.-Kat. Städt. Galerie im Lenbachhaus, München 1989.*

Schmidt-Spiegel (Schmidt-Spiegelteleskop) [nach dem Optiker Bernhard Schmidt, *1897, †1935], Spiegelteleskop mit großem Gesichtsfeld und sehr hoher Abbildungsgüte. Der Krümmungsmittelpunkt des sphär. Spiegels fällt mit dem Zentrum der Öffnungsblende zusammen, in der eine Korrektionsplatte **(Schmidt-Platte)** die sphärische Aberration (→Abbildungsfehler) des Spiegels kompensiert. Das Bild liegt auf einer zum Spiegel konzentr. Kugelfläche (Fokalfläche), deren Radius gleich der Brennweite des Spiegels ist. Bei fotografischen Aufnahmen, z.B. großer Himmelsausschnitte, wird die entsprechend gewölbte Fotoplatte in dieser Bildfläche angeordnet.

Schmied, Wieland, Schriftsteller und Kunstkritiker, *Frankfurt am Main 5. 2. 1929; 1986–94 Prof. an der Akademie der Künste in München; Lyriker, Essayist sowie Verfasser kunstgeschichtl. Abhandlungen und Monographien (»Von den Chinesen zu den Kindern«, 1957; »Das Poetische in der Kunst«, 1960; »De Chirico und sein Schaffen«, 1989) sowie Gedichte (»Landkarte des Windes«, 1957; »Schach mit Marcel Duchamps«, 1980).

Schmiede, die, →Schnellkäfer.

Schmiedeberg, 1) →Bad Schmiedeberg.

2) S. im Riesengebirge, Stadt in Polen, →Kowary.

Schmiedekunst, kunsthandwerkliche Arbeiten, bei denen Metalle durch Hämmern und/oder Pressen geformt werden. Das Schmieden von Eisen gehört zu den ältesten Handwerken der Menschheit. Die S. der Antike ist nur aus Schriftquellen, durch bildl. Darstellungen (Vasen) und Waffenfunde (Schwerter) bekannt. Das geschmiedete, genagelte Hufeisen kam im 9./10. Jh. in Gebrauch. Aus dem 11. und 12. Jh. stammen Gitter und Türbeschläge (Notre-Dame in Paris, 13. Jh.), ferner Stand- und Radleuchter, Truhenbeschläge, Türklopfer und Kaminböcke. Seit dem 14. Jh. wurden fantasievolle Fackelhalter, Laternen u.a. in Italien, bes. in Florenz, gearbeitet. Im 16. Jh. war Dtl. führend, bes. in der Waffen-S. Die von ihr ausgehenden Verfahren des Eisenschnitts, der Gravie-

Schmidt-Spiegel: Der Schmidt-Spiegel der Hamburger Sternwarte steht in Spanien im Calar-Alto-Observatorium; der Spiegeldurchmesser beträgt 1,23 m

Schmiedekunst: Die Türbeschläge am mittleren Westportal der gotischen Kathedrale Notre-Dame in Paris stammen aus dem 13. Jahrhundert

rung, Ätzung, Bläuung und Vergoldung wurden z. T. auch bei anderen Schmiedearbeiten angewandt. Im Barock und Rokoko entstanden Gittertüren, Chorgitter, Balkon- und Treppengeländer, Brunnenlauben und Wirtshausschilder. Im frühen 19. Jh. wurde die S. vielfach durch den Eisenguss verdrängt. Erst im 20. Jh. brachte sie wieder bed. künstlerische Leistungen hervor.

📖 Baur-Heinold, M.: *Geschmiedetes Eisen vom Mittelalter bis um 1900. Königstein im Taunus 1980.* – Baur-Heinold, M.: *Schmiedeeisen. Gitter, Tore u. Geländer. München ²1985.*

Schmieden, Verfahren der Warmformung, bei dem der im Schmiedefeuer, im Schmiedeofen oder elektrisch durch Induktion auf die erforderl. Temperatur vorgewärmte metall. Werkstoff mit einem Schmiedehammer oder einer Schmiedepresse verformt wird. Beim **Freiform-S.** wird dem Metall mit einfachen, nicht die Werkstückform enthaltenden Werkzeugen die Form gegeben. Wichtige Vorgänge sind dabei Stauchen, Recken und Durchsetzen (abwechselndes Absetzen und Kröpfen), Breiten und Lochen. Beim **Gesenk-S.** wird das erhitzte Rohstück in eine entsprechende Hohlform geschlagen oder gepresst. Eine moderne Form ist das **Pulver-S.,** bei dem aus Metallpulver vorgepresste Zwischenformen ohne Grat im Gesenk geschmiedet werden. Das **Fein-S.** dient zur Herstellung maßgenauer langer, kon. oder abgesetzter Werkstücke mit symmetr. Querschnitt in speziellen Sortimenten.

Schmiege (Schrägmaß, Schrägwinkel, Stellmaß, Stellwinkel), ein Universalwinkelmessgerät mit einem verstellbaren Schenkel und z. T. mit Halbkreis-Winkeleinteilung; mit ihm lassen sich Winkel messen, die geschlossene Flächen zueinander einnehmen. S. werden bei der Metall- und Holzbearbeitung oder als Hilfsmittel beim Zeichnen und Anreißen benutzt.

Schmiele (Deschampsia), Gattung der Süßgräser, meist in kühlen und gemäßigten Gebieten. Wichtiges Futtergras, das zur Verbesserung sumpfiger Wiesen angebaut wird, ist die **Rasen-** oder **Gold-S.** (Deschampsia caespitosa).

Schmiergelder, Geldgeschenke u. Ä., die einem Angestellten oder Beauftragten eines Unternehmens oder einer Behörde gemacht werden, um eine bevorzugte Behandlung (v. a. bei der Vergabe von Aufträgen) zu erreichen. Das vertragl. Versprechen von S. ist sittenwidrig, zivilrechtlich also nichtig. Steuerrechtlich sind S. für den Geber dann abzugsfähig, wenn sie Entgelt für eine konkretisierbare Leistung des Empfängers sind; das Finanzamt kann die Benennung des Empfängers verlangen. Wettbewerbsrechtlich und strafrechtlich (bei Amtsträgern; →Bestechung) können S.-Zahlung und Annahme strafbar sein.

Schmier|öle, flüssige Schmierstoffe, die je nach Verwendungszweck als Maschinen-S., Motoren-, Getriebe-, Dampfzylinder- und Turbinenöle, Kühlschmierstoffe u. a. bezeichnet werden. Die wichtigste Eigenschaft der S. und Grundlage für ihre Klassifizierung ist die Viskosität; weitere Qualitätsanforderungen sind Alterungsbeständigkeit (bes. bei therm. Belastung) und Kältebeständigkeit. S. bestehen aus einem Grundöl und Zusätzen (Additiven), mit deren Hilfe die Gebrauchseigenschaften gezielt beeinflusst werden. **Grundöle** werden überwiegend durch Vakuumdestillation von Erdöl hergestellt. Die niedrig viskosen Fraktionen werden dabei meist als **Spindelöle,** die höher viskosen als **Maschinenöle** bezeichnet. – Gebrauchte S. auf der Basis von Mineralöl oder Syntheseöl werden als →Altöle bezeichnet.

Schmierung, das Zuführen von Schmierstoffen (Schmiermitteln) zur Verminderung von Reibung und Verschleiß an gegeneinander bewegten Gleitflächen (z. B. Lager, Gleitbahnen). Bei der **Voll-S.** sind die Oberflächen gleitender Festkörper durch einen Schmierfilm, der dicker als die Oberflächenrauigkeiten ist, vollständig voneinander getrennt. Die Reibung wird allein durch die innere Reibung des Schmierstoffs bestimmt, ein Verschleiß findet nicht statt. **Hydrodynam. S.** liegt vor, wenn sich der Schmierfilm bei ausreichender Gleitgeschwindigkeit und richtigem Lagerspiel selbstständig ausbildet. Damit ist ein verschleißfreier Betrieb bei geringer Reibung möglich. Wird die Dicke des Schmierfilms zu gering, berühren sich die Spitzen der Oberflächenrauigkeiten der gleitenden Teile **(Mangel-S.),** und es tritt Mischreibung auf, die zu

Bruno Schmitz: Das Kaiser-Wilhelm-Nationaldenkmal wurde nach einem der Romantik verpflichteten Entwurf von Bruno Schmitz 1891–96 auf dem Nordostkamm des Kyffhäusers erbaut

erhöhter Reibung und zu Verschleiß führt. Durch Additive im Schmiermittel kann die S. verbessert werden. Bei Metall-Kunststoff-Systemen werden häufig **AF-Coatings** (Abk. für engl. anti-friction) als Dauerschmierfilme eingesetzt, die aus einem Grundmaterial (oftmals Harze) bestehen, in dem die eigentl. Festschmierstoffe oder feinste Öltröpfchen eingebettet sind. Damit können sehr geringe Reibungskoeffizienten erreicht werden.

Carl Schmitt (um 1933)

Schmirgel, feinkörniges, sehr hartes Mineral, Abart des Korund, Vorkommen v. a. auf der Insel Naxos; als Schleifmittel ist S. heute meist durch synthet. Korund oder Siliciumcarbid ersetzt.

Schmirgelpapier, das →Sandpapier.

Schmitt, Carl, Staats- und Völkerrechtslehrer, *Plettenberg 11. 7. 1888, †ebd. 7. 4. 1985; Prof. u. a. in Berlin (1933–45), wirkungsvoller und zugleich umstrittenster Vertreter der dt. Staatstheorie zw. dem 1. und 2. Weltkrieg; Kritiker des Parlamentarismus in der Weimarer Rep., bereitete wissenschaftlich den Boden für die Umgestaltung des Staatsrechts in der ersten Phase der nat.-soz. Herrschaft.

Werke: Polit. Romantik (1919); Die Diktatur (1921); Polit. Theologie, 2 Bde. (1922–70); Der Begriff des Politischen (1927); Verfassungslehre (1928); Legalität und Legitimität (1932).

📖 QUARITSCH, H.: *Positionen u. Begriffe C. S.s. Berlin ²1991.*

Günter Schmölders

Schmitthenner, 1) Heinrich, Geograph, *Neckarbischofsheim 3. 5. 1887, †Marburg 19. 2. 1957; Prof. in Heidelberg, Leipzig, Marburg; reiste, z. T. mit seinem Lehrer A. Hettner, in Nordafrika, O- und SO-Asien; v. a. Arbeiten zur Geomorphologie (bes. zur Schichtstufenlandschaft) sowie zur Länderkunde.

2) Paul, Architekt, *Lauterburg (Unterelsass) 15. 12. 1884, †München 11. 11. 1972; vertrat mit seiner bodenständigen Architekturgesinnung die Linie der Nationalsozialisten; nach 1945 v. a. (öffentl.) Verwaltungsbauten.

Gustav von Schmoller

Schmitz, Bruno, Architekt, *Düsseldorf 21. 11. 1858, †Charlottenburg (heute zu Berlin) 27. 4. 1916; wurde bekannt durch monumentale Denkmalbauten: Kaiser-Wilhelm-Denkmäler auf dem Kyffhäuser (1891–96) und am Dt. Eck in Koblenz (1894–97); Völkerschlachtdenkmal in Leipzig (1898–1913).

Schmitze, linsenförmige, seitlich schnell auskeilende Einlagerung mit anderer Zusammensetzung als das umgebende Gestein (z. B. **Kohlenschmitze**).

Schmolck, Benjamin, evang. Theologe, *Brauchitschdorf (heute Chróstnik, Wwschaft Legnica) 21. 12. 1672, †Schweidnitz (heute Świdnica) 12. 2. 1737; dichtete rd. 1200 Kirchenlieder (z. B. »Was Gott tut, das ist wohlgetan«).

Schmölders, Günter, Finanzwissenschaftler und Sozialökonom, *Berlin 29. 9. 1903, †München 7. 11. 1991; Vertreter des Neoliberalismus, gilt als Begründer der empir. Sozialökonomie sowie der Geld- und Finanzpsychologie.

Werke: Allg. Steuerlehre (1951); Finanzpolitik (1955); Geldpolitik (1962); Psychologie des Geldes (1966); Sozialökonom. Verhaltensforschung (1973); Einführung in die Geld- und Finanzpsychologie (1975).

Schmoller, Gustav von (seit 1908), Volkswirtschaftler, *Heilbronn 24. 6. 1838, †Bad Harzburg 27. 6. 1917; Hauptvertreter der jüngeren histor. Schule der Nationalökonomie, die der histor. Einzelforschung den Vorrang vor der Bildung theoret. Modelle gab; verteidigte in den 1880er-Jahren im Methodenstreit mit C. Menger diese methodolog. Variante gegenüber der Grenznutzenschule. S. war Mitgründer des »Vereins für Socialpolitik« und setzte sich für sozialpolit. Aktivitäten des Staates ein. Seit 1881 gab er das »Jb. für Gesetzgebung, Verw. und Volkswirtschaft« (seit 1913 »Schmollers Jb. für Gesetzgebung, Verw. und Volkswirtschaft«, seit 1972 u. d. T.: »Zeitschrift für Wirtschafts- u. Sozialwiss.en«) heraus. – *Werk:* Grundriß der allg. Volkswirtschaftslehre, 2 Bde. (1900–04).

Schmölln, Stadt im Landkreis Altenburger Land, Thür., an der Sprotte, 13 200 Ew.; Knopf-, Kunststoffartikel-, Bürstenherstellung, Pumpen-, Großküchenbau, pharmazeut. Industrie. – Spätgot. Pfarrkirche (2. Hälfte 15. Jh.). – 1238 erstmals erwähnt, nach 1300 Stadtrecht; bis 1994 Kreisstadt.

Schmuck, Zierde, Verschönerung; Gegenstände, mit denen Menschen sich schmücken und die sie an Körper und Kleidung tragen. – S. findet sich zu allen Zeiten und bei allen Völkern. Urspr. wurde S. als →Amulett zur Abwehr von Gefahren oder als Talisman getragen; zunehmend wurde er auch zum ästhet. Gegenstand; häufig diente S. der Betonung einer sozialen Rolle (z. B. Krone und Zepter als Rang- und Herrschaftszeichen), der

Schmuck

1

4

2

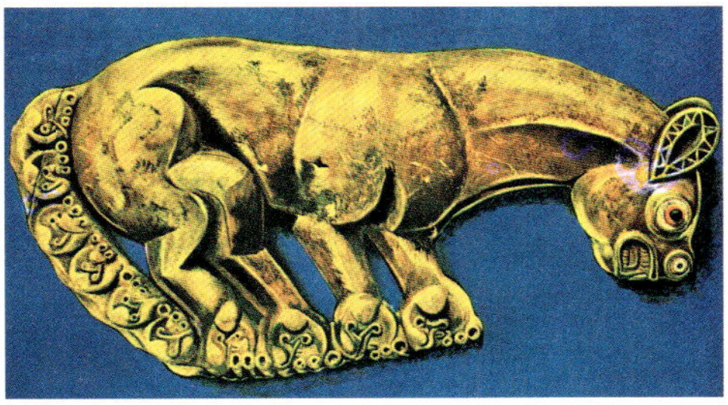

3

5

6

1 Die Gürtelschnalle des ägyptischen Königs Tutanchamuns (18. Dynastie) zeigt ihn als siegreichen Feldherrn (um 1340 v. Chr.; Kairo, Ägyptisches Museum) | **2** Die Ohrscheiben aus Türkisen, Gold und Muscheln im präkolumbianischen Mochica-Stil stammen aus Peru (Lima, Museo Rafael Larco Herrera) | **3** Die skythische goldene Schmuckplatte in Form eines Panthers aus einem Hügelgrab (Kurgan) im Nordkaukasus war vermutlich ein Brustschmuck (Anfang des 6. Jh. v. Chr.; Sankt Petersburg, Eremitage) | **4** Die Ringe und Perlen aus dem 2. Jh. v. Chr. gehörten zum Schmuck keltischer Frauen (München, Prähistorische Staatssammlung) | **5** Die Nürnberger Stückleinkette mit Edelsteinen und Perlen in Goldfassung gehörte zum Schmuck der Nürnberger patrizischen Kronbraut (um 1530–40; Nürnberg, Germanisches Nationalmuseum) | **6** Schalspange, Jugendstilschmuck aus Paris (um 1900; Pforzheim, Schmuckmuseum)

Hortung und Darstellung von Reichtum, hatte z. T. auch praktische Funktionen (z. B. als Fibel, Schnalle, Gürtel oder Knopf die Kleidung zusammenzuhalten). – Außerhalb Europas ist S. in traditionellen Kulturen der wichtigste Ausweis für die ethn., soziale, ökonom., geschlechtsspezif. oder religiöse Identität seines Trägers. Neben Behang-S. (Ketten), Band-S. (Stirnbänder, Gürtel), Ring- bzw. Spangen-S. und Einsteck-S. (Zierkämme, Federn) erfüllen auch Bemalen, Tatauieren, Deformierung einzelner Körperteile sowie das Anbringen von Zierrat auf der Kleidung das Schmuckbedürfnis.

📖 HOFFMANN, E. *u.* TREIDE, B.: *S. früher Kulturen u. ferner Völker. Neuausg. Stuttgart 1976.* – HELLER, C. B. *u. a.: Bruckmann's Handbuch des S.s. München 1977.* – DANIËLS, G.: *Schmuckformen der Völker. Tübingen 1989.* – *Schmuckkunst im Jugendstil, bearb. v.* I. BECKER, *Ausst.-Kat. Brohan-Museum Berlin ²1989.*

Schmụ̈cke *die,* Höhenzug im NO des Thüringer Beckens, nordwestl. Fortsetzung der → Finne.

Schmuckkörbchen (Kosmee, Cosmos, Cosmea), Gattung der Korbblütler v. a. in Mexiko; Stauden oder einjährige Kräuter mit oft fein zer-

Schmuckkörbchen

schlitzten Blättern und Blütenköpfchen mit großen, an der Spitze oft gezähnten Strahlenblüten. Einige Arten sind beliebte Gartenblumen mit rosaroten bis weißen Blüten.

Schmucklili|e (Liebesblume, Agapanthus), südafrikan. Gattung der Liliengewächse mit Schwertblättern und blauer oder weißer Dolde tiefspaltiger Trichterblüten.

Schmucksteine, →Edelsteine.

Schmuckvögel, die →Kotingas.

Schmude, Jürgen, Politiker (SPD), *Insterburg (heute Tschernjachowsk) 9. 6. 1936; Jurist, 1969–94 MdB, war 1978–81 Bundesmin. für Bildung und Wiss. und 1981–82 Bundesjustizmin.; seit 1985 Präses der Synode der EKD.

Schmuelbuch, bedeutendstes Epos der altjidd. Literatur über die Anfänge jüd. Königtums unter Saul und David; wohl im 15. Jh. von einem unbekannten Autor verfasst.

Schmuggel, das Verbringen von Sachen über die Grenze unter Verletzung von Zollvorschriften; nach der Abgabenverordnung die strafbare **Zollhinterziehung** (vorsätzl. Verkürzung von Zolleinnahmen) und der strafbare **Bannbruch** (verbotswidrige Ein-, Aus- und Durchfuhr von Gegenständen ohne Gestellung bei den Zollbehörden).

Schmucklilie

Schmuzer (Schmutzer), Stuckatoren- und Architektenfamilie aus Wessobrunn, tätig vom 16. bis 18. Jh. in Süd-Dtl., Tirol und in der Schweiz (→Wessobrunner Schule). – Bed. Vertreter:

1) Franz, *Wessobrunn 10. 10. 1676, †ebd. 21. 4. 1741, Sohn von 3), Bruder von 4); zu seinen Hauptwerken gehören die Stuckaturen der Klosterkirche in Weingarten (1717–21).

2) Franz Xaver, *Wessobrunn 27. 11. 1713, †ebd. 24. 4. 1775, Sohn von 4); um 1740 Mitarbeiter seines Vaters bei der Stuckierung der Pfarrkirche in Oberammergau. Er arbeitete u.a. auch in den Klosterkirchen in Steingaden (1740–42) und Rottenbuch (1737–46).

3) Johann, getauft Wessobrunn 13. 5. 1642, †ebd. 12. 5. 1701, Vater von 1) und 4); neben einer Reihe schwäb. und oberbayer. Barockkirchen stuckierte er die von ihm erbaute Wallfahrtskirche in Vilgertshofen (1686–92).

4) Joseph, getauft Wessobrunn 13. 2. 1683, †ebd. 19. 3. 1752, Sohn von 3), Vater von 2), Bruder von 1); Stiftsbaumeister von Wessobrunn, Rottenbuch, Weingarten und Ettal.

Artur Schnabel

Schnabel, 1) *Musik:* Mundstück von Klarinette, Saxophon und Blockflöte (S.-Flöte).

2) *Zoologie:* (Rostrum) der mit harten Hornscheiden überzogene Ober- und Unterkiefer v.a. der Vögel als Ersatz für entwicklungsgeschichtlich bedingt nicht mehr vorhandene Zähne. Bei den Vögeln dient der S. hauptsächlich als Greifwerkzeug zur Aufnahme, d.h. zum Abreißen und Abschneiden der Nahrung, und zum Nestbau. In Abhängigkeit von der Lebensweise gibt es vielfältige S.-Typen. Bei vielen Vögeln ist die Oberschnabelwurzel von der →Wachshaut bedeckt. Die Substanz der Hornscheiden wächst ständig nach, sodass die abgenutzten Stellen laufend ersetzt werden. – S.-Bildungen finden sich u.a. auch bei Schildkröten, beim Schnabeltier und Ameisenigel.

Schnabel, 1) Artur, österr. Pianist und Komponist, *Lipnik (Wwschaft Opole) 17. 4. 1882, †Morschach (Kt. Schwyz) 15. 8. 1951; bed. Interpret v.a. der Werke von Beethoven, F. Schubert und J. Brahms; komponierte Orchester- und Kammermusik, Lieder; schrieb »My Life and Music« (1961).

2) Ernst, Schriftsteller, *Zittau 26. 9. 1913, †Berlin (West) 25. 1. 1986; schilderte das selbst erfahrene Leben zur See und gestaltete antike Mythen; schrieb Romane (»Interview mit einem Stern«, 1951; »Der sechste Gesang«, 1956) und Erzählungen (»Fremde ohne Souvenir«, 1961), war auch Drehbuchautor, Librettist und Übersetzer; seine Rundfunk-Features haben literar. Rang (»Anne Frank. Spur eines Kindes«, 1958).

3) Johann Gottfried, Schriftsteller, Pseud. Gisander, Gysander, *Sandersdorf (bei Bitterfeld) 7. 11. 1692, †Stolberg (Harz) nach 1750; Chirurg und Hofagent in Stolberg; verfasste den zw. Barock und Aufklärung stehenden Roman »Wunderliche Fata einiger Seefahrer …« (4 Bde., 1731–43; seit 1828 hg. u.d.T. »Die Insel Felsenburg …«), der Motive des galanten und pikaresken Romans sowie der Robinsonaden zu einer Staats- und Sozialutopie in pietist. Geist verbindet.

Wunderliche
FATA
einiger
See-Fahrer,
absonderlich
ALBERTI JULII,
eines gebohrnen Sachsens,
Welcher in seinem 18den Jahre zu Schiffe gegangen, durch Schiff-Bruch selb 4te an eine grausame Klippe geworffen worden, nach deren Ubersteigung das schönste Land entdeckt, sich daselbst mit seiner Gefährtin verheyrathet, aus solcher Ehe eine Familie von mehr als 300. Seelen erzeuget, das Land vortrefflich angebauet, durch besondere Zufälle erstaunens-würdige Schätze gesammlet, seine in Teutschland ausgekundschafften Freunde glücklich gemacht, am Ende des 1728sten Jahres, als in seinem Hunderten Jahre, annoch frisch und gesund gelebt, und vermuthlich noch zu dato lebt,
entworffen
Von dessen Bruders-Sohnes-Sohnes-Sohne,
Monf. Eberhard Julio,
Curieusen Lesern aber zum vermuthlichen Gemüths-Vergnügen ausgefertiget, auch par Commission dem Drucke übergeben
Von
GISANDERN.
NORDHAUSEN,
Bey Johann Heinrich Groß, Buchhändlern.
Anno 1731.

Johann Gottfried Schnabel: Titelblatt des 1731 unter dem Pseudonym Gisander erschienenen ersten Bands seines Romans »Wunderliche Fata einiger Seefahrer …«, der später unter dem Titel »Insel Felsenburg …« bekannt wurde

4) Julian, amerikan. Maler, *New York 26. 10. 1951; gehört zu den erfolgreichsten Vertretern des New-Image-Painting (→Neue Wilde); verarbeitet unterschiedlichste Einflüsse, Motive und Materialien zu großformatigen, collageähnl. Gemälden; auch Aquarelle und Zeichnungen.

Schnabelhafte (Schnabelfliegen, Mecoptera), Insektenordnung mit raupenförmigen, in der Erde lebenden Larven; Aasfresser oder Räuber mit einem nach unten gerichteten, schnabelförmigen Kopffortsatz, z. B. die **Skorpionsfliege** (Panorpa communis), bei der das Männchen das Hinterleibsende ähnlich erhoben trägt wie ein Skorpion.

Schnabel|igel, →Ameisenigel.

Schnabelkanne, Kanne mit aus dem Halsrand schräg herausgezogener Ausgusstülle, eine keram. Leitform der bronzezeitl. Kulturen in der Ägäis und in Kleinasien (seit dem 3. Jt. v. Chr.). Bemalte S. entstanden auch in der Blütezeit Kretas und in der myken. Kultur. Hiervon unabhängig wurden im 6. und 5. Jh. v. Chr. in Mittelitalien S. aus Bronze hergestellt.

Schnabelkerfe (Hemipteroidea, Rhynchota), weltweit verbreitete Überordnung der Insekten, mit den drei Ordnungen →Wanzen, →Zikaden und →Pflanzensauger. Die Verwandlung ist unvollständig (hemimetabol). Die Mundwerkzeuge sind stechend-saugend; sie bestehen aus einem aus der Unterlippe hervorgegangenen, gegliederten, rinnenförmigen Schnabel (Rüssel), dessen Rinne von der Oberlippe verschlossen wird. Die Vorderbeine können zu Raubbeinen, die Hinterbeine zu Ruder- oder Sprungbeinen umgebildet sein. Meist sind zwei Flügelpaare vorhanden. Die zahlr. Arten sind in Gestalt, Färbung und Lebensweise sehr verschieden. Viele sind Schädlinge an Kulturpflanzen, Blutsauger und Überträger von Krankheiten.

Schnabelschuhe, Schuhe mit langer und meist aufgebogener Spitze. Im Orient von versch. Völkern und zu versch. Zeiten getragen, wohl von den Kreuzfahrern nach Europa gebracht. Hier erreichte der mit Werg ausgestopfte Schnabel in der Mode des 14. und 15. Jh. seine größte Länge, die für die einzelnen Stände festgelegt wurde.

Schnabeltier (Ornithorhynchus anatinus), Art der Kloakentiere, etwa 60 cm lang, braun behaart, mit breitem Hornschnabel, abgeplattetem Schwanz, kurzen Schwimmfüßen. Das S. lebt in Flüssen und Seen Australiens und Tasmaniens. In einer Uferhöhle werden bis zu drei etwa 17 mm lange Eier in einem Nest erbrütet. Die Milch tritt aus einem Drüsenfeld (keine Zitzen) aus und wird von den Jungen aufgeleckt. Nahrung sind Schnecken, Krebse und Würmer.

Schnabelwale (Ziphiidae), Familie der Zahnwale mit schnabelartiger Schnauze und wenig Zähnen im Unterkiefer, z. B. **Nördl. Entenwal (Dögling,** Hyperoodon ampullatus), 7–9 m lang, und **Zweizahnwal** (Mesoplodon grayi), rd. 5 m lang.

Schnạck, 1) Anton, Schriftsteller, *Rieneck (Kr. Main-Spessart) 21. 7. 1892, †Kahl a. Main 26. 9.

Julian Schnabel: »Der Student von Prag« (1983; Privatbesitz)

1973, Bruder von 2); Lyriker und Erzähler, Meister amüsanter Kleinprosa; schrieb Gedichte (»Die Flaschenpost«, 1936), Erzählungen, Romane und Hörspiele.

2) Friedrich, Schriftsteller, *Rieneck (Kr. Main-Spessart) 5. 3. 1888, †München 6. 3. 1977, Bruder von 1); schilderte in Lyrik (»Das kommende Reich«, 1920) und Prosa die Welt der Märchen und Träume, der fernen Länder und die Schönheit der Natur (»Sebastian im Walde«, 1926), wobei Menschen immer mehr in den Hintergrund traten; auch Kinder- und Reisebücher.

Friedrich Schnack

Schnạderhüpfl [bair. »Schnittertanz«] (Schnadahüpfl), volkstümliches, meist auf eine bekannte Melodie improvisiertes vierzeiliges Scherz- und Spottlied, oft mit Vorsänger und Chor und einem Jodler am Schluss, verbreitet im bayerisch-österr. Alpengebiet.

Schnabeltier: Das Schnabeltier ernährt sich von im Wasser lebenden Würmern, Schnecken und Krebsen (Länge etwa 60 cm)

Schnaken, 1) (Riesenschnaken, Tippulidae) weltweit verbreitete Familie der Mücken, schlanke, bis 45 mm lange, nicht stechende Tiere mit langen Beinen. Die walzenförmigen Larven fressen Pflanzenteile; sie leben in feuchten Böden, auf Wiesen, in Baummulm; teilweise schädlich, z. B. die →Kohlschnake.

2) umgangssprachliche Bez. für →Stechmücken.

Gabriele Schnaut

Dieter Schnebel

Schnalzlaut (Klicklaut), durch heftiges Losreißen der Zunge vom Gaumen erzeugter Laut in einigen afrikan. Sprachen, bes. den Khoisan-Sprachen.

Schnäpel (Coregonus oxyrhynchus), bis 50 cm lange Art der Renken in der Nord- und Ostsee, wandert in Rhein und Elbe.

Schnapper (Lutianidae), artenreiche Familie trop. barschartiger Küstenfische; einige sind Speisefische.

Schnarchen, geräuschvolle Mundatmung im tiefen Schlaf oder bei Bewusstlosigkeit infolge flatternden Gaumensegels bei erschlaffter Mund- und Kiefermuskulatur. S. ist meist Ausdruck einer Strömungsbehinderung in den oberen Luftwegen (z. B. Nasenpolypen). Bei starken Schnarchern (v. a. bei Männern) tritt mitunter das **Schlafapnoesyndrom** (Atemstillstandsphasen von mehr als 10 Sekunden Dauer) auf. Die damit verbundene Sauerstoffmangelversorgung ist erheblich und gefährlich.

Schnarrsaite, Darm- oder umspannende Metallsaite am unteren Fell einer Trommel, die beim Mitschwingen gegen das Fell schlägt und so den charakterist. schnarrenden Trommelklang hervorruft.

Schnaut, Gabriele, dt. Sängerin (Sopran), *Mannheim 24. 2. 1951; ist sowohl mit Mezzosopran- als auch mit Sopranpartien v. a. aus Opern von R. Wagner, W. A. Mozart, R. Strauss und A. Berg bekannt geworden.

Schnauze, die vorspringende Mund-Nase-Partie bei Säugetieren.

Schnauzer: Mittelschnauzer (Widerristhöhe 40–50 cm)

Schnauzer, Bez. für rauhaarige, schnauzbärtige Formen der →Pinscher; hierzu gehören **Mittel-S.** (Widerristhöhe 40–50 cm), **Riesen-S.** (Widerristhöhe 55–70 cm) und **Zwerg-S.** (Widerristhöhe bis 35 cm). S. haben einen kräftigen, gedrungenen Körper mit dichter, drahtiger Behaarung; sie sind gutmütige Familienhunde und gute Wach- und Begleithunde.

Schnebel, Dieter, Komponist, *Lahr/Schwarzwald 14. 3. 1930; Pfarrer und Religionslehrer, seit 1977 Prof. für experimentelle Musik an der Hochschule der Künste Berlin; begann mit seriellen Kompositionen, wandte sich dann Formen kollektiven Komponierens zu, indem er verbal definierte Umrisse und/oder musikal. Grafik für mögl. Musiken lieferte, u. a. »ki-no« (1963–67; Nachtmusik für Projektoren und Hörer); »Raum-Klang X« (1989; für Zentralorchester und vier Instrumentalgruppen); »Chili« Musik und Bilder zu Kleist (1991); »Hymnus« (1994/95; für Klavier- und Orchester); »Majakowskis Tod/Totentanz« (1998; Opernfragment). Schriften: »Denkbare Musik. Schriften 1952–1972«, 1972; »Anschläge – Ausschläge – Texte zur Neuen Musik«, 1993.

📖 *D. S., hg. v.* H.-K. METZGER *u.* R. RIEHN. *München 1980.*

Schnecke, 1) *Anatomie:* Teil des inneren →Ohres.

2) *Technik:* eine in einen zylindr. Schaft eingeschnittene, endlose Schraube. Sie wird angewandt in **S.-Getrieben,** wobei ein in die S. eingreifendes Zahnrad (S.-Rad) angetrieben wird, und in Förderanlagen als **Förder-S.,** wobei eine umlaufende S. in einem Rohr zum Transport von Schüttgut, aber auch von Flüssigkeiten (S.-Pumpe) dient.

Schnecken (Gastropoden, Gastropoda), Klasse weltweit im Meer, Süßwasser und auf dem Land verbreiteter Schalenweichtiere, Körperlänge bis 1 m. Der Körper der S. gliedert sich in mehrere Abschnitte: Kopf mit ein bis zwei Paar Fühlern, an denen einfache Augen sitzen; ein der Fortbewegung dienender Fuß mit Kriechsohle; Eingeweidesack, der meist spiralig gewunden und mit einer Hautfalte (Mantel) versehen ist, die das Gehäuse abscheidet, das meist spiralig gedreht, seltener napfförmig oder (z. B. bei den Nackt-S.) rückgebildet ist oder ganz fehlt. In der zw. Körper und Schale gelegenen Mantelhöhle befinden sich die Atmungsorgane. Nach diesen teilt man die S. in →Lungenschnecken und Kiemen-S. ein. Die Kiemen-S. gliedert man, je nachdem, ob die Kieme vor oder hinter dem Herzen liegt, in **Vorderkiemer** (Prosobranchia) und **Hinterkiemer** (Opisthobranchia). Die beschalten S. können durch einen an der Achse des Gehäuses festgewachsenen Muskel ihren Weichkörper meist ganz in die Schale zurückziehen. Dabei schließen die Vorderkiemer ihr Gehäuse mit einem hinten auf dem Fuß sitzenden Deckel ab. Die S. haben eine Reibzunge (Radula), die aus der Mundöffnung zum Benagen von Pflanzen oder zum Abweiden von Algenbewuchs vorgestreckt werden kann. Das Nervensystem ist strickleiterförmig. Die S. sind getrenntgeschlechtlich oder zwittrig; die zwittrigen erzeugen in der Zwitterdrüse gleichzeitig oder abwechselnd Eier und Samenzellen, die Begattung findet wechselseitig statt.

📖 *Weichtiere, bearb. v.* R. FECHTER *u.* G. FALKNER. *München 1990.*

Schneckenbergkultur [nach der Fundstelle Schneckenberg bei Kronstadt, Rumänien], Kulturgruppe der beginnenden Bronzezeit im südöstl. Siebenbürgen; typisch sind schnurverzierte Keramik, steinerne Streitäxte und Silexgeräte.

Schneckenklee, die →Luzerne.

Schneckenräuber (Drilidae), eine mit den Leuchtkäfern verwandte Familie der Käfer, 4–20 mm lang.

Schnee, Niederschlag aus kleinen Eiskristallen, meist sternförmig verzweigt. S. fällt bei Temperaturen um 0°C; es entstehen sechseckige Eisplättchen oder S.-Sterne; durch Zusammenschluss zahlr. Einzelkristalle bilden sich S.-Flocken. S. ist ständigen Veränderungen durch klimat. Einflüsse unterworfen. Unterschieden werden Trockenschneearten und Nassschneearten. **Trockenschneearten** sind Pulver-S. (nadelartige Kristalle, fällt bei Frost), windgepresster und Mehl-S. (feiner, dichter, abgelagerter Pulver-S. mit zerriebenen Kristallen), Grieß-S. (älterer Pulver-S. mit abgeschmolzenen Kristallspitzen), Raureif/Raufrost (bei hoher Luftfeuchtigkeit in flachen Kristallen wachsender fester Niederschlag), Harsch (durch mehrfaches Tauen und Gefrieren entstandener grobkörniger S.). **Nassschneearten** sind Papp-S. (nasser, feinkörniger S.), nasser Grieß-S., nasser Raureif und Firn (abgerundete Harschkörner).

📖 WILHELM, F.: *S.- u. Gletscherkunde. Berlin 1975.*

Schneeball (Viburnum), Gattung der Geißblattgewächse; Holzpflanzen mit gegenständigen Blättern, Doldenrispen trichter- oder radförmiger Blüten und einsamigen Steinfrüchten; einheim. Arten sind der **Gemeine S.** (Viburnum opulus), ein Strauch mit ahornähnl. Blättern, weißen bis rötl. Doldenrispen, deren Randblüten größer als die Innenblüten und unfruchtbar sind, und roten Steinfrüchten, sowie der **Wollige S.** (Viburnum lantana) mit gerunzelten, filzigen Blättern, schmutzig weißen Blüten und erst roten, dann schwarzen Früchten. S.-Arten und Hybriden werden als Ziersträucher kultiviert.

Schneeballsystem, Verkaufssystem, das dem Käufer einen bes. verbilligten Bezug der Ware zusagt, wenn er dem Unternehmen neue Abnehmer zuführt, die unter den gleichen Bedingungen beliefert werden. Das S. ist als unlauterer Wettbewerb rechtswidrig. **S.-Briefe** (die ein entsprechendes Angebot enthalten) sind von der Postbeförderung ausgeschlossen.

Schneebeere (Symphoricarpus racemosus), Geißblattgewächs des westl. Nordamerika, mit rötl., preiselbeerähnlichen Blütchen und weißen, schwammigen Beeren; Zierstrauch.

Schneeberg, 1) Stadt im Landkreis Aue-Schwarzenberg, Sachsen, im westl. Erzgebirge, 17900 Ew.; Fachschule für angewandte Kunst; Sternwarte; Elektromotorenbau, Textilind., Lederwarenherstellung, Holzschnitzerei, Spitzenklöppelei. – Stadtkirche (spätgot. Hallenkirche, 1515–40) mit Flügelaltar von L. Cranach d.Ä. (1539), Hospitalkirche St. Trinitatis (Mitte 16. Jh.), barocke Bürgerhäuser. – Nach 1471 (Silberfunde) gegr.; 1481 Berg- und Stadtrecht; 1446–1610 Silber-, dann Kobalt-, 1946–58 Uranerzbergbau.

2) höchster Berg des Fichtelgebirges (1051 m ü.M.).

3) Bergstock der Steirisch-Niederösterr. Kalkalpen, im Klosterwappen 2076 m ü.M.

4) Großer S. (Glatzer S.), höchster Berg (1425 m ü.M.) des Glatzer Schneegebirges, Polen.

5) Krainer S. (slowen. Snežnik, italien. Monte Nevoso), pyramidenförmiger Berg im Dinar. Gebirge, mit 1796 m ü.M. höchste Erhebung des Karstes in Slowenien.

Schneeblindheit, Binde- und Hornhautentzündung des Auges durch ultraviolette Strahlen, z.B. durch von Schneeflächen reflektiertes Sonnenlicht im Hochgebirge.

Schneebrett, eine Form der Lawine, an der Windseite von Hängen durch Winddruck fest gepresster jüngerer Schnee, der auf älteren, unterschiedlich dichten Schneeschichten lagert und ggf. bei Belastung in größeren Mengen abgleitet.

Schnee-Eifel (Schneifel), Teil der →Eifel.

Schneefink (Montifringilla nivalis), Art der Sperlinge in euras. Hochgebirgen zw. Pyrenäen und Altai.

Schneeflockenbaum (Chionanthus), Gattung der Ölbaumgewächse mit je einer Art in Nordamerika und Ostasien; Sträucher oder Bäume mit

Schneeglöckchen: Echtes Schneeglöckchen (Höhe 10–20 cm)

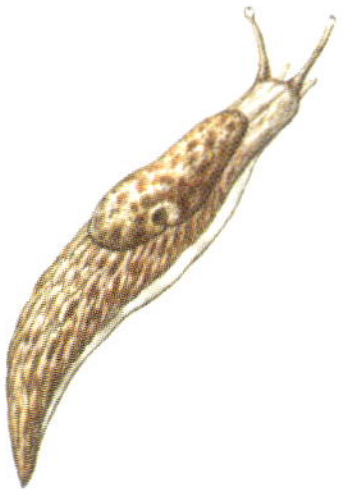

Schnecken: Nacktschnecke

Schneeball: blühender Zweig und Fruchtstand des Gemeinen Schneeballs

Schneekoppe: Beiderseits des Höhenwanderwegs zur Schneekoppe liegen Bauden; auf dem Gipfel ist das meteorologische Observatorium zu erkennen

weißen Blüten in bis 20 cm langen, überhängenden Rispen.

Schneeglöckchen (Galanthus), Gattung der Amaryllisgewächse mit 12 Arten in Europa und W-Asien; zwiebelbildende Stauden mit nickenden Blüten. Das geschützte, wild nur noch vereinzelt in Laubmisch- und Auenwäldern vorkommende, formenreiche, im Vorfrühling blühende, 10–20 cm hohe **Echte S.** (**Kleines S.,** Galanthus nivalis) mit einblütigen Stängeln und grün gefleckten inneren Blütenblättern wird in vielen Sorten kultiviert. Bild S. 315

Schneeglöckchenbaum (Halesia carolina), Strauch des südöstl. Nordamerika (Familie Styraxbaumgewächse), mit weißen, glockigen Blüten und vierflügeligen Steinfrüchten; Zierstrauch.

Schneegrenze, die Grenze zw. schneebedecktem und schneefreiem Gelände; unterliegt jahreszeitl. Änderungen **(temporäre S.).** Die mittlere höchste Lage der temporären S. ist die **klimat. S.;** oberhalb dieser Höhenlinie fällt im Mittel mehr Schnee als abtauen kann. Die Höhenlage der klimat. S. in den Gebirgen der Erde wird bestimmt von der mittleren Lufttemperatur, bes. des Sommers, von der Menge der festen Niederschläge und der einfallenden Strahlung. Sie steigt in Trockengebieten (z. B. W-Tibet) an und sinkt in küsten- oder äquatornahen Feuchtgebieten ab.

Die Höhe der S. ändert sich mit den Klimaschwankungen. In der Eiszeit verlief sie 800–1300 m tiefer, in der postglazialen Wärmezeit (bis ins hohe MA.) 200–300 m höher als heute. Seit etwa 1850 war ein allg. Anstieg zu verzeichnen, der jedoch nach 1960 zum Stillstand gekommen zu sein scheint.

Höhe der klimatischen Schneegrenze in Gebirgen

Spitzbergen	78° n. Br.	300 - 600 m
Island	63 - 66° n. Br.	700 - 1 500 m
Skandinavien	67° n. Br.	1 000 - 1 500 m
Skandinavien	62° n. Br.	1 200 - 2 200 m
Alpen, Nordseite	48° n. Br.	2 500 - 2 800 m
Alpen, Zentralketten	47° n. Br.	2 900 - 3 200 m
Alpen, Südseite	46° n. Br.	2 700 - 2 800 m
Pyrenäen	43° n. Br.	2 600 - 2 900 m
Kaukasus	43° n. Br.	2 700 - 3 800 m
Transhimalaja	30 - 33° n. Br.	6 300 - 6 500 m
Himalaja	29 - 31° n. Br.	4 800 - 6 000 m
Kenia	0 - 1° s. Br.	4 600 - 4 700 m
Kilimandscharo	3° s. Br.	5 500 - 5 600 m
Neuguinea	0 - 3° s. Br.	4 600 - 4 700 m
Anden in Ecuador	0 - 2° s. Br.	4 800 - 5 000 m
Anden in Chile und Argentinien	26 - 28° s. Br.	5 800 - 6 500 m
Neuseeland	43 - 44° s. Br.	1 600 - 2 700 m

Schneegruben, zwei eiszeitl., heute wassergefüllte Kare im Riesengebirge, Polen: Große (800 × 600 m) und Kleine Schneegrube (550 × 400 m).

Schneehühner (Lagopus), Gattung der Raufußhühner nord. Tundren, Moore und Felsgebiete, im Winter weiß, im Sommer bräunlich mit weißen Flügeln. Bekannte Arten sind das **Moor-S.** (Lagopus lagopus), v. a. in Mooren und Heidegebieten N-Eurasiens und Kanadas, sowie das **Alpen-S.** (**Felsen-S.,** Lagopus mutus), das als Eiszeitrelikt auch inselartig in südlicheren Hochgebirgen (Alpen, Pyrenäen u. a.) lebt.

Schnee|insekten, Insektenarten aus versch. Ordnungen, die bei Temperaturen unter dem Gefrierpunkt aktiv sind, z. B. Gletscher- und Schneeflöhe.

Schneekanone (Schnee-Erzeuger), Gebläse mit vielen Düsen, das ein feines Wasser-Luft-Gemisch mit oder ohne chem. Zusätze etwa 20–30 m weit versprüht und dabei in »Kunstschnee« umwandelt. Voraussetzung ist eine Außentemperatur unter 0 °C. S. dienen zum Beschneien von Wintersportanlagen sowie zur Ausbesserung schneefreier Stellen.

Schneekopf, zweithöchster Gipfel des Thüringer Waldes, östlich von Zella-Mehlis, 987 m ü. M.

Schneekoppe (poln. Śnieżka, tschech. Sněžka), höchster Berg des Riesengebirges, 1602 m ü. M.; über den Gipfel (mit moderner Baude, meteorolog. Observatorium, Kapelle u. a.) läuft die polnisch-tschech. Grenze; vom tschech. Ort Petzer (Pec pod Sněžkou) Sessellift.

Schneeleopard (Irbis, Uncia uncia), bis zu 1,5 m lange (einschl. Schwanz 2,4 m Länge erreichende) Großkatze in den Hochgebirgen des südl. Zentralasiens; Fell mit leopardenähnlicher schwärzl. Fleckenzeichnung; Bestände bedroht.

Schneemensch (in Nepal Yeti, in Tibet Kangmi), legendäres affen- oder menschenähnl. Wesen in den Höhen des Himalaja; bisher noch kein Nachweis seiner Existenz.

Schneepflug, 1) *allg.:* ein → Schneeräumgerät.

2) *Skisport:* Abfahrtstechnik zum Bremsen und Bogenlaufen, die Skier stehen dabei v-förmig.

Schneeräumgeräte, Geräte und Maschinen zum Beseitigen von Schnee auf Straßen, Schienen u. a. Die Räumung wird bei mäßiger Schneehöhe mit dem **Schneepflug** durchgeführt, zwei keilförmig verbundenen Scharen, die an Spezialfahrzeugen, Kraftwagen oder Traktoren angebaut werden. Bei größerer Schneehöhe werden **Schneefräsen** mit Walzenfräser quer zum Vorschub und **Schneeschleudern** mit vorn offenen, schneidenden Wurfrädern eingesetzt. Schneefräsen sind günstig bei Hartschnee, sie tragen hohen Schnee in Schichten ab; Schneeschleudern räumen jede Art von Schnee.

Schneeschuh (Schneereifen, Schneeteller), ein mit kräftigem Geflecht versehener Rahmen, der die Trittfläche vergrößert und damit das Einsinken im Schnee verhindert; früher bei den Jagd treibenden Indianerstämmen Nordamerikas und bei den Eskimos verbreitet.

Schneewittchen, Märchengestalt der Brüder Grimm: ein wegen seiner Schönheit von seiner königl. Stiefmutter verfolgtes Mädchen, das bei sieben Zwergen Unterschlupf findet.

Schneewürmer, schwarze, weiche, behaarte Larven von Weichkäfern, die am Boden überwintern und bisweilen in Massen auf der Schneedecke erscheinen.

Schneeleopard: Die Großkatze hat ein sehr dichtes und langes Fell (Kopf-Rumpf-Länge bis zu 1,5 m, Schwanzlänge 0,9 m)

Schneemensch

1960 unternahm Sir Edmund Hillary eine Expedition in den Himalaja, um das Gebiet zu untersuchen, aus dem die meisten Yeti-Berichte vorlagen. Zehn Monate lang durchstreifte er mit zahlreichen Forschern und modernster Ausrüstung erfolglos die Gegend. Immerhin konnte er die Bewohner des Dorfes Khumjung dazu überreden, ihren sagenhaften Yeti-Skalp für sechs Wochen zur wissenschaftlichen Untersuchung auszuleihen. Aber auch deren Ergebnis war enttäuschend: Die Trophäe war aus dem Fell eines Serau, einer Hochgebirgsziege, gefertigt.

Schneeziege (Schneegämse, Oreamnos americanus), bis zu 1,75 m körperlanger, der Gämse nächstverwandter, gut kletternder Paarhufer in den Hochgebirgen des nordwestl. Nordamerika; Fellfarbe weißlich; Bestände durch Bejagung stark bedroht.

Schneeziege: Die Schneeziegen sind sichere Kletterer in den Hochgebirgen (Kopf-Rumpf-Länge bis zu 1,75 m)

Schneidbrenner, Gerät zum Brennschneiden (→ Schneiden) von Metallen, in dessen Düse sich Heizsauerstoff und Brenngas (z. B. Acetylen) zu einem Gasgemisch vereinigen, das für die Erzeugung der nötigen Schmelzwärme unter Zuführung von Schneidsauerstoff verbrannt wird.

Schneidemühl, Stadt in Polen, → Piła.

Schneiden, *Fertigungstechnik:* das Zerteilen von Werkstücken mit Schneid- oder Schnittwerkzeugen (Messer, Scheren) ohne Anfall von Spänen, Fasern u. a. Bei harten Metallen werden therm. Schneidverfahren angewendet: Beim **autogenen S. (Brenn-S.)** wird das Metall mit Schneidbrennern oder einer Ausbrennmaschine durch eine Brenngas-Sauerstoff-Flamme erhitzt und im Sauerstoffstrahl verbrannt. Beim **elektr. S.** wird das Metall mithilfe eines Lichtbogens weggeschmolzen. Weitere therm. Verfahren sind das **Plasma-** und **Laserstrahl-S. Wasserstrahl-S.** ist das S. mithilfe eines scharf gebündelten Wasserstrahls, der unter extrem hohem Druck (über 3000 bar) auf die Materialoberfläche trifft.

Reinhold Schneider

Schneider, 1) Friedrich, Erziehungswissenschaftler, *Köln 28. 10. 1881, †München 14. 3. 1974; einer der Begründer der vergleichenden Erziehungswissenschaft. – *Werke:* Kath. Familienerziehung (1935); Praxis der Selbsterziehung (1940); Vergleichende Erziehungswissenschaft (1961).

2) [ʃnɛˈdɛːr], Gérard, frz. Maler und Grafiker schweizer. Herkunft, *Sainte-Croix (Kt. Waadt) 28. 4. 1896, †Paris 7. (8.?) 7. 1986; wurde nach kubist. und surrealist. Anfängen zum Hauptvertreter des Tachismus innerhalb der École de Paris.

3) Reinhold, Schriftsteller, *Baden-Baden 13. 5. 1903, †Freiburg i. Br. 6. 4. 1958; 1940 Schreibverbot, illegale Publikationen; Teilnahme am kath. Widerstand; wurde kurz vor Kriegsende des Hochverrats angeklagt. Sein literar. wie kulturphilosoph. Werk ist von christlich-humanist. Tradition geprägt (»Las Casas vor Karl V.«, Erz., 1938; »Sonette«, 1939; »Macht und Gnade«, Essay, 1940; »Die Sonette von Leben und Zeit, dem Glauben und der Geschichte«, 1954; »Die silberne Ampel«, R., 1956; »Winter in Wien«, Tagebuch, 1958).

Robert Schneider

📖 *Über R. S., hg. v.* C. P. Thiede. *Frankfurt am Main 1980.* – Baumer, F.: *R. S. Berlin 1987.*

4) Robert, österr. Schriftsteller, *Bregenz 16. 6. 1961; hatte mit seinem Erstlingswerk (»Schlafes Bruder«) 1992 einen vielbeachteten Erfolg (1995 verfilmt); der Roman »Die Luftgängerin« folgte 1997.

Romy Schneider

5) Rolf, Schriftsteller, *Chemnitz 17. 4. 1932; 1979 aus dem Schriftstellerverband der DDR ausgeschlossen, arbeitete danach in beiden Teilen Dtl.s; schreibt Erzählungen, Romane (»Brücken und Gitter«, 1965; »Die Tage in W.«, 1965; »Die Reise nach Jaroslaw«, 1974; »Frühling im Herbst. Notizen vom Untergang der DDR«, 1990) sowie Bühnenstücke.

6) Romy, eigtl. Rosemarie Magdalena Albach, Filmschauspielerin, *Wien 23. 9. 1938, †Paris 29. 5. 1982; einer der bekanntesten Stars des europ. Films: »Sissi-Trilogie« (1955–57); »Die Dinge des Lebens« (1970); »Das Mädchen und der Kommissar« (1973); »Gruppenbild mit Dame« (1977; nach H. Böll); »Das Verhör« (1981); »Die Spaziergängerin von Sans-Souci« (1982).

📖 Jürgs, M.: *Der Fall R. S. München u. a. [4]1991.*

Wolfgang Schneiderhan

Schneider-Esleben, Paul, Architekt und Designer, *Düsseldorf 23. 8. 1915; technisch und gestalterisch wegweisende Bauten, u. a. Ausbau des Flughafens Köln/Bonn (1962–70).

Schneiderhan, Wolfgang, österr. Violinist, *Wien 28. 5. 1915; ⚭ mit I. Seefried, war u. a. 1. Konzertmeister der Wiener Philharmoniker (1937–49). Neben seiner solist. Tätigkeit trat er auch als Kammermusikspieler hervor, so u. a. 1937–51 als Leiter des S.-Quartetts; 1955 Mitbegründer der Festival Strings Lucerne.

Schneider-Siemssen, Günther, österr. Bühnenbildner, *Augsburg 7. 6. 1926; wirkt seit 1962 in Wien; arbeitete v. a. mit H. von Karajan auch bei den Salzburger Festspielen, daneben in London und New York.

Schneidezahn, → Zähne.

Schneidgebläse, landwirtsch. Fördergebläse mit Schneidvorrichtung, das Stroh, Heu, Grünfutter u. a. zugleich schneidet und fördert.

Schneidkennlinile (Schneidkurve), Frequenzgang, der dem Tonsignal vor dem Schneiden einer Schallplatte aufgeprägt wird, um die Auslenkungen des Schneidstichels für hohe Frequenzen zu verstärken und damit den gesamten Hörbereich bis zu den höchsten Tönen zu erfassen.

Schneid-Klemm-Technik, Technik zur Herstellung von elektrisch gut leitenden Verbindungen zw. Kabeln und Kontaktstiften. Der Kontaktstift weist geschlitzte Schneidklemmen auf, in die das Kabel eingedrückt wird. Dabei wird die Isolierung so weit durchschnitten, dass es zu einer haltbaren Kontaktierung zw. Schneiden und dem metall. Leiter kommt.

Schneid|öle, → Metallbearbeitungsöle.

Schneifel (Schnee-Eifel), Teil der → Eifel.

Schnellbahnen, Oberbegriff für Schienenbahnen auf besonderem, meist kreuzungsfreiem Bahnkörper innerhalb von Großstädten, zur Verbindung des Stadtkerns mit Vororten und der Region sowie in Ballungsräumen zur Bewältigung des öffentl. Personennahverkehrs über größere Entfernungen. Zu den S. zählen S-Bahnen, U-Bahnen und Stadtbahnen.

Schnelldrucker, *Datenverarbeitung:* ein bes. leistungsfähiger → Drucker.

Schnelle Eingreifkräfte, rasch verfügbare militär. Verbände der NATO in Europa, die vom Kommando ARRC (Allied Rapid Reaction Corps; Sitz: Mönchengladbach) geführt werden. Diese sind in der Lage, im Auftrag von UN, WEU oder OSZE auf ein breites Spektrum von vielfach unvorhersehbaren Krisenfällen zu reagieren.

Schneller, *Musik:* → Pralltriller.

schneller Brüter (schneller Brutreaktor), → Kernreaktor.

Schnellkäfer (Schmiede, Elateridae), Familie der Käfer, 2–70 mm lang, spindelförmig, etwas abgeflacht, meist hart gepanzert. S. können sich aus der Rückenlage mit einem hörbaren »Klick« 10–30 cm hochschnellen. Die Larven der S. leben meist in humosen Böden, einige werden durch Benagen von Pflanzenwurzeln schädlich.

Schnellkochtopf, der → Dampfkochtopf.

Schnellverfahren, im Strafprozess das → beschleunigte Verfahren.

Schnellverkehr, →Eisenbahn.

Schnellzug, der →D-Zug.

Schnepfen, Gruppe über 40 cm langer S.-Vögel v.a. in Wäldern und sumpfigen Landschaften Eurasiens, Nord- und Südamerikas; mit langem, geradem, äußerst biegsamem Schnabel. In Dtl. nur die **Wald-S.** (Scolopax rusticola), bis 35 cm lang, dämmerungs- und nachtaktiv, Teilzieher.

Schnepfenstrauße, die →Kiwis.

Schnepfenvögel (Scolopacidae), Familie der Watvögel, z.B. Brachvögel, Wasserläufer, Bekassinen (Sumpfschnepfen), Schnepfen, Strandläufer.

Arp Schnitger: Die 1693 vollendete Orgel in der Hamburger Kirche Sankt Jacobi gehört zu den schönsten Denkmälern der Orgelbaukunst

Schneur, Salman, Schriftsteller russ. Herkunft, hebräisch-jidd. Sprache, *Schklow (Weißrussland) 11. 2. 1889, †New York 20. 2. 1959. Hauptthemen seiner Dichtung sind jüd. Geschichte (»Noah Pandre«, 1936), Judenverfolgung, Naturverbundenheit sowie Auflehnung gegen überkommene Kulturwerte (»Der Bepelzte«, Epos, 1958).

Schneuß *der,* in der got. Baukunst die →Fischblase.

Schneverdingen, Stadt im Landkreis Soltau-Fallingbostel, Ndsachs., am W-Rand des Naturschutzparks Lüneburger Heide, 17200 Ew.; Luftkurort; Keks-, Leder-, Baustoff-, Textil- und Verpackungsind.; Fremdenverkehr (Ende August Heideblütenfest). – 1231 erstmals erwähnt.

Schneyder, Werner, österr. Kabarettist und Schriftsteller, *Graz 25. 1. 1937; Sportmoderator, 1974–82 kabarettist. Programme mit D. Hildebrandt, Soloprogramme, u.a. »Satz für Satz« (1984).

Schnirkelschnecken (Helicacea), artenreichste, überwiegend auf der Nordhalbkugel verbreitete Gruppe der Landlungenschnecken. Kennzeichnend ist der am weibl. Geschlechtsgang ansetzende Pfeilsack, in dem Kalknadeln (Liebespfeile) erzeugt werden, die dem Partner bei der Begattung zur Stimulierung in die Haut gestoßen werden. – Zu den S. gehören u.a. die →Weinbergschnecke und die sehr färbungsvariablen (einfarbig weiß, gelb bis braun oder mit 1–5 weißen, braunen bis schwarzen Bändern) **Bänderschnecken** (Cepaea) mit der **Gartenschnecke (Garten-S., Gartenbänderschnecke,** Cepaea hortensis, Mündungsrand meist weiß) und der **Hain-S. (Hainbänderschnecke,** Cepaea nemoralis, Mündungsrand meist braun).

Schnitger, Arp, Orgelbauer, *Schmalenfleth (heute zu Ovelgönne, Kr. Wesermarsch) 2. 7. 1648, begraben Neuenfelde (heute zu Hamburg) 28. 7. 1719; bedeutendster Vertreter des norddt. Orgelbaus, schuf etwa 160 Werke. Sein größtes, jedoch nicht erhaltenes Werk war die Orgel in der Nikolaikirche in Hamburg (4 Manuale, 67 Stimmen; 1682–88). Erhalten sind u.a. die Orgeln in Cappel bei Bremerhaven (1679/80), Hamburg (St. Jacobi; 1689–93), Uithuizen bei Groningen (1699–1701).

Schnitt, 1) *Buchbinderei:* der gleichmäßig beschnittene Rand eines Buchblockes; an den Schmalseiten oft gefärbt oder mit Blattgold belegt (Goldschnitt).

2) *Filmtechnik:* Bearbeitung eines Films durch den Cutter; beim Rohschnitt werden die einzelnen Einstellungen zusammengefügt, beim Feinschnitt Teile herausgeschnitten und neu aneinander gefügt.

3) *Garten-, Wein-* und *Obstbau:* das Abschneiden bestimmter Pflanzenteile, z.B. zur Anregung des Neuaustriebs oder der Blütenbildung bei Zierpflanzen, zur Erzielung größerer Früchte bei Obst und Gemüse sowie zur Kronenbildung, Formerziehung und Ertragsverbesserung im Obst- und Weinbau.

4) *Mathematik:* a) in der Geometrie gemeinsame Punkte, Kurven, Flächen zweier geometr. Gebilde: S.-Punkt, S.-Kurve, S.-Fläche; b) in der Mengenlehre der →Durchschnitt zweier Mengen; c) →goldener Schnitt.

5) *techn. Zeichnen:* Darstellung eines Gegenstandes in einer S.-Ebene (z.B. Längs-, Querschnitt).

Schnittholz, die beim Einschnitt von Rundholz erzeugten Halbfabrikate, z.B. Balken, Bretter, Latten.

Schnittke, Alfred Garrijewitsch, russ. Komponist, *Engels 24. 11. 1934; †Hamburg 3. 8. 1998; lehrte 1961–72 Komposition am Moskauer Konservatorium, seit 1989 Prof. an der Musikhochschule Hamburg. Sein umfangreiches, fast alle Genres umfassendes Werk ist durch die von ihm selbst so genannte Polystilistik geprägt; einer der führenden russ. Komponisten der Gegenwart.

Werke: Opern: Leben mit einem Idioten (1992); Historia von D. Johann Fausten (1994). – Ballette:

Schnepfen: Waldschnepfe (Größe bis 35 cm)

Schnirkelschnecken: Gartenschnecke und Hainschnirkelschnecke (von oben)

Alfred Schnittke

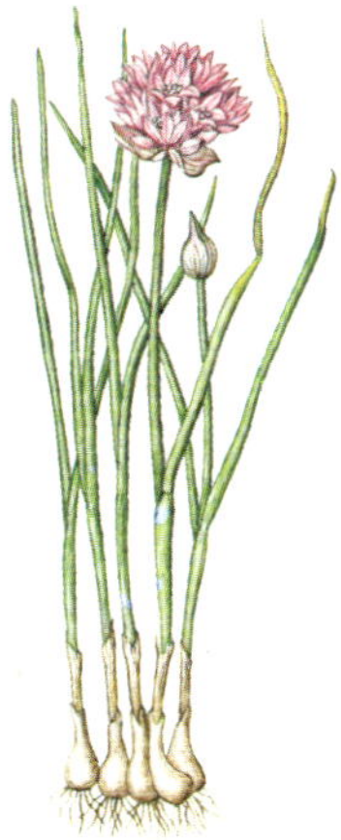

Schnittlauch
(Höhe bis zu 50 cm)

Labyrinthe (1971); Peer Gynt (1989). – Orchesterwerke: 8 Sinfonien (1974–94); 4 Violinkonzerte (1957–84). – Kammermusik: 4 Streichquartette (1966–89); Moz-Art à la Mozart (1990, für 8 Flöten und Harfe). – Vokalwerke: Requiem zu Schillers Don Carlos (1975); Agnus Dei (1992). – Elektron. Musik, Bühnen- und Filmmusiken. Veröffentlichte auch musikwiss. Arbeiten.

Schnittlauch (Graslauch, Allium schoenoprasum), in Europa, Asien und Nordamerika weit verbreitete, ausdauernde Art des Lauchs, mit röhrigen Blättern und hellrosa bis purpurrot gefärbten Blüten in kugeligen Blütenständen; Küchengewürzkraut.

Schnittstelle (engl. Interface), *Datenverarbeitung:* Verbindungsstelle (Übergangsstelle) zw. zwei unterschiedlich arbeitenden Teilsystemen, über die der Austausch von Daten, Signalen u. a. erfolgen kann. Wichtige S. bei Datenverarbeitungssystemen sind **Hardware-S.** (z. B. Steckverbindung), **Software-S.** zw. Programmen bzw. Programmteilen und **Mensch-Maschine-S.** (Benutzer-S., z. B. Tastatur, Maus oder auch Menüs, Ikonen). – Nach der Art der Datenübertragung unterscheidet man zw. **seriellen** und **parallelen S.,** bei denen Bits nacheinander oder gleichzeitig übertragen werden.

Schnitzelbank (Hobelbank, Hoanzelbank), in Tirol (bes. Kitzbühel) und in der Schweiz (bes. Basel) beliebter Fastnachtsbrauch, lokale oder polit. Ereignisse auf Bildtafeln (Helgen) darzustellen und in Bänkelsängerversen zu kommentieren.

Schnitzer, Eduard, Afrikareisender, →Emin Pascha, Mehmed.

Schnitzler, Arthur, österr. Schriftsteller, *Wien 15. 5. 1862, †ebd. 21. 10. 1931; einer der meistgespielten deutschsprachigen Dramatiker vor 1914; urspr. Arzt; gehörte zum Kreis »Junges Wien«; Bekanntschaft mit S. Freud, dessen psychoanalyt. Methode seine literar. Werke prägte (»Anatol«, Schauspiel, 1893). S. war ein Meister der Darstellung des Wiener Fin de Siècle (»Der grüne Kakadu«, Dr., 1899) und beherrschte in seinem erzähler. Werk in subtiler Könnerschaft die Technik des inneren Monologs (v. a. »Lieutenant Gustl«, Nov.). Briefwechsel u. a. mit H. von Hofmannsthal und M. Reinhardt.

Arthur Schnitzler

Weitere Werke: Reigen (Dialogszenen, 1903); Professor Bernhardi (Kom., 1912); Casanovas Heimfahrt (Nov., 1918); Traumnovelle (1926); Spiel im Morgengrauen (Nov., 1927); Therese (R., 1928); Über Krieg und Frieden (Schriften, hg. 1939); Zug der Schatten (Dramenfragment, hg. 1970).

📖 BAUMER, F.: *A. S. Berlin 1992.* – SCHEIBLE, H.: *A. S. Reinbek 41.–42. Tsd. 1996.*

Schnorchel *der,* **1)** *Militärwesen:* bei U-Booten und tauchfähigen Panzern ein ausfahrbares Rohr zum Ansaugen von Frischluft (bei Unterwasserfahrt in geringer Tiefe) für die Dieselmotoren, mit denen die Batterien aufgeladen werden.

2) *Wassersport:* etwa 30 cm langes, teilweise gebogenes Atemrohr mit einem Mundstück beim Schwimmen kurz unter der Wasseroberfläche.

Schnorr von Carolsfeld, 1) Julius, Maler und Zeichner, *Leipzig 26. 3. 1794, †Dresden 24. 5. 1872, Vater von 2); schloss sich 1818 in Rom den →Nazarenern an, malte 1820–26 die Ariost-Fresken im Casino Massimo. 1827 wurde er Akademieprof. in München, 1846 in Dresden, dort auch Galeriedirektor. Seine Wandgemälde in der Münchener Neuen Residenz lassen deutlich Einflüsse der Historienmalerei seiner Zeit erkennen. Bedeutender sind seine Zeichnungen (Röm. Porträtbuch, 1819–26; Die Bibel in Bildern, 240 Holzschnitte, 1825 ff., 1852–60 veröffentlicht).

2) Ludwig, Sänger (Tenor), *München 2. 7. 1836, †Dresden 21. 7. 1865, Sohn von 1); bed. Wagner-Sänger, sang bei der Uraufführung 1865 die Titelpartie von R. Wagners Oper »Tristan und Isolde«.

Schnüffelstoffe, Bez. für die als Rauschgifte missbrauchbaren, leicht flüchtigen Substanzen wie Benzin, Trichloräthylen, Aceton, Lackverdünner und Klebstofflösungsmittel, durch deren Inhalation (»Schnüffeln«) Rauschzustände hervorgerufen werden.

Arthur Schnitzler in einer Darstellung aus der »Galerie berühmter Zeitgenossen« von Olaf Gulbransson (1912)

Schnupfen (Koryza, Rhinitis), durch Erkältung begünstigte Viruserkrankung der Nasenschleimhaut mit Niesreiz, Nasenschleimhautschwellung und -rötung, behinderter Nasenatmung, Stirnkopfdruck, Geruchsstörung und wässriger oder schleimig-eitriger Absonderung.

Julius Schnorr von Carolsfeld: Madonna (1820; Köln, Wallraf-Richartz-Museum)

Schnupftabak, zum Aufziehen in die Nase bestimmtes, feines Tabakpulver, hergestellt aus dunklen, kräftigen Tabaken, die gesoßt, getrocknet und fermentiert werden. Der nach einer vier- bis siebenjährigen Lagerzeit ausgereifte Tabak wird mahlfein zerrieben und z. T. mit Zusätzen (z. B. Aromastoffen) versehen. – Beim Schnupfen werden große Mengen von Nikotin langsam über die Nasenschleimhaut aufgenommen.

Schnurbaum, ein Schmetterlingsblütler, →Sophora.

Schnürboden, 1) *Bautechnik:* (Reißboden) eine waagerechte Fläche, auf der Holzkonstruktionen in natürl. Größe aufgezeichnet und anschließend zugeschnitten werden. – Im Schiffbau wird auf dem S. einer Werft der Linienriss des zu bauenden Schiffes im Maßstab 1 : 1 aufgezeichnet (Abschnüren) und das Fertigungsmodell hergestellt; heute weitgehend durch opt. Anzeichnen ersetzt, wobei die Zeichnung auf das zu bearbeitende Material projiziert wird.

2) *Theater:* der über der Hauptbühne liegende Bühnenraum, benannt nach den Schnüren, an denen Kulissen und Prospekte auf die Bühne herabgelassen und hochgezogen werden können.

schnüren, *Jägersprache:* bei Wolf, Fuchs, Luchs und Katze: Tritte schnurgerade hintereinander setzen.

Schnurkeramik, vorgeschichtl. Tonware, die mit Abdruckmustern gedrillter Schnüre verziert ist. Sie ist kennzeichnend für eine Reihe spätjungsteinzeitl. Kulturgruppen Mitteleuropas, die als **schnurkeram. Kultur** zusammengefasst werden. Typisch sind Hockerbestattungen (oft unter Erdhügeln), Becher, Amphoren sowie steinerne »Streitäxte« (deshalb auch **Streitaxtkultur** genannt). Weiteres BILD Jungsteinzeit

schnurloses Telefon, →Fernsprecher.

Schnurre, Wolfdietrich, Schriftsteller, *Frankfurt am Main 22. 8. 1920, †Kiel 9. 6. 1989; Mitbegründer der »Gruppe 47«; schrieb satirisch-zeitkrit. Lyrik (»Kassiber«, 1956; »Der Spatz in der Hand«, 1971) und Romane (»Als Vaters Bart noch rot war«, 1958; »Das Los unserer Stadt«, 1959; »Ein Unglücksfall«, 1981). Seine Erzählungen und Kurzgeschichten zählen zu den bed. Erträgen der dt. Nachkriegsliteratur (»Eine Rechnung, die nicht aufgeht«, 1958; »Man sollte dagegen sein«, 1960); ferner »Der Schattenfotograf« (Aufzeichnungen, 1978). 1983 erhielt er den Georg-Büchner-Preis.

Wolfdietrich Schnurre

Schnurrhaare, →Sinushaare.

Schnurwürmer (Nemertini), Tierstamm mit meist im Meer lebenden, 5 mm bis 30 cm langen wurmförmigen Arten mit ausstülpbarem Rüssel.

Schoa, Kernlandschaft im Äthiop. Hochland um Addis Abeba, bis 4 000 m ü. M. Als Provinz S. 85 316 km², (1991) 11,7 Mio. Einwohner.

Schoah [ʃoˈa; hebr. »(plötzl.) Untergang«, »Verderben«] (Shoa), hebr. Bez. für die Massenvernichtung der europ. Juden 1938/39–45 (Holocaust, →Judenverfolgungen).

Schober, aufgeschichteter Haufen Heu, Halmgetreide, Stroh; auch kleine Scheune.

Schober, Johannes, österr. Politiker, *Perg (OÖ) 14. 11. 1874, †Baden (bei Wien) 19. 8. 1932; schlug als Polizeipräs. von Wien die Unruhen vom 15. 7. 1927 (Julirevolte) blutig nieder, war 1921/22 Bundeskanzler (erneut 1929/30) und Außenmin.; als Vizekanzler und Außenmin. (1930–32) erfolglos um eine dt.-österr. Zollunion bemüht.

Johannes Schober (um 1930)

Schobergruppe, Bergmassiv der Hohen Tauern, Österreich, zw. Isel- und Mölltal, südlich der Glocknergruppe, im Petzeck 3283 m, im **Hochschober** 3 240 m ü. M.; Karglefscher, Hochseen.

Schobert, Johann (Jean), Komponist, *in Schlesien(?) um 1740, †Paris 28. 8. 1767; Kammercembalist des Prinzen Conti in Paris; nahm mit seiner Klavier- und Kammermusik eine selbstständige Stellung in der Vor- und Frühklassik ein.

Schnurkeramik: Tongefäße mit Schnurrillendekor (um 2500 v. Chr.; Berlin, Museum für Vor- und Frühgeschichte)

Schoch, Johannes, Baumeister, * Königsbach (heute zu Königsbach-Stein; Enzkreis) um 1550, † Straßburg 1631; 1590–97 Stadtbaumeister ebd.; schuf in Straßburg den »Neuen Bau« (1582–85) und die »Große Metzig« (1582–88) sowie den Friedrichsbau des Heidelberger Schlosses mit seiner Schaufassade (1601–07).

Johannes Schoch erbaute 1601–07 den Friedrichsbau des Heidelberger Schlosses

Schock, altes Zählmaß, 60 Stück.

Schock [frz., zu choquer »anstoßen«], **1)** (körperl. S., Kreislauf-S.) durch unterschiedl. Ursachen hervorgerufenes akutes Versagen der lebenswichtigen zentralnervös gesteuerten Herz-Kreislauf- und Stoffwechselregulation mit allg. verminderter Durchblutung (Sauerstoff- und Nährstoffmangel) sowie fortschreitender Übersäuerung in den Geweben, schließlich Zusammenbruch der Organsysteme als Reaktion auf eine den Körper treffende Schädigung. Der **Volumenmangel-S. (hypoläm. S.)** wird durch starke (mehr als 20%) Verminderung des Blutvolumens als Folge von äußeren oder inneren Blutungen, durch Wasser-, Plasma- und Elektrolytverluste bei anhaltenden Durchfällen, Polyurie oder Verdunsten hervorgerufen, der **kardiogene S.** durch eine akute Verminderung der Herzleistung, z. B. bei Herzinfarkt, der **bakterielle** oder **septisch-tox. S. (Endotoxin-S.)** durch Endotoxine v. a. gramnegativer Erreger bei Bakteriämie (meist mit hohem Fieber, Schüttelfrost). Der **Blutzuckermangel-S. (hypoglykäm. S.)** wird meist durch eine übermäßige Insulinzufuhr (Insulin-S.) bei Diabetes mellitus hervorgerufen, der **anaphylakt. S.** ist Ausdruck eines extremen allerg. Geschehens; beim **traumat. S.** kommt es wegen schwer wiegenden Verletzungen zu einem Zusammenwirken hypovoläm. und psych. Komponenten. Symptome des S. sind blasse, feucht-kühle Haut, weicher, schneller Puls, abfallender Blutdruck, Bewusstseinsstörung. – Die *Behandlung* besteht in Flachlagerung, Beruhigung, Bekämpfung der Ursachen (z. B. Blutstillung), Sauerstoffzufuhr, Schutz vor Wärmeverlust und intensivmedizinischen Maßnahmen mit Infusionsbehandlung (außer bei kardiogenem S.), ggf. Schmerzbekämpfung.

2) (psych. oder Nerven-S.) durch seel. Erschütterung (starke emotionale Reaktionen auf Ereignisse) hervorgerufene schockähnl. vegetative Reaktionen. Symptome sind Herz- und Kreislaufstörungen mit einer ungenügenden Sauerstoffversorgung des Gehirns, Zittern, Ohnmacht, Schweißausbruch sowie Orientierungsverlust, Erregung oder Erstarrung.

Rudolf Schock

Schock, Rudolf, Sänger (Tenor), * Duisburg 4. 9. 1915, † Düren 13. 11. 1986; gastierte an in- und ausländ. Bühnen; war später v. a. erfolgreich mit Operetten- und Unterhaltungsmusik.

Schockbehandlung (Schocktherapie), *Psychiatrie:* in Ausnahmefällen psychiatr. Behandlungsmethode zur Erzeugung eines Krampfzustandes (→ Elektroschocktherapie).

Schockemöhle, 1) Alwin, Springreiter, * Vechta 29. 5. 1937, Bruder von 2); Olympiasieger 1960 (Mannschaft), 1976 (Einzel), 1968 Olympia-Dritter und 1976 Olympia-Zweiter (jeweils Mannschaft), 1975 Europameister (Einzel und Mannschaft).

2) Paul, Springreiter, * Vechta 22. 3. 1945, Bruder von 1); Olympia-Zweiter 1976 (Mannschaft), Europameister 1981, 1983 und 1985, Olympia-Dritter 1984 und 1988 (Mannschaft).

Schockniere, akute Durchblutungsstörung beider Nieren mit folgendem Nierenversagen.

Schockwellenmetamorphose, die → Stoßwellenmetamorphose.

Othmar Schoeck

Schoeck [ʃœk], Othmar, schweizer. Komponist und Dirigent, * Brunnen 1. 9. 1886, † Zürich 8. 3. 1957; trat bes. mit Liedern (etwa 400) hervor, schrieb ferner Opern, die dramat. Kantate »Vom Fischer un syner Fru« (1930) sowie Chor-, Instrumental-, Kammer- und Klaviermusik.

Schoenflies [ˈʃøn-], Arthur Moritz, Mathematiker, * Landsberg an der Warthe 17. 4. 1853, † Frankfurt am Main 27. 5. 1928; Prof. in Göttingen, Königsberg und Frankfurt a. M.; arbeitete über Mengenlehre, Geometrie und Kristallographie; leitete 1891 die 230 Raumgruppen (Kristallgitter versch. Symmetrie) ab und führte die nach ihm benannten **S.-Symbole** zu ihrer Kennzeichnung ein.

Schoeps [ʃœps], Hans-Joachim, Historiker und Religionswissenschaftler, * Berlin 30. 1. 1909, † Erlangen 8. 7. 1980; seit 1947 Prof. in Erlangen, Mitbegründer der »Zeitschrift für Religions- und

Geistesgesch.«; konservativer Publizist und Verteidiger preuß. Traditionen; Veröffentlichungen zur jüd. Religionsgeschichte.

Werke: Das andere Preußen (1952); Das Judenchristentum (1964); Preußen (1966); Dt. Geistesgesch. der Neuzeit, 5 Bde. (1977–80).

Schofar [hebr.] *der,* altes, im jüd. Kult verwendetes mundstückloses Blasinstrument, meist aus einem Widderhorn.

Schofar mit hebräischen Inschriften (18. Jh.; Deutschland, Privatbesitz)

Schöffe, ehrenamtlicher Richter in der Strafgerichtsbarkeit. S. wirken in Strafverfahren bei den Amtsgerichten und den Kammern der Landgerichte (auch bei Schwurgerichten, wo S. bis 1972 »Geschworene« hießen) in der Hauptverhandlung mit (in den Jugendgerichten als Jugend-S.). Sie haben volle richterl. Unabhängigkeit und gleiches Stimmrecht wie die Berufsrichter. Das Amt des S. ist ein Ehrenamt, das nur von Deutschen versehen werden kann und angenommen werden muss, falls keine Hinderungs- und Ablehnungsgründe vorliegen. Die S. werden auf vier Jahre aufgrund von Vorschlagslisten der Gemeinden gewählt. – Für *Österreich* gelten ähnl. Bestimmungen wie in Dtl. In der *Schweiz* ist die Bez. S. unbekannt, jedoch gehören den Strafgerichten unterer Instanz in den meisten Kantonen auch Laienrichter an.

Geschichte: Im MA. waren die S. die ständigen Urteilsfinder bei den Gerichten (eingeführt zw. 770 und 780). Auf dem echten →Ding bedurfte der Urteilsvorschlag der S. der Zustimmung der übrigen Gerichtsgemeinde, während auf dem vom Zentenar geleiteten gebotenen Ding ausschl. die S. urteilten. Für das mittelalterl. Stadtrecht war von besonderer Bedeutung die Rechtsprechung der **S.-Stühle (Schöppenstühle)** der Mutterrechtsstädte, bei denen die Gerichte der Tochterrechtsstädte in zweifelhaften Rechtsfragen Belehrung einholten.

Schöffengericht, das bei den Amtsgerichten aus einem den Vorsitz führenden Berufsrichter (Amtsrichter) und zwei Schöffen gebildete Strafgericht zur Aburteilung mittlerer Kriminalität. Die Zuziehung eines zweiten Amtsrichters ist u.U. möglich: erweitertes S. (§29 GVG). – In *Österreich* gelten ähnl. Bestimmungen. (→Schwurgericht)

Schöffer, 1) (Schoeffer) [frz. ʃœ'fɛ:r], Nicolas, frz. Künstler ungar. Herkunft, *Kalocsa (Bez. Bács-Kiskum) 6. 9. 1912, †Paris 8. 1. 1992; entwickelte raumdynam. Lichtarchitekturen, die an L. Moholy-Nagy anschließen sowie seit den 1950er-Jahren kybernetisch gesteuerte, auf Umweltgeräusche, Lichtverhältnisse und Witterung reagierende »Türme« mit Licht- und Toneffekten (Park Saint-Cloud, Paris, 1954). In den 1960er-Jahren konzipierte er die Utopie einer »kybernet. Stadt« und veranstaltete lichtdynam. Schauspiele.

2) Peter d.Ä., Buchdrucker, *Gernsheim um 1430, †Mainz 1503; wurde um 1450 Mitarbeiter J. Gutenbergs. S. hatte wesentlichen Anteil an der Entwicklung und Verbesserung der Druckkunst. Er gründete mit J. Fust eine eigene Druckerei in Mainz, aus der u.a. der Mainzer Psalter (1457) das »Psalterium Benedictinum« (1459) hervorgingen.

Arthur Schoenflies

Schokolade [wohl über niederländ. und span. von altmexikan. xocolatl »Kakaotrank«] *die,* Nahrungs- und Genussmittel, das aus Kakaomasse, Zucker, Kakaobutter, Milchprodukten sowie Aromastoffen besteht (bei **weißer S.** ohne Zugabe von Kakaomasse) und z.T. auch Zusätze wie Nüsse, Rosinen u.a. enthält, auch mit Füllungen, meist tafel- oder blockförmig im Handel. – Bei der Herstellung der S. werden die gemahlenen Kakaobohnen mit den übrigen Zutaten vermischt und gewalzt, anschließend lässt man die Masse etwa 24 Stunden bei 25–50 °C reifen, wobei sie eine teigige Konsistenz erhält; sie lässt sich danach direkt für einfache S.-Erzeugnisse und als Koch-S. verwenden. Die für Schmelz-S. vorgesehenen Massen werden dagegen durch Conchieren weiterverarbeitet, d.h. in Conchen (Knet- und/oder Rotationsapparaten) 24 Stunden, z.T. auch mehrere Tage lang bei 60–85 °C vermischt und emulgiert. Zuletzt wird die S.-Masse auf 27–29 °C temperiert und ggf. unter Zugabe von Zusätzen zu Tafeln vergossen, bei gefüllter S. aufgegossen und bei Pralinenherstellung übergossen.

Hans-Joachim Schoeps

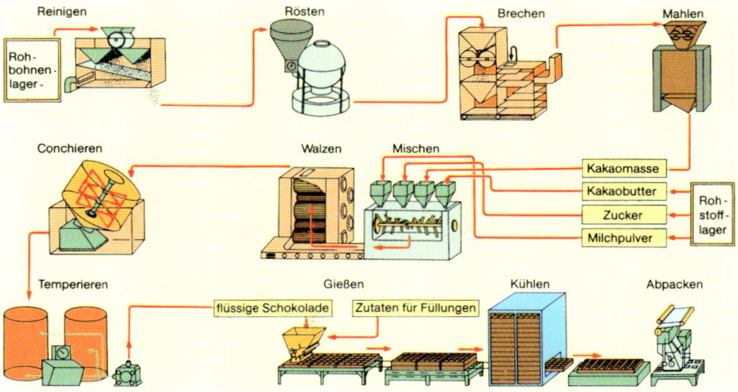

Schokolade: schematische Darstellung der Schokoladenherstellung

Scholem Alejchem

Myron S. Scholes

Scholastik [mlat., zu grch. scholastikós »mit der Wissenschaft befasst«] *die,* die zwischen der karoling. Zeit und der Renaissance zunächst an Dom- und Klosterschulen, dann an den Universitäten (insbes. Paris, Oxford) ausgebildete philosophisch-theolog. Spekulation. – Inhaltlich ist sie gekennzeichnet durch die Verbindung der christl. Offenbarungslehre mit philosoph. Denken auf dem Grunde einer angenommenen Einheit des menschl. Geistes. Ihr Ziel war die rationale Begründung, Deutung, Systematisierung und Verteidigung der (Glaubens-)Wahrheit, von der man annahm, dass sie in der Theologie vorläge. Kennzeichen des method. Herangehens sind das klare Herausarbeiten der Fragen, die scharfe Abgrenzung und Unterscheidung der Begriffe, logisch geformte Beweise sowie Erörterung der Gründe und Gegengründe in formstrenger Disputation. Charakteristisch für die gesamte S. war ihre Bindung an die Autorität (v. a. der Bibel, Kirchenväter, »des Philosophen« Aristoteles). – Die beiden z. T. heftig umstrittenen inhaltl. Hauptprobleme der **Frühscholastik** (9.–12. Jh.) waren das Problem des Verhältnisses von Theologie und Philosophie und das der Universalien. Hinsichtlich des erstgenannten Problems, ob die Vernunft (ratio) über die Wahrheit zu entscheiden habe (z. B. Berengar von Tours) oder die (kirchl.) Autorität (Petrus Damiani), fand Anselm von Canterbury mit seiner Formel »Credo, ut intelligam« (»ich glaube, damit ich verstehe«) eine vermittelnde Lösung. – Im →Universalienstreit dominierte ein neuplatonisch geprägter Realismus (Thierry von Chartres), der den Begriffen insofern Realität zuerkennt, als sie Gottes Gedanken sind, nach denen die Dinge geschaffen sind. – In der **Hochscholastik** (13. bis frühes 14. Jh.) wurden neue Univ. gegründet, die Franziskaner und Dominikaner traten in das wiss. Leben ein, und die naturwiss. Schriften des Aristoteles sowie die Werke von arab. und jüd. Gelehrten (z. B. Ibn Ruschd, Ibn Sina) wurden bekannt. Diese wollte man mit den theolog. Dogmen in Einklang bringen. V. a. Thomas von Aquin versuchte eine rationalist. Harmonisierung von Glauben und Wissen. Dagegen ordnete die jüngere Franziskanerschule (Duns Scotus u. a.) in ihrer Erkenntnislehre das Denken dem Willen unter, um die individuelle Wissensbildung von einer universalen Autorität zu befreien. Aufgrund des skept. Verzichts auf Harmonisierung von Glauben und Wissen (bes. an der Pariser Univ.) kam es durch die Annahme einer →doppelten Wahrheit zum Konflikt mit der Kirche. – Die **Spätscholastik** (spätes 14. und 15. Jh.) brachte eine konservierende Verschulung der Systementwürfe der Hoch-S., v. a. von Thomas von Aquin im Thomismus und von Duns Scotus im Scotismus, sowie die Ablösung des wiss. Denkens von den theolog. Prämissen v. a. durch Wilhelm von Ockham. – Über die Erneuerung der S. seit der Mitte des 19. Jh. →Neuscholastik.

📖 VRIES, J. DE: *Grundbegriffe der S. Darmstadt ²1983.* – GRABMANN, M.: *Die Geschichte der scholast. Methode, 2 Bde. Freiburg im Breisgau 1909–11, Nachdr. Berlin 1988.* – SEIDEL, H.: *S., Mystik u. Renaissancephilosophie. Berlin (Ost) 1990.* – SCHÖNBERGER, R.: *Was ist S.? Hildesheim 1991.* – FLASCH, K.: *Einführung in die Philosophie des Mittelalters. Darmstadt ³1994.*

Scholem, Gerhard (Gerschom), jüd. Religionshistoriker, *Berlin 5. 12. 1897, †Jerusalem 20. 2. 1982; lehrte in den Zwanzigerjahren zusammen mit M. Buber, F. Rosenzweig u. a. am Frankfurter »Freien Jüdischen Lehrhaus«; erforschte bes. die Kabbala (»Sohar«), die jüd. Mystik und den Sabbatinismus (→Sabbatai Zwi).

Scholem Alejchem [jiddisch »Friede sei mit euch«], eigtl. Schalom Rabinowitsch, Schriftsteller russ. Herkunft, jidd. Sprache, *Perejaslaw (heute Perejaslaw-Chmelnizki, bei Kiew) 2. 3. 1859, †New York 13. 5. 1916; als Autor, Kritiker und Hg. maßgeblich an der Erneuerung der jidd. Literatur beteiligt. Seine Romane und Erzählungen beschreiben die alltägl. Welt der osteurop. Juden um die Jahrhundertwende (»Tewjes, der Milchmann«, 1894, danach das Musical »Anatevka«, 1964, von J. Bock).

Scholes [ˈʃəʊlz], Myron S., amerikan. Wirtschaftswissenschaftler, *Timmins (Ontario) 1. 7. 1941; u. a. Prof. für Finanzierung an der Stanford University. Für die von ihm zus. mit R. Merton und Fisher Black entwickelte Methode zur Berechnung des Werts von Optionen auf dem Aktienmarkt (Black-Scholes-Formel) erhielt er 1997 den Nobelpreis für Wirtschaftswissenschaften.

Scholi|en [grch.], v. a. in der Antike verbreitete erklärende und textkrit. Anmerkungen zu Texten, im christl. Altertum auch zur Bibel; meist von unbekannten Verfassern, den **Scholiasten;** als philolog. Arbeitsmethode von den Humanisten des 15./16. Jh. übernommen.

Scholl, 1) Hans, Widerstandskämpfer, *Ingersheim (heute zu Crailsheim) 22. 9. 1918, †(hingerichtet) München 22. 2. 1943; gründete als Medizinstudent an der Münchner Univ. die Widerstandsgruppe →Weiße Rose; bei einer Flugblattaktion mit seiner Schwester Sophie S. am 18. 2. 1943 verhaftet; am 22. 2. vom Volksgerichtshof zum Tode verurteilt.

2) Sophie, Widerstandskämpferin, *Forchtenberg (Hohenlohekreis) 9. 5. 1921, †(hingerichtet) München 22. 2. 1943; schloss sich als Studentin in München der von ihrem Bruder Hans S. gegründete Widerstandsgruppe →Weiße Rose an.

Scholle, *Geologie:* ganz oder z. T. von tekton. Störungen begrenztes Stück der Erdkruste. An Verwerfungen gegeneinander verschobene S. (Bruch-S.) können relativ gehoben (Hoch-S.), abgesenkt (Tief-S.) oder gekippt (Kipp- oder Pult-S.) sein. Deck-S. sind Reste von Überschiebungsmassen.

Schollen, Familie der → Plattfische.

Schọllenen, 4,5 km lange, tief eingeschnittene Schlucht der Reuß im Kt. Uri, Schweiz; Sankt-Gotthard-Passstraße und **S.-Bahn.**

Schöllkraut (Schellkraut, Chelidonium), Gattung der Mohngewächse mit der einzigen Art **Großes S.** (Chelidonium majus), eine 30–60 cm hohe, behaarte Staude mit orangegelbem Milchsaft, zarten Blättern, gelben Blüten und stabförmigen Schoten; in Europa und Asien auf Brachland, an Wegen, Hecken und in Mauerspalten. In der Volksmedizin als Heilpflanze u. a. gegen Augenleiden und Warzen angewandt.

Schọll-Latour [-la'tu:r], Peter Roman, Publizist, *Bochum 9. 3. 1924; war 1960–83 Fernsehjournalist, 1983–88 Mithg. des »Stern«; Reportagen und Bücher u. a. über Südostasien (»Der Tod im Reisfeld«, 1979), den Nahen Osten (»Das Schwert des Islam«, 1990), Russland (»Unter Kreuz und Knute«, 1993) und den Kaukasus (»Das Schlachtfeld der Zukunft. Zw. Kaukasus und Pamir«, 1996).

Schọlochow, Michail Alexandrowitsch, russ. Schriftsteller, *Kruschilin (Dongebiet) 24. 5. 1905, † Wjoschenskaja 21. 2. 1984. Sein Roman »Der stille Don« (4 Tle., 1928–40, umgearbeitet 1953) stellt das Leben der Donkosaken zur Zeit des 1. Weltkriegs sowie im Bürgerkrieg dar und ihren Versuch, einen eigenen Weg zw. den »Roten« und »Weißen« zu erkämpfen. Auch der zweite Roman »Neuland unterm Pflug« (2 Tle., 1933–60) schildert das Leben am Don, jedoch schon im Zeichen der Zwangskollektivierung und mit »positiven Helden«. 1965 erhielt S. den Nobelpreis für Literatur.

Schọltis, August, Schriftsteller, *Bolatitz (heute Bolatice, bei Troppau) 7. 8. 1901, † Berlin (West) 26. 4. 1969; zeigt in Romanen (»Ostwind«, 1932; »Baba und ihre Kinder«, 1934) und Erzählungen mit Satire und Humor Menschen seiner oberschles. Heimat.

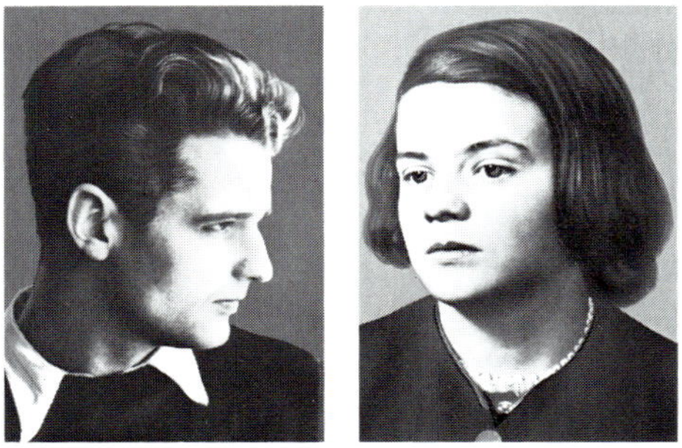

Hans und **Sophie Scholl** (um 1940)

Georg Scholz: »Industriebauern«, Lithographie (1920)

Schọlz, 1) Georg, Maler und Grafiker, *Wolfenbüttel 10. 10. 1890, † Waldkirch 17. 11. 1945; Vertreter der Neuen Sachlichkeit; 1937 als »entarteter« Künstler verfemt; im Spätwerk Einflüsse von P. Picasso und A. Derain.

Peter Scholl-Latour

2) Hans, Maler und Schriftsteller, *Berlin 20. 2. 1911, † Berlin (West) 29. 11. 1988; war 1963–76 Feuilletonchef des »Tagesspiegels«; schrieb den Roman »Am grünen Strand der Spree« (1955), Drehbücher, Hörspiele, Reiseberichte.

3) Heinrich, Logiker, Philosoph und Theologe, *Berlin 17. 12. 1884, † Münster 30. 12. 1956; verteidigte die Selbstständigkeit der Offenbarungsreligion; wandte sich später der mathemat. Logik und Gesch. der Logik zu.

Michail Scholochow

4) Rupert, Politiker (CDU), *Berlin 23. 5. 1937; Jurist, in Berlin 1981–88 Senator für Justiz und Bundesangelegenheiten, 1988–89 Bundesverteidigungsmin., seit 1990 MdB, war 1992–93 einer der Vors. der Verfassungskommission des Dt. Bundestages.

5) Uwe, Tänzer und Choreograph, *Jugenheim (heute zu Seeheim-Jugenheim, bei Darmstadt) 31. 12. 1958; 1979–85 ständiger Choreograph des Stuttgarter Balletts, 1985–91 Ballettdirektor und Chefchoreograph am Opernhaus Zürich, seit 1991 an der Leipziger Oper; lehrt seit 1993 Choreographie an der Leipziger Musikhochschule; Gastchoreographien u. a. an den Opernhäusern in Frank-

Werner Scholz: »Kapelle« (1966; Privatbesitz)

furt am Main, Florenz, Mailand, Madrid, Stockholm und Tel Aviv.

6) Werner, Maler und Grafiker, *Berlin 23. 10. 1898, †Schwaz 5. 9. 1982; schilderte in den 20er- und 30er-Jahren anklagend mit expressionist. Stilmitteln Not und Elend des Kleinbürgertums; als »entarteter« Künstler verfemt; nach 1945 v.a. bibl. und mytholog. Themen.

7) Wilhelm, Zeichner, *Berlin 23. 1. 1824, †ebd. 20. 6. 1893; wichtigster Zeichner des »Kladderadatsch« (ab 1848); bekannt v.a. durch seine Bismarck- und Napoleonkarikaturen.

Wilhelm von Scholz

8) Wilhelm von, Schriftsteller, *Berlin 15. 7. 1874, †Konstanz 29. 5. 1969; war 1926–48 Präs. der Preuß. Akademie der Dichtung. S., der stark mit den Nationalsozialisten sympathisierte, begann als Lyriker in der Nachfolge D. von Liliencrons. Als Dramatiker trat er neben P. Ernst für eine Neuklassik ein, wobei F. Hebbel sein Vorbild war. Aus dem Studium der dt. Mystik (»Dt. Mystiker«, 1908) erschlossen sich ihm die Bereiche des Übersinnlichen. Bes. bekannt waren seine Dramen »Der Jude von Konstanz« (1905) und »Der Wettlauf mit dem Schatten« (Uraufführung 1920, gedruckt 1922).

Schön, 1) Helmut, Fußballtrainer, *Dresden 15. 9. 1915, †Wiesbaden 23. 2. 1996; 1964–78 Bundestrainer des Dt. Fußball-Bundes. Unter S. wurde die dt. Fußballnationalmannschaft u.a. 1972 Europameister und 1974 Weltmeister.

2) Theodor von (seit 1840), preuß. Politiker, *Schreitlaugken bei Ragnit (heute Šereitlankis, Litauen) 20. 1. 1773, †Arnau (heute Rodniki, bei Königsberg) 23. 7. 1856; Schüler Kants, Mitarbeiter an den Reformen des Freiherrn vom Stein, dessen »Polit. Testament« (1808) er entwarf; 1816 Oberpräs. von West-, 1824 von West- und Ostpreußen, seit 1840 Staatsminister. Als Autor einer liberalen anonymen Flugschrift (1840) enttarnt, wurde er 1842 amtsenthoben.

Schọnach im Schwạrzwald, Gemeinde und Luftkurort im Schwarzwald-Baar-Kr., Bad.-Württ., 850–1152 m ü.M. in einem geschützten Hochtal, 4300 Ew.; Uhrenind., Feinwerktechnik.

Schönau im Schwạrzwald, Stadt und Luftkurort im Landkreis Lörrach, Bad.-Württ., 540 m ü.M., 2600 Ew.; Textilindustrie.

Schönberg, Stadt im Landkreis Nordwestmecklenburg, Meckl.-Vorp., 4300 Ew.; Heimatmuseum, Niederdt. Bühne; Möbelfabrik. – Bei S. befindet sich eine riesige Mülldeponie, 1980 von der DDR-Reg. zur Devisenbeschaffung (Sonderabfälle aus West-Dtl.) eingerichtet.

Schönberg, Arnold, österr. Komponist, *Wien 13. 9. 1874, †Los Angeles 13. 7. 1951; weitgehend Autodidakt. Nach Lehrtätigkeit in Berlin und Wien übernahm er 1925 eine Meisterklasse an der Berliner Akademie der Künste. 1933 emigrierte S. über Frankreich in die USA. Dort lehrte er 1936–44 als Prof. für Musik an der University of California in Los Angeles. In seiner frühen Schaffensperiode (1897–1907) an J. Brahms, R. Wagner und R. Strauss anknüpfend (Streichsextett »Verklärte Nacht«, 1899; »Gurrelieder«, 1900–11), gelangte er in gesteigerter Polyphonie an die Grenzen der Tonalität und schließlich zur Auflösung der Harmonik, die bis dahin die Grundlage der Formbildung darstellte. Die frühen atonalen Werke (»George-Lieder«, 1908/09) gelten als musikal. Gegenstück zur expressionist. Malerei. Um 1920 entwickelte er die Technik der Komposition mit

Arnold Schönberg: »Grünes Selbstbildnis« (1910; Los Angeles, Calif., Sammlung Lawrence A. Schoenberg)

Arnold Schönberg: Anfang des Streichsextetts »Verklärte Nacht« (1899), Autograph

12 nur aufeinander bezogenen Tönen (→Zwölftontechnik). – S. hatte als Komponist, Theoretiker und Lehrer (unter seinen Schülern: A. von Webern, A. Berg, H. Eisler) entscheidenden Einfluss auf die Kunstmusik des 20. Jh. – Mit einem Schwerpunkt um 1910 und in Kontakt mit W. Kandinsky und dem Blauen Reiter in München malte S. visionäre Bilder zw. Symbolismus und Expressionismus (etwa 60 Gemälde sowie 200 Zeichnungen und Aquarelle). Weiteres BILD Alban Berg

Weitere Werke: Opern: »Die glückliche Hand« (1908–13), »Moses und Aron« (1930–32, unvollendet). – Chorwerke: »Die Jakobsleiter« (Oratorium; 1917–22, unvollendet); »Moderner Psalm« (1950, unvollendet). – Melodramen: »Pierrot lunaire« (1912); »Kol nidre« (1938); »Ein Überlebender aus Warschau« (1947). – Orchesterwerke: sinfon. Dichtung »Pelleas und Melisande« (1903, revidiert 1913 und 1918); »Fünf Orchesterstücke« (1909, revidiert 1949); Violinkonzert (1934–36); Klavierkonzert (1942). – Kammer- und Klaviermusik; Lieder. – *Schriften:* Harmonielehre, 1911; Modelle für Anfänger im Kompositionsunterricht, engl. 1942 u.a.

📖 *Herausforderung S. Was die Musik des Jh. veränderte, hg. v.* U. DIBELIUS. *München 1974. – A. S., hg. v.* H.-K. METZGER. *München 1980. – A. S. – Das bildner. Werk 1874–1951, hg. v.* T. ZAUNSCHIRM, *Ausst.-Kat. Museum des 20. Jahrhunderts, Wien. Klagenfurt 1991.*

Schönborn, rhein. Adelsgeschlecht, urspr. in Nassau, 1284 urkundlich erwähnt; sein Aufstieg begann im 17. Jh. in Franken, 1701 Reichsgrafen; stellte im 17./18. Jh. bed. Kirchenfürsten, u.a.: **Johann Philipp** (*1605, †1673), seit 1647 Erzbischof und Kurfürst von Mainz und seit 1663 auch Bischof von Worms, gilt als Initiator des Rheinbundes von 1658; **Lothar Franz** (*1655, †1729), seit 1683 Bischof von Bamberg und seit 1695 Erzbischof von Mainz, suchte als Erzkanzler des Reichs die Zentralgewalt zu stärken. Die Baukunst erfuhr durch ihn eine großzügige Unterstützung (»Vater des fränk. Barock«).

Johann Philipp Schönborn (Ausschnitt eines zeitgenössischen Gemäldes)

Schönbrunn, ehem. kaiserl. Schloss in Wien, 1696–1711 von J. B. Fischer von Erlach erbaut, in der Regierungszeit Maria Theresias 1744–49 durch N. F. Pacassi frühklassizistisch umgebaut. Das Innere wurde 1765–80 im Stil des Spätrokoko ausgestaltet. Der 1705/06 in frz. Manier angelegte Park steigt zu dem frühklassizist. Kolonnadenbau der **Gloriette** (1775) auf dem Schönbrunner Berg an. Seit 1997 UNESCO-Weltkulturerbe.

Schönbuch *der,* bewaldetes Keuperbergland in Bad.-Württ., zw. Böblingen und Tübingen, bis 583 m ü.M.

Schöndruck, *Drucktechnik:* die zuerst bedruckte Seite eines doppelseitig bedruckten Bogens (andere Seite: Widerdruckseite).

Schöne *das,* Begriff, mit dem (im Ggs. zum Hässlichen) ein Wohlgefallen bekundet wird und

Schönbrunn: Die Gartenfront des 1696–1711 nach Plänen von Johann Bernhard Fischer von Erlach erbauten Schlosses wirkt trotz mehrfacher Vor- und Rücksprünge durch ihre Länge und die Gleichförmigkeit der Gliederung nüchtern

schöne Madonnen: aus der Zeit vor 1393 stammende schöne Madonna in der Dekanatspfarrkirche in Altenmarkt im Pongau (Österreich)

der eine hohe ästhet. und damit verbunden auch eth. Wertung enthält. (→Ästhetik)

Schönebeck, 1) Landkreis in Sa.-Anh., 460 km², (1996) 80 100 Einwohner.

2) Schönebeck (Elbe), Krst. von 1) in Sa.-Anh., an der Elbe, 38 300 Ew.; Traktoren-, Dieselmotoren-, Heizkesselbau, chem. Ind.; Elbhafen. Im Ortsteil Salzelmen das älteste (seit 1802) dt. Solbad. – Die heutige Stadt S. entstand 1932 aus dem Zusammenschluss der Städte **Schönebeck** (1223 erste urkundl. Erwähnung), **Frohse** (936 erstmals erwähnt, Stadt vor 1396) und **Bad Salzelmen** (bis 1926 Groß-Salze).

Schöneberg, Bezirk von →Berlin.

Schönefeld, Gemeinde im Landkreis Dahme-Spreewald, Brandenburg, südlich an Berlin anschließend, 2 000 Ew.; internat. Flughafen (seit 1955; wichtigster der DDR), Bahnknotenpunkt. – Dorfkirche (Feldsteinbau, 13. Jahrhundert).

schöne Literatur, →Belletristik.

schöne Madonnen, kunsthistor. Begriff für eine Gruppe von Madonnen des →schönen Stils. Die meist unterlebensgroßen, in Kalkstein oder Steinguss gearbeiteten Skulpturen der sehr jungen Maria mit Kind zeichnen sich durch ihre liebl. Anmut und schönlinige Formgebung aus (z. B. »Krumauer Madonna«, um 1390 bis 1400; Wien, Kunsthistor. Museum).

Schönemann, 1) Johann Friedrich, Schauspieler, *Crossen (heute Krosno Odrzańskie) 21. 10. 1704, †Schwerin 16. 3. 1782; spielte 1730–39 bei der Truppe Friederike Caroline Neubers, dann mit eigener Truppe als Rivale der Neuberin, 1750–56 Hofkomödiendirektor in Schwerin.

2) Lili, eigtl. Anna Elisabeth S., Verlobte Goethes, *Frankfurt am Main 23. 6. 1758, †Krautergersheim (Unterelsass) 6. 5. 1817; seit 1778 ⚭ mit dem Straßburger Bankier Bernhard Friedrich von Türckheim; war von Ostern bis Okt. 1775 mit Goethe verlobt. In dichter. Verklärung erscheint sie in seinen Lili-Gedichten.

Schonen (schwed. Skåne), histor. Landschaft in S-Schweden, umfasst die dicht besiedelten Verw.-Bez. Malmöhus und Kristianstad; die wellige Moränenlandschaft steigt im N zum südschwed. Grundgebirgsplateau an; intensive Landwirtschaft, Viehzucht, Nahrungsmittelindustrie. – S. war bis 1658 (Frieden von Roskilde) dänisch.

Schoner [engl.] *der* (Schuner, Schooner), seit dem 18. Jh. mehrmastiges Segelschiff, das statt der Querbesegelung an Rahen längsschiffs stehende Gaffel- und Gaffeltoppsegel führt (keine vollgetakelten Masten), auch häufig mit dreieckigen Segeln zw. den Masten.

Georg Ritter von Schönerer

Schönerer, Georg Ritter von, österr. Politiker, *Wien 17. 7. 1842, †Schloss Rosenau (bei Zwettl-Niederösterreich) 14. 12. 1921; seit 1873 Mitgl. des österr. Abgeordnetenhauses, seit 1879 einer der Führer der deutschnat. Bewegung; bekämpfte den Klerikalismus wie den Liberalismus und vertrat einen radikalen Antisemitismus; setzte sich für den Anschluss Österreichs an das Dt. Reich ein; seine Ideen beeinflussten v. a. A. Hitler.

schöner Stil (weicher Stil, internationaler Stil), der in der europ. Plastik und Malerei seit etwa 1390 bis um 1430 vorherrschende Stil. Zu seinen Merkmalen gehören die Vorliebe für stoffreiche, in fließenden Rhythmen weich fallende Gewandung und sein Sinn für alles Anmutige, Liebliche, Zarte, wie er bes. in den →schönen Madonnen und in idyllisch gestimmten Bildtafeln meist kleinen Formats Ausdruck gefunden hat.

schöne Seele (frz. belle-âme), tugendhaftes Gemüt, Mensch von »innerer Schönheit«; ein die im 18. Jh. im Zusammenhang mit Pietismus und Empfindsamkeit entwickelte Seelenkultur kennzeichnendes Ideal, das Schiller als Übereinstimmung von Pflicht und Neigung definierte. Der Begriff wurde bes. bekannt durch Goethes »Bekenntnisse einer s. S.« (6. Buch von »Wilhelm Meisters Lehrjahre«, 1796), denen Susanne Katharina von Klettenberg als Vorbild diente.

Martin Schongauer: »Madonna im Rosenhag« (1473; Colmar, Stiftskirche Sankt Martin)

Schongau, Stadt im Landkreis Weilheim-S., Bayern, 710 m ü. M. am Lech, 11 900 Ew.; Stadtmuseum mit Münzkabinett; Butter- und Käsewerk, Papier-, Metall-, Elektro- u. a. Industrie. – Stadtmauer (14. Jh.) mit hölzernem Wehrgang.

Schongauer, Martin, Maler, Zeichner und Kupferstecher, *Colmar um 1450, †ebd. 2. 2. 1491; Sohn des aus einer Augsburger Familie stammenden Goldschmieds Caspar S., bereiste Flandern und Burgund (vielleicht auch Spanien) und gründete nach seiner Rückkehr eine Malerwerkstatt in Colmar. S. war der bedeutendste dt. Maler, Zeichner und Kupferstecher vor A. Dürer. Erhalten sind die mehr als lebensgroße »Madonna im Rosenhag« (1473, Colmar, St. Martin; stark beschnitten), die Altarflügel aus der Antoniterkirche in Isenheim (»Orliac-Altar«, Colmar, Unterlinden-Museum), wenige kleine Bildtäfelchen und das monumentale, stark beschädigte Fresko des »Jüngsten Gerichts« im Münster von Breisach (1488–91). Stilbildender Einfluss ging von seinen Kupferstichen aus. Erhalten sind ferner meisterhafte Zeichnungen. Weiteres BILD Ecce-Homo

📖 *Der hübsche Martin. Kupferstiche u. Zeichnungen von M. S. (ca. 1450–91), bearb. v.* F. ANZELEWSKY *u. a., Ausst.-Kat. Unterlinden-Museum Colmar. Straßburg 1991.*

Schönherr, 1) Albrecht Friedrich Gerhard, evang. Theologe, *Katscher (bei Leobschütz) 11. 9. 1911; 1972–81 Bischof der »Ostregion« der Evang. Kirche in Berlin-Brandenburg; 1969–81 Vors. des Bundes der Evang. Kirchen in der DDR.

2) Karl, österr. Schriftsteller, *Axams (bei Innsbruck) 24. 2. 1867, †Wien 15. 3. 1943; Arzt; schrieb Bauerndramen und Volksstücke (»Der Judas von Tirol«, Uraufführung 1897; »Glaube und Heimat«, 1910); neigte zu Heroisierung und völk. Romantisierung (»Volk in Not«, 1916).

Karl Schönherr

Schöningen, Stadt im Landkreis Helmstedt, Ndsachs., am O-Abhang des Elms, 14 600 Ew.; Braunkohlenbergbau, Metallverarbeitung, Ziegelwerke. – St.-Lorenz-Kirche (15. Jh.), Renaissanceschloss.

Schönit *der* (Pikromerit), monoklines Mineral der chem. Zusammensetzung $K_2Mg[SO_4]_2 \cdot 6\,H_2O$, weiß oder schwach gefärbt; sekundär gebildetes Doppelsalz neben Kainit in Kalisalzlagern; zur Gewinnung von Kaliumsulfat und Kalimagnesia.

Schonklima, Klima, das aufgrund geringer Reizwirkung den Organismus nicht belastet.

Schönkopf, Anna Katharina, gen. Käthchen, Jugendfreundin Goethes, *Leipzig 22. 8. 1746, †ebd. 20. 5. 1810; Tochter eines Leipziger Gastwirts, in die sich Goethe als Student verliebte.

Schönlanke, Stadt in Polen, →Trzcianka.

Schönmalve (Samtmalve, Abutilon), Gattung der Malvengewächse in den Tropen und Subtropen, Kräuter oder Sträucher mit herzförmigen Blättern und verschiedenfarbigen Blüten; einige Arten sind Warmhaus- oder Zimmerpflanzen.

Schöntal, Gemeinde im Hohenlohe-Kreis, Bad.-Württ., im Jagsttal, 5 700 Ew.; Barockkirche des ehem. Zisterzienserklosters, 1708–36 nach Plänen J. L. Dientzenhofers erbaut; Neue Abtei (1737–49, Treppenhaus mit durchbrochenen Ge-

Schöntal: Das Treppenhaus in der 1737–49 erbauten Neuen Abtei zeichnet sich vor allem durch das durchbrochene Ornament der Treppengeländer aus

ländern); alte Abtei und Tortürme (17. Jahrhundert).

Schonung, junger, gehegter und gegen Wildverbiss geschützter Waldbestand.

Schönwiese, Ernst, österr. Schriftsteller, *Wien 6. 1. 1905, †ebd. 4. 4. 1991; gehörte zum Kreis um F. Blei; war 1935/36 und 1946–52 Hg. der antinationalsozialist. Zeitung »das silberboot«; emigrierte 1938 nach Ungarn; Lyrik, Hörspiele.

Schonzeit (Hegezeit), für die jagdbaren Tiere gesetzlich festgelegte jagdfreie Zeit. (→Jagd)

Schoofs, Rudolf, Grafiker und Maler, *Goch 3. 1. 1932; Arbeiten mit Architektur-, Landschafts- und Anatomiemotiven in abstrahierendem, feinnervigem Zeichenstil; auch Plastiken.

Schoonhoven ['sxo:nho:və], Jan, eigtl. Johannes Jacobus S., niederländ. Künstler, *Delft 26. 6. 1914, †Delft 31. 7. 1994. Nach versch. Formexperimenten ging er um 1960 zu streng seriellen Zeichnungen mit gereihten Linienelementen oder Punktrastern sowie zu weißen Reliefs aus Pappmaché mit geometr. Strukturen über.

Schopenhauer, 1) Arthur, Philosoph, *Danzig 22. 2. 1788, †Frankfurt am Main 21. 9. 1860, Sohn von 2); war 1820–31 Dozent an der Univ. Berlin, danach Privatgelehrter in Frankfurt am Main. S. schloss mit seiner von stilist. Brillanz gekennzeichneten Philosophie die Bewegung des dt. Idealismus ab und ist zugleich ein Hauptvertreter des Pessimismus. Er knüpft an Kants Unterscheidung von Erscheinung und Ding an sich an: S. ist die gesamte Welt »Vorstellung«, in der sich das Ding an sich manifestiert, wobei sich ihm dieses nicht mehr als vollständig unerkennbar zeigt. Vielmehr sei es als Wille, als sinnfreier Daseinsdrang, zu interpretieren. Auf höherer Stufe durchschaue der Wille sich selbst als unvernünftig und böse und werde dadurch befähigt, sich von seinem Drang ins Dasein zu erlösen, d. h. sich als Wille zu verneinen. Dies geschehe zeitweise in der Kunst sowie im

Arthur Schopenhauer (1859), darunter Autogramm

Handeln aus Mitleid, das die Vereinzelung teilweise aufhebe und das Fundament der Moral darstelle. Eine dauernde Erlösung vom Daseinsdrang sei allein durch Selbstabtötung und Übergang ins Nichtsein (Nirvana) möglich. Hierin betrachtete S. seine Philosophie als weitgehend identisch mit der Erlösungslehre des Buddhismus, während er das Christentum ablehnte. – Anfangs wenig beachtet, wurde S.s Werk seit 1850 bekannt und wirkte v.a. auf R. Wagner, W. Raabe, F. Nietzsche, E. von Hartmann, S. Freud, T. Mann, M. Horkheimer sowie frz. und russ. Autoren.

Werke: Über die vierfache Wurzel des Satzes vom zureichenden Grunde (1813); Die Welt als Wille und Vorstellung (1819); Über den Willen in der Natur (1836); Die beiden Grundprobleme der Ethik (1841); Parerga und Paralipomena, 2 Bde. (1851).

📖 Hübscher, A.: *S.-Bibl. Stuttgart 1981.* – Malter, R.: *Der eine Gedanke. Darmstadt 1988.* – Pothast, U.: *Die eigentl. metaphys. Tätigkeit. Neuausg. Frankfurt am Main 1989.* – Abendroth, W.: *A. S. Reinbek 1996.* – Safranski, R.: *S. u. die wilden Jahren der Philosophie. Eine Biographie. Reinbek 1996.*

2) Johanna, Schriftstellerin, geb. Trosiener, Mutter von 1), *Danzig 9. 7. 1766, †Jena 17. 4. 1838; war nach 1806 in Weimar Mittelpunkt eines auch von Goethe geschätzten literar. Salons; schrieb Romane, Novellen und Reisebeschreibungen.

Schopfheim, Stadt im Landkreis Lörrach, Bad.-Württ., im südl. Schwarzwald, 18 200 Ew.; Heimatmuseum in der ehem. Michaelskirche (15. Jh.); Maschinenbau, Textil- und Elektronikind., Bau von Leiterplatten. – 807 erstmals erwähnt, 1250 als befestigte Stadt ausgebaut.

Schopfpalme (Schirmpalme, Corypha), Gattung der Palmen in SO-Asien; bis zu 50 m hohe Bäume mit bis zu 5 m langen und 4 m breiten, bis etwa zur Mitte strahlenförmig gespaltenen Fächerblättern an der Stammspitze. Einige Arten, z.B. die **Talipotpalme** (Corypha umbraculifera), sind bed. Nutzpflanzen. Das Mark liefert **Sago.**

Schöpfung, religionsgeschichtl. Begriff für die in den versch. Religionen vorhandenen (myth.) Vorstellungen über den Anfang der Welt, die »Geburt« der Götter und die Entstehung des Menschen (→Kosmogonie), wobei sich folgende grundsätzl. Sichtweisen gegenüberstehen: 1) die Ordnung eines ungeordneten (chaot.) Urstoffes durch göttl. Willen oder unpersönlich wirkende (Ur-)Kräfte, 2) die Entstehung der Welt aus einem vorzeitl. Urwesen, Götterpaar oder Götterkampf, 3) die »S. aus dem Nichts« durch das göttl. Wort (→Logos). In der jüd., christl. und islam. Theologie bezeichnet S. die Erschaffung der Welt und der sie bewohnenden »Geschöpfe« (Mensch, Tiere, Pflanzen) durch Gott, wobei die S. als »gut« und dem Menschen zur Freude und zum Nutzen geschaffen angesehen wird (Ggs.: das Weltverhältnis der →Gnosis). »Krone« des Schöpfungswerkes Gottes und von ihm über die anderen Geschöpfe gesetzt ist der Mensch, von Gott beauftragt, die S. verantwortlich zu gebrauchen und für die jeweils nachfolgende Generation zu bewahren. Grundlage des jüd. und christl. S.-Verständnisses sind die beiden bibl. **S.-Berichte** 1. Mose 2, 4b–24 (10. Jh. v. Chr.) und 1. Mose 1, 1–2, 4a (6. Jh. v. Chr.).

Schoren, Sammelname für versch. turksprachige Gruppen in S-Sibirien; 16 600 Angehörige.

Schorf, 1) *Botanik:* Sammelbez. für durch versch. Pilze hervorgerufene Pflanzenkrankheiten, charakterisiert durch oberflächige raue Verletzungen. Beim **Apfel-S.** treten auf der Blattoberseite schwarze Flecke auf. Auf den noch am Baum hängenden Früchten zeigen sich mattschwarze, silbrig weiß umrandete Flecke; der **Birnen-S.** verläuft ähnlich; beim **Kirschen-S.** sind die Früchte schmutzig schwarz **(Rußfleckenkrankheit).**

2) *Medizin:* (Borke, Grind, Kruste) durch Blutbeimengung und Wundsekret unterschiedlich gefärbter Wundbelag. (→Milchschorf)

Schorfheide, flachwelliges, wildreiches Waldgebiet in Brandenburg, nördlich von Berlin, in der südl. Uckermark, etwa 400 km^2; am O-Rand der **Werbellinsee** (7,9 km^2, bis 54 m tief, 43 m ü. M.); Teil des Biosphärenreservats **S.-Chorin** (1258 km^2).

Schörl, ein Mineral, schwarzer →Turmalin.

Friedrich Schorlemmer

Schorlemmer, Friedrich, evang. Theologe und Politiker (SPD), *Wittenberge 16. 5. 1944; 1971–78 Studentenpfarrer in Merseburg, 1978–92 Dozent am Evang. Predigerseminar und Prediger an der

Schlosskirche zu Wittenberg, unterstützte aktiv die Bewegung »Schwerter zu Pflugscharen« in der DDR. Er stand im Zentrum einer kirchl. Basisgruppe, die 1988 die regimekrit. »20 Wittenberger Thesen« vorlegte. 1989 war er Gründungsmitgl. des »Demokrat. Aufbruchs«, trat jedoch 1990 der SPD bei. 1993 erhielt er den Friedenspreis des Dt. Buchhandels. Zus. mit H.-J. Vogel und Hanna-Renate Laurien gründete er 1993 die Gruppe »Gegen Vergessen – für Demokratie«.

Schọrndorf, Stadt (Große Kreisstadt) im Rems-Murr-Kr., Bad.-Württ., im Remstal, 38 000 Ew.; Werkzeugmaschinen-, Schalt- und Haushaltsgerätebau. – Schloss (1538–41), evang. Pfarrkirche (1477–1501), Fachwerkhäuser (18. Jh., u. a. Dr. Palmsche Apotheke). – 1235 erstmalig, 1359 als Stadt erwähnt; 1688 durch Franzosen belagert, die »Schorndorfer Weiber« verhinderten jedoch die Übergabe.

Schornstein (Esse, Kamin, Rauchfang), senkrechter Schacht zum Abführen der Verbrennungsgase von Feuerungen und Ansaugen von Frischluft. Man unterscheidet Haus-S., d. h. nicht frei stehende S., und frei stehende S. (Fabrik-S., Schlote) sowie Rauchgas-S. (von festen oder flüssigen Brennstoffen) und Abgas-S. (von gasförmigen Brennstoffen).

Schornsteinfeger, Ausbildungsberuf des Handwerks (3 Jahre), gehört zur Gruppe der Ordnungs- und Sicherheitsberufe; umfasst Wartungs-, Reinigungs- und Überwachungsarbeiten an Feuerungs-, Lüftungs- und ähnl. Anlagen.

Schorre, durch marine Abrasion entstandene Brandungsplattform an der Küste.

Schoschọnen, Indianerstamm, →Shoshone.

Schostakọwitsch, Dmitri Dmitrijewitsch, russ. Komponist, *Sankt Petersburg 25. 9. 1906, †Moskau 9. 8. 1975; knüpfte stilistisch an die russ. Klassik an und errang bereits mit seiner 1. Sinfonie (1926) internat. Anerkennung. Sein frühes Schaffen ist durch die Auseinandersetzung mit der westeurop. Moderne gekennzeichnet, die ihren Niederschlag in Werken wie der 2. und 3. Sinfonie (1927 und 1929) und den Opern »Die Nase« (1928, nach N. W. Gogol) und »Lady Macbeth von Mzensk« (1932, nach N. S. Leskow; Neufassung als »Katerina Ismailowa«, 1963) fand. 1936 wurde seine Musik als dekadent und formalistisch kritisiert. Danach wandte er sich einer allgemein verständl., lyrisch-pathet. Schreibweise zu und wurde bes. mit der 5., 7. und 8. Sinfonie (1937–43) zum repräsentativen sowjet. Komponisten. Seine 9. Sinfonie (1945) löste jedoch 1948 erneut scharfe Kritik aus. – S. schuf insgesamt 15 Sinfonien, ferner Opern (neben den bereits genannten »Der Spieler«, Fragment; 1982 von Krzysztof Meyer vervollständigt), Klavier-, Violin- und Violoncellokonzerte, Streichquartette, Klaviertrios, Oratorium »Das Lied von den Wäldern« (1949), Kantaten, Ballette, u. a. »Das goldene Zeitalter« (1930), Lieder, Bühnen- und Filmmusik.

📖 SEEHAUS, L.: *D. S. Leben u. Werk. Wilhelmshaven* ^{2}*1991.* – GOJOWY, D.: *D. S. Reinbek 1994.*

Dmitri Schostakowitsch

Schot, *Schifffahrt:* Leine, mit der das Segel in eine zweckmäßige Stellung zum Wind gebracht wird, meist über einen Flaschenzug geführt.

Schọta Rustawẹli, georg. Dichter, →Rustaweli, Schota.

Schote, längl. Streufrucht aus zwei miteinander verwachsenen Fruchtblättern und häutiger Scheidewand; auch umgangssprachl., aber unzutreffende Bez. für die Frucht der Erbse.

Schoten ['sxo:tə], Stadt nordöstlich von Antwerpen, Belgien, 31 000 Ew.; Maschinenbau, Kunststoffverarbeitung u. a. Industrie.

Schotendotter (Schöterich, Erysimum), Kreuzblütlergattung der nördl. gemäßigten Zone; rauhaarige Kräuter oder Halbsträucher, meist mit gelben Blütentrauben und zweiklappig aufspringenden Schoten; **Acker-S.** (Erysimum cheiranthoides), bis zu 60 cm hoch, an Wegrändern.

Schotendotter: Ackerschotendotter (Höhe bis zu 60 cm)

Schott *das,* stählerne Quer- oder Längstrennwand in Schiffen und Flugbooten zur Begrenzung von Wassereinbruch und Feuer sowie zur Erhöhung der Festigkeit.

Schott [von arab. šat] *der* (arab. Sebcha), im Maghreb Bez. für abflusslose Salzpfannen und Salztonebenen, die sich zur Regenzeit in Salzsümpfe verwandeln.

Schọtt, 1) Anselm Friedrich August, Benediktiner (seit 1868), *Staufeneck (heute zu Salach, Landkr. Göppingen) 5. 9. 1843, †Maria Laach 23. 4. 1896; schuf 1883 mit seinem lat.-dt. »Messbuch der Hl. Kirche« (»der Schott«) eine wichtige Grundlage der kath. →liturgischen Bewegung.

2) Bernhard, Verleger, getauft Eltville am Rhein 19. 8. 1748, †Heidesheim am Rhein (Kr. Mainz-Bingen) 26. 8. 1809; gründete 1770 den Musikverlag Schott, den dann seine Söhne leiteten (**Musikverlag B. Schott's Söhne,** Mainz).

3) Friedrich Otto, Chemiker und Glastechniker, *Witten 17. 12. 1851, †Jena 27. 8. 1935; schuf die Grundlage für die wiss. Glastechnik und -industrie; Mitbegründer des Unternehmens »Jenaer Glaswerk S. & Gen.« (Schott Glaswerke, →Carl-Zeiss-Stiftung).

Friedrich Otto Schott

Schọttel (latinisiert Schottelius), Justus Georg, Sprachgelehrter und Schriftsteller, *Einbeck 23. 6. 1612, †Wolfenbüttel 25. 10. 1676; seit 1653 Hofkonsistorialrat ebd.; setzte sich mit der Forderung nach Sprachreinheit und Normierung der Grammatik für eine dt. Hochsprache und einen neuen literar. Stil ein; entwarf eine Sprachgesch. und plante ein dt. Wb.; schrieb »Teutsche Sprachkunst« (1641),

Justus Georg Schottel (Ausschnitt eines zeitgenössischen Kupferstichs)

Walter Schottky

»Ausführl. Arbeit von der Teutschen Haubt Sprache« (1663); ferner Lyrik.

Schotten *der* (Écossé, Écossais), in bunten, lebhaften Farben groß kariert gemustertes Gewebe aus Wolle, Seide, Baumwolle, Chemiefasern und Mischungen. Bunt gestreifte und karierte Wollstoffe waren in der Tracht der schott. Hochländer bes. beliebt und verbreitet (Plaid und →Kilt).

Schotten, Stadt und Luftkurort im Vogelsbergkr., Hessen, im Tal der Nidda, 11800 Ew.; Hess. Landesforstschule; Textilind. – Stadtkirche (14. Jh.), Rathaus (um 1520), Schloss (um 1400), Fachwerkhäuser (17.–19. Jh.). – Der Name geht wohl auf ein Schottenkloster Ende des 8. Jh. zurück; 1293 erstmals erwähnt, 1354 Stadtrecht.

Schotten, die Bewohner Schottlands (rd. 5 Mio. Menschen), i. e. S. die etwa 76000 Keltisch (→Gälisch) sprechenden Bewohner der Highlands (Berg-S.) und der Hebriden. Die S. sind hervorgegangen aus der Überschichtung einer vorindogerman. Bev. (Pikten) durch wiederholte kelt. Einwanderungen (Skoten u.a.). Sie wurden zw. dem 5. und 7. Jh. christianisiert; heute größtenteils anglisiert. Die geschichtlich begründete Unterscheidung zw. Highlanders und Lowlanders ist spürbar geblieben. Die ursprüngl. Männertracht (→Kilt) ist nur noch Fest-, Sport- und Militärbekleidung.

Schotter, 1) *Geomorphologie:* grobes, von fließendem Wasser abgelagertes Geröll, meist gerundet oder abgeplattet.

2) *Verkehrsbau:* zerkleinertes Gestein von 2,5 bis 6,5 cm Korngröße, zum Aufbau der Tragschicht von Fahrbahndecken, als Bettung für Eisenbahngleise, als Zuschlagstoff für Beton.

Schott Glaswerke, ein Unternehmen der →Carl-Zeiss-Stiftung.

Schottisch *der,* dt. Paartanz im raschen 2/4-Takt, wird wie ein schneller Walzer ausgeführt; entstand um 1800 aus der →Écossaise, war um 1830–40 in Dtl. bes. beliebt.

Schottische Kirche (Kirche von Schottland, engl. Church of Scotland), die Staatskirche in Schottland mit ref. Bekenntnis und Presbyterialverf.; entstanden im 16. Jh. nach dem Vorbild der Genfer Reformation. Die S. K. war maßgebend an der Gründung des Ref. Weltbundes beteiligt und gehört seit 1929 der ökumen. Bewegung an. Gegenwärtig zählt sie 1,3 Mio. Mitglieder.

schottische Literatur, das in schott. Sprache aufgezeichnete Schrifttum, ohne das schottisch-gäl. Schrifttum (→Schottisch-Gälisch) der Hochlande. – Am Anfang steht eine historische Nationaldichtung, die an die Unabhängigkeitskämpfe Ende des 13. bis 1. Hälfte des 14. Jh. anknüpft: »The Bruce« von J. Barbour (entstanden um 1375). In seiner Nachfolge steht das Versepos »William Wallace« (entstanden 1477) des blinden Minstrels Harry. Neben diese volkstüml. Dichtung trat im 15. und 16. Jh. eine s. L. höf. Prägung: Jakobs I. Königsbuch »The kingis quair« (entstanden 1423/24), R. Henrysons (*um 1430, †um 1506) geistreiche Fortsetzung von G. Chaucers »Troilus und Criseyde«, W. Dunbars allegor. und satir. Dichtung, das Werk des Bischofs Gavin Douglas (*um 1474, †um 1522) und die reformator. Satiren von Sir D. Lyndsay (*um 1490, †um 1555). Damit errang die s. L. für kurze Zeit europ. Bedeutung; im 16. Jh. verebbte sie mit der Zurückdrängung der schott. Schriftsprache durch die engl. Gemeinsprache. Im 18. Jh. blühte sie als Mundartdichtung neu auf. Hauptvertreter der Renaissance der modernen [mundartl.] s. L. im 20. Jh. war H. MacDiarmid.

📖 WATSON, R.: *The literature of Scotland. London 1984. – The history of Scottish literature, hg. v.* C. CRAIG, *4 Bde. Aberdeen 1987–88.*

schottische Musik, allg. Bez. für schott. Volksmusik; sie lässt häufig die tonale Grundlage der →Pentatonik erkennen. Nationalinstrument ist der →Dudelsack. J. Haydn, L. van Beethoven, C. M. von Weber bearbeiteten schott. Volkslieder, F. Mendelssohn Bartholdy griff Themen in seiner »Schott. Sinfonie« auf. Die schott. Kunstmusik gehört in den Zusammenhang der engl. Musik.

Schottische Schule, von T. Reid im 18. Jh. begründete philosoph. Richtung (→englische Philosophie).

schottische Sprache, 1) regionale Variante der engl. Sprache; 2) kelt. Sprache, →Schottisch-Gälisch.

Schottisch-Gälisch, (eigensprachlich Gàidhlig), die einheim. kelt. Sprache der Gälen (→Gälisch) Schottlands. Sie kam erstmals im späten 5. Jh. mit den Scotti (Iren) von Ulster aus nach Britannien und wurde im 11. Jh. im ganzen heutigen Schottland gesprochen, seitdem jedoch vom Englischen nach NW zurückgedrängt. Zw. dem 10. und 13. Jh. gliederte sich das S.-G. (mit dem Manxgälischen, Manx) aus dem Gemeingälischen aus und nahm eine von der ir. Sprache abweichende Entwicklung. – Die Sprache wurde zuerst im »Book of Deer« (12. Jh.) nachgewiesen, die wichtigste Handschrift ist die Gedichtsammlung »The Book of the Dean of Lismore« (entstanden um 1520). Die Bibel wurde 1690 auf der Grundlage der ir. Version übersetzt. Die schottisch-gäl. Lit. fand ihren Höhepunkt in der (Natur-)Lyrik von A. MacDonald (*um 1700, †1770), D. MacIntyre (*1724, †1812) und der religiösen Dichtung von D. Buchanan (*1716, †1768). Die genialen Fälschungen von J. Macpherson gaben den Anstoß zu Sammlungen von Volksliteratur v. a. im 19. Jh. Im 20. Jh. trugen S. MacLean (*1911), D. S. Thomson und D. MacAulay sowie I. C. Smith (*1928) zur Erneuerung der Literatur und Sprache bei.

📖 LAMBERT, P.-Y.: *Les littératures celtiques. Paris 1981. – The companion to Gaelic Scotland, hg. v.* D. S. THOMSON. *Tb.-Ausg. Oxford 1987. – Gaelic and Scots in harmony, hg. v.* DEMS. *Glasgow 1990.* – DWELLY, E.: *The illustrated Gaelic-English dictionary. Neuausg. Edinburgh 1993.*

Schottky, Walter, Physiker, *Zürich 23. 7. 1886, †Pretzfeld (Kr. Forchheim) 4. 3. 1976; beeinflusste durch theoret. Untersuchungen maßgebend die Entwicklung der Elektronenröhren, erfand 1915 die Schirmgitterröhre, entdeckte 1920 den Schroteffekt, 1935 die S.-Fehlordnung **(S.-Defekte)** in Kristallen (Leerstellen im Gitter, die durch Wandern von Gitterbausteinen aus dem Innern des Kristalls an die Oberfläche oder an Versetzungen entstehen) und entwickelte die Theorie der Störbandleitung und der Kristall-Metall-Gleichrichtung; **S.-Effekt,** →Gleichrichtereffekt.

Schottky-Diode (Hot-Carrier-Diode), nach W. Schottky benannte Ausführungsform einer →Diode, bei der der Gleichrichtereffekt durch die Ausbildung einer Potenzialschwelle **(Schottky-Barriere)** am Übergang von Halbleitermaterial und Metall als Folge der unterschiedl. Austrittsarbeiten der Elektronen beider Materialien zustande kommt. S.-D. besitzen gegenüber den übl. Halbleiterdioden mit pn-Übergang äußerst geringe Trägheit beim Umschalten von Durchlass- in Sperrrichtung und eignen sich daher bes. zur Gleichrichtung hochfrequenter Wechselströme sowie für Schaltaufgaben.

Schottland (engl. Scotland), Landesteil von →Großbritannien und Nordirland, umfasst den nördl. Teil der brit. Hauptinsel, einschl. der Hebriden, Orkney- und Shetlandinseln 78134 km², (1995) 5,12 Mio. Ew.; Hptst. ist Edinburgh.

S. ist im Wesentlichen ein Gebirgsland. Die Highlands (Hochlande) im N, durch den großen Grabenbruch des Glen More in die Northern Highlands (bis 1183 m ü. M.) und die Grampian Mountains mit dem Ben Nevis (1343 m ü. M.) geteilt, werden durch das mit Berggruppen durchsetzte Senkungsfeld der Lowlands (mittelschott. Tiefland) von den Southern Uplands (südschott. Hügelland) getrennt. Die Küste ist im W steil und durch zahlr. Inseln (Hebriden) und Fjorde (Firths) stark gegliedert. Die Flüsse (Tweed, Forth, Tay, Clyde) sind für die Schifffahrt nicht von Bedeutung. S. hat feuchtes und kühles Meeresklima mit rauen Winden auf den waldarmen Hochflächen, die meist von Heide (Schafzucht) und Moor sowie von vielen langen, schmalen Seen (Lochs) eingenommen werden. Im Tiefland wird Ackerbau betrieben. Die Gebirge und Inseln sind weithin unbesiedelt; 50% der Bev. leben im Ballungsraum um Glasgow und in den Städten Edinburgh, Aberdeen und Dundee.

Geschichte: In das etwa seit dem 3. Jt. v. Chr. besiedelte Gebiet wanderten um 400 v. Chr. kelt. Stämme ein. Die Römer drangen unter Gnaeus Julius Agricola im 1. Jh. n. Chr. in das südl. S. vor (84 Sieg am Mons Graupius); den nördl. Landesteil bezeichneten sie als Kaledonien (lat. Caledonia). Gegen die von ihnen Pikten genannten Bewohner errichteten die Römer den Hadrians- und den Antoninuswall (Piktenwall). Von den im 5./6. Jh. aus Irland einwandernden Skoten stammt der Name des Landes, das im 6. Jh. durch Columban d. Ä. christianisiert wurde und im 7. Jh. in mehrere Reiche zerfiel. Der Skotenkönig Kenneth I. MacAlpin unterwarf das Piktenreich und errichtete um 843 das Königreich von Alban, das wiederholt Plünderungszügen der Wikinger ausgesetzt war. Sitz der Könige, die seit Mitte des 11. Jh. in ständigen Kämpfen mit dem aus den Clans hervorgegangenen Hochadel standen (u. a. Ermordung Duncans I. durch →Macbeth), war seit Ende des 11. Jh. Edinburgh; im 12. Jh. wurden Lehnssystem und Staatsverwaltung nach normann. Muster eingeführt. Wilhelm der Löwe (1165–1214) musste 1174 die Lehnsoberhoheit Heinrichs II. von England anerkennen. Nach Aussterben der Dynastie Canmore (1286) unterwarf der engl. König Eduard I. das Land; nach langem Widerstand (bes. unter dem schott. Nationalhelden Sir William Wallace; 1305 hingerichtet) errang Robert I. Bruce (1306–29) nach der Schlacht von Bannockburn 1314 und dem Frieden von Northampton 1328 die Unabhängigkeit zurück. Dem Haus Bruce folgte mit Robert II. (1371–90) das Haus Stuart. Jakob IV. (1488–1513) gewann gegenüber den sich befehdenden Adelsclans (Albany, Arran, Douglas) die Autorität der Krone zurück, begründete durch seine Ehe mit Margarete Tudor (*1489, †1541) den Erbanspruch der Stuarts auf die engl. Krone. Die sich seit Mitte des 16. Jh. unter dem Kalvinisten John Knox ausbreitende Reformation wurde vom Adel unterstützt. Die kath. Königin Maria Stuart (1542–67)

Schottland: Maria Stuart, Königin von Schottland

Schottland: John Knox

Schottland: Loch Ness im nordschottischen Glen-More-Tal ist 36 km lang, durchschnittlich 1,5 km breit und bis zu 230 m tief floh nach ihrem Sturz nach England (dort 1587 hingerichtet). Ihr Sohn Jakob VI. übernahm 1578 die Regierung (1603 als Jakob I. auch König von England). Die im →Covenant von 1638 vereinigten schott. Presbyterianer kämpften im Bund mit dem engl. Parlament erfolgreich gegen Karl I., unterlagen aber 1648–51 gegen Cromwell. 1707 wurde S. mit England zum Königreich Großbritannien vereinigt.

Percy Ernst Schramm

Trotz wirtsch. und polit. Zusammenwachsens mit England erlosch das schott. nat. Selbstbewusstsein jedoch nie. Die insbesondere von der Scottish National Party (SNP) getragenen Autonomiebestrebungen führten 1978 zur Vorlage eines brit. Gesetzentwurfs zur »devolution« (Selbstverwaltung), der bei einer Volksabstimmung in S. 1979 aber nicht die erforderl. Mehrheit erreichte. In einer auf Initiative der brit. Reg. unter Premiermin. A. Blair 1997 durchgeführten Volksabstimmung stimmte die schott. Bev. mehrheitlich für die Wiedererrichtung eines schott. Parlaments mit begrenzten Autonomierechten.

📖 Mackie, J. D.: *A history of Scotland. Harmondsworth* ²*1978.* – Donaldson, G.: *Scotland. The shaping of a nation. New Abbot* ²*1980.* – *The new history of Scotland, hg. v.* J. Wormald, *8 Bde. London 1981–87.* – Grant, E. G.: *Scotland. Oxford 1982.* – Maclean, F.: *Kleine Geschichte S.s. Aus dem Engl. Herford 1986.*

Schouwen-Duiveland ['sxɔu̯wə 'dœjvəlant], eine der Inseln der niederländ. Prov. Seeland, 219 km², Hauptort ist Zierikzee; Landwirtschaft und Fremdenverkehr.

Schrader, Otto, Sprach- und Kulturwissenschaftler, * Weimar 28. 3. 1855, † Breslau 21. 3. 1919; schrieb »Sprachvergleichung und Urgesch.« (1883), »Reallexikon der indogerman. Altertumskunde« (2 Bde., 1901), »Die Indogermanen« (1911).

Schraffur *die,* feine, gerade, parallele Linien, die eine Fläche herausheben; in künstler. Arbeiten für Schattierungen, bei techn. Zeichnungen zur Kennzeichnung von Schnittflächen, in der Kartographie zur Darstellung der Bodenformen.

Schrägschichtung, *Geologie:* eine nichthorizontale (schräge), wechselhaft unruhige Ablagerungsform der Sedimente, im Bereich von Deltabildungen und an der Leeseite von Hindernissen.

Schramberg
Stadtwappen

Schramberg, Stadt (Große Kreisstadt) im Landkreis Rottweil, Bad.-Württ., an der Schiltach, 19 600 Ew.; Zentrum der Schwarzwälder Uhrenind., Maschinenbau, feinmechan., Möbel-, Keramikind.; Fremdenverkehr. – 1293 erstmals erwähnt, seit 1867 Stadt.

Schrämen, *Bergbau:* ein vorwiegend für Kohle angewandtes mechan. Gewinnungsverfahren. In das anstehende Gestein wird ein breiter, tiefer Schlitz, der **Schram,** in Richtung der Schichtung eingefräst und die darüber liegende Kohle in großen Stücken durch Sprengungen vom Hangenden abgedrückt.

Schramm, Percy Ernst, Historiker, * Hamburg 14. 10. 1894, † Göttingen 12. 11. 1970; seit 1929 Prof. ebd.; im 2. Weltkrieg als Major der Reserve ab 1943 Führer des Kriegstagebuchs des OKW; seit 1956 Mitglied der Zentralredaktion der »Monumenta Germaniae Historica«; seit 1963 Kanzler des Ordens Pour le mérite für Wiss. und Künste.

Werke: Herrschaftszeiten und Staatssymbolik, 3 Bde. (1954–56); Kriegstagebuch des Oberkommandos der Wehrmacht (Hrsg.; 1961 f.); Kaiser, Könige und Päpste, 4 Bde. (1968–71).

Schrammelmusik, volkstüml. österr. Musik, benannt nach den Brüdern Johann (* 1850, † 1893) und Josef Schrammel (* 1852, † 1895), die 1878 zus. mit Anton Strohmayer ein Trio (2 Violinen und 1 Gitarre) gründeten, später durch Akkordeon zum Quartett (»D'Schrammeln«) erweitert.

Schrammsteine, Felsgruppe im Elbsandsteingebirge, Sachsen, östlich von Bad Schandau, 417 m ü. M.; beliebtes Klettergebiet.

Schrank, aufrecht stehendes Kastenmöbel, dessen Front mit Türen, Schubläden und damit kombinierten Fächern gegliedert ist; Inneneinrichtung je nach Verwendungszweck. Der **Wand-S.** ist in eine Nische eingebaut **(Einbau-S.)** oder bedeckt raumbegrenzend eine ganze Wand, er kann begehbar sein oder als beiderseits zugänglicher Wand-S. an Stelle einer Wand zwei Räume trennen.

Der S. war zunächst v. a. Bestandteil der Kirchenausstattungen und diente der Aufbewahrung von Reliquien wie der zum Gottesdienst benötigten Gewänder und Gerätschaften. Erhaltene S. stammen aus dem 13./14. Jh. Als bewegl. Möbel in Wohn- und Wirtschaftsräumen wurde der S. nicht vor dem 15. Jh. üblich. Im 16. Jh. lehnte sich die Fassade des süddt. S. an die Architektur an. In den Hansestädten entstand der **Dielen-S.** mit spitzovalen Aufdopplungen und Schnitzwerk, eine Gattung, für die das Hamburger Schapp als exemplarisch gilt. Auch in anderen Städten entstanden eigene Prägungen wie der Frankfurter S. Küchen-S. gibt es erst seit dem 19. Jahrhundert.

Schranke, 1) *Mathematik:* →beschränkt.

2) *Technik:* Vorrichtung zur Absperrung von Verkehrswegen u. a. aus Langstangen (Geländer oder Gitter), bes. als Sicherheitsvorrichtungen an Bahnübergängen, meist rotweiß gestreift gekennzeichnet. Nach der Bewegungsart unterscheidet man Dreh-S. (Drehung um eine senkrechte Achse), Schlagbaum-S. (Drehung um eine horizontale Achse) und Schiebe-S. (Bewegung in Längsrichtung, z. B. ein S.-Tor). Die in Dtl. übl. **Eisenbahn-S.** sind Schlagbaum-S., die als Voll- oder

Halb-S. (Voll- oder Teilsperrung) mit oder ohne Lichtzeichen ausgeführt werden.

Schrapper, *Bergbau* und *Bautechnik:* Anlage zum Fördern und Zusammenschieben von Schüttgut (im Bergbau Haufwerk) oder zur Gewinnung von Sand und Kies aus Gruben und Flussläufen. Der S. besteht aus einem schaufelartigen, nach unten offenen, häufig mit Reißzähnen besetzten **Schürfkübel,** der über das Fördergut gezogen wird, sich füllt und das Gut befördert.

Schrat|segel, jedes in Längsschiffrichtung stehende, nicht an einer Rah befestigte Segel, z.B. Gaffelsegel.

Schratten, *Geomorphologie:* die →Karren.

Schrätzer (Gymnocephalus schraetzer), kaulbarschähnl. Art der Barsche, nur im Donaugebiet.

Schraube, 1) *Antriebstechnik:* ein Vortriebsmittel, →Schiffsschraube, →Luftschraube.

2) *Sport:* Drehung des Körpers um die Längsachse, im Wasserspringen zusätzlich zu Drehungen um die Körperbreitenachse.

3) *Technik:* ein zumeist »t-förmiges« Verbindungselement zum Fügen von Einzelteilen (Befestigungs-S.) oder ein Maschinenelement zur Bewegungsübertragung (Bewegungs-S.). Alle S. haben ein Gewinde auf einem Teil oder auf dem ganzen zylindr. oder kon. Schaft. Sie bestehen vorwiegend aus Stahl, Messing oder Leichtmetall, seltener aus Kunststoff oder Holz. **Befestigungs-S.** erzeugen kraftschlüssige lösbare S.-Verbindungen. Grundformen sind Kopf-S., Stift-S., Gewindestifte und S.-Bolzen. **Kopf-S.** unterscheiden sich in ihrer Kopf- sowie Schaftform und den S.-Enden, z.B. Sechskant-, Vierkant-, Zylinder-, Halbrund-, Linsen- und Senkkopf- sowie Schlitz-S. **Stift-S.** sind zylindr. Bolzen mit Gewinde auf beiden Enden und Zwischenstück ohne Gewinde. **Gewindestifte (Maden-S.)** besitzen ein durchgehendes Gewinde längs des ganzen Schaftes und sind oben mit einem Schlitz oder Innensechskant versehen. **S.-Bolzen** sind einfache Gewindebolzen ohne Angriffsmöglichkeit für ein Schraubwerkzeug. **S.-Muttern** werden mittels Schraubenschlüssel auf den S.-Bolzen aufgeschraubt. Zur Befestigung von Hand benutzt man Flügelmuttern. **Bewegungs-S.** ermöglichen mit der zugehörigen Mutter die Umsetzung von Drehbewegungen in Längsbewegungen. Verwendung u.a. in Werkzeugmaschinen, für Leit- und Zugspindeln, Spindelpressen, in Wagenhebern, Schiffshebewerken, Kippvorrichtungen.

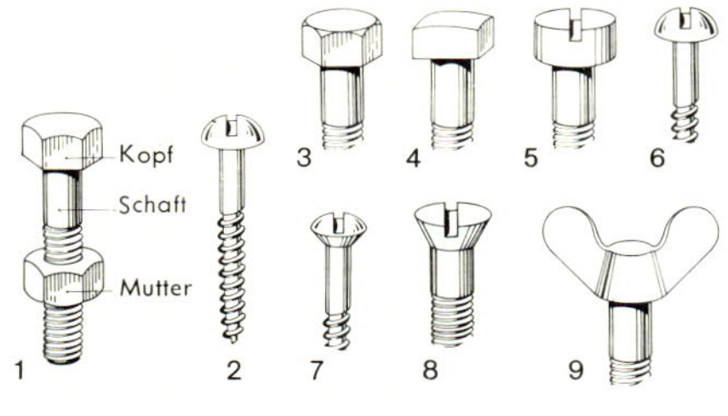

Schraube 3): 1 Maschinenschraube (Kopfschraube mit Mutter), 2 Holzschraube, 3 Sechskantkopfschraube, 4 Vierkantkopfschraube, 5 Zylinderkopfschraube, 6 Halbrundkopfschraube, 7 Linsensenkkopfschraube, 8 Senkkopfschraube, 9 Flügelkopfschraube

Schraube

Noch heute findet man im Nahen Osten archimedische Schrauben in Betrieb. Erfunden hat sie der griechische Mathematiker Archimedes im 3. Jh. v. Chr.; damals wie heute dienen sie zur Bewässerung: In einem großen Holzzylinder dreht sich eine hölzerne Schraube, die mit dem unteren Ende im Wasser liegt und durch die Drehbewegung Wasser innerhalb ihres Gewindes nach oben fördert. Anhand dieses Beispiels leuchtet es unmittelbar ein, dass die Schraube auch als einfache Maschine bezeichnet wird. Der Mensch macht von dem beschriebenen Prinzip regen Gebrauch, nicht nur beim Verbinden von Holz oder Metallen. Schrauben spielen in zahlreichen Geräten eine tragende Rolle. Beim Mikrometer etwa entspricht jede Umdrehung einer bestimmten Strecke, und auf diese Weise kann man kleine Abstände sehr genau messen. Alltagsgegenstände wie Wagenheber und Schraubzwinge verwenden das Prinzip. Und auch die Entfernungseinstellung in Fotoapparaten arbeitet mit einem Schraubgewinde.

Schrauben|alge (Spirogyra), Gattung fädiger, unverzweigter Süßwasser-Grünalgen mit spiralig gewundenen Chloroplasten.

Schraubenbaum (Schraubenpalme, Pandanus), Gattung der S.-Gewächse in Afrika, SO-Asien und Australien; Bäume oder Sträucher mit schraubig um den Stamm angeordneten Blättern und zahlr. starken Luftwurzeln; z.T. Nutz- und Zierpflanzen.

Schraubenbaumgewächse (Schraubenpalmengewächse, Pandanaceae), Pflanzenfamilie der Einkeimblättrigen, verbreitet in den Tropen der Alten Welt, nördlich bis S-China, südlich bis Neuseeland; Bäume, Sträucher oder Lianen mit spiralig angeordneten Blättern.

Schraubendreher (Schraubenzieher), meißelförmiges Werkzeug zum Festziehen und Lösen von Schrauben mit geschlitztem Kopf. Elektr. S. werden durch einen kleinen Motor angetrieben. S. für Arbeiten in elektr. Anlagen und Geräten besitzen einen Griff aus isolierendem Kunststoff.

Schraubenfläche, Fläche, die durch Schraubung einer Raumkurve entsteht. Eine besondere S. ist die **Wendelfläche,** die durch Schraubung einer Geraden entsteht, die die Schraubenachse senkrecht schneidet.

Schraubengetriebe, Getriebe mit wenigstens einem als Bewegungsschraube ausgebildeten Elementenpaar; ermöglicht die Umformung einer

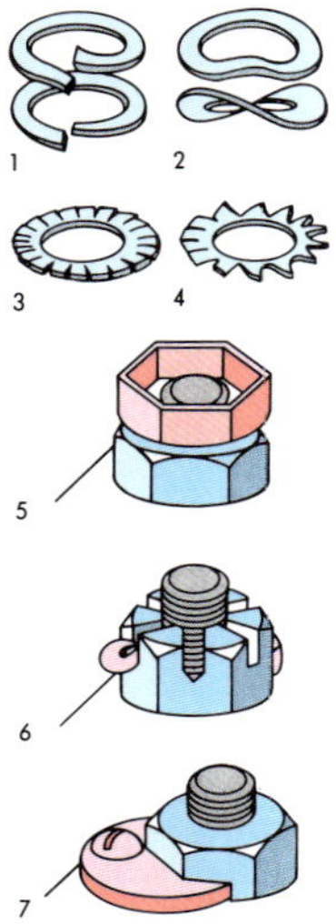

Schraubensicherung: 1 Federring, 2 Federscheibe, 3 Fächerscheibe, 4 Zahnscheibe, 5 Palmutter, 6 Kronenmutter mit Splint, 7 Legschlüssel

Drehbewegung in eine dazu senkrechte Schiebung.

Schraubenlini|e, eine Raumkurve, die ein nicht auf der Achse gelegener Punkt bei einer Schraubung beschreibt. Die **gewöhnl. S.** entsteht durch Abrollen eines rechtwinkligen Dreiecks auf einem Zylindermantel.

Schraubenpalme, der →Schraubenbaum.

Schraubenschlüssel, Werkzeug zum Anziehen und Lösen von Schrauben und Muttern mit einer der Form des Schraubenkopfes oder der Mutter angepassten Öffnung. Es gibt Maul- oder Gabelschlüssel als Einfach- oder Doppel-S., Ringschlüssel, Hakenschlüssel, Steckschlüssel und Hohlsteckschlüssel für schwer zugängl. Schrauben und Muttern sowie Stiftschlüssel für Innensechskantschrauben. Verstellbare S. sind der Rollgabelschlüssel und der »Engländer« und »Franzose« mit doppelseitigem Maul und Verstellspindel.

Schraubenschnecken (Terebridae), Familie der Giftzüngler; trop. Meeresschnecken mit turmförmigem Gehäuse.

Schraubensicherung, Sicherungselement, das ein selbstständiges Lösen oder Verdrehen einer Schraube oder Mutter verhindert, z.B. Federring, Fächer-, Spann-, Zahn-, Federscheibe, Palmutter, Kronenmutter mit Splint, Legschlüssel.

Schraubenzieher, der →Schraubendreher.

Schraubstock, aus zwei Spannbacken bestehende Vorrichtung zum Einspannen von Werkstücken. Die eine der beiden Backen wird durch eine Schraubenspindel in einer Parallelführung gegen die andere Backe bewegt.; bei älteren **Schmiede-S.** in einer Zylinder- oder Flachführung, bei heute gebräuchl. **Parallel-S.** in einer Schwalbenschwanzführung. Auf einer Spannbacke befindet sich meist ein kleiner Ambossansatz für Richtarbeiten. Der **Maschinen-S.** ist ein Parallel-S. mit ebenem, geschlitztem Fuß, der auf einer Werkzeugmaschine aufgespannt wird.

Schraubung, *Geometrie:* eine Symmetrieoperation, die aus der gleichzeitigen Ausführung einer Rotation um eine Achse und einer Translation parallel zu dieser Achse besteht.

Schraubzwinge, schraubstockähnl. Werkzeug zum Zusammenpressen von Werkstücken, z.B. zu verleimende Holzteile.

Schrẹber, Daniel Gottlob Moritz, Arzt, *Leipzig 15. 10. 1808, †ebd. 10. 11. 1861; förderte die gymnast. Erziehung und Errichtung öffentl. Spielplätze; auch die Einrichtung von **Schrebergärten** (→Kleingärten) geht auf ihn zurück.

Schreck (Schreckreaktion), Gesamtreaktion des Organismus auf eine plötzl. Bedrohung oder einen unerwartet starken Sinnesreiz; dabei kommt es zu vegetativ (z.B. Schweißausbruch, Herzklopfen, Erblassen) und psychisch bedingten motor. Störungen (vorübergehender Verlust der Sprache).

Schrẹcke *die* (Hohe S.), bewaldeter Höhenzug im NO des Thüringer Beckens, südlich der unteren Unstrut, Thüringen, im Beerberg 363 m ü. M.; östl. Fortsetzung ist die Finne.

Schrecken, die →Heuschrecken.

Schrẹckhorn, Gipfel der östl. Berner Alpen, Schweiz, zw. dem Oberen und Unteren Grindelwaldgletscher, im **Großen S.** 4078 m, im **Kleinen S.** 3494 m ü. M.

Schreckschusswaffen, faustfeuerwaffenähnl. Instrumente zur Abschreckung durch ein akust. Signal. S. sind keine Waffen im Sinne des Waffengesetzes.

Schrecksekunde, die Zeit, die von der Wahrnehmung einer unvorhersehbar auftauchenden Gefahr bis zum Beginn des gefahrabwehrenden Handelns verstreicht; kann juristisch (Verkehrsunfall) als Verlängerung der →Reaktionszeit berücksichtigt werden.

Schreckstoffe, Stoffe, die bei Beunruhigung oder Verletzung von vielen Tieren (z.B. von Karpfenfischen) abgeschieden werden und den Artgenossen als Warnsignal dienen; sie führen z.B. zur Flucht eines Schwarmes.

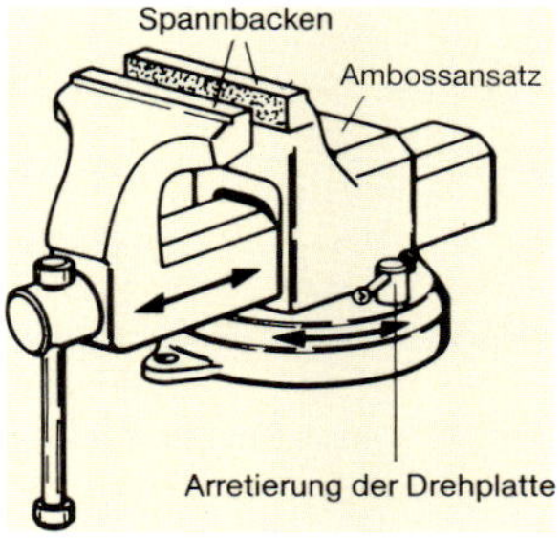

Schraubstock: drehbar gelagerter Parallelschraubstock

Schreiben [von lat. scribere, eigtl. »mit dem Griffel einritzen«], das Anbringen von Schriftzeichen eines Schriftsystems auf einer mehr oder weniger dauerhaften Unterlage zum Zweck der Kommunikation; heute auch die Aufzeichnung von Daten. – Im Alten Orient drückte man die Keilschrift mit einem Schilfgriffel in (feuchte) Tontafeln. Inschriften meißelte man in Stein, später auch in Bronzetafeln. Auch Rinde, Bast, Leder, Leinen u.a. benutzte man als Beschreibstoff (z.T. noch heute bei Naturvölkern). Der wichtigste Beschreibstoff des Altertums war der Papyrus aus Ägypten, seit der Spätantike das Pergament, bis es im Spät-MA. vom Papier verdrängt wurde. Während in China Pinsel verwendet wurden, dienten in der Antike als Schreibwerkzeuge für Tinten zu-

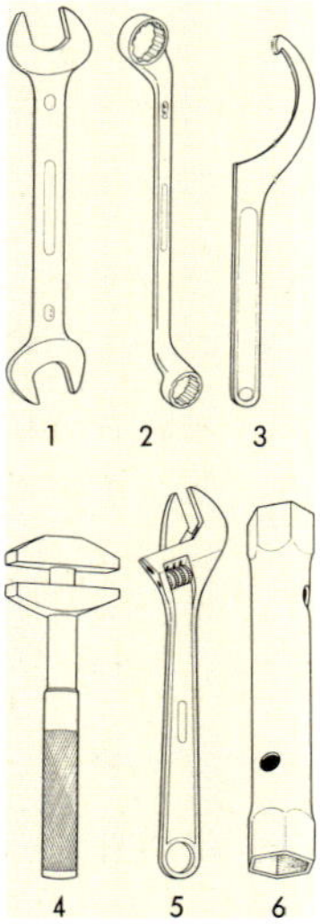

Schraubenschlüssel: 1 Doppelmaulschlüssel, 2 gekröpfter Doppelringschlüssel, 3 Hakenschlüssel, 4 Engländer, 5 Rollgabelschlüssel, 6 Rohrsteckschlüssel

nächst Binsen, dann die Rohrfeder (aus Schilfrohr), daneben der Stilus (Griffel) für Wachstäfelchen, im MA. folgte der Gänsekiel. Seit dem Spät-MA. setzten sich daneben auch Graphitstifte durch. Die Schreibfeder aus Stahl wurde 1780 erfunden, im 20. Jh. kamen Füllfederhalter (mit metallener Schreibfeder) und Kugelschreiber auf. Im 19. Jh. wurde die mechan. →Schreibmaschine entwickelt, die heute elektronisiert und vielfach durch den PC ersetzt ist. Das Drucken mit bewegl. Lettern, dem das Setzen der Typen vorausgeht, wurde um 1450 von J. Gutenberg praktiziert. Druck- und Schreibschriften nahmen eine getrennte Entwicklung. (→Schrift, →Kalligraphie).

Grundlage für die im Unterricht verwendeten Schreibschriften sind anerkannte Normalphabete; wesentl. Einfluss auf ihre Entwicklung übten in Dtl. L. Sütterlin und R. Koch, in der Schweiz P. Hulliger, in Österreich A. Legrün aus. 1935–41 wurde an dt. Schulen die »dt. Schrift« eingeführt, eine Frakturschrift, dann wurde eine Antiquaschrift zur »Dt. Normalschrift« erhoben. Sie wurde 1952 durch den »Iserlohner Schreibkreis« neu gestaltet und in modifizierter Form 1954 von der Kultusministerkonferenz als »lat. Ausgangsschrift« anerkannt. – In *Österreich* gilt die »Österr. Schulschrift seit 1965«; in der *Schweiz* entwickelte die »Schweizer. Studienkommission für Schrift und Schreiben« 1945/46 eine »Schulschrift«. – Eine Sonderform der Schreibschrift ist die →Stenografie.

Schreiber, Walther, Politiker, *Pustleben (heute zu Wipperdorf, Kr. Nordhausen) 10. 6. 1884, †Berlin (West) 30. 6. 1958; 1925–32 preuß. Handelsmin., 1945 Mitbegründer der CDU und Mai–Dez. 1945 2. Vors. der CDU in der SBZ (Rücktritt mit A. Hermes unter sowjet. Druck); seit 1947 Vors. der CDU in Berlin (West); 1951–53 Bürgermeister, 1953–55 Regierender Bürgermeister von Berlin (West).

Schreiberhau, Stadt in Polen, →Szklarska Poręba.

Schreib-Lese-Schwäche, die →Legasthenie.

Schreibmaschine, Büromaschine für maschinelle Schreibarbeiten, mit der durch manuellen Tastenanschlag Typen (Buchstaben, Ziffern, Satzzeichen sowie Sonderzeichen) mittels eines Farbbandes auf einen über eine drehbare Walze gespannten Papierbogen »gedruckt« werden. Man unterscheidet nach der Arbeitsweise mechan., elektromechan. und elektron. S., nach Größe und Gewicht Büro-, Groß- oder Standard-S., Flach- oder Reise-S., nach der Art des Schreibwerks Typenhebel-, Schreibkopf- und Typenrad-S.

Aufbau und Wirkungsweise: Die **Typenhebel-S.** haben eine Tastatur (Tastenfeld) aus 44–46 Tastenhebeln mit Tasten, die durch jeweils zwei Zeichen gekennzeichnet sind, und etwa zehn Tastenhebeln für besondere Funktionen. Bei den **mechan. S.** werden die Typenhebel mit Fingerdruck zum Anschlag gebracht, bei **elektromechan. S.** erfolgen Typenwahl und übrige Schreibvorgänge durch jeweils leichte Tastenberührung, die weiteren Abläufe werden durch einen eingebauten, ständig laufenden Elektromotor bewirkt. Bei **Schreibkopfmaschinen** bewegt sich der leicht auswechselbare Schreibkopf (meist ein Kugelkopf, Kugelkopfmaschinen) samt Farbbandkassette auf einem Schlitten entlang der Schreibzeile und wird bei Bedienung der Tastatur so gehoben, gedreht und/oder gekippt, dass er mit der jeweils gewünschten Type an der Schreibstelle hammerartig das Farbband gegen das Schreibpapier schlagen kann. In **elektron. S.** übernehmen Mikroprozessoren Funktionen wie Randüberwachung, Textanordnung (Flatter- oder Blocksatz) u.a. Sie können mit einem Schreibkopf ausgerüstet sein oder mit einem Typenrad **(Typenradmaschine),** bei dem die einzelnen Typen auf radial angeordneten Speichen angebracht sind; z.T. sind sie mit einer Zweit- oder Mehrfachbelegung der Tastatur ausgestattet, sodass auf andere Schriften bzw. Zeichen umgeschaltet werden kann. Die Mikroelektronik ermöglichte die Entwicklung von **Speicher-S.** mit Display und Speicher, die an Computer, Teletex, Fernschreiber u.a. angeschlossen werden können.

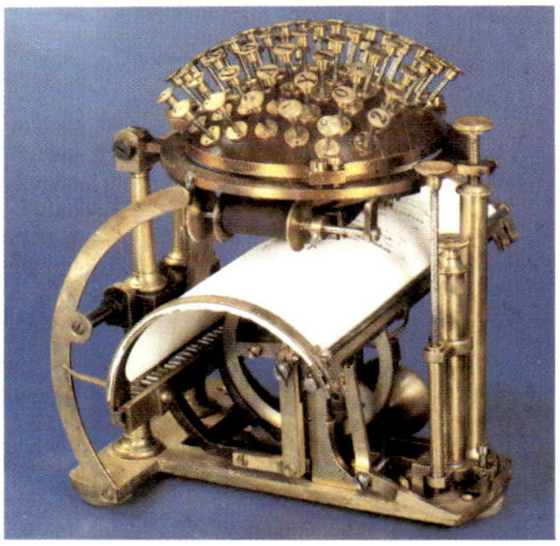

Schreibmaschine: Die erste kommerziell in Kleinserie gefertigte Schreibmaschine wurde 1867 von dem dänischen Pfarrer und Taubstummenlehrer Malling Hansen entwickelt

Geschichte: 1714 meldete H. Mill in London eine S. zum Patent an. S. mit Typenhebeln stammen von K. F. Drais Freiherr von Sauerbronn (1832), von X. Progin aus Marseille (1833), von G. Ravizza aus Novara (1855), der kreisförmig aufgehängte Typenhebel anwandte und das Farbband einführte, und von P. Mitterhofer aus Tirol, der vier Modelle von Typenkorb-S. baute (1864–69). Fabrikmäßig wurden S. zuerst von der amerikan. Firma Remington seit 1873/74 hergestellt.

Schreibmaschine: Kugelkopf (oben) und Typenrad

Franz Schreker

Jürgen Schrempp

Joseph Schreyvogel

John R. Schrieffer

Schreibmeister (Modisten), seit dem späteren MA. Lese- und Schreib-, oft auch Rechenlehrer für Kinder und Erwachsene, die keine Schulkenntnisse hatten. Seit 1480 bis in das 18. Jh. gab es für den Schreibunterricht gedruckte Schreiblehren (S.-Bücher), die u. a. Vorlagen zum Nachschreiben enthielten. Die S. pflegten und entwickelten die Schreibformen. Ein bed. S. war Johann Neudörffer d. Ä. in Nürnberg (*1497, †1563; →Fraktur).

Schreibtisch, Arbeitstisch mit Fächern zur Aufbewahrung von Schreibgerät; im MA. als →Pult, später als Schreibschrank (Sekretär); seit dem 17. Jh. auch als flache Platte mit Schubladen darunter (Bureau plât); im 18. Jh. kam das Zylinderbureau auf, dessen Fächer und Schreibplatte Rollladen verschließen.

Schreibtischtäter, im Zusammenhang mit der Verfolgung nat.-soz. Gewaltverbrechen entstandene Bez. für Menschen, die durch ihre Tätigkeit als Beamte, Wirtschaftsführer, Publizisten o. Ä. indirekt die Ausführung von Straftaten ermöglichen.

Schreibwaage, Gerät zur Messung der Schreibmotorik (Schreibdruck, -geschwindigkeit) bei der grapholog. und psychosomat. Diagnostik.

Schreier, Peter, Sänger (Tenor), *Meißen 29. 7. 1935; wurde 1961 Mitgl. der Dresdner, 1963 der Berliner Staatsoper; tritt bes. als Mozart- und Wagner-Interpret sowie als Lied-, Oratorien- und Konzertsänger hervor, seit 1969 auch als Dirigent.

Schrein, 1) *Kunst:* Behälter (z. B. Reliquien-S.), Schrank, auch der fest stehende mittlere Teil eines Flügelaltars.

2) *Religionswesen:* Kultstätte des →Shintō in Japan; meist schlichte Holzbauten in heiligen Bezirken als Opfer- und Anbetungshallen.

Schrein|altar, spätgotischer Flügelaltar, dessen schrankartiges Mittelstück (Schrein) der Aufnahme von gemalten und geschnitzten figürl. Darstellungen Heiliger sowie von Reliquien dient.

Schreiner, Otmar, Politiker (SPD), *Merzig 21. 2. 1946; Jurist, seit 1980 MdB, seit 1998 Bundesgeschäftsführer seiner Partei.

Schreinsbuch, Grundbuch im MA., Vorstufe der Stadtbücher, die es in Köln seit 1135 gab.

Schreiter, Johannes, Maler und Grafiker, *Buchholz (heute zu Annaberg-Buchholz) 8. 3. 1930; erfand 1958 eine neue Bildtechnik, die »Brandcollage«, in der er abgebrannte Papierstücke zu einer nuancierten Komposition ordnet; in den 60er-Jahren verlagert sich der Schwerpunkt seines Schaffen auf die Glasmalerei (Entwürfe für die Neuverglasung der Heiliggeistkirche in Heidelberg, ausgeführt 1984). – BILD Glasmalerei

Schreitvögel (Ciconiiformes), Ordnung der Vögel mit nesthockenden Jungen und meist langen Beinen und Schnäbeln (u. a. Ibisse, Löffler, Störche, Reiher und Schuhschnäbel).

Schreivögel (Clamatores), Unterordnung der →Sperlingsvögel mit einer im Unterschied zu den →Singvögeln nur gering ausgebildeten Kehlkopfmuskulatur (u. a. Tyrannen, Pipras, Kotingas).

Schreker, Franz, österr. Komponist, *Monaco 23. 3. 1878, †Berlin 21. 3. 1934; schrieb Opern mit spätromantisch-impressionist. Klangraffinement, u. a. »Der ferne Klang« (1912), »Die Gezeichneten« (1918), »Der Schatzgräber« (1920), »Irrelohe« (1924), »Der Schmied von Gent« (1932); ferner Tanzspiele, Orchesterwerke und Lieder.

Schrempp, Jürgen, Industriemanager, *Freiburg i. Br. 15. 9. 1944; seit 1995 Vorstands-Vors. der Daimler-Benz AG als Nachfolger von E. Reuter (*1928).

Schrenck-Notzing, Albert Freiherr von, Arzt und Parapsychologe, *Oldenburg (Oldenburg) 18. 5. 1862, †München 12. 2. 1929; einer der ersten dt. Erforscher des Hypnotismus, wandte sich seit 1886 parapsycholog. Problemen (v. a. Telekinese, Materialisationsphänomene) zu.

Schrey, Ferdinand, Stenograf, *Elberfeld (heute zu Wuppertal) 19. 7. 1850, †Berlin 2. 10. 1938. Seine Weiterführung des Stenografiesystems von F. X. Gabelsberger wurde 1897 durch das System **Stolze-S.** abgelöst. (→Stenografie)

Schreyvogel, Joseph, österr. Schriftsteller und Dramaturg, *Wien 27. 3. 1768, †ebd. 28. 7. 1832; begründete als Hoftheatersekretär und Dramaturg (1802–04, 1814–32) den typ. Bühnenstil des Wiener Burgtheaters.

Schreyvogl, Friedrich, österr. Schriftsteller, *Mauer (heute zu Wien) 17. 7. 1899, †Wien 11. 1. 1976; 1955–61 Vizedirektor und Chefdramaturg des Burgtheaters, schrieb Gedichte, Schauspiele, Komödien (»Die kluge Wienerin«, 1941) und Romane (»Liebe kommt zur Macht«, 1932; »Grillparzer«, 1935; »Der Sohn Gottes«, 1948; »Ein Jahrhundert zu früh. Das Schicksal Josephs II.«, 1964).

Schrieffer [ˈʃriːfə], John Robert, amerikan. Physiker, *Oak Park (Ill.) 31. 5. 1931; erhielt zus. mit J. Bardeen und L. N. Cooper 1972 den Nobelpreis für Physik für die Entwicklung einer mikroskop. Theorie der Supraleitung (BCS-Theorie).

Schriesheim, Stadt im Rhein-Neckar-Kreis, Bad.-Württ., an der Bergstraße, 13 400 Ew.; Obst-, Wein-, Tabakbau; Besucherbergwerk. – Im Stadtbild alte Fachwerkhäuser und das Rathaus von 1684; über der Stadt die Strahlenburg (13.–14. Jahrhundert).

Schrift, System graf. Zeichen, die zum Zweck menschl. Kommunikation verwendet werden (→Schreiben).

Entwicklung der Schrift: Vorstufen sind die »Gegenstands-S.« (z. B. Knoten-S., Kerbzahlen, indian. Wampumgürtel.) und die prinzipiell nicht davon unterschiedene bildl. Ideen-S. (→Bilderschrift), in

Griechischer Schriftenkreis

οὕτως γὰρ ἠγάπησεν ὁ Θεὸς τὸν κόσμον, ὥστε τὸν Υἱὸν τὸν μονογενῆ ἔδωκεν, ἵνα πᾶς ὁ πιστεύων εἰς αὐτὸν μὴ ἀπόληται ἀλλ' ἔχῃ ζωὴν αἰώνιον.

Griechische Schrift (Altgriechisch, v. l. n. r.)

Ⲡⲁⲓⲣⲏϯ ⲅⲁⲣ ⲁ ⲫϯ ⲙⲉⲛⲣⲉ ⲡⲓⲕⲟⲥⲙⲟⲥ ϩⲱⲥⲧⲉ ⲡⲉϥϣⲏⲣⲓ ⲙ̀ⲙⲁⲩⲁⲧϥ ⲛ̀ⲧⲉϥⲧⲏⲓϥ ϩⲓⲛⲁ ⲟⲩⲟⲛⲛⲓⲃⲉⲛ ⲉⲑⲛⲁϩϯ ⲉ̀ⲣⲟϥ ⲛ̀ⲧⲉϥϣⲧⲉⲙⲧⲁⲕⲟ ⲁⲗⲗⲁ ⲛ̀ⲧⲉϥϭⲓ ⲙ̀ⲡⲱⲛϧ ⲛ̀ⲉⲛⲉϩ.

Koptische Schrift (Koptisch, v. l. n. r.)

Ибо так возлюбил Бог мир, что дал Сына Единородного, чтобы каждый верующий в Него не погиб, но имел жизнь вечную.

Kyrillische Schrift (Russisch, v. l. n. r.)

Վասն զի Աստուած այնպէս սիրեց աշխարհը, մինչև իր միածին Որդին տուաւ, որպէս զի ամէն ով որ անոր հաւատայ՝ չկորսուի, հապա յաւիտենական կեանք ունենայ:

Armenische Schrift (Armenisch, v. l. n. r.)

რამეთუ ესრეთ შეიყუარა ღმერთმან სოფელი ესე, ვითარმედ ძეცა თვსი მხოლოდშობილი მოსცა მას, რათა ყოველსა, რომელსა ჰრწმენეს იგი, არა წარწყმდეს, არამედ აქუნდეს ცხოვრება საუკუნო.

Georgische Schrift, Mchedruli (Georgisch, v. l. n. r.)

Óir do ġráḋuiġ Dia an ṡaoġal ċóm mór ṡin, go dtug sé a Aon-Ṁac féin, ionnas, gaċ duine ċreideas ann, naċ gcaillfiḋe é, aċt go mbeaḋ an beaṫa ṡíorraiḋe aige.

Irische Schrift (Irisch, v. l. n. r.)

Indischer Schriftenkreis

यत ईश्वरो जगतीत्थं प्रेम चकार, यन्निजमेकजातं पुत्रं ददौ, तस्मिन् विश्वासी सर्व्वमनुष्यो यथा न विनश्यानन्तं जीवनं लप्स्यते।

Dewanagari (Sanskrit, v. l. n. r.)

কেননা খোদা দুনিয়াকে এমন পিয়ার করিলেন যে, আপনার একজাত বেটাকে দান করিলেন, যেন, যে কেহ তাঁহাতে ইমান আনে, সে বিনষ্ট না হয়, কিন্তু হামেশার জিন্দাগী পায়।

Bengalische Schrift (Bengali, v. l. n. r.)

།སུ་ཡང་བྱིང་ལ་དད་པ་དེ་མ་འཆི་བར། མཐའ་མེད་པའི་གསོན་པ་ཉིད་ཐོབ་པའི་ཕྱིར། དཀོན་མཆོག་གིས་ཉིད་ཀྱི་སྲས་གཅིག་པོ་དེ་གནང་ནས། འཇིག་རྟེན་ལ་དེ་ཙམ་བྱམས་པ་མཛད་པ་ཡིན།

Tibetische Schrift (Tibetisch, v. l. n. r.)

ဘုရားသခင်သည်။ သားတော်ကို ယုံကြည်သူတိုင်း မပျက်စီးဘဲ၊ ထာဝရအသက်ရစေခြင်းငှါ။ ကေပုတ္တသားတော်ကို အပ်ပေးသည့် တိုင်အောင်၊ ဤလောကသားတို့အား မေတ္တာသက်တော်မူ၏။

Birmanische Schrift (Birmanisch, v. l. n. r.)

เพราะ ว่า พระเจ้า ทรง รัก โลก, จน ได้ ประทาน พระบุตร์ องค์ เดียว ของ พระองค์, เพื่อ ทุก คน ที่ วาง ใจ ใน พระบุตร์ นั้น จะ มิ ได้ พินาศ, แต่ มี ชีวิต ชั่ว นิรันตร์.

Thailändische Schrift (Thailändisch, v. l. n. r.)

ដ្បិតព្រះទ្រង់ស្រឡាញ់មនុស្សលោក ដល់ម៉្លេះបានជាទ្រង់ប្រទានព្រះរាជបុត្រាទ្រង់តែ១ ដើម្បីឲ្យអ្នកណាដែលជឿដល់ព្រះរាជបុត្រានោះ មិនត្រូវវិនាសឡើយ គឺឲ្យមានជីវិតអស់កល្បជានិច្ចវិញ

Kambodschanische Schrift (Khmer, v. l. n. r.)

Semitischer Schriftenkreis

כִּי־כָ֫כָה רַבָּה אָהַב הָאֱלֹהִים אֶת־הָעוֹלָם עַד־אֲשֶׁר נָתַן אֶת־בְּנוֹ אֶת־יְחִידוֹ לְמַעַן אֲשֶׁר לֹא־יֹאבַד כָּל־הַמַּאֲמִין בּוֹ כִּי אִם־יִחְיֶה חַיֵּי עוֹלָם׃

Hebräische Schrift (Hebräisch, v. r. n. l.)

لِأَنَّهُ هٰكَذَا أَحَبَّ ٱللهُ ٱلْعَالَمَ حَتَّى بَذَلَ ٱبْنَهُ ٱلْوَحِيدَ لِكَيْ لَا يَهْلِكَ كُلُّ مَنْ يُؤْمِنُ بِهِ بَلْ تَكُونُ لَهُ ٱلْحَيٰوةُ ٱلْأَبَدِيَّةُ ◆

Arabische Schrift (Arabisch, v. r. n. l.)

በእርሱ ፡ የሚያምን ፡ ሁሉ ፡ የዘላለም ፡ ሕይወት ፡ እንዲኖረው ፡ እንጂ ፡ እንዳይጠፋ ፡ እግዚአብሔር ፡ አንድ ፡ ልጁን ፡ እስኪሰጥ ፡ ድረስ ፡ ዓለሙን ፡ እንዲሁ ፡ ወዶአልና ።

Äthiopische Schrift (Amharisch, v. l. n. r.)

Ostasiatischer Schriftenkreis

蓋上帝愛世、甚至予以其獨生之子、俾凡信之者、免淪亡而有永生。

Chinesische Schrift
(Chinesisch, v. r. n. l. und v. o. n. u.; seit 1958 in der VR China horizontal v. l. n. r.)

하나님이 세상을 이처럼 사랑하사 독생자를 주셨으니 이는 저를 믿는 자마다 멸망치 않고 영생을 얻게 하려 하심이니라

Koreanische Schrift, Hangul
(Koreanisch, v. r. n. l. und v. o. n. u.; heute auch horizontal v. l. n. r.)

それ神はその獨子を賜ふほどに世を愛し給へり、すべて彼を信ずる者の亡びずして永遠の生命を得んためなり。

Japanische Schrift
(Japanisch v. r. n. l. und v. o. n. u.; heute auch horizontal v. l. n. r.)

Mit freundlicher Genehmigung dem Werk ›The Gospel in many tongues‹, The British and Foreign Bible Society, London 1965, entnommen. Alle Beispiele geben den Satz aus dem Johannesevangelium (3, 16) wieder: ›Denn also hat Gott die Welt geliebt, dass er seinen eingeborenen Sohn gab, auf dass alle, die an ihn glauben, nicht verloren werden, sondern das ewige Leben haben‹.
v. l. n. r. von links nach rechts (geschrieben); v. r. n. l. von rechts nach links (geschrieben); v. o. n. u. von oben nach unten (geschrieben).

der einfache Bilder oder Bildfolgen unabhängig von der Sprache Inhalte darstellen. Von eigentl. S. kann erst nach dem Übergang zur Wiedergabe sprachl. Einheiten (Wörter, Silben, Laute) die Rede sein. Nach der Art der durch besondere Zeichen dargestellten Einheiten werden Wort- (i. d. R. Bildzeichen; →Hieroglyphen), Silben- und Buchstaben-S. unterschieden. Mischformen aus Wort-S. und Silben-S. sind u. a. die ältesten Formen der altmesopotam. →Keilschriften, die ägyptische Schrift, die S. des Hieroglyphenhethitischen oder die japanische Schrift. Wahrscheinlich Ende des 2. Jt., spätestens Mitte des 8. Jh. v. Chr. übernahmen die Griechen ohne grundlegende Änderung der äußeren Form das westsemit. (phönik.) Alphabet; die griechische Schrift war die erste europ. Buchstaben-S. Sie verbreitete sich früh bei den italischen Völkern und von Byzanz aus im Gebiet der orth. Kirche bei einem Teil der Slawen (→Glagoliza, →Kyrilliza); in Form bestimmter Arten der lateinischen Schrift verbreitete sie sich, nicht zuletzt unter dem Einfluss der römisch-kath. Kirche, über ganz Europa und über Europa hinaus. Ebenso wie die grch. Schrift geht die Brahmi-S., aus der sich fast alle indischen Schriften entwickelt haben, auf eine semit. Schrift zurück.

Schriften: historisch bedeutende Schreib- und Druckschriften

Griechen und Römer verwendeten im tägl. Gebrauch an Abkürzungen und Zeichenverbindungen (Ligaturen) reiche kursive S.-Formen; die jüngere röm. Kursive mit Ober- und Unterlängen lebt in den heutigen Kleinbuchstaben fort. In der frühen röm. Kaiserzeit bildete sich eine Monumental-S. in Majuskelform heraus (Kapitalis) mit gleich hohen, unverbunden nebeneinander stehenden Buchstaben (lebt in den Großbuchstaben der heutigen →Antiqua fort). Seit dem 3. Jh. n. Chr. ist die Unziale bekannt. Im frühen MA. bildeten sich versch. S.-Typen heraus, so u. a. um 780 die karolingische →Minuskel, die in Verbindung steht mit einer S.-Reform Karls d. Gr. Seit dem 12. Jh. entwickelte sich aus ihr die spitzbogige got. Minuskel, die im 14./15. Jh. außer in Italien, wo die Goticoantiqua und Rotunda entstanden, allg. verbreitet war, sowohl als Prunk-S. (Missal-S., Textura) wie als Gebrauchs-S. (Notula) oder Bastarda (got. Buch-S.). Die Humanisten belebten die karoling. Minuskel, Vorstufe der heutigen Antiqua, schufen aber auch eine got. S. der Renaissance, die →Fraktur. Sie war noch Grundlage der Sütterlin-S. bzw. der dt. Schreib-S., bis die lat. S. 1941 als dt. Normal-S. eingeführt wurde. Mit dem Buchdruck bildeten sich eigene Druckschriften heraus (→Schriften).

📖 SCHMITT, ALFRED: *Entstehung u. Entwicklung von S. Köln u. a. 1980. – Dreihundertzwanzig S., hg. v.* H. BAUR-CALLWEY *u. a. München 1991.* – PARRAMÓN, J. M.: *Das Handbuch der S. Aus dem Span. Neuausg. Stuttgart 1991.* – HAARMANN, H.: *Universalgeschichte der S. Frankfurt am Main u. a. 1992.*

Schrift|auslegung, →Exegese.

Schriftbeweis, die Rückführung dogmat. und eth. Aussagen einer Religion auf deren heilige Schrift(en). (→Schriftprinzip)

Schriftblindheit, die →Alexie.

Schriften, i. w. S. jede →Schrift, i. e. S. die Druck-S. Diese werden nach formalen und kulturgeschichtl. Gesichtspunkten in **Schriftgattungen** unterschieden: 1) runde S.: Renaissance-Antiqua (Mediäval), Barock-Antiqua, klassizist. Antiqua, serifenbetonte Antiqua (Egyptienne), serifenlose Antiqua (Grotesk), Varia; 2) gebrochene S.: Gotisch (Textura), Rundgotisch (Rotunda), Schwabacher, Fraktur; 3) andere Alphabete: Arabisch, Griechisch, Hebräisch, Kyrillisch u. a. – Die veraltete Einteilung in **Schriftarten** geht letztlich auf die Zeit des Bleisatzes zurück, als die Schrifttypen in fixen Größen und Schnitten vorlagen und nach Auftrags- und Verwendungsart eingeordnet wurden: Buch-S. (Werksatz), Auszeichnungs-, Akzidenz- und Plakat-S. – Aktueller ist die von M. Vox 1954 geschaffene, 1962 von der Association Typographique Internationale übernommene und 1993 von L. Blackwell überarbeitete **Formklassifikation nach Vox.** Aufgrund von Formabweichungen werden zehn Schriftgruppen unterschieden, die es auch ermöglichen, die Vielzahl der laufend neu entwickelten Schriften zu erfassen. – Das um 1785 von F. A. Didot geschaffene Didot-System ist ein typograph. Maßsystem für die →Schriftgrade auf der Basis des typograph. Punktes. Es verliert seit der Einführung von Fotosatz und Desktop-Publishing an Bedeutung.

Schrift|erz, ein Mineral, der →Sylvanit.

Schriftflechten (Graphidales), Ordnung der Krustenflechten, die auf Baumrinden, seltener auf Blättern und Gesteinen, als grauweißer, schriftähnlich gestrichelter Überzug wachsen.

Schriftform, *Recht:* →Formvorschriften.

Schriftführer, jemand, der in Gremien und Versammlungen die Rednerlisten führt, die Verhandlungen und Abstimmungen protokolliert.

Schriftgelehrte, seit dem Babylon. Exil (Esra 7,11) Bez. für die jüd. Gesetzeslehrer. (→Rabbi)

Schriftgrad (Schriftgröße), Größeneinteilung für Druckschriften, ausgehend vom typograph. Punkt (0,376 mm). Die S. werden nach altüberlieferten Namen oder Punkten bezeichnet. Durch den Übergang zum Fotosatz wird anstelle von S. heute auch mit Millimetern gerechnet.

schriftliches Verfahren, Form des gerichtl. Verfahrens, bei dem allein der schriftl. Akteninhalt Grundlage des Urteils ist; entbindet die Parteien vom persönl. Erscheinen. Das s. V. ist in der ZPO (§ 128) u.a. Verfahrensordnungen als Ausnahme vom Grundsatz der Mündlichkeit für bestimmte Streitigkeiten zugelassen.

Schriftprinzip, die Grundüberzeugung reformator. Theologie, nach der die Bibel die einzige Offenbarungsquelle ist und ein Glaubenssatz »allein aus der (hl.) Schrift« **(sola scriptura)** hergeleitet werden kann.

Schriftsatz, schriftl. Parteierklärungen in einem gerichtl. Verfahren.

Schriftsetzer, Ausbildungsberuf (Industrie und Handwerk, 3 Jahre). Der S. arbeitet heute meist mit digitalen Systemen. Er bereitet die Satzverarbeitung vor, erfasst Textmanuskripte und Korrekturen, setzt Tabellen, gestaltet (auf dem Bildschirm) den Umbruch und kontrolliert ihn.

Schriftsinn, *christl. Theologie:* eine bestimmte Bedeutungsdimension eines bibl. Textes im Rahmen seiner Auslegung. In ihrer klass. Ausprägung wurde die Lehre vom S., nach der jeder Bibeltext einen buchstäbl. (literalen), einen moral. (belehrenden) und einen allegor. (geistigen) Sinn hat, von Origenes entwickelt.

Schriftsprache, die überregional normierte Hochsprache im Unterschied zu den regionalen Mundarten und Dialekten.

Schriftsteller, im 17. Jh. entstandene Bez. für jemanden, der berufsmäßig (Rechts- oder Bitt-) Schriften verfasste, die sich im 18. Jh. als Eindeutschung von Autor (Verfasser) und Skribent (Schreiber) einbürgerte; heute Bez. für einen (berufsmäßigen) Verfasser von literar. Werken.

Schriftstellerverbände, Vereinigungen von Schriftstellern zur Wahrung ihrer berufsständ. Interessen. 1969 schlossen sich die Schriftsteller in der Bundesrep. Dtl. zum →Verband deutscher Schriftsteller e.V. zusammen. – In der DDR bestand 1952–90 der »Schriftstellerverband der DDR« (bis 1973 unter dem Namen »Dt. Schriftstellerverband«). In *Österreich* bestehen der »Schutzverband der österr. Schriftsteller« und der »Österr. Schriftstellerverband« (beide in Wien), in der *Schweiz* der »Schweizer Schriftstellerverband« (Zentralsekretariat in Zürich). (→P.E.N.)

Schriftgrade von 3 bis 14 Punkten mit ihren Bezeichnungen und Größen

	Brillant	Diamant	Perl	Nonpareille	Kolonel (Mignon)	Petit	Borgis	Korpus (Garmond)	Cicero	Mittel
Punkte	3	4	5	6	7	8	9	10	12	14
Geviertgrößen	■	■	■	■	■	■	■	■	■	■
Versalien	M	M	M	M	M	M	M	M	M	M
Gemeine	m	m	m	m	m	m	m	m	m	m

Schrimpf, Georg, Maler, *München 13. 2. 1889, †Berlin 19. 4. 1938; Vertreter der →Neuen Sachlichkeit, malte Landschaften, Bilder von jungen Mädchen oder von Müttern mit ihren Kindern. BILD S. 342

Schritt, 1) *altes Längenmaß:* zw. 70 und 80 cm.

2) *Pferdesport:* →Gangart des Pferdes.

Schrittmacher, 1) *Medizin:* →Herzschrittmacher.

2) *Radsport:* Motorradfahrer, der in geringem Abstand vor dem Radsportler (Steher) fährt, um diesem durch Verminderung des Luftwiderstands eine höhere Geschwindigkeit zu ermöglichen.

Schrittmotor, ein Elektromotor (Mehrphasen- oder Mehrstatormotor) für schrittweise Bewegung. Sein Läufer ist gezahnt, wodurch er den Stromimpulsen schrittweise folgt; für Positioniereinrichtungen in der Steuerungstechnik.

Schrittspannung, Spannungsfeld, das bei Erdschlüssen in elektr. Anlagen und Freileitungen im Erdboden um einen Erder entsteht. Die S. ist der

Schriftsteller

Als produktivster Schriftsteller der Weltliteratur gilt der spanische Dichter Lope de Vega, der in Spanien als der genialste Dichter seines Landes angesehen wird. Nach eigenen Angaben verfasste er 1500 Dramen, von denen 500 erhalten sind. Es sind zumeist Ritter-, Schäfer-, Verwicklungs- und Mantel- und Degenstücke. Daneben schrieb er auch Sonette, Liebesgedichte, Lieder, Romane, theoretische Abhandlungen zu Theater und Geschichte usw. usw. Er hatte in seinem Leben zahlreiche Liebesabenteuer, war mehrfach verheiratet und offizieller Flottendichter bei der unglücklichen Exkursion der spanischen Armada gegen England. 1614 wurde er noch Priester, bereute aber erst kurz vor seinem Tode sein sündiges Leben.

Georg Schrimpf: »Mädchen am Fenster« (1925; Basel, Kunstmuseum)

Teil der Erderspannung, der von einem Menschen mit 1 m Schrittweite überbrückt werden kann. Zulässiger Höchstwert ist 90 V. Schutzmaßnahmen in der Nähe von Freileitungsmasten und Blitzschutzerdungen sind z.B. Umzäunung, Potenzialsteuerung, isolierende Bodenbedeckung.

Schrobenhausen, Stadt im Landkreis Neuburg-S., Bayern, 15 700 Ew.; Dt. Spargelmuseum, Lenbach-Museum; Spezialtiefbau, Münz- und Prägewerk, Bekleidungs- und Papierind.; bed. Spargelanbau. – Pfarrkirche (15. Jh.), Teile der mittelalterl. Stadtbefestigung sind erhalten.

Schröder, **1)** Friedrich Ludwig, Schauspieler und Theaterleiter, *Schwerin 3. 11. 1744, †Rellingen (Kr. Pinneberg) 3. 9. 1816; leitete die Hamburger Bühne 1771–80, 1786–98 und 1811/12; war ein leidenschaftl., ausdrucksstarker Darsteller. Er bearbeitete Shakespeare für die dt. Bühne und schrieb Unterhaltungsstücke. S. hatte großen Einfluss auf die dt. Freimaurerei.

Gerhard Schröder

2) Gerhard, Politiker (CDU), *Saarbrücken 11. 9. 1910, †Kampen (Sylt) 31. 12. 1989; Jurist, 1949–80 MdB, war 1953–61 Bundesinnenmin., 1961–66 Bundesaußenmin. und 1966–69 Bundesverteidigungsmin.; 1969–80 Vors. des Bundestagsausschusses für auswärtige Angelegenheiten.

3) Gerhard, Politiker (SPD), *Mossenberg (heute zu Blomberg) 7. 4. 1944; Jurist, 1978–80 Vors. der Jungsozialisten (Juso), 1980–86 und seit 1998 MdB, 1986–98 in Niedersachsen MdL und dort 1986–90 Vors. der SPD-Landtagsfraktion. 1990–98 war er MinPräs. von Niedersachsen (1994 und 1998 in diesem Amt bestätigt). Seit Okt. 1998 ist er Bundeskanzler.

Rudolf Alexander Schröder

4) Rudolf Alexander, Schriftsteller, *Bremen 26. 1. 1878, †Bad Wiessee 22. 8. 1962; gründete 1899 mit A. W. Heymel und O. J. Bierbaum die Zeitschrift »Die Insel« (→Insel Verlag), später mit R. Borchardt und H. von Hofmannsthal die »Bremer Presse«. Mitgl. der Bekennenden Kirche; bedeutendster Erneuerer des prot. Kirchenlieds im 20. Jh. In seiner frühen Lyrik dem Ästhetizismus und Bekenntnis zum humanist. Erbe der Klassik verpflichtet (»Dt. Oden«, 1913; »Heilig Vaterland«, 1914), bestimmten nach 1918 prot. Christlichkeit und Anlehnung an antike Klassizität seine epigonal wirkende Dichtung (»Mitte des Lebens«, 1930). Leitmotiv der Prosawerke ist die Frage nach der polit. und religiösen Verantwortung des Dichters. Galt als Repräsentant christlich-humanist. Dichtung nach 1945 (»Die geistl. Gedichte«, 1949); bed. Übersetzungen und Nachdichtungen antiker und moderner Autoren.

🕮 *Rudolf Borchardt, Alfred Walter Heymel, R. A. S., bearb. v.* R. Tgahrt, *Ausst.-Kat. Schiller-Nationalmuseum, Marbach am Neckar. München 1978.*

5) Sophie, geb. Bürger, Schauspielerin, *Paderborn 1. 3. 1781, †München 25. 2. 1868; spielte u. a. in Hamburg und München, 1798/99, 1815–29 sowie 1836–40 am Wiener Burgtheater; berühmt in leidenschaftlich-trag. Rollen.

Schröder-Devrient [-deˈfriːnt, -devriˈɛ̃], Wilhelmine, Sängerin (Sopran), *Hamburg 6. 12. 1804, †Coburg 26. 1. 1860; 1823–47 Mitgl. der Dresdner Hofoper; berühmt in der Rolle der Leonore (in L. van Beethovens »Fidelio«); Liedsängerin.

Schröder-Sonnenstern, Friedrich, Zeichner, *Kaukehmen (heute Jasnoje, bei Tilsit) 11. 9. 1892, †Berlin 10. 5. 1982. Seine zur naiven Malerei zählenden Werke von intensiver Farbigkeit sind von erot. Zwangsvorstellungen märchenhaft durchdrungen und stellen surrealist. Vorstellungsbereiche dar; sie stehen an der Grenze zur psychopatholog. Kunst.

Schrödinger, Erwin, österr. Physiker, *Wien 12. 8. 1887, †ebd. 4. 1. 1961; Prof. in Stuttgart, Breslau, Zürich, Berlin, Oxford und Graz; 1938 Emigration nach Irland (Rückkehr nach Wien 1956). Nach Arbeiten zur statist. Thermodynamik und zur Theorie des Farbensehens baute S. 1926 die Ansätze L. de Broglies über Materiewellen zur →Wellenmechanik aus; die von ihm als Wellengleichung aufgestellte **S.-Gleichung** wurde durch die statist. Deutung (→Quantenmechanik) zur nichtrelativist. Bewegungsgleichung quantenmechan. Systeme. Später bearbeitete er Probleme der relativist. Quantenmechanik, der Gravitationstheorie und der einheitl. Feldtheorie. 1933 erhielt er mit P. A. M. Dirac den Nobelpreis für Physik.

Schrödinger-Gleichung [nach E. Schrödinger], grundlegende Bewegungsgleichung der nichtrelativist. Wellenmechanik. Sie beschreibt die durch die orts- und zeitabhängige Wellenfunktion $\psi = \psi(\mathbf{r}, t)$ charakterisierten Zustände quantenmechan. Systeme und lautet: $i\hbar\,\partial\psi/\partial t = \hat{H}\psi$. Dabei ist i die imaginäre Einheit, $2\pi\,\hbar = h$ das plancksche Wirkungsquantum und $\hat{H}$ der Hamilton-Operator, der für ein Teilchen der Masse m im Potenzial $V(\mathbf{r}, t)$ durch $\hat{H} = (\hbar/2m)\Delta + V(\mathbf{r}, t)$ gegeben ist (Δ Laplace-Operator). Das Absolutquadrat $|\psi|^2$ gibt die Wahrscheinlichkeit an, ein Teilchen zur Zeit t am Ort $\mathbf{r}$ anzutreffen. Für stationäre Zustände folgt die **zeitunabhängige S.-G.** $\hat{H}\psi(\mathbf{r}) = E\psi(\mathbf{r})$, die nur für bestimmte Energiewerte $E = E_n$ (Eigenwerte) Lösungen $\psi = \psi_n$ (Eigenlösungen) hat.

Schroers [ˈʃrø-], Rolf, Schriftsteller, *Neuss 10. 10. 1919, †Altenberge (Kr. Steinfurt) 8. 5. 1981; Verlagslektor; Mitgl. der »Gruppe 47«; ab 1971 Geschäftsführer der Friedrich-Naumann-Stiftung; Romane, Hörspiele, Erzählungen, Fernsehfilme.

Schroeter [ˈʃrø-], Werner, Regisseur, *Georgenthal/Thür. Wald (Kr. Gotha) 7. 4. 1945; drehte u. a. die Filme »Neapolitan. Geschwister« (1978), »Palermo oder Wolfsburg« (1980), »Der Rosenkönig« (1984), »Malina« (1990), »Poussières d'amours – Abfallprodukte der Liebe« (1996); seit 1972 Theater- und Operninszenierungen.

Schröpfen, *Medizin:* das örtl. Ansaugen von Blut in die Haut über erkrankten Organen unter Anwendung eines **Schröpfkopfs** (Glas- oder Gummiglocke mit abstufbarem Unterdruck); nach Anlegen feiner Hautschnitte auch zur Ableitung von Blut.

Schrot, 1) *Jagdwesen:* Bleikugeln von 1 bis 6 mm Durchmesser; die feinste Sorte heißt Dunst, die gröbste Posten.

2) *Landwirtschaft:* grob zerkleinerte Getreidekörner.

3) *Münzwesen:* das →Raugewicht.

Erwin Schrödinger (um 1933)

Schröter, die →Hirschkäfer.

Schröter 1) (Schroeter), Carl Josef, schweizer. Botaniker, *Esslingen am Neckar 19. 12. 1855, †Zürich 17. 2. 1939; Arbeiten zur Pflanzengeographie und -soziologie, schrieb »Das Pflanzenleben der Alpen«, (1908).

Friedrich Schröder-Sonnenstern: »Der Mondschützenkönig« (1953; Privatbesitz)

2) Corona, Sängerin, *Guben 14. 1. 1751, †Ilmenau 23. 8. 1802; 1776 von Goethe als Kammersängerin nach Weimar berufen; auch als Schauspielerin geschätzt.

Rolf Schroers

Schroth-Kur [nach dem österr. Landwirt Johann Schroth, *1800, †1856], Diätkost mit trockenen Brötchen, Getreidebrei sowie starker Einschränkung der Flüssigkeitszufuhr zur Reduzierung des Körpergewichts.

Schrot|rauschen, frequenzunabhängiges Rauschen (»weißes Rauschen«), das durch Ladungsträgerströmungen beim Überschreiten von elektr. Potenzialbarrieren entsteht. S. kann in Elektronenröhren aufgrund unregelmäßiger Emission von Elektronen aus der Kathode (Schroteffekt) und in Halbleitern auftreten.

Schrotschnitt, eine im 15. und 16. Jh. vorkommende Sonderform des →Metallschnitts, bei der mit einer Punze in die Platte geschlagene Punkte weiß auf schwarzem Grund erscheinen.

Schrotschnitt: der italienische Franziskaner Bernhardin von Siena auf einem Schrotblatt eines oberrheinischen Meisters (Ende des 15. Jh.)

Schrott, Sammel-Bez. für Metallabfälle aller Art, die bei der Metallbearbeitung anfallen oder als Altmaterialien aus dem Konsum zurückfließen, die teilweise bei der Metallherstellung wiederverwendet werden, bes. die Verwendung von Eisen-S. bei der Stahlerzeugung. (→Altmetallverhüttung)

Schrottwert, *Betriebswirtschaftslehre:* bei Veräußerung einer abgeschriebenen Anlage am Ende ihrer Nutzungsdauer erzielbarer Restwert unter

Berücksichtigung mögl. Ausbau- oder Abbruchkosten.

Schrumpfblase, Verkleinerung der Harnblase, mögl. Endstadium chron. Blasenentzündungen. Das Fassungsvermögen kann von 300 bis 400 ml auf 50 ml und weniger abnehmen.

Schrumpfen, die Ausnutzung der mit der Abkühlung metall. oder nichtmetall. Werkstoffe verknüpften Volumenverkleinerung zur Herstellung einer kraftschlüssigen Verbindung **(Schrumpfsitz)** von Maschinenteilen. Das Aufschrumpfen dient zur festen Verbindung zweier einander umschließender Metallteile, z. B. Welle und Ring.

Schrumpfkopf, →Tsantsa.

Schrumpfleber, die →Leberzirrhose.

Schrumpfniere (Nierenschrumpfung), narbige Verkleinerung der Niere durch Untergang von Nierengewebe und Bildung von Narbengewebe; oft mit erhöhtem Blutdruck und zunehmendem Nierenversagen verbunden, v. a. durch chron. Nierenentzündungen verursacht.

Schrumpfungstheorie, *Geologie:* die →Kontraktionstheorie.

Schrunde, 1) *Geographie:* (Schrund) Riss, Spalte, Fels- oder Gletscherspalte.

2) *Medizin:* die →Rhagade.

Schruns, Marktgemeinde im Bezirk Bludenz, Vorarlberg, Österreich, 4 000 Ew.; Hauptort des Montafon; Baugewerbe, Kraftwerk der Illwerke; bildet mit dem Nachbarort Tschagguns ein wichtiges Fremdenverkehrszentrum (Skiregion).

Schtetl *das* (Stetl), jiddische Bez. für Kleinstädte O-Europas, v. a. Galiziens, die stark von der gesellschaftl. Struktur der jüd. Bewohner und bes. von der chassid. Tradition geprägt waren. Die untergegangene Kultur des S. ist vielfältig in der bildenden Kunst (M. Chagall) und Literatur (Scholem Alejchem, S. Asch, B. Singer) bewahrt.

Christian Friedrich Daniel Schubart (Ausschnitt aus einem zeitgenössischen Gemälde)

Franz Schubert: Anfang des Lieds »Gretchen am Spinnrade« (1814), Autograph

Schtschedrin, Rodion Konstantinowitsch, russ. Komponist und Pianist, *Moskau 16. 12. 1932; ⚭ mit M. Plissetzkaja; komponierte vielfach von der russ. Folklore inspirierte Werke, u. a. Opern (»Nicht nur Liebe«, 1961; »Die toten Seelen«, 1977), Ballette (»Das bucklige Pferdchen«, 1960; »Carmen-Suite«, 1967; »Anna Karenina«, 1971; »Die Möwe«, 1978; »Die Dame mit dem Hündchen«, 1985), Orchester- und Chorwerke, Klavierkonzerte, Kammer-, Bühnen- und Filmmusik.

Schtschussew, Alexei Wiktorowitsch, russ. Architekt, *Kischinjow (heute Chişinău, Moldawien) 8. 10. 1873, †Moskau 24. 5. 1949; entwickelte nach historisierenden Anfängen (Kasaner Bahnhof, Moskau, 1914–26) einen strengen Monumentalstil (Leninmausoleum, ebd., 1924 in Holz, 1930 in Stein); entwarf Pläne für den Ausbau Moskaus und den Neuaufbau zerstörter Städte nach dem 2. Weltkrieg.

Schub, 1) *Dynamik:* (Schubkraft) die Vortriebskraft, durch die Fahrzeuge (Schiffe, Flugzeuge, Raketen) mit Propeller- oder Strahlantrieb vorwärts bewegt werden.

2) *Festigkeitslehre:* die →Scherung.

Schubart, Christian Friedrich Daniel, Dichter und Musiker, *Obersontheim (bei Schwäbisch Hall) 24. 3. 1739, †Stuttgart 10. 10. 1791; 1769–72 Organist und Kapellmeister am württemberg. Hof in Ludwigsburg, gründete 1774 in Augsburg die Zeitschrift »Teutsche Chronik« und wurde wegen seiner offenen Meinungsäußerung und Polemik als Gegner von Absolutismus und Obskurantismus vom Herzog von Württemberg 1777–87 auf der Festung Hohenasperg gefangen gehalten. S., der der Kunst des Sturm und Drang nahe stand, schuf polit. Anklagelyrik (»Die Fürstengruft«, 1786; »Kaplied«, 1787), komponierte Lieder und Klavierwerke und hinterließ die Fragmente »Ideen zu einer Ästhetik der Tonkunst« (hg. 1806).

📖 HONOLKA, K.: *S. Dichter u. Musiker, Journalist u. Rebell. Stuttgart 1985.*

Schubert, Franz, österr. Komponist, *Lichtental (heute zu Wien) 31. 1. 1797, †Wien 19. 11. 1828; Sohn eines Lehrers, wurde 1808 als Sopranist in die Konviktschule der Wiener Hofkapelle aufgenommen. 1814 wurde er Schulgehilfe seines Vaters. Unterstützt von seinem Freund Franz von Schober (*1796, †1882), lebte er ab 1818 ohne Anstellung als freier Komponist in Wien. In den Sommern 1818 und 1824 war er Musiklehrer der Familie Esterházy in Zelesz (Ungarn). S. starb, in den letzten Lebensjahren zunehmend durch Krankheit erschöpft, an einer Typhusinfektion.

Im Mittelpunkt seines Werkes steht das Lied, das er aus der Dichtung Goethes und seiner Zeit schöpfte. Die Fülle von Formen und Gestaltungsweisen reicht vom rein stroph. über das variierte stroph. zum durchkomponierten Lied. Der lebendige Einschlag der österreichisch-ungar. Volksmusik zeigt sich bes. in den Märschen und Tänzen für Klavier, aber auch in der Instrumentalmusik. Eine Verwandtschaft mit dem Lied zeigen seine lyr. Klavierstücke, die »Impromptus« und »Moments musicaux« wurden wegweisend. S.s Sonaten, Kammermusik und Sinfonien knüpfen in der Form an die Wiener Klassik an, tragen jedoch in Klangfantasie und Melodik romant. Merkmale. – Seine

spitzen Damenschuh immer höher (**Stöckelschuh**). Im 19. Jh. setzte sich die Unterscheidung von rechten und linken S. durch.

📖 Weber, P.: *S.e. 3 Jahrtausende in Bildern. Aarau 1980.* – Swann, J.: *Shoes. London 1982.* – *Z. B. S.e. Vom bloßen Fuß zum Stöckelschuh. Eine Kulturgeschichte der Fußbekleidung, hg. v.* M. Andritzky *u. a. Gießen 1988.*

2) *Technik:* stählerne Ummantelung von Gründungspfählen, stählerne Kappe in Knotenpunkten von Holzkonstruktionen.

Schuh, Oscar Fritz, Regisseur und Theaterleiter, *München 15. 1. 1904, †Großgmain (bei Salzburg) 22. 10. 1984; leitete 1953–58 das Theater am Kurfürstendamm in Berlin, war 1959–63 Generalintendant in Köln, 1963–68 in Hamburg; inszenierte u. a. bei den Salzburger Festspielen.

Schuhcreme [-krɛ:m, -kre:m], Mittel zum Reinigen und Konservieren des Leders und ggf. Glänzendmachen von Schuhen. Ölcreme besteht aus Wachsgemischen mit Terpentinöl oder Benzin als Lösungsmittel; bei der Emulsionscreme sind Wachse und Lösungsmittel durch Emulgatoren in Wasser emulgiert. Lederfette enthalten Wachse, tier. Fette und Vaselinöl.

Schuhplattler, in Oberbayern und Tirol verbreiteter Paarwerbetanz, bei dem die tanzenden Männer zur Musik eines Ländlers mit den Händen auf Oberschenkel und Schuhsohlen schlagen (»platteln«), während sich die Frauen um die eigene Achse drehen (»kreiseln«); seit etwa 1900 als Gruppenplattler getanzt.

Schuhschnabel (Abu Markub, Balaeniceps rex), hochbeiniger, blaugrauer Schreitvogel der Sümpfe am Weißen Nil, etwa 1,20 m hoch, mit schuhförmigem Schnabel; ernährt sich von Fischen, Lurchen und Schnecken.

Schuiski, russ. Fürstengeschlecht, das vom 15. bis zum 17. Jh. großen Einfluss am Moskauer Hof besaß. 1606–10 war Wassili IV. Iwanowitsch S. Zar.

Schukow, Georgi Konstantinowitsch, Marschall der Sowjetunion (seit 1943), *Strelkowka (bei Kaluga) 1. 12. 1896, †Moskau 18. 6. 1974; befehligte 1939 eine sowjetisch-mongol. Armeegruppe gegen die Japaner am Chalchyn-Gol, 1941 Generalstabschef der Roten Armee; nach dem dt. Überfall auf die UdSSR (1941) Oberbefehlshaber versch. Fronten (u. a. der W-Front 1941/42 in der Schlacht um Moskau), 1942–45 Stellv. des Oberkommandierenden; koordinierte u. a. 1942/43 die sowjet. Militäraktionen in den Schlachten um Stalingrad und am Kursker Bogen. Als Oberbefehlshaber der 1. Weißruss. Front (seit 1944) stieß S. mit seinen Truppen nach Berlin vor und nahm am 8. 5. 1945 als sowjet. Vertreter die dt. Kapitulation entgegen. 1945–46 Oberbefehlshaber der sowjet. Truppen in Dtl. und Chef der SMAD; 1955–57 Verteidigungsmin.; wurde 1957 Mitgl. des Präsidiums des ZK der KPdSU, im selben Jahr seiner Ämter enthoben.

Schuh

In der Volkskunde gilt der Schuh als Sinnbild von Macht und Besitz. Bei den germanischen Völkern nahm man ein Stück Land in Besitz, indem man es »betrat«; Schuh war auch ein Ackermaß. Der Fußtritt des geistlichen Herrn auf seine Vasallen, des Bräutigams auf seine Braut nach der Trauung deutete den Herrschaftsanspruch und die Legitimation an. Der Schuh als Besitz- und Standeszeichen taucht daher in Wappen auf; der einfache, bäuerliche Bundschuh, der den aufständischen Bauern im Bauernkrieg als Feldzeichen diente, ist auch heute noch Widerstandssymbol von Bürgerinitiativen. Schnallenschuhe und rote Absätze, Privilegien des Adels, wurden in der Französischen Revolution zu Sinnbildern des bekämpften Ancien Régime. Als Symbol der weiblichen Scham und Pendant zum phallischen Fuß hat der Schuh im Glauben vieler Völker magische Wirkung als Amulett und Talisman auf Fruchtbarkeit und Gesundheit. Schuhgeschenke, Schuhwerfen als Eheorakel und erotisch bedingter Schuhfetischismus wirken in Liebeszauber und Hochzeitsbräuche hinein. In Sagen und Märchen ist der Schuh als zauberischer Flugschuh, als Siebenmeilenstiefel und als Schönheitsmerkmal (Aschenputtel) ein wichtiges Requisit.

Schukowski, 1) Nikolai Jegorowitsch, russ. Mathematiker und Strömungsforscher, *Orechowo (Gebiet Wladimir) 17. 1. 1847, †Moskau 17. 3. 1921; Prof. in Moskau; Arbeiten v. a. zur Aero- und Hydrodynamik; Wegbereiter der modernen Luftfahrt.

2) Wassili Andrejewitsch, russ. Dichter, *Gut Mischenskoje (Gebiet Tula) 9. 2. 1783, †Baden-Baden 24. 4. 1852; bed. Wegbereiter der russ. Romantik. S. führte Elegie und Ballade in die russ. Literatur ein, übersetzte bes. engl. und dt. Dichtungen (u. a. Schiller, Goethe, Byron, Gray, Bürger).

📖 Gerhardt, D.: *Die Zeit u. das Wertproblem, dargest. an den Übersetzungen V. A. Zukovskijs. Opladen 1989.*

Georgi Schukow

Schukschin, Wassili Makarowitsch, russischer Schriftsteller, Filmregisseur und -schauspieler, *Srostki (Region Altai) 25. 7. 1929, †Staniza Kletskaja (Gebiet Wolgograd) 2. 10. 1974; Vertreter der Dorfprosa; gestaltete in Kurzgeschichten ungewöhnl. Situationen des Alltags, u. a. »Bruderherz« (dt. Auswahl 1978), »Gespräche bei hellem Mondschein« (2 Bde., dt. Auswahl 1979); »Roter Holunder« (hg. 1975).

📖 Korobov, V.: *Vasilij Šukšin. Moskau [2]1988.*

Nikolai Schukowski

Schul|aufsicht, die Gesamtheit der staatl. Befugnisse zur Organisation, Planung, Leitung und Beaufsichtigung des öffentl. Schulwesens und der staatlich anerkannten privaten Schulen. Wegen der Kulturhoheit der Länder fällt die im Art. 7 GG festgeschriebene S. in deren Verantwortungsbereich. Das Landesrecht regelt die Zuständigkeit für die S. schulartspezifisch unterschiedlich. Untere S.-Behörde ist i.d.R. das staatl. Schulamt, mittlere (obere) z.B. das Reg.präsidium bzw. das Oberschulamt und oberste das Kultusministerium bzw. der Senator.

Schulbuch, Lehr- und Arbeitsbuch für den Schulunterricht, das den in Lehrplänen festgelegten Unterrichtsstoff didaktisch aufbereitet darbietet. S. werden von den Schulaufsichtsbehörden geprüft und zugelassen.

Schulchạn Arụch [hebr. »gedeckter Tisch«] *der,* ein von J. Karo (*1488, †1575) verfasstes Kompendium des jüd. Rechts (gedruckt Venedig 1565), das die wichtigsten Vorschriften der →Halacha enthält und bis heute der im ganzen Judentum anerkannte und maßgebliche halach. Gesetzeskodex ist, der immer wieder regional aktualisiert wurde.

Schuld, 1) *Philosophie, Religion:* etwas, das man tun soll, eine Schuldigkeit. Als Schuldigwerden die Übertretung eines im Rahmen eines allg. Normenkodex vorgegebenen bzw. auf Gott oder die Götter zurückgeführten Gesetzes oder Gebots oder das Bewusstsein, der erkannten sittl. bzw. religiösen Pflicht zuwidergehandelt zu haben. Beurteilungsinstanzen der S. sind das eigene Gewissen, vor dem das Individuum sich als schuldig erfährt (S.-Erfahrung, S.-Gefühl), Gott, die anderen Menschen. Die Religionen und das antike Drama zeigen, dass Schuldigwerden eine Urerfahrung des Menschen darstellt. (→Sünde)

Schuldenkrise: Schuldenindikatoren verschiedener Ländergruppen (Auswahl)

	1980	1990	1995	1996[1]
alle Entwicklungsländer[2]				
Schuldenstand (in Mrd. US-$)	615,7	1480,2	2065,7	2177,0
Schuldendienst (in Mrd. US-$)	92,5	163,6	231,3	244,6
Zinszahlungen (in Mrd. US-$)	49,1	73,1	96,0	101,2
Schuldendienstquote[3] (in %)	13,0	18,3	17,0	16,4
Gesamtschulden/Export (in %)	86,5	165,1	151,4	146,2
Schuldenrate[4] (in %)	21,0	34,8	39,6	37,0
SILIC[5]				
Schuldenstand (in Mrd. US-$)	60,8	212,3	245,2	243,4
Schuldendienst (in Mrd. US-$)	6,4	10,7	10,8	11,1
Zinszahlungen (in Mrd. US-$)	2,4	4,4	2,9	3,5
Schuldendienstquote (in %)	10,7	21,8	18,6	18,0
Gesamtschulden/Export (in %)	101,6	432,8	421,2	394,6
Schuldenrate (in %)	31,8	135,2	111,7	96,5
SIMIC[6]				
Schuldenstand (in Mrd. US-$)	205,0	427,2	578,6	597,2
Schuldendienst (in Mrd. US-$)	35,8	36,3	63,9	84,2
Zinszahlungen (in Mrd. US-$)	14,5	12,8	24,8	25,2
Schuldendienstquote (in %)	37,7	25,3	27,5	33,4
Gesamtschulden/Export (in %)	215,4	297,8	248,8	236,8
Schuldenrate (in %)	33,0	45,4	40,3	39,5

[1] vorläufige Angaben. – [2] 136 nach dem Debtor Reportingsystem (DRS) der Weltbank berichtende Länder. – [3] Verhältnis Schuldendienst zum Export. – [4] Verhältnis Schuldenstand zum Bruttosozialprodukt. – [5] stark verschuldete Länder mit niedrigem Einkommen. – [6] stark verschuldete Länder mit mittlerem Einkommen

2) *Psychoanalyse:* Das (v.a. neurot.) **S.-Gefühl,** die subjektive, bewusste oder unbewusste Überzeugung, einer Person Unrecht angetan oder gegen ein Gebot oder Gesetz verstoßen zu haben, wird psychoanalytisch v.a. als Ausdruck eines innerpsych. Konfliktes gedeutet; in der Therapie wird dessen Bewältigung versucht.

3) *Strafrecht:* die Vorwerfbarkeit der Willensbildung des Täters. Sie setzt voraus, dass der Täter statt des rechtswidrigen einen normgemäßen Handlungswillen hätte bilden können; S. ist gegeben bei →Vorsatz oder →Fahrlässigkeit. Das Vorliegen von S. ist Voraussetzung für die Bestrafung und Grundlage für die Zumessung der Strafe. **S.-Ausschließungsgründe** (Entschuldigungsgründe) sind v.a. →Schuldunfähigkeit, entschuldigender →Notstand (§ 35 StGB), unvermeidbarer Verbotsirrtum und Tatbestandsirrtum (→Irrtum). Die **S.-Frage** (ob der Angeklagte der ihm zur Last gelegten Straftat schuldig ist) besteht aus der Beweisfrage (ob die Begehung der Tat durch den Angeklagten erwiesen ist) und der Frage nach der Gesetzesanwendung (Subsumtion; ob ein im Strafgesetz bezeichneter Tatbestand vorliegt). Sie umfasst ferner die Strafe ausschließende, mindernde oder erhöhende Umstände.

📖 KAUFMANN, A.: *S. u. Strafe. Köln u. a.* ²*1983.* – *S. u. Verantwortung. Philosoph. u. jurist. Beiträge zur Zurechenbarkeit menschl. Handelns, hg. v.* M. BAUMGARTNER *u. a. Tübingen 1983.*

4) *Zivilrecht:* 1) als Verbindlichkeit die Verpflichtung des Schuldners zu einer Leistung (Tun oder Unterlassen) aufgrund eines Schuldverhältnisses; 2) als Vorwerfbarkeit die Bewertung eines menschl. Verhaltens (→Verschulden).

Schuld|anerkenntnis, →Anerkenntnis.

Schuldbeitritt, →Schuldübernahme.

Schuldbetreibung, schweizer. für →Zwangsvollstreckung.

Schuldbrief, die bei der Erteilung einer Briefgrundschuld ausgestellte Urkunde (→Grundschuld). – In der *Schweiz* ist der S. eine der drei Formen des →Grundpfandrechts. Der Schuldner haftet unbeschränkt, nicht nur mit dem Wert des Grundstücks (Art. 842 ff. ZGB).

Schuldbuch (Staatsschuldbuch), →Staatsschulden.

Schuldenkrise, Bez. für die mit der Zahlungsunfähigkeit Mexikos 1982 eingetretene krisenhafte Entwicklung im internat. Finanzsystem, als sich eine Reihe von Entwicklungsländern außerstande sah, ihre bei Industrieländern aufgenommenen Kredite (Auslandsschulden, i.d.R. öffentl. Auslandsschulden) vereinbarungsgemäß zu tilgen und die fälligen Zinsen zu zahlen. Das Hauptproblem der S. war für die Entwicklungsländer die Tatsache, dass die von ihnen aufzubringenden Zins- und

Schuldenkrise: Kennziffern zur Schuldenbelastung einzelner Staaten und Regionen

	Schuldendienstquote in %[1]			Auslandsschulden in % des BSP[2]			Schuldenstand in Mrd. US-$		
	1980	1990	1995	1980	1990	1995	1980	1990	1995
Afrika (Subsahara)	9,8	18,0	14,5	30,6	71,1	81,3	84,1	191,3	226,5
Kenia	21,0	35,2	25,7	48,1	87,2	97,9	3,4	7,1	7,4
Moçambique	-	26,0	35,7	-	380,0	443,6	0,5	1,0	1,8
Ostasien und Pazifik	11,5	17,5	12,8	17,3	37,1	32,9	64,6	239,1	404,5
China	4,3	11,7	9,9	2,2	15,6	17,2	4,2	12,8	16,4
Thailand	18,6	16,9	10,2	25,9	33,2	34,9	8,3	28,1	56,8
Südasien	11,7	28,1	24,6	17,4	33,3	30,5	38,0	130,0	156,8
Indien	9,3	31,4	28,2	11,9	27,8	28,2	20,6	83,9	93,8
Nordafrika und Nahost	5,7	15,7	14,9	18,3	38,6	37,3	83,8	182,5	216,0
Lateinamerika und Karibik	36,3	24,4	26,1	36,0	46,5	41,0	257,3	474,9	636,6
Argentinien	37,3	37,0	34,7	35,6	46,0	33,1	27,2	62,2	89,7
Brasilien	63,3	22,2	37,9	31,2	28,1	24,0	71,5	119,6	159,1
Mexiko	44,4	20,7	24,2	30,5	43,8	69,9	57,4	104,4	165,7
Europa und Zentralasien	7,4	14,3	13,8	9,9	18,1	39,9	87,9	262,3	425,3
Russland	-	14,6	6,6	-	10,4	37,6	-	59,8	120,5
Türkei	28,0	29,3	27,7	27,4	32,8	44,1	19,1	49,2	73,6
Ungarn	-	34,3	39,1	44,8	67,2	72,8	9,8	21,3	31,2

[1] Verhältnis des gesamten Schuldendienstes zum Export von Waren und Dienstleistungen. – [2] BSP = Bruttosozialprodukt

Tilgungsraten einen immer höheren Anteil ihrer Exporteinnahmen beanspruchten und somit wirtsch. Entwicklung behinderten und die sozialen Probleme verschärften. Um einen Zusammenbruch des Weltfinanzsystems zu verhindern, war eine Überwindung der S. auch im Interesse der Gläubigerländer. Ursachen der S. waren u.a. die großzügige Kreditvergabe der Ind.staaten, Fehlentwicklungen in den Schuldnerländern, der Anstieg des Zinsniveaus und der Verfall der Rohstoffpreise auf dem Weltmarkt. Die mit dem Brady-Plan (nach dem damaligen amerikan. Finanzmin.) 1989/90 eingeleitete Schulden- und Schuldendienstverringerung im Rahmen von Umschuldungsabkommen (u.a. Rückkauf der Schulden gegen neue Kredite, Eintausch der Gläubigerbankforderungen gegen Wertpapiere) oder Schuldennachlässe (für die Gruppe der ärmsten Entwicklungsländer) sollten die nominale Außenverschuldung mit der tatsächl. Leistungskraft der Schuldnerländer in Einklang bringen. Damit ist eine Entschärfung der S. eingetreten, die sich niedergeschlagen hat in einem Rückgang der Verschuldungsquote (Verhältnis von gesamten Schulden zu Exporterlösen) von 194% (1987) auf 167% (1994) sowie der Schuldendienstquote (Schuldendienstaufwand zu Exporterlösen) von 22,5% (1985) auf 16,3% (1995). Allerdings sind die Werte für die Länder südlich der Sahara und die hoch verschuldeten Länder mit niedrigem Einkommen immer noch »untragbar hoch« (Weltbank).

📖 KORN, A.: *Weltwirtschaft u. internat. Verschuldung. Frankfurt am Main u.a. 1989.* – KRAEMER, M.: *Neuere Ansätze zur Lösung der internat. S. Frankfurt am Main u.a. 1991.*

Schuldfähigkeit, *Strafrecht:* → Schuldunfähigkeit; für das bürgerl. Recht → Deliktsfähigkeit.

Schuldhaft, früher die Haft eines säumigen Schuldners auf Betreiben des Gläubigers bis zur Tilgung der Schuld; entstand im MA. aus der Schuldknechtschaft; im Norddt. Bund und in Österreich 1868 abgeschafft.

Schuldknechtschaft, im röm. und german. Recht Form der Zwangsvollstreckung gegen zahlungsunfähige Schuldner, durch die diese ihre Rechtsfähigkeit verloren und Sklaven wurden. Urspr. war der Schuldner der Willkür des Gläubigers ausgesetzt (dauernde S., Verkauf durch den Gläubiger), später entstand ein Dienstverhältnis unter Wahrung der persönl. Freiheit des Schuldners (abdienende S.). → Schuldhaft

Schuldner (lat. Debitor), die aus einem → Schuldverhältnis verpflichtete Person, im Unterschied zum → Gläubiger. Über den S. im Konkurs → Gemeinschuldner.

Schuldnerbegünstigung, → Konkursstraftaten.

Schuldnerberatung, von Verbraucherverbänden, Selbsthilfeorganisationen, Trägern der freien Wohlfahrtspflege oder kommunalen Behörden geleistete Hilfe für verschuldete (überschuldete) Privatpersonen. Die S. soll eine tragbare Rückzahlung der Schulden erreichen, um einen gesellschaftl. Abstieg der Betroffenen zu vermeiden.

Schuldnerverzeichnis, von den Amtsgerichten als Vollstreckungsgericht geführtes Verzeichnis über Schuldner, die im Rahmen der Zwangsvollstreckung eine eidesstattl. Versicherung über die Höhe ihres Vermögens geleistet haben oder gegen die die Haft zur Erzwingung der eidesstattl. Versicherung angeordnet ist (§ 915 ZPO).

Schuldnerverzug, *Zivilrecht:* die vom Schuldner zu vertretende Verzögerung einer geschuldeten Leistung. Der S. tritt ein, wenn der Schuldner auf eine nach Fälligkeit ausgesprochene Mahnung des Gläubigers nicht leistet. Der Mahnung stehen Leistungsklage und Mahnbescheid gleich (§§ 284 ff. BGB). Ohne Mahnung tritt der S. bei terminbestimmten Leistungen ein sowie, wenn der Schuldner die Leistung endgültig und ernsthaft verweigert; er setzt stets ein Verschulden voraus. Der im Verzug befindl. Schuldner bleibt zur Leistung verpflichtet; er hat daneben dem Gläubiger den durch die Verspätung entstandenen Schaden zu ersetzen. Hat die Leistung für den Gläubiger kein Interesse mehr, so kann dieser unter Ablehnung der Leistung Schadensersatz wegen Nichterfüllung verlangen. Während des S. hat der Schuldner jede Fahrlässigkeit zu vertreten, er ist auch für die durch Zufall eintretende Unmöglichkeit der Leistung verantwortlich. Eine Geldschuld ist während des S. mit 4 %, bei beiderseitigen Handelsgeschäften mit 5 % zu verzinsen (§ 352 HGB).

Das *österr.* Recht unterscheidet zw. objektivem (unverschuldetem) und subjektivem (verschuldetem) S. Bei subjektivem S. können neben Erfüllung und Rücktritt zusätzlich Schadensersatzansprüche geltend gemacht werden. Im *schweizer.* Recht gilt eine ähnliche Ordnung wie in Dtl. (Art. 102 ff. OR).

Schul|drama, das an den dt. Humanistenschulen des 15.–17. Jh. gepflegte lat. (seit dem 2. Drittel des 16. Jh. auch deutschsprachige) Drama, dessen Aufführung (urspr.) eine pädagogisch-didakt. Zielsetzung verfolgte. Bed. Verfasser eines deutschsprachigen **Reformationsdramas** waren u. a. P. Rebhuhn (auch Rebhun), G. Rollenhagen, J. Agricola, N. Frischlin, S. Birck, J. Wickram, C. Weise. Die Stoffe des reformator. Dramas stammen v. a. aus der Bibel. In der 2. Hälfte des 16. Jh. entwickelte sich aus dem lat. S. der Humanisten das lat. → Jesuitendrama.

Schuld|recht (Recht der Schuldverhältnisse), Rechtsvorschriften, die das Entstehen, die Ausgestaltung und die Abwicklung der → Schuldverhältnisse regeln. Das S. ist im 2. Buch des BGB (§§ 241–853) enthalten. Grundlage des S. ist die Freiheit der Beteiligten bei Abschluss und Gestaltung ihrer schuldrechtl. Beziehungen (Vertragsfreiheit). – Das *österr.* Recht regelt das S. als »persönliches Sachenrecht« (§§ 859–1341 ABGB). Das *schweizer.* Recht behandelt es im Obligationenrecht.

Schuldschein, eine vom Schuldner ausgestellte Urkunde zur Sicherung des Beweises über das Bestehen einer Schuld; die Verpflichtung wird darin begründet oder bloß bestätigt. Das Eigentum am S. steht dem Gläubiger zu (§ 952 BGB). Bei Erfüllung der Schuldverbindlichkeit kann der Schuldner die Rückgabe des S. verlangen (§ 371 BGB). – *Österreich* und die *Schweiz* haben ähnl. Regelungen.

Schuldtitel, jede Urkunde, durch die jemand zu einer Leistung verpflichtet wird, bes. der Vollstreckungstitel (→ Zwangsvollstreckung).

Schuld|übernahme, die Übernahme einer Schuld durch einen Dritten, der an die Stelle des bisherigen Schuldners tritt **(befreiende S.).** Sie kommt durch Vertrag zw. Gläubiger und Schuldübernehmer (§ 414 BGB) oder mit Genehmigung des Gläubigers durch Vertrag zw. Schuldner und Übernehmer (§ 415 BGB) zustande. Bei der **kumulativen (bestärkenden) S. (Schuldbeitritt)** tritt der Dritte neben den bisherigen Schuldner als Gesamtschuldner. – In *Österreich* (§§ 1347, 1404 ff. ABGB) und in der *Schweiz* (Art. 175 ff. OR) besteht eine ähnl. Regelung.

Schuld|umwandlung, → Novation.

Schuld|unfähigkeit (früher: Unzurechnungsfähigkeit), *Strafrecht:* die mangelnde Fähigkeit eines Täters, das Unrecht seiner Tat einzusehen und nach dieser Einsicht zu handeln. Die S. ist ein Schuldausschließungsgrund, der Straflosigkeit zur Folge hat. Die volle **Schuldfähigkeit** beginnt i. d. R. mit dem vollendeten 18. Lebensjahr; über die strafrechtl. Verantwortlichkeit von Jugendlichen → Jugendstrafrecht. Kinder unter 14 Jahren sind schuldunfähig (§ 19 StGB), außerdem alle Personen, die bei Begehung der Tat wegen einer krankhaften seel. Störung, wegen einer tief greifenden Bewusstseinsstörung, wegen Schwachsinns oder einer schweren anderen seel. Abartigkeit (z. B. Psychopathien, Triebstörungen) unfähig sind, das Unrecht der Tat einzusehen oder nach dieser Einsicht zu handeln (§ 20 StGB). Bei erheblich **verminderter Schuldfähigkeit** (z. B. bei hohem Blutalkoholwert; allerdings kann → Rauschtat vorliegen) kann die Strafe gemildert werden (§ 21 StGB). Hat jemand eine rechtswidrige Tat im Zustand der S. oder der verminderten Schuldfähigkeit begangen, so ordnet das Gericht die Unterbringung in einem psychiatr. Krankenhaus an, wenn von ihm infolge seines Zustandes auch künftig erhebl. rechtswidrige Taten zu erwarten sind und er deshalb für die Allgemeinheit gefährlich ist (§ 63 StGB); ggf. kommt auch die Unterbringung in einer Entziehungsanstalt infrage (§ 64 StGB). Ob S. vorliegt, hat das Gericht in eigener Verantwortung zu entscheiden. (→ Actio libera in causa).

Die StGB *Österreichs* (§§ 11, 21, 22, 34 Ziff. 11 StGB, §§ 4, 9, 10 Jugendgerichts-Ges. 1988) und der *Schweiz* (Art. 10–13, 43, 44 StGB) enthalten über die S. ähnl. Grundsätze wie das dt. StGB, wobei im schweizer. Strafrecht für Kinder nach der Vollendung des 7. Altersjahres und für Jugendliche von 15 bis 18 Jahren besondere Bestimmungen gelten (Art. 82–99 StGB).

🕮 *Psychiatr. Begutachtung, hg. v.* U. Venzlaff. *Stuttgart u. a. 1986.*

Schuldverhältnis, jedes Rechtsverhältnis, das eine Partei (Gläubiger) berechtigt, von der anderen (Schuldner) eine Leistung (auch in Form einer Unterlassung) zu fordern (§241 BGB). S. entstehen aus Rechtsgeschäften, unerlaubten Handlungen oder besonderer Vorschrift.

Schuldverschreibung (Obligation), Urkunde, die ein Leistungsversprechen des Ausstellers, meist Zahlung einer bestimmten Geldsumme nebst laufenden Zinsen, verbrieft. S. werden überwiegend im Rahmen der Kapitalbeschaffung durch Anleihen von Staat, Gemeinden (Kommunalobligationen) und Privatunternehmen (Industrieobligationen) ausgegeben, aber auch von Realkreditinstituten als Pfandbriefe ausgestellt. S. sind festverzinsl. Wertpapiere (Rentenpapiere), die an der Börse gehandelt werden (Rentenmarkt). I.d.R. lauten sie auf den Inhaber (§§793ff. BGB, Inhaber-S.), können jedoch auf einen bestimmten Gläubiger umgeschrieben werden. An Order gestellte, indossable S. sind die kaufmänn. Verpflichtungsscheine nach §363 HGB. Sonderformen der S. sind **Wandel-S.** und **Gewinn-S.** Die Gewinn-S. gewährt neben der Nominalverzinsung eine ergebnisabhängige Zusatzverzinsung. Die Wandel-S. (Wandelanleihe, Convertible Bond) ist eine S. einer AG mit dem Recht, sie mit oder ohne Zuzahlung gegen eine Aktie der Gesellschaft umzutauschen.

Schuldversprechen, meist schriftl. Vertrag, durch den eine Leistung (z.B. 100 DM zu zahlen) in der Weise versprochen wird, dass das Versprechen die Leistung selbstständig, d.h. losgelöst von einem Verpflichtungsgrund (z.B. Kaufvertrag), begründen soll (abstraktes S.; §§780, 782 BGB). Entspricht inhaltlich dem selbstständigen Schuldanerkenntnis. – Im *österr.* Recht sind abstrakte S. selten, das *schweizer.* Recht kennt das S. nicht.

Schule [zu lat. schola, aus grch. scholḗ »Freisein von Geschäften«], öffentl. oder private (→Privatschulen) Einrichtung mit der Aufgabe, Kindern und Jugendlichen (i.w.S. auch Erwachsenen) durch planmäßigen Unterricht Wissen, Erkenntnis, Einsicht und die Fähigkeit zu begründetem Urteil zu vermitteln. Die sozialwiss. Forschung hebt neben dem Erwerb einer Qualifikation durch Kenntnisse, Fähigkeiten und Fertigkeiten (Qualifikationsfunktion) v.a. folgende Funktionen von S. hervor: Sozialisation (Anpassung an das soziokulturelle System), Selektion (Auslese über Prüfungen, Zensuren und versch. Schularten) und Legitimation (Rechtfertigung und Stabilisierung der vorliegenden Gesellschaftsordnung).

Schulsystem und Gliederungsprinzipien in den dt. Bundesländern: Im Primarbereich besuchen alle Kinder die Grund-S. i.d.R. bis zur 4. Klasse. Für behinderte Kinder gibt es →Sonderschulen. Der Übergang von der allg. Grundschule in den Sekundarbereich I ist länderspezifisch geregelt. Erfasst wird das 5.–9. (bzw. 10.) S.-Jahr an den drei S.-Arten Haupt-S., Real-S., Gymnasium, wobei die Jahrgangsstufen 5 und 6 in allen Bundesländern, wenn auch mit erhebl. Unterschieden, als Orientierungsstufe aufgefasst werden. In Sachsen sind Haupt- und Real-S. zur Mittelschule verschmolzen, andere Länder bieten integrierte Klassen für Haupt- und Realschüler unter versch. Bez. neben Haupt- und Realschule an. Die v.a. in den 1960er- und 1970er-Jahren stärker gewordene Kritik am vertikal gegliederten dreiteiligen S.-System führte zur Einrichtung von →Gesamtschulen, die einen Übergang zw. den versch. Bildungsgängen einer Stufe erleichtern sollen. Die **Haupt-S.** stellt für alle Schüler, die nicht auf weiterführende S. wechseln, die Pflicht-S. dar, die mit dem 9. (bzw. 10.) S.-Jahr endet und die Grundlagen für einen Einstieg in die Berufs- und Arbeitswelt vermitteln soll. Um nicht vermittelten Jugendlichen diesen Einstieg zu erleichtern, wurde ein Berufsgrundbildungsjahr eingerichtet. Die **Real-S.** endet mit dem 10. S.-Jahr und vermittelt die Voraussetzungen (u.a. Erlernen von zwei Fremdsprachen) für berufs- und studienqualifizierende Bildungsgänge im Sekundarbereich II. Die Klassen 5–10 des **Gymnasiums** zählen ebenfalls zum Sekundarbereich I. Der Sekundarbereich II umfasst 1) die gymnasiale Oberstufe, die an Gymnasien und Gesamtschulen, an Kollegs (Institute zur Erlangung der Hochschulreife) und Abendschulen eingerichtet ist, an der Kollegschule von NRW sind auch doppelt qualifizierende Abschlüsse möglich (Berufsabschluss nach drei, Abitur nach vier Jahren); 2) die Fachoberschule, die auf die Fachhochschule vorbereitet (Fachhochschulreife); 3) Berufsfachschulen, die einen berufl. Abschluss bieten; 4) Sonderformen schul. Berufsbildung, die den Zugang zur Fachoberschule für Hauptschüler möglich macht (u.a. Berufsoberschulen, Berufsaufbauschulen).

Der 1973 von der Bund-Länder-Kommission vorgelegte **Bildungsgesamtplan** als Rahmenplan für die längerfristige Ausgestaltung und Finanzierung des Bildungswesens berücksichtigt weitere Bereiche des Bildungswesens, die nicht zum Schulwesen gehören: Zum Elementarbereich zählen Einrichtungen familienergänzender Bildung zw. dem 3. Lebensjahr und der Einschulung (z.B. →Kindergärten). Der tertiäre Bereich umfasst Hoch-S. und Fachhochschulen sowie als Sonderform das Berufskolleg, i.w.S. auch die Fachschulen (Meisterschulen). Weiterhin gibt es Einrichtungen der Erwachsenenbildung sowie der außerschul. Jugendbildung. – Gesellschaftl. Entwicklungen wirken vielfältig auf Schule und Schulpraxis zurück. So hat die allg. Tendenz zu höheren S.- und Berufsabschlüssen u.a. zur Leerung der Haupt-S. und zur Einführung des →Numerus clausus an den Hoch-S. geführt. Die Strukturen der Leistungsgesellschaft wirken sich u.a. auch über die S. auf die Kinder und Jugendlichen aus; beklagt werden Schulverdrossenheit, Schulstress und Aggressivität. Viele der pädagog. Konzepte müssen daher, auch unter Berücksichtigung der Reizüberflutung sowie der die Gesellschaft beunruhigenden Themen (wie Drogen, Aids, Fremdenfeindlichkeit, Arbeitslosigkeit), neue Ansätze finden, um einer drohenden Reduzierung der Bildung auf bloße Stoffvermittlung entgegenzuwirken. Auch die Koedukation, die nach neuesten Untersuchungen Mädchen eher benachteiligt, wird diskutiert. Auswirkungen auf den Unterricht hat ferner eine zunehmende Verknappung des Lehrpersonals, da die Länder auch im Bildungssektor sparen.

In *Österreich* schließt sich der vierjährigen Volks-S., die alle Kinder ab dem 7. Lebensjahr besuchen, die Haupt-S. (4 Jahre) an. Daneben ist die Neue Mittelschule eingerichtet, die Unterstufe der allgemein bildenden höheren S. besteht weiter (4 versch. gymnasiale Typen; die Oberstufe umfasst weitere 4 Jahre). Weiterführende S. sind neben den allg. bildenden die mittleren und höheren berufsbildenden S. Schüler, die keine weiterführende S. besuchen, nehmen am Polytechn. Lehrgang teil. – Die *Schweiz* hat versch. kantonale S.-Systeme. Einer Primarstufe von 4, 5 oder 6 Jahren und einer Sekundarstufe I von 3 bis 5 Jahren schließen sich in der Sekundarstufe II Diplommittelschulen (2–3 Jahre), Lehrerseminare (5 Jahre), Maturitäts-S. (4 Jahre, Matura als Reifezeugnis) sowie versch. berufl. Schulen (2–6 Jahre) an.

Geschichte: Die ersten S. entstanden im 3. Jahrtsd. v. Chr. in Mesopotamien, untergebracht waren sie in Tempeln und Palästen. Ziel war v.a. die Ausbildung von Schreibern für die sich entwickelnde Gesellschaft. Eine ähnl. Entwicklung zeigte sich in Ägypten. Hoch entwickelt war das Schulwesen im antiken Griechenland und nach dessen Übernahme durch Rom im gesamten Bereich des röm. Imperiums. Der Niedergang der Stadtkultur und die Christianisierung des Abendlandes in der Spätantike führten zum Verschwinden der antiken Schulen. – Im MA. dienten Kloster- und Dom-S. zunächst der Ausbildung des Klerikernachwuchses, öffneten sich jedoch auch höf. Kreisen. Erst im 12./13. Jh. setzte mit der Gründung stadteigener und privater S. tendenziell eine Verweltlichung der S. ein, was mit der aufkommenden Schriftlichkeit im Handelsverkehr, der veränderten sozialen Stellung der Kaufleute und Handwerker und allg. mit dem aufblühenden Städtewesen zusammenhing. Viele dt. Städte richteten im 16. Jh. Lateinschulen ein, daneben entstanden sog. Dt. Schulen (muttersprachl. Schreib- und Rechen-S., die von Schreibmeistern z.T. mit städt. Unterstützung geführt wurden). Die Pfarreien erweiterten ihre religiöse Unterweisung, die unterrichtenden Küster (Mesmer) bezogen Lesen, Schreiben und Rechnen mit ein. Humanismus und Reformation förderten das allg. Schulwesen, Fürstenschulen wurden anstelle einiger klösterl. Lateinschulen eingerichtet. Andererseits gründeten Orden, bes. die Jesuiten, höhere Schulen (nur für Knaben). Auf der Grundlage der Küsterschulen entstand im 17. Jh. die Volks-S. unter kirchl. Schulaufsicht, erst im Verlauf des 18. Jh. setzte sich die allg. S.-Pflicht durch (ab 1717 in Preußen). Im frühen 19. Jh. prägte W. von Humboldt das humanist. Gymnasium (grundlegende Allgemeinbildung erhält Vorrang vor berufsorientiertem Nützlichkeitsdenken), im Zuge des beginnenden industriellen Zeitalters bildeten sich die Bürger-, Real- und Mittel-S. heraus, bis ins 20. Jh. bestand die (seit 1872 in Preußen sechsjährige) Mittelschule. Neusprachl. Realgymnasien und mathematisch-naturwiss. Oberrealschulen wurden als vollgültige höhere Bildungseinrichtungen anerkannt, zugleich die Volks-S. ausgebaut und Fach- und Berufs-S. gegründet.

Die Errungenschaften der breiten S.-Reformbewegung nach 1918 waren: Begründung der Grund-S. für alle (1919), Akademisierung der Volksschullehrerausbildung (1926 in Preußen), didakt. Reformen der allgemein bildenden S. (die richertsche Reform führte in Preußen 1924/25 an allen Gymnasialtypen deutschkundl. Fächer und eine Dt. Oberschule ein, staatsbürgerl. Erziehung wurde Unterrichtsprinzip) und Ausbau des berufsbildenden Schulwesens. Der Nationalsozialismus strebte die Gleichschaltung des Schulwesens an (achtjährige Hauptschule und nur ein Oberschultyp – abgesehen vom altsprachl. Gymnasium). Nach dem 2. Weltkrieg wurde in der Bundesrep. Dtl. eine Vereinheitlichung des auf Ländergrundlage unterschiedlich aufgebauten Schulwesens im Düsseldorfer (1955) und im Hamburger Abkommen (1964) erreicht, und eine Neugestaltung der Oberstufe schloss sich an (Einrichtung der gymnasialen Oberstufe). Daneben wurden zahlr. andere Möglichkeiten des Hochschulzuganges im Anschluss an andere S.-Abschlüsse neu eröffnet. – Die neuen Bundesländer übernahmen, mit geringfügigen Ergänzungen, diese Struktur.

Recht: Das S.-Recht umfasst Bestimmungen, die Grundfragen des Schulwesens regeln; einige sind bundeseinheitlich im GG enthalten. Hierzu gehören die staatl. →Schulaufsicht (Art. 7 GG), das Recht auf Errichtung von Privat-S. und die Garantie des Religionsunterrichtes. Im Art. 6 Abs. 2 GG wird den Eltern das Recht auf freie Wahl der S.-Art garantiert. Die S.-Gesetzgebung liegt aufgrund der Kulturhoheit der Länder bei den einzelnen Bundesländern. Die Gesetzgebungskompetenz der Länder führte zu z.T. sehr unterschiedl. Schul-Ges. und damit zu unterschiedl. Ausgestaltung des Schulwesens. Durch die Ständige Konferenz der Kultusminister der Länder (KMK) wird eine gewisse Einheitlichkeit und gegenseitige Anerkennung divergierender Schularten über Länderabkommen angestrebt. In den Schul-Ges. ist die Pflicht zu einem Mindestschulbesuch geregelt. Die allg. **S.-Pflicht** ist grundsätzlich vom vollendeten 6. bis zum vollendeten 18. Lebensjahr zu erfüllen, wobei der Besuch einer Berufs-S. eingerechnet wird. Wird keine Ausbildung aufgenommen, ist das Berufsgrundbildungsjahr Pflicht. Für körperlich und geistig Behinderte bestehen oft Sonderbestimmungen. – In *Österreich* ist das S.-Recht durch das Bundesverfassungs-Ges. vom 18.7. 1962 bundeseinheitlich geregelt; S.-Pflicht 9 Jahre nach Vollendung des 6. Lebensjahres. In der *Schweiz* sind nur wenige wesentl. S.-Rechte in der Bundesverf. niedergelegt (Art. 27). Die S.-Gesetzgebung ist Sache der Kantone; S.-Pflicht 9 Jahre, Einschulung im 6. oder 7. Lebensjahr.

📖 BLANKERTZ, H.: *Die Geschichte der Pädagogik. Wetzlar 1982, Nachdr. ebd. 1992.* – KEMPER, H.: *S. u. bürgerl. Gesellschaft. Zur Theorie u. Geschichte der Schulreform von der Aufklärung bis zur Gegenwart, 2 Bde. Weinheim 1990.* – *Gute S. – worauf beruht ihre Wirksamkeit?, hg. v.* K. AURIN. *Bad Heilbrunn ^{2}1991.* – LENZ, J.: *Die Effective School Forschung der USA. Ihre Bedeutung für die Führung u. Lenkung von S. Frankfurt am Main u. a. 1991.* – FISCHER, A.: *Das Bildungssystem der DDR. Entwicklung, Umbruch u. Neugestaltung seit 1989. Darmstadt 1992.* – *Das Bildungswesen in der Bundesrep. Dtl., Redaktion:* J. BAUMERT. *Neuausg. Reinbek 1994.* – *Transformationen der dt. Bildungslandschaft. Lernprozeß mit ungewissem Ausgang, hg. v.* P. DUDEK *u.* H.-E. TENORTH. *Weinheim u. a. 1994.* – HENTIG, H. VON: *Die S. neu denken. München u. a. ^{7}1995.* – ILLICH, I.: *Entschulung der Gesellschaft. Eine Streitschrift. A. d. Engl. München ^{4}1995.* – *Bildung in Dtl. Eine Entscheidungshilfe für Eltern, LehrerInnen u. SchülerInnen, hg. v.* J. PETERSEN *u.* G.-B. REINERT, *auf mehrere Bde. ber. Donauwörth 1996 ff.*

Schulenburg, weit verzweigtes dt. Adelsgeschlecht, seit dem 14. Jh. in zwei Stämme mit mehreren Linien geteilt, von denen zwei reichsgräflich wurden. Bed. Vertreter:

1) Friedrich Werner Graf von der, Diplomat, *Kemberg (Kr. Wittenberg) 20. 11. 1875, †(hingerichtet) Berlin-Plötzensee 10. 11. 1944, Onkel von 2); 1934–41 Botschafter in Moskau (bereitete den Hitler-Stalin-Pakt diplomatisch vor); schloss sich 1943 der Widerstandsbewegung an, war als Außenmin. einer Reg. Goerdeler vorgesehen; im Aug. 1944 verhaftet.

2) Fritz-Dietlof Graf von der, Widerstandskämpfer, *London 5. 9. 1902, †(hingerichtet) Berlin-Plötzensee 10. 8. 1944, Neffe von 1); 1937–39 stellv. Polizei-Präs. von Berlin; schloss sich der Widerstandsbewegung um L. Beck an, maßgeblich am Attentat auf Hitler (20. 7. 1944) beteiligt, am gleichen Tag verhaftet.

Friedrich Werner Graf von der Schulenburg (links) und **Fritz-Dietlof Graf von der Schulenburg**

Schulen der Bundeswehr, Ausbildungseinrichtungen der dt. Streitkräfte v. a. für die Aus- und Weiterbildung von Soldaten in meist mehrwöchigen oder mehrmonatigen Laufbahn- und Verwendungslehrgängen. Die Mehrzahl der S. d. B. sind teilstreitkrafteigene Offizier-, Unteroffizier-, Truppen-, Fach- und Technische Schulen. ÜBERSICHT S. 354

Schüler|austausch, Austausch von Schülern versch. Nationen zur Förderung der Sprachkenntnisse und der Völkerverständigung, einzeln von Familie zu Familie oder in Gruppen von Schule zu Schule; häufig zw. Partnerstädten. In Dtl. besteht ein Pädagog. Austauschdienst im Sekretariat der Kultusministerkonferenz.

Schülerlotse, Schüler als Verkehrshelfer, der Mitschüler zu Beginn und am Ende des Unterrichts über gefährl. Straßen leitet.

Schülermitverantwortung, Abk. **SMV,** Beteiligung der Schüler an der Verw. und Gestaltung des Schullebens. Die Mittel sind vielgestaltig: als Klassensprecher, Schulsprecher, in Schülerausschüssen, Hilfs- und Ordnerdiensten, durch Planung und Gestaltung von Schulfeiern, Schulveranstaltungen und Schülerzeitschriften sowie Planung und Durchführung von Arbeitsgemeinschaften.

Schüler|unfallversicherung, Versicherungsschutz für alle auf dem Schulweg, dem Schulgrundstück und bei Schulveranstaltungen erlittenen Unfallschäden der Schüler; Bestandteil der gesetzl. →Unfallversicherung.

Schulfähigkeit (Schulreife), der Entwicklungsstand, der ein Kind befähigt, den Anforderungen der Grundschule nachzukommen. S.-Untersuchungen dienen dazu, die körperl. Entwicklung

Schulen der Bundeswehr

streitkräftegemeinsame Ausbildungseinrichtungen

Führungsakademie der Bundeswehr	Hamburg
Zentrum für Innere Führung	Koblenz
Akademie der Bundeswehr für Information und Kommunikation	Strausberg
Schule für Nachrichtenwesen der Bundeswehr	Bad Ems
Logistikschule der Bundeswehr	Hamburg
Sportschule der Bundeswehr	Warendorf, Sonthofen
Schule für Diensthundewesen der Bundeswehr	Koblenz

Ausbildungseinrichtungen des Heeres

Offizierschule des Heeres	Hannover (ab 1998 Dresden)
Heeresunteroffizierschule I	Münster
Heeresunteroffizierschule II	Weiden
Heeresunteroffizierschule IV	Delitzsch
ABC- und Selbstschutzschule	Sonthofen
Artillerieschule	Idar-Oberstein
Fachschule des Heeres für Erziehung und Wirtschaft	Darmstadt
Fernmeldeschule und Fachschule des Heeres für Elektrotechnik	Feldafing
Gebirgs- und Winterkampfschule	Mittenwald
Heeresfliegerwaffenschule	Bückeburg
Heeresflugabwehrschule	Rendsburg
Infanterieschule	Hammelburg
Internationale Fernspähschule	Pfullendorf
Luftlande- und Lufttransportschule	Altenstadt
Panzertruppenschule	Munster
Pionierschule und Fachschule des Heeres für Bautechnik	München
Technische Schule des Heeres und Fachschule des Heeres für Technik	Aachen
Schule für Feldjäger und Stabsdienst	Sonthofen
Schule für Personal in integrierter Verwendung	Köln

Ausbildungseinrichtungen der Luftwaffe

Offizierschule der Luftwaffe	Fürstenfeldbruck
Unteroffizierschule der Luftwaffe	Appen
Fachschule der Luftwaffe für Datenverarbeitung	Klosterlechfeld
Fachschule der Luftwaffe für Elektrotechnik	Kaufbeuren
Fachschule der Luftwaffe für Maschinentechnik	Faßberg
Fachschule der Luftwaffe für Wirtschaft	Faßberg
Flugmedizinisches Institut der Luftwaffe	Fürstenfeldbruck
Schule für Wehrgeophysik	Fürstenfeldbruck
Technische Schule der Luftwaffe 1	Kaufbeuren, Erndtebrück
Technische Schule der Luftwaffe 3	Faßberg
Raketenschule der Luftwaffe	Fort Bliss (Texas, USA)

Ausbildungseinrichtungen der Marine

Marineschule Mürwik (Offizierschule)	Flensburg
Marineunteroffizierschule	Plön
Marineortungsschule	Bremerhaven, Wilhelmshaven
Marinetechnikschule	Parow
Marineversorgungsschule	List
Marinewaffenschule	Eckernförde, Kappel
Technische Marineschule	Kiel, Neustadt in Holstein
Marinefernmeldeschule	Flensburg, Eckernförde

Ausbildungseinrichtungen des Sanitätsdienstes der Bundeswehr

Sanitätsakademie der Bundeswehr	München

Ausbildungseinrichtungen der territorialen Wehrverwaltung

Bundesakademie für Wehrverwaltung und Wehrtechnik	Mannheim
Fachhochschule des Bundes für öffentliche Verwaltung – Fachbereich Bundeswehrverwaltung –	Mannheim
Bundessprachenamt	Hürth-Hermühlheim
Bundeswehrverwaltungsschule I	Mannheim
Bundeswehrverwaltungsschule II	Berlin
Bundeswehrverwaltungsschule III	Mölln
Bundeswehrverwaltungsschule IV	Oberammergau
Bundeswehrfachschulen	Flensburg, Hamburg, Kiel, Bremen, Hannover, Oldenburg, Köln, Münster, Gießen, Koblenz, Mainz, Kassel, Ulm, Amberg, München, Regensburg, Veitshöchheim, Naumburg, Neubrandenburg, Berlin

und Gesundheit, soziale und emotionale Faktoren (Anpassungsbereitschaft, Verhalten in der Gruppe, Selbstständigkeit) sowie die kognitiven Leistungen zu beurteilen. Noch nicht schulfähige Kinder werden z. B. im Rahmen von Schulkindergärten gefördert.

📖 RÜDIGER, D. *u. a.: Schuleintritt u. S. München u. a. 1976.*

Schulferi|en, unterrichtsfreie Zeit an öffentl. und Privatschulen, seit dem Hamburger Abkommen (1964) in der Bundesrep. Dtl. während eines Schuljahres 75 Werktage.

Schulfernsehen, → Bildungsfernsehen.

Schulfunk, die von den öffentlich-rechtlichen Rundfunkanstalten ausgestrahlten Hörfunkprogramme zur Ergänzung des Schulunterrichts in mediencharakterist. Gestaltung (Interview, Reportage, Hörspiel, Musik). Die Programme werden mit den Schulbehörden abgestimmt und durch Beihefte für die Lehrer ergänzt.

Schulgeldfreiheit, in den meisten europ. Ländern die Unentgeltlichkeit des Besuchs öffentl. Schulen. In der Bundesrep. Dtl. besteht über die Pflichtschulen hinaus auch für die weiterführenden Schulen S., ebenso in den Kantonen der *Schweiz.* In *Österreich* erstreckt sie sich auf das gesamte öffentl. Bildungswesen (einschließlich der Univ. und Hochschulen). Staatlich anerkannte Privatschulen können Schulgeld erheben, wie es oft auch an Fachschulen üblich ist.

Schulgesundheitspflege, von den Gesundheitsämtern durchgeführte oder beaufsichtigte Maßnahme zum Schutz der Gesundheit von Schülern und Lehrern. Dazu gehören v. a. regelmäßige, obligator. Untersuchungen und Beratungen durch Schulärzte und -zahnärzte, aber auch Berücksichtigung hygien. und medizin. Gesichtspunkte bei Schulbau und -ausstattung.

Schulkindergarten, der Grundschule zugeordnete, i. d. R. einjährige Einrichtung für schulpflichtige Kinder, die noch nicht schulfähig sind, auch für aufgrund des Stichtags sehr junge schulpflichtige Kinder, die auf Wunsch der Eltern in den S. eingeschult werden. Im S. werden durch gezielte Förderung, Spiele und Beschäftigungen Anstöße zur Entfaltung der kindl. Fähigkeiten gegeben. Entsprechend bestehen Sonderschulkindergärten. **Vorklassen** an Grundschulen werden dagegen von noch nicht schulpflichtigen, aber bereits schulfähigen Kindern besucht.

Schul|landheim, schul. Einrichtung in ländl. Regionen, die während des Schuljahrs zu mehrtägigen bis mehrwöchigen Aufenthalten von Schulklassen unter Begleitung ihrer Lehrer genutzt wird. Vorrangig sind Arbeits- und Gruppenunterricht, Projektarbeit (mit Umgebungserkundung), Erholung und das Gemeinschaftserlebnis.

Schul|leistungstests, Verfahren zur Analyse von Lernprozessen und zur Kontrolle des Lehrerfolgs bzw. zur Einstufung in Leistungsgruppen oder versch. Schulzweige.

Gunther A. Schuller

Schuller [ˈʃʊlə], Gunther A., amerikan. Komponist und Hornist, * New York 22. 11. 1925; wurde in den 1960er-Jahren v. a. als Vertreter der »Third-Stream-Music« (Verbindung von Jazz und Formen zeitgenöss. europ. Konzertmusik) bekannt. Komponierte die Oper »Die Heimsuchung« (1966), Orchester- und Kammermusik, Ballette und Lieder.

Schulmedizin, die an den Hochschulen gelehrte, naturwiss. begründete Richtung der Medizin.

Schulp, bei einigen Kopffüßern vorhandene Schalenbildung unter der Rückenhaut.

Schulpflicht, → Schule.

Schulpforta, berühmte Fürstenschule in Pforta (heute Stadtteil von Bad Kösen), die 1543–1935 in dem 1540 aufgehobenen Zisterzienserkloster (gegr. 1137) bestand (heute Gymnasium mit Internat). Schüler waren u. a. J. G. Fichte, F. G. Klopstock, F. Nietzsche, L. Ranke.

Schulpsychologie, Teilgebiet der angewandten Psychologie, das sich mit psycholog. Problemen im Schulbereich befasst. Zu den Aufgaben des Schulpsychologen (oder Beratungslehrers) gehören u. a. Beratung der Schüler über den geeigneten Bildungsweg, Diagnose und Behandlung von Lernschwierigkeiten, Lehrerberatung.

Schulrat, in Dtl. staatl. Aufsichtsbeamter der unteren Schulaufsichtsbehörde (Schulamt). – In *Österreich* erfüllen Bezirks- und Landesschulinspektoren die Funktion des S. In der *Schweiz* gibt es örtl. Schulaufsichtsbehörden (Schulkommission, Schulpflege).

Schulrecht, → Schule.

Schulreife, die → Schulfähigkeit.

Schuls, Gemeinde in der Schweiz, → Scuol.

Schulschiff, in Handels- und Kriegsmarinen der seemänn. und/oder waffentechn. Ausbildung des Offiziernachwuchses dienendes Schiff. Die dt. Bundesmarine verfügt über das Segel-S. »Gorch Fock«.

Schulsport, alle Formen, in denen im Rahmen der Schule Sport betrieben wird. Ziel ist die Vermittlung von Bewegungsfähigkeiten, die Ausbildung motor. Fertigkeiten, der körperl. Ausgleich, Schulung von Wettbewerb und sportl. Fairness sowie Leistungsförderung.

Dieter Schulte

Schult, HA, eigtl. Hans-Jürgen S., Aktions- und Objektkünstler, * Parchim 24. 6. 1939; trat mit Environments, Objekten und Aktionen hervor, die sich kritisch mit der Konsumwelt und der Umweltzerstörung auseinander setzen.

Schulte, Dieter, Gewerkschafter, * Duisburg 13. 1. 1939; nach Tätigkeit als Facharbeiter und Betriebsrat ab 1991 im Vorstand der IG Metall, seit 1994 Vors. des DGB.

Theodore W. Schultz

Schulter, beim Menschen die Körperregion zw. Halsansatz und S.-Gelenk, bestimmend für die äußere Form sind S.-Höhe und Deltamuskel.

Schulter-Arm-Syndrom, das →Zervikobrachialsyndrom.

Schulterblatt (Scapula), platter Knochen des Schultergürtels, der die Gelenkpfanne für das Schultergelenk bildet. Das S. ist durch Muskeln befestigt.

Schultergürtel, bei Mensch und Wirbeltieren der meist von zwei Schulterblättern und zwei Schlüsselbeinen gebildete, gegen den Rumpf bewegl. Teil des Skeletts; die beiden oberen Gliedmaßen sind durch die beiden Schultergelenke mit dem S. verbunden.

Schulterklappe, früher als Achselklappe bezeichnete Tuchklappe auf den Schulterteilen der Uniform; i. d. R. mit Dienstgradabzeichen.

Schulterschnur, in der Bundeswehr Abzeichen in Form einer geflochtenen Schnur, die unter die rechte Schulterklappe eingeknöpft und beim Heer und bei der Luftwaffe von Offizieren und Unteroffizieren im Wachdienst (silbern), vom Kompanie-, Batterie-, Staffelfeldwebel (goldgelb) und vom Unteroffizier vom Dienst (blau) innerhalb militär. Anlagen während des Dienstes getragen wird; nicht zu verwechseln mit der →Fangschnur und der →Schützenschnur.

Schulterstück (Achselstück, Epaulette), früher in versch. Heeren (z. B. im dt. und russ.) ein Offiziersabzeichen aus goldenen oder silbernen Schnüren; heute beim Bundesgrenzschutz getragen.

Schultes, Axel, Architekt, *Dresden 17. 11. 1943; vertritt eine rationale Architekturauffassung, wurde v. a. durch Museumsbauten bekannt (Kunstmuseum in Bonn, 1992); Gewinner des städtebaul. Wettbewerbs für das künftige Parlaments- und Regierungsviertel im Spreebogen in Berlin (1993).

Schultheiß, 1) (Schulze) früher der Gemeindevorsteher; 2) im schweizer. Kanton Luzern der Vors. des Regierungsrates.

Schulthess ['ʃʊltɛs], Emil, schweizer. Fotograf, *Zürich 29. 10. 1913, †Maur (bei Zürich) 22. 1. 1996; nahm 1957/58 an der amerikan. »Operation Deep Freeze IV« in der Antarktis teil, 1962 benannte der »U. S. Board on Geographical Names« den Punkt 84° 47' s. Br. und 115° 0' w. L. »S. Buttress«; zahlr. Bildbände, u. a. »Afrika«, 2 Bde. (1958/59); »Landschaft der Urzeit« (1988). BILD Alpen

Schulträger, Körperschaft, die für die Einrichtung und Unterhaltung der Schulgebäude und der übrigen schul. Einrichtungen, für die Beschaffung der Lehrmittel, für das Schulpersonal (Hausmeister, Sekretärin) sowie die Schülerbeförderung zuständig ist. Nach der Landesgesetzgebung sind Grund- und Hauptschulen meist in der Trägerschaft von Gemeinden, in einigen Bundesländern auch in der von Landkreisen, während die Realschulen von den Landkreisen, die Gymnasien von Gemeinden, Landkreisen oder auch direkt vom Land getragen werden. S. kann auch ein Schulverband mehrerer Gemeinden und Landkreise sein. Privatschulen sind v. a. in Trägerschaft von Kirchen, Orden oder Schulvereinen; S. anerkannter Privatschulen erhalten öffentl. Zuschüsse.

Schultz, 1) Johannes Heinrich, Psychiater, *Göttingen 20. 6. 1884, †Berlin 19. 10. 1970; entwickelte das →autogene Training.

2) Theodore William, amerikan. Agrarwissenschaftler und Volkswirtschaftler, *Arlington (S. D.) 30. 4. 1902; Berater zahlreicher nat. und internat. Institutionen; analysierte v. a. die Bedeutung des Humankapitals und der Landwirtschaft für die wirtsch. und soziale Entwicklung sowie den Zusammenhang zw. unterentwickelter Landwirtschaft und Armut in den Entwicklungsländern. 1979 erhielt er mit W. A. Lewis den Nobelpreis für Wirtschaftswissenschaften.

Schultze, Bernard, Maler, Grafiker und Objektkünstler, *Schneidemühl (heute Piła) 31. 5. 1915; bed. Vertreter der informellen Kunst in Dtl. Ausgehend vom Surrealismus, gelangte er zu einer eigenständigen Variante des Tachismus.

Bernard Schultze: Porträt des Migof-Insektengottes (1972; Privatbesitz)

Schultze-Naumburg, Paul, Architekt, Maler und Schriftsteller, *Almrich (heute zu Naumburg, Saale) 10. 6. 1869, †Jena 19. 5. 1949; Mitbegründer des Dt. Werkbundes, seit 1930 Direktor der Wei-

Josef Schulz: Treppenhaus des Prager Nationalmuseums (1885–91)

marer Kunsthochschule; gründete in Saaleck (heute zu Bad Kösen) Kunstwerkstätten, die gegen die Tendenzen des Bauhauses gerichtet waren; seine kunstpädagog. Schriften galten v.a. einer von rassist. Ideen geprägten »bodenständigen« Kunstauffassung im Sinne des Nationalsozialismus.

🕮 BORRMANN, N.: *P. S.-N. 1869–1949. Maler, Publizist, Architekt. Essen 1989.*

Schultz-Hencke, Harald, Psychotherapeut, *Berlin 18. 8. 1892, †ebd. 23. 5. 1953; einer der Hauptvertreter der Neopsychoanalyse; beschäftigte sich eingehend mit psycholog. Zentralfragen (so des Antriebs und der Hemmung), psychosomat. Medizin, der Therapie von Psychosen sowie der Interpretation von Träumen.

Schulung, Übung, Ausbildung in einer Fertigkeit; Lehrgang, Kurs, u.a. als parteipolit., gewerkschaftl. und Manager-S.; auch Beeinflussung (Indoktrination) im Sinne eines politischen Systems (polit. Schulung).

Schulverband, →Schulträger.

Schulz, 1) Bruno, poln. Schriftsteller und Grafiker, *Drogobytsch (heute Drohobitsch, bei Lemberg) 12. 7. 1892, †ebd. 19. 11. 1942; 1924–41 Zeichenlehrer in Drogobytsch, danach im Warschauer Getto, wo er von einem SS-Soldaten erschossen wurde; schrieb die durch autobiograph. Kindheitserinnerungen geprägten Erzählungen »Die Zimtläden« (1934) und »Das Sanatorium zur Todesanzeige« (1937).

2) Charles Monroe, amerikan. Comickünstler, *Saint Paul (Minn.) 26. 11. 1922; 1950 gelang ihm der Durchbruch mit der bis heute weltweit erfolgreichen Comicserie »Peanuts«. BILD Comics

3) Johann Abraham Peter, Komponist und Musikschriftsteller, getauft Lüneburg 31. 3. 1747, †Schwedt/Oder 10. 6. 1800; einer der bedeutendsten Liederkomponisten seiner Zeit, schuf u.a. die »Lieder im Volkston« (3 Tle., 1782–90; darin »Der Mond ist aufgegangen«); Opern, Oratorien, Kantaten.

4) Josef, tschech. Architekt, *Prag 11. 4. 1840, †ebd. 15. 7. 1917; verband in seinen Bauten Formen der Neurenaissance und des Neubarock mit Elementen der einheim. Bautradition; sein Hauptwerk ist das Prager Nationalmuseum (1885–91).

Schulze, →Schultheiß.

Schulze-Delitzsch, Hermann, Sozialpolitiker, *Delitzsch 29. 8. 1808, †Potsdam 29. 4. 1883; Jurist, gründete ab 1849 auf Selbsthilfe basierende Genossenschaften, darunter die auf Kleingewerbetreibende orientierten Kreditgenossenschaften (Volksbanken), und schloss 1859 die ihm nahe stehenden Genossenschaften zum »Allg. Verband der dt. Erwerbs- und Wirtschaftsgenossenschaften« zusammen. Aufbauend auf F. Bastiat und J. B. Say forderte er im Interesse des sozialen Friedens eine Interessenharmonie zw. Kapital und Arbeit und befürwortete das Genossenschaftsprinzip als Korrektiv zum Konkurrenzkapitalismus. Im Ggs. zu F. Lassalle und F. W. Raiffeisen lehnte er Hilfen des Staates ab.

🕮 ALDENHOFF, R.: *S.-D. Ein Beitrag zur Geschichte des Liberalismus zwischen Revolution u. Reichsgründung. Baden-Baden 1984.*

Schumacher, 1) Emil, Maler und Grafiker, *Hagen 29. 8. 1912; entwickelte eine dem Materialbild angenäherte Sonderform der informellen Malerei mit pastos angelagertem Farbrelief und rissi-

Emil Schumacher: »Scala I« (1987; Kiel, Kunsthalle)

Johann Abraham Peter Schulz (Punktierstich des deutschen Kupferstechers Friedrich Jügel, 1794)

Hermann Schulze-Delitzsch

Kurt Schumacher

Michael Schumacher

Robert Schuman

gen Pinselspuren. Der düstere Klang dieser Bilder in Braun oder Rot und Schwarz hellt sich in späteren Werken (Arbeiten in Mischtechnik, Gouachen, Collagen, Zeichnungen u.a.) z.T. auf.

2) Fritz, Architekt, *Bremen 4. 11. 1869, †Lüneburg 5. 11. 1947; seit 1909 Baudirektor in Hamburg, wo er wesentl. Anteil an der Neubelebung des Backsteinbaus hatte. Bedeutend sind seine Generalbebauungspläne für Hamburg (1909–33) und Köln (1920–23); Schriften zur Architektur.

3) Kurt, Politiker, *Culm (heute Chełmno) 13. 10. 1895, †Bonn 20. 8. 1952; Volkswirtschaftler, 1930–33 MdR, 1933–45 (mit Unterbrechung 1943) im KZ; 1945 von Hannover aus (»Büro S.«) maßgeblich an der Wiederbegründung der SPD beteiligt; wandte sich in den westl. Besatzungszonen und den Westsektoren Berlins erfolgreich gegen die Vereinigung von SPD und KPD; dort seit 1946 Vors. der SPD; 1948/49 Mitgl. des Parlamentar. Rates; ab 1949 MdB und SPD-Fraktionsvors., übte als Oppositionsführer oft Kritik an der Politik K. Adenauers.

📖 RITZEL, H. G.: *K. S. Reinbek 16.–18. Tsd. 1986.*

4) Michael, Motorsportler, *Hermülheim (heute zu Hürth) 3. 1. 1969; seit 1991 einer der erfolgreichsten Formel-1-Rennfahrer.

Schuman [ˈʃu:man, frz. ʃuˈman], Robert, frz. Politiker, *Luxemburg 29. 6. 1886, †Scy-Chazelles (Dép. Moselle) 4. 9. 1963; Rechtsanwalt, 1940 Staatssekr., 1940–42 in dt. Haft, schloss sich nach der Flucht 1942 der Résistance an. 1944 beteiligte er sich an der Gründung des →Mouvement Républicain Populaire. Er war mehrfach Min. (u.a. Äußeres 1948–53), 1947–48 MinPräs. 1950 schlug er die Schaffung der →Europäischen Gemeinschaft für Kohle und Stahl vor **(Schuman-Plan).** S. war Präs. der Europ. Bewegung (1956–62); erhielt 1958 den Internat. Karlspreis der Stadt Aachen.

📖 *Die Anfänge des S.-Plans, hg. v.* K. SCHWABE. *Baden-Baden u. a. 1988.*

Schumann, 1) Clara, geb. Wieck, Pianistin und Komponistin, *Leipzig 13. 9. 1819, †Frankfurt am Main 20. 5. 1896; ab 1840 Frau von 3); unternahm als Klavierschülerin ihres Vaters Friedrich Wieck ab 1830 internat. Konzertreisen; als Beethoven-, Chopin-, Schumann- und Brahmsinterpretin gehörte sie zu den großen Virtuosenpersönlichkeiten des 19. Jh.; enge Freundschaft mit J. Brahms; nach dem Tod von Robert S. Ende ihrer Kompositionstätigkeit. 1878–92 war sie Lehrerin am Dr. Hoch'schen Konservatorium in Frankfurt am Main.

📖 BORCHARD, B.: *C. S. Ihr Leben. Neuausg. Frankfurt am Main u. a. 1994.*

2) [ʃuˈman], Maurice, frz. Politiker, *Paris 10. 4. 1911, †ebd. 10. 2. 1998; Journalist, 1940–44 in der Résistance, 1944–48 Präs., 1949–65 Gen.-Sekr. des →Mouvement Républicain Populaire; schloss sich 1968 den Gaullisten an, war in der Fünften Republik mehrfach Min. Als Außenminister (1969–73) wirkte er an der Erweiterung der EG mit.

3) Robert, Komponist, *Zwickau 8. 6. 1810, †Endenich (heute zu Bonn) 29. 7. 1856; studierte 1828/29 in Leipzig und Heidelberg Jura, hatte in Leipzig Klavierunterricht bei Friedrich Wieck und widmete sich seit 1830 ganz der Musik. 1840 heiratete er Clara Wieck (→Schumann 1). F. Mendelssohn Bartholdy berief ihn 1843 als Kompositionslehrer an das neu gegr. Leipziger Konservatorium, aber schon 1844 zog er nach Dresden, wo er Chorvereinigungen leitete. 1850–53 war er städt. Musikdirektor in Düsseldorf. 1854 kam eine Gemütskrankheit zum Ausbruch, den Rest seines Lebens verbrachte er in der Heilanstalt Endenich. – S. kann als Inbegriff der musikal. Romantik in Dtl. angesehen werden. Im Mittelpunkt seines Schaffens stehen Klavierwerke und Lieder. In der Klaviermusik überführte er die Sonatenform einerseits durch übermäßige Ausdehnung der Durchführungsteile in eine freie Fantasieform, andererseits umging er sie durch Reihung kurzer Charakterstücke zu Zyklen. In seinen Liedern kommt dem Klavier ein selbstständiger, lyrisch betonter Part zu. Mit den sinfon. Werken schuf S. bed. romant. Gegenstücke zu den klass. Gattungen der Sinfonie, der Ouvertüre und des Konzerts. Als einflussreicher Musikschriftsteller hat S. sich u.a.

Clara und Robert Schumann: Lithographie von Eduard Kayser (1847); darunter das Autogramm von Robert Schumann

Robert Schumann: Autograph des Anfangs der 4. Sinfonie in d-Moll op. 120

für F. Chopin, Mendelssohn Bartholdy und bes. für J. Brahms eingesetzt. – In Zwickau besteht seit 1913 ein S.-Museum, seit 1920 eine R.-S.-Gesellschaft.

Werke: Klaviermusik: »Papillons« (1829–32); »Davidsbündlertänze« (1837); »Carnaval« (1834/35); 3 Sonaten (1833–53); »Phantasiestücke« (1837); Symphon. Etüden (1834–37); »Kinderszenen« (1838); »Kreisleriana« (1838); »Album für die Jugend« (1848). – Orchesterwerke: 4 Sinfonien: 1. B-Dur op. 38 (1841, »Frühlingssinfonie«), 2. C-Dur (1845/46), 3. Es-Dur op. 97 (19850, »Rhein. Sinfonie«), 4. d-Moll op. 120 (1851, 1. Fassung 1841); Ouvertüren; Klavierkonzert a-Moll (1841–45); Cellokonzert a-Moll (1850). – Kammermusik: 3 Streichquartette (a-Moll, F-Dur, A-Dur, 1842); Klavierquintett Es-Dur (1842); Klavierquartett Es-Dur (1842); 3 Klaviertrios, 3 Violinsonaten. – Vokalwerke: weltl. Oratorium »Das Paradies und die Peri« (1841–43); Chorwerke; mehr als 300 Klavierlieder, darunter die Zyklen »Frauenliebe und -leben« (1840, Texte von Chamisso), »Dichterliebe« (1840, Heine); Oper »Genoveva« (1847–50).

📖 EDLER, A.: *R. S. u. seine Zeit. Laaber 1982.* – SUTERMEISTER, P.: *R. S. Tübingen 1982.* – *R. S. – ein romant. Erbe in neuer Forschung, hg. v. der R. S.-Gesellschaft. Düsseldorf 1984.* – *Schumanns Werke – Text u. Interpretation, hg. v.* A. MAYEDA *u. a. Mainz u. a. 1987.* – WÖRNER, K. H.: *R. S. Neuausg. München 1987.* – BOUCOURECHLIEV, A.: *R. S. Aus dem Frz. Reinbek 92.–94. Tsd. 1993.* – MEIER, BARBARA: *R. S. Reinbek 1995.*

Schumen (1950–65 Kolarowgrad), Stadt im NO Bulgariens, 96 100 Ew.; PH, Gemäldegalerie, Theater; Fahrzeugbau, Werkzeugfabrik, chem., Möbel-, Nahrungsmittel- u. a. Ind.; Verkehrsknotenpunkt. – Anfang des 9. Jh. belegt, Blütezeit unter Simeon I.; im 11./12. Jh. unter byzantin. Herrschaft **(Missionis);** nach 1387 eine der vier türk. Schlüsselfestungen in Bulgarien.

Schumpeter, Joseph Alois, österr. Volkswirtschaftler und Sozialwissenschaftler, * Triesch (heute Třešt', bei Iglau) 8. 2. 1883, † Taconic (Conn.) 8. 1. 1950; Prof. u. a. in Graz, Bonn und seit 1932 an der Harvard University. Ausgehend von der Grenznutzenschule, entwickelte er eine Theorie der wirtschaftl. Entwicklung des kapitalist. Wirtschaftssystems, die er durch innerwirtschaftl. diskontinuierliche Veränderungen erklärte, hervorgerufen durch »dynam. Unternehmer«, die Innovationen durchsetzten, Pioniergewinne erzielten und den Konjunkturaufschwung herbeiführten. Dieser Prozess »schöpfer. Zerstörung« ermögliche Wachstum und techn. Fortschritt. S. gilt als einer der einflussreichsten Volkswirtschaftler des 20. Jh.s, auch durch seine »Gesch. der ökonom. Analyse« (hg. 1954).

Joseph Schumpeter

Weitere Werke: Theorie der wirtsch. Entwicklung (1912), Konjunkturzyklen (1939), Kapitalismus, Sozialismus und Demokratie (1942).

📖 MÄRZ, E.: *J. A. S. München 1983.*

Schungit *der,* unreine, z. T. in Graphit umgewandelte Kohle, v. a. in präkambr. Gesteinen Kareliens.

Schupp [russ.], Handelsbez. für das Fell des Waschbären.

Schuppen (Squamae), morphologisch sehr verschiedenartige Bildungen der Körperoberfläche vieler Tiere. Beim Menschen sind S. hornige Bildungen der Oberhaut.

Schuppenbaum (Lepidodendron), Gattung fossiler baumartiger Bärlappgewächse, im Unteren und Mittleren Karbon weit verbreitet; der Steinkohlenflora zugehörig.

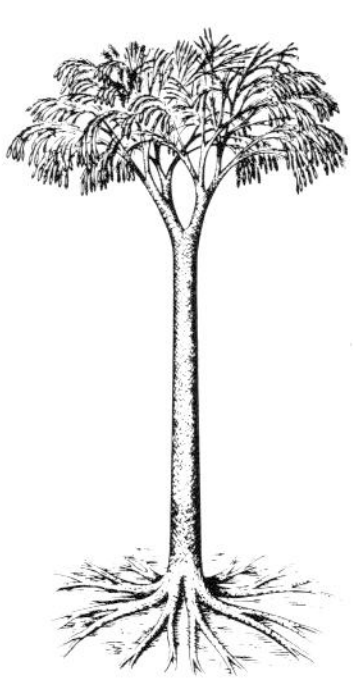

Schuppenbaum: Art der Gattung Lepidodendron

Schuppenflechte (Psoriasis, Psoriasis vulgaris), nicht ansteckende, familiär gehäuft auftretende Hautkrankheit mit schubweisem, insgesamt oft lebenslangem, gutartigem Verlauf. Die S. ist neben dem Ekzem die häufigste Hautkrankheit; verursacht wird sie wahrscheinlich durch epidermale Stoffwechselstörungen mit überschneller Bildung der Oberhaut. Zugrunde liegt ein autosomal-dominanter Erbfaktor. Als sekundäre begünstigende Faktoren kommen u. a. entzündl. Prozesse, lokale Verletzungen und psychosomat. Störungen in Betracht. Bei einem neuen Schub entstehen meist kleine, gut abgegrenzte rote Hautflecken, auf denen bald silberweiße, fest haftende Schuppen erscheinen; befallen werden hauptsächlich die Streckseiten der Gliedmaßen, v. a. Ellbogen und Knie, aber auch der Rumpf und der behaarte Kopf. Meist sind die Nägel mit beteiligt. Bei der **Psoriasis inversa** sind vorwiegend die Beugeseiten der Gliedmaßen sowie Hautfalten betroffen. Bei der **Psoriasis arthropathica** ist auch der Bewegungsapparat beteiligt, die Finger- und Zehengelenke können verkrüppeln. Bes. schwere Verlaufsformen

Carl Schurz

sind mit Eiterbläschen, Fieber und Allgemeinbeschwerden verbunden **(Psoriasis pustulosa).** – Die Behandlung, die Rückfälle nicht verhindern kann, besteht in einer Erweichung und Ablösung der Schuppen durch Bäder und Salicylsalben, äußerl. Anwendung teerhaltiger Präparate und UV-A- und UV-B-Bestrahlung, teils in Verbindung mit photosensibilisierenden Substanzen (PUVA, Blacklight-Therapie), in schweren Fällen mit Gabe von Retinoiden, Corticosteroiden und zytostat. Mitteln; auch Ernährungsumstellung.

Schuppenkriechtiere (Squamata), Ordnung der Reptilien mit Hornschuppen. Unterordnungen sind die Echsen, Schlangen und Doppelschleichen.

Schuppentiere: Das nachtaktive Weißbauchschuppentier zerbricht mit den scharfen Krallen der Vorderbeine Ameisen- und Termitennester

Schuppentiere (Tannenzapfentiere, Pangoline, Pholidota), Säugetierordnung mit der einzigen Familie **Manidae,** Baum- oder Bodenbewohner der Tropen Afrikas und Asiens. Der Körper ist mit dachziegelartig übereinander liegenden Hornschuppen bedeckt. Mit den scharfen Krallen der Vorderbeine zerbrechen sie Ameisen- und Termitennester. S. sind zahnlos und nachtaktiv. Mit einer Gesamtlänge von etwa 140 cm ist das afrikan. **Riesen-S.** (Manis gigantea) die größte Art; am häufigsten ist das **Weißbauch-S.** (Manis tricuspis).

Schuppenwurz: Lathraea squamaria

Schuppenwurz (Lathraea), Gattung der Rachenblütler, blattgrünlose Parasiten an Laubbaumwurzeln; in Mitteleuropa gibt es nur die Art Lathraea squamaria: Staude mit fleischigem Wurzelstock und rosafarbenen Blüten, bes. auf den Wurzeln von Eiche, Buche und Haselnuss.

Schürfen, i.w.S. eine Oberflächenschicht entfernen; im *Bergbau* das Aufsuchen und Freilegen nutzbarer Mineralien auf ihrer natürl. Lagerstätte durch Schürfgräben, -schächte und -stollen.

Schuricht, Carl, Dirigent, *Danzig 3. 7. 1880, †Corseaux (bei Vevey) 7. 1. 1967; setzte sich bes. für A. Bruckner und G. Mahler ein.

Schuruppak, Stadt in Mittelbabylonien, heute der Ruinenhügel **Fara** nördlich von Uruk, Irak; Sitz des Königs →Xisuthros, des babylon. Noah. Nach der Fassung des Gilgameschepos von Ninive spielt in S. die Sintflutsage um den Helden Utnapischtim. Die Hauptgottheit von S. hieß Sud. Bei Ausgrabungen wurden bes. Funde aus der frühdynast. Zeit (2700–2350 v.Chr.) gemacht, darunter Tontafeln mit Schul- und Verwaltungstexten sowie Rollsiegel im lebensnahen »Farastil«.

Schurwald, bewaldetes Keuperbergland östlich von Stuttgart, Bad.-Württ., Teil des Schwäbisch-Fränk. Schichtstufenlandes, im Kernen 513 m ü.M.

Schurz, 1) *Berufskleidung:* meist kürzeres Kleidungsstück, das zum besseren Schutz über der normalen Arbeitsbekleidung getragen wird, z.B. Leder-S. – In der Freimaurerei ist der weiße Maurer-S. Teil der symbol. Kleidung.

2) *Völkerkunde:* →Lendenschurz.

Schurz, Carl, amerikan. Politiker und Publizist dt. Herkunft, *Liblar (heute zu Erftstadt) 2. 3. 1829, †New York 14. 5. 1906; schloss sich unter Einfluss G. →Kinkels 1848 der demokrat. Bewegung an, entkam nach dem pfälzisch-bad. Aufstand 1849 in die Schweiz und emigrierte nach der Befreiung Kinkels aus der Festungshaft in Spandau (1850) nach Großbritannien, 1852 in die USA. Dort schloss er sich als Gegner der Sklaverei der Republikan. Partei an und trug wesentlich zur Wahl A. Lincolns bei. 1861–62 Gesandter in Madrid; befehligte im Sezessionskrieg eine dt.-amerikan. Division. 1869–75 Senator von Missouri. Als Innenmin. (1877–81) förderte er durch Reformen die Schaffung eines unpolit. Berufsbeamtentums und setzte sich für die Integration der Indianer in die amerikan. Gesellschaft ein; einflussreicher Journalist (u.a. Mithg. der New York Evening Post).

📖 *C. S., hg. v.* R. Wersich. *München 1979.*

Schürze, Schutzkleidung bei der Arbeit, in der weibl. Tracht bis ins 19. Jh. auch Bestandteil der Oberkleidung. Vielfach aus Leinen, später Baumwolle. Dem Zuschnitt nach werden unterschieden: Träger-, Kittel-, Wickel- und Halb-S. Seit dem ausgehenden 15. Jh. war die S. zunehmend auch dekorativer Bestandteil der Frauenkleidung.

Schuruppak: gebrannte Tontafel (um 2600 v. Chr.; Berlin, Staatliche Museen)

Schuschnigg, Kurt (von), österr. Politiker, *Riva del Garda 14. 12. 1897, †Mutters (bei Innsbruck) 18. 11. 1977; Rechtsanwalt, 1927–33 für die Christlich-soziale Partei im Nationalrat, 1932–34

Justiz-, ab 1933 auch Unterrichtsmin.; wurde nach der Ermordung von E. Dollfuß 1934 Bundeskanzler, 1934–36 auch Unterrichts-, 1934–38 Verteidigungs-, 1936–38 Außenmin. Vergeblich suchte S. die Unabhängigkeit Österreichs gegenüber dem nat.-soz. Dtl. zu sichern, er musste am 11. 3. 1938 zurücktreten und wurde verhaftet (1941–45 im KZ). 1945 ging er in die USA (1948–67 Prof. in Saint Louis, Mo.), ab 1967 lebte er in Mutters.

Kurt Schuschnigg

📖 Hopfgartner, A.: *K. S. Ein Mann gegen Hitler. Graz 1989.*

Schüssel, Wolfgang, österr. Politiker, * Wien 7. 6. 1945; Jurist, Mitgl. der ÖVP, seit 1979 Abg. im Nationalrat, 1989-95 Wirtschaftmin.; seitdem Bundesobmann der ÖVP, Vizekanzler und Außenminister.

Schussen *die,* nördl. Zufluss des Bodensees, 60 km lang, entspringt bei Bad Schussenried, mündet östlich von Friedrichshafen.

Schussenried, Bad, → Bad Schussenried.

Schusswaffen, tragbare Waffen, die zum Angriff, zur Verteidigung, zum Sport oder zur Jagd bestimmt sind und bei denen Geschosse durch einen Lauf getrieben werden (→ Waffenrecht).

Schusswaffengebrauch, im Polizei- und Ordnungsrecht eine der Formen des unmittelbaren Zwanges. Dieser ist nach Bundesrecht und dem Recht der Länder den Polizeivollzugsbeamten, Soldaten im Wachdienst, bestimmtem zivilem Wachpersonal und einigen anderen Hoheitsträgern gestattet. Allen Regelungen gemeinsam ist das Gebot, Schusswaffen nur einzusetzen, wenn sie das äußerste Mittel sind und andere Maßnahmen bereits erfolglos angewendet wurden oder offensichtlich keinen Erfolg versprechen. Der S. ist grundsätzlich vorher anzudrohen.

Ziel des S. darf nur sein, jemanden angriffsunfähig oder fluchtunfähig zu machen. Soweit keine spezielle gesetzl. Regelung vorliegt, ist umstritten, ob und unter welchen Voraussetzungen der Todesschuss (»finaler Rettungsschuss«) erlaubt ist. Von diesen Regelungen unberührt bleiben die Vorschriften über den jedermann offen stehenden S. im Rahmen von Notwehr und Notstand.

Schusterjunge, *Satztechnik:* Bez. für die Anfangszeile eines neuen Absatzes, wenn sie als letzte Zeile einer Spalte oder Seite erscheint.

Schusterpalme (Fleischerpalme), umgangssprachlich für die → Aspidistra.

Schute, 1) *Mode:* der → Kiepenhut.

2) *Schifffahrt:* flacher, breiter Schleppkahn für den Hafenbetrieb und zum Abtransport von Baggergut, meist ohne Eigenantrieb.

Schutt, *Geomorphologie:* Anhäufung grobkörniger, eckiger Gesteinstrümmer. Isolierte **S.-Kegel** und **Fächer** wachsen bes. im Hochgebirge zu **S.-Halden** zus., die sich bei starker Durchfeuchtung zu **S.-Strömen** (→ Mure) entwickeln können. In Trockengebieten entstehen **Schuttgebirge.**

Schütt, zwei Inseln in der Donau zw. Preßburg und Komorn: die **Große S.** (slowak. Vel'ký Žitný ostrov, ungar. Csallóköz) ist die größte europ. Flussinsel, in der Slowak. Rep., 1540 km^2 groß, zw. der Großen und der Kleinen Donau. Die **Kleine S.** (slowak. Malý Žitný ostrov, ungar. Szigetköz), zw. der Donau und ihrem südl. Nebenarm, gehört fast ganz zu Ungarn; 275 km^2 groß; Gemüseanbau; Auenwälder (Tier- und Pflanzenreservoir).

Schütt-aus-hol-zurück-Verfahren, bei Kapitalgesellschaften die Ausschüttung von Gewinnen mit anschließender Wiedereinlage durch eine Kapitalerhöhung. Als Maßnahme der Finanzierung dient es auch der Steuerersparnis.

Schütte, Krankheit der Nadelbäume, massenhaftes Abwerfen der Nadeln durch Pilzbefall.

Schütte, Johann, Schiff- und Luftschiffbauer, * Oldenburg (Oldenburg) 26. 2. 1873, † Dresden 29. 3. 1940; arbeitete bes. über den Widerstand der Schiffe bei hoher Geschwindigkeit und die zweckmäßige Gestaltung der Schiffskörper, baute mit K. Lanz (* 1873, † 1921) das starre, stromlinienförmige **S.-Lanz-Luftschiff** mit hölzernem Traggerüst (Start 1911), dem 21 weitere folgten.

Schüttelfrost, Muskelzittern, verbunden mit innerem Kältegefühl, als Begleiterscheinung des Anstiegs der Körpertemperatur beim → Fieber.

Schüttel|lähmung, die → Parkinson-Krankheit.

Schüttelreim, Reimspiel, Übersicht Reim.

Schüttergebiet, das Gebiet, in dem vom Menschen ein Erdbeben wahrgenommen wird.

Schüttorf, Stadt im Landkreis Grafschaft Bentheim, Ndsachs., an der Vechte, 11 200 Ew.; Kunststoff-, Textil-, Fleischverarbeitungs- und elektrotechnische Industrie. – Die Stadtkirche entstand 1477–1502. – 1154 erstmals erwähnt, seit 1295 Stadt.

Schuttpflanzen, → Ruderalpflanzen.

Schüttung, 1) *Erd-* und *Wasserbau:* Herstellung eines Damms durch Auftrag von Schichten aus Locker-, Felsgestein o. Ä.

2) *Hydrographie:* (Quell-S.) die in einer Zeiteinheit geförderte Wassermenge einer Quelle.

Roger Schutz

Schutz [ʃyts], Roger, eigtl. R. Schutz-Marsauche, gen. Frère Roger, schweizer. evang. Theologe, * Provence (Bez. Grandson, Kt. Waadt) 12. 5. 1915; Gründer (1949) und Prior der Communauté de Taizé, einer heute überkonfessionellen (»ökumen.«) christl. Gemeinschaft in Taizé; erhielt 1974 den Friedenspreis des Dt. Buchhandels, 1989 den Internat. Karlspreis der Stadt Aachen.

📖 Schutz, R.: *Die Quellen von Taizé. Freiburg 1996.*

Schütz, 1) *Elektrotechnik:* ein elektromagnetisch betätigter Schalter ohne Sperre für hohe Leistungen. Ein Hilfsstrom (Steuerstrom) erregt den

Heinrich Schütz: Autograph eines Osterdialogs

Schaltmagneten, dessen Anker die Kontakte im Starkstromkreis geschlossen hält, solange der Steuerstrom fließt.

2) *Wasserbau:* Verschlussvorrichtung (meist in Tafelform) zur Regelung des Wasserdurchlaufs in offenen Gerinnen oder Wasserleitungen bzw. zum Verschluss eines Wehres.

Schütz, 1) Heinrich, latinisiert Henricus Sagittarius, Komponist, *Köstritz (heute Bad Köstritz) 4. 10. 1585, †Dresden 6. 11. 1672; 1609–13 Schüler von G. Gabrieli in Venedig, danach Hoforganist in Kassel, wirkte dann von 1617 bis zu seinem Tode, allerdings mit längeren Unterbrechungen, als Hofkapellmeister in Dresden. 1628 reiste er für ein Jahr abermals nach Venedig, um sich mit der Kunst C. Monteverdis und der neuen italien. Monodie vertraut zu machen. 1633–35 ging S. als königlich-dän. Hofkapellmeister nach Kopenhagen. – S. übernahm aus Italien den konzertierenden Stil, die Mehrchörigkeit der Venezian. Schule sowie den Generalbass und verschmolz sie mit der dt. Tradition der Polyphonie. Dabei stellte er die Musik in den Dienst der Textauslegung. Höhepunkte seines Schaffens sind die »Geistl. Konzerte« und die »Symphoniae sacrae«. Er komponierte auch die erste dt. Oper »Dafne« (1627, Text von M. Opitz; Musik nicht erhalten; nach neueren Forschungen eher ein Schauspiel mit Musikeinlagen). Im 19. Jh. wurde S. als Komponist evang. Kirchenmusik wieder entdeckt. 1929 wurde die »Neue S.-Gesellschaft« gegr. (Sitz: Kassel), seit 1963 »Internat. H.-S.-Gesellschaft«.

Heinrich Schütz: Miniatur (1670; Berlin, Staatsbibliothek)

Weitere Werke: Italien. Madrigale (1611); »Psalmen Davids« (1619); »Cantiones sacrae« (vierstimmige lat. Motetten, 1625); »Psalmen Davids, in dt. Reimen durch C. Becker« (1628, Neufassung 1661); »Symphoniae sacrae« (solistisch mit Instrumenten, lat., 3 Tle., 1629–50); »Musikal. Exequien« (1636); »Kleine geistl. Konzerte« (2 Tle., 1636–39); »Geistl. Chor-Musik« (29 fünf- bis siebenstimmige dt. Motetten, 1648); »12 geistl. Gesänge« (1657); »Historia der Geburth ... Jesu Christi« (1664); Passionen nach Lukas, Johannes und Matthäus (1665/66); Dt. Magnificat (1671).

📖 Gregor-Dellin, M.: *H. S. Sein Leben, sein Werk, seine Zeit. München u.a.* [3]*1987.* – Heinemann, M.: *H. S. u. seine Zeit. Laaber 1993.* – Heinemann, M.: *H. S. Reinbek 1994.*

2) Klaus, Politiker (SPD), *Heidelberg 17. 9. 1926; 1957–61 MdB, 1966–67 Staatssekr. im Auswärtigen Amt, war 1967–77 Regierender Bürgermeister von Berlin, 1977–81 Botschafter in Israel und 1981–87 Intendant der Dt. Welle.

Schutzbefohlene, strafrechtlich bes. geschützter Personenkreis, v.a. Jugendliche und in Ausbildung befindl. Personen, die von ihren Erziehern abhängig sind; Gebrechliche, Kranke, Wehrlose. Strafrechtl. Schutz erhalten S. bei Misshandlungen (§ 223b StGB), sexuellem Missbrauch (§ 174), Verletzung der Fürsorgepflicht (§ 170d).

Schutzbereich (früher Rayon), Gebiet, das aus Gründen der Verteidigung bestimmten Eigentumsbeschränkungen unterliegt. Wirtsch. Einbußen werden entschädigt (S.-Ges. vom 7. 12. 1956).

Schutzbrief, 1) *Recht:* im früheren Recht die vom Inhaber der Rechtsgewalt (König, Landesherr) urkundlich erteilte Zusicherung eines besonderen Schutzes für bestimmte Institutionen, z.B. Klöster, oder für bestimmte Personen, z.B. ausländ. Kaufleute (→Geleit 1).

2) *Versicherungswesen:* Versicherung für Kraftfahrer, die dem Versicherungsnehmer z. B. bei Pannen, Unfällen, im Krankheitsfall im In- und Ausland die erforderl. Hilfeleistung garantiert. S. werden v. a. von Automobilclubs angeboten.

Schutzbrille, Brille ohne opt. Wirkung zum Schutz der Augen vor z. B. mechan. Einwirkungen (Splitter, Spritzer, Funken u. a.) oder schädigender Strahlung (Schweißbrille mit Schutzfilter).

Schütze, 1) *Astronomie:* (Sagittarius) Sternbild des Südhimmels; 9. Zeichen des Tierkreises. Es enthält helle Milchstraßenwolken, in deren Richtung das Zentrum des Milchstraßensystems liegt.

2) *Militärwesen:* 1920–43 im dt. Heer der unterste Mannschaftsdienstgrad bei der Infanterie; in der Bundeswehr entsprechend bei der Feldjäger-, der Nachschub- sowie der Instandsetzungstruppe.

Schützen (Webschützen), an Webmaschinen die Vorrichtung, die den Schuss einträgt.

Schützenfisch

Schützenfisch (Spritzfisch, Toxotes jaculator), 20 cm lange Art der Barschartigen Fische in Fluss- und Brackwasser Ostindiens und Nordaustraliens; spritzt mit einem gezielten Wasserstrahl als Nahrung dienende Insekten von über der Wasseroberfläche befindl. Pflanzen ab.

Schutz|engel, ein jedem Menschen zum Schutz beigegebener →Engel, nach jüd., christl. (kath. und orth.) und islam. Glauben. Verehrung in der kath. Kirche: 2. 10. **(Schutzengelfest).**

Schützengesellschaften, örtl. Zusammenschlüsse zur Pflege des Schießsports und zur Erhaltung der Schützentradition; entstanden als eine Art Schutzorganisation vermutlich seit dem 11. Jh. in den mittelalterl. Städten; ihr Aufbau entsprach dem der Zünfte. Politisch-militär. Bedeutung erlangten die schweizer. S. im 14. Jh. im Kampf gegen Österreich, die sächsisch-thüring. S. im 15. Jh. gegen die Hussiten, die niederländ. S. gegen Spanien, die Tiroler Standschützen 1809 gegen Napoleon I. und 1915–18 gegen Italien. Die dt. S. (auch Schützenvereine, Schützengilden gen.) wandelten sich in gesellige bürgerl. Vereine, ihre Schützenfeste wurden zu Volksfesten; die schweizer. und niederländ. S. bewahrten ihren Milizcharakter.

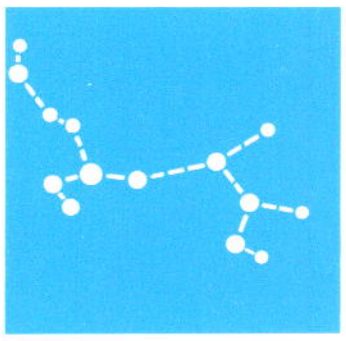

Schütze 1)

Schützengraben, einfache, der Gefechtsführung der Infanterie dienende Feldbefestigungsanlage in Form eines langen, schmalen Grabens; bietet den einzelnen Gewehrschützen durch Brust- und z. T. Rückenwehr die Möglichkeit der gedeckten Schussabgabe im Stehen. Erstmals im Russisch-Japan. Krieg 1904/05 angelegt, wurde der S. prägend für den Ersten Weltkrieg. Hier sowie im Zweiten Weltkrieg i. d. R. stark ausgebaut und befestigt (mit Unterständen, Kampfständen für Unterstützungswaffen, Drahtsperren); spielt in der modernen Kriegführung keine Rolle mehr.

Schützenkette (Feuerkette), Form der geöffneten Ordnung im Infanteriegefecht. Die Mannschaften einer Gruppe verteilen sich in die Breite, um alle Feuerwaffen wirksam einsetzen zu können. Die **Schützenreihe** (hintereinander) und das **Schützenrudel** (nach Breite und Tiefe gestaffelt) dienen dem Vorgehen im Gelände.

Schützenpanzer, *Militärwesen:* →Panzer.

Schützenschnur, in der Dt. Bundeswehr Abzeichen für bes. Schießleistungen für Mannschaften und Unteroffiziere in den Stufen Gold, Silber und Bronze.

Schützenstück, →Gruppenbild.

Schutzfrist, →Urheberrecht, →Patent.

Schutzgas, das →Inertgas.

Schutzgebiete, bis 1918 die amtl. Bez. für die dt. Kolonien. – Während seit dem 16. Jh. Deutsche fast nur im Dienst fremder Mächte an der Erschließung neu entdeckter Gebiete teilnahmen, schalteten sich nach 1815 dt., v. a. hanseat., Kaufleute erfolgreich in den Welthandel ein. Vom Ende der 1870er-Jahre an entstand unter dem Eindruck der Reichseinigung eine Bewegung für Kolonialerwerb (1882 Dt. Kolonialverein, seit 1887 Dt. Kolonialgesellschaft). Bismarck lehnte diese Bestrebungen wiederholt ab, machte sie sich aber 1884 zu Eigen. Die als Handelskolonien gedachten Erwerbungen wurden allmählich Siedlungskolonien. In den meisten S. gab es eine Schutztruppe, die sich aus dt. sowie einheim. Soldaten unter dt. Offizieren rekrutierte. Im 1. Weltkrieg wurden alle S. besetzt; im Versailler Vertrag (1919) musste das Dt. Reich auf alle S. verzichten.

Deutsch-Südwestafrika ging als erste Kolonie aus einem 1883 von A. Lüderitz erworbenen Gebiet hervor, das 1884 unter den Schutz des Reichs gestellt wurde. Die Schutzgewalt wurde bis 1890 auf benachbarte Gebiete ausgedehnt. Aus der 1884 erfolgten Schutzerklärung über Interessengebiete dt. Firmen gingen die S. **Kamerun** und **Togo** hervor, die seit 1891 getrennt verwaltet wurden. **Deutsch-Ostafrika** entstand als überseeische Besitzung aufgrund 1884 abgeschlossener Schutzverträge von C. Peters und der 1885 abgegebenen Schutzerklärung des Reichs. Die kaiserl. Schutzbriefe über **Deutsch-Neuguinea (Kaiser-Wilhelms-Land,** heute der NO von Neuguinea, und **Bismarckarchipel)** und die **Marshallinseln** wurden 1885 ausgestellt, über **Nauru** 1888, weitere Inseln im Pazifik folgten 1899 **(Marianen, Karolinen, Palauinseln** und ein Teil der **Samoainseln).** 1898 wurde **Kiautschou** für 99 Jahre von China gepachtet. Nach dem 1. Weltkrieg wurden die S. rechtlich als Mandatsgebiete des Völkerbundes behandelt, faktisch jedoch dem Kolonialbesitz der Mandatsmächte eingegliedert. Deutsch-Ostafrika wurde britisch (seit 1964 Vereinigte Rep. von Tanganjika und Sansibar, →Tansania) und belgisch (Ruanda-Urundi, seit 1962 die Staaten Ruanda und Burundi), Deutsch-Südwestafrika ging an die Südafrikan. Union und war bis 1989 (zunächst als Südwestafrika, seit 1968 Namibia) von dieser annektiert (seit 1990 unabhängig als Rep. Namibia). Kamerun kam unter frz. (östl. Teil) und brit. Verw. (seit 1972 Vereinigte Rep. Kamerun). Der Westteil Togos wurde 1920 britisch (seit 1957 zu Ghana), der Ostteil frz. Mandat (seit 1960 Rep. Togo). NO-Neuguinea mit dem Bismarckarchipel wurde 1920 australisch (seit 1975 zu Papua-Neuguinea), die Marshallinseln, Karolinen, Marianen und Palauinseln wurden japan. (1947 amerikan.) Mandatsgebiet. Australien, Neuseeland und Großbritannien wurden Mandatsmächte für Nauru (seit 1968 Rep.) und Westsamoa (seit 1962 unabhängig). Kiautschou kam 1922 wieder zu China.

📖 WEHLER, H.-U.: *Bismarck u. der Imperialismus. Neuausg. Frankfurt am Main ²1985.* – GRÜNDER, H.: *Geschichte der dt. Kolonien. Paderborn u. a. ²1991.*

Schutzgeist, im *Glauben* vieler Völker ein das persönl. Schicksal des Menschen bewachender guter Geist, oft Ahnengeist. Daneben gibt es kollektive S. des Hauses und der Felder.

Schutzgemeinschaft (Schutzvereinigung), Vereinigung zur Wahrung wirtsch. oder kultureller Interessen, z. B. für Kreditschutz (→SCHUFA). Die **Dt. Schutzvereinigung für Wertpapierbesitz e. V.,** Sitz: Düsseldorf, und die **S. der Kleinaktionäre e. V.,** Sitz: Frankfurt, vertreten die Interessen der Wertpapiereigentümer.

Schutzgemeinschaft Deutscher Wald e. V., Bund zur Förderung der Landespflege (SDW), Bundesverband, gegr. 1947, Sitz: Bonn; Landesverbände. Verbandsziele: Informations- und Aufklärungsarbeit zum Schutz und zur Erhaltung des Waldes in seinen Nutz- und Schutzfunktionen.

Schutzgenossen, *Völkerrecht:* die dem Schutz der diplomat. und konsular. Organe eines befreundeten oder, im Krieg, eines neutralen Staates (→Schutzmacht) anvertrauten Personen; i. w. S. Angehörige abhängiger oder kolonialer Gebiete.

Schutzgesetz, allg. eine Rechtsnorm, die den Schutz des Einzelnen (nicht nur der Allgemeinheit) bezweckt, z. B. die Strafbestimmungen zum Schutz von Leib und Leben. Der schuldhafte Verstoß gegen ein S. verpflichtet zum Schadensersatz (§ 823 Abs. 2 BGB).

Schutzgewahrsam, →Schutzhaft.

Schutzgewalt, *Völkerrecht:* 1) das Recht aller Staaten, ihren Angehörigen gegenüber fremden Staaten diplomat. Schutz zu gewähren; 2) die über abhängige oder koloniale Gebiete ausgeübte Herrschaft eines Staates (→Protektorat, →Schutzgebiete).

Schutzgruppen, *Chemie:* Sammelbez. für organ. Reste, mit denen bestimmte →funktionelle Gruppen eines Moleküls mit mehreren aktiven Zentren reversibel gegen den Angriff von Reagenzien geschützt werden können, sodass bestimmte Reaktionen nur an den ungeschützten (erwünschten) Stellen stattfinden.

Schutzhaft (Schutzgewahrsam), nach den Polizei-Ges. der Länder mögl. polizeil. →Gewahrsam einer Person zu ihrem eigenen Schutz, z. B. bei starker Trunkenheit. – **Politische S.** ist die polizeil. Ingewahrsamnahme einer Person aus Gründen der Staatssicherheit, also mit einer präventiven Zielsetzung. Sie gehört zur geläufigen Praxis totalitärer Reg.-Systeme und wird häufig in besonderen Internierungs- oder Konzentrationslagern vollzogen. Äußere Grundlage des Missbrauchs der S. im nat.-soz. Dtl. bildete die »VO zum Schutz von Volk und Staat« (28. 2. 1933) anlässlich des Reichstagsbrandes. Nach rechtsstaatl. Grundsätzen ist eine polit. S. unzulässig. Dem geltenden Recht der Bundesrep. Dtl. (Art. 104 GG) würde die polit. S. ebenso widersprechen wie der Europ. Menschenrechtskonvention (Art. 5).

Schutzheiliger (Schutzpatron), *kath. Kirche:* Heiliger, der als Beschützer und Fürsprecher einzelner Länder, Orte, Diözesen, Kirchen, Orden, Berufe, Vereine, Personen u. a. verehrt wird.

Schutzhelm, aus widerstandsfähigem Kunststoff o. Ä. bestehende, geprüfte Kopfbedeckung zur Stoßdämpfung bei Stürzen, Sicherung gegen herabfallende Gegenstände, Feuerwehr-S. durch Außenflächenverspiegelung zusätzlich gegen Hitze. – S. können als **Integral-S.** mit Schirm, Visier, Kiefer- und Nackenschutz ausgerüstet sein.

Schutzherrschaft, das →Protektorat.

Schutzhütten, von Alpenvereinen eingerichtete Unterkunftsstätten für Bergtouristen, in Österreich, Italien und Dtl. meist bewirtschaftet.

Schutz|impfung, → Impfung, → Impfkalender, → Immunisierung.

Schutzkontaktsteckvorrichtung, elektromechan. → Steckvorrichtung, bestehend aus Schutzkontaktstecker (Schukostecker) und Schutzkontaktsteckdose (Schukosteckdose). Beide Teile haben Schutzkontakte, die vor der Verbindung der Strom führenden Kontakte eine Schutzleitung schließen; beim Herausziehen des Steckers wird diese zuletzt unterbrochen.

Schutzmacht, *Völkerrecht:* 1) Staat, der die Rechte und Interessen eines anderen Staates und dessen Staatsangehöriger gegenüber einem dritten Staat, mit dem der vertretene Staat keine Beziehungen unterhält, vertritt; bes. im Kriegsfall ein neutraler Staat, der die Interessen einer Krieg führenden Macht in einem Feindstaat wahrnimmt. 2) → Protektorat.

Schutzmantelmadonna (Schutzmantelbild), Darstellung Marias, die mit ihrem Mantel die Gläubigen schützend umfängt; kam im 13. Jh. auf und wurde bes. im späten MA. durch Zisterzienser und Dominikaner verbreitet.

Schutzmantelmadonna aus Ravensburg, geschaffen vom Ulmer Bildschnitzer Michel Erhart (um 1480; Berlin, Skulpturensammlung)

Schutzmarke, → Marken.

Schutzpolizei, Abk. **Schupo** (auch für Schutzpolizist), Bez. für die uniformierte Vollzugspolizei. (→ Polizei)

Schutzraumbauten, Sammelbegriff für Luftschutzräume wie **Schutzstollen, Schutzbunker** und **Schutzkeller.** Die S. müssen allseitig geschlossene, biegesteife Stahlbetonkonstruktionen mit räuml. Bewehrung sein und Wände bestimmter Dicke aufweisen. (→ Zivilschutz)

Schutzschaltung, elektr. Schaltung, die beim Auftreten einer zu hohen Berührungsspannung in Niederspannungsanlagen diese in 0,1 s abschaltet. Nach der Funktionsweise unterscheidet man Fehlerspannungsschutzschalter (FU-Schutzschalter, meist nur für ein Gerät) und Fehlerstromschutzschalter (FI-Schutzschalter, für eine Anlage).

Schutzstaffel, Gliederung der NSDAP, → SS.

Schutztracht, Färbung, Zeichnung und Körperhaltung von Tieren, die ihnen Schutz oder Tarnung vor Fressfeinden bietet (z. B. weißes Winterkleid). → Mimikry, → Mimese

Schutztrennung, *Elektrotechnik:* galvan. Trennung des (Betriebs-)Stromkreises vom Energieversorgungsnetz.

Schutztruppe, → Schutzgebiete.

Schutz|umschlag, *Buchbinderei:* dem Schutz des Einbandes dienender Umschlag mit umgeschlagenen Klappen an den Deckelseiten, häufig mit einem Klappentext. Der S. wird werbekräftig und repräsentativ ausgestaltet, typographisch oder illustrativ mit zeichner. oder fotograf. Mitteln.

Schutzvertrag, internat. Abkommen, durch das sich ein Staat der Schutzgewalt eines anderen Staates unterstellt (→ Protektorat); wurde bes. als eine Methode der kolonialen Durchdringung und der Schaffung von Einflussgebieten verwendet.

Schutzwaffen, dienen im Unterschied zu → Trutzwaffen dem Schutz des Körpers gegen feindl. Waffenwirkung; früher v. a. Rüstung mit Helm und Schild, heute beim Militär Gefechtshelm und Schutzweste, bei der Polizei Schutzschild.

Schutzwald, insbesondere gegen Störungen des ökolog. Gleichgewichts, z. B. Erosion, Lawinen, Veränderungen des Bodenwassergehaltes, gesetzlich unter Schutz gestellter Wald (i. d. R. Nutzungsbeschränkungen und Rodungsverbot).

Schutzzoll, Einfuhrzoll zum Schutz inländ. Produktion vor ausländ. Konkurrenz (→ Protektionismus); Ggs.: Freihandel. Systemat. Ausgestaltung erfuhr die S.-Politik im Merkantilismus und v. a. seit Ende des 19. Jh. Trotz der seit 1945 bestehenden Tendenz zur Liberalisierung des Welthandels (→ GATT) treten v. a. in Ländern mit Leistungsbilanzdefiziten immer wieder S.-Bestrebungen auf.

Schwab, 1) Gustav, Dichter, * Stuttgart 19. 6. 1792, † ebd. 4. 11. 1850; gehörte dem → Schwäbischen Dichterbund an. Einige seiner Romanzen und Lieder waren volkstümlich (»Der Reiter und der Bodensee«). Nachhaltiger wirkten seine Nacherzählungen »Die schönsten Sagen des klass. Altertums« (3 Bde., 1838–40) und »Die Dt. Volksbücher« (2 Bde., 1836–37). S. gab 1833–38 mit A. von Chamisso den »Dt. Musenalmanach« heraus.

Gustav Schwab (zeitgenössische Darstellung)

2) Werner, österr. Schriftsteller, * Graz 19. 6. 1958, † 1. 1. 1994; schrieb vielgespielte, wegen ihrer Grellheit umstrittene Stücke, u. a. »Volksvernichtung oder Meine Leber ist sinnlos« (1991), »Endlich tot. Endlich keine Luft mehr« (1993).

Schwabach
Stadtwappen

Schwabach, kreisfreie Stadt im RegBez. Mittelfranken, Bayern, südwestlich von Nürnberg, 38000 Ew.; Metallind. (Nadeln, Draht, Schrauben, techn. Federn), Blattgoldschlägerei, Herstellung von Fotoartikeln. – Spätgot. Hallenkirche (um 1500), Rathaus (1509). – Um 800 erstmals erwähnt, 1371 Stadt; kam 1791 an Preußen, 1806 an Bayern.

Schwabacher, um 1480 in Dtl. aus der →gotischen Schrift entstandene Druckschrift; Vorform der Fraktur, von der sie sich durch das Fehlen der zungenförmigen Ausläufer unterscheidet; zuerst in Nürnberger, Ulmer, Augsburger und Mainzer Frühdrucken verwendet. Die S. entwickelte sich im 16. Jh. zur Type der Reformationsdrucke und war bis Ende des 18. Jh. Auszeichnungsschrift.

Schwabacher Artikel, von M. Luther u. a. erarbeitetes Bekenntnis in 17 Artikeln, das 1529 auf dem Schwabacher Konvent den oberdt. Städten als dogmat. Grundlage für ein angestrebtes evang. polit. Bündnis vorgelegt wurde; eine der Grundlagen der →Augsburgischen Konfession.

Schwaben, von den →Sweben abgeleiteter, urspr. für die Bev. des alten Herzogtums Schwaben verwendeter Volksname, der ab etwa 900 die alte Stammesbez. Alemannen verdrängte. Heute versteht man i. e. S. unter S. nur noch die schwäbisch sprechenden Bewohner Altwürttembergs, Oberschwabens und des bayer. S. (bis zum Lech). In volkskundl. Hinsicht bilden die S. und die Alemannen (abgesehen von regionalen Unterschieden) eine Einheit.

Schwaben, 1) RegBez. in Bayern, 9994 km^2, (1996) 1,729 Mio. Ew.; Hptst. ist Augsburg. S. umfasst die Landkreise Aichach-Friedberg, Augsburg, Dillingen a. d. Donau, Donau-Ries, Günzburg, Lindau (Bodensee), Neu-Ulm, Oberallgäu, Ostallgäu und Unterallgäu sowie die kreisfreien Städte Augsburg, Kaufbeuren, Kempten (Allgäu) und Memmingen.

2) ehem. dt. Herzogtum, umfasste die dt. Schweiz (mit Graubünden), das Elsass, Südbaden, Württemberg (ohne den N), Bayrisch-S., Liechtenstein und Vorarlberg. 746 nach Beseitigung des (älteren) alemann. Herzogtums wurde S. in das Fränk. Reich (Grafschaft) einbezogen. 917 Begründung des neuen (jüngeren) Herzogtums; unter den Staufern (1079–1268) höchste Blüte, danach territoriale Auflösung in zahlr. größere und kleinere Landesherrschaften (v. a. Württemberg und Baden); daneben gelangten auch die Habsburger zu umfangreichem Besitz. 1500–1806 übergreifende polit. Ordnung im Schwäbischen Kreis.

📖 *S. von 1268 bis 1803, bearb. v.* P. BLICKLE. *München 1979.*

Schwabenkorn, Weizenart, →Dinkel.

Schwabenkrieg (Schweizerkrieg), 1499 von der Schweizer. Eidgenossenschaft gegen Maximilian I. und den Schwäb. Bund geführte militär. Auseinandersetzung. Der Frieden von Basel (22. 9. 1499) leitete die Lösung der Schweiz vom Reich ein (→Schweiz, Geschichte).

Schwabenspiegel, süddt. Rechtsbuch, um 1274/75 in Augsburg von einem unbekannten Geistlichen auf der Grundlage des Sachsenspiegels verfasst. Es enthält das Kaiserl. Land- und Lehnsrecht; galt auch in der Schweiz.

Schwäbische Alb (in der Geologie Schwäbischer Jura), Mittelgebirge in SW-Dtl., Schichtstufe des →Schwäbisch-Fränkischen Schichtstufenlandes, zw. Hochrhein und Nördlinger Ries; höchste Erhebung ist der Lemberg im SW, 1015 m ü. M. Der steilen NW-Abdachung (Albtrauf) sind Vorberge (Zeugenberge) vorgelagert, z. T. früher von Burgen gekrönt: Plettenberg, Hohenzollern, Achalm, Hohenneuffen, Teck, Hohenstaufen. – Die S. A. besteht aus flach geneigten Juraschichten. Der untere Jura bildet Ackerböden, der mittlere eine Eisensandsteinstufe mit Nadelwäldern, der obere eine steile weiße Kalkmauer mit wasserarmen, klimatisch rauen Hochflächen **(Rauhe Alb)** und zahlr. Tropfsteinhöhlen. Aus bodenständigem Gewerbe entwickelte sich Textil- und feinmechan. Industrie.

📖 *Das große Buch der S. A., hg. v.* E. W. BAUER *u. a. Stuttgart* ^{2}*1988. – S. A., hg. vom Geograph.-Kartograph. Inst. Meyer. Mannheim u. a. 1989.*

Schwäbischer Bund, 1488 gegr. Vereinigung der schwäb. Reichsstände zur Sicherung des Landfriedens, der später auch die Kurfürsten von der Pfalz, Mainz und Trier, ferner Hessen, Bayern und die meisten oberdt. Stände beitraten. Der S. B. wurde bes. unter Kaiser Maximilian I. zur Stütze der habsburg. Politik in Ober-Dtl. 1519 führte er den Feldzug gegen Herzog Ulrich von Württemberg; im Bauernkrieg 1525 warf der Feldhauptmann des S. B., Georg Truchsess von Waldburg, die Bauern nieder; das Raubrittertum wurde bekämpft. Infolge der Reformation lockerte sich der S. B. und löste sich 1533 auf.

Schwäbischer Dichterbund, ein Kreis württemberg. Dichter, der sich zw. 1810 und 1850 in Tübingen um L. Uhland und J. Kerner zusammenfand. Ihm gehörten K. Mayer, G. Schwab, später W. Hauff, G. Pfizer, A. Knapp, J. G. Fischer, E. Mörike an. Der S. D. wandte sich, angeregt v. a. von der Heidelberger Romantik, bes. dem volkstüml. Lied, der Ballade und den poet. Zeugnissen der dt. Vergangenheit zu.

📖 STORZ, G.: *Schwäb. Romantik. Dichter u. Dichterkreise im alten Württemberg. Stuttgart u. a. 1967.*

Schwäbischer Jura, die →Schwäbische Alb.

Schwäbischer Kreis, 1500–1806 einer der (ab 1512) zehn →Reichskreise des Hl. Röm. Reichs, umfasste die Hochstifte Konstanz und Augsburg,

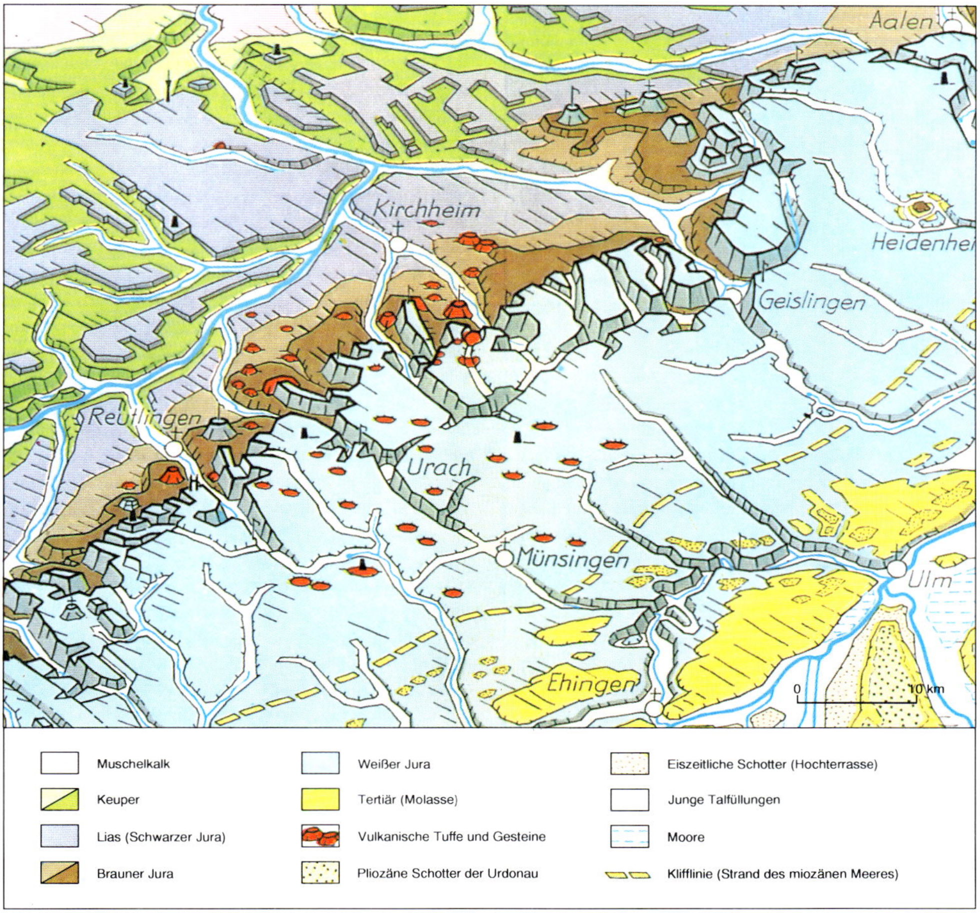

Schwäbische Alb: Blockbild des geologischen Aufbaus (Quelle: Landesbildstelle Württemberg)

die gefürsteten Abteien Kempten und Ellwangen, 21 Abteien, das Herzogtum Württemberg, die Markgrafschaften Baden, die Fürstentümer Hohenzollern, die gefürsteten Damenstifte Lindau und Buchau, zahlr. andere weltl. Herrschaften und 31 Reichsstädte (u.a. Augsburg, Ulm).

Schwäbischer Städtebund, Zusammenschluss (1376) von 14 schwäb. Reichsstädten unter Führung Ulms zur Wahrung ihrer Reichsunmittelbarkeit, später auf 89 Städte – vom Elsass bis Bayern – angewachsen. Er wurde von Kaiser Karl IV. erfolglos bekämpft, von König Wenzel 1384 widerwillig anerkannt, von Graf Eberhard II. von Württemberg 1388 bei Döffingen besiegt; seitdem verlor er seine polit. Bedeutung.

Schwäbisches Meer, der →Bodensee.

Schwäbische Türkei, frühere Bez. für die →Baranya.

Schwäbisch-Fränkisches Schichtstufenland, Landschaftsraum zw. Alpenvorland (im S) und Schwarzwald, Odenwald, Spessart, Thüringer Wald und Böhmerwald. Flach nach O und SO einfallende, morphologisch unterschiedlich widerständige Schichten des Mesozoikums bedingen eine Landschaft mit einem Wechsel von steilen Stufen und relativ ebenen Landterrassen. – Unterste Stufe Bundsandstein (Odenwald, Schwarzwald). Waldarme Landterrassen bilden altbesiedeltes fruchtbares Ackerland (z.B. im Ries), darüber vielfältig gegliederte, waldreiche Keuperstufe (Schönbuch, Frankenhöhe bis zu den Hassbergen); die oberste Stufe bilden die →Schwäbische Alb und die →Fränkische Alb.

Schwäbisch Gmünd, Stadt (Große Kreisstadt) im Ostalbkreis, Bad.-Württ., an der Rems, 63700 Ew.; PH, FH für Gestaltung, Zentrum für Oberflächen- und Galvanotechnik; Forschungsinst. für Edelmetalle und Metallchemie, Museen, Stadtarchiv; Edelmetall-, Schmuck-, Uhren-, Glaswaren- u.a. Industrie. – Spätromanische Johanneskirche

Schwäbisch Gmünd
Stadtwappen

Schwäbisch Gmünd: Das ehemalige Dominikanerkloster (gegründet 1284, umgebaut 1724/25) wurde 1969–73 zum Kulturzentrum »Prediger« ausgebaut

(1210–30), spätgot. Heiligkreuzkirche (um 1320 begonnen); ehem. Dominikanerkloster (1284 gegr.; 1724/25 umgebaut; 1969–73 zu einem Kulturzentrum ausgebaut). – Als Klosterzelle **Ganmundia** im 8. Jh. erstmals gen.; vor 1162 als Stadt gegr., vor 1268 Reichsstadt, kam 1802 an Württemberg; hieß 1805–1934 Gmünd.

Schwäbisch Hall 2) Stadtwappen

📖 Windstosser, L. *u. a.: S. G. Stuttgart 1983.*

Schwäbisch Hall, 1) Landkreis im RegBez. Stuttgart, Bad.-Württ., 1484 km², (1996) 180 600 Einwohner.

2) Kreisstadt von 1), in Bad.-Württ., im Tal des Kochers, 34 900 Ew.; Große Kreisstadt; Hällisch-Fränk. Museum in der Keckenburg (mittelalterl. Turmhaus), Hohenloher Freilichtmuseum (in Wackershofen); landwirtsch. Marktzentrum; Maschinenbau u. a. Ind.; Solequelle. – St.-Michaels-Kirche (1427–56, mit roman. Turm); von der Kirche zum alten Markt mit dem repräsentativen Rokokorathaus (1732–35) führt eine monumentale Freitreppe (Festspiele), Neuer Bau (»Großes Büchsenhaus«; 1527 als Zeughaus erbaut; seit 1529 Festsaal). – Nach 1150 Stadtrecht; ab 1276 Reichsstadt, kam 1802 an Württemberg. – Bei S. H. liegt die Klosterburg → Komburg.

Schwalben: Mehlsschwalbe (oben) und Rauchschwalbe

Schwabmünchen, Stadt im Landkreis Augsburg, Bayern, auf dem Lechfeld, 12 300 Ew.; Druckerei, Leuchtstoff- und Lampenwerk. – Vom 10. Jh. bis 1802 Amtssitz der Bischöfe von Augsburg, seit 1953 Stadt. – In Klimmach Wallfahrtskirche (1705 bis 1708) mit Stuckaturen der Wessobrunner Schule.

Schwachsichtigkeit (Sehschwäche, Amblyopie), funktionelle Verminderung der Sehschärfe eines Auges ohne erkennbare Ursache. S. ist in früher Kindheit durch Behandlung besserungsfähig oder sogar vermeidbar.

Schwachsinn, die → Oligophrenie.

Schwaden, 1) *Botanik:* (Flutender S., Entengras, Glyceria fluitans), bis 1 m hohes ausdauerndes Süßgras an Ufern, dessen Körner **(S.-Grütze, Manna-S.)** früher für Grütze verwendet wurden.

2) *Landwirtschaft:* (Schwad) der beim Mähen in Schnittbreite zu Boden fallende Pflanzenbestand.

Schwadron, Truppeneinheit, → Eskadron.

Schwägerschaft, das Rechtsverhältnis der Ehegatten zu den Verwandten des anderen Ehegatten. Die Linie und der Grad der S. bestimmen sich nach der Linie und dem Grad der sie vermittelnden → Verwandtschaft. Die S. dauert fort, auch wenn die Ehe, durch die sie begründet wurde, aufgelöst ist (§ 1590 BGB). Keine S. im Rechtssinne ist die sog. Schwipp-S. (zw. den Verwandten eines Ehegatten und denen des anderen). S. begründet weder gesetzl. Erb- noch Unterhaltsrechte.

Schwaiger, Brigitte, österr. Schriftstellerin, *Freistadt 6. 4. 1949; schreibt (autobiograph.) Prosa, die provinzielle Bürgerlichkeit hinterfragt, u. a. in den Romanen »Wie kommt das Salz ins Meer?« (1977), »Tränen beleben den Staub« (1991), »Der rote Faden« (1992), »Ein langer Urlaub« (1997); auch Stücke und Hörspiele.

Schwalbach am Taunus, Stadt im Main-Taunus-Kreis, Hessen, am südöstl. Hang des Taunus, 14 400 Ew.; gewerkschaftl. Ausbildungsstätte; u. a. Herstellung von Reinigungsmitteln und Fahrzeugzubehör. – Altes Rathaus (um 1700).

Schwalbach, Bad, → Bad Schwalbach.

Schwalben (Hirundinidae), Familie der → Sperlingsvögel mit sehr langen Flügeln, tiefer Mundspalte und kurzen Füßen, die Insekten im Gleitflug schnappen. In Mitteleuropa: **Rauch-S.** (Hirundo rustica), 19 cm lang, oben blauschwarz, unten weiß, braune Kehle, Schwanz tief gegabelt, Nest aus durchspeichelter Erde, meist im Innern von Häusern angeklebt; **Mehl-S.** (Delichon urbica), 15 cm lang, unten ganz weiß, oben schwarz mit weißem Bürzel, nistet an der Außenseite von

Schwäbisch Hall 2): Der alte Markt mit dem 1732–35 erbauten Rokokohaus und (links) Bürgerhäusern aus dem 13. Jahrhundert

Gebäuden oder an Felswänden; **Ufer-S.** (Riparia riparia), 12 cm lang, oben braun, unten weiß mit braunem Kropfband, nistet in Höhlen, die das Pärchen in senkrechte Sand- oder Lehmwände gräbt; **Felsen-S.** (Ptyonoprogne rupestris), 14 cm lang, nur in den Alpen heimisch, ähnlich der Ufer-S., aber größer, Schwanzfedern mit weißem Fleck, Nester in Felsnischen, vom Aussterben bedroht. Rauch-, Mehl- und Ufer-S. überwintern in Afrika südlich der Sahara. – S. galten schon im Altertum als Frühlingsboten.

Schwalben|nestersuppe, →Salanganen.

Schwalbenschwanz, 1) *Technik:* eine Verbindung zweier Teile durch trapezförmige, ineinander greifende Teile (im Holzbau); auch als Führung des einen Teils in dem anderen verwendet.

2) *Zoologie:* (Papilio machaon), Art der Ritterfalter in Europa und N-Asien, bis 7 cm große Flügelspannweite; gesetzlich geschützt. Die grün, schwarz und rot gezeichnete Raupe lebt auf Doldengewächsen; bei Gefahr tritt am Kopf eine orangerote gabelige Drüse aus (Nackengabel).

Schwalbenschwanz 2) (Spannweite bis zu 7 cm)

Schwalbenwurz (Vincetoxicum), Gattung der S.-Gewächse; in Dtl. kommt in lichten Wäldern die **Weiße Schwalbenwurz** (Vincetoxicum hirundinaria) vor: 0,3 bis 1,2 m hohe Staude mit gegenständigen, lang zugespitzten Blättern; Blüten zu mehreren in den Blattachseln, sternförmig, gelblich weiß; Frucht als langer, schmaler Balg ausgebildet, Samen mit weißem Haarschopf.

Schwalbenwurzgewächse (Seidenpflanzengewächse, Asclepiadaceae), Pflanzenfamilie der Zweikeimblättrigen in den Tropen (v. a. in Afrika); meist Halbsträucher, mit oft reduzierten Blättern und saftig-fleischigen, kakteenartigen Sprossen; Samen mit Haarschopf. S. enthalten Alkaloide und giftige Glykoside; Gattungen: Schwalbenwurz, Seidenpflanze und Wachsblume.

Schwalm *die,* Beckenlandschaft in Hessen zw. Vogelsberg, Kellerwald und Knüll; benannt nach der **Schwalm,** einem rechten Nebenfluss der Eder, der aus dem Vogelsberg kommt und die S. auf rd. 30 km Länge von S nach N durchfließt.

Schwalmstadt: Der Ortsteil Ziegenhain (im Vordergrund) ist von einem gut erhaltenen historischen Wall- und Grabensystem umgeben

Schwalm-Eder-Kreis, Landkreis im RegBez. Kassel, Hessen, 1538 km², (1996) 193 300 Ew.; Krst. ist Homberg (Efze).

Schwalmstadt, Stadt im Schwalm-Eder-Kr., Hessen, an der Schwalm, 19 300 Ew.; Fachschulen; Schuh-, Metall verarbeitende, Kunststoff-, Bekleidungsindustrie. – In Ziegenhain gut erhaltenes histor. Wall- und Grabensystem; beide Städte haben ihr mittelalterl. Stadtbild mit zahlr. Fachwerk- und Steinhäusern bewahrt. – 1970 durch Zusammenschluss der Städte **Treysa** (Stadtrecht im 13. Jh.) und **Ziegenhain** (1144 erstmals, 1274 als Stadt erwähnt) u. a. Gemeinden entstanden.

Schwamm, 1) *Botanik:* Holz zerstörender →Hausschwamm.

2) *Metallkunde:* grobkörniges, poröses Endprodukt bei der Metallgewinnung (z. B. Titan, Zirkonium) durch →Schmelzflusselektrolyse, wird durch Pressen und Sintern oder durch Schmelzen und Gießen weiterverarbeitet.

Schwämmchen, der →Soor.

Schwalben

Eine Schwalbe macht noch keinen Sommer.

Die auch im Englischen und Französischen sprichwörtliche Redensart findet sich in der Formulierung »Eine Schwalbe macht noch keinen Frühling« bereits in der »Nikomachischen Ethik« (1, 6) des griechischen Philosophen Aristoteles und basiert vermutlich auf der Fabel vom verschwenderischen Jüngling und der Schwalbe des griechischen Fabeldichters Äsop. Dort versetzt der junge Mann seinen Mantel, als er im Frühjahr die erste Schwalbe sieht, und fühlt sich von der inzwischen erfrorenen Schwalbe betrogen, weil es weiterhin winterlich kalt bleibt. Man verwendet das Zitat, um auszudrücken, dass ein einzelnes positives Anzeichen, ein hoffnungsvoller Einzelfall noch nicht auf eine endgültige Besserung der Situation schließen lässt.

Schwäne (von links): Höckerschwan mit Jungen, Schwarzhalsschwan (Männchen) und Singschwan

Schwämme, 1) *allg.:* in Süd-Dtl. und Österreich Bez. für Wald- und Wiesenpilze.

2) *Zoologie:* (Porifera) Stamm vorwiegend meerbewohnender Wirbelloser mit nahezu 5000 Arten, von wenigen mm bis etwa 2 m Größe; auf dem Untergrund festsitzende krusten-, strauch-, becher-, sack- oder pilzförmige, variabel gefärbte Tiere von ungewöhnlich einfacher Organisation und ohne echte Gewebe und Organe. Der Körper der S. besteht aus zahlr. Zellen, die in eine gallertartige Grundsubstanz eingebettet sind. Diese wird stets durch eine Stützsubstanz aus Kalk **(Kalk-S.)**, Kieselsäure **(Kiesel-S.)** oder aus hornartigem Material **(Horn-S.**, darunter der **Badeschwamm)** gestützt. S. besitzen eine oder mehrere Ausströmöffnungen; ihre Körperwand ist von zahlr. Poren durchsetzt, durch die mit dem einströmenden Wasser Nahrung aufgenommen wird. – Die ungeschlechtl. Fortpflanzung erfolgt meist durch Knospung; geschlechtl. Vermehrung z.B. über eine begeißelte, sich später festsetzende Schwimmlarve.

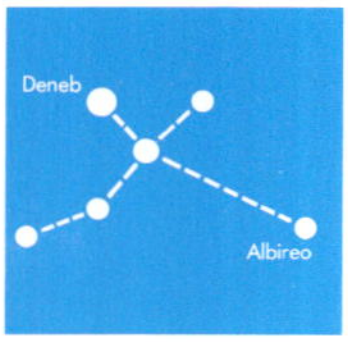

Schwan 1)

Schwammkürbis (Schwammgurke, Luffaschwamm, Luffa), Gattung trop. Kürbisgewächse, v.a. der Alten Welt; Kletterkräuter mit gelappten Blättern und Ranken. Die Frucht ist eine gurkenähnl., trockene Beere, an der Spitze mit einem Deckel aufspringend. Die Leitbündelnetze der Früchte einiger Arten werden getrocknet als Badeschwämme verwendet.

Schwammspinner (Männchen; Spannweite 35–45 mm)

Schwammspinner (Lymantria dispar), zu den Trägspinnern gehörender Nachtschmetterling, Männchen graubraun (Flügelspannweite 35–45 mm), Weibchen weißlich (Flügelspannweite 55–70 mm). Die abgelegten Eier werden vom Weibchen mit schwammartiger Wolle des Hinterleibes überdeckt; Schädlinge an Obst- und Waldbäumen.

Schwan, 1) *Astronomie:* (lat. Cygnus) Sternbild des nördl. Himmels im hellsten Teil der Milchstraße. Seine hellsten Sterne lassen sich zu einem Kreuz verbinden **(Kreuz des Nordens)**.

2) *Zoologie:* → Schwäne.

Schwandorf, 1) Landkreis im RegBez. Oberpfalz, Bayern, 1473 km², (1996) 140800 Einwohner.

2) Krst. von 1) in Bayern und Große Kreisstadt, im Naabtal, 27500 Ew.; Oberpfälzer Künstlerhaus; Büromaschinenbau, Aluminium-, Tonwaren-, Porzellan- u.a. Industrie. – Seit Anfang des 11. Jh. bezeugt, seit 1451 Stadt.

Schwäne (Cygnus), Gattung großer Gänsevögel, die durch ihren langen Hals und die kurzen breiten Schwimmfüße dem Nahrungserwerb auf flachen Seen mit reicher Bodenvegetation angepasst sind; sie tauchen nicht, sondern gründeln wie die Schwimmenten. S. bauen im Schilfgürtel ein Schwimmnest aus Wasserpflanzen und können zur Brutzeit sehr aggressiv werden. Die meisten Arten sind Zugvögel. – Zu den S. gehören u.a. **Höckerschwan** (Cygnus olor), mit ausgestrecktem Hals rd. 1,5 m lang, rein weiß, Schnabel orangerot, oben mit schwarzem Höcker; die Jungvögel haben graubraunes Gefieder; **Schwarzhalsschwan** (Cygnus melanocoryphus), etwa 1,2 m lang, Kopf und Hals schwarz, sonst weiß, Männchen mit stark aufgetriebenem, roten Schnabelhöcker; auf Süßgewässern Südamerikas; **Singschwan** (Cygnus cygnus), etwa 1,5 m lang, weiß, Schnabel ohne Höcker, schwarz mit gelber Basis; in Sümpfen Islands und N-Eurasiens; **Trauerschwan** **(Schwarzer S.**, Cygnus atratus), etwa 1,1 m lang, mit Ausnahme der weißen Handschwinge schwarz, mit weißer Binde am roten Schnabel; in Australien und Tasmanien.

Schwanenblume (Blumenbinse, Wasserliesch, Butomus umbellatus), bis 1,5 m hohe, einkeimblättrige Sumpfwasserstaude in Europa und Asien, mit grundständigen Blättern und rötl. Blüten in Scheindolden.

Schwanengesang, nach antiker Vorstellung (Aischylos, Cicero) der Gesang des sterbenden Schwans; danach übertragen: letztes Werk, bes. eines Dichters oder Komponisten.

Schwanenhals (Berliner Eisen, Fuchseisen), *Jägersprache:* Raubwildfalle, deren Bügel das Tier am Hals umfassen, sodass es sofort getötet wird.

Schwangau, Gemeinde im Landkreis Ostallgäu, Bayern, am Rand des Ammergebirges, 3 400 Ew.; heilklimat. Kurort und Wintersportplatz, nahebei die Schlösser →Hohenschwangau und →Neuschwanstein sowie die 1671 begonnene Wallfahrtskirche St. Koloman.

Schwangerenvorsorge, Maßnahmen der Gesundheitsvorsorge zum Schutz der Schwangeren vor Komplikationen des Schwangerschafts- und Geburtsverlaufs durch frühzeitiges Feststellen einer Risikoschwangerschaft; vom Arzt für Gynäkologie und Geburtshilfe, von Allgemeinärzten oder Beratungsstellen an Krankenhäusern durchgeführt (→Schwangerschaftsuntersuchungen).

Schwangerschaft (Gravidität, Gestation), in der Humanmedizin Bez. für die Zeitspanne zw. der Einnistung (Nidation) einer befruchteten Eizelle in die Gebärmutter der Frau und der Geburt. Das befruchtete Ei erreicht die Gebärmutterhöhle gewöhnlich am 18. Tag des Menstruationszyklus. Die Nidation des Eies in die vorbereitete Gebärmutterschleimhaut beginnt wahrscheinlich am 22. Tag und ist am 27. Tag beendet. Vier Tage später wird der Keimling an die mütterl. Blutgefäße angeschlossen; es beginnt die Ausbildung einer →Plazenta. Die etwa am 28. Tag erwartete Menstruation bleibt normalerweise aus, mitunter kann jedoch noch eine abgeschwächte Blutung auftreten. Der Ort der Implantation der Leibesfrucht ist gewöhnlich die Hinterwand des oberen Gebärmutterabschnitts. Unter dem Einfluss des (plazentären) Choriongonadotropins (HCG) bleibt der schwangerschaftserhaltende Gelbkörper im mütterl. Eierstock erhalten, bis die Plazenta von der 12. S.-Woche an selbst ausreichend Progesteron- und Östrogenmengen produzieren kann. Progesteron erhält von der 12. S.-Woche an allein die S.; es ist darüber hinaus zus. mit den Östrogenen v. a. an den S.-Veränderungen des mütterl. Körpers wesentlich beteiligt (Größenzunahme der Gebärmutter, Auflockerung der übrigen Geschlechtsorgane, Brustdrüsenwachstum).

Der mütterl. Körper macht während der S. eine Reihe von Veränderungen durch, die sich v. a. an den Geschlechtsorganen, z. T. aber auch extragenital abspielen und v. a. durch die hormonalen Umstellungen, bes. durch die Funktion der Plazenta als Hormondrüse, zu erklären sind. Bis zum Ende der S. nimmt die Muskelmasse der Gebärmutter durch Vergrößerung der glatten Muskelzellen von etwa 50 g auf über 1 000 g zu, entsprechend ist auch ihre Durchblutung verstärkt. Am Herz-Kreislauf-System der Mutter kommt es zu einer Verlagerung und Vergrößerung des Herzens, zur Zunahme des Blut- und Herzzeitvolumens (von einer Herzkammer je Minute herausgepumptes Blutvolumen) und der Pulsfrequenz. Die wachsende Leibesfrucht

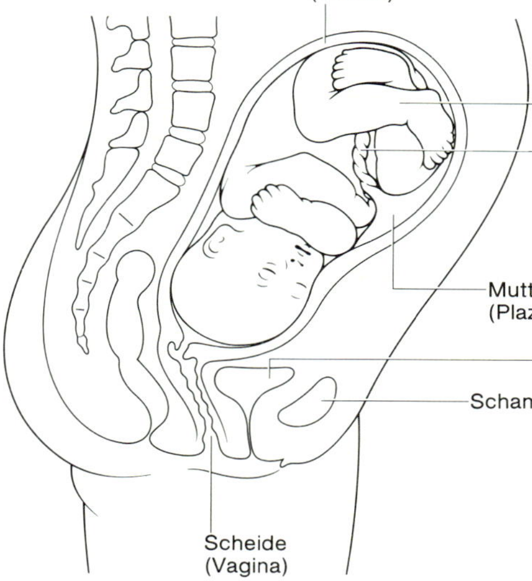

Schwangerschaft: Gebärmutter im neunten Schwangerschaftsmonat

Schwangau: Nordansicht der Wallfahrtskirche Sankt Koloman (1671 ff., 1953 restauriert); im Hintergrund Schloss Neuschwanstein

Schwanenblume (Blütenstand bis zu 1,5 m hoch)

verursacht schließlich eine Zunahme des Venendrucks in den unteren Körperpartien mit der Gefahr der Entstehung von Krampfadern in den Beinen. Auch die Atemtätigkeit ist (entsprechend einer Erhöhung des Sauerstoffverbrauchs und Grundumsatzes) um rd. 20% gesteigert. Der Calciumbedarf der Schwangeren erhöht sich durch den Knochenaufbau des Fetus auf 1,5 g je Tag, ein Mehrbedarf, der v.a. durch Milch und Milchprodukte gedeckt werden kann. Der Eisenbedarf liegt im letzten Drittel der S. bei 12–15 mg je Tag. Die Gewichtszunahme der Schwangeren beträgt normalerweise rd. 10–12 kg. Der Embryo bzw. der Fetus wird während der S. über die Plazenta ernährt. Diese ist allerdings zugleich auch durchgängig für Immunstoffe, manche Medikamente, Alkohol, Nikotin und die Erreger bestimmter Krankheiten (z.B. Syphilis, Toxoplasmose), was einige Gefahren für die Leibesfrucht birgt. – Die S. endet mit der Geburt des Kindes und der folgenden Nachgeburt etwa um den 280. Tag nach dem ersten Tag der letzten Menstruation (→Geburtstermin).

Schwangerschaft

Lunarmonat[1] (Ende)	tatsächliche Länge der Frucht in cm	Gewicht der Frucht in g
2	3,0	1,1
3	9,8	14,2
4	18,0	108,0
5	25,0	316,0
6	31,5	630,0
7	37,1	1045,0
8	42,5	1680,0
9	47,0	2375,0
10	50,0	3405,0

[1] Ein Lunarmonat entspricht 28 Tagen

Schwangerschaftsbezogene *Beratung* (u.a. über einen mögl. →Schwangerschaftsabbruch, über Ehe- und Familienprobleme) wird außer vom Arzt v.a. von →Pro Familia und regional von konfessionellen Beratungsstellen durchgeführt, eine →genetische Beratung von genet. Beratungsstellen und z.T. auch von Ärzten für Laboratoriumsmedizin.

Rechtliches: Über Beschäftigungsverbote, Kündigungsschutz →Mutterschutz; über Lohnzahlung →Krankenversicherung (Mutterschaftshilfe). – Die Mutter des nichtehel. Kindes kann vom Vater die Kosten der Entbindung sowie der weiteren Aufwendungen verlangen, die durch die S. oder die Entbindung erforderlich wurden (§ 1615 k BGB), außerdem die Unterhaltskosten für sechs Wochen vor und acht Wochen nach der Geburt (§ 1615 l BGB). Durch einstweilige Verfügung kann angeordnet werden, dass der Mann, der die Vaterschaft anerkannt hat oder der mutmaßl. Vater ist, den Unterhalt des Kindes für die ersten drei Monate zu zahlen hat (§ 1615 o BGB). – Ähnl. Bestimmungen enthalten das *österr.* (§§ 168 ff. ABGB) und das *schweizer.* (Art. 295 ZGB) Recht.

📖 SHAPIRO, H. I.: *Knaurs großes Schwangerschaftsbuch. A. d. Amerikan. München 1984.* – BLATT, R. J.: *Bekomme ich ein gesundes Kind? A. d. Engl. Reinbek 1991.* – KITZINGER, S.: *S. u. Geburt. A. d. Engl. München* [8]*1995.* – STOPPARD, M.: *Empfängnis, S. u. Geburt. A. d. Engl. Ravensburg* [3]*1995.* – NILSSON, L. *u.* HAMBERGER, L.: *Ein Kind entsteht. Bilddokumentation. A. d. Schwed. München* [11]*1996.*

Schwangerschaftsabbruch (Abtreibung, Abortus artificialis, Interruption, Interruptio graviditatis), gynäkolog. Eingriff zum Abbruch einer intakten Schwangerschaft. Der S. muss von einem Gynäkologen in einem Krankenhaus durchgeführt werden. Bis zum 3. Schwangerschaftsmonat kann ein Absaugen des Uterusinhalts oder eine Ausschabung durchgeführt werden. Nach diesem Zeitpunkt wird durch Einbringen von Prostaglandinen in den Gebärmutterhals innerhalb von 24 Stunden (höchstens 36 Stunden) eine Spontanausstoßung der Frucht ausgelöst. Ist dies nicht der Fall, so muss die Frucht operativ entfernt werden, wobei während des Ablösens der Plazenta schwerste Blutungen auftreten können. Eine neue, bis zur 9. Schwangerschaftswoche wirksame Methode stellt die Anwendung eines Anti-Progesterons (sog. Abtreibungspille »RU 486«) dar. Es blockiert das für eine Schwangerschaft unerlässl. Hormon Progesteron und führt in Kombination mit einem Prostaglandin zur Ausstoßung der Frucht.

Recht: Nachdem durch den Einigungsvertrag vom 31. 8. 1990 eine Neuregelung des Rechts des S. für das vereinigte Dtl. vereinbart worden war, erging das Schwangeren- und Familienhilfe-Ges. vom 27. 7. 1992. Danach war der S. außer in den Fällen der Gefahr für die Mutter oder der Schädigung des Kindes auch dann »nicht rechtswidrig«, wenn ein Arzt auf Verlangen der Schwangeren den Abbruch innerhalb von 12 Wochen ab Empfängnis vornahm und diese sich vorher in näher geregelter Weise hatte beraten lassen; in diesen Fällen bestand auch ein Anspruch auf Leistungen der Krankenversicherung. Darüber hinaus war der S. für die Schwangere (nicht aber für andere Beteiligte) »nicht strafbar«, wenn er binnen 22 Wochen und nach Beratung durch einen Arzt vorgenommen wurde. Das Gesetz regelte außerdem die Hilfe für Schwangere, Familien und Kinder durch Aufklärung, Beratung und soziale Leistungen wie Kindergartenplätze u.a.

Diese Regelung wurde vom Bundesverfassungsgericht (BVerfG) durch Urteil vom 28. 5. 1993 in Teilen für nichtig erklärt. Das BVerfG geht in dieser Entscheidung von dem grundsätzl. Vorrang des grundrechtlich geschützten Lebensrechts des Nasciturus (Leibesfrucht) vor den Grundrechten der Mutter aus. Das Gericht sieht den Staat als verpflichtet an, das Grundrecht des Nasciturus gegen Eingriffe Dritter und auch der Mutter wirksam zu schützen. Der S. muss deshalb grundsätzlich verboten und der Schwangeren eine Rechtspflicht zum Austragen der Schwangerschaft auferlegt werden; diese Pflicht darf (und muss unter Umständen) nur in bestimmten Ausnahmelagen entfallen, in denen die Austragung der Schwangerschaft unzumutbar ist. Für Wahl und Ausgestaltung des Schutzkonzeptes verfügt der Gesetzgeber über einen gewissen Spielraum. Das mit der Neuregelung verfolgte Beratungskonzept, das auf die Feststellung einer Ausnahmelage und auf die Strafbarkeit grundsätzlich verzichtet, ist danach verfassungsrechtlich zulässig. Die Verf. verbietet dem Gesetzgeber aber, einen nach Beratung, aber ohne Vorliegen einer Notlage vorgenommenen Abbruch für rechtmäßig zu erklären. Gleichzeitig wird festgestellt, dass der Gesetzgeber eine solche Abtreibung nicht mit Strafe belegen muss. Ein weiterer wesentl. Punkt liegt in der Feststellung, dass für nicht gerechtfertigte, aber straffreie S. keine Leistung der gesetzl. Krankenversicherung vorgesehen werden darf.

Unter dem Eindruck dieser Rechtsprechung verabschiedete der Dt. Bundestag am 21. 8. 1995 das Schwangeren- und Familienhilfeänderungs-Ges. Den Kernbereich der Regelung bilden das Ges. zur Vermeidung und Bewältigung von Schwangerschaftskonflikten (kurz: Schwangerschaftskonflikt-Ges., SchKG), sowie Änderungen des StGB. Nach dem SchKG hat jede Frau und jeder Mann das allgemeine Recht, sich in Fragen der Sexualaufklärung, Verhütung und Familienplanung sowie in allen eine Schwangerschaft unmittelbar oder mittelbar berührenden Fragen von einer hierfür vorgesehenen Beratungsstelle informieren und beraten zu lassen. Besondere Bedeutung kommt der Schwangerschaftskonfliktberatung zu, die im Rahmen der strafrechtl. Verantwortung notwendig ist (§§ 5 ff. SchKG in Verbindung mit § 219 StGB). Sie dient dem Schutz des ungeborenen Lebens und hat sich von dem Bemühen leiten zu lassen, die Frau zur Fortsetzung der Schwangerschaft zu ermutigen und ihr Perspektiven für ein Leben mit dem Kind zu eröffnen. Wenngleich die Beratung ergebnisoffen zu führen ist, muss der Frau bewusst sein, dass das Ungeborene in jedem Stadium der Schwangerschaft auch ihr gegenüber ein eigenes Recht auf Leben hat und dass deshalb ein S. nur in Ausnahmesituationen in Betracht kommen kann, wenn der Frau durch das Austragen des Kindes eine Belastung erwächst, die so schwer und außergewöhnlich ist, dass sie die zumutbare Opfergrenze übersteigt. Nach Abschluss der Beratung ist der Schwangeren eine mit Namen und Datum versehene Bescheinigung über die Tatsache der Beratung auszustellen.

Schwangerschaftsabbruch: Im Juni 1992 demonstrierten etwa 2 000 Menschen in Berlin im Rahmen der Diskussion um die gesetzliche Neuregelung des Schwangerschaftsabbruchs nach der Wiedervereinigung für die ersatzlose Streichung des § 218

In *strafrechtl. Hinsicht* gilt § 218 StGB, der den S. unter Strafe stellt. Die §§ 218 a ff. bestimmen jedoch, unter welchen Voraussetzungen ein strafbarer S. nicht vorliegt. In § 218 a Abs. 1 hat sich der Gesetzgeber für die Beibehaltung der Fristenlösung entschieden. D. h., eine strafbare Handlung im Sinne von § 218 liegt nicht vor, wenn die Schwangere innerhalb von 12 Wochen seit der Empfängnis den S. verlangt, der Eingriff von einem Arzt durchgeführt wird und die Schwangere dem Arzt durch eine nach § 219 StGB erforderl. Bescheinigung nachgewiesen hat, dass sie sich mindestens drei Tage vor dem Eingriff hat beraten lassen.

Nach § 218 a Abs. 2 StGB ist der S. nicht rechtswidrig, wenn er mit Einwilligung der Schwangeren vorgenommen wird und nach ärztl. Erkenntnis angezeigt ist, um eine Gefahr für das Leben oder die Gefahr einer schwerwiegenden Beeinträchtigung des körperl. oder seel. Gesundheitszustandes der Schwangeren abzuwehren und die Gefahr nicht auf andere für sie zumutbare Weise abgewendet werden kann. Dabei wurde § 218 Abs. 2 StGB als »medizinisch-soziale Indikation« ausgestaltet. Die embryopath. Indikation (bei Erbkrankheiten, Mißbildungen), die bis dahin durch § 218 a Abs. 3 anerkannt war, ist nicht ausdrücklich übernommen worden, hat aber durch die jetzige Erweiterung der medizin. Indikation in § 218 a Abs. 2 Berücksichtigung gefunden.

Neu geregelt wurde die kriminolog. Indikation (§ 218 a Abs. 3), die innerhalb von 12 Wochen seit Empfängnis den von einem Arzt durchgeführten S. zulässt, wenn nach ärztl. Erkenntnis an der Schwangeren ein Sexualdelikt im Sinne der §§ 176 bis 179 StGB begangen wurde und dringende Gründe für die Annahme sprechen, dass die

Schwangerschaft auf der Tat beruht. Eine Beratungspflicht ist auch für diese Indikation im Hinblick auf §§2ff. SchKG nicht vorgesehen.

Sozialversicherungsrechtlich ist die Schwangere grundsätzlich leistungsberechtigt, wenn sie sozialversichert ist und der S. nicht rechtswidrig war (§24b Abs. 1 Sozialgesetzbuch, SGB, Buch V). Handelt es sich jedoch um einen Eingriff im Sinne des §218a Abs. 1 StGB (Fristenlösung), ist der Sozialversicherungsträger für den Eingriff als solchen und die gewöhnl. Nachbehandlung nicht leistungspflichtig (§24b Abs. 3 SGB V), wohl aber für die Beratung und die Maßnahmen der Gesunderhaltung der Frau und des Kindes. Frauen, die die Kosten eines S. nicht tragen können (Einkommensgrenze: 1 700 DM monatlich), sind nach dem Ges. zur Hilfe für Frauen bei S. in besonderen Fällen so gestellt, als seien sie sozialversichert.

In *Österreich* wird der S. mit Freiheitsstrafe bedroht (§96 StGB). Der S. durch einen Arzt ist jedoch nicht strafbar, wenn er mit Zustimmung der Schwangeren und nach ärztl. Beratung innerhalb der ersten drei Monate nach Beginn der Schwangerschaft vorgenommen wird (Fristenlösung), wenn eine medizin. oder eugen. Indikation vorliegt oder wenn die Schwangere zur Zeit der Schwängerung das 14. Lebensjahr noch nicht erreicht hatte (§97 StGB).

In der *Schweiz* wird der S. als Abtreibung bzw. Fremdabtreibung grundsätzlich bestraft (Art. 118ff. StGB). Zulässig ist ein S. mit schriftl. Zustimmung der Schwangeren im Falle einer medizin. Indikation durch einen Arzt nach vorheriger Einholung eines Gutachtens. In der Realität der Gutachterpraxis ist eine wachsende, allerdings kantonal unterschiedl. Tendenz festzustellen, aufgrund eines weiten Gesundheitsbegriffs auch andere Indikationen, insbesondere die soziale Indikation, als ausreichend für den S. anzusehen.

📖 AUGSTEIN, R. *u.* KOCH, H.-G.: *Was man über den S. wissen sollte. München 1985. – S. im internationalen Vergleich, hg. v.* A. ESER *u. a., 2 Bde. Baden-Baden 1988–89.* – HOERSTER, N.: *Abtreibung im säkularen Staat. Argumente gegen den §218. Frankfurt am Main 1991.*

Schwangerschaftsgymnastik, körperliche Übungen zur Auflockerung muskulärer Verspannungen und Förderung der Durchblutung als Vorbereitung der Schwangeren auf die Geburt. Hierzu gehören versch., den Geburtsphasen angepasste Atmungsarten (Voll-, Brust-, Hechel- und Pressatmung) sowie spezielle Übungen für die während Schwangerschaft und Geburt bes. beanspruchte Muskulatur.

Schwangerschaftsreaktionen (Schwangerschaftstests), Verfahren zur frühzeitigen Feststellung einer Schwangerschaft; sie beruhen auf dem Nachweis des in den ersten Schwangerschaftsmonaten gebildeten und mit dem Harn ausgeschiedenen Hormons Choriongonadotropin (HCG). Die früher gebräuchl. **biolog. S.** beruhen darauf, dass Tieren Harnproben eingespritzt werden (z.B. **Froschtest, Aschheim-Zondek-Reaktion**), die bei positivem Ausfall innerhalb von Stunden bis Tagen zu Veränderungen v.a. an den Geschlechtsorganen führen. Bei den bereits 8–12 Tage nach Ausbleiben der Menstruation anwendbaren **immunolog. S.** erfolgt der Nachweis durch eine Antigen-Antikörper-Reaktion; sie beruhen im Prinzip darauf, dass HCG, bei Tieren injiziert, als Antigen wirkt und die Bildung von spezif. Antikörpern anregt. Mithilfe von Antiseren, die man derartig sensibilisierten Tieren entnimmt, gelingt es, das menschl., die Schwangerschaft anzeigende Gonadotropin nachzuweisen. Die immunolog. S. mit einer Zuverlässigkeit von über 95% werden auch in Form von Schnellverfahren mit entsprechend präparierten Streifen zur Selbsttestung angeboten.

Schwangerschaftstoxikose, → Gestose.

Schwangerschaftsuntersuchungen, im Rahmen der Schwangerenvorsorge durchgeführte diagnostische Maßnahmen zur Feststellung einer Schwangerschaft (→ Schwangerschaftsreaktionen), Berechnung der Schwangerschaftsdauer und des Geburtstermins sowie zur Überwachung des Gesundheitszustandes der Mutter und der Entwicklung des Kindes. Die Leistungen der Sozialversicherung sehen S. bis zum siebenten Monat alle vier Wochen vor, danach im Abstand von 14 Tagen. Bei der Schwangerschaftsanamnese werden eventuelle Risikofaktoren aus der Vorgeschichte der Schwangeren (Krankheiten, vorausgegangene Schwangerschaftskomplikationen) festgestellt. Die Allgemeinuntersuchung zielt auf Befunde, die für einen normalen Schwangerschaftsverlauf von Bedeutung sind (Blut- und Harnuntersuchung, Blutdruck und Gewichtskontrolle, Beckenmaße), und schließt die Feststellung von Blutgruppe und Rhesusfaktor sowie die serolog. Testung auf Infektionen ein. Die begleitenden S. richten sich auf die Größenzunahme der Gebärmutter sowie auf die Lage, Herztöne und Bewegungen des Kindes. Die **Ultraschalluntersuchung** macht die Herzaktion (etwa ab der achten Woche) sichtbar und ermöglicht die Bestimmung des Fruchtblasen- und Schädeldurchmessers, der Lage des Kindes und der Plazenta. Außerdem dient sie neben der → Pränataldiagnostik auch zur Feststellung von Entwicklungsstörungen des Kindes. Die nach **Amniozentese** (Punktion der Fruchtblase durch die Bauchdecke und Entnahme von Fruchtwasser) durchgeführte Fruchtwasserdiagnostik ermöglicht genet. Untersuchungen (Chromosomenaberration, Geschlechtsbestimmung), die Feststellung von Stoffwechselanomalien u.a. Bei der gegen Ende der Schwangerschaft durchführbaren **Amnioskopie** wird ein Endoskop durch Scheide und Muttermund an die Fruchtblase herangeführt und das Fruchtwasser bes. hinsichtlich seiner Farbe beurteilt.

Schwangerschaftsverhütung, die →Empfängnisverhütung.

Schwank [mhd. swanc »schwingende Bewegung«, »lustiger Streich«], seit dem 15. Jh. literar. Begriff für scherzhafte Erzählungen in Vers und Prosa; seit Ende des 19. Jh. auch lustiges Schauspiel mit Situations- und Typenkomik. Gegenstand ist der Alltag mit seinen Tücken, die Verspottung eines Dummen durch einen Listigen. Zur **S.-Literatur** zählen die mittelalterlichen **S.-Erzählungen** (als Verserzählung **S.-Märe**) von H. Rosenplüt, H. Sachs und dem Stricker, die frz. **Fabliaux,** die italien. **Fazetie** (G. F. Poggio Bracciolini), die **S.-Märchen, S.-Sammlungen** (»Rollwagenbüchlin«, 1555, von J. Wickram), **S.-Romane** wie das »Lalebuch« von 1597. In der Blütezeit des dt. S. im 16. und zu Anfang 17. Jh. wurde bes. die vom Stricker begründete Form der um eine Mittelpunktfigur gesammelten S. gepflegt (Eulenspiegel, Schildbürger, Pfaffe vom Kalenberg). An die Tradition der **S.-Spiele** knüpften im 19. und 20. Jh. u.a. F. und P. Schönthan und L. Thoma an. Die Tradition des S. pflegen heute Privatbühnen wie das Millowitsch-Theater in Köln, das Ohnsorg-Theater in Hamburg oder die Löwinger-Bühne in Wien.

Schwankungs|erscheinungen (Fluktuationserscheinungen), physikal. Prozesse, die auf dem statist. Charakter thermodynam. und quantenmechan. Systeme beruhen und mit dem Auftreten von Schwankungen (Fluktuationen), d.h. Abweichungen des Wertes einer physikal. Größe von einem mittleren Wert, verbunden sind; nichtperiod. S. sind z.B. die →brownsche Bewegung und das therm. →Rauschen.

Theodor Schwann (um 1880)

Schwann, Theodor, Arzt und Naturforscher, *Neuss 7. 12. 1810, †Köln 11. 1. 1882; erkannte die prinzipielle Gleichheit der pflanzl. und tier. Zellen und gilt (mit dem Botaniker M. J. Schleiden) als Begründer der Zelltheorie; Forschungsbeiträge über Verdauung (Entdeckung des Pepsins, 1836), Muskeln und Nerven.

Schwanritter (Schwanenritter), niederrhein. Sagengestalt, von Wolfram von Eschenbach als →Lohengrin in sein höf. Epos »Parzival« eingefügt.

Schwansen, fruchtbare Landschaft an der Ostseeküste Schleswig-Holsteins zwischen Schlei und Eckernförder Bucht.

Schwanthaler, Bildhauerfamilie des 17.–19. Jh. in Oberösterreich und Bayern; bedeutende Vertreter:

1) Franz Jakob, *Ried im Innkreis 2. 8. 1760, †München 4. 12. 1820, Urgroßenkel von 3), Vater von 2); war der führende Bildhauer des Frühklassizismus in München.

2) Ludwig Michael von (seit 1844), *München 26. 8. 1802, †ebd. 14. 11. 1848, Sohn von 1); schuf als der bevorzugte Bildhauer Ludwigs I. viele Denkmäler in klassizist. Stil, u.a. das Monumentalstandbild der →Bavaria in München.

3) Thomas, *Ried im Innkreis 5. 6. 1634, †ebd. 13. 2. 1707, Urgroßvater von 1); schuf farbig gefasste Holzfiguren und Altäre (u.a. in Sankt Wolfgang im Salzkammergut) in barockem Stil, der z.T. noch der spätgot. Tradition verhaftet ist.

Schwanz (Cauda), bei Wirbeltieren eine oberhalb des Afters nach hinten verlaufende, verschmälerte, von den S.-Wirbeln (bilden die Fortsetzung der Wirbelsäule) gestützte und mit Muskulatur versehene Verlängerung des Körpers im Anschluss an den Rumpf. Bei versch. Wirbeltieren ist der S. weitgehend reduziert und tritt nicht mehr als S. in Erscheinung (v.a. bei Menschenaffen und beim Menschen, hier zum Steißbein verschmolzen). Der S. ist Hauptfortbewegungsorgan (z.B. bei Reptilien), Gleichgewichtsorgan (z.B. bei Mäusen), Steuerorgan (z.B. bei Eichhörnchen) und Greiforgan (z.B. bei Neuweltaffen).

Schwanzmeise

Schwanzlurche (Caudata), Ordnung der Lurche mit lang gestrecktem Körper, gut ausgeprägtem Schwanz und deutlich vom Rumpf abgesetztem Kopf; →Olme, →Riesensalamander, →Molche und Salamander.

Schwanzmeise (Aegithalos caudatus), einzige europ. Art der Familie Schwanzmeisen **(Aegithalidae)** mit bis zu 10 cm langem Schwanz.

Schwarm, von versch. Tierarten in unterschiedl. Individuenzahl gebildete Ansammlung.

Schwärmer (Sphingidae), Familie der Schmetterlinge mit langen, schmalen Flügeln und kantig-spindelförmigen Fühlern; fliegen meist in der Dämmerung, saugen schwebend an Blüten.

Schwartau, Bad, →Bad Schwartau.

Schwarte, 1) *allg.:* derbe zähe Außenhaut, z.B. am Speck.

2) *Medizin:* derbe Bindegewebeverdickung, z. B. die breitflächige Narbe des Rippenfells nach langwieriger Rippenfellentzündung.

Schwartz, 1) Laurent, frz. Mathematiker, *Paris 5. 3. 1915; Prof. an der Sorbonne und der École Polytechnique in Paris; Arbeiten v. a. zur Topologie und Funktionalanalysis; bed. v. a. die Einführung der →Distributionen (1945–50).

Melvin Schwartz

2) [engl. ʃwɔ:ts], Melvin, amerikan. Physiker, *New York 2. 11. 1932; 1966–83 Prof. an der Stanford University; erhielt 1988 mit L. M. Lederman und J. Steinberger für seine Arbeiten auf dem Gebiet der Neutrinostrahlen und die Entdeckung des Myon-Neutrinos den Nobelpreis für Physik.

Schwarz, Bez. für die dunkelsten Körperfarben; als schwarz werden unbunte Oberflächen mit einem Remissionsgrad bis etwa 0,04 empfunden. (→Farbensymbolik)

Schwarz, 1) Berthold, Mönch, →Berthold der Schwarze.

2) Christoph, auch C. Schwartz, Maler, *München um 1548, †ebd. 15. 4. 1592; sein Stil ist der heim. Tradition verbunden (Donauschule). Nach einem Aufenthalt in Venedig (1570–73) zeigen seine Werke Einflüsse der venezian. Malerei, die er nach Süd-Dtl. vermittelte. Seine Malerei leitet damit zum Frühbarock über.

3) David, ungar. Luftschiffbauer, *Zalaegerszeg 20. 12. 1850, †Wien 13. 1. 1897; baute 1896/97 das erste Starrluftschiff mit Aluminiumgerippe und -hülle (gestrandet 1897 bei einer Probefahrt kurz nach S.' Tod). Seine Patente erwarb 1898 F. Graf von Zeppelin.

Hans Schwarz: »Der Tod und das Mädchen« (1520; Berlin, Skulpturensammlung)

4) Hans, Medailleur und Bildschnitzer, *Augsburg um 1492, †nach 1532; tätig in Nürnberg, dann meist im Ausland, schuf kleinplast. Arbeiten und v. a. Buchsbaummodelle für Bildnismedaillen von Persönlichkeiten seiner Zeit (etwa 175 bekannt).

5) Hermann Amandus, Mathematiker, *Hermsdorf (heute Dolina, Wwschaft Wałbrzych) 25. 1. 1843, †Berlin 30. 11. 1921; lieferte wichtige Arbeiten v. a. zur Funktionentheorie, Analysis und Differenzialgeometrie.

6) Jewgeni Lwowitsch, russ. Schriftsteller, *Kasan 21. 10. 1896, †Leningrad (heute Sankt Petersburg) 15. 1. 1958. Seine satirisch-philosoph. Dramen weisen auch märchenhafte Züge auf, u. a. »Der Schatten« (1940), »Der Drache« (1943).

7) Rudolf, Architekt, *Straßburg 15. 5. 1897, †Köln 3. 4. 1961; profilierte sich als Vertreter des neuen kath. Kirchenbaus sowie als Planer für den Wiederaufbau von Köln nach 1945. – *Werke:* St. Michael in Frankfurt am Main (1953/54), St. Anna in Düren (1951–56), ehem. Wallraf-Richartz-Museum in Köln (1957, mit J. Bernard), Wiederaufbau des Gürzenich in Köln (1956, mit K. Brand).

Schwarza *die,* linker Nebenfluss der Saale in Thür., 52 km lang, entspringt im Thüringer Schiefergebirge, durchfließt das waldreiche S.-Tal (Ausflugsgebiet mit Schwarzburg und Bad Blankenburg), mündet bei Rudolstadt.

Schwarzafrika, die überwiegend von schwarzen (negriden) Völkern bewohnten Gebiete Afrikas südlich der Sahara.

schwarzafrikanische Literaturen (früher neoafrikanische Literaturen), die geschriebenen Literaturen des subsahar. Afrika in afrikan. und europ. Sprachen, die sich verstärkt um die Wende des 19. zum 20. Jh. entwickelten und sich auf afrikan. mündl. Traditionen (→afrikanische Literaturen) sowie auf europ. Literatureinflüsse gründen; aus histor. und polit. Gründen wird die →südafrikanische Literatur nicht zu den s. L. gezählt. Das erste schriftl. Werk der s. L., J. Latinos [aus Guinea; *1516, †1606 (?)] gelehrtes lat. Preislied »Austrias« auf den Sieger von Lepanto, erschien 1572. Einige nach Europa und Amerika verbrachte Sklaven gelangten schon vor der Einführung der Schrift durch Mission und Kolonialverw. zu literar. Ruhm, u. a. A. W. Amo (*1703, †1753?) aus dem heutigen Ghana und Phillis Wheatley (*1753?, †1784) aus Senegal.

Die s. L. waren zunächst v. a. religiös und erzieherisch bestimmt. 1912 erschien in Sotho der Roman »Moeti oa Bochabela« (engl. 1934 u. d. T. »The traveller of the East«) von T. Mofolo aus Basutoland (Lesotho), eine Schilderung traditionellen afrikan. Lebens, die mit religiöser Suche verbunden ist. Der erste Versuch, bewusst afrikan. Literatur zu schreiben und eine afrikan. Philosophie zu formulieren, wurde von den aus den frz. Kolonien stammenden Autoren der **Négritude** unternommen. Diese Entwicklung setzte 1934 ein, als A. Césaire aus Martinique, L. S. Senghor aus Senegal und L.-G. Damas aus Frz.-Guayana in Paris die Zeitschrift »L'Étudiant Noir« gründeten. Die Einführung afrikan. Metaphern (Césaire) und Verse nach afrikan. Tanzrhythmen (Senghor) führten zur Herausbildung eines afrikan. Französisch, das für die Autoren der Négritude zu einem Medium wurde, den Wunsch nach polit. und geistiger Unabhängigkeit zu artikulieren. Ihr Organ war die (noch bestehende) Zeitschrift »Présence africaine«. Afrikan. Werte wurden wieder entdeckt und in Versen und histor. Romanen (I. M. Ouane aus Mali, A. Sadji aus Senegal) verherrlicht, später auch infrage gestellt (Y. Ouologuem). Gegen polit., religiöse und soziale Unterdrückung kämpft seit den 60er-Jahren der senegales. Erzähler und Filmregisseur S. Ousmane. Die Lyrik des Senegalesen D. Diop und die aus der Folklore schöpfenden antikolonialen Gedichte von J. Rabemananjara (Madagaskar), Tchicaya U Tam'si (Rep. Kongo) u.a. stellen eigenständige literar. Leistungen dar. In der Prosa folgten, v.a. aus Kamerun, Romanautoren, z.B. M. Beti, R. Philombe und F. Oyono.

Die britisch kolonisierten Länder **Westafrikas** gewannen mit Erreichen der Unabhängigkeit literarisch an Bedeutung. Das Thema der 60er-Jahre war der Kulturkonflikt. Gegen Korruption und Machtmissbrauch, Sippenwirtschaft und Personenkult wenden sich Werke von A. Tutuola, C. Ekwensi, T. M. Aluko, N. Nwankwo, G. Okara; Vorbild dieser Autorengeneration wurde der Nigerianer C. Achebe. W. Soyinka (Nobelpreis 1986), J. P. Clark und D. Lapido verschafften dem nigerian. Theater Weltgeltung. Afrikan. Mythenwelt und literar. Modernismus verknüpften C. Okigbo und J. P. Clark in ihrer Lyrik. In Ghana schöpft der Lyriker K. Awoonor aus Ewe-Traditionen. Als Dramatikerinnen traten Efua Sutherland und die Erzählerin Ama Ata Aidoo hervor. Zeitkrit. Romane schrieben C. Duodu und A. K. Armah.

In **Ostafrika** ist der bedeutendste Autor Ngugi wa Thiong'o (Kenia). Prosa schreiben ferner Grace Ogot (Kenia) und M. Mwangi (Kenia), Lyriker sind Okot p'Bitek (Uganda) und A. Kachinque (Malawi).

In Angola, Moçambique und auf den Kapverd. Inseln (A. Nunes, A. Fonseca) entstand eine anspruchsvolle Lit. in portugies. Sprache, u.a. A. Neto, Pepetela, L. Vieira und O. B. Ribas.

📖 *Afrikan. Literatur – afrikan. Identität, hg. v.* K. Ermert. *Rehburg-Loccum 1983.* – Seiler-Dietrich, A.: *Die Literaturen Schwarzafrikas. München 1984.* – *European-language writing in Sub-Saharan Africa, hg. v.* A. S. Gérard, *2 Bde. Budapest 1986.* – Luesebrink, H.-J.: *Schrift, Buch u. Lektüre in der französischsprachigen Literatur Afrikas. Tübingen 1990.* – Heinrichs, H.-J.: *»Sprich deine eigene Sprache, Afrika!«. Von der Négritude zur afrikan. Literatur der Gegenwart. Berlin 1992.*

Schwarzarbeit, Sammelbez. für verschiedene gesetzeswidrige Sachverhalte im Sinne des Ges. zur Bekämpfung der S. i.d.F. vom 6. 2. 1995 (S.-Ges.), ferner die Tätigkeit oder Beschäftigung nichtdt. Personen ohne Arbeitserlaubnis, die Beschäftigung von nicht bei der Sozialversicherung gemeldeten Arbeitnehmern sowie Ohne-Rechnung-Geschäfte selbstständiger Gewerbetreibender. Als Ordnungswidrigkeit mit Bußgeld bis zu 100 000 DM ist nach dem S.- Ges. bedroht: a) wer als Empfänger von Leistungen der Sozialversicherung oder der Sozialhilfe oder als Asylbewerber in erhebl. Umfang entgeltlich arbeitet, ohne dies den Behörden mitzuteilen, oder wer solche Personen beschäftigt; b) ein Gewerbe oder Handwerk betreibt, ohne die behördl. Erlaubnisse einzuholen oder Mitteilungen zu machen; c) wer als Unternehmer andere Unternehmen beauftragt, die nichtdt. Arbeitnehmer ohne Arbeitserlaubnis beschäftigen. Neben diesen Ordnungswidrigkeiten können durch S. auch Straftatbestände erfüllt sein, z.B. Betrug oder Steuerhinterziehung, und entsprechend geahndet werden oder weitere Verstöße gegen spezialgesetzl. Normen gegeben sein, z.B. des Arbeitsförderungs- oder des Ausländerrechts. Nicht als S. gelten Arbeitsleistungen aus Gefälligkeit, bei der Nachbarschaftshilfe sowie der Selbsthilfe beim Hausbau. Für die Bekämpfung der S. sind die Bundesanstalt für Arbeit, die Krankenkassen, die Berufsgenossenschaften, die Gewerbeaufsichtsämter, die Finanz- und Ausländerbehörden zuständig. Die Einführung des →Sozialversicherungsausweises soll die Kontrollmöglichkeiten erhöhen. Der volkswirtschaftl. Schaden der S. in Form von Steuerausfällen, fehlenden Zuflusses in die Sozialversicherung und Gefährdung von Arbeitsplätzen rechtmäßig Beschäftigter ist beträchtlich.

schwarzafrikanische Literaturen (von links): Aimé Césaire aus Martinique, Léopold Sédar Senghor aus Senegal und Léon-Gontran Damas aus Französisch-Guayana initiierten in den 1930er-Jahren die kulturphilosophische und literarische Bewegung der »Negritude«

Wole Soyinka aus Nigeria

Schwarzburg, 1971 erloschenes thüringisches Adelsgeschlecht sowie dessen ehem. Grafschaft (ab 1710 zwei Fürstentümer); benannt nach der Stammburg im Schwarzatal. Nach zahlr. Teilungen (S.-Blankenburg stellte 1349 mit Günther [XXI.] den Gegenkönig Karls IV.) bildeten sich 1571/99 die Hauptlinien **S.-Sondershausen** und **S.-Rudol-**

stadt heraus, deren Fürstentümer 1909 in Personalunion verbunden wurden. Die Freistaaten (seit 1918) gingen 1920 im Land Thüringen auf.

Felix Fürst zu Schwarzenberg (Ausschnitt eines zeitgenössischen Holzschnitts)

Schwarzdorn, der →Schlehdorn.

Schwarzdrossel, die →Amsel.

Schwarze Elster, Nebenfluss der Elbe, →Elster.

Schwarze Fliege (Heliothrips haemorrhoidalis), 1,3–1,6 mm lange Art der Fransenflügler, schwarzbraun, am Hinterleibsende rotbraun; Gewächshausschädling.

Schwarze Hand (serb. Crna ruka), 1911 gegründeter serb. Geheimbund, dessen Ziel die Befreiung der Serben von der türk. und österr. Herrschaft war. Die S. H. war verantwortlich für das Attentat von Sarajevo 1914 und wurde 1917 von der serb. Regierung zerschlagen.

Karl Fürst zu Schwarzenberg (Ausschnitt eines zeitgenössischen Kupferstichs)

schwarze Listen, im kaufmänn. Sprachgebrauch ein Verzeichnis von Personen (seltener Sachen), die nicht vertrauenswürdig sind (meist in Bezug auf Kreditgewährung), z.B. das von Amtsgerichten geführte Schuldnerverzeichnis. Die Speicherung, Veränderung und Übermittlung von Daten unterliegt dem Bundesdatenschutz-Ges. sowie den Datenschutz-Ges. der Länder.

schwarze Messe, die →Teufelsmesse.

Schwarzenberg, fränk. edelfreies Adelsgeschlecht, 1599 in den Grafen-, 1670 in den Reichsfürstenstand erhoben, mit reichem Besitz in der Steiermark, in Krain und Böhmen. Bedeutende Vertreter:

1) Felix Fürst zu, österr. Politiker, *Krumau 2. 10. 1800, †Wien 5. 4. 1852; seit 1848 Feldmarschallleutnant, wurde nach der Wiener »Oktoberrevolution« am 21. 11. 1848 MinPräs., setzte die Thronbesteigung Franz Josephs I. durch (2. 12. 1848) und leitete als Anhänger eines autokrat. Zentralismus mit der oktroyierten Verf. vom 4. 3. 1849 und der Auflösung des Reichstags von Kremsier (7. 3. 1849) die Phase des Neoabsolutismus ein. Er konnte Machtstellung und Einheit der österr. Monarchie trotz innerer Probleme (Nationalitätenfrage) noch einmal sichern.

Arnold Schwarzenegger

2) Johann Freiherr von, Humanist, *25. 12. 1463 (?), †Nürnberg 21. 10. 1528; verfasste die Bambergische Halsgerichtsordnung. Als Rat (1524–26) der Markgrafen von Brandenburg-Ansbach förderte er die Einführung der Reformation in Franken.

3) Karl Philipp Fürst zu, österr. Feldmarschall, *Wien 15. 4. 1771, †Leipzig 15. 10. 1820; leitete als Botschafter in Paris (1809, 1810–12, 1813) u.a. die Unterhandlungen über die Vermählung Napoleons I. mit der Erzherzogin Marie Luise. Im Russlandfeldzug von 1812 befehligte er das österr. Hilfskorps, in den Befreiungskriegen 1813/14 die Hauptarmee der Verbündeten.

Alice Schwarzer

Schwarzenberg/Erzgeb., Stadt im Landkreis Aue-Schwarzenberg, Sachsen, im Westerzgebirge, 19000 Ew.; Museum »Erzgebirg. Eisen und Zinn«; Waschgeräteherstellung, Formenbau, elektrotechn., Holz-, Kartonagenindustrie, Spitzenklöppelei und Eisengießerei. – Barocke Stadtkirche (1690–99); spätgot. Schloss (1433), im 16. Jh. umgebaut (heute Museum). – 1282 erstmals als Stadt bezeugt; seit etwa 1500 Zinn- und Eisenerzbergbau; bis 1994 Kreisstadt.

Schwarzenegger, Arnold Alois, amerikan. Filmschauspieler österr. Herkunft, *Graz 30. 7. 1947; seit 1968 in den USA (1983 eingebürgert); 1965–80 u.a. Weltmeister im Bodybuilding, mit »Conan, der Barbar« (1982) Durchbruch als Filmstar; weitere Filme: »Der Terminator« (1984), »Twins« (1989), »Terminator 2« (1991), »The Last Action Hero« (1993), »Batman & Robin« (1997).

Schwarze Pumpe (sorb. Carna Plumpa), Industriegemeinde im Landkreis Spree-Neiße, Brandenburg, 2800 Ew.; Standort der Energiewerke S. P., 1990 hervorgegangen aus dem Gaskombinat S. P. (bis 1970 Braunkohlenkombinat S. P., einst größtes Unternehmen der Gaswirtschaft und Kohleveredlung der DDR); Verarbeitung von Braunkohle zu Briketts, Elektroenergie und flüssigen Kohlenwasserstoffen. Nach 1990 begann die Sanierung (u.a. Umstellung auf Erdgas) und Umstrukturierung des Großbetriebes.

Schwarzer, Alice, Journalistin und Feministin, *Wuppertal 3. 12. 1942; eine der Wortführerinnen der Frauenbewegung in Dtl., der sie mit der seit 1977 herausgegebenen Zeitschrift »Emma« ein wichtiges publizist. Organ schuf. S. ist Mitbegründerin des Hamburger Inst. für Sozialforschung und Initiatorin des »FrauenMediaTurm – Das feminist. Archiv und Dokumentationszentrum«. Sie schrieb u.a. »Frauen gegen den §218« (1971), »Der kleine Unterschied und seine großen Folgen« (1975), »Eine tödl. Liebe. Petra Kelly und Gert Bastian« (1993), »Marion Dönhoff« (1996).

Schwärzer-als-schwarz-Bereich, *Fernsehtechnik:* der Bereich, in den sich die zur Zeilensynchronisation und zum Bildwechsel notwendigen Impulse erstrecken. Bei der in Dtl. verwendeten Negativmodulation entsprechen dem Bildweiß 10%, dem Bildschwarz 75% der maximalen Trägeramplitude; die Synchronisierimpulse haben eine Amplitude von 75–100%; bei der Positivmodulation liegt der S.-a.-s.-B. zw. 30 und 0%.

Schwarze Raucher (engl. Black Smokers), untermeer. Quellen, aus denen schwefelwasserstoffhaltiges Wasser mit Temperaturen von mehr als 350°C aufsteigt; bei Abkühlung entsteht ein feiner Niederschlag, der schornsteinartige Schlote und flächenhafte, oft erzhaltige Ablagerungen bildet; häufiges Auftreten am mittelozean. Rücken.

Schwarzerde (Steppenschwarzerde, russisch Tschernosem), fruchtbare und tiefgründige Böden auf Löss oder Mergeln der Steppen (zuerst im südl. Russland beschrieben); neutrale Reaktion, hoher Gehalt an stickstoffreichen Huminsäuren, stabile Krümelung, optimale Bodengare.

schwarzer Freitag, Bez. für einen Tag, an dem die Aktienkurse an der Börse überdurchschnittlich sinken (Kurssturz, Börsenkrach). Der Name verbindet sich bes. mit dem 13. 5. 1927 und dem 25. 10. 1929, als, von der New Yorker Börse ausgehend, die →Weltwirtschaftskrise ausgelöst wurde. In Analogie dazu wurde für den Kurssturz an den internat. Börsen am 19. 10. 1987 der Begriff **schwarzer Montag** gebildet.

schwarzer Körper (schwarzer Strahler, planckscher Strahler), ein idealer Körper, der die elektromagnet. Strahlung aller Wellenlängen vollständig absorbiert und, durch hohe Temperatur angeregt, eine Temperaturstrahlung aussendet, deren spektrale Energieverteilung durch das →plancksche Strahlungsgesetz beschrieben wird. Der s. K. wird durch einen (innen geschwärzten) Hohlraum mit strahlungsundurchlässigen Wänden konstanter Temperatur und kleiner Öffnung realisiert, die so klein sein muss, dass das therm. Gleichgewicht zw. Strahlung und Wänden im Inneren nicht gestört wird. Die austretende, nur durch die Temperatur bestimmte Strahlung wird als **schwarze, Hohlraum-** oder **plancksche Strahlung** bezeichnet. Die Oberfläche des s. K. liefert das maximale mit einem therm. Strahler bei vorgegebener Temperatur erreichbare Emissionsvermögen. Die insgesamt abgestrahlte Leistung ist nach dem →Stefan-Boltzmann-Gesetz der 4. Potenz der Temperatur proportional.

schwarzer Markt (Schwarzmarkt), →Schwarzhandel.

Schwarzer Prinz, →Eduard, Prinz von Wales.

schwarzer Strahler, der →schwarze Körper.

schwarzer Tod, Bez. für die schwerste Form der →Pest in den Epidemien des Mittelalters.

Schwarzes Loch (engl. Black Hole), eine durch die einsteinsche Relativitätstheorie vorhergesagte Massenverteilung extrem hoher Materiedichte, in der die Gravitationskräfte so groß werden, dass die zugehörige Entweichgeschwindigkeit größer ist als die Lichtgeschwindigkeit. S. L. können als instabiles Endstadium massereicher Sterne mit mehr als etwa 3,2 Sonnenmassen entstehen, bei dem ein Stern infolge seiner eigenen Schwere kollabiert (Gravitationskollaps; **stellare S. L.**); dabei werden rotierende und nicht rotierende S. L. unterschieden. Für Letztere ist die Ausdehnung durch den **Schwarzschild-Radius** $R_s = 2GM/c^2$ (G Gravitationskonstante, M Masse, c Lichtgeschwindigkeit) bestimmt. Die Oberfläche bildet einen Horizont – den Ereignishorizont –, der weder Materie noch Photonen, d. h. keinerlei Signale, nach außen dringen lässt, sodass ein solches S. L. nur an der starken Gravitationswirkung erkennbar ist. S. L. werden in engen Doppelstern-Systemen (z. B. Cygnus X-1) und im Zentrum der Quasare und Galaxien (z. B. NGC 4261) vermutet, wurden aber noch nicht zweifelsfrei nachgewiesen. – Eine andere Klasse von S. L. bilden **primordiale S. L.** geringerer Masse mit Durchmessern in der Größenordnung eines Atoms, die kurz nach dem Urknall als Folge starker lokaler Verdichtungen entstanden sein könnten. Diese S. L. geben vermutlich durch quantenmechan. Effekte Strahlung durch den Ereignishorizont nach außen ab (Hawking-Strahlung) und »verdampfen« schließlich.

📖 *Scheibe, Kugel, s. L. Die wissenschaftl. Eroberung des Kosmos, hg. v.* UWE SCHULTZ. *München 1990.* – HAWKING, S.: *Eine kurze Geschichte der Zeit. A. d. Engl. Neuausg. Reinbek 1992.*

Schwarzes Meer, östl. Nebenmeer des Europ. Mittelmeers, mit dem es durch Bosporus, Marmarameer und Dardanellen verbunden ist; 423 000 km^2 groß, mittlere Tiefe 1270 m, größte 2245 m, im N- und W-Teil flache Schelfzone. Ein Seitenbecken des S. M., abgetrennt durch die →Krim, ist das →Asowsche Meer. Anliegerstaaten sind Bulgarien, Rumänien, Russland, Ukraine, Georgien und die Türkei.

Im langjährigen Mittel fließen dem S. M. jährlich über 400 km^3 Süßwasser durch Donau, Dnjestr, Dnjepr, Don u. a. Flüsse und 193 km^3 durch Einstrom salzreichen Mittelmeerwassers am Boden des Bosporus zu; dagegen verliert es jährlich 348 km^3 durch Ausstrom salzarmen Wassers an der Oberfläche des Bosporus und mehr als 245 km^3 durch die den Niederschlag übertreffende Verdunstung. Die mittleren Wasseroberflächentemperaturen betragen im Sommer (Aug.) 22–24 °C (an der Küste bis 28 °C) und fallen im Winter von 8 °C im S auf 0 °C im N ab. Der Oberflächensalzgehalt liegt meist zw. 16 und 18 ‰. Zw. der durchlüfteten salzärmeren Oberflächenschicht und der salzreicheren Unterschicht kommt es nicht zum Austausch. – Die Bodensedimente des S. M., durch Schwefeleisen dunkelgrau bis schwarz gefärbt, stellen typ. feinschichtige →Faulschlamme dar. Zu einer bedrohl. Wasserverschmutzung führte der Eintrag von Ind.abwässern bes. durch Donau und Dnjepr mit beträchtl. Mengen von Erdölprodukten, Schwermetallen (v. a. Blei, Uran, Vanadium, Molybdän), Phosphaten und Nitraten.

Das S. M. ist für den Seeverkehr von großer Bedeutung. Wichtige Häfen sind Burgas, Warna (Bulgarien), Constanța (Rumänien), Odessa, Nikolajew, Cherson, Sewastopol, Kertsch (Ukraine), Rostow am Don, Noworossisk (Russland), Batumi (Georgien), Trabzon, Samsun und Istanbul (Türkei); zahlr. Seebäder, bes. Goldstrand (Bulgarien),

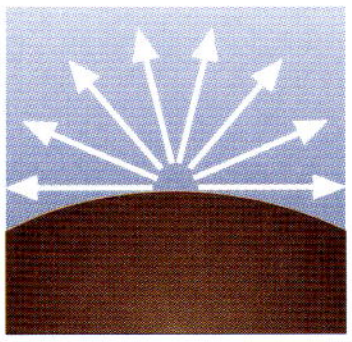
1
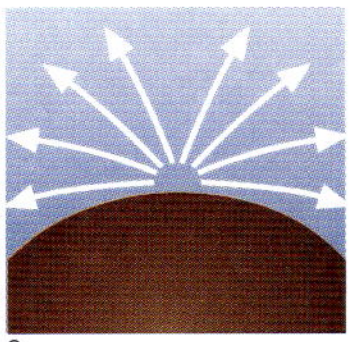
2
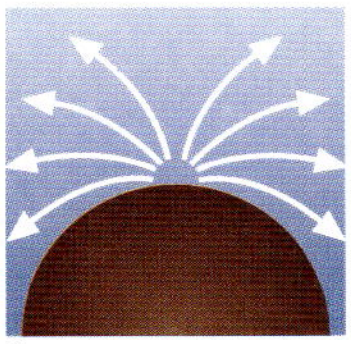
3

4

Schwarzes Loch: schematische Darstellung, wie die von der Oberfläche einer kollabierenden Masse ausgehenden Lichtstrahlen immer stärker gebogen werden, je weiter der Kollaps fortschreitet, bis schließlich (nach Erreichen des Schwarzschild-Radius) gar kein Licht mehr entweichen kann

Schwarze Witwe: Weibchen (Größe bis 12 mm)

Elisabeth Schwarzkopf

Schwarzkümmel: Gretel im Busch mit Blüte und Frucht (unten)

Mamaia (Rumänien), Jalta (Ukraine) und Sotschi (Russland). Seit 1952 besteht durch den Wolga-Don-Kanal über die Wolga eine Verbindung mit dem Kasp. Meer, der Ostsee und dem Weißen Meer.

schwarze Verbindung, eine student. Verbindung, die keine Farben (Mütze, Band) trägt.

Schwarze Witwe (Latrodectus mactans), von S-Kanada bis Argentinien und Chile verbreitete, etwa 0,3 (Männchen) bis 1,2 cm (Weibchen) lange Kugelspinne mit roten bis rötlich gelben Flecken auf dem schwarzen Hinterleib; produziert die stabilsten aller bekannten Spinnfäden. Die Männchen leben im Netz der Weibchen; sie werden unmittelbar nach der Paarung vom Weibchen gefressen. Der Biss der S. W. ist auch für den Menschen gefährlich.

Schwarze Zwerge, die theoretisch kältesten Sterne. Früher wurden die hypothet. Sterne mit einer Masse kleiner als etwa 0,08 Sonnenmassen, bei denen die bei der gravitativen Verdichtung des Protosterns (→Sternentwicklung) erreichte Temperatur zur Energieerzeugung durch Kernfusion nicht ausreicht, allg. als S. Z. bezeichnet. Neuerdings nennt man Sterne, die zu kalt sind, um das Hauptreihenstadium (→Hertzsprung-Russell-Diagramm) zu erreichen, **Braune Zwerge,** während S. Z. das Endstadium der →Weißen Zwerge darstellen, die so weit abgekühlt sind, dass ihre Strahlung nicht mehr nachweisbar ist.

Schwarzfahrer, 1) *Strafrecht:* jemand, der ein öffentl. Verkehrsmittel ohne Entrichtung des Fahrpreises benutzt. Forderung eines erhöhten Beförderungsentgelts bzw. strafrechtl. Ahndung (»Erschleichen von Leistungen«, §265 a StGB) sind möglich.

2) *Straßenverkehrsrecht:* jemand, der ein Kraftfahrzeug ohne Wissen und Willen des Fahrzeughalters benutzt. Für Schäden beim Betrieb des Fahrzeugs haftet der S., daneben der Halter, wenn er durch sein Verschulden die Benutzung des Kfz ermöglicht hat (§§7ff. Straßenverkehrsgesetz).

Schwarzfäulen, Bez. für durch Pilze hervorgerufene Keimlingsfäulen, speziell bei Möhren und Salat.

Schwarzfleckigkeit, durch Pilze verursachte bräunl. bis violettschwarze Flecke auf Blättern, Trieben, Früchten.

Schwarzfußindianer (englisch Blackfoot), Gruppe nordamerikan. Indianerstämme aus der Sprachfamilie der Algonkin. Die etwa 20000 S., darunter viele Mischlinge, leben in Reservationen in Montana (USA) und Alberta (Kanada).

Schwarzhandel (Schleichhandel), Verkauf von Waren, Dienstleistungen oder Devisen unter Umgehung der gesetzl. Vorschriften über Preise, Steuern und Abgaben. S. ist bes. verbreitet in warenknappen Zeiten mit Güterbewirtschaftung und -rationierung sowie Preisfestsetzungen durch den Staat. Als Folge eines dabei vorhandenen Nachfrageüberhangs entsteht ein **schwarzer Markt** mit stark überhöhten Preisen. Über den S. hinaus geht der Handel mit Gütern, mit denen Handel zu treiben generell verboten ist (z.B. Rauschgifte). S. begünstigt Entstehen und Verbreitung organisierter Kriminalität.

Schwarzheide/N. L. [NL = **N**ieder**l**ausitz] (sorb. Čorna Gozda), Industriestadt im Kreis Oberspreewald-Lausitz, Brandenburg, östl. Nachbarstadt von Lauchhammer im Lausitzer Braunkohlengebiet, 7700 Ew.; chem. Werk, Brikettfabrik.

Schwarzhemden, die italien. Faschisten unter Mussolini, nach dem schwarzen Hemd ihrer Uniform benannt.

Schwarzkehlchen, →Schmätzer.

Schwarzkopf, Dame (seit 1992) Elisabeth, Sängerin (Sopran), *Jarotschin (heute Jarocin, Wwschaft Kalisz) 9. 12. 1915; gastierte als Opern-, Lied- und Konzertsängerin in den bed. Musikmetropolen der Welt; wurde bes. bekannt als Mozart- und Strauss-Interpretin.

Schwarzkümmel (Nigella), Gattung der Hahnenfußgewächse v.a. im Mittelmeergebiet; Kräuter mit fiederteiligen Blättern. Eine bekannte Art ist **Gretel im Busch** (**Jungfer im Grünen, Braut in Haaren,** Nigella damascena), 40–50 cm hoch, Stängel aufrecht verzweigt, Blüten einzeln, hell- bis dunkelblau oder weiß, von einem Kranz fein zerteilter Hochblätter umgeben, Fruchtblätter zu einer aufgeblasenen Frucht zusammengewachsen.

Schwarzlot, bei der →Glasmalerei verwendete schwarze Schmelzfarbe.

Schwarzmeerdeutsche, →Russlanddeutsche.

Schwarzottern (Pseudechis), Gattung bis 2 m langer Giftnattern in Australien und Neuguinea; Oberseite schwarz oder dunkelbraun.

Schwarzpulver, →Schießpulver.

Schwarzrotgold, →deutsche Farben.

Schwarzschild, Karl, Astronom, *Frankfurt am Main 9. 10. 1873, †Potsdam 11. 5. 1916; Prof. in Göttingen, seit 1909 Direktor des Astrophysikal. Observatoriums in Potsdam; lieferte grundlegende Arbeiten zur Photometrie der Fixsterne, deren Bewegung und Verteilung, zur geometr. Optik sowie zum Ausbau der allg. Relativitätstheorie.

Schwarzschild-Radius, →Schwarzes Loch.

Schwarz-Schilling, Christian, Politiker (CDU), *Innsbruck 19. 11. 1930; Unternehmer, seit 1976 MdB, 1982–93 Bundesmin. für das Post- und Fernmeldewesen bzw. seit 1989 Post und Telekommunikation.

Schwärzung, im Schwarzweiß-Fotomaterial nach dem Belichten und Entwickeln entstandene opt. Dichte, die bei Durchsichtsbildern durch das Verhältnis der auffallenden zur durchgelassenen

Lichtintensität charakterisiert ist; sie wird in dekad. Logarithmen angegeben.

Schwarzwald, südd. Mittelgebirge, zw. Hochrhein im S und Kraichgau im N, etwa 160 km lang, im S 60 km, im N bis 22 km breit. Das Gebirge fällt nach S und W steil ab, nach O geht es allmählich in das Schwäbisch-Fränk. Schichtstufenland über; höchste Erhebungen: im S Feldberg (1493 m), Herzogenhorn (1415 m) und Belchen (1414 m), im N Hornisgrinde (1164 m ü.M.). Die den S. von SO nach NW querende Kinzig trennt den höheren südl. Teil, der aus Graniten und Gneisen aufgebaut ist, vom nördl., wo der kristalline Kern von Buntsandstein überlagert wird. Die höchsten Teile zeigen Spuren der Eiszeit. Es entstanden Karseen (u.a. Mummelsee) und durch Endmoränen aufgestaute Seen (Titisee, Schluchsee). Entwässert wird der S. durch Nebenflüsse des Oberrheins und des Neckars; im S. entsteht die Donau aus Brigach und Breg. In der Landwirtschaft ist die Viehzucht bed., ferner Getreide-, Wein- und Obstbau; Waldwirtschaft. Traditionelle Ind.zweige sind Holz verarbeitende und feinmechan. Ind. (Uhren) sowie Herstellung von Musikinstrumenten, später kam die Produktion elektron. Geräte hinzu. Vielseitige Ind. entstand bes. auch in den Randgebieten (um Lörrach, Calw, Offenburg) sowie in den Tälern von Kinzig und Murg. Bis ins MA. war der S. weitgehend unbesiedelt. Vom 11. bis 16. Jh. bed. Silberbergbau, im 16./17. Jh. auch Abbau von Blei-, Kupfer- und Eisenerz, später von Uranerz, heute nur noch von Schwer- und Flussspat. Der S. ist ein wichtiges Fremdenverkehrsgebiet (Baden-Baden, Bad Wildbad, Badenweiler, Freudenstadt, Königsfeld, Feldberg, Titisee-Neustadt, Freiburg im Breisgau).

📖 *Der S. Beiträge zur Landeskunde, hg. v.* E. Liehl *u. a. Bühl ⁴1989. – Das große Buch vom S., Beiträge v.* H. Haubrich *u. a. Stuttgart 1991.*

Schwarzwald-Baar-Kreis, Landkreis im RegBez. Freiburg, Bad.-Württ.; 1025 km², (1996) 208800 Ew.; Krst. ist Villingen-Schwenningen.

Schwarzwasser (poln. Wda, Czarna Woda), linker Nebenfluss der Weichsel, Polen, 198 km.

Schwarzwasserfieber, fiebrige →Hämoglobinurie als Folge einer schweren Malariaerkrankung (Malaria tropica) nach Chininbehandlung; charakterist. Dunkel- bis Schwarzfärbung des Harns.

Schwarzweißrot, →deutsche Farben.

Schwarzwild, *Jägersprache:* Bez. für das Wildschwein.

Schwarzwurzel (Scorzonera), Gattung der Korbblütler in Eurasien und N-Afrika. Eine bekannte Art ist die als Gemüsepflanze kultivierte **Garten-S.** (Scorzonera hispanica), eine bis 1,20 m hohe Staude, mit dicker, bis zu 30 cm langer, außen schwärzl., innen weißer Wurzel.

Schwarzwald: Der Mischwaldgürtel im Tal von Sankt Wilhelm nordwestlich des Feldbergs ist typisch für den Südschwarzwald; im Hintergrund der Feldberg, mit 1 493 m die höchste Erhebung des süddeutschen Mittelgebirges

Schwaz, Bezirks-Hptst. in Tirol, Österreich, am Inn, 535 m ü.M., 11800 Ew.; Ordenshochschule der Franziskaner; Museen; Schleifmittelwerk, Ofen- und Gerätebau, Bekleidungs-, Baustoff- u.a. Ind.; Fremdenverkehr. – Pfarrkirche (15./16. Jh.), Franziskanerkirche (1507 gegr.), Burg Freundsberg oberhalb der Stadt. – 930 erstmals erwähnt, im 15. Jh. bed. Kupfer- und Silbererzbergbau (heute Schaubergwerk).

Schwebebahn, Verkehrsmittel, bei dem die elektrisch angetriebenen Fahrzeuge an einem Fahrwerk hängen, dessen Räder auf einer Schiene (**Schienen-S.,** z.B. in Wuppertal) oder einem Seil (**Seil-S.**) rollen oder bei dem Kabinen, Sessel oder Materialtransportbehälter an einem umlaufenden Seil festgeklemmt sind. Eigentl. Schweben wird nur bei der →Magnetschwebebahn erreicht.

Schwebebalken, ein Turngerät für Mädchen (5 m lang, im Wettkampf 1,20 m hoch, 10 cm breit), auf dem Turnübungen ausgeführt werden.

Schwebeflug, von Hubschraubern und anderen Senkrechtstartflugzeugen erreichbarer Flugzustand, in dem das Luftfahrzeug in der Luft auf der Stelle verharrt. Der S. ermöglicht u.a. Aufnahme oder Absetzen von Personen oder Lasten.

Schweben, der Bewegungszustand eines Körpers, der weder steigt noch sinkt, z.B. in einem Gas oder in einer Flüssigkeit. Beim S. ist der →Auftrieb des Körpers gleich seinem Gewicht.

schwebende Schulden, kurzfristige Verbindlichkeiten der öffentl. Hand zur Überbrückung eines vorübergehenden Defizits; Ggs. fundierte Schulden (längerfristige öffentl. Schulden).

Schwarzwurzel: Wurzel der Gartenschwarzwurzel (bis zu 30 cm lang)

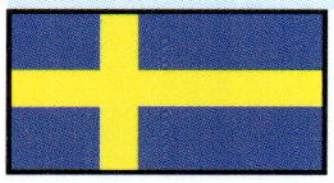

Schweden

Fläche: 449 964 km²
Einwohner: (1995) 8,78 Mio.
Hauptstadt: Stockholm
Verwaltungsgliederung: 24 Län
Amtssprache: Schwedisch
Nationalfeiertag: 6. 6.
Währung: 1 Schwedische Krone (skr) = 100 Öre
Zeitzone: MEZ

Staatswappen

S

Internationales Kfz-Kennzeichen

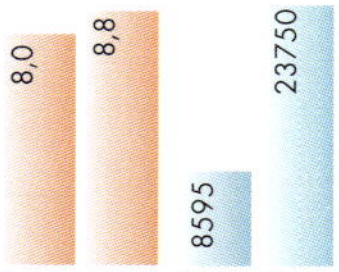

1970 1995 1970 1995
Bevölkerung (in Mio.) Bruttosozialprodukt je Ew. (in US-$)

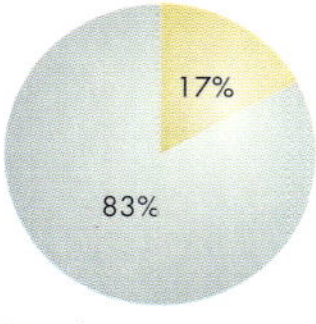

Stadt
Land
Bevölkerungsverteilung 1995

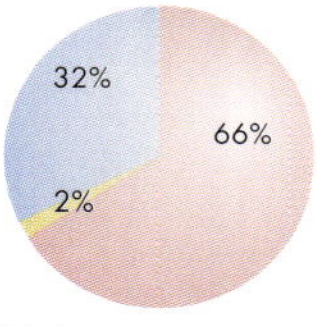

Industrie
Landwirtschaft
Dienstleistung
Bruttoinlandsprodukt 1995

Schwebfliegen (Schwirrfliegen, Syrphidae), artenreiche Fliegenfamilie, schnelle Flieger, die im Rüttelflug stillstehen. Die unbehaarten Arten ähneln oft Wespen, die behaarten Hummeln. Die Larven mancher Arten leben räuberisch von Blattläusen.

Schwebung, period. Schwankung der Amplitude einer Schwingung, entstanden durch Überlagerung zweier gleichartiger Schwingungen mit nur geringem Frequenzunterschied; die **S.-Frequenz** ist gleich der Differenzfrequenz der Einzelschwingungen. Bei akust. Schwingungen werden S.-Frequenzen, die in den Hörbereich fallen, wegen der nichtlinearen Übertragungseigenschaften des Ohres als selbstständige Töne (Differenztöne) wahrgenommen, während niederfrequente S. (<16 Hz) als Lautstärkeschwankungen empfunden werden. Bei der Stimmung von Musikinstrumenten wird die Übereinstimmung mit dem Stimmton dann erreicht, wenn die S. verschwinden.

Schwebungsempfang (Heterodynempfang), *Funktechnik:* Empfangsverfahren zum Hörbarmachen tonloser Telegrafiezeichen, bei dem durch Überlagerung mit einer am Empfangsort erzeugten, geringfügig von der Empfangsfrequenz abweichenden Hochfrequenzschwingung eine Schwebungsfrequenz (→Schwebung) erzeugt wird, die hörbar gemacht werden kann.

Schwechat, Stadt in Niederösterreich, südöstlich von Wien, am Fluss S., 14 700 Ew.; Erdölraffinerie, petrochem. Ind., Kabelwerk, Herstellung von Skibindungen; im O der internat. Flughafen von Wien. – 1072 erstmals gen.; seit 1563 Markt, seit 1922 Stadt; 1938–54 Teil von Wien.

Schweden, skandinav. Volk, das Staatsvolk Schwedens; auch an der S-Küste von Finnland und auf den Ålandinseln lebend.

Schweden (amtlich schwed. Konungariket Sverige, dt. Königreich S.), Monarchie in Nordeuropa, grenzt im SW an das Skagerrak (Nordsee), das Kattegat (i. Allg. zur Ostsee gerechnet) und den Sund, im S und O an die offene Ostsee und den Bottn. Meerbusen, im NO an Finnland, im W an Norwegen.

Staat und Recht: Nach der Verf. von 1975 ist S. eine konstitutionelle Monarchie mit parlamentar. Regierungssystem. Der König (Erbfolge nach Erstgeburt) als Staatsoberhaupt hat nur noch Repräsentationsfunktion. Die Legislative liegt beim Reichstag (349 Abg., auf vier Jahre gewählt). Die Reg. unter Vorsitz des MinPräs. (vom Reichstag gewählt) ist dem Parlament verantwortlich. Einflussreichste Parteien: Sozialdemokrat. Arbeiterpartei (SAP), Gemäßigte Sammlungspartei, Liberale Volkspartei, Zentrumspartei, Christlichdemokratische Partei, Umweltpartei Die Grünen.

Landesnatur: S. erstreckt sich über 1500 km von N nach S und 200 km von W nach O. Die Küstenlänge beträgt etwa 6 700 km. Nord-S. senkt sich vom skandinav. Zentralgebirge (höchste Erhebung: Kebnekaise 2117 m ü. M.) als flachwellige Hochfläche allmählich zur Ostsee ab (Rumpfflächen). Südlich des Siljansees schließt sich die Mittelschwed. Senke an, in der Mälar-, Vänar- und Vättersee liegen, die nach S von der flachwelligen Hochfläche Smålands (Taberg 343 m ü. M.) begrenzt wird. Dieses zu Süd-S. gehörige Bergland und die anschließende Moränenlandschaft der Halbinsel Schonen leiten nach Mitteleuropa über. Der gesamten O-Küste sind neben den großen Inseln Öland und Gotland Schären vorgelagert. – Infolge der großen N–S-Erstreckung von der mitteleurop. Westwindzone bis in die polare Klimaregion zeigt das Klima starke Unterschiede. Insgesamt ist es wärmer, als nach der Breitenlage zu erwarten wäre. Durch den Gebirgswall liegt Nord-S. im Lee der nordatlant. Westwinddrift und im Einflussbereich der Hochdruckzonen über Innerrussland und hat daher ausgesprochen kontinentales Klima; der warme, trockene Sommer ermöglicht noch am Polarkreis Temperaturen von 30 °C. Die langen, schneereichen Winter weisen absolute Minima von –40 °C im N, zw. –20 °C und –30 °C im S auf. Der Bottn. Meerbusen ist bis über fünf Monate vereist. Eisfreie Häfen gibt es nur im

S und W. Die Niederschlagsmengen nehmen i. Allg. von O nach W zu: von rd. 400 mm (Ostsee) bis über 2 000 mm (Skanden).

Bevölkerung: Die Bevölkerung besteht überwiegend aus Schweden; nur im sehr dünn bevölkerten N leben Lappen und Finnen. Am dichtesten besiedelt ist der S des Landes. – Es besteht allg. Schulpflicht. Pflichtschule ist die 9-jährige Grundschule (7.–16. Lebensjahr). Gymnasien, Fach- und Berufsschulen sind in der Gymnasialstufe zusammengefasst. Universitäten gibt es in Göteborg (gegr. 1954), Linköping (1967), Lund (1666), Stockholm (1877), Umeå (1963), Uppsala (1477), ferner Techn. Universitäten u. a. Hochschulen. – Die Evang.-Luth. Kirche von Schweden ist Staatskirche; 90 % der Bev. gehören ihr an.

Wirtschaft, Verkehr: Die Landwirtschaft nutzt 8,7 % der Landfläche (zu 4/5 als Ackerland und Dauerkulturen); sie hat ihren Schwerpunkt im S des Landes, wo bes. Weizen und Zuckerrüben angebaut werden; in den übrigen Landesteilen Gerste, Hafer, Kartoffeln, Roggen; bed. Viehzucht

Schweden

Schweden: Der Westküste nördlich von Göteborg, hier der Fischerort Skärhamn auf der Insel Tjörn, sind zahlreiche Schären vorgelagert (links); südlich des Siljansees beginnt die mittelschwedische Senke, in der die größten schwedischen Seen liegen

(Rinder, Schweine). Im N herrscht Waldnutzung (69,6% des Landes sind Wald) vor; der Holzeinschlag von jährlich rd. 50 Mio. m^3 ist zur Hälfte für die Papierind. bestimmt; daneben Rentierzucht. Fischerei bes. an der Süd- und Westküste. S. verfügt über bed. Eisenerz- (Kiruna, Bergslagen, Gällivare), Kupfer- und Bleierzvorkommen (Skelleftefeld), Zink-, Schwefelkies- und Silbervorkommen sowie über große Uranerzreserven. Die reichen Wasserkraftreserven im N des Landes werden weitgehend zur Energiegewinnung genutzt. Die wichtigsten Ind.zweige sind Metallind. (mit Eisen- und Stahlwerken), Schiff-, Maschinen- und Fahrzeugbau, Holzind. (Papier-, Zellstoff- und Möbelfabriken), chem., Glas-, pharmazeut., elektrotechn. und elektron., Textil- und Nahrungsmittelindustrie. Wegen des begrenzten Binnenmarktes ist die Ind. stark vom Export abhängig. Ein expandierender Wirtschaftszweig ist der Fremdenverkehr. – Haupthandelspartner sind Dtl., Großbritannien, die USA, Norwegen, Dänemark und Finnland. Die wichtigsten Exportgüter sind Maschinen und Anlagen, elektrotechn. und elektron. Geräte, Kfz, Schiffe, Eisen und Stahl, Chemikalien, Papier und Pappe, Holzwaren und Cellulose. – Das Eisenbahnnetz hat eine Länge von (1996) 10919 km, davon sind 7401 km elektrifiziert. Das Straßennetz hat eine Länge von 210121 km. Die wichtigsten Häfen sind Göteborg, Luleå, Helsingborg, Stockholm, Malmö und Trelleborg sowie der Erdölhafen Nynäshamn. Internat. Flughäfen befinden sich in Stockholm, Göteborg und Malmö.

Margarete I. (Ausschnitt eines Stahlstichs, 1792)

Geschichte: Zur Vorgeschichte → Nordeuropa. – S. war im Altertum Siedlungsgebiet versch. german. Stämme. Die schon frühzeitig unter dem Stammeskönigtum des Ynglingargeschlechts geeinten Svear, deren älteste Sitze am Mälarsee lagen (Kult- und Herrscherstätten Altuppsala und Vendel), unterwarfen um 600 die Gauten (Göten) in Götaland. Der Ynglingarkönig Erich VII. Segersäll (»der Siegreiche«) beherrschte in der 2. Hälfte des 10. Jh. auch Dänemark. Vom 9. bis 11. Jh. unternahmen schwed. Kriegerkaufleute (Waräger) Raub- und Handelszüge, die sie von der Ostseeküste über die Stromgebiete von Wolga und Dnjepr bis nach Byzanz führten. Nach Einzelmissionen (u.a. Ansgar um 830) breitete sich seit Beginn des 11. Jh. das Christentum von Götaland nach N aus; König Olaf III. Skötkonung (»Schoßkönig«; etwa 995–1022) nahm mit seiner Taufe (1008) zugleich die Bischofsverfassung und die in Mitteleuropa längst ausgebildeten staatl. Verwaltungsformen für S. an. 1164 wurde das Erzbistum Uppsala errichtet.

Unter Knut Eriksson (etwa 1167–96) entfaltete sich das Städtewesen in S. nach dt. Vorbild. Charakteristisch war die freie Stellung der Bauern, sodass sich scharfe ständ. Unterschiede nicht ausbildeten. Im 12./13. Jh. unterwarf S. Finnland (Gebietsgewinne v.a. unter Birger Jarl, der die Dynastie der Folkunger [1250–1363] begründete). Als Magnus II. Eriksson (1319–63, als Magnus VII. Eriksson auch König von Norwegen) versuchte, seine Macht gegenüber dem Adel auszubauen, verbündete sich dieser mit Herzog Albrecht von Mecklenburg, vertrieb Magnus und wählte Albrechts Sohn zum König (Albrecht, 1364–89); als dieser 1389 von einem dän. Heer besiegt und gefangen genommen wurde, fiel ganz S. der Dänenkönigin Margarete I. zu, die 1397 in Kalmar die Vereinigung der drei skandinav. Reiche erklärte (→ Kalmarer Union). Den anhaltenden Widerstand gegen die Union (u.a. Aufstand unter Engelbrecht Engelbrechtsson 1434–36; unabhängige schwed. Politik seit 1470 unter den Reichsverwesern Sten Sture d. Ä. und Sten Sture d. J.) versuchte Christian II. von Dänemark mit dem »Stockholmer Blutbad« 1520 (Hinrichtung adliger Anhänger Sten Stures) zu brechen. Daraufhin beseitigte Gustav Eriksson Wasa von Dalarna aus mit Unterstützung Lübecks die Dänenherrschaft; er wurde 1523 als Gustav I. zum König gekrönt und führte 1527 die Reformation ein. Der Anspruch auf die führende polit. und wirtsch. Rolle im Ostseeraum (Dominium maris Baltici) war für die folgenden anderthalb Jh. das bestimmende Ziel der schwed. Politik. Unter Gustav II. Adolf (1611–32) wurde S. zur europ. Großmacht; Gustav II. Adolf erwarb 1617 von Russland Karelien und Ingermanland, 1629 von Polen Livland. 1630 griff er aufseiten der prot. Fürsten erfolgreich in den →Dreißigjährigen Krieg ein. Nach seinem Tod 1632 in der Schlacht bei Lützen leitete Kanzler A. Oxenstierna die Vormundschaftsreg. für Königin Christine. Im Krieg gegen Dänemark (1643–45) gewann S. u. a. Jämtland, Härjedalen, Halland sowie die Inseln Gotland und Ösel und brach die dän. Ostseeherrschaft endgültig. 1654 dankte Christine zugunsten ihres Vetters Karl X. Gustav aus dem Haus Pfalz-Zweibrücken ab, der den 1. Nord. Krieg 1658 mit dem Frieden von Roskilde erfolgreich beendete (→Nordische Kriege). Im Frieden von Oliva (1660) wurde unter der Garantie der europ. Mächte S. der Besitz fast ganz Livlands, Estlands mit Ösel und Schonens bestätigt. Der Versuch Karls XII., im Großen Nord. Krieg (1700–21) die schwed. Ostseeherrschaft zu festigen, scheiterte mit seiner Niederlage gegen Russland bei Poltawa (1709); der Friede von Nystad (1721) beseitigte schließlich die schwed. Großmachtstellung: S. behielt seine Besitzungen auf der skandinav. Halbinsel und in Finnland, dazu Vorpommern westlich der Peene mit Rügen und Wismar.

Schweden seit der Kalmarer Union (1397) bis 1905

Schweden: Gustav II. Adolf, dem Maler Heinrich Bollandt zugeschriebenes Gemälde (1631; Berlin/Brandenburg, Stiftung Preußische Schlösser und Gärten, Jagdschloss Grunewald)

Die Ständeherrschaft nach dem Tode Karls XII. (in der so genannten »Freiheitszeit« 1718–72) wurde von Gustav III. (1771–92) durch den aufgeklärten Absolutismus abgelöst. Gustav IV. Adolf (1792–1809) schloss sich der 3. Koalition gegen Napoleon I. an. Als Russland 1808 Finnland erobert hatte, wurde der König 1809 abgesetzt. Mit der Wahl des frz. Marschalls J.-B. Bernadotte (dem Stammvater der Dynastie Bernadotte) zum Thronfolger (1810, als König Karl XIV. Johann, 1818–44) gelang es den schwed. Ständen, das Land aus den europ. Konflikten herauszuhalten.

Der als liberal geltende Oskar I. (1844–59) verfolgte zunächst außenpolitisch gesamtskandinav. Ziele, für deren Durchsetzung gegenüber dem Dt. Bund er im Dt.-Dän. Krieg 1848–50 Dänemark Truppenhilfe gab und nach dem Waffenstillstand von 1849 in Nordschleswig ein schwed. Militärgouv. einrichtete. Seit dem Krimkrieg (1853/54–56)

Hjalmar Branting

Karl XVI. Gustav

Göran Persson

war die Neutralität Grundsatz der schwed. Politik. 1905 löste sich Norwegen aus der seit 1814 bestehenden Personalunion mit S. 1909 wurde für die 2. schwed. Kammer das allg. Wahlrecht und für beide Kammern das Verhältniswahlrecht eingeführt. Die von S. beanspruchten Ålandinseln sprach der Völkerbundsrat 1921 Finnland zu. 1920 wurde die erste rein sozialdemokrat. Reg. in S. unter H. Branting gebildet, der weitere Kabinette vornehmlich sozialdemokrat. Zusammensetzung folgten (im Wechsel mit Konservativen 1923/24, 1928–30 und Liberalen 1926–28, 1930–32). Im 2. Weltkrieg vermochte S. seine Neutralität mithilfe einer relativ starken »Neutralitätswacht« aufrechtzuerhalten (begrenzte Transitgenehmigungen für dt. Truppen). Das Hilfegesuch Finnlands im Finnisch-Sowjetischen Winterkrieg 1939/40 wurde von der schwed. Regierung offiziell abgelehnt.

Nach dem Tod Gustavs V. (1950) bestieg Gustav VI. Adolf den Thron, 1973 Karl XVI. Gustav.

Innenpolitisch setzte die schwed. Sozialdemokratie nach dem 2. Weltkrieg die in den 1930er-Jahren von MinPräs. P. A. Hansson begonnene Politik des Wohlfahrtsstaates unter den MinPräs. T. Erlander und O. Palme verstärkt fort, sah sich jedoch seit 1976 von bürgerl. Koalitionsreg. (z. B. unter T. Fälldin und C. Bildt) mehrfach in die Opposition verwiesen. Nach der Ermordung O. Palmes wurde I. Carlsson dessen Nachfolger. Seit 1996 amtiert der Sozialdemokrat G. Persson als MinPräs. Angesichts einer Währungskrise und einer hohen Staatsverschuldung zu Beginn der 1990er-Jahre sahen sich sozialdemokratisch oder bürgerlich geführte Regierungen zu starken Abstrichen in der Ausgestaltung des Wohlfahrtsstaates veranlasst (Austeritykurs, u. a. Kürzungen bei der Lohnfortzahlung im Krankheitsfall, Lockerung des Kündigungsschutzes). Auf Empfehlung der schwed. Regierung beschloss im Aug. 1995 die Synode der Evang.-Luth. Kirche die 1525 von König Gustav I. Wasa geschaffene Bindung ihrer Kirche an den Staat zum 1. 1. 2000 aufzuheben.

Olof Palme (1974)

Außenpolitisch stellte S., das seit 1960 der EFTA angehörte, am 1. 7. 1991 den Antrag auf Aufnahme in die EG. Im Juni 1993 war S. bereits dem Europäischen Wirtschaftsraum (EWR) beigetreten. Nach den Beitrittsverhandlungen mit der EG (EU) stimmte die Bev. in einem Referendum vom 13. 11. 1994 mit 51,2 % der Stimmen dem Beitritt S.s zum 1. 1. 1995 zu. Nach dem Ende des Ost-West-Konfliktes engagierte sich S. stark beim Aufbau der balt. Staaten. In Modifizierung seiner Neutralitätspolitik schloss es sich im Mai 1994 dem NATO-Programm »Partnerschaft für den Frieden« an. Im Dez. 1996 unterzeichnete S. das Schengener Abkommen.

📖 Dufner, W.: *Geschichte S.s. Aus dem Schwed. Neumünster 1967.* – *The national atlas of Sweden, hg. v.* L. Wastenson, *auf zahlr. Bde. ber. Stockholm 1990 ff.* – *S. in Europa, hg. v.* K. Krüger. *Hamburg 1990.* – Austrup, G.: *S. München ²1997.*

Schwedische Akademie (schwed. Svenska Akademien), Stockholm, 1786 nach dem Muster der Académie française von Gustav III. gestiftete Gesellschaft von 18 Mitgl. (de aderton »Die Achtzehn«); verleiht u. a. seit 1901 den Nobelpreis für Literatur.

schwedische Kunst. Nach der vorgeschichtl. und der frühgeschichtl. Epoche kann man erst seit dem MA. von einer spezifisch s. K. sprechen. Der überwiegende Teil der schwed. Bauten des MA. war aus Holz (Stabkirche von Hemse, 11. Jh.; Stockholm, Staatl. Histor. Museum). Im Kirchenbau ging man allmählich zu Bruchstein über. Es entstanden blockhaft schwere Granitkirchen, auch schlichte Rundkirchen und auf Gotland von Westfalen beeinflusste Hallenkirchen. Der romanische Dom in Lund (Krypta von 1123) hat lombard. und rhein. Vorbilder und wurde für Schweden stilbildend. Im 13. Jh. kam der Backsteinbau auf. Zu den Hauptwerken der Gotik gehören die Dome von Uppsala und Linköping; der Bauschmuck folgt frz. und dt. Vorbildern. Im Spät-MA. wurde Holzbildnerei aus Lübeck eingeführt. B. Notke schuf sein Werk »Hl. Georg mit dem Drachen« (1489) für Stockholm. Umfangreiche Zyklen spätmittelalterl. Wandmalereien finden sich in den Landkirchen um Stockholm.

Nach der Reformation trat der Bau von Kirchen hinter den Schlossbauten zurück (so entstand z. B. das königl. Lustschloss →Gripsholm). Dt. Baumeister führten im 16. Jh. lombard. Renaissanceformen ein. Das größte der Schlösser des 17. Jh., die sich v. a. niederländ. Vorbildern anschlossen, ist →Drottningholm von N. von Tessin d. Ä. Von N. von Tessin d. J. wurde der Umbau des Stockholmer Schlosses in Formen des röm. Hochbarocks begonnen (1697; im 18. Jh. vollendet). – In der Plastik traten seit der Renaissance Niederländer, im 18. Jh.

schwedische Kunst

1

2

3

4

1 Die ehemalige gotische Klosterkirche in Vadstena, Östergötland, wurde nach Anweisungen der heiligen Birgitta als Mutterkloster des Birgittenordens ab 1369 erbaut | **2** Ernst Abraham Josephson »Die Lebensfreude« (1887; Kopenhagen, Statens Museum for Kunst) | **3** Anneè Olofsson »Man kann lügen« (1992; Privatbesitz) | **4** Das 85 m hohe Sport- und Kulturzentrum »Globe Arena« wurde 1986–89 nach Plänen der beiden Architekten Svante Berg und Lasse Vredblad vom »Berg Arkitektskontors« auf dem Wallberg in Stockholm erbaut

Franzosen hervor. Mit dem schwed. Bildhauer J. T. Sergel setzte sich der Klassizismus durch.

Die Hauptaufgabe der Malerei war seit der Renaissance das Porträt. In der 2. Hälfte des 17. Jh. wirkten in Schweden der Niederländer M. van Meytens und der Hamburger D. Klöker von Ehrenstrahl. Aus seiner Schule, die von seinem Neffen D. von Krafft fortgeführt wurde, entwickelte sich die Malerei des 18. Jh. (G. Lundberg und A. Roslin). Der bedeutendste Rokokomaler, C. G. Pilo, war auch für das dän. Königshaus tätig. Im 19. Jh. malte C. J. Fahlcrantz romantisch empfundene Landschaften. Viele Künstler gingen zu ihrer Ausbildung nach Düsseldorf, gegen Ende des Jh. nach Paris. Die beiden größten Begabungen dieser Generation, der Figurenmaler und Porträtist E. Josephson sowie der Landschaftsmaler C. F. Hill, litten seit jungen Jahren an einer psych. Krankheit, schufen aber dennoch viele heute bes. geschätzte Werke. Um die Jahrhundertwende hatte die schwed. Malerei internat. Niveau und zugleich eigenen Charakter mit C. Larsson, dem auch als Radierer hervorragenden A. Zorn, dem Tiermaler B. Liljefors und dem Landschaftsmaler Prinz Eugen Napoleon Nikolaus. Auf die folgende Entwicklung hatte bes. H. Matisse Einfluss (Isaac Grünewald, Einar Jolin, Nils von Dardel). Seit 1929 gibt es eine surrealist. Malerei (Erik Olson, Esaias Thorén, Stellan Mörner). Nach dem 2. Weltkrieg wurde die Malerei teils ungegenständlich (Olle Baertling, Pierre Olofsson), teils pflegte man einen naiven Expressionismus (Sven Erixon) bzw. Farbvitalismus (Evert Lundquist). In der Gegenwart halten Malerei und Grafik Kontakt mit allen modernen Strömungen, wobei das soziale und polit. Engagement eine besondere Rolle spielt (u. a. Carl

Gustav III., König von Schweden (Ausschnitt eines Gemäldes, 1777)

F. Reuterswärd). Der führende Bildhauer in der 1. Hälfte des 20. Jh. war C. Milles. Die jüngeren schwed. Bildhauer arbeiten sowohl mit naturnahen als auch mit abstrakten Formen (Eric Grate, Christian Berg, Arne Jones, Palle Pernevi).

Die sich vom Eklektizismus des 19. Jh. lösende Baukunst des 20. Jh. blieb der nat. Überlieferung eng verbunden und bildete mit dem Stockholmer Stadthaus von Ragnar Östberg eine eigenständige Synthese aus einheim. Ziegelbauweise und internat. Anregungen. Zw. Neoklassizismus und Funktionalismus sind die Bauten von G. Asplund anzusiedeln (Stadtbibliothek; Stockholm, 1927). Für die Architektur der Gegenwart wurden Sven Markelius, Sven Backström, Peter Celsing und Ralph Erskine bedeutend. In den 80er-Jahren profilierten sich mit preisgekrönten Entwürfen v.a. die »Berg Arkitektskontors« (Svante Berg, Lasse Vredblad, Esbjörn Adamson), sie verwirklichten u.a. in Stockholm die »Globe Arena« (1986–89); bei diesem Entwurf griffen sie auf den russ. Konstruktivismus der 1920er-Jahre zurück. Nach wie vor ist in der schwed. Architektur ein gepflegter klassizist. Funktionalismus, der in der Nachfolge von G. Asplund steht, lebendig. Auf dem Gebiet der Malerei erreichen viele der jungen Künstler internat. Niveau. Die figurative Malerei wird u.a. von Helene Billgren, Björn Ross, Thomas Holm, Carin Carlsson, Maria Backlöf und Jordi Akkö vertreten. Im Bereich der abstrakten Malerei traten die Künstler Håkan Rehnberg und Ann Edholm hervor. In der Skulptur hat sich der traditionelle plast. Begriff in der ortsbezogenen Installation aufgehoben. Bereits in den 70er-Jahren gelangte Lars Kleen vom Bild über das Relief zu raumfüllenden Holzinstallationen, oft mit Bootsmetaphern. Herausragende Beispiele einer komplexen, die modernen Massenmedien und die künstler. Avantgarde reflektierenden Multimediakunst liefern in ihren Werken Fredrik Wretman und die in Norwegen lebende Anneé Olofsson.

Carl Michael Bellman (Ausschnitt eines zeitgenössischen Gemäldes)

📖 Zeitler, R.: *Schweden. Kunstdenkmäler u. Museen. Stuttgart 1985.* – *Im Lichte des Nordens, bearb. v.* R. Andree *u.a., Ausst.-Kat. Kunstmuseum Düsseldorf 1986.* – Tångeberg, P.: *Holzskulptur u. Altarschrein. Studien zu Form, Material u. Technik. Mittelalterl. Plastik in Schweden. München 1989.* – Zeitler, R.: *Skandinav. Kunst um 1900. Leipzig 1990.*

Selma Lagerlöf

schwedische Literatur, die Literatur in schwed. Sprache in Schweden und Finnland.

Anfänge bis 1611: In vorchristl. Zeit gab es Heldenlieder, Götterhymnen und Spruchdichtung, doch sind zusammenhängende Literaturdenkmäler nicht erhalten. Mit der Christianisierung kam lat. Schriftkultur nach Schweden. Die religiöse Lit., meist in lat. Sprache, fand ihren Höhepunkt in den mystischen Visionen »Uppenbarelser« (etwa 1342–49) der hl. Birgitta. Der erste namhafte Dichter in schwed. Sprache war Bischof Thomas von Strängnäs (†1443). Seit Ende des 13. Jh. entwickelte sich die Volksballade (Folkvisa). L. und O. Petri leiteten die große Bibelübers. ein (1526 erste schwed. Übers. des N. T.).

Großmachtzeit (1611–1718): Künste und Wissenschaften wurden vom schwed. Hof gefördert und dort zentralisiert. Das enzyklopädisch-polyhistor. Bewusstsein der Epoche spiegelt sich in dem Geschichtswerk »Atland eller Manheim« (4 Bde., 1675–1702) des Universalgelehrten O. Rudbeck. In L. Wivallius fand die s. L. ihren ersten volkstüml. Lyriker. G. Stiernhielm leitete eine neue Epoche ein, in der die europ. Kunstdichtung mit ihren festen Regeln und Formen die Lit. bestimmte. Die Dichtung wurde zum Ausdruck der barocken Weltordnung und fand ihren Höhepunkt bei S. Bergbo, J. Runius und L. Johansson.

1719–1809: Mit dem Beginn der »Freiheitszeit« nach dem Tod Karls XII. setzte auf allen Gebieten eine geistige Erneuerung ein. Begründer der modernen schwed. Prosasprache wurde O. von Dalin mit seiner moralisch-satir. Wochenschrift »Then Swänska Argus«. Die Ideen der Frühaufklärung reflektierte der Orden »Tankebyggarorden« (»Gedankenbauer«) mit der Lyrikerin Hedvig Charlotta Nordenflycht, dem Idyllendichter G. P. Graf Creutz und dem Odendichter C. Graf Gyllenborg. Zu den frühesten schwed. Romanschriftstellern gehören J. H. Mörk und J. Wallenberg. Gustav III., der selbst Dramatiker war, ist der Gründer der Oper (1772) und des Nationaltheaters (1787) in Stockholm und der Stifter der Schwed. Akademie (1786). Dabei unterstützten ihn u.a. die Dichter J. G. Graf Oxenstierna, J. H. Kellgren, C. G. af Leopold sowie die Idyllikerin Anna Maria Lenngren. Lebensfrohe, derb anakreont. Lieder schrieb C. M. Bellman. Vorboten der Romantik waren T. Thorild, B. Lidner, F. M. Franzén und der geistl. Liederdichter J. O. Wallin.

1810–30: Die Gruppe des Uppsalaer »Aurora förbundet« (»Aurorabund«) vertrat eine von F. W. J. Schelling beeinflusste romant. Universalpoesie (P. D. A. Atterbom »Die Insel der Glückseligkeit«, 1824–27). Stifter des historisch-vaterländisch eingestellten »Götischen Bundes« waren E. G. Geijer, A. A. Afzelius und P. H. Ling. Aus der göt. Schule ging E. Tegnér hervor. Der Vollender der Romantik war E. J. Stagnelius.

1830–80: Die Ideen des europ. Liberalismus bewirkten eine Ablösung romant. Dichtungsideale durch den poet. Realismus. C. J. Almqvist begründete den Frührealismus. Der realist. Richtung gehören ferner an die Lyriker K. V. A. Strandberg,

O. P. Sturzen-Becker, der Schilderer des Studentenlebens G. Wennerberg, die Frauenrechtlerinnen Fredrika Bremer und Emilie Flygare-Carlén sowie die Finnlandschweden Z. Topelius und J. L. Runeberg. Großen Einfluss hatte ein Kreis von Dichtern, die sich in den 60er-Jahren in Uppsala zusammenfanden (Signaturengruppe): u.a. der Ästhetiker C. R. Nyblom, der Lyriker C. Graf Snoilsky, C. D. af Wirsén.

August Strindberg: zeitgenössische Radierung

1880–1910: Die 80er-Jahre standen im Zeichen des gesellschaftskrit. Naturalismus, dessen überragende Gestalt A. Strindberg war. Den sozialkrit. Realismus vertraten neben ihm v.a. G. af Geijerstam und Victoria Benedictsson. V. von Heidenstam leitete die Neuromantik ein. Die Romane von Selma Lagerlöf und P. A. L. Hallström reflektieren neuromant. Gefühl, Geschichtsbewusstsein und Heimatliebe. Die schwed. Provinzen wurden in der neuromant. Lyrik lebendig: Varmland bei G. Fröding, Dalarna bei E. A. Karlfeldt, Schonen bei V. Ekelund und K. G. Ossiannilsson. H. Söderberg und B. H. Bergman schildern die Fin-de-Siècle-Stimmung des Stockholmer Bürgertums.

20. Jahrhundert: Die psychologisch vertiefte Gesellschaftsschilderung bestimmte die Prosa im 2. Jahrzehnt des 20. Jh., u.a. E. G. Hellström, L. Nordström, Sven Lidman und Elin Wägner. Der kühnste formale Erneuerer dieser Zeit ist P. Lagerkvist, der einzige schwed. Expressionist. Mit dem idyll. Realismus der frühen 20er-Jahre brachen der Lyriker und Erzähler B. Sjöberg, die Lyriker K. Ek und E. Blomberg. Für die sexuelle Freiheit der Frau kämpfte Agnes von Krusenstjerna. Eine neue Strömung setzte in den 30er-Jahren mit den Autodidakten aus der Arbeiterschicht ein: die Lyriker und Erzähler H. Martinson und A. Lundkvist, die Erzähler C. A. V. Moberg, J. Fridegård, R. Värnlund, I. Lo-Johansson und E. Johnson. Den modernen Durchbruch in der Lyrik vollzogen H. Gullberg, J. Edfelt und B. G. Ekelöf. Zu dieser Lyrikergeneration gehören auch A. Ljungdal und O. Lagercrantz. Von visionärer Kraft erfüllt ist das Werk von Karin Maria Boye. Die 40er-Jahre waren bestimmt von einem Stil des Engagements und der Formexperimente; Erzähler sind S. Arnér, L. Ahlin, S. Dagerman, führende Lyriker E. Lindegren, K. G. Vennberg.

Die Nachkriegsliteratur zeigte zunächst Verinnerlichung und Abkehr vom Ideologischen (L. Gyllensten, Birgitta Trotzig, S. Rosendahl, der Lyriker T. Tranströmer). In den 60er-Jahren entstanden neue literar. Formen wie der Dokumentarroman (P. O. Sundman, P. O. Enquist). Nichtfiktionaler Genres wie Reportage, Protokoll, Bericht, Interview bedienten sich Sara Lidman, G. Palm. Probleme der modernen Welt thematisierten P. G. Evander, S. Claesson, E. Bukman, S. Seeberg, J. Myrdal, L. Gustafsson und P. G. Jersild, im Kriminalroman Maj Sjöwall und P. Wahlöö. Die modernist. Tradition der Lyrik führten neben Tranströmer B. Setterlind, F. Isaksson und Ö. Sjöstrand weiter; die Vertreter der »neueinfachen Richtung«, u.a. Palm, Sonja Åkesson, B. Håkansson, bemühten sich um Nähe zur gesellschaftl. Realität. Polit. Engagement und sprachkrit. Reflexion verbinden sich in der Lyrik G. Sonnevis. Bedeutung als Kinderbuchautorin erlangte Astrid Lindgren. In den 70er-Jahren ist eine Rückkehr zu ep. Großformen festzustellen (S. Delblanc, Kerstin Ekman, Sara Lidman, P. O. Enquist). Psycholog. Personendarstellung zeigen u.a. Anne Westberg und Gerda Antti; Erzähler der jüngsten Generation zeigen auch Hinwendung zu experimentellen Formen (G. Hägg, L. G. Andersson, Torgny Lindgren, P. Odensten). Bedeutendster Dramatiker der Gegenwart ist L. Norén.

Finnlandschwedische Literatur: Schwedisch schreibende finn. Dichter der Barockzeit waren J. P. Lilienstedt und J. Frese. Eine eigenständige Entwicklung begann mit F. M. Franzén, E. Lönnrot und J. L. Runeberg, in dessen Werk sich die Tendenzen der finnlandschwed. Lit. des 19. Jh. vereinigten: Vermischung von Klassik, Romantik und Liberalismus in Verbindung mit einer patriotisch-finn. Gesinnung. Der Wandel vom Realismus zum Naturalismus vollzog sich um 1885 (K. A. Tavaststjerna). Nach der finn. Unabhängigkeitserklärung (1917) wurde der europ. Modernismus vorherrschender Schreibstil, u.a. bei Hagar Olsson, Edith Irene Södergran. Romane verfassten T. Colliander und Sally Salminen. Die Orientierung an schwed. Vorbildern wird bes. nach 1945 deutlich, v.a. in der Lyrik von B. Carpelan und T. Warburton. Bed. Prosaautor ist C. A. Kihlman, sozialkrit. Sachlit. repräsentiert J. Donner mit krit. Reportagen.

📖 GUSTAFSON, A.: *A history of Swedish literature. Minneapolis, Minn., 1961.* – FRIESE, W.: *Nord. Literatur im 20. Jh. Stuttgart 1971. – Special issue devoted to modernism in Finland-Swedish literature, hg. v.* J. WREDE. *London 1976. – Nord. Literaturgeschichte, Redaktion:* M. BRØNDSTED *u.a., 2 Bde.*

Pär Lagerkvist

Per Olov Enquist

Astrid Lindgren

Lars Gustafsson

A. d. Dän. München 1982–84. – ALGULIN, I.: *Schwed. Erzählkunst der Gegenwart. A. d. Schwed. Stockholm 1983.* – *S. L. in dt. Übersetzung, bearb. v.* R. QUANDT, *7 Bde. Göttingen 1987–88.* – *Grundzüge der neueren skandinav. Literatur, hg. v.* F. PAUL. *Darmstadt* [2]*1991.*

schwedische Musik. Von der Volksmusik des MA. sind keine direkten Quellen erhalten. Der seit dem 11. Jh. gepflegte gregorian. Gesang blieb an das von außen übernommene Repertoire gebunden. Das reformator. Kirchenlied stand zunächst unter starkem dt. Einfluss. Ausländ. Einflüsse prägten auch die höf. Musik (Hofkapelle seit 1526, Hofkantorei seit Ende des 16. Jh.). Die erste bekannte mehrstimmige Komposition mit schwed. Text (»Fadher wår«, 1654) schrieb der Italiener V. Albrici, die »Odae sveticae« (1674) in monod. Stil G. Düben. Die Reg.zeit Gustavs III. brachte eine besondere Blüte, u. a. 1771 die Gründung der Musikakademie, 1773 die der Hofoper, an der ausländ. Komponisten wie J. G. Naumann, G. J. Vogler und J. M. Kraus dominierten. Der erste bed. schwed. Komponist von internat. Rang war J. H. Roman. Einen ganz eigenen Stil vertrat F. Berwald. Nach 1850 entwickelte sich eine nat. Tonschule, v. a. vertreten durch A. F. Lindblad, I. C. Hallström, L. Norman, J. A. Söderman, E. Sjögren, A. Hallén, die von der zeitgenöss. dt. Musik, bes. von R. Schumann und R. Wagner, beeinflusst waren. Um die Wende zum 20. Jh. wirkten W. Peterson-Berger, W. Stenhammar, H. Alfvén. Ebenfalls nat. Züge trägt die Musik der Spätromantiker N. Berg, A. J. T. Rangström und K. M. Atterberg. An der internat. Moderne, bes. am Neoklassizismus, orientierten sich seit den 1920er-Jahren u. a. G. Nystroem, H. Rosenberg. Zeitgenöss. Musik vertreten v. a. S.-E. Bäck, I. Lidholm und bes. K.-B. Blomdahl. Die Avantgarde repräsentieren mit seriellen und elektron. Werken u. a. B. Hambraeus, B. Nilsson, K. Wiggen, J. W. Morthenson. Traditionalist. Tendenzen vertreten v. a. G. Bucht, H. Eklund und M. Karkoff. Zu den Komponisten der neuesten Zeit zählen S.-D. Sandström, K. Torstensson und H. Gefors.

Schwefel: Kristalle

📖 PRIEBERG, F. K.: *Musik u. Musikpolitik in Schweden. Herrenberg 1976.* – *Musikleben in Schweden, Beiträge v.* G. BERGENDAL *u. a. Aus dem Schwed. Stockholm 1989.*

Schwedische Reichsbank (schwed. Sveriges Riksbank), 1668 als »Bank der Reichsstände« gegründete schwed. Staatsbank, älteste Zentralnotenbank der Welt; seit 1897 alleiniges Recht zur Notenemission; Sitz: Stockholm.

schwedische Sprache. Die s. S. bildet mit dem Dänischen den ostnord. Zweig der nordgerman. Sprachgruppe. Der musikal. Wort- und Satzakzent, die tönenden Endungen und der reiche Wechsel der Vokale machen die s. S. zu einer der klangvollsten Sprachen. Die Reichssprache (rikspråk) ist die gemeinsame Norm der geschriebenen und gesprochenen Sprache. Geschrieben wird in Lateinschrift; das schwed. Alphabet hat 29 Schriftzeichen (am Ende des Alphabets stehen å, ä, ö als eigene Buchstaben). Die 1944 gegründete Organisation »Nämnden för svensk språkvård« beobachtet und betreut neben der Schwed. Akademie die Sprachentwicklung.

Die Geschichte der s. S. umfasst die altschwed. (bis 1526) und die neuschwed. Epoche. Die Schriftsprache des jüngeren Altschwedischen entwickelte sich im letzten Drittel des 14. Jh. auf der Grundlage der Mundart von Östergötland. Der Einfluss der Hanse zeigt sich in mittelniederdt. Lehnwörtern. Mit der Kalmarer Union (1389) kam dän. Wortgut dazu. Die Sveadialekte wurden wichtiger. Im 16. Jh. übte das Hochdeutsche als Sprache der Reformation Einfluss aus. Grundlage des älteren Neuschwedisch war die »Bibel Gustavs I.« (1541). Das Gesetzbuch von 1734 und die Zeitschrift »Then Swänska Argus« (1732–34) von O. von Dalin leiteten zur jetzigen Schriftsprache über. – Man unterscheidet sechs Dialektgruppen: 1) die Sveadialekte um den Mälarsee; 2) das Norrländische; 3) die Götadialekte; 4) das Südschwedische; 5) das Gutnische auf Gotland; 6) das Ostschwedische in Finnland und Estland, das sich an die ersten beiden Gruppen anschließt.

Schwedt/Oder, Stadt im Landkreis Uckermark, Brandenburg, am W-Rand der Oderniederung (Kanalverbindung mit Oder und Havel), 45 900 Ew.; Stadtmuseum, Uckermärk. Bühnen; petrochem. Großind. (verarbeitet russ. Erdöl), Papier- und Verpackungsindustrie. – Bei einer im 12. Jh. erbauten Burg um 1250 entstanden, 1265 als Stadt belegt; bis 1993 kreisfreie Stadt.

Schwefel (lat. Sulfur), chem. Symbol **S,** Element aus der sechsten Hauptgruppe des →Periodensystems der chem. Elemente; Ordnungszahl 16, relative Atommasse 32,06, Dichte 2,06 g/cm^3, Schmelzpunkt 119,6 °C, Siedepunkt 444,6 °C. S. bildet mehrere allotrope Modifikationen. Der bei normaler Temperatur allein beständige gelbe, rhombisch kristallisierende **α-S. (rhombischer S.)** verwandelt sich bei 95,6 °C in monoklin kristallisierenden, ebenfalls gelben **β-S. (monokliner S.).** Die Kristallgitter beider S.-Modifikationen sind aus ringförmigen S_8-Molekülen aufgebaut. Bei 119,0 °C schmilzt der β-S. zu einer hellgelben, bewegl. Flüssigkeit **(λ-S.),** in der noch S_8-Moleküle vorliegen. Diese Flüssigkeit wird mit steigender Temperatur (etwa ab 160 °C) braun und viskos, wobei die zunehmende Viskosität v. a. auf der Bildung hochmolekularer, z. T. zu Ringen geschlossener S.-Ketten **(μ-S.)** beruht, die beim therm. Aufbrechen der S_8-Ringe entstehen; gleichzeitig bilden sich auch weitere S.-Ringmoleküle (**π-S.,** S_n, $n = 6–26$). Bei weiterem Erwärmen des S. (etwa ab 200 °C) zerbrechen die hochmolekularen S.-Moleküle zu kleineren Bruchstücken, sodass bei 400 °C eine wieder dünnflüssige, dunkelrotbraune Schmelze vorliegt, die bei 444,6 °C siedet. Beim langsamen Abkühlen von geschmolzenem S. finden die genannten Vorgänge in umgekehrter Reihenfolge statt. Schreckt man jedoch den geschmolzenen S. ab, so bildet sich **plastischer S.,** eine braungelbe, zäh-elast. Masse, die aus einem Gemisch von λ- und μ-S. besteht. – Beim Erwärmen reagiert S. mit zahlreichen Nichtmetallen und Metallen; an der Luft entzündet er sich bei etwa 260 °C und verbrennt mit blauer Flamme zu Schwefeldioxid, SO_2.

S. gehört zu den häufigeren Elementen der festen Erdkruste und steht in der Häufigkeitsliste der chem. Elemente an 15. Stelle. Freier, gediegener S. findet sich entweder als vulkanischer S. oder als sedimentärer S. Gebunden kommt S. vor in Sulfaten, Sulfiden der Schwermetalle, im S.-Wasserstoff (Erdgas und vulkan. Gase), S.-Dioxid und in organ. Verbindungen. Als Bestandteil von Proteinen ist S. im Pflanzen- und Tierreich weit verbreitet; er ist z. B. Baustein von Aminosäuren (Cystein, Methionin) oder Vitaminen, z. B. B_1 (Thiamin).

Gediegener S. wird im Tage- und Untertagebau abgebaut sowie v. a. durch das →Frasch-Verfahren gewonnen. Der dabei gewonnene, noch verunreinigte Roh-S. wird durch Umschmelzen und Destillieren gereinigt. Heute spielt bes. die Gewinnung von S. aus Schwefelwasserstoff, der in Erd-, Kokerei- und Raffineriegasen enthalten ist, eine Rolle.

S. wird v. a. verwendet zur Herstellung von →Schwefelsäure, ferner u. a. von Schwefelkohlenstoff, Schwefelfarbstoffen, Sulfiten, Thiosulfaten und Polysulfiden. Bedeutung hat S. außerdem für die Vulkanisation von Kautschuk und als fein verteilter **Netz-S. (kolloider S., Ultra-S.)** in Form von Salben, Pudern u. Ä. zur Behandlung von Akne, Ekzemen und Schuppenflechte.

Verbindungen: S. bildet in den Oxidationsstufen von −2 bis +6 Verbindungen, am häufigsten in den Stufen −2, +4 und +6. **S.-Dioxid,** SO_2, ein stechend riechendes Gas mit starker Reizwirkung auf Schleimhäute u. a. Schadwirkungen bei Immission, bildet sich bei der Verbrennung von S. und S.-Verbindungen und wird zur Herstellung von S.-Säure sowie als Bleichmittel verwendet. SO_2 findet sich in allen aus schwefelhaltigen Brennstoffen entstehenden Abgasen und ist ein luftverunreinigender Schadstoff (→Luftverschmutzung, →saurer Regen). Beim Auflösen von SO_2 in Wasser bildet sich die mittelstarke, zweibasige **schweflige Säure,** H_2SO_3, die sich stets mit SO_2 in einem (temperaturabhängigen) Gleichgewicht befindet. Ihre Salze sind die **Sulfite,** $M^I_2SO_3$ und **Hydrogensulfite,** M^IHSO_3 (M^I einwertiges Metallkation). **S.-Trioxid,** SO_3, ist eine feste, in drei Modifikationen auftretende Substanz, die bei der Schwefelsäureherstellung als Zwischenprodukt auftritt. **S.-Kohlenstoff (Kohlendisulfid, Kohlenstoffdisulfid),** CS_2, wird heute vorwiegend aus S.-Dampf und Methan (aus Erdgas) bei 650 °C hergestellt und dient als Lösungsmittel für S., Harze, Fette, Gummi; es ist ein starkes Nervengift (→Schwefelkohlenstoffvergiftung). **S.-Wasserstoff,** H_2S, ist ein farbloses, sehr giftiges Gas mit charakterist., selbst in geringen Konzentrationen wahrnehmbarem Geruch nach faulen Eiern (→Schwefelwasserstoffvergiftung). Die neutralen Salze des S.-Wasserstoffs sind die **Sulfide.** Mit Schwermetallen bildet S.-Wasserstoff sehr kräftig gefärbte, beständige Verbindungen, die in ihren mineral. Vorkommen Blenden, Glanze und Kiese heißen. Von S. sind in den versch. Oxidationsstufen zahlr. Sauerstoffsäuren bekannt, von denen →Schwefelsäure besondere Bedeutung hat.

Schwefelbakteri|en, Sammelbez. für Bakterien versch. systemat. Stellung, die Sulfid (bzw. Schwefelwasserstoff) sowie elementaren Schwefel und Thiosulfat oxidieren; z. B. die Gattung Thiobacillus, deren Vertreter u. a. in Seewasser und -schlamm sowie in Schwefelquellen vorkommen.

Schwefeldioxid, →Schwefel (Verbindungen).

Schwefelkies, Mineral, →Pyrit.

Schwefelkohlenstoff (Kohlendisulfid, Kohlenstoffdisulfid), →Schwefel (Verbindungen).

Schwefelkohlenstoffvergiftung, durch Einatmen von Schwefelkohlenstoffdämpfen (meist während des berufsbedingten Umgangs) hervorgerufene Gesundheitsschädigung aufgrund der starken Lipidlöslichkeit des Schwefelkohlenstoffs; gehört zu den anzeige- und entschädigungspflichtigen Berufskrankheiten. Die **akute S.** führt zu Gesichtsrötung, Erregungszuständen mit Euphorie, Bewusstlosigkeit, Koma und Atemlähmung, die **chron. S.** zu Kopfschmerzen, Schlaflosigkeit, Gedächtnis-, Seh- und Hörstörungen, Nervenentzündungen und Gefäßschäden.

Schwefelkopf (Hypholoma), Gattung der Blätterpilze, büschelig an Holz wachsend. Der **Grünblättrige S.** (Hypholoma fasciculare) mit schwefelgelbem Hut und grünl. Lamellen ist ungenießbar.

Schwefelkopf: Grünblättriger Schwefelkopf

Schwefeln, 1) *Chemie* und *Technik:* Behandlung eines Substrats mit gasförmigem oder in Wasser gelöstem Schwefeldioxid (auch mit Lösungen von Sulfiten, Hydrogensulfiten oder Disulfiten), wobei die desinfizierende (konservierende) oder die reduzierende Wirkung von Schwefeldioxid ausgenutzt wird. In der Lebensmitteltechnik ist das S. auf wenige, in der Zusatzstoff-Zulassungs-VO gen. Lebensmittel beschränkt (z.B. Trockenobst, Weinbeeren) und muss durch den Hinweis »geschwefelt« kenntlich gemacht werden.

2) *Pflanzenschutz:* Ausbringung von fein verteiltem elementarem Schwefel (Netzschwefel) zur Bekämpfung Echter Mehltaupilze.

Schwefelpurpurbakteri|en (Chromatiaceae), Familie anaerober, phototropher Bakterien, die im Licht Schwefelwasserstoff oxidieren und intrazellulär Schwefelgranula in der Zelle ablagern. Die Purpurfärbung wird durch Bakteriochlorophyll a und Carotinoide verursacht.

Schwefelquellen, schwefelhaltige Heilquellen (Mindestgehalt: 1 mg Gesamtschwefel/l).

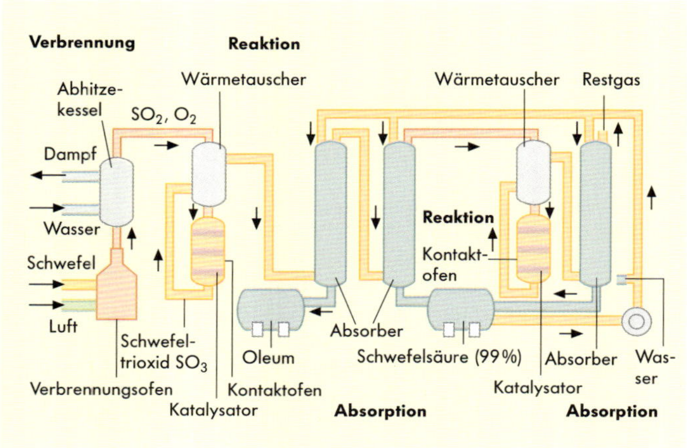

Schwefelsäure: schematische Darstellung des Doppelkontaktverfahrens zur Herstellung von Schwefelsäure

Schwefelsäure, H_2SO_4, eine der wichtigsten anorgan. Säuren. S. ist eine farblose, ölige Flüssigkeit, die stark Wasser entziehend wirkt und sich unter erhebl. Wärmeentwicklung mit Wasser vermischt (Dichte 1,827 g/cm³, Schmelzpunkt 10 °C, Siedepunkt 338 °C). Verdünnte S. ist etwa 16 %ig, Akkumulatorensäure 20–26 %ig, konzentrierte S. 98 %ig. Rauchende S. (Oleum) ist 100 %ig, sie enthält große Mengen an gelöstem Schwefeltrioxid (SO_3). – S. bildet als zweibasige Säure primäre saure Salze, die **Hydrogensulfate,** und sekundäre neutrale Salze, die **Sulfate.**

Bei der *Herstellung* von S. wird Schwefeldioxid, SO_2, das beim Rösten sulfid. Erze entsteht, zu SO_3 oxidiert. Im heute kaum mehr gebräuchlichen **Bleikammerverfahren** wird überschüssiges SO_2 mithilfe von Stickoxiden zu SO_3 oxidiert, das durch Einsprühen von Wasser zu S. **(Kammersäure)** gelöst wird. Heute wird S. überwiegend nach dem **(Doppel-)Kontaktverfahren** hergestellt, wobei gereinigtes SO_2 über Vanadiumpentoxidkatalysatoren bei 500 °C im Kontaktofen durch Luftsauerstoff zu SO_3 oxidiert wird. Das abgekühlte Gas wird durch 98 %ige S. geleitet und das SO_3 unter Bildung von Dischwefelsäure, $H_2S_2O_7$, absorbiert; durch Verdünnen mit Wasser erhält man S. jeder gewünschten Konzentration.

Verwendung: S. gehört zu den in großen Mengen hergestellten Chemikalien. Sie dient v.a. zur Herstellung von Düngemitteln (Superphosphat, Ammoniumsulfat u.a.), zur Darstellung anderer Mineralsäuren, als Akkumulatorensäure und in der organ. Chemie u.a. zur Herstellung von Sulfonsäuren und S.-Estern sowie (als Bestandteil von Nitriersäure) von Nitroverbindungen.

Til Schweiger

Schwefelwasserstoff, →Schwefel (Verbindungen).

Schwefelwasserstoffvergiftung, durch Einatmen von Schwefelwasserstoff hervorgerufene Gesundheitsschäden, bei berufsbedingtem Kontakt anzeige- und entschädigungspflichtige Berufskrankheit. Geringe Mengen führen zu starken Reizungen der Augen- und Atemschleimhäute sowie Kopfschmerzen; die **akute S.** durch Einwirken größerer Dosen (z.B. bei Arbeiten in Jauchegruben, Abwasserkanälen) äußert sich in Bewusstlosigkeit, Atemlähmung und Kreislaufversagen; **chron. S.** in Schädigungen der Atemwege, des Herz-Kreislauf- und des Zentralnervensystems; erste Hilfe bei akuter S. durch künstl. Beatmung.

Schwegel, *Musikinstrumente:* **1)** im MA. Bez. für verschiedene Holzblasinstrumente; seit dem 16./17. Jh. eine kleine zylindr., eng mensurierte Schnabelflöte mit drei Grifflöchern, die als Einhandflöte zus. mit einer Trommel von einem Spieler gespielt wurde; bis heute Volksinstrument in der Provence, im Baskenland und in Katalonien.

2) Bez. für die Querpfeife.

3) in der Orgel ein Register mit offenen, meist zylindr. Labialpfeifen von mittelweiter Mensur.

Schweidnitz, Stadt in Polen, →Świdnica.

Schweifsterne, die →Kometen.

Schweigepflicht, Verpflichtung zur Geheimhaltung von →Berufsgeheimnissen und →Amtsgeheimnissen.

Schweiger, Til(man) Valentin, Schauspieler und Filmproduzent, *Freiburg i. Br. 19. 12. 1963; wurde nach Rollen in Fernsehproduktionen (»Lindenstraße«, 1991) v.a. durch »Der bewegte Mann« (1994), »Männerpension« (1995) und »Knockin' On Heaven's Door« (Hauptrolle und Regie, 1997) bekannt; weitere Filme »Punk« (1997), »Der Eisbär« (1998, auch Regie).

Schweigespirale, kontrovers diskutierter Begriff der Medienwissenschaften, seit den 1970er-Jahren von Elisabeth Noelle-Neumann in die Diskussion gebracht. Die Konzeption der S. geht davon aus, dass Menschen, deren Meinung nicht mit der von den Medien repräsentierten (angebl.) Mehrheitsmeinung übereinstimmt, zum Schweigen motiviert werden; damit entstehe letztlich eine schweigende Mehrheit.

Schweigezone (Zone des Schweigens), ein kreisförmiges Gebiet zw. 100 und 200 km Entfernung von einer Schallquelle, in dem z.B. eine Detonation nicht hörbar ist, während sie außerhalb dieses Gebietes infolge der Reflexion der Schallwellen in der Stratosphäre (durch Brechung, Reflexion, Beugung und Interferenz bei nach oben zunehmender Lufttemperatur) wieder hörbar wird.

Schweikart, Hans, Regisseur, Theaterleiter und Schauspieler, *Berlin 1. 10. 1895, †München 1. 12. 1975; 1918–23 am Dt. Theater Berlin; 1923–29 Regisseur und Schauspieler, 1947–62 als Intendant an den Münchener Kammerspielen; schrieb Komödien, drehte auch Filme.

Hans Schweikart

Schweine (Suidae), weltweit verbreitete Familie der Paarhufer mit breiten, vielhöckerigen Backenzähnen (Allesfressergebiss) und großen Eckzähnen (Hauern), die als Grabwerkzeug und Waffen benutzt werden und ständig nachwachsen.

Die S. umfassen fünf Gattungen mit neun Arten und zahlr. Unterarten. Das **Fluss-** oder **Buschschwein** (Potamochoerus porcus) bewohnt Afrika südlich der Sahara sowie Madagaskar; Fell schwarz bis fuchsrot mit weißer und dunkler Zeichnung. Das **Warzenschwein** (Phacochoerus aethiopicus) lebt in afrikan. Savannen; der breite Kopf trägt 3–4 Paar Hauthöcker; es hat eine lange Nacken- und Rückenmähne sowie sehr große Eckzähne; beim Wühlen rutscht es auf Schwielen der Handwurzel. Das **Riesenwaldschwein** (Hylochoerus meinertzhageni) Zentralafrikas ist mit einer Rückenhöhe bis 110 cm eines der größten S.; die graue Haut ist mit langen schwarzen Haaren bedeckt. Fast unbehaart ist der **Hirscheber** oder **Babirusa** (Babyrousa babyrussa) von Celebes und einigen benachbarten Inseln; die oberen Eckzähne biegen sich nach hinten und können in den Schädel einwachsen.

Die **Wildschweine** (Gattung **Sus**) sind über ganz Eurasien verbreitet: **Bartschwein** (Sus barbatus) und **Pustelschwein** (Sus verrucosus) auf den Sundainseln und den Philippinen, das hasengroße **Zwergwildschwein** (Sus salvanius) im S-Himalaja sowie mit der weitesten Verbreitung das **Euras. Wildschwein** (Sus scrofa).

Das aus europ. und asiat. Unterarten des Euras. Wildschweins durch Domestikation hervorgegangene **Hausschwein** (Sus scrofa domesticus) wird als wichtiger Fleisch-, Fett-, Leder- und Borstenlieferant heute in zahlr. Kulturrassen gezüchtet. In Dtl. sind v.a. folgende S.-Rassen von Bedeutung: **Deutsche Landrasse,** großwüchsig mit langem breitem Rumpf, dicht anliegender weißer Behaarung und Schlappohren, Fleischschwein. – **Deutsche Landrasse B** (aus der Belg. Landrasse hervorgegangen), mittelgroß, mit starker Breitenentwicklung im Rücken und Schinken; weiß, gute Mastleistung; wichtig als Vaterlinie für Kreuzungsmastferkel. – **Deutsches Edelschwein,** weiß, ähnlich wie die Dt. Landrasse, aber im Rumpf kürzer und größer; mit großen Stehohren. – **Deutsches Piétrainschwein** (belg. Herkunft), mittelgroß, breit, weiß, schwarz gefleckt; Fleischschwein; wird auch als Vaterlinie für Kreuzungsmastferkel verwendet.

Wichtige ausländ. Rassen sind: **Yorkshire-S.,** bes. in Großbritannien und in den USA weit verbreitet; weiß; mit Stehohren. – **Dänische Landrasse (Baconschwein),** in fast allen westeurop. Landrassen eingekreuzt; Körper sehr lang, weiß, Schlappohren; wegen des durchwachsenen Specks v.a. vom engl. Markt bevorzugt. – **Duroc-S.,** ältere, amerikan. Rasse, neuerdings von zunehmender Bedeutung für Europa; mittelgroß, robust, einfarbig, rot; Verwendung v.a. zur Kreuzungszucht. – **Hampshire-S.,** alte Rasse in den USA, zunehmend auch in Europa; mittelgroß, schwarz, mit weißem Gürtel um Körper und Schulter; Stehohren.

Das erwachsene Hausschwein hat heute je nach Rasse und Geschlecht eine Widerristhöhe von rd. 90–130 cm und kann rd. 400 kg, selten auch bis 500 kg schwer werden. Die Brunst (Rausche) tritt etwa alle drei Wochen für 1½–2 Tage auf. Die Tragezeit beträgt 112–116 Tage. Zwei Würfe im Jahr sind üblich. Es werden i. Allg. 8–12 Junge (Ferkel) geworfen. Die Geschlechtsreife setzt im Alter von 3–6 (Männchen) bzw. 4–7 Monaten (Weibchen) ein. Die Zuchttauglichkeit ist erst mit 6–8 Monaten gegeben. Für die Mast bestimmte männl. Tiere werden im Alter von 3–6 Wochen, eventuell auch erst später kastriert.

Kulturgeschichte: Die Domestikation des Schweins ab etwa der Mitte des 6. Jt. v. Chr. wurde v.a. durch das soziale (Rangordnungs-)Verhalten des Wildschweins begünstigt. In Palästina wurde

Schweine: Das 300–350 kg schwere Durocschwein (links) und das 280–320 kg schwere Hampshireschwein zählen zu den amerikanischen Schweinerassen, die eine zunehmende Bedeutung für Europa haben

noch während der sog. kanaanäischen Epoche intensiv S.-Zucht betrieben; diese musste von den Hebräern wegen ihrer halbnomad. Lebensweise aufgegeben werden, woraus später das noch heute im Judentum und im Islam geltende Verbot des Genusses von S.-Fleisch entstand. – Bei Griechen und Römern war S.-Fleisch sehr beliebt. Neben dem Schaf und dem Stier war das Schwein auch das wichtigste Opfertier.

📖 *Handbuch Schweineproduktion, bearb. v.* F. Schmitten *u. a. Frankfurt am Main* [3]*1989.* – Mornet, P. *u. a.: Das S. u. seine Krankheiten. A. d. Frz. Hengersberg 1989.*

Schweine

Die Haltung des Hausschweins ist ab etwa der Mitte des 6. Jahrtausends im Gebiet des Fruchtbaren Halbmondes nachweisbar; Stammform war das Eurasische Wildschwein. Die Schweinezucht verbreitete sich noch in der Jungsteinzeit nach Europa und Ägypten sowie in Mesopotamien. Bei den Sumerern und Babyloniern sowie in Indien war das Hausschwein ein besonders geschätztes, in China das wichtigste Haustier. In Palästina wurde noch während der so genannten kanaanäischen Epoche intensiv Schweinezucht betrieben. Erst die Israeliten, die zunächst wegen ihrer halbnomadischen Lebensweise keine Schweine halten konnten, lehnten – auch nachdem sie sesshaft geworden waren – den Genuss von Schweinefleisch ab; dies bringen ihre strengen Speisegesetze zum Ausdruck. Für Griechen und Römer hingegen war Schweinefleisch ein wichtiges Nahrungsmittel. Die Wildschweinjagd, von der schon Homer erzählt und die im Römischen Reich in den Wildgehegen der Oberschicht sowie auf freiem Gelände betrieben wurde, war sehr beliebt. Wie Plutarch berichtet, wurden im antiken Ägypten Schweine in zuvor überschwemmte Felder getrieben, um den Bauern durch Wühlen das Pflügen zu ersparen.

Schweinfurt 2)
Stadtwappen

Schweineartige (Suoidea), Überfamilie der Paarhufer, in der die →Schweine und **Pekaris** (**Nabelschweine,** Tayassuidae) zusammengefasst sind. Das **Halsbandpekari** (Tayassu tajacu), mit weißer Halsbinde, lebt im S Nordamerikas bis Mittelargentinien, das größere, dunkler gefärbte **Weißbartpekari** (**Bisamschwein,** Tayassu albirostris) im trop. Süd- und Mittelamerika.

Schweinebandwurm, Art der →Bandwürmer.

Schweinelähme (Teschener Krankheit), virusbedingte, nichteitrige Hirn-Rückenmark-Entzündung des Schweins; verläuft mit Bewegungsstörungen bis zur völligen Lähmung der Hinterläufe; erstmals in Teschen festgestellt; meldepflichtig.

Georg Schweinfurth

Schweinepest, durch Viren verursachte schwere Infektionskrankheit der Schweine; wird direkt von Tier zu Tier oder über Mittler (erregerhaltige Küchenabfälle) übertragen. Bei akuten Fällen Auftreten von Fieber, punktförmigen Blutergüssen, Erbrechen und Durchfall. Bei chron. Verlauf kommt es zu krankhaften Veränderungen am Verdauungs- und Atmungssystem; meldepflichtig.

Schweinezyklus, Bez. für zykl. Preisschwankungen auf dem Schweinemarkt (übertragen auch für derartige Erscheinungen auf anderen Märkten). Hohe Preise bewirken eine Steigerung der Schweineaufzucht; das folgende hohe Angebot lässt die Preise fallen und führt zur Einschränkung der Produktion; bei niedrigerem Angebot ziehen die Preise wieder an. Der S. ist das klass. Beispiel für das →Spinnwebtheorem.

Schweinfurt, 1) Landkreis im RegBez. Unterfranken, Bayern, 841 km^2, (1996) 114 600 Einwohner.

2) kreisfreie Stadt und Verw.sitz von 1), am Main, 55 700 Ew.; Abteilung S. der FH Würzburg-S.; Städt. Sammlungen; Wälzlager- und Kraftfahrzeugzubehörind.; Mainhafen. – Johanniskirche (spätromanisch, mehrfach verändert), Rathaus (1570–72), Gymnasium (1582, heute Museum), Zeughaus (1590). – 791 erstmals urkundlich erwähnt, wurde Anfang des 13. Jh. Stadt, 1254 Reichsstadt, kam 1802/14 an Bayern.

Schweinfurter Grün, ein erstmals 1814 in Schweinfurt techn. hergestelltes Kupferpigment (Kupfer(II)-acetat-arsenit). S. G. ist ein intensiv grüner, jedoch giftiger Farbstoff, der früher als Malerfarbe verwendet wurde.

Schweinfurth, Georg, Afrikaforscher, *Riga 29. 12. 1836, †Berlin 19. 9. 1925; bereiste 1864–66 Ägypten, den östl. Sudan und die Küste des Roten Meeres; forschte im Auftrag der Preuß. Akademie der Wiss. 1869–71 im Gebiet des oberen Nil und seiner westl. Zuflüsse (Entdeckung des zum Kongo fließenden Uele); belegte als Erster die Existenz der Pygmäen.

Schweinitz, Wolfgang von, Komponist, *Hamburg 7. 2. 1953; von seinem Lehrer G. Ligeti beeinflusst; schrieb u. a. zwei Sinfonien (1973, 1974), »Mozart-Variationen« (1976), ein Klavierkonzert (1979), Kammermusik, Klavierstücke, Vokalwerke (»Papiersterne«, nach Gedichten von Sarah Kirsch, 1981), die Azione musicale »Patmos« (1990).

Schweinsaffen, →Makaken.

Schweinsfisch (Anisotremus virginicus), zur Familie der Süßlippen gehörende Art der Barschartigen Fische mit gelben Flossen; im Westatlantik verbreitet.

Schweinsohr (Keulenpfifferling, Cantharellus clavatus, Gomphus clavatus), bis 6 cm hoher Leistenpilz, jung keulen-, später ohrförmig; Färbung anfangs violettpurpur, dann ockergrau bis lehmfarben; essbar.

Schweinswale (Phocaenidae), Familie der Zahnwale mit dem auch an den mitteleurop. Küsten und im Unterlauf der Flüsse vorkommenden 2 m langen **Kleinen Tümmler** (**Meerschwein,**

Braunfisch, Phocoena phocoena) mit schwarzer Ober- und weißer Unterseite.

Schweiß, 1) *Physiologie:* (Sudor) farbloses, (unzersetzt und ohne das Sekret von Duftdrüsen) weitgehend geruchloses, salzig schmeckendes, wässriges Absonderungsprodukt der →Schweißdrüsen, das neutral bis schwach sauer reagiert. Neben Wasser (99,5%) enthält S. je nach Tierart und auch beim Menschen unterschiedl. Mengen an Mineralsalzen, bes. Kochsalz, außerdem geringe Mengen an organ. Verbindungen wie Harnstoff, Harnsäure, Glucose, Milchsäure, Aceton, Kreatin, Aminosäuren, Fettsäuren. Versch. organ. Substanzen im S. entstammen dem Sekret von Duftdrüsen bzw. sind bakterielle Zersetzungsprodukte. Sie ergeben mit Milchsäure und Komponenten aus der aufgenommenen Nahrung den (individuell) unterschiedl. S.- bzw. Körpergeruch. Der S. spielt eine wichtige Rolle bei der Temperaturregulation des Körpers und bildet einen schützenden (antibakteriellen) Säuremantel auf der Haut. Die **S.-Sekretion** (S.-Absonderung, Diaphorese, Transpiration) wird bei Säugetieren nerval gesteuert. Beim Menschen beträgt sie bei trockener Haut etwa 0,1 l je Tag, sonst normalerweise 0,3–0,7 l, bei starker körperl. Arbeit oder starker Erwärmung aber auch bis 5 l, in den Tropen sogar bis 15 l je Tag. Die Abgabe von S. ist eine Maßnahme des Organismus gegen Überwärmung in trockenheißer Umgebung. In diesem Fall kann der S. verdunsten (Schwitzen) und dadurch der Haut bzw. dem Organismus Wärme entziehen (Verdunstungskühlung). Der S.-Ausbruch an manchen Hautpartien bei Emotionen (z. B. kalter Angst-S.) hat keine Bedeutung für die Regelung der Körpertemperatur.

2) *Jägersprache:* Blut der Jagdtiere und Hunde.

Schweißbrenner, Gerät zur autogenen Metallverarbeitung (z. B. zum Gasschweißen), in dem ein Brenngas (meist Acetylen) und Sauerstoff in getrennten Schlauchleitungen einem Griffstück mit auswechselbarem Mischrohr zugeführt werden, nach Vermischung durch eine Schweißdüse nach außen treten und gezündet werden.

Schweißdrüsen, meist über den ganzen Körper verteilte, jedoch auch lokal konzentrierte, unverzweigte, tubulöse, den →Schweiß absondernde und der Wärmeregulation dienende Hautdrüsen, die nur bei Primaten (v. a. beim Menschen) vorkommen. Ihr knäuelförmig aufgewundener, sezernierender Hauptteil liegt im Unterhautbindegewebe und ist von glatten Muskelzellen umgeben. Die 2–4 μm weite Mündung (Schweißpore) liegt zw. den Haaren bzw. auf den Hautleisten.

Schweißen, *Fertigungstechnik:* Fügeverfahren zur stoffschlüssigen Verbindung zweier oder mehrerer Werkstoffe, das auf der Anwendung von Wärme **(Schmelz-S.)** oder Druck und Wärme **(Press-S.)** beruht. Das S. kann mit oder ohne Zusatzwerkstoffe erfolgen; es wird durch Schweißhilfsstoffe, wie Schutzgase, Schweißpulver und -pasten oftmals erst ermöglicht oder erleichtert. Man unterscheidet Verbindungs-S. zum festen Verbinden zweier Werkstoffe und Auftrags-S., bei dem z. B. als Korrosionsschutz ein Zusatzwerkstoff auf die Werkstückoberfläche aufgetragen wird.

Metallschweißen: Am häufigsten angewendet wird das Schmelz-S., bes. als Gas- und Lichtbogenschweißen. Beim **Gas-S. (autogenes S.)** wird die Schweißwärme durch die Flamme eines Schweißbrenners erzeugt. Beim **Lichtbogen-S.** dient ein Lichtbogen zum Aufschmelzen des Grund- und Zusatzwerkstoffes. Beim Lichtbogen-S. unter Schutzgas werden im Bereich der Schmelze Reaktionen mit der Atmosphäre durch Zuführen eines Edelgases (Edelgas-Lichtbogen-S.), z. B. Helium, Argon, oder von Kohlendioxid verhindert. Beim atomaren Lichtbogen-S. wird das Gas auch an der Energieumsetzung im Bereich der Schweißstelle beteiligt (Metall-Aktivgas-Verfahren, **MAG-Verfahren**). Beim Arcatomverfahren brennt der Lichtbogen zw. zwei Wolframelektroden, die von Wasserstoff umspült werden. Entsprechend arbeitet das **Plasma-S.** mit einem besonderen Plasmabrenner. Weitere Schutzgas-Schweißverfahren sind z. B. das Wolfram-Inertgas-Verfahren **(WIG-Verfahren)** mit Wolframelektrode und Zusatzwerkstoff, das Metall-Inertgas-Verfahren **(MIG-Verfahren),** das mit abschmelzender Metallelektrode arbeitet. Zum aluminotherm. S. **(Thermit-S.)** →Aluminothermie. Beim **Elektronenstrahl-S.** dienen scharf gebündelte Elektronenstrahlen hoher Energiedichte als Wärmequelle. Für Spezialschweißungen an hochschmelzenden Werkstoffen ist das S. mit Laserstrahlen geeignet. Beim Ultraschall-S. erzeugen hochfrequente mechan. Schwingungen eine örtl. Reibung zw. den fest zusammengepressten zu verbindenden Teilen.

Beim Press-S. wird das Werkstück zunächst an der Verbindungsstelle erhitzt und nachfolgend im plast. Zustand unter Druck zusammengefügt, z. B. Kaltpress-S. und Feuerschweißen. Beim **Widerstandspress-S.** werden die zu verbindenden metall. Werkstücke vom elektr. Strom durchflossen und durch Widerstandserwärmung in der Schweißzone aufgeschmolzen. Ähnlich arbeitet das **Punkt-S.,** das zur punktweisen Verbindung von Blechen dient; der Strom wird über Druckelektroden zugeführt. Das **Naht-S.** verwendet scheibenförmige Elektrodenrollen zur Verbindung. Beim **Induktions-S.** wird die induktive Erwärmung durch ein Wechselfeld mittlerer Frequenz bewirkt.

Kunststoffschweißen: Thermoplast. Kunststoffe werden nach Erwärmen örtlich erweicht und mit

Schweißen: Elektronenstrahlschweißen

Schweißdrüsen
Ein erwachsener Mensch hat über zwei Millionen Schweißdrüsen. Bei einer Außentemperatur von 29 °C beginnen sie mit der Wasserabgabe, da sonst die Körpertemperatur rasch ansteigen würde (bei körperlicher Anstrengung, nervöser Erregung, Fieber usw. natürlich auch schon bei niedrigeren Außentemperaturen). Männer verdunsten übrigens mehr Flüssigkeit als Frauen.

Schweiz

Fläche: 41 293 km²
Einwohner: (1995) 7,2 Mio.
Hauptstadt: Bern
Verwaltungsgliederung: 26 Kantone
Amtssprachen: Deutsch, Französisch, Italienisch, Rumantsch Grischun (Bündnerromanisch)
Nationalfeiertag: 1. 8.
Währung: 1 Schweizer Franken (sfr) = 100 Rappen (Rp)/Centimes (c)
Zeitzone: MEZ

Staatswappen

CH

Internationales Kfz-Kennzeichen

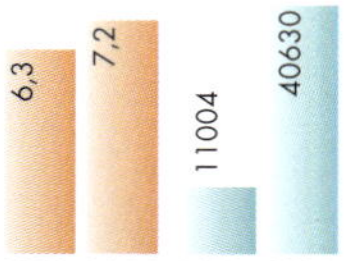

1970 1995 Bevölkerung (in Mio.)
1970 1995 Bruttosozialprodukt je Ew. (in US-$)

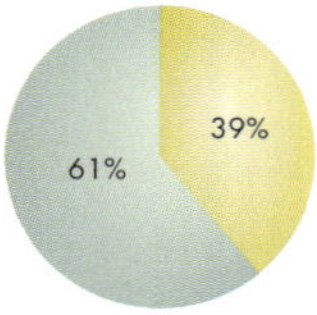

■ Stadt
■ Land

Bevölkerungsverteilung 1995

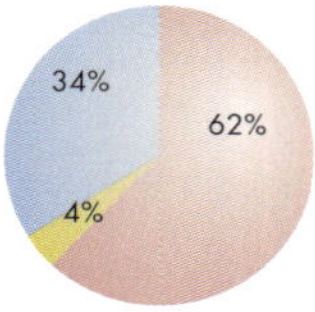

■ Industrie
■ Landwirtschaft
■ Dienstleistung

Bruttoinlandsprodukt 1995

oder ohne Schweißzusatzwerkstoff unter Druck vereinigt.

Geschichtliches: Das S. von Eisen war schon im 14. Jh. v. Chr. in Kleinasien bekannt. Das S. mit Acetylen-Sauerstoff-Flamme entwickelte v.a. der Franzose W. Fouché (1900/01). Die elektr. Widerstandsschweißung wurde 1877 von E. Thomson erfunden. Die Lichtbogenschweißung mit Kohleelektroden gab N. N. von Benardos 1885 an. Das aluminotherm. S. geht auf H. Goldschmidt (1895) zurück. Heute werden vielfach Roboter für S.arbeiten eingesetzt.

📖 PUSCHNER, M.: *5 Jahrtausende S. Düsseldorf 1986. – Laserstrahltechnologien in der Schweißtechnik. Düsseldorf 1989. – Grundlagen der Schweißtechnik, hg. v.* M. BECKERT. *Berlin u. a. [7]1991.*

Schweißhunde, Bez. bes. für die beiden mittelgroßen Jagdhunderassen mit überlangen Ohren: **Hannoverscher S.** und **Bayerischer Gebirgs-S.;** eignen sich zur Verfolgung angeschossenen Wildes mit Blutaustritt (Schweiß).

Schweißschlacke, *Geologie:* tuffartige vulkan. Ablagerung, entstanden durch ausgeschleuderte glutflüssige Lavafetzen, die zu einer festen, oft stark glasigen Masse zusammenschweißen.

schweißtreibende Mittel (Diaphoretika), Schweißdrüsen anregende, äußerlich (z.B. Sauna, Schwitzpackung) oder innerlich (z.B. Lindenblütentee) angewandte Mittel; wirken fiebersenkend.

Schweißtuch der Veronika, →Veronika.

Schweitzer, Albert, elsäss. evang. Theologe, Arzt, Philosoph und Musiker, *Kaysersberg (Oberelsass) 14. 1. 1875, †Lambarene (Gabun) 4. 9. 1965; 1893–98 Studium der Theologie und Philosophie, 1905–12 der Medizin; gründete 1913 das Tropenhospital Lambarene und wirkte dort bis zu seinem Tod als Missionsarzt; leistete als Theologe wichtige Beiträge v.a. zur Leben-Jesu-Forschung; erwarb sich als Musiker Verdienste durch die Herausgabe und Neuinterpretation des Orgelwerkes von J. S. Bach; prägte den Grundsatz der »Ehrfurcht vor dem Leben«. S. erhielt 1951 Friedenspreis des Dt. Buchhandels, 1952 Friedensnobelpreis.

Werke: J. S. Bach, le musicien-poète (1905; dt. J. S. Bach); Von Reimarus zu Wrede (1906, ab 1913 u. d. T. Geschichte der Leben-Jesu-Forschung); Dt. und frz. Orgelbaukunst und Orgelkunst (1906); Das Christentum u. die Weltreligionen (1924); Briefe aus Lambarene 1924–27 (1955).

📖 KLEBERGER, I.: *A. S. Das Symbol u. der Mensch. München 1989.* – STEFFAHN, H.: *A. S. Reinbek 1994.*

Albert Schweitzer (um 1965)

Schweiz (frz. Suisse, italien. Svizzera, rätoroman. [bündnerroman.] Svizzra, amtliche Namen: Schweizerische Eidgenossenschaft, Confédération Suisse, Confederazione Svizzera, lat. Confoederatio Helvetica), Abk. **CH,** Bundesstaat in Mitteleuropa, grenzt im N an Dtl., im NO und O an Österreich und Liechtenstein, im SO und S an Italien, im W an Frankreich.

Staat und Recht: Nach der Verf. von 1874 ist die S. eine föderative, demokrat. Republik, bestehend aus 20 Kantonen und sechs Halbkantonen. Den Bundesorganen stehen nur die ihnen von den Kantonen übertragenen Rechte zu. Staatsoberhaupt ist der Bundespräs., der jährlich aus den Reihen des Bundesrates gewählt wird und gegenüber seinen Regierungskollegen nur unbedeutende Vorrechte besitzt (Vorsitz in den Bundesratssitzungen, Vertretung der S. nach außen). Die Exekutive liegt beim Bundesrat, dessen sieben Mitgl. (Bundesräte) dem Parlament nicht verantwortlich sind und eine permanente »große Koalition« –

ohne expliziten Koalitionsvertrag – bilden. Die Bundesräte verstehen sich in erster Linie als Chefs ihrer Ministerien (Departements) und erst in zweiter Linie als Mitgl. eines Kollegialorgans, das jedoch in allen wichtigen Regierungsangelegenheiten formelle Entscheidungsinstanz bleibt. Während der Legislaturperiode des Nationalrats ist es der Bundesversammlung formell verwehrt, einen Bundesrat oder die Reg. abzusetzen. Die Legislative liegt bei der Bundesversammlung, die aus zwei gleichberechtigten Kammern besteht, dem Nationalrat und dem Ständerat. Die 200 Abg. des Nationalrats werden in kantonalen Wahlkreisen nach dem Verhältniswahlrecht auf vier Jahre gewählt (allg. Wahlrecht ab 18 Jahren; Frauenwahlrecht auf Bundesebene seit 1971). Die Mandate werden unter den Kantonen entsprechend ihrer Bev.zahl verteilt. In den Ständerat (46 Mitgl.) entsendet jeder Kanton zwei, jeder Halbkanton einen Vertreter. Wahlmodus und Mandatsdauer bestimmt das kantonale Recht. Die Bundesversammlung wählt den Bundesrat, den Bundespräs., das Bundesgericht, das Versicherungsgericht, den Bundeskanzler, den General der eidgenöss. Armee und entscheidet über Begnadigungsgesuche und Kompetenzstreitigkeiten zw. Bundesbehörden. Der Bundesversammlung obliegen neben der Gesetzgebung u.a. die Verwaltungskontrolle, das Budget, Bündnisse und Verträge mit dem Ausland und die Entscheidung über Krieg und Frieden. Die dominierende Stellung des Bundesrates im polit. System der S. hat ein gewisses Gegengewicht in den direktdemokrat. Rechten der Bürger (Referendum, Volksinitiative, Volksabstimmung). Der Charakter der S. als Bundesstaat bedingt eine weitgehende Aufteilung der Gesetzgebungszuständig-

Schweiz, Verwaltungsgliederung (1996)

Kanton[1]	Fläche[2] in km²	Ew. in 1000	Ew. je km²	Hauptstadt bzw. Hauptort
Zürich	1729	1175,5	680	Zürich
Bern	5959	942,0	158	Bern
Luzern	1493	340,5	228	Luzern
Uri	1077	35,9	33	Altdorf
Schwyz	908	122,4	135	Schwyz
Obwalden	491	31,3	64	Sarnen
Nidwalden	276	36,5	132	Stans
Glarus	685	39,4	58	Glarus
Zug	239	92,4	387	Zug
Freiburg	1671	224,6	134	Freiburg im Üechtland
Solothurn	791	239,3	303	Solothurn
Basel-Stadt	37	195,8	5292	Basel
Basel-Landschaft	518	252,3	487	Liestal
Schaffhausen	298	74,0	248	Schaffhausen
Appenzell-Außerrhoden	243	54,1	223	Herisau
Appenzell-Innerrhoden	173	14,8	86	Appenzell
St. Gallen	2026	442,4	218	St. Gallen
Graubünden	7105	185,1	26	Chur
Aargau	1404	528,9	377	Aarau
Thurgau	991	223,4	225	Frauenfeld
Tessin	2812	305,2	109	Bellinzona
Waadt	3212	605,7	189	Lausanne
Wallis	5224	271,3	52	Sitten
Neuenburg	803	165,3	206	Neuenburg
Genf	282	395,5	1402	Genf
Jura	838	69,2	83	Delémont
Schweiz	41285	7062,4	171	Bern

[1] amtl. Reihenfolge. – [2] Kantonsangaben

Schweiz - Verwaltungsgliederung

Schweiz

1

2

3

4

| **1** Der Rheinfall bei Schaffhausen ist mit einer Tiefe von rund 20 m und einer Breite von 150 m der größte Wasserfall Mitteleuropas | **2** Typische Landschaft mit Bauernhöfen im Appenzeller Hügelland | **3** Teil der Berner Alpen mit Rosenlauigletscher, Wellhorn (3 192 m) und dem 3 701 m hohen Wetterhorn (von links nach rechts) | **4** Blick vom 2 568 m hohen Muottas Muragl auf Sankt Moritz am Sankt Moritzer See im Oberengadin

keit zw. Bund und Kantonen. Die Kantone sind im Rahmen der von der Bundes-Verf. gezogenen Grenzen autonom. Sie verfügen über eigene Verf. und Behörden. Gesetzgebendes Organ ist ein vom Volk gewählter Großer Rat (Kantonsrat, Landrat), Exekutivorgan ist ein vom Volk oder der Landsgemeinde gewählter Reg.rat (Kleiner Rat, Staatsrat). Die Parteienlandschaft weist, bedingt durch die unterschiedl. Traditionen der Kantone, eine große Vielfalt auf. Die vier größten, im Verhältnis 2:2:2:1 (sog. Zauberformel) im Bundesrat vertretenen Parteien sind die liberale Freisinnig-Demokrat. Partei (FDP), die Sozialdemokrat. Partei (SPS), die bürgerl.-konservative Christlichdemokrat. Volkspartei (CVP) und die mittelständische Schweizer. Volkspartei (SVP). Stärker auf Kantonsebene und darüber hinaus im Nationalrat vertreten sind ferner: der Landesring der Unabhängigen (LdU), die Evang. Volkspartei (EVP), die Grüne Partei (GPS), die Schweizer. Demokraten (SD; hervorgegangen aus der Nat. Aktion gegen die Überfremdung von Volk und Heimat), die Autopartei (APS) sowie die Partei der Arbeit (PdA; Nachfolgeorganisation der 1940 verbotenen KP).

Landesnatur: Die S. liegt im Gebiet der zentralen Alpen und deren nördl. Vorland. Landschaftlich gliedert sie sich in Jura, Mittelland und Alpen. Der Schweizer Anteil am Jura mit Mittelgebirgscharakter umfasst den Kettenjura, Teile des Platten- und Tafeljura. Das Schweizer Mittelland gehört zum Alpenvorland und erstreckt sich zw. Jura und Alpen, Bodensee und Genfer See als ein von Flusstälern stark zerschnittenes, 400–1000 m hohes Bergland. Die Schweizer Alpen nehmen rd. 60% der Landesfläche ein. Sie sind durch die große Längstalzone Rhonetal–Rheintal und zahlr. Quertäler stark gegliedert und dem Verkehr geöffnet. Der nördl. Alpenzug erreicht in den stark vergletscherten Berner Alpen seine größte Höhe (Finsteraarhorn 4274 m ü. M.); der südl. Teil trägt in den gletscherreichen Walliser Alpen den höchsten Punkt der S. überhaupt (Monte Rosa 4634 m ü. M.), während im O die schon zu den Ostalpen gerechneten Rät. Alpen im Piz Bernina (4049 m ü. M.) gipfeln. Mit dem Tessin hat die S. einen schmalen Anteil an der Südabdachung der Alpen. Das Sankt-Gotthard-Massiv ist das Quellgebiet zahlr. Flüsse: Rhein, Reuß, Aare, Rhone und Tessin. Das Hochtal des Engadin im O wird durch den Inn zur Donau entwässert. Sehr reich ist die S. an Seen; sie hat Anteil an den beiden größten nördl. Vorlandseen Bodensee und Genfer See sowie an den oberitalien. Seen Lago Maggiore und Luganer See und besitzt maler. Alpenrandseen, wie Vierwaldstätter See, Zürichsee, Thuner See, am Jurarand Neuenburger und Bieler See. Es herrscht feuchtgemäßigtes Klima mit hohen Niederschlägen. Die Pflanzenwelt ist mitteleuropäisch und nach Höhenlagen abgestuft (→Alpen).

Bevölkerung: Die S. gliedert sich in drei Sprachräume: den dt. im N, im Zentrum und im O (Deutschschweizer), den frz. im W und den italien. Sprachraum im Kt. Tessin sowie in Teilen des Kt. Graubünden im S; innerhalb des dt. liegen die Gebiete der Rätoromanen, deren Sprache seit 1938 als vierte Landessprache, seit 1996 als Amtssprache anerkannt ist. Deutsch wird von 63,6% der Bev. gesprochen, Französisch von 19,3%, Italienisch von 7,6%, Rätoromanisch von 0,6%, andere Sprachen von 8,9%. Der Anteil der Ausländer beträgt 19%. Am dichtesten besiedelt sind das Mittelland, das untere Tessin und Teile des Jura. Hauptsiedlungsräume in den Alpen sind die Täler. Großstädte sind Zürich, Basel, Genf, Bern und Lausanne. – Das Schulwesen ist überwiegend Kantonsangelegenheit. Die Schulpflicht von acht (neun) Jahren umfasst i. Allg. eine Primarstufe von fünf oder sechs Jahren und eine Sekundarstufe I von 3–5 Jahren, danach können Diplom-Mittelschulen (2–3 Jahre), Berufsschulen oder Gymnasien (Maturitätsschulen) besucht werden. Es gibt Univ. in Basel (gegr. 1460), Bern (1834), Freiburg (1889), Genf (1873), Lausanne (1890), Neuenburg (1909), Zürich (1833), zwei Eidgenöss. TH (Zürich, Lausanne), die Hochschule St. Gallen für Wirtschafts- und Sozialwiss. sowie Kunst-, Musik- u. a. Hochschulen. – Die Mehrheit der Bev. sind Christen (47,6% kath., 44,3% evang.); ferner Altkatholiken und Juden.

Wirtschaft, Verkehr: Die S. zählt zu den führenden Ind.nationen der Welt. Hauptzweige sind verarbeitende Ind., Energiewirtschaft, Baugewerbe und Dienstleistungssektor. An erster Stelle der stark exportorientierten Produktion stehen Maschinen- und Apparatebau (elektron., elektrotechn. und opt. Geräte) sowie Fahrzeugbau; es folgen v. a. Metallverarbeitung, Uhren-, chem., pharmazeut., Textil- und Bekleidungs-, Papier-, Holz- und Möbel-, Zement-, Nahrungs- und Genussmittelindustrie (Käse, Schokolade). Wichtig sind Abbau von Steinen und Erden sowie Salzgewinnung. Der Energiebedarf wird durch Wasserkraftwerke zu 62%, Kernkraftwerke zu 36% und Wärmekraftwerke zu 2% gedeckt. Im Dienstleistungsbereich kommen dem Bankgewerbe – die S. zählt zu den wichtigsten Finanzzentren der Welt – und dem Fremdenverkehr größte Bedeutung zu. Letzterer ist mit jährlich rd. 77 Mio. Übernachtungen ein wichtiger Wirtschaftsfaktor und spielt bes. in den Bergregionen, Seezonen und Großstädten eine dominierende Rolle. Die Landwirtschaft nutzt 38,3% der Landesfläche, davon entfallen über die Hälfte auf Ackerland (Getreide, Hackfrucht, Gemüse), Wiesen, Weiden und Rebland, der andere Teil auf Almwirtschaft (bes. in den Bergregionen) mit einer hoch entwickelten Viehzucht zur Milch- und Fleischerzeugung; im S Obst- und Weinbau. Rd. 30% des Landes sind mit Wald bedeckt. Hauptausfuhrgüter sind Maschinen, chem. und pharmazeut. Erzeugnisse, Apparate, Uhren, Textilien, Bekleidung, Nahrungsmittel; Haupthandelspartner sind Dtl., die EU-Länder und die USA. – Die S. ist ein wichtiges Transitland.

Schweiz - Sprachen

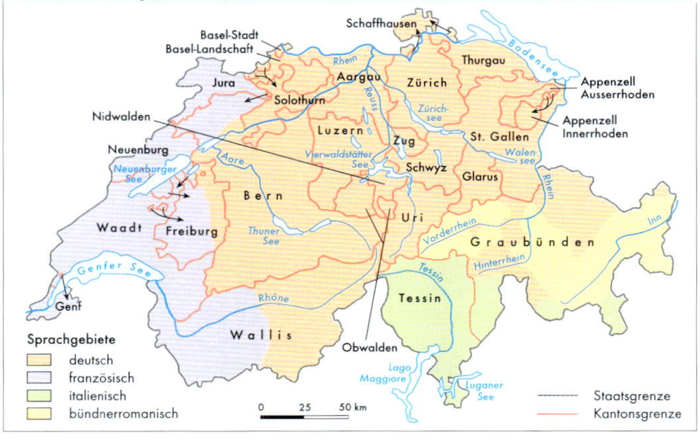

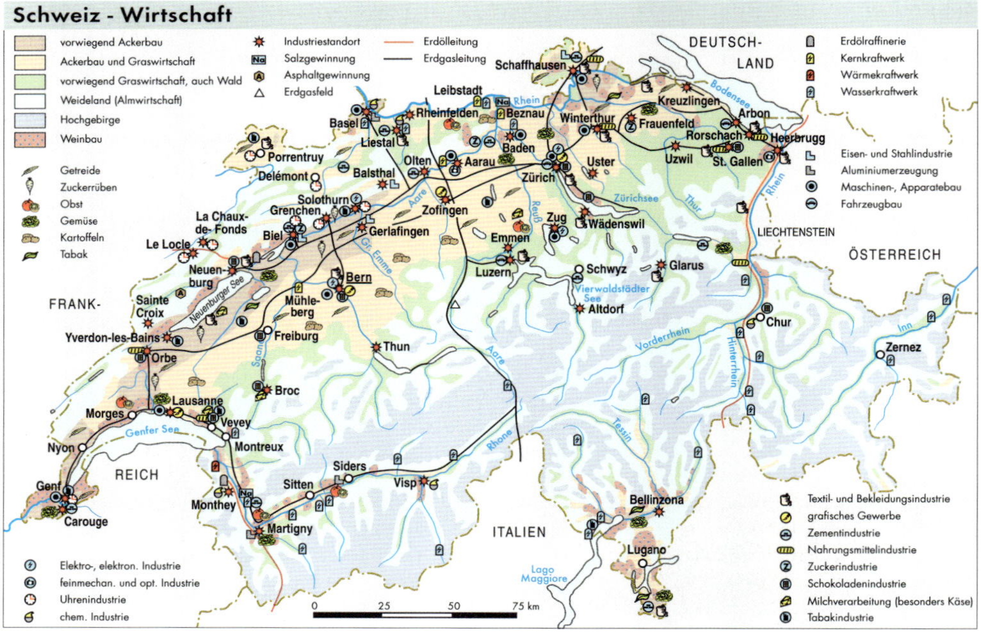

Die W-O-Verbindungen führen durch das Mittelland; Alpenpässe und -tunnel, deren wichtigste Sankt-Gotthard-Tunnel, Simplon- und Lötschbergtunnel sind, leiten von N- nach S-Europa. Das vollständig elektrifizierte Eisenbahnnetz (5029 km) und das 71045 km lange Straßennetz bieten eine hervorragende verkehrstechn. Erschließung, hinzu kommen noch 814 km Zahnrad- und Seilbahnen in den Alpen. Wichtigster Schifffahrtsweg ist der Rhein mit dem Flusshafen Basel. Internat. Flughäfen haben Zürich, Genf und Basel.

Geschichte

Römisches Altertum und frühes Mittelalter: Die kelt. Helvetier, nach denen die S. sich noch heute nennt, wanderten kurz vor 100 v. Chr. zw. Jura und Alpen ein. 58 v. Chr. unterwarf Cäsar sie bei Bibracte; 15 v. Chr. wurden Räter und Alpenkelten dem Röm. Reich eingegliedert. Im O kamen sie zur Prov. Rätien, im W zur Prov. Gallien (Ursprung der rätoroman., italien. und frz. Sprache in der S.). Im 5. Jh. ließen sich Burgunder im W, Alemannen im N der heutigen S. nieder. Seit 536 fränkisch (843 zum Ostfränk. Reich), kam der W um 900 zum Königreich Burgund, der Hauptteil zum Hl. Röm. Reich. Als 1032/34 Burgund an den Röm. König Konrad II. fiel, war ein loses Band um die meisten Gebiete hergestellt, doch entstanden bald zahlr. weltl. und geistl. Herrschaften (u. a. der Herzöge von Zähringen; Klöster wie St. Gallen, Einsiedeln, Saint-Maurice, die Bistümer Genf, Lausanne, Sitten, Basel, Chur, Konstanz). Um 1250–1300 erlangten die Grafen von Savoyen im SW, die Habsburger im N und O die Vorherrschaft.

Die »alte« Eidgenossenschaft 1291–1798: Den beiden Tälern Uri und Schwyz verlieh Kaiser Friedrich II. 1231 und 1240 die Reichsunmittelbarkeit, die jedoch von den Habsburgern bestritten wurde. Anfang August 1291 schlossen die drei »Urkantone« (Waldstätte) Uri, Schwyz und Unterwalden einen »Ewigen Bund«. Die Befreiungssagen um W. Tell und den ersten Rütlischwur sind erst seit dem 15. Jh. belegt, wurden jedoch zum allg. schweizer. Gründungsmythos. – Die Urkantone siegten am Morgarten (1315) über ein österr. Ritterheer; darauf erneuerten sie den »Ewigen Bund«; ihm traten 1332 Luzern, 1351 die Reichsstadt Zürich, 1352 Glarus und Zug, 1353 die Reichsstadt Bern bei. So entwickelte sich aus dem Bund der drei »Orte« (Kantone) die Eidgenossenschaft der »Acht alten Orte«, auf die dann der Name von Schwyz als Gesamtbez. überging. Durch den Sieg bei Sempach (1386) über Habsburg sicherten sich die Waldstätte und Luzern, durch den Sieg bei Näfels (1388) die Glarner ihre Unabhängigkeit (Reichsunmittelbarkeit). 1415 eroberten die Eidgenossen den habsburg. Aargau, wehrten 1444 bei Sankt Jakob an der Birs (heute Stadtteil von Basel) die frz. Armagnaken (→ Armagnac) ab und eroberten 1460 den habsburg. Thurgau. In den Burgunderkriegen (1474–77) besiegten sie Karl den Kühnen bei Grandson, Murten und Nancy; dadurch erhielten sie internat. Ansehen und waren seitdem als Söldner (»Fremde Dienste«) im Ausland gefragt (Schweizergarde). 1481 schlossen sich Freiburg und Solothurn der Eidgenossenschaft an. Die Ablehnung der Reichsreformpläne unter Maximilian I. führte zum »Schwabenkrieg« von 1499, dessen Ergebnis die Loslösung der S. vom Hl. Röm. Reich war (Frieden von Basel). Durch die Aufnahme Basels und Schaffhausens (1501) sowie Appenzells (1513) erweiterte sich die Eidgenossenschaft zum Bund der »Dreizehn alten Orte«. Sie griffen 1512–16 als Gegner Frankreichs in den Kampf um das Herzogtum Mailand ein, erlitten zwar 1515 die Niederlage bei Marignano (→Melegnano), gewannen aber 1516 das Tessin, der verbündete Freistaat der Drei Bünde (Graubünden) das Veltlin. Danach begann die Politik der Neutralität.

Ulrich Zwingli: Ausschnitt eines Gemäldes von Hans Asper (1594; Zürich, Zentralbibliothek)

Die Reformation wurde seit 1519 in Zürich von U. Zwingli, später in Basel und Bern, in der französischsprachigen S. von J. Calvin (Genf) und G. Farel (Genf, Neuenburg) eingeführt; sie fand in den meisten Städtekantonen und deren Untertanenländern Eingang, während die Urkantone, Luzern, Zug, Freiburg und Solothurn katholisch blieben. Der »Zweite Kappeler Krieg« (1531) brachte durch den Sieg der Katholiken über Zürich und den Tod Zwinglis die Ausbreitung der Reformation in der dt. S. zum Stillstand; sie behauptete sich aber in Genf, das Mittelpunkt des Kalvinismus wurde, und am Genfer See. Mit der »Confessio Helvetica posterior« (1566) entstand die ref. Kirche. 1526 wurde Genf ein »Zugewandter Ort« der Eidgenossenschaft, die Berner eroberten 1536 die Waadt. Während der Gegenreformation ließen sich die Jesuiten auch in der S. nieder. 1586 schlossen die kath. Orte den »Goldenen Bund«. Der Westfäl. Friede (1648) brachte auch die völkerrechtl. Loslösung vom Hl. Röm. Reich (»Exemtion«). Nach einem offenen gesamteidgenöss. Bürgerkrieg (»Villmerger Kriege« 1656 und 1712) ging die polit. Vorherrschaft von den kath. Fünf Orten auf die ref. Kantone Bern und Zürich über.

Den Kern der alten Eidgenossenschaft bildeten die »Dreizehn alten Orte«, eine Konföderation selbstständiger Kantone, der Verbündete (→Zugewandte Orte) angeschlossen waren. Die gemeinsamen Angelegenheiten wurden auf der »Tagsatzung« durch instruierte Gesandte behandelt. Eine einheitl. Außenpolitik war kaum möglich; daraus ergab sich eine Politik der Neutralität (1674 deklariert). Die Verf. der Stadtkantone wurden im 16./17. Jh. zünftisch-aristokratisch. Unselbstständig waren die von Landvögten verwalteten Landgebiete der Stadtkantone und die den Eidgenossen gemeinsam gehörenden Gebiete (Gemeine Herrschaften): Thurgau, Tessin, Veltlin, Teile des Aargaus und Rheintales.

Von der Helvetischen Republik bis 1848: Von Anhängern der revolutionären Ideen (P. Ochs, F. C. de La Harpe) gerufen, griff Frankreich 1798 in die schweizer. Verhältnisse ein. Nach dem Vorbild der Frz. Revolution wurde die »Eine und unteilbare Helvet. Republik« als demokrat. Einheitsstaat (Rückstufung der Kantone auf Verw.bezirke.) mit einer von dem Baseler P. Ochs ausgearbeiteten Verf. (sog. Helvetik) geschaffen, der Widerstand der Inner-S. gebrochen; Mülhausen, das Bistum Basel sowie Biel und Genf kamen zu Frankreich, das Veltlin zur Zisalpin. Republik (Oberitalien). Als 1802 ein allg. Aufstand gegen die helvet. Regierung in Bern ausbrach, gab Napoléon Bonaparte durch die »Mediationsakte« vom 19. 2. 1803 der S. eine neue Verf., die den Staatenbund der Kantone wiederherstellte; sechs ehem. Untertanengebiete wurden zu neuen Kantonen (St. Gallen, Graubünden, Aargau, Thurgau, Tessin und Waadt). Genf blieb frz.; zugleich wurde das strategisch wichtige Wallis zu einem eigenen Freistaat erhoben, aber 1810 Frankreich einverleibt; Neuenburg war 1806–13 ein Fürstentum des frz. Marschalls Berthier. Der Gesamtstaat erhielt eine Verf. mit einer

Johannes Calvin (Ausschnitt aus einem zeitgenössischen Kupferstich)

Schweiz

Ausschnitt aus dem Bundesbrief der drei Orte Uri, Schwyz und Nidwalden, der Gründungsurkunde der Schweiz, Anfang August 1291:

»Das öffentliche Ansehen und Wohl erfordert, dass Friedensordnungen dauernde Geltung gegeben werde. (1) Darum haben alle Leute der Talschaft Uri, die Gesamtheit des Tales Schwyz und die Gemeinde der Leute der unteren Talschaft von Unterwalden im Hinblick auf die Arglist der Zeit zu ihrem besseren Schutz und zu ihrer Erhaltung einander Beistand, Rat und Förderung mit Leib und Gut innerhalb ihrer Täler und außerhalb nach ihrem ganzen Vermögen zugesagt gegen alle und jeden, die ihnen oder jemand aus ihnen Gewalt oder Unrecht an Leib oder Gut antun. […]«

Schweizer Eidgenossenschaft - Entwicklung bis 1797

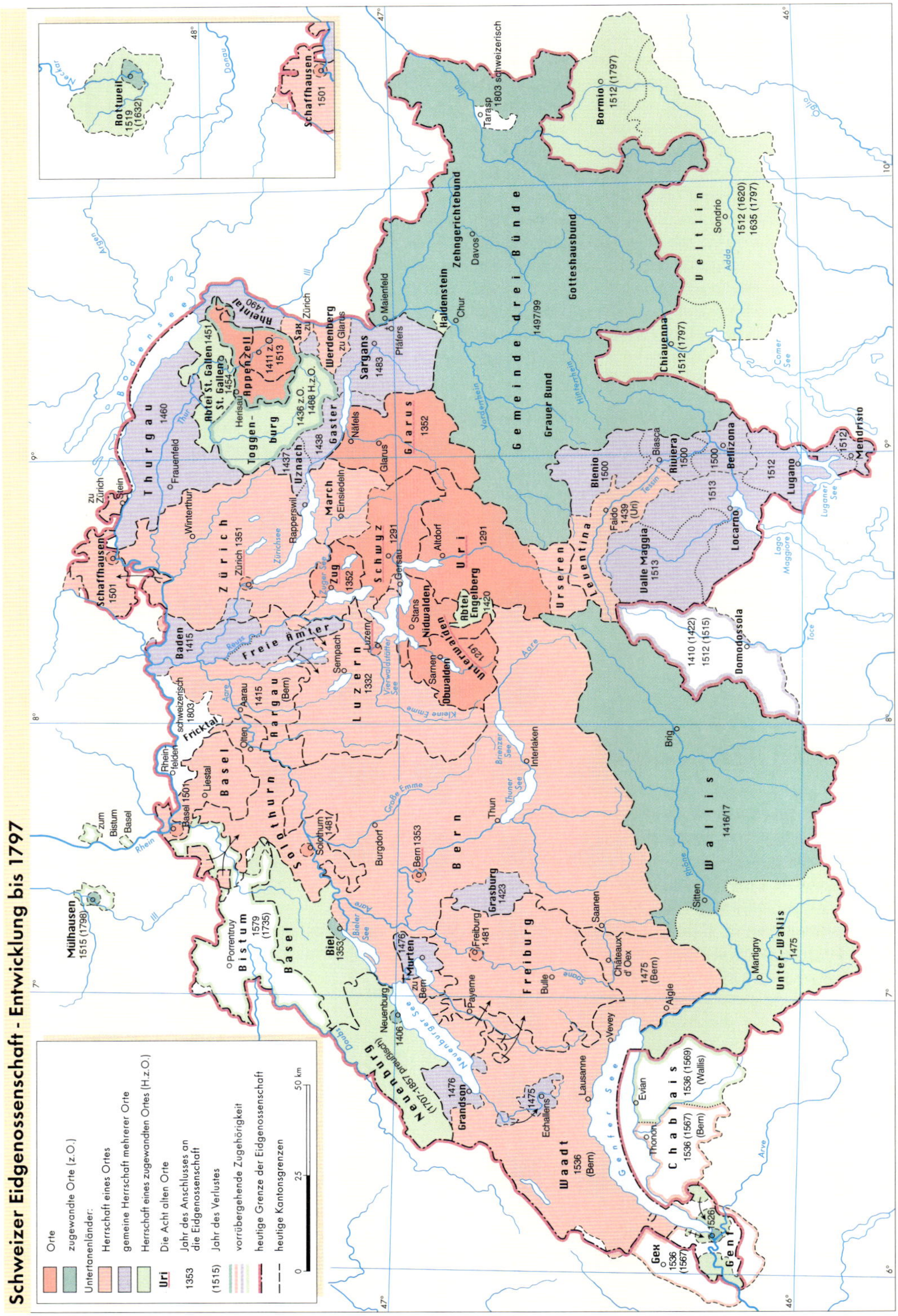

Gesamtbehörde (»Tagsatzung«). Nach den Befreiungskriegen wurden Ende 1813 wieder aristokrat. Regierungsformen eingeführt, aber nicht die Abhängigkeit der früheren Untertanenländer. Der 1. Pariser Frieden von 1814 gab der S. die an Frankreich gefallenen Gebiete zurück; das Veltlin blieb bei Österreich. Das säkularisierte Bistum Basel kam größtenteils an Bern (Berner Jura), während Genf, Wallis und Neuenburg die Zahl der Kantone auf 22 vermehrten; Neuenburg blieb zugleich noch ein Fürstentum der preußischen Könige (1707–1857). Der Wiener Kongress und der 2. Pariser Frieden von 1815 anerkannten die immer währende Neutralität der Schweiz. Der schweizer. »Bundesvertrag« vom 7. 8. 1815 errichtete nur einen lockeren Staatenbund der Kantone. Der Liberalismus erstrebte eine Reform der Bundesverf. und den Sturz der in den meisten Kantonen herrschenden Aristokratie. Durch die frz. Julirevolution erhielt er einen starken Antrieb; 1830/31 wurde in einigen Kantonen die Verf. im liberalen Sinne umgestaltet; so folgte auf die »Restauration« von 1813–15 die »Regenerationszeit« (1830–48). Den vordringenden Liberalen leistete die katholisch-konservative Partei zähen Widerstand; die kath. Kantone schlossen 1845 einen »Sonderbund«, dessen Auflösung aber im »Sonderbundkrieg« vom Nov. 1847 erzwungen wurde.

Die Schweiz seit 1848: Die Verf. vom 12. 9. 1848 machte die S. zu einem Bundesstaat und Bern zur Bundesstadt; als oberste Reg. setzte sie den von beiden Kammern (Nationalrat und Ständerat) gewählten siebenköpfigen Bundesrat ein (kein Präsidialregime). Post, Münze, Maß, Gewicht und Zoll wurden zentralisiert. Die Freisinnig-Demokrat. Partei, die den entschiedenen Liberalismus vertrat, beherrschte lange Zeit Nationalrat und Bundesrat. Die neue Bundesverf. vom 29. 5. 1874 stärkte die Bundesgewalt und baute die demokrat. Einrichtungen aus; auch in den einzelnen Kantonen wurden nach und nach demokrat. Strukturen eingeführt (Volksbegehren, Volksentscheid, z.T. Trennung von Kirche und Staat). Der »Kulturkampf« gegen die kath. Kirche fand in erster Linie auf kantonaler Ebene statt (v.a. Bern und Genf). Im 1. Weltkrieg bemühte sich die S. um völlige Neutralität; engagierte sich aber auf humanitärem Gebiet. Durch ihren Rohstoffmangel geriet sie wirtsch. unter Druck der Entente. Der von der Sozialdemokratie getragene »Landesstreik« im Nov. 1918 scheiterte am Widerstand des Bürger- und Bauerntums, führte aber zu sozialen Neuerungen.

Durch die Einführung der Verhältniswahl zum Nationalrat (Okt. 1918) verlor die FDP die absolute Mehrheit; es kam zum Ggs. zw. »Bürgerblock« und Sozialdemokratie. Im 2. Weltkrieg belasteten ab 1940 v.a. die Probleme der Asylgewährung und der Pressefreiheit die Innenpolitik. Nach dem 2. Weltkrieg bildete sich im Bundesrat 1959/60 die noch heute bestehende Reg.koalition aus FDP, Katholisch-christlichsozialer Volkspartei (KCVP, seit 1970: CVP), SPS und Bauern-, Gewerbe- und Bürgerpartei (BGB, seit 1971: SVP). Mit der Errichtung des Kantons Jura (24. 9. 1978) fand eine jahrzehntelange Auseinandersetzung eine Lösung. 1981 stimmte die Bev. der Gleichberechtigung von Mann und Frau zu. Im Prozess der innenpolit. Entscheidungsfindung lehnte die Bev. sowohl die zahlreichen nationalistisch motivierten »Überfremdungsinitiativen« ab als auch die auf eine weitgehende Integration zielende »Mitenand-Initiative für eine neue Ausländerpolitik« (1981). 1989 scheiterte eine Initiative zur Abschaffung der schweizer. Armee. 1992 lehnte das Volk den Beitritt zum Europ. Wirtschaftsraum (EWR) ab. Eine Volksabstimmung forderte im Febr. 1994 die Verlegung des Transitgüterverkehrs bis 2004 von der Straße auf die Schiene (Alpeninitiative).

Der Versailler Vertrag von 1919 erkannte die Neutralität der S. an. 1920 trat die S. unter Bundesrat G. Motta dem Völkerbund bei, der seinen Sitz in Genf genommen hatte; doch auch dem Völkerbund gegenüber vertrat sie den Grundsatz unbedingter Neutralität. Im 2. Weltkrieg machte die S. unter dem für die Dauer des Krieges zum Oberbefehlshaber der Armee gewählten General H. Guisan mobil und schützte so ihre Neutralität. Mit der Wahl E. Nobs wurde 1943 zum ersten Male ein Sozialdemokrat Mitglied des Bundesrates. Nach 1945 beteiligte sich die S. in Fortsetzung ihrer Neutralitätspolitik (ohne sich im Ost-West-Konflikt auf eine ideolog. Neutralität festzulegen) an den internat. Hilfswerken und trat den kulturellen, wirtsch. und humanitären Sonderorganisationen der UNO bei. 1960 war sie Gründungsmitgl. der EFTA. 1963 trat sie dem Europarat bei. Einen Beitritt zur UNO lehnte sie 1986 ab. Im Mai 1992 wurde die S. Mitgl. des IWF sowie der Weltbank.

📖 GUTERSOHN, H.: *Geographie der S., 3 Bde. Bern* [2]*1969.* – WIESLI, U.: *Die S. Darmstadt 1986.* – *Bausteine der S. Porträts der 26 Kantone, hg. v.* KURT MÜLLER. *Zürich 1987.* – *Die S., Beiträge v.* H. ELSASSER *u.a. Stuttgart u.a. 1988.* – BERGIER, J.-F.: *Wirtschaftsgeschichte der S. Basel* [2]*1990.* – BLUMENTHAL, V. VON: *Bildungspolitik in der S. München 1991.* – *Geschichte der S., bearb. v.* H. VON GREYERZ *u.a. München 1991.* – HANTKE, R.: *Landschaftsgeschichte der S. u. ihrer Nachbargebiete. Thun 1991.* – LABHART, T. B.: *Geologie der S. Neuausg. Thun 1992.* – HEIERLI, H.: *Geolog. Wanderführer S. 2 Bde. Thun* [1–2]*1982–83.* – BURRI, K.: *S. Geograph. Betrachtungen. Naturraum, Bevölkerung u. Siedlungen, Wirtschaft ... Luzern u.a. 1995.* – WACHTER, D.: *S. Eine moderne Geographie. Zürich 1995.*

Giuseppe Motta

Henri Guisan

Schweizer, die Bewohner der Schweiz. Entsprechend den ethnisch differenzierten Volksteilen (deutsch-, französisch-, italienisch- und bündnerromanischsprachige Bev.) und der lang währenden Souveränität der Kantone hat sich ein ausgeprägtes Regionalbewusstsein entwickelt.

Schweizerdeutsch, das →Schwyzerdütsch.

Schweizer Franken, Abk. **sfr,** →Franken.

Schweizergarde, aus Schweizer Söldnern gebildete Truppen, die mit dem Verfall der Ritterheere im 15. Jh. aufkamen. Gegenwärtig besteht noch die 1505 gegründete päpstl. S. (Guardia Svizzera Pontificia), der der Wachdienst im Vatikan. Palast und der Schutz des Papstes obliegt.

Schweizergarde

Wer hat ihre Uniformen entworfen?

Kein Geringerer als Michelangelo. Papst Julius II. hat ihn 1505 nach Rom berufen, um sich von ihm sein Grabmal bauen zu lassen. Im folgenden Jahr stellte der Papst die Wachmannschaft des Vatikans aus Schweizer Söldnern auf und verschaffte Michelangelo einen Nebenverdienst. Anfangs war die Truppe 6000 Mann stark, heute sind es nur noch 100, die ihren mindestens zweijährigen Dienst im Vatikan versehen – immer noch so schick gestylt wie vor fast 500 Jahren! Bezahlt hat das Ganze damals übrigens das reiche Augsburger Kaufmannsgeschlecht Fugger.

Schweizergarde: Söldner der päpstlichen Schweizergarde in Uniform

Schweizerische Bankgesellschaft, Abk. **SBG** (frz. Union de Banques Suisses, italien. Unione di Banche Svizzere, Abk. UBS), größte schweizer. Universalbank; Rechtsform: AG; Sitz: Zürich; entstanden 1912 durch Fusion der Bank von Winterthur (gegr. 1862) und der Toggenburger Bank (gegr. 1863). Tochterbanken: Cantrade, BDL und Hyposwiss. Ende 1997 wurde die Fusion mit dem Schweizer. Bankverein zum größten europ. Finanzkonzern, der United Bank of Switzerland, UBS, bekannt gegeben. (ÜBERSICHT Banken)

Schweizerische Bundesbahnen, Abk. **SBB** (frz. Chemins de Fer Fédéraux, Abk. CFF, italien. Ferrovie Federali Svizzere, Abk. FFS), staatl. schweizer. Eisenbahnges., gegr. 1902, Sitz: Bern. Die SBB sind ein selbstständiges öffentlich-rechtl. Unternehmen ohne eigene Rechtspersönlichkeit, geleitet vom Verwaltungsrat (15 Mitgl.) und der Geschäftsleitung (drei General- und drei Kreisdirektoren). Die Gesamtstreckenlänge beträgt (1997) 2789 km, davon 74 km Schmalspur.

Schweizerische Depeschen|agentur, Abk. **SDA** (frz. Agence Télégraphique Suisse, italien. Agenzia Telegrafica Svizzera, Abk. ATS), schweizer. Nachrichtenagentur, gegr. 1894; Sitz: Bern.

Schweizerische Eidgenossenschaft, amtl. dt. Name der →Schweiz.

Schweizerische Kreditanstalt (frz. Crédit Suisse, italien. Credito Svizzero), zur Credit Suisse Group gehörende schweizer. Großbank, Rechtsform: AG, gegr. 1856; Sitz: Zürich. Im Zuge der Umstrukturierung der Credit Suisse Group und deren Umbenennung in CS Holding 1997 wurde die S. K. mit der ehemal. Schweizer. Volksbank unter dem Namen Crédit Suisse Volksbank zusammengefasst.

schweizerische Kunst, *Mittelalter:* An Kunstdenkmälern aus dem frühen MA. sind erhalten: Taufkirche von Riva San Vitale, Kirche und Kirchenschatz Saint Maurice (Wallis), die Benediktinerinnenklosterkirche St. Johann in Müstair im Münstertal mit dem bedeutendsten Zyklus karoling. Wandgemälde, die Kirche in Zillis (Graubünden) mit der ältesten roman. Deckenmalerei und die Handschriften der Stiftsbibliothek in St. Gallen. Um 1000 entstanden die Kirchen in Spiez und Romainmôtier, in roman. Zeit die Kirche in Payerne, Allerheiligen in Schaffhausen und das Basler Münster, ein Hauptwerk der oberrheinisch-elsäss. Romanik. Lausanne hat die älteste burgundisch-got. Kathedrale. Aus hochgot. Zeit stammt u. a. die →Manessische Handschrift, aus der Spätgotik das Münster von Bern.

Von typisch schweizer. Gepräge war die um 1500 erblühende Bürgerkultur der freien Städte. In Basel arbeiteten K. Witz aus Rottweil, später H. Holbein d. J. aus Augsburg. Die Zeit der Burgunder- und Mailänderkriege spiegeln die Bilderchroniken, die Gemälde und Zeichnungen von N. Manuel, U. Graf und H. Leu d. J. Als Porträtmaler trat H. Asper hervor. Die Glasmalerei bildete als bürgerliche Sonderart die Kabinettscheibe (Schweizerscheibe) aus.

Renaissance und Barock: Früh fand die Renaissance Eingang in die Schweiz, bes. in Basel und Luzern, im Tessin mit San Lorenzo in Lugano. Das wichtigste erhaltene Denkmal der Fassadenmalerei nördlich der Alpen ist das Haus zum Ritter in Schaffhausen von T. Stimmer. Reichere Barockbauten wurden nur in den kath. Kantonen geschaffen (von K. Moosbrugger u. a.), z. B. die Klosterkirche St. Gallen und Maria Einsiedeln. Unter den prot. Kirchenbauten ragt v. a. die Heiliggeistkirche in Bern hervor. Von den großen Baumeistern Italiens stammen viele aus dem Tessin, so C. Maderna, D. und C. Fontana, F. Borromini.

Im 18. Jh. wurde S. Geßner v. a. durch die Radierungen zu seinen Idyllen bekannt. J.-É. Liotard war in vielen Ländern tätig, A. Graff als Porträtmaler in Dresden, J. H. Füßli, der bedeutendste Maler des »Sturm und Drang«, in London.

Von der Romantik bis zur Moderne: Im 19. Jh. traten F. Diday und A. Calame als Hochgebirgsmaler hervor, R. Toepffer mit gezeichneten Bilderfolgen,

schweizerische Kunst

1

2

3

4

5

1 Ausschnitt der ältesten erhaltenen figürlich bemalten Holzdecke des Abendlandes in der Kirche Sankt Martin in Zillis (Kanton Graubünden); die um etwa 1160 entstandenen Deckenfelder schildern das Leben Jesu und des heiligen Martin | **2** Der 1658–78 erbaute Stockalper-Palast in Brig-Glis, Kanton Wallis, gilt als der bedeutendste barocke Palastbau der Schweiz | **3** Alberto Giacometti, »Büste« (um 1954; Privatbesitz) | **4** Arnold Böcklin, »Die Toteninsel«, fünfte und letzte Fassung (1884–86; Leipzig, Museum der bildenden Künste) | **5** Jean-Étienne Liotard, »Stillleben« (1782; Genf, Musée d'Art et d'Histoire)

R. Koller als Tiermaler, F. Buchser mit Porträts und Landschaften. Den Übergang von der Spätromantik zum Symbolismus vollzogen A. Böcklin und A. Welti. Die überragenden Persönlichkeiten um die Jahrhundertwende waren F. Hodler, F. Vallotton und auch O. Meyer-Amden. Großen Einfluss übte der in Münchenbuchsee bei Bern geborene P. Klee auf die moderne Malerei aus. An der Dada-Bewegung, die 1916 von Zürich ausging, nahm als einzige Schweizerin Sophie Taeuber-Arp teil, die im gleichen Jahr ihre ersten, abstrakten Bilder komponierte.

Vertreter der konkreten Kunst gründeten 1937 die Gruppe Allianz, der u.a. Max Bill, Leo Leuppi, Camille Graeser, Verena Loewensberg, Richard Lohse, Walter Bodmer und Hans Fischli angehörten. Johannes Itten trat v.a. als Kunstpädagoge und Farbtheoretiker hervor. Zu den der Tradition der gegenständl. Malerei verpflichteten Künstlern des 20. Jh. gehören Éduard Valle, Heinrich Altherr, Wilhelm Gimmi, Marti Lauterburg, Heinrich Pellegrini sowie Maurice Barraud, Fritz Pauli, Hans Erni und Hans Fischer, die sich, wie Théophile A. Steinlen auch als Grafiker einen Namen machten. Der informellen Malerei verschrieben sich in den 1950er-Jahren u.a. Rolf Iseli und Werner M. Moser. Das Werk von André Thomkins (v.a. Zeichnungen) ist von dadaist. und surrealist. Elementen geprägt. Franz Gertsch arbeitet mit den Methoden des Fotorealismus. Eine figurative Malerei in der Art der Neuen Wilden vertreten u.a. Martin Disler und Guido Nussbaumer. Bekannteste Vertreterin der Frauenkunst ist Miriam Cahn.

Die moderne schweizer. Plastik erhielt wichtige Impulse von Hermann Haller. Weitere Bildhauer, die auch über die Landesgrenzen hinaus Anerkennung fanden, sind Carl Burckhardt, Alexander Zschokke, Karl Geiser und – alle überragend – Alberto Giacometti. Mit abstrakten Plastiken traten Hans Aeschbacher, Walter Linck, Robert Müller, Bernhard Luginbühl und v.a. Jean Tinguely hervor. Von entscheidender Bedeutung für die künstler. Entwicklung von Tinguely und auch Daniel Spoerri war die Verbindung zum Nouveau Réalisme, von dem auch Dieter Roth wichtige Anregungen empfing. Die Arbeitsgebiete von Franz Eggenschwiler und Markus Raetz umfassen neben Plastik und Objektkunst auch Malerei und Grafik.

Die modernen Bauideen begannen sich in der Schweiz mit der Siedlung Neubühl bei Zürich (1930–32) auszubreiten. Als ihre Repräsentanten sind neben den Architekten dieser Siedlung (u.a. Hans Schmidt, Max E. Haefeli, Rudolf Steiger, Werner M. Moser) v.a. Karl Moser, Otto Salvisberg, Hermann Baur und Alfred Roth zu nennen. Der bedeutendste schweizer. Architekt, Le Corbusier, war vorwiegend im Ausland tätig (Maison Clarté in Genf, 1930–32). In seiner Nachfolge wirkten die Architekten von »Atelier 5« in Solothurn, sie entwickelten die Ideen Mies van der Rohes weiter. Das hohe Niveau der schweizer. Architektur nach 1945 zeigt sich beispielhaft in den Bauten W. M. Förderers, Vincent Mangeats, Peter Zumthors, Patrick Mestelans und Bernard Gachets, Jacques Herzogs, Pierre de Meurons und Bernard Tschumis sowie der Tessiner Schule (→Tessiner Architektur).

🕮 *Kunstführer durch die Schweiz, hg. v. der Ges. für Schweizer. Kunstgeschichte, 3 Bde. Zürich u.a.* $^{5-6}$*1975–82.* – LÜTHY, H.A. *u.* HEUSSER, H.-J.: *Kunst in der Schweiz, 1890–1980. Zürich 1983.* – *Junge Schweizer Kunst, 1960–90. Wabern 1991.* – *Photographie in der Schweiz. Von 1840 bis heute, bearb. v.* H. LOETSCHER *u.a. Bern 1992.*

schweizerische Literatur. Das in dt., frz., italien. und rätoroman. Sprache verfasste Schrifttum der Schweiz.

Die Literatur der deutschen Schweiz: Literar. Schaffen in der dt. Schweiz setzte mit den Sprachzeugnissen aus dem Kloster St. Gallen ein, wo Geistliche wie Notker III. Labeo für die gesamte dt. Sprache bahnbrechend wirkten. Im Hoch-MA. trat neben der Geistlichkeit der Dienstadel als Literaturträger und Vertreter einer bes. durch Minnesang und höf. Epos gekennzeichneten Dichtung hervor. Frühester und bedeutendster Vertreter ritterlich-höf. Kultur aus dem oberdt. Sprachraum war Hartmann von Aue, einer der vielseitigsten und produktivsten mhd. Dichter des späten 13. Jh. Konrad von Würzburg. Zur Minnedichtung trugen Züricher Vertreter um Rüdiger II. Manesse (J. Hadloub, Walther von Klingen, Steinmar) ihren Teil bei (→Manessische Handschrift). Bürgerl. und bäuerl. Motive stehen schon hier im Vordergrund; verstärkt erscheinen sie in der kraftvoll-derben Dichtung »Der Ring« des Thurgauers H. Wittenweiler (Wende des 14. zum 15. Jh.). Das sich seit den Burgunderkriegen verstärkt artikulierende ständisch-nat. Bewusstsein begann sich auch literarisch niederzuschlagen, so z.B. im »Urner Tellenspiel« (entstanden 1512) und in den Reformationsdramen des Berners N. Manuel. Entscheidend zur Aufwertung der Volkssprache und zur Entwicklung einer oberdt. geprägten Literatursprache trug U. Zwinglis Bibelübersetzung bei. An den Strömungen der europ. Literatur hatte die deutschsprachige Schweiz seit A. von Hallers Gedicht »Die Alpen« (1732) teil, bes. durch die 1761 gegr. »Helvet. Gesellschaft« und ihre Mitgl., u.a. S. Geßner und J. K. Lavater. Den von J. C. Gottsched vertretenen klass. Normen der frz. Literatur setzten J. J. Bodmer und J. J. Breitinger das Prinzip des Wunderbaren und die engl. Vorbilder wie J. Milton, S. Richardson und bes. Shakespeare entgegen, dem v.a. U. Bräker verpflichtet war. Der Einfluss J.-J. Rousseaus gab den Anstoß zu J. H. Pestalozzis pädagog. Schriften, Romanen und Erzählungen, die noch auf H. Zschokke und J. Gotthelf Einfluss ausübten. Um die Mitte des 19. Jh. entwickelte sich eine v.a. von G. Keller, C. J. Meyer und J. Gotthelf geschaffene Erzählliteratur, die, bes. über die Gattung der Novelle, herausragender Bestandteil des deutschsprachigen Realismus ist. Das Werk C. Spittelers galt v.a. der Wiederbelebung des Versepos. Von weltliterar. Bedeutung ist die um die Jahrhundertwende entstandene Prosa R. Walsers. Als Folge des geistigen Einflusses der dt. Exilanten während des 1. Weltkriegs entwickelte sich der Dadaismus zuerst in Zürich (»Cabaret Voltaire«). In der Zwischenkriegszeit bed. war der Dramatiker Caesar von Arx. Während der Zeit des Nationalsozialismus in Dtl. und Österreich entfalteten sich Kabarett und städt. Sprechbühnen, die von der Emigrantenwelle vielfältige Impulse bekamen. M. Frisch und F. Dürrenmatt führten die deutschsprachige Theatersatire und Komödie zu einem Höhepunkt. Auf älterer Volksliedtradition aufbauend, vermochte sich die Mundartlyrik und -dramatik seit Anfang des 20. Jh. bis in die Gegenwart zu halten, u.a. E. Gomringer und D. Roth als Vertreter der konkreten Poesie sowie E. Burren und R. Niederhauer. Daneben entwickelte sich eine neue Art Kabarett und Bänkelsang mit immer stärkerer Politisierung (K. Marti). Der Detektiv- und psychologisch untermauerte Kriminalroman (F. Glauser, F. Dürrenmatt) sowie der gesellschaftskritische realist. Zeitroman (M. Inglin) wur-

Gottfried Keller

schweizerische Literatur: Friedrich Dürrenmatt

den zu parabelhaften Abbildungen von gesellschaftl. Grundproblemen. Hieran knüpfte die neorealist. Prosa an, deren polit. Engagement als bewusster Versuch, die schweizer. Gesellschaft schreibend mitzugestalten und zu verändern, starke Beachtung fand; zur älteren Generation zählen: A. Muschg, O. F. Walter, P. Bichsel, W. M. Diggelmann, P. Nizon, J. Federspiel, W. Vogt, H. Loetscher; zur neueren: G. Späth, B. Brechbühl, W. Schmidli, H. Burger, E. Y. Meyer, H. Wiesner, J. Steiner, F. Hohler, S. Blatter, J. Laederach, U. Widmer, Erica Pedretti, Gertrud Leutenegger, R. Hänny, D. Brun, T. Hürlimann, D. Fringli, U. Jäggi und P. Mayer.

Französischsprachige Literatur: Eine eigenständige Literatur frz. Sprache gibt es in der Schweiz seit der Reformation. Durch J. Calvin wurde Genf Mittelpunkt einer prot. Kultur, die im 17. Jh. vertriebene Hugenotten und im 18. Jh. die von der Justiz des Ancien Régime Verfolgten anzog und die bis in die Gegenwart wirksam ist. Bed. Autoren der frz. Literatur sind schweizer. Herkunft: J.-J. Rousseau, durch dessen Naturschilderungen die Landschaft der Schweiz in Europa bekannt wurde, B. Constant de Rebecque, Madame de Staël. Seit der 1. Hälfte des 19. Jh. entstanden Werke, die schweizer. Nationalbewusstsein und Heimatgefühl zum Ausdruck brachten (J. D. Olivier, J. F. Amiel, R. Toepffer). Trotz der allmähl. kulturellen Verselbstständigung stand die s. L. frz. Sprache im Schatten der frz. Literatur; viele Schriftsteller ließen sich in Paris nieder, so die Romanciers É. Rod, R. S. Cornut, V. Cherbuliez. Anfang des 20. Jh. suchte eine neue Generation nach künstler. Ausdrucksmöglichkeiten für das spezifisch Schweizerische: Bes. C. F. Ramuz gelang mit regionalist. Romanen der Anschluss an die Weltliteratur. Große Bedeutung für die Verbreitung neuer Literatur erlangten die Zeitschriften (z. B. die »Cahiers vaudois«). Wichtige Erzähler der 1. Hälfte des 20. Jh. sind u. a. G. Pourtalès, R. de Traz, Alice Rivaz, J. Chenevière, Monique Saint-Hélier, später M. Chappaz. Internat. Einflüsse verarbeitete B. Cendrars. Seit den 60er-Jahren gewinnt die s. L. frz. Sprache zunehmend an Originalität, repräsentiert u. a. durch den Lyriker und Essayisten P. Jaccottet und die Romanciers Y. Velan, J. Chessex, Corinne Bille und G. Haldas. Andere bed. Autoren, so R. Pinget und J. L. Benoziglio, sind in die frz. Literatur integriert.

Italienischsprachige Literatur: Von einer italienischsprachigen schweizer. Literatur lässt sich erst sprechen, seit 1803 das Tessin autonome Republik und Kanton wurde. Im 19. Jh. überwiegen histor. und polit. Untersuchungen. Im 20. Jh. erlangte der Lyriker und Erzähler F. Chiesa weltweiten Ruf. Als Verteidiger der »Italianità« des Tessins beeinflusste er das Werk von Essayisten wie A. Janner, G. Zoppi und des Essayisten und Erzählers G. Calgari. Neuere Erzähler sind A. Jenni, G. Bonalumi, P. Ortelli, F. Filippini, P. Martini, P. Scanziani, M. Agliati, C. Castelli und Fiorenza Venturini, Giovanni Orelli, G. Mascioni, F. Scaravaggi, A. Nessi, D. A. Fanzetti. Als Lyriker treten hervor V. Abbondio, F. Manghini, U. Frey, R. Fasani, A. Pedroli, A. Casè, F. Pusterla und bes. Giorgio Orelli.

Max Frisch

Francesco Chiesa

Über die rätoroman. Literatur der S. →rätoromanische Sprache.

📖 GÜNTHER, W.: *Dichter der neueren Schweiz, 3 Bde. Bern u. a. 1963–86.* – CALGARI, G.: *Die vier Literaturen der Schweiz. A. d. Italien. Olten u. a. 1966.* – GSTEIGER, M.: *Westwind. Zur Literatur der frz. Schweiz. Bern 1968.* – FRINGELI, D.: *Von Spitteler zu Muschg. Literatur der dt. Schweiz seit 1900. Basel 1975.* – ALTWEGG, J.: *Leben u. Schreiben im Welschland. Zürich 1983.* – ORELLI, G.: *Svizzera italiana. Brescia 1986.* – *Schriftstellerinnen u. Schriftsteller der Gegenwart: Schweiz, bearb. v.* O. BÖNI *u. a. Aarau 1988.* – *Frauen in der Schweiz. Erzählungen, hg. v.* A. WOERLE. *München 1991.* – *Geschichte der deutschsprachigen Schweizer Literatur im 20. Jh., hg. v.* K. PEZOLD. *Berlin 1991.* – *Lexikon der Schweizer Literaturen, hg. v.* P.-O. WALZER. *Basel 1991.* – *Die Literaturen der Schweiz, Beiträge v.* I. CAMARTIN *u. a. Basel u. a. 1992.*

schweizerische Musik. Die musikal. Entwicklung auf dem Gebiet der Schweiz ist vielfältig von benachbarten Kulturen beeinflusst. Die Volksmusik hat in den einzelnen Regionen sehr versch. Ausprägung gefunden. Im MA. waren für gregorian. Gesang, Tropus und Sequenz die Benediktinerklöster St. Gallen, Einsiedeln und Engelberg von Bedeutung. Gleichzeitig entwickelte sich im Minnesang (überliefert u. a. durch die Aufzeichnung der »Maness. Handschrift« in Zürich) sowie in der volkstüml. Bläsermusik auch eine weltl. Musikpflege. Die Reformation drängte die Musikpraxis in Kirche und Öffentlichkeit stark zurück, sodass bedeutende Musiker (u. a. L. Senfl) in ausländ. Dienste traten. Der hervorragende Musiktheoretiker dieser Zeit war H. L. Glareanus. Erwähnung verdienen auch H. Kotter und H. Buchner, die Schüler von P. Hochhaim. Seit 1600 entstanden patriz. Musikgesellschaften (z.B. Zürich, Winterthur). Um 1700 trat H. Albicastro mit Instrumentalwerken hervor, später F. J. L. Meyer von Schauensee mit ersten schweizer. Opern. Im Gefolge J. H. Pestalozzis begründete Anfang des 19. Jh. H. G. Nägeli eine weit ausstrahlende Chor- und Volkserziehungsbewegung. In der 2. Hälfte des 19. Jh. traten in Zürich F. Hegar, in Basel H. Huber und H. Suter hervor. Den Übergang von der Spätromantik zur Moderne kennzeichnen Namen wie F. Brun, O. Schoeck, A. Honegger, W. Burkhard, R. Oboussier, C. Beck, A. Brunner, H. Sutermeister und P. Burkhard. Eine eigene Stellung nimmt der Genfer F. Martin ein. Weitere bed. Komponisten des 20. Jh. sind u.a. R. Liebermann, A. Schibler, J. Wildberger, K. Huber, R. Kelterborn, J. Wyttenbach, H. U. Lehmann, M. Derungs, H. Holliger und B. Furrer.

📖 ADANK, T. *u.* STEINBECK, H.: *Schweizer Musikhandbuch. Zürich 1979.* – SEIDL, M. *u.* STEINBECK, H.: *Schweizer Komponisten unserer Zeit. Neuausg. Winterthur 1983.*

Schweizerischer Landesverband für Sport

Schweizerische Nationalbank, Abk. **SNB** (frz. Banque nationale suisse, italien. Banca nazionale svizzera), Zentralnotenbank der Schweiz, gegr. 1905; Rechtsform: AG (Aktien werden von den Kt., Kantonalbanken, öffentlich-rechtl. Körperschaften und privaten Anlegern gehalten); Sitze: Bern und Zürich. Hauptaufgaben gemäß Nationalbank-Ges. vom 23. 12. 1953 i. d. F. v. 15. 12. 1978 sind die alleinige Notenausgabe, Regelung und Erleichterung des Geldumlaufs und Zahlungsverkehrs und die Ausübung einer den nat. Interessen dienenden Geld- und Währungspolitik.

Schweizerische Post, Bern, selbstständige Anstalt des öffentl. Rechts, die in der Schweiz (seit 1849 sowie seit 1921 für Liechtenstein auf dessen Rechnung) das Postwesen betreibt. Die S. P. ist 1998 aus den Schweizer. Post-, Telefon- und Telegrafenbetrieben (gegr. 1922; Abk. PTT) hervorgegangen, wobei der Fernmeldebereich unter der heutigen Bez. →Swisscom AG verselbstständigt wurde.

Schweizerische Radio- und Fernsehgesellschaft, Abk. **SRG** (frz. Société suisse de radiodiffusion et télévision, italien. Società svizzera di radiotelevisione), Sitz: Bern, gegr. 1931 als »Schweizerische Rundspruch-Gesellschaft«. Die im Dienst der Allgemeinheit stehende, nicht gewinnorientierte SRG strahlt Hörfunk- und Fernsehprogramme in Deutsch, Französisch, Italienisch und Rätoromanisch aus.

Schweizerische Volkspartei

Schweizerischer Bankverein, Abk. **SBV** (frz. Société de Banque Suisse, italien. Società de Banca Svizzera, Abk. SBS), große schweizer. Universalbank, Rechtsform: AG, gegr. 1872 als Basler Bankverein, seit 1897 jetziger Name; Sitz: Basel. Ende 1997 Fusion mit der Schweizer. Bankgesellschaft zur United Bank of Switzerland, UBS.

Schweizerischer Gewerkschaftsbund, Abk. **SGB,** 1880 gegr. konfessionell und parteipolitisch neutraler gewerkschaftl. Spitzenverband von 15 Einzelgewerkschaften mit rd. 425600 Mitgl. (1992); Sitz: Bern; umfasst Arbeiter, Angestellte und Beamte. Die Politik wird durch Interessenausgleich und Konfliktregelung sowie durch eine sozialpartnerschaftl. und auf absoluter Friedenspflicht beruhende Position geprägt. Streiks und Aussperrungen sind daher kein Instrument der Tarifpolitik. Während die Tarifpolitik Aufgabe der Einzelgewerkschaften ist, koordiniert der SGB v.a. die polit. Einflussnahme auf die Gesetzgebung.

📖 FLUDER, R. *u. a.: Gewerkschaften u. Angestelltenverbände in der schweizer. Privatwirtschaft. Zürich 1991.*

Schweizerischer Handels- und Industrie-Verein, Abk. **SHIV,** Kurzbez. **Vorort,** Spitzenverband der schweizer. Wirtschaft, gegr. 1870; Sitz: Zürich. Oberstes Organ ist die Delegiertenversammlung.

Schweizerischer Landesverband für Sport, Abk. **SLS,** 1922 als Schweizer. Landesverband für Leibesübungen gegründete Dachorganisation des schweizer. Sports, jetziger Name seit 1978; koordiniert alle den schweizer. Sport betreffenden Fragen.

Schweizerischer Nationalpark, Naturschutzgebiet im Unterengadin nordwestlich vom Ofenpass, Kt. Graubünden; rd. 169 km^2; steht unter Obhut der Schweizer. Naturforschenden Gesellschaft.

Schweizerische Rückversicherungs-Gesellschaft, eines der größten Rückversicherungsunternehmen der Welt, gegr. 1863; Rechtsform: AG; Sitz: Zürich.

Schweizerische Unfallversicherungsanstalt, Abk. **SUVA,** öffentlich-rechtl. Unternehmen, bis 1983 alleiniger Träger der obligator. Unfallversicherung in der Schweiz; Sitz: Luzern. Die Beiträge für die Berufsunfall- und Berufskrankheitenversicherung trägt der Arbeitgeber, der Unfallschutz im privaten Bereich erfordert Beiträge durch die Arbeitnehmer.

Schweizerische Volkspartei, Abk. **SVP,** bäuerlich-mittelständisch orientierte, konservativ geprägte polit. Partei in der Schweiz, bekennt sich zu einer sozial verpflichteten Marktwirtschaft und vertritt das Prinzip der bewaffneten Neutralität. Sie entstand 1971 aus dem Zusammenschluss der 1919 gegr. Bauern-, Gewerbe- und Bürgerpartei mit der Demokrat. Partei der Kt. Glarus und Graubünden. Seit 1959 ist sie im Bundesrat mit einem Repräsentanten vertreten.

Schwelkohle, bitumenreiche Braunkohle, liefert mehr als 6% Teer.

Schwelle, 1) *allg.:* (Türschwelle) auf dem Boden in den Türrahmen eingepasster Anschlag.

2) →Eisenbahnbau.

3) *Geologie:* undeutlich begrenzte Aufwölbung des Land- oder Meeresbodens.

Schwellenländer (engl. Newly industrializing countries), Abk. **NIC,** Bez. für Staaten der Dritten Welt, die aufgrund ihrer wirtsch. Eigendynamik auf der Schwelle zum Ind.staat stehen. Die UNO definiert ein Land als S., wenn es ein jährl. Bruttoinlandsprodukt pro Kopf der Bev. von über 2000 Dollar erreicht und davon rd. 30% aus industrieller Produktion erwirtschaftet. Weitere Indikatoren sind Herstellung und Export eigener industrieller Fertigwaren und die Herausbildung eines eigenen Absatzmarktes. Bei zahlr. S. bestehen jedoch Disproportionen zw. Wirtschaftswachstum und sozialer Entwicklung sowie Ausbau der Infrastruktur. Zu den wachstumsstärksten S. gehören Singapur, Süd-Korea, Taiwan und Thailand. Darüber hinaus werden auch die EU-Länder Portugal und Griechenland, die arab. Erdöl exportierenden Länder (Saudi-Arabien, Kuwait, Vereinigte Arabische Emirate), Argentinien, Brasilien, Mexiko u.a. zu den S. gerechnet.

Schwellenmächte, Staaten, die keine Nuklearmächte sind, aber aufgrund ihrer technolog. und wirtsch. Entwicklung nach einer kurzen Anlaufzeit Kernwaffen produzieren könnten.

Schwellenwert, *Physik* und *Technik:* der Wert einer Größe, der eine erkennbare Wirkung oder einen wahrnehmbaren Vorgang auslöst, z.B. die krit. Magnetfeldstärke, bei der der supraleitende Zustand zusammenbricht.

Schwellknie|alge (Schwellgliedalge, Oedogonium), artenreiche Gattung der Grünalgen, im Süßwasser weltweit verbreitet; Indikator für nährstoffreiches Wasser.

Schwellkörper, 1) *Anatomie:* (Corpus cavernosum) bei Mensch und Säugetieren Schwammgewebe in Penis und Kitzler, dessen Hohlräume sich mit Blut füllen können und so die Erektion dieser Organe bewirken.

2) *Botanik:* bei Pflanzen Organ oder Gewebe, das durch Größenzunahme passive Bewegung bewirkt, so das →Gelenk.

Schwellvers, Vers, der aufgrund einer erhöhten Silbenzahl »aufgeschwellt« ist und damit über die übl. Länge hinausgeht; der Begriff wird bes. für die german. Stabreimdichtung verwendet.

Schwellwerk, diejenigen Register einer Orgel, die zwecks stufenloser Lautstärkeregulierung in einem Kasten mit Öffnungsmechanismus (Jalousie, daher auch **Jalousieschweller**) aufgestellt sind. Mit dem **Rollschweller** an manchen Orgeln lassen sich nach und nach alle Register crescendoartig ein- bzw. abschalten.

Schwelm, Krst. des Ennepe-Ruhr-Kr., NRW, am Übergang des Berg. Landes zum Sauerland, 30800 Ew.; Maschinenbau, Stahl- und Metallverarbeitung, Elektrotechnik, Textil- u.a. Industrie. – Um 900 erstmals erwähnt; erhielt 1496 und erneut 1590 Stadtrecht.

Schwelm
Stadtwappen

Schwelung, *Chemie* und *Technik:* therm. Behandlung von Kohle, Holz, Ölschiefer und ähnl. Brennstoffen unter Sauerstoffausschluss bis zu Temperaturen von etwa 700°C. Als Produkte entstehen dabei v.a. Schwelgas, -teer und -koks.

Schwemmkegel (Schwemmfächer), fächerförmige Ablagerung eines Flusses, z.B. bei der Einmündung eines Nebenflusses in das Haupttal, wobei infolge abnehmender Wassergeschwindigkeit Lockersediment abgelagert wird.

Schwemmland, Ablagerung durch stehende oder fließende Gewässer aus geologisch jüngster Zeit (Holozän), z.B. Talauen und Marschen.

Schwenckfelder (Schwenkfeldianer), myst. Gemeinschaft der Reformationszeit, gegr. von dem schles. Adligen **Kaspar von Schwen(c)kfeld** (*1489, †1561). Die S. betonen gegenüber der luth. Bindung an Wort und Sakrament das freie Wirken des Hl. Geistes und vertreten eine radikale Ethik im Sinne der Bergpredigt; im 17.Jh. verfolgt; 1734 Auswanderung nach Pennsylvania, wo bis heute einige Gemeinden bestehen.

Schwenckfelder: Kaspar von Schwen(c)kfeld (Ausschnitt eines zeitgenössischen Kupferstichs)

Schwenkflügel (Verstellflügel), Flugzeugtragflügel, deren Pfeilung durch Schwenken während des Fluges verändert werden kann; schwache Pfeilung für Langsamflug, starke für Überschallflug; angewendet nur bei einigen Militärflugzeugen.

Schwenningen, →Villingen-Schwenningen.

Schwerbehinderte, Personen, die körperlich **(Körperbehinderte),** geistig oder seelisch behindert und dadurch in ihrer Erwerbsfähigkeit um wenigstens 50% gemindert sind. Zur Sicherung der Eingliederung von S. in Arbeit, Beruf und Gesellschaft dient das S.-Gesetz i.d.F.v. 26. 8. 1986. Vom Arbeitsamt können Behinderte mit einem Grad von mindestens 30% den S. gleichgestellt werden, wenn sie nur mit dieser Anerkennung einen geeigneten Arbeitsplatz erlangen können. Das Vorliegen einer Behinderung und der Grad der Minderung der Erwerbsfähigkeit werden auf Antrag des Behinderten vom Versorgungsamt festgestellt. Arbeitgeber, die über mindestens 16 Arbeitsplätze verfügen, sind verpflichtet, wenigstens 6% der Arbeitsplätze mit S. zu besetzen; andernfalls ist eine Ausgleichsabgabe (200 DM je unbesetzter Stelle im Monat) zu entrichten. S. haben einen besonderen Kündigungsschutz (Frist mindestens vier

Wochen, vorherige Zustimmung der Hauptfürsorgestelle). S. haben Anspruch auf einen bezahlten Zusatzurlaub von fünf Arbeitstagen im Jahr und auf unentgeltl. Beförderung im öffentl. Nahverkehr, wenn sie infolge ihrer Behinderung in ihrer Bewegungsfähigkeit im Straßenverkehr erheblich beeinträchtigt sind. In der Unfallversicherung und der Kriegsopferversorgung werden S. höhere Leistungen gewährt. Zusätzl. Aufwendungen können von S. steuerlich als außergewöhnl. Belastungen geltend gemacht werden. Ausweise für S. werden von den Versorgungsämtern ausgestellt. – In *Österreich* haben S. Renten- und Sachleistungsansprüche aus der gesetzl. Unfall-, Kranken- und Pensionsversicherung, daneben bestehen Ansprüche aus Rechtsvorschriften der Länder. In der *Schweiz* haben nach dem Bundes-Ges. über die Invalidenversicherung Personen, die mindestens zu 40% behindert sind, Anspruch auf Rente u.a. Leistungen.

📖 *Behinderte in der Arbeitswelt, hg. v.* H. BETHMANN *u.a. Köln* ²*1988. – Steuererleichterungen für Behinderte ab 1990, bearb. v.* U. KÜNTZEL. *Baierbrunn 1990.* – WIEDEMANN, E. *u.* KUNZ, E.: *Das Schwerbehindertenrecht. Berg* ⁶*1991.*

Schwerbeschädigte, im sozialrechtl. Sinn Personen, die durch eine gesundheitl. Schädigung im Sinne des Kriegsopferversorgungsrechts, des Soldatenversorgungs-Ges., des Häftlingshilfe-Ges., des Zivildienst-Ges., des Opferentschädigungs-Ges., durch nat.-soz. Gewaltmaßnahmen, Besatzungsmaßnahmen oder Impfschäden nicht nur vorübergehend um mindestens 50% in ihrer Erwerbsfähigkeit gemindert sind.

Schwerelosigkeit

Schwerelosigkeit herrscht nicht nur im Weltraum, sondern auch in der Erde: Die Schwerkraft wird durch die gegenseitige Massenanziehung hervorgerufen. Auf der Erdoberfläche hat man die gesamte Erde »unter sich«, die Schwerkraft ist maximal. In einer Höhle oder einem Bergwerk dagegen hat man nicht nur Masse unter, sondern auch über sich, die Schwere ist also etwas geringer. Genau im Erdmittelpunkt heben sich die Anziehungskräfte auf, es herrscht Schwerelosigkeit.

Schwere, *Physik:* Eigenschaft eines Körpers, von einem anderen Körper, insbesondere von der Erde, angezogen zu werden; sie wird quantitativ durch die schwere → Masse erfasst. Häufig wird unter S. auch die → Schwerkraft verstanden. In der Geophysik wird die → Fallbeschleunigung als S. **(S.-Beschleunigung)** bezeichnet. (→ Normalschwere)

Schwere|anomali|en, *Geophysik:* Abweichungen der beobachteten Schwere von der → Normalschwere, die geologisch bedingt sind und sich aus der Massenverteilung in der Erdkruste und im Erdinneren ergeben.

Schwerebeschleunigung, die → Fallbeschleunigung.

Schwerefeld, das Feld der → Schwerkraft eines Himmelskörpers, das den freien Fall eines Körpers bewirkt. Die Feldstärke des S. ist durch die → Fallbeschleunigung festgelegt.

Schwerelosigkeit, Zustand, der beim Fehlen oder bei der Kompensation des Einflusses der Schwerkraft (Gravitation) auf einen Körper, z.B. durch Trägheitskräfte, auftritt, sodass sich die wirkenden masseabhängigen Kräfte nach Größe und Richtung aufheben. Schwerelos (gewichtslos) sind z.B. frei fallende Körper, Flugzeuge auf einer Flugbahn, auf der die Zentrifugalbeschleunigung genau der Schwerebeschleunigung entspricht, und Raumflugkörper bei antriebslosem Raumflug.

Schweremessung, *Geophysik:* die → Gravimetrie.

schwerer Wasserstoff, das → Deuterium.

Schwer|erziehbarkeit, verminderte erzieher. Beeinflussbarkeit aufgrund von oft früh erworbenen Verhaltensstörungen oder Behinderungen. Bei Erziehungsschwierigkeiten können Erziehungs- oder Familienberatungsstellen Hilfestellung geben, auch therapeut. Behandlungen oder Einweisung in eine Sonderschule können notwendig sein.

Schweresinn, der → Gleichgewichtssinn.

schweres Wasser (Deuteriumoxid), D_2O, Wasser, in dem beide Wasserstoffatome durch Deuteriumatome (D oder ^2H, → Deuterium) ersetzt sind; Gefrierpunkt 3,8 °C, Siedepunkt 101,4 °C, Dichte bei 20 °C 1,105 g/cm³. Hochprozentiges s. W. ist sehr giftig. Wegen seiner Bremswirkung und geringen Absorption für Neutronen wird s. W. als → Moderator für Kernreaktoren (Schwerwasserreaktoren) verwendet. Wasser mit Tritiumatomen (T oder ^3H, → Tritium) im Molekül wird **überschweres Wasser** genannnt.

Schwergewicht, *Sport:* Gewichtsklasse in versch. Sportarten; im Amateurboxen bis 91 kg Körpergewicht (über 91 kg: Super-S.), Berufsboxer bis 86,182 kg; im Gewichtheben 1. S. unter 105 kg, 2. S. ab 105 kg; im Judo Halbschwer 90 bis unter 100 kg (Frauen 70 bis unter 78 kg), Schwer über 100 kg (Frauen über 78 kg); im Ringen 86–97 und 98–130 kg; im Taekwondo über 83 kg (Frauen über 70 kg).

Schwerhörigkeit, Minderung des Hörvermögens unterschiedl. Grades; kann ein- oder beidseitig auftreten und angeboren oder erworben sein; unterschieden werden **Schallleitungs-** bzw. **Mittelohr-S.** bei Mittelohrentzündung, Otosklerose u.a. sowie **Schallempfindungs-** bzw. **Innenohr-S.** bei Viruserkrankung, Altersveränderung oder z.B. Schädigung durch Lärm (Schallpegel über 85 Dezibel), Gift, bestimmte Arzneimittel, Geschwülste sowie Schädelverletzungen unterschiedl. Art; weiterhin kann es durch Vererbung, Schädigung während der Schwangerschaft (z.B. Rötelnembryopathie) oder im Kleinkindalter (z.B. Hirnhautentzündung) zu Schäden im gesamten Ohrbereich und damit zur S. kommen; außerdem ist das Auftreten einer **kombinierten S.** als Verknüpfung von Schallleitungs- und Schallempfindungs-S. möglich; eine akute Form ist der →Hörsturz, auf äußere Einflüsse geht die →Lärmschwerhörigkeit zurück, degenerative Vorgänge liegen der →Altersschwerhörigkeit zugrunde. Zu den neurolog. Ursachen gehören Erkrankungen des Hörnervs, z.B. Virusinfektionen (bei Gürtelrose), oder Tumoren (Akustikusneurinom) sowie Erkrankungen des Zentralnervensystems. – Die *Behandlung* der Schallleitungs-S. besteht in gehörverbessernden Operationen, bei denen eine plast. Wiederherstellung der Schallleitungsorgane angestrebt wird (→Tympanoplastik, →Stapesplastik); eine verbesserte Hörfähigkeit ist außerdem z.T. durch →Hörgeräte zu erreichen. Zur Behandlung der an Taubheit grenzenden S. wurde eine Hörprothese (Cochlear-Implantat) entwickelt; die mittels Mikrofon und Sprachprozessor aufgenommenen und codierten Laute werden dabei über in die Schnecke oder in ihre Nähe implantierte Elektroden zu den Hörnerven geleitet. Die Anwendung erfordert ein intensives Rehabilitationstraining.

📖 LÜDTKE, K.: *Besseres Hören. Hamburg 1989.* – LÖWE, A.: *Pädagog. Hilfen für hörgeschädigte Kinder in Regelschulen. Heidelberg ³1992.*

Schwerin, **1)** Hptst. von Meckl.-Vorp., kreisfreie Stadt am S-Ufer des Schweriner Sees (mit 65,5 km² zweitgrößter See der Mecklenburg. Seenplatte), dessen S-Hälfte (Schweriner Innensee) zur Stadt gehört; 113 100 Ew.; Sitz des Bischofs der Evang.-Lutherischen Landeskirche Mecklenburgs; Mecklenburg. Hauptstadtarchiv, Staatl. Museum für Ur- und Frühgesch., Freilichtmuseum S.-Müß, zoolog. Garten, Staatstheater. Bau von Kunststoffverarbeitungsmaschinen, Schiffsausrüstungen und Hydraulikanlagen, Herstellung von Kabeln, Lederwaren, Futtermitteln und Verpackungen, Kunststoff- und Holzverarbeitung, Nahrungsmittel-, Baustoffind., Druckereien; Verkehrsknotenpunkt. – Dom (1270–1416), Schelfkirche (1708–13), Neues Gebäude (1783–85), ehem. Arsenal (1844), Marstall (1838–43), Altstädt. Rathaus (urspr. vier Fachwerkhäuser des 17. Jh., 1835 mit neugot. Fassade versehen), mecklenburgisches Staatstheater (1883–86); auf einer Insel der maler. Gebäudekomplex des Schlosses (1843–57) mit Schlosskirche (1560–63). – S. entstand wohl vor 1150 bei einer 1018 erstmals erwähnten slaw. Burg; 1160 Stadtrecht und Bistumssitz; 1358 kam die Grafschaft S. (seit 1160/67) an das Herzogtum Mecklenburg; Ende des 15. Jh. bis 1764 und 1837–1918 Residenz

Schwerin 1): Das am Schweriner Innensee gelegene mecklenburgische Staatstheater wurde 1883–86 im neobarocken Stil errichtet (rechts); im Hintergrund links ist der 1890 erbaute neugotische Turm des Doms zu erkennen

der Herzöge von Mecklenburg(-S.); 1918–34 Hptst. des Freistaates Mecklenburg-S., 1934–52 des Landes Mecklenburg (1945–47 Mecklenburg-Vorpommern), 1952–90 Hptst. des gleichnamigen DDR-Bezirks, seit 1990 Hptst. des Landes Mecklenburg-Vorpommern.

2) ehem. dt. Bistum in Mecklenburg, 1160 neu begründet; Suffragan von Hamburg-Bremen; 1180 reichsunmittelbar, 1533/68 prot., 1648 als säkularisiertes Fürstentum dem Herzogtum Mecklenburg eingegliedert.

Schwerin 1) Stadtwappen

Schwer|industrie, Sammelbegriff für den Bergbau, die Eisen- und Stahlindustrie sowie die Schwerchemie, i. w. S. auch für die übrigen Zweige der Grundstoffind. (Schwermaschinen- und Stahlbau, Zement- und Zellstoffindustrie u.a.). Kennzeichen sind große, kapitalintensive Produktionsstätten, die im Hinblick auf saisonale und konjunkturelle Beschäftigungs- und Absatzschwankungen wenig anpassungsfähig sind.

Schwerin von Krosigk, Johann Ludwig (Lutz) Graf, Politiker (parteilos), *Rathmannsdorf (bei Staßfurt) 22. 8. 1887, †Essen 4. 3. 1977; 1932–45 Reichsfinanzmin., im Mai 1945 Leitender Min. und Außenmin. der Geschäftsführenden Reichsreg. unter K. Dönitz; wurde 1949 im »Wilhelmstraßenprozess« vor dem amerikan. Militärgericht in Nürnberg zu zehn Jahren Gefängnis verurteilt, jedoch 1951 entlassen.

Schwer|ionenforschung, Forschungszweig, der sich mit der Erzeugung, Beschleunigung und Wirkung ein- oder mehrfach ionisierter Atome mit Massenzahlen größer als 4 befasst. Neben der reinen Grundlagenforschung **(Schwerionenphysik)** beschäftigt sich die S. auch mit anwendungsorientierten Problemen. Mit Schwerionenbeschleunigern, wie dem Hochfrequenz-Linearbe-

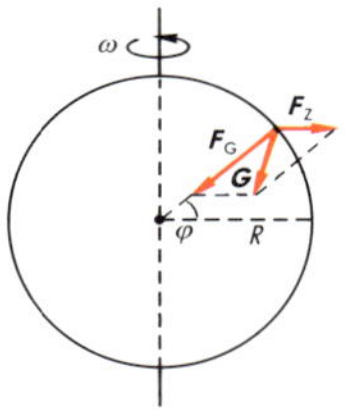

Schwerkraft:
F_G Gravitationskraft,
F_Z Zentrifugalkraft,
G Schwerkraft,
R Erdradius, *φ* geographische Breite,
ω Winkelgeschwindigkeit der Rotation; die Erde ist idealisiert als Kugel dargestellt

schleuniger UNILAC und dem Schwerionensynchrotron SIS der Ges. für S. mbH (GSI) in Darmstadt können Ionen aller chem. Elemente bis hin zum Uran auf sehr hohe Geschwindigkeiten gebracht und als Projektilsonden auf die Atome der Zielmaterie (engl. »Targets«) geschossen werden. Die schwersten Ionen haben dann Höchstenergien bis zu 20 MeV pro Nukleon. Diese Energie reicht aus, um selbst beim Stoß Uran auf Uran die durch die hohen Kernladungen bewirkte starke Coulomb-Abstoßung zu überwinden. Somit ist man in der Lage, Reaktionen von der Übertragung weniger Nukleonen von einem Kern auf den anderen bis zur Verschmelzung zw. zwei beliebigen, natürlich vorkommenden Kernen zu untersuchen. – Durch »kalte« Kernverschmelzung im Schwerionenstoß wurde 1981 bei der GSI das Element 107 (Bohrium) eindeutig nachgewiesen und die Elemente 108 (Hassium, 1984), 109 (Meitnerium, 1982), 110 und 111 (1994) sowie 112 (1996) erstmals erzeugt. – Zu den Anwendungsmöglichkeiten hochenerget. Schwerionenstrahlen gehören insbesondere die Durchleuchtung und Strukturermittlung biologischer Objekte (z. B. von Zellkernen), der Trägheitseinschluss eines Kernfusionsplasmas durch Beschuss von Deuterium-Tritium-Pellets sowie die Schwerionenlithographie zur Herstellung integrierter Schaltungen mit extrem kleinen Abmessungen (bis zu etwa 0,1 µm).

📖 MÜNZENBERG, G. *u.* SCHÄDEL, M.: *Moderne Alchemie. Die Jagd nach den schwersten Elementen. Braunschweig u. a. 1996.*

Schwerkraft (Gewichtskraft), die an der Oberfläche oder im Inneren eines Himmelskörpers (v. a. der Erde) auf einen Körper der Masse *m* wirkende Kraft **G**. Sie ist die Resultierende aus der Gravitationskraft $\boldsymbol{F}_G$ (→Gravitation) und der von der Rotation des Himmelskörpers herrührenden (senkrecht von der Drehachse weggerichteten) →Zentrifugalkraft $\boldsymbol{F}_Z$. Die senkrecht von der Drehachse weggerichtete Zentrifugalkraft hat an der Oberfläche den Betrag $|\boldsymbol{F}_Z| = mR\omega^2 \cdot \cos\varphi$ (*ω* Winkelgeschwindigkeit der Rotation, *φ* geographische Breite). Die S., für die gilt $\boldsymbol{G} = \boldsymbol{F}_G + \boldsymbol{F}_Z = m\boldsymbol{g}$, und damit auch die →Fallbeschleunigung $\boldsymbol{g}$, weicht durch die Breitenabhängigkeit der Zentrifugalkraft geringfügig von der Richtung zum Mittelpunkt der Massenverteilung hin ab, ihr Betrag erhöht sich vom Äquator zum Pol.

Schwerkraft

Wäre die Gravitation auch nur ein bisschen höher, so würden Sterne schneller verglühen, und die Entstehung von Leben wäre nicht möglich gewesen. Die möglichen Toleranzen, besonders in der Frühphase des Weltalls, sind äußerst gering. Und wären sie um ein Billionstel (1 zu 10^{12}, manche sagen sogar 1 zu 10^{55}) niedriger gewesen, so wäre das Universum schon rasch wieder in sich zusammengebrochen.
Wäre die Gravitation auch nur ein bisschen geringer (für uns sicherlich durchaus nicht unangenehm), so hätte sich das All zu schnell ausgedehnt, und es gäbe weder Galaxien noch Sonne, Mond und Sterne.

Schwermetalle, →Metalle.

Schwerminerale, bes. widerstandsfähige Leitminerale mit einer Dichte größer als 2,9 g/cm³; v. a. in Sedimentgesteinen, z. B. Zirkon, Rutil, Turmalin, Granat, Disthen, Epidot.

Schwermut, durch tiefe Traurigkeit, Mutlosigkeit und Leere gekennzeichnete depressive psych. Verfassung (→Depression).

Schwer|öl, Sammelbez. für natürlich vorkommende Erdöle mit Dichten zw. 920 und 1000 kg/m³ sowie hochsiedende oder nicht verdampfbare Produkte der Erdölverarbeitung und Kohlehydrierung. Erdöle mit Dichten von über 1000 kg/m³ werden als **Schwerstöle** bezeichnet.

Schwerpunkt, 1) *Mathematik:* beim Dreieck der Schnittpunkt der Seitenhalbierenden.

2) *Physik:* (Massenmittelpunkt) gedachter Punkt in einem System von Massenpunkten (z. B. starrer Körper, Körper mit kontinuierl. Massenverteilung), der sich nach den Grundgesetzen der Mechanik so bewegt, als ob die gesamte Masse in ihm vereinigt wäre und alle auf das System wirkenden äußeren Kräfte in ihm angreifen würden (→Schwerpunktsatz). Der Ortsvektor $\boldsymbol{R}$ des S. ist für diskrete Massenelemente m_i an den Orten $\boldsymbol{r}_i$ mit der Gesamtmasse

$$\sum_i n_i = M \text{ des Systems durch } R = \frac{1}{M} \sum m_i \boldsymbol{r}_i$$

gegeben. Ein im S. unterstütztes starres System ist in einem homogenen Schwerefeld in jeder Lage im Gleichgewicht.

Schwerpunktsatz, einer der physikal. →Erhaltungssätze: Der Schwerpunkt eines Systems von Massen behält seine Lage unverändert bei oder führt eine geradlinig gleichförmige Bewegung aus, solange keine äußeren Kräfte einwirken.

Schwerpunktsystem (Massenmittelpunktsystem), physikal. Bezugssystem, in dem der →Schwerpunkt eines Systems von Massenpunkten, z. B. eines Vielteilchensystems, ruht.

Schwerspat (Baryt), formenreiches, rhomb. Bariummineral, $BaSO_4$, weiß, gelb oder rötlich, auch grau; Kristalle tafelig oder säulig, auch schalige Aggregate; weit verbreitetes hydrothermales Gangmineral, auch in Sedimenten (z. B. Barytrosen); Verwendung als Bohrspülmittel, als weiße Malerfarbe, als Füllstoff.

Schwert, 1) *Schifffahrt:* bei Segelschiffen eine Stahl- oder Holzplatte, die ins Wasser hinabgelassen werden kann, um ein Abtreiben zu verhindern. Seiten-S. werden an der Bordwand ins Wasser gehängt.

2) *Waffenwesen:* seit der Bronzezeit gebräuchl. ein- oder zweischneidige Hieb- und Stoßwaffe für den Nahkampf, meist mit gerader, breiter Klinge. Große Bedeutung gewann das S. vor allem in Asien (Japan, China, Indien), hier meist mit gebogener Klinge. In Mitteleuropa ist das S. mit eiserner Klinge seit etwa 750 v. Chr. in Gebrauch. In der La-Tène-Zeit wurden Griff und Scheide oft reich verziert. Das Kurz-S. (z. B. der german. Sax) diente hauptsächlich als Stoßwaffe, das Langschwert als Hiebwaffe (z. B. der fast 2 m lange Zweihänder). Die Römer benutzten ein kurzes, zweischneidiges S. für Hieb und Stich (Gladius) sowie (v. a. bei der Reiterei) ein Langschwert. Im MA. war das S. neben der Lanze die Hauptwaffe des Ritters. Mit dem Aufkommen der Feuerwaffen verlor das S. für den Gefechtsgebrauch rasch an Bedeutung, etwa ab Mitte des 16. Jh. wurde es bei den Fußtruppen durch den leichteren Kriegsdegen abgelöst. – In Sage und Mythos besitzt das S. besondere reale und symbol. Bedeutung. Das S. gilt als Sinnbild der Macht und der Gerichtsbarkeit.

🕮 SEITZ, H.: *Blankwaffen, 2 Bde. Braunschweig* [1–2]*1968–81.*

Schwertbrüderorden (lat. Fratres militiae Christi), 1202 gegr. Ritterorden für die Mission in Livland; ben. nach seiner Tracht (rotes Schwert und Kreuz auf weißem Mantel). Nach einer Niederlage gegen die Litauer (1236) ging der S. 1237 im → Deutschen Orden auf.

Schwerte, Stadt im Kr. Unna, NRW, an der Ruhr, im nördl. Sauerland, 50 800 Ew.; Inst. für Wasserforschung; Gießereien, Nickel-, Ketten-, Walz-, Stahlwerke, Maschinen-, Apparate-, Fahrzeugbau. – In der got. St.-Viktor-Kirche (14. Jh.) Antwerpener Schnitzaltar (1523) sowie Wandmalereien der Kölner Schule (um 1320); spätgot. Rathaus mit Laubenhalle (1547; jetzt Ruhrtal-Museum). – 962 erstmals erwähnt; erhielt 1397 Stadtrecht.

Schwerter zu Pflugscharen, in den 1980er-Jahren Name der oppositionellen Friedensbewegung unter dem Dach der Kirche in der DDR, benannt nach der Friedensvision des Propheten Micha (Micha 4,3). Äußeres Zeichen war ein Aufnäher, auf dem die gleichnamige Plastik (1957) des russ. Bildhauers J. V. Wutschetitsch (Geschenk der UdSSR an die UNO) abgebildet war. Sein öffentl. Tragen hatte für die i. d. R. jugendl. Träger vielfältige Repressionen zur Folge.

Schwertfeger, im MA. der Blankwaffenhersteller, der die roh geschmiedeten Waffenteile zusammenfügte und polierte.

Schwertfisch, 1) *Astronomie:* (Goldfisch, lat. Dorado) Sternbild des südl. Himmels, in dem der Südpol der Ekliptik und die Große Magellansche Wolke liegen.

2) *Zoologie:* (Xiphias gladius) bis 5 m langer und 350 kg schwerer Barschartiger Fisch in trop. und subtrop. Meeren, mit schwertartig verlängertem Fortsatz im Oberkiefer; geschätzter Speisefisch.

Schwert

Sein Schwert in die Waagschale werfen

Diese Redewendung, mit der ausgedrückt wird, dass eine Entscheidung durch den Einsatz der eigenen Machtmittel erzwungen oder zumindest stark beeinflusst wird, geht auf eine beim römischen Historiker Livius geschilderte Begebenheit zurück. Nach dem Sieg der Kelten über die Römer an der Allia 387 v. Chr. wurde die Stadt Rom eingenommen. Als die zu zahlende Summe für den Abzug der Feinde in Gold aufgewogen wurde, protestierten die Besiegten gegen die falschen Gewichte der Sieger, worauf der keltische Heerführer mit den Worten »Wehe den Besiegten!« auch noch sein Schwert auf die Waagschale geworfen haben soll (Livius, Ab urbe condita V, 48, 9).

Schwertfortsatz, der unterste Fortsatz des Brustbeins.

Schwertgehänge, Sterngruppe im Sternbild Orion.

Schwertlilie (Schilflilie, Iris), Gattung der S.-Gewächse mit rd. 300 Arten v. a. in den gemäßigten Gebieten der Nordhalbkugel. Die wild lebenden Populationen aller heim. Arten sind geschützt, in Dtl. u. a.: **Sibir. S.** (Iris sibirica), 0,3–1 m hoch, schilfähnlich, äußere Blütenhüllblätter hellblau, innere violett; **Sumpf-S.** (**Gelbe S., Wasser-S.,** Iris pseudoacorus), 0,5–1 m hoch, Blüten gelb, Zipfel der äußeren Blütenhüllblätter eiförmig, der inneren linealisch. – Die Wurzelstöcke der aus dem Mittelmeergebiet stammenden, blassblau blühenden **Dt. S.** (Iris germanica) und der blau blühenden **Florentiner S.** (Iris florentina) liefern Iriswurzel, die als Droge gegen Husten verwendet wurde. Zahlr. Sorten und Arten der S. sind beliebte Gartenblumen, u. a. die früh blühende, meist niedrig bleibende, Zwiebeln ausbildende **Netziris** (Stammart ist Iris reticulata) sowie v. a. die sortenreiche Wurzelstöcke bildende **Bartiris.**

Schwertrübesortierung (Schwertrübeverfahren), ein Sink-Schwimm-Verfahren oder Sinkscheideverfahren zum Sortieren eines körnigen Haufwerks aus Bestandteilen unterschiedl. Dichte mithilfe eines flüssigen Trennmediums (Schwertrübe), dessen Dichte zw. denen der zu trennenden Anteile liegt. Das leichtere Gut (Schwimmsorte) schwimmt auf der Oberfläche, das schwerere sinkt zu Boden (Sinksorte); angewendet u. a. zur Trennung pulverisierter Mineralgemische.

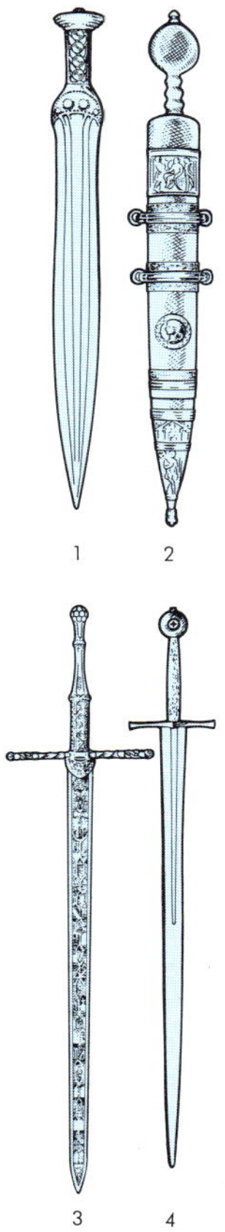

Schwert 2): 1 germanisches Schwert der Bronzezeit, 2 römischer Gladius, 3 Lehensschwert Kaiser Maximilians (1496), 4 Ritterschwert (2. Hälfte des 13. Jh.)

Schwertschwänze, Ordnung der Gliederfüßer, die → Pfeilschwänze.

Schwertsik, Kurt, österr. Komponist, * Wien 25. 6. 1935; Schüler von F. Cerha, mit dem er 1958 das Wiener Ensemble für Neue Musik »die reihe« gründete; lehrt seit 1989 Komposition an der Wiener Musikhochschule. S. schreibt in tonal gebundenem Stil u. a. Bühnenwerke (»Café Museum eine Erleuchtung«, Oper, 1993; »Der ewige Frieden«, Musiktheater, 1995), Orchester- und Kammermusik.

Schwerttanz, ein → Waffentanz.

Schwertträger (Xiphophorus helleri), als Zierfisch gehaltener, lebend gebärender Zahnkarpfen aus dem trop. Amerika. Beim Männchen ist der untere Teil der Schwanzflosse schwertförmig verlängert.

Schwertwal, → Delphine.

Schwerverkehrsabgabe, in der Schweiz seit 1985 erhobene indirekte Bundessteuer für in- und ausländ. Motorfahrzeuge mit einem Gewicht von mehr als 3,5 t für die Benutzung der dem allgemeinen Verkehr geöffneten Straßen. Die S. ist gestaffelt zw. 650 sfr (Lkw von mehr als 3,5 t bis 12 t) und 4 000 sfr (über 26 t) bzw. für Anhänger zw. 650 und 2 000 sfr.

Schwerwasserreaktor, ein → Kernreaktor mit schwerem Wasser (D_2O) als Kühlmittel und Moderator.

Schwester, Person weibl. Geschlechts in einer Geschwisterreihe (mit gemeinsamen Eltern).

Schwetzingen
Stadtwappen

Schwetzingen, Stadt (Große Kreisstadt) im Rhein-Neckar-Kr., Bad.-Württ., im Oberrhein. Tiefland, 21 900 Ew.; FH für Rechtspflege; Konservenfabrik, Metall-, Motoren- und Textilind.; Spargel- und Tabakanbau und -verarbeitung; Fremdenverkehr. – Das Schloss wurde 1710–16 in eine barocke Dreiflügelanlage umgebaut; der 1753–1804 angelegte Schlossgarten gehört zu den bedeutendsten Parkanlagen Europas; Rokokotheater. – 766 erstmals erwähnt, 1833 Stadtrecht. – Die **Schwetzinger Festspiele** finden seit 1952 (seit 1955 jährlich) im Mai/Juni im Park, im Schloss und im Rokokotheater unter dem Protektorat des Süddt. Rundfunks statt (Opern-, Ballett- und Schauspielaufführungen, Konzerte). BILD Gartenkunst

Schwimmen
Holz schwimmt auf Wasser – aber nicht jede Sorte. Einige tropische Hölzer wie Ebenholz (1,08 g/cm³) oder Veilchenholz (1,3 g/cm³) haben eine so hohe Dichte, dass sie versinken, wenn man sie ins Wasser wirft.

Schwibbogen (Schwebebogen), *Baukunst:* Bogen ohne darauf lastendem Mauerwerk; in der got. Baukunst zum Übertragen des Gewölbeschubs des Mittelschiffs auf die in den Seitenschiffen hochgeführten Strebepfeiler.

Schwiebus, Stadt in Polen, → Świebodzin.

Schwiele, umschriebene Verdickung der Hornhaut der Haut durch anhaltende Druckwirkung (Haut-S.); auch durch entzündl. Vorgänge ausgelöste bindegewebl. Vernarbung in Organen.

Schwielensohler (Tylopoda), Unterordnung wiederkäuender Paarhufer mit kleinen, nagelartigen Hufen. S. treten auf den beiden letzten Zehengliedern auf, die eine Sohlenfläche aus einer dicken, federnden Schwiele ausbilden; einzige rezente Familie → Kamele.

Schwielochsee, See in Brandenburg, von der Spree durchflossen, 10,5 km²; Ausflugsziel.

Schwientochlowitz, Stadt in Polen, → Świętochłowice.

Schwimmbad (Badeanstalt), Anlage zum Schwimmen im Freien, an natürl. Gewässern oder Baggerseen, sowie in Hallen **(Hallenbad).** S. haben Nebenanlagen, v. a. sanitäre Einrichtungen; Schwimmbeckengröße (für Wettkämpfe) mindestens 25 × 12 m (Kurzbahn), internat. 50 × 21 m; Beckentiefe bis 5 m an den Sprunganlagen.

Schwimmblase, 1) *Anatomie:* (Fischblase) als Ausstülpung der Schlundwand entstandenes, mit Luft gefülltes Organ der Knochenfische; ermöglicht das Schweben im Wasser und die Wahrnehmung von Druckschwankungen.

2) *Botanik:* Luft oder Gas enthaltende Auftreibung mancher Algen zur Aufrichtung blattartiger Organe.

Schwimmen, 1) *Physik:* Bez. für die Lage oder Bewegung eines Körpers an oder auf der Oberfläche einer Flüssigkeit. Körper, deren spezif. Dichte kleiner ist als die der Flüssigkeit, schwimmen in jeder Lage durch stat. → Auftrieb. Körper mit größerer Dichte als die der Flüssigkeit schwimmen bei geeigneter Formgebung (z. B. Hohlform bei Schiffen) oder in Verbindung mit leichteren Körpern (z. B. Nichtschwimmer mit Schwimmgürtel) durch Auftrieb, sobald die Gewichtskraft des von ihnen verdrängten Flüssigkeitsvolumens gleich ihrer eigenen Gewichtskraft wird, oder wenn der Körper durch Bewegung relativ zur Flüssigkeit eine seinem Gewicht entgegengerichtete Kraftkomponente erzeugt. Für die Stabilität beim S. ist das → Metazentrum von Bedeutung.

Schwimmen: Olympische Wettbewerbe (1996)

Schwimmart	Distanz in m
Freistilschwimmen	50, 100, 200, 400, 800 (F), 1 500 (M), 4 × 100, 4 × 200
Rückenschwimmen	100, 200
Brustschwimmen	100, 200
Schmetterlingsschwimmen	100, 200
Lagenschwimmen	200, 400, 4 × 100

F = ausschl. Frauen, M = ausschl. Männer

2) *Schwimmsport:* Die Fähigkeit des Menschen, sich mithilfe von Arm- und Beinbewegungen über Wasser zu halten und fortzubewegen. Zum Schwimmsport gehören Kunst- und Synchronschwimmen, Rettungsschwimmen, Tauchen, Wasserspringen (Kunst- und Turmspringen) und das eigentl. Sportschwimmen. Im Sportschwimmen gibt es Einzel- und Staffelwettbewerbe für versch. Distanzen um die kürzeste Zeit im Brust-, Kraul- (als Freistil-S. ausgeschrieben), Schmetterlings-, Rücken(kraul)- und Lagen-S. (alle vier genannten Sportschwimmarten auf meist 50 m langen, strömungsfreien Schwimmanlagen mit 2,5 m breiten, abgegrenzten Bahnen). Die Platzierung ergibt sich aus der Reihenfolge des Anschlags am Ziel. S. ist ferner Teilprüfung des modernen Fünfkampfs und des Triathlons. Außerdem gibt es als olymp. Disziplin Wasserball.

Schwimmer, Max, Maler, Grafiker und Illustrator, *Leipzig 9. 12. 1895, †ebd. 12. 3. 1960; 1946–60 Prof. in Leipzig und Dresden; entwickelte nach expressionist. Anfängen einen Stil spätimpressionist. Prägung; internat. bedeutender Illustrator von Werken der Weltliteratur.

Schwimmer, 1) *Technik:* Hohlkörper oder Körper geringer Dichte (z.B. Holz, Kork), der auf einer Flüssigkeit schwimmt und als Träger einer Last (S. bei Wasserflugzeugen), als Regelorgan, zum Anzeigen des Flüssigkeitsstandes oder Ähnlichem dient.

2) *Sport:* Teil der →Angel.

Schwimmhaut, Haut zw. den Zehen bestimmter Wassertiere, etwa der Schwimmvögel; dient als Ruderfläche.

Schwimmkäfer (Dytiscidae), Familie der Käfer, hauptsächlich in den gemäßigten Breiten der Nordhalbkugel vorkommend. Der bis 4 cm lange, in Binnengewässern lebende und sich von Würmern und kleinen Fischen ernährende **Gelbrandkäfer** (Dytiscus marginalis), Oberseite schwarzbraun mit gelbem Seitenrand, hat fadenförmige Fühler und Schwimmbeine. Die **Dreh-** oder **Taumelkäfer** (Gyrinidae), jetzt in eine eigene Familie gestellt, sind 3–20 mm lang, oberseits gewölbt, unten flach; sie leben räuberisch in stehenden Gewässern und in Gebirgsbächen. Sie haben zweiteilige Augen (Überwasser- und Unterwasseraugenteil) und stark abgeplattete Mittel- und Hinterbeine (»Flossenbeine«); sie bewegen sich auf der Wasseroberfläche kreisend oder schwimmen auch untergetaucht.

Schwimmsand, von Wasser durchtränkter, fließfähiger Feinsand **(Flottsand).**

Schwimmwanze (Naucoris cimicoides), 11–13 mm lange Wasserwanze; fängt mit sichelförmigen Vorderbeinen Kleintiere; Stich sehr schmerzhaft.

Schwimmweste, die →Rettungsweste.

Schwind, Moritz von, Maler und Zeichner, *Wien 21. 1. 1804, †Niederpöcking (heute zu Pöcking, Kr. Starnberg) 8. 2. 1871; übersiedelte 1828 nach München, wo er entscheidende Eindrücke von P. Cornelius empfing und die ersten Wandmalereien schuf (Münchner Residenz, 1833/34; Kunsthalle in Karlsruhe, 1839–44; Wartburg, 1853–56; Hofoper in Wien, 1863–67). Gleichzeitig entstanden zahlr. Gemälde, zykl. Kompositionen, graf. Arbeiten, Zeichnungen für die »Fliegenden Blätter«, »Münchner Bilderbogen« u.a. Durch seine illustrative, poetisch-gemütvolle, von feinem Humor bestimmte Kunst wurde S. zu einem der Hauptmeister der dt. Spätromantik. Weiteres BILD Kammermusik

📖 POMMERANZ-LIEDTKE, G.: *M. v. S. Leipzig 1974.*

Moritz von Schwind: »Die Hochzeitsreise« (um 1855; München, Schack-Galerie)

Schwindel (Vertigo), oft mit vegetativen Erscheinungen wie Übelkeit, Herzklopfen, Schweißausbrüchen und Erbrechen verbundenes unangenehmes Gefühl des gestörten Körpergleichgewichts. S. ist wahrscheinlich die Folge der fehlenden Koordination zw. den Meldungen aus dem Gleichgewichtsorgan und den opt. bzw. sensiblen Signalen über die Lage und Bewegung des Körpers im Raum. Je nach der Ursache des S. bzw. dem Ort des ihn auslösenden Prozesses werden unterschieden: **kreislaufbedingter S.** (Minderdurchblutung und Sauerstoffmangel im Bereich bestimmter Hirngebiete); **opt.** oder **okulärer S.** (bei Augenmuskellähmungen oder Brechungsfehlern des Auges); **zerebellarer S.** bei Kleinhirnerkrankungen; **vestibulärer** oder **labyrinthärer S.** bei inadäquater oder allzu starker Reizung der Gleichgewichtsorgane sowie bei Erkrankung des Ohrlabyrinths und der zugehörigen Bahnen oder Hirnkerne durch Tumoren, Traumen oder Vergiftungen (bes. Alkohol und Nikotin).

Schwimmkäfer: Gelbrandkäfer (Männchen, Länge 3–4 cm)

Schwindling (Marasmius), Gattung kleiner, zäher, als Würze wertvoller Blätterpilze, die bei Trockenheit einschrumpfen, z. B. **Nelken-S.** (Marasmius oreades), etwa 7 cm groß, lederbraun, dünnfleischig, und **Knoblauch-S. (Echter Mousseron,** Marasmius scorodonius), etwa 6 cm groß, rotbraun, in Nadelwäldern.

Schwindsucht, alte volkstümliche Bez. für die akute Lungentuberkulose (→ Tuberkulose).

Schwindung, Verkleinerung der Länge oder des Volumens, z. B. von Holz beim Trocknen, von Tonwaren beim Trocknen und Brennen, von Metall und Kunststoff beim Abkühlen und Erhärten. Das **Schwindmaß (Schwundmaß)** beträgt z. B. für Zinn 0,5 %, Stahl und Nickel 2 %, Beton 0,05 %.

Schwingboden, federnde, flächenelast. Fußbodenkonstruktion für Sporthallen.

Schwinge, Vogelflügel; den flugmechan. Anforderungen entsprechende spezialisierte Federarten.

Schwingel (Festuca), eine Grasgattung; in Mitteleuropa heimisch sind z. B. **Schaf-S.** (Festuca ovina), mit borstenförmigen Blättern und begrannten, oft violetten Einzelährchen, auf trockenem Grasland (Schafweide); **Wiesen-S.** (Festuca pratensis), bis 1 m hoch, mit einseitswendiger Rispe unbegrannter Ährchen, Wiesengras für feuchteren Boden.

Julian S. Schwinger

Schwingen, 1) *Ringen:* Form des Ringkampfs in der Schweiz, die Ringer tragen Trikots und Schwingerhosen aus Drillich; zu Beginn des Kampfes **(Schwinget)** fasst der eine den Hosengurt, der andere das aufgekrempelte Hosenbein des Gegners. Ziel ist es, den Gegner auf Rücken, Nacken, Schulter oder Gesäß zu werfen (schwingen); Punktwertung. Alle drei Jahre wird beim eidgenöss. Schwingerfest der **Schwingerkönig** ermittelt.

2) *Skisport:* das Aneinanderreihen von Bogen bei paralleler Skiführung.

Schwinger, *Boxen:* Fauststoß mit gekrümmtem, steif gehaltenem Arm unter Ausnutzung des Körperschwungs.

Schwinger ['ʃwɪŋə], Julian Seymour, amerikan. Physiker, *New York 12. 2. 1918, †Los Angeles (Calif.) 16. 7. 1994; arbeitete über Atombau und am Ausbau der Quantenelektrodynamik; erhielt dafür 1965 mit R. P. Feynman und S. Tomonaga den Nobelpreis für Physik.

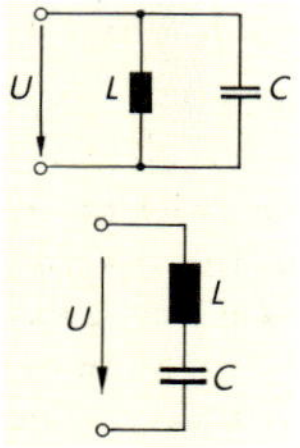

Schwingkreis: Parallelschwingkreis (oben) und Reihenschwingkreis; *U* Wechselspannung, *L* Induktivität und *C* Kapazität

Schwingkreis (Resonanzkreis, Schwingungskreis), aus Kondensator (Kapazität), Spule (Induktivität) und (Verlust-)Widerstand bestehendes elektr. Netzwerk in Parallel- oder Reihenschaltung, in dem elektromagnet. Schwingungen erregt werden können und das einen frequenzabhängigen Klemmenwiderstand aufweist. Liegt am S. eine Wechselspannung mit einer der Eigen-(Resonanz-)Frequenz des S. (fast) gleichen Frequenz, weist der **Parallel-S. (Sperrkreis)** einen sehr hohen, der **Reihen-S. (Saugkreis)** einen sehr geringen Widerstand auf. Dadurch eignet sich der S. zur Frequenzselektion. Anwendung in selektiven Verstärkern, Oszillatoren, Filtern, Sendern und Empfängern.

Schwingmetall®, Handelsname für eine Gummifeder aus Metallplatten mit zwischengelegtem, einvulkanisiertem Gummiklotz; verwendet zur Lagerung von Maschinen und im Fahrzeugbau.

Schwingquarz, Quarzkristallplättchen mit metall. Kontakten, das sich beim Anlegen einer Wechselspannung aufgrund des reziproken piezoelektr. Effekts (→ Piezoelektrizität) verformt, d. h., mechan. Schwingungen ausführt. S. eignen sich wegen ihrer konstanten Resonanzfrequenzen bes. für frequenzstabile Oszillatoren (Quarzoszillator, Quarzgenerator) in Sendern, Empfängern, Filtern, Quarzuhren u. a.

Schwingung (Oszillation), i. e. S. zeitlich period. Änderung einer physikal. Größe; i. w. S. werden als S. auch Vorgänge bezeichnet, deren Zeitabhängigkeit mehr oder weniger stark von einer exakten Periodizität abweicht (z. B. gedämpfte S.). Typ. S.-Erscheinungen sind mechan. Pendelbewegungen (mechan. S.), period. Dichteänderungen bei der Schallausbreitung in Gasen (elast. S.) und die Änderungen der elektr. und magnet. Feldstärke in elektromagnet. Wellen (elektr. S.).

Man bezeichnet die momentane Entfernung aus der Ruhelage als **Elongation,** die maximale Auslenkung als **Amplitude (S.-Weite),** die Zeit zw. zwei Zuständen gleicher Elongation und Richtung als **S.-Dauer (Periode)** T und die Zahl der S. pro Sekunde als **S.-Zahl** oder **Frequenz** ν. Ändert sich die Auslenkung x harmonisch mit der Zeit t, liegt eine **harmon. S.** vor, die mathematisch durch eine Sinusfunktion **(Sinus-S.)** beschrieben wird: $x(t) = A \sin(\omega t + \varphi_0)$, wobei A die Amplitude, $\omega = 2\pi\nu$ die **Kreisfrequenz,** φ_0 die **Phasenkonstante (Nullphasenwinkel)** und $\varphi = \omega t + \varphi_0$ die **Phase (Phasenwinkel)** der S. ist.

S., die sich nach einmaliger äußerer Anregung ausbilden, heißen **freie S.,** die nach period. Anregung entstehen, **erzwungene S.** (→ Resonanz). Bei S. mit zeitlich konstanter Amplitude spricht man von **ungedämpften,** ansonsten von **gedämpften S.** (→ aperiodisch). – Viele S. (z. B. Kipp-S.) sind komplizierte period. Funktionen der Zeit **(anharmon. S.),** die jedoch entsprechend der → harmonischen Analyse aus einer harmon. **Grund-S.** und einer Reihe von **Ober-S.** bestehen, die sich von der Grund-S. durch ihre kleinere Amplitude und ihre Frequenz (einem ganzzahligen Vielfachen der Frequenz der Grund-S.) unterscheiden. – S. in einem kontinuierl. Medium führen zur Ausbreitung von → Wellen.

Schwingungsdämpfer, Vorrichtung, die schwingenden mechan. Systemen Energie entzieht (durch Reibung, Strömungsverluste, Wirbelströme u.Ä.) und so die Schwingungsamplituden verringert. – S. zw. Aufbau und Radachse am Fahrwerk von Kraftfahrzeugen heißen →Stoßdämpfer.

Schwippert, Hans, Architekt, *Remscheid 25.6. 1899, †Düsseldorf 18.10.1973; 1946–61 Prof. an der TH Aachen, bis 1967 Direktor der Kunstakademie Düsseldorf, seit 1950 Vors. des Dt. Werkbundes. Seine Bauten sind dem Funktionalismus verpflichtet (u.a. Bundeshaus, Bonn, 1949; Wohnhochhaus im Hansaviertel, Berlin, 1957).

Schwirle (Locustella), zu den Grasmücken gehörende Gattung unscheinbar gefärbter Singvögel. Der in feuchten Wiesen heim. **Feldschwirl (Heuschreckenschwirl,** Locustella naevia) hat einen dem Zirpen der Heuschrecken ähnl. Gesang.

Schwirle: Feldschwirl (Größe etwa 13 cm)

Schwirrholz, kult. Gerät versch. Naturvölker: flaches Brettchen mit abgerundeten Enden, das an einer Schnur im Kreis geschwungen wird. Das dabei entstehende Summgeräusch wird als Stimme von Geistern oder Ahnen gedeutet.

Schwitters, Kurt, Maler, Bildhauer, Dichter, *Hannover 20.6.1887, †Ambleside (Cty. Cumbria) 8.1.1948; Mitarbeiter an der expressionist. Zeitschrift »Der Sturm«; 1923–32 Herausgeber der dadaist. Zeitschrift »Merz«; emigrierte 1935 (endgültig 1937) nach Norwegen, 1940 nach Großbritannien. Seine dadaist. künstler. und literar. Arbeit beruht auf der Collagetechnik, die er unter dem Begriff **Merzkunst** zusammenfasste (Merzdichtung, Merzmalerei bzw. Merzbilder und Merzbauten). Er gilt als Vorläufer der konkreten Poesie. Berühmt wurde sein Gedichtband »Anna Blume« (1919). BILDER Collage, Objet trouvé

📖 ELDERFIELD, J.: *K. S. A. d. Engl. Düsseldorf 1987.*

Kurt Schwitters

Schwitzbad, zur Erhöhung der Körpertemperatur und zum Schweißausbruch führendes Bad, als Wasserbad, →Dampfbad oder →Heißluftbad (→Sauna).

Schwitzen, *Physiologie:* →Schweiß.

Schwüle, subjektiv als unangenehm feuchtwarm empfundenes Wetter ohne eindeutig fundierte meteorolog. Definition. Im Zusammenhang mit der Beeinträchtigung des menschl. Wohlbefindens wird der Begriff **Wärmebelastung** vorgezogen.

Schwund, *Wirtschaft:* durch Lagerung oder Transport eintretende Gewichts- oder Mengenverluste bei bestimmten Waren.

Schwund|erscheinung (Fadingeffekt), *Funktechnik:* kurzzeitiges Schwächen oder Auslöschen des Empfanges durch Mehrwegeausbreitung elektromagnet. Wellen (z.B. als Bodenwelle und in der Ionosphäre reflektierte →Raumwelle oder zwei an versch. Schichten reflektierte Raumwellen), die unterschiedlich lange Wege zurückgelegt haben und sich überlagern; eine Interferenzerscheinung.

Schwungrad, ein Scheiben- oder (seltener) Speichenrad mit einem schweren Radkranz, das an rotierenden Wellen das Trägheitsmoment erhöht und durch sein Beharrungsvermögen kinet. Energie (Rotationsenergie) speichern und im Bedarfsfall wieder abgeben kann. Es wird z.B. zur Erzeugung eines mittleren konstanten Drehmoments bei Kolbenmaschinen verwendet.

Schwur, der Eid.

Schwurgericht, beim Landgericht fungierende Strafkammer, die gemäß §74 Abs. 2 GVG zuständig ist für Mord, Totschlag, Kindestötung und für bestimmte Delikte mit Todesfolge. Das S. ist mit drei Berufsrichtern und zwei Schöffen besetzt, die in der Hauptverhandlung mit gleichem Stimmrecht über Schuld und Straffrage entscheiden. An die Stelle des S. tritt im Jugendstrafrecht die Jugendkammer. – In *Österreich* entscheiden in den **Geschwornengerichten** über die Schuldfrage acht Geschworne **(Geschwornenbank),** über die Straffrage die Geschwornen und drei Berufsrichter **(Schwurgerichtshof)** gemeinsam. In der *Schweiz* gibt es S. mit unterschiedl. Organisation.

Schwyz 1) Kantonswappen

Schwyz [-i:-], **1)** Kanton der Zentralschweiz, zw. Vierwaldstätter See und Zürichsee, 908 km², (1991) 122400 Ew.; Hauptort ist Schwyz. Der Kt. hat sechs Bezirke: Einsiedeln, Gersau, Höfe, Küssnacht, March und Schwyz. Der südl. Teil wird von den Schwyzer Alpen durchzogen, der nördl. ist

Schwyz 2): Die 1769–74 erbaute spätbarocke Pfarrkirche Sankt Martin ist eine der festlichsten Barockkirchen der Schweiz; im Hintergrund der Urmiberg

27 B 15/12

bewaldetes Alpenvorland; Haupterwerbszweige: Viehhaltung (Milchwirtschaft), Almwirtschaft, Ackerbau; Maschinen- und Apparatebau, Nahrungsmittel-, Textil-, Holz- und Möbelindustrie, Fremdenverkehr.

Geschichte: 972 erstmals erwähnt; erlangte 1240 Reichsfreiheit (von den Habsburgern nie anerkannt); 1291 »Ewiger Bund« mit Uri und Unterwalden (Urkanton); 1315 polit. Selbstständigkeit. 1814 Ablehnung des Bundesvertrages; 1831 liberale, 1876 und 1898 neue Verfassung.

📖 *S. Porträt eines Kantons, hg. v.* N. FLUELER. *Schwyz 1991.*

2) Hauptort von 1), 516 m ü. M., nahe dem Vierwaldstättersee, 12 900 Ew.; Lehrerseminar; Bundesbriefarchiv, Museum; Metallverarbeitung, Textilind. – Pfarrkirche St. Martin (1769–74), Rathaus (Neubau 1642–45). – 972 erstmals als **Suitters** erwähnt. BILD S. 417

Hanna Schygulla

Schwyzerdütsch [-i:-] (Schwyzerdytsch, Schwitzertütsch, Schweizerdeutsch), die in der dt.sprachigen Schweiz gesprochenen alemann., vielfach variierten Mundarten. Es sind (ausgenommen die niederalemann. Basler Mundart) hoch- und südalemann. Dialekte, die des Wallis werden als Höchstalemannisch bezeichnet.

Schygụlla, Hanna, Filmschauspielerin, *Kattowitz 25. 12. 1943; sensible Darstellerin, spielte v. a. in Filmen von R. W. Fassbinder: »Liebe ist kälter als der Tod« (1969), »Fontane Effi Briest« (1974), »Die Ehe der Maria Braun« (1978), »Lili Marleen« (1980); außerdem u. a. »Eine Liebe in Dtl.« (1983), »Madame Bäuerin« (1993); trat 1997 in Avignon und Paris als Chansonsängerin hervor.

Leonardo Sciascia

Sciascia ['ʃaʃʃa], Leonardo, italien. Schriftsteller, *Racalmuto (Prov. Agrigent) 8. 1. 1921, †Palermo 20. 11. 1989. Seine zahlr. Romane, in denen er sizilian. Leben und sizilian. (polit.) Verhältnisse schildert, verbinden Sozialkritik mit Elementen des histor. und des Kriminalromans (»Der Tag der Eule«, 1961; »Tote auf Bestellung«, 1966; »Tote Richter reden nicht«, 1971; »Candido oder ein Traum in Sizilien«, 1977; »1912 + 1«, 1986); auch Erzählungen, Dramen, literar. und histor. Essays (»Die Affäre Moro«, 1978) sowie Lyrik.

Sciencefiction ['saɪəns'fɪkʃən; engl. science »Wissenschaft« und fiction »Fiktion«, von lat. fictio »Einbildung«] *die,* Sammelbegriff für Literatur, die sich v. a. seit dem Ende des 19. Jh. infolge des Interesses an technisch-wiss. Aspekten aus der utop. (→Utopie) und fantast. Literatur herausbildete und sich als Darstellung zukünftiger Entwicklungen und Ereignisse etablierte; ihre Themen findet sie daher vorrangig in der technisch-naturwiss. Sphäre. Als Vorläufer der S.-Literatur werden allg. »Frankenstein« (R., 1818) von Mary Shelley, einige Erzählungen E. A. Poes sowie bes. Romane von J. Verne angesehen; in Dtl. waren K. Laßwitz, später H. Dominik von Bedeutung. Zum Erfolg der S. haben bes. die in den USA seit 1926 erscheinenden S.-Magazine beigetragen, v. a. »Amazing stories« von H. Gernsback. S. entwickelte sich zur (trivialen) Massenliteratur, deren Kennzeichen ein unbedingter Glaube an den Segen des techn. Fortschritts war (positive Utopie); wichtige Autoren:

Sciencefiction: Perry Rhodan, Titelheld der gleichnamigen Sciencefiction-Heftserie

I. Asimov, R. D. Bradbury, A. C. Clarke, L. Sprague de Camp, R. A. Heinlein, T. Sturgeon. Die Beschäftigung mit sozialen Fragen wurde in der westl. S. bis in die Gegenwart v. a. von »negativen Utopien« (»Antiutopien«) verfolgt, in denen heutige gesellschaftl. Fehlentwicklungen – konsequent weitergedacht – als negatives Bild einer künftigen Welt dargestellt werden (A. Huxley, G. Orwell). 1964 entstand eine »New Wave« (»neue Welle«) der S.-Literatur, die v. a. auf die Autoren des brit. S.-Magazins »New worlds« zurückging: M. Moorcock, J. G. Ballard, J. Brunner u. a.; USA: N. Spinrad, T. M. Dish und J. Sladek. Sie wenden ihre Aufmerksamkeit mehr dem literar. Experiment zu. Feminist. S.-Romane schreiben die Amerikanerinnen Ursula K. Le Guin und Joanna Russ. Für die europ. S.-Szene sind noch zu nennen: die Franzosen J. P. Andrevon und G. Klein sowie die Italiener L. Aldani und U. Malaguti; im deutschsprachigen Raum: C. Amery, G. Zanner, H. W. Franke und H. Pukallus; die beliebteste dt. Heftserie ist »Perry Rhodan, der Erbe des Universums« (seit 1961). Die Handlungen der S. in den osteurop. Ländern spielten bis Ende der 80er-Jahre häufig in einer kommunist. Zukunftsgesellschaft oder schilderten deren Entstehung. Bed. Autoren: S. Lem, A. A. Bogdanow, A. N. Tolstoi, J. I. Samjatin, I. A. Jefremow sowie A. N. und B. N. Strugazki. Die **S.-Comics** stellen häufig Superhelden vor und sind Vorlagen für Film und Fernsehen. Z. B. sind »Superman«, »Batman«, »Iron Man«, »Akira« auserwählte Bewahrer des Bestehenden, des Rechts und der Ordnung. **S.-Hörspiele:** Als bemerkenswertestes Hörspielereignis gilt bis heute O. Welles' Rundfunkfassung von H. G. Wells' »Der Krieg der Welten« (1938). Als einer der ersten **S.-Filme** gilt »Die Reise zum Mond« (1902) von G. Méliès; bed. auch »Metropolis« (1927) von F. Lang, S. Kubricks »2001: Odyssee im Weltraum« (1968), A. A. Tarkowskis »Solaris« (1972), G. Lucas' »Krieg der Sterne« (1977), R. Zemeckis' »Zurück in die Zukunft« (1985). Häufig wird im S.-Film Tricktechnik eingesetzt, um Show- und Spannungseffekte zu intensivieren oder fantast. Wesen zum Leben zu erwecken. Die Grenzen zum fantast., Horror-, Fantasy- und Superagentenfilm sind fließend. Seit den 80/90er-Jahren gibt es eine Tendenz zu spielerisch-erzählenden Handlungen. – Die **Fantasyliteratur** ist geprägt von Technikfeindlichkeit, sie will der Literatur verloren geglaubte Welten von Mythos und Magie zurückgewinnen. Sie greift kelt., skandinav. und oriental. Stoffe auf, spielt v. a. in einem fiktiven archaischen Zeitalter oder in einer postapokalypt. Zukunft sowie in einem idealisierten MA. oder in exot. Gefilden; sie behandelt Themen wie Reisen in Fantasiewelten, die Aussöhnung von Mensch, Natur und Magie, die abenteuerl. Suche (»Queste«) und den ewigen Kampf zw. Gut und Böse. Als unmittelbare Vorläufer gelten L. Carroll, L. F. Baum, C. Kingsley. Den Erfolg der Fantasyliteratur in jüngerer Zeit begründete J. R. R. Tolkien; wichtige Autoren der Gegenwart sind M. L. Peake, P. S. Beagle, M. Ende, M. Z. Bradley, G. Bradshaw, B. Bates. Neben dieser als High Fantasy bezeichneten Richtung existiert die Heroic Fantasy, die v. a. auf die Zeitschrift »Weird Tales« (1923–54) zurückgeht. In ihr veröffentlichten Autoren wie L. R. Hubbard, R. F. Howard, C. A. Smith und F. Leiber Geschichten, in denen sich barbar. Helden gegen Zauberei und Magie mit dem Schwert behaupten und die von Gewaltfantasien, Rassendiskriminierung und sadomasochist. Sexualität gekennzeichnet sind. V. a. auf diese Richtung greifen Fantasycomics zurück.

📖 WUCKEL, D.: *Illustrierte Geschichte der Science-fiction. Leipzig 1986. – Lexikon der Science-fiction-Lit., bearb. v.* H. J. ALPERS *u. a. Neuausg. München 1990.* – INNERHOFER, R.: *Dt. S. 1870–1914. Wien u. a. 1996.* – HAHN, R. M. *u.* JANSEN, V.: *Lexikon des Science-fiction-Films. 2000 Filme von 1902 bis heute, 2 Bde. München 7 1997.*

Scientific Community [saɪən'tɪfɪk kəm'juːnətɪ, engl.] *die,* Begriff für die Gemeinschaft derjenigen, die als eigentl. Träger des normativen Bezugssystems der Wiss. (Standards und Regeln wiss. Erkennens, Forschungs- und Handlungslogik) angesehen werden können.

Scientific Management [saɪən'tɪfɪk 'mænɪdʒmənt] *das* (wissenschaftliche Betriebsführung), von F. W. Taylor begründete Methode (daher auch Taylorismus gen.) zur Steigerung der Arbeitsproduktivität in der industriellen Fertigung durch Rationalisierung des Einsatzes von Arbeitskräften. Zentrales Element des S. M. ist die Gestaltung von Arbeitsabläufen und die Aufdeckung von Rationalisierungsreserven basierend auf Zeit- und Bewegungsstudien. Leistungspotenziale werden durch Zerlegung der Gesamtaufgabe in kleinste Arbeitsschritte, Entlastung der Arbeiter von dispositiven Tätigkeiten sowie durch leistungsorientierte Lohnformen optimiert.

Sci|entismus *der* (Szientismus), krit. Bez. für Versuche der Übertragung von Methoden und Prinzipien naturwiss. Forschung auf die Human-, Sozial- und Geisteswissenschaften.

Scientology® [saɪən'tɔlədʒɪ; engl., zu lat. scientia »Wissen«] *die,* von dem amerikan. Sciencefictionautor Lafayette Ronald Hubbard (*1911, †1986) unter dem Namen Dianetics® entwickelte, ab 1952 unter der Bez. S. propagierte »angewandte religiöse Philosophie und Technologie«; zugleich eine weltweit verbreitete Organisation, deren dt. Zweig 1971 als »Scientology Kirche Dtl.« gegründet wurde. S. versteht sich als »Wiss. vom menschl. Geist«, deren Ziel die Befreiung der Menschen zu ihrer eigentl. (Geist-)Identität und, darauf aufbauend, die Begründung einer neuen Zivilisation ist. Voraussetzung sei die Absolvierung eines (zu hohen Preisen angebotenen) Kurssystems, innerhalb dessen der Teilnehmer von seinen »geistigen Behinderungen befreit« und in den Zustand des »Clear« geführt werde. Wichtigste Methode ist dabei das »Auditing«, eine Abfragetechnik mithilfe eines elektron. Messgerätes (»Hubbard-Elektro-Meter«). Der Einstieg erfolgt i. d. R. über einen kostenlosen »Persönlichkeitstest«, der oft beim (Straßen-)Verkauf von Hubbards Handbuch »Dianetics« (1950) angeboten wird. S. gehört zu den umstrittensten weltanschaul. Organisationen. Kritiker werfen ihr vor, dass sie sich psycholog. Methoden bediene, um Menschen aus ihren sozialen Bindungen zu lösen, abhängig zu machen und wirtschaftlich auszubeuten. Die S. Kirche Dtl. hat rd. 30 000 Mitglieder. Der von der S.-Organisation beanspruchte Status einer Religionsgemeinschaft im Sinne von Art. 4, Abs. 2 GG wird in Dtl. nicht anerkannt. Aufgrund ihrer Praktiken wird sie vom Verfassungsschutz überwacht. Das Bundesarbeitsgericht urteilte 1995, die religiöse Selbstdarstellung diene nur als Vorwand für wirtsch. Interessen.

📖 HAACK, F.-W.: *S., Dianetik u. a. Hubbardismen. München 2 1990.* – CHRIST, A. *u.* GOLDNER, S.: *S. im Management. Düsseldorf 1996.* – HARTWIG, R.: *S. – ich klage an! Neuausg. München 1996.*

scil., Abk. für lat. **scil**icet, das heißt, nämlich.

Scilla [grch. skílla »Meerzwiebel«] *die* (Blaustern), Gattung der Liliengewächse; Zwiebelpflanzen mit längl. grundständigen Blättern und Trauben oder Doldentrauben blauer bis rötl. Blüten. In

Scilla: Zweiblättriger Blaustern

Mitteleuropa u.a. der geschützte **Zweiblättrige Blaustern** (S. bifolia) mit azurblauen Blüten, Vorfrühlingsblüher in Laubgehölzen. Einige Arten sind beliebte Gartenzierpflanzen.

Scilly-Inseln ['sɪlɪ-] (engl. Isles of Scilly), brit. Inselgruppe im Atlantik, 40 km vor der SW-Spitze Englands, etwa 140 Inseln und Klippen, zus. 16,4 km² mit 2000 Ew.; größte der fünf bewohnten Inseln ist Saint Mary's; mildes ozean. Klima lässt eine subtrop. Vegetation gedeihen; Fremdenverkehr, Blumenzucht und Gemüsebau.

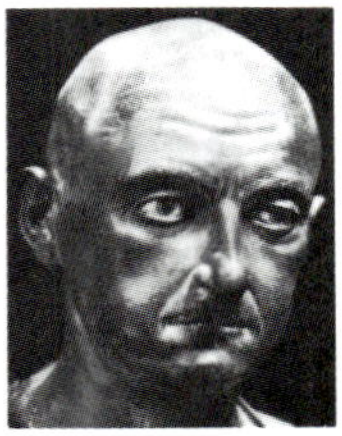

Publius Cornelius Scipio (römische Büste; Neapel, Museo Archeologico Nazionale)

Scipio, Beiname im altröm. Patriziergeschlecht der Cornelier; bed. Vertreter:

1) Publius Cornelius S., gen. Africanus maior, S.d.Ä., *um 235 v.Chr., †Liternum 183 v.Chr.; Vater der →Cornelia, erfolgreicher Feldherr im 2. Pun. Krieg, der 210 Neukarthago (heute Cartagena) eroberte und bis 206 die Karthager aus Spanien vertrieb; 202 besiegte er Hannibal bei Zama.

Publius Cornelius Scipio Aemilianus (römische Büste; Neapel, Museo Archeologico Nazionale)

2) Publius Cornelius S. Aemilianus, gen. Africanus minor, S.d.J., *um 185 v.Chr., †129 v.Chr.; durch Adoption Enkel von 1); als Oberbefehlshaber im 3. Pun. Krieg eroberte und zerstörte er 146 Karthago, 133 Numantia.

Scirocco [ʃi'rɔkko, italien.] *der,* →Schirokko.

Sclera [grch.] *die,* die Lederhaut des Auges.

Scliar [is'kljar], Moacir, brasilian. Schriftsteller, *Pôrto Alegre 23. 3. 1937; Sohn russisch-jüd. Einwanderer, Arzt; verbindet in seinen Romanen (u.a. »Die Ein-Mann-Armee«, 1973; »Der Zentaur im Garten«, 1980; »Das seltsame Volk des Rafael Mendes«, 1983) und Erzählungen, in denen er bevorzugt Probleme der jüd. Minderheit Brasiliens darstellt, fantast. und reale, oft naturwissenschaftlich untermauerte Elemente.

Ettore Scola

Scola, Ettore, italien. Filmregisseur, *Trevico (Prov. Avellino) 10. 5. 1931; drehte neben (frivolen) Satiren sozialkrit. Filme (»Eifersucht auf italienisch«, 1970; »Die Schmutzigen, die Hässlichen und die Gemeinen«, 1975; »Passion der Liebe«, 1981; »Le Bal – Der Tanzpalast«, 1983; »Macaroni«, 1985; »Die Reise des Capitan Francassa«, 1990; »Romanzo di un giovane povero«, 1995).

Scopolamin *das* (Hyoscin), Alkaloid aus Nachtschattengewächsen, das in der Medizin z.B. zur Dämpfung von Erregungszuständen oder bei Bewegungskrankheiten (Seekrankheit) verwendet wird; wirkt in höheren Dosen lähmend.

Martin Scorsese

Scordatura [italien.] *die,* bei Saiteninstrumenten die von der Normalstimmung abweichende Stimmung der Saiten, die besondere Akkorde, auch Klangfarben, ermöglicht.

Scorel, Jan van, niederländ. Maler, *Schoorl (bei Alkmaar) 1. 8. 1495, †Utrecht 6. 12. 1562; wurde 1522 Verwalter der päpstl. Kunstsammlung in Rom; seit 1524 Kanonikus in Utrecht. Als maßgebl. Vermittler der italien. Renaissancekunst in die nördl. Niederlande wurde er stilbildend für den Romanismus. Seine Altarbilder sind von lichter, kühler Farbigkeit und klar gegliedertem Aufbau; seine Porträts zeigen ein Menschenbild humanist. Prägung.

Jan van Scorel: »Agatha van Schoonhoven« (1529; Rom, Galleria Doria Pamphili)

Scoresbysund ['skɔːzbi-] (grönländ. Kangertittivaq), 300 km weit ins Land eindringender Fjord in O-Grönland; der größte Fjord der Erde; benannt nach dem engl. Polarforscher William Scoresby (*1789, †1857).

Scorpions ['skɔːpɪənz, engl.], 1971 in Hannover gegr. dt. Rockgruppe, mit Hardrock und Popballaden populäre, auch in den USA, Japan und Frankreich erfolgreiche Band.

Scorpius [lat.] *der,* das Sternbild →Skorpion.

Scorsese [skɔː'siːsɪ], Martin, amerikan. Filmregisseur, *Flushing (Long Island, N.Y.) 17. 11. 1942; Vertreter des »New Hollywood«; drehte v.a. krit. Großstadtfilme; »Alice lebt hier nicht mehr« (1974), »Taxi Driver« (1975), »Die Farbe des Geldes« (1986), »Die letzte Versuchung Christi« (1988), »Good Fellas« (1990), »Kap der Angst« (1991), »Zeit der Unschuld« (1993), »Casino« (1995), »Kundun« (1997).

Scorza ['skɔrsa], Manuel, peruan. Schriftsteller, *Lima 9. 9. 1928, †(Flugzeugabsturz) bei Madrid 27. 11. 1983; lebte 1963–78 im Exil; behandelt in seinen dokumentar., lyrischen Romanen, u.a. im Romanzyklus »La guerra silenciosa« (»Trommelwirbel für Rancas«, 1970; »Garabombo, der Unsichtbare«, 1972; »Der schlaflose Reiter«, 1977; »Der Gesang des Agapito Robles«, 1977) den Kampf indian. Bauern gegen Großgrundbesitzer und Militär; auch bed. Lyriker.

Scotch [skɔtʃ, engl.] *der,* kurz für schott. Whisky.

Scotismus, neben dem →Thomismus die einflussreichste philosophisch-theolog. Richtung der Scholastik; orientiert an der Lehre des Johannes

→Duns Scotus, getragen v.a. vom Franziskanerorden.

Scotland [ˈskɔtlənd], engl. Name von →Schottland.

Scotland Yard [ˈskɔtlənd ˈjɑːd; engl. »schott. Hof«] *der,* Bez. für die Londoner (Kriminal-)Polizei und das Polizeigebäude, benannt nach dessen früherer Lage am ehem. schott. Residenzhof (Great S. Y.; ab 1890 New S. Y. am Victoria Embankment, seit 1967 in einer Seitenstraße der Victoria Street). S. Y. wurde 1829 von dem brit. Staatssekretär R. Peel gegründet, um eine schlagkräftige, völlig neue Polizeitruppe aufzubauen.

Scott [engl. skɔt], **1)** Cyril Meir, brit. Komponist, *Oxton (heute zu Birkenhead) 27. 9. 1879, †Eastbourne 31. 12. 1970. Sein eigenwilliger Stil lässt eine Nähe zum frz. Impressionismus erkennen; schrieb Opern (»The alchemist«, 1925), ein Ballett, Orchesterwerke, Klavier- und Kammermusik, Kirchenmusik, Lieder; von der ind. Philosophie und vom Mystizismus beeinflusst.

2) Robert Falcon, brit. Polarforscher, *Devonport (heute zu Plymouth) 6. 6. 1868, †Ende März 1912; leitete 1901–04 die Südpolarexpedition der »Discovery« und erreichte bei einer 1910 begonnenen Expedition am 18. 1. 1912 (vier Wochen nach R. Amundsen) den Südpol. Auf dem Rückweg kam er mit seinen Begleitern um.

3) Sir (seit 1820) Walter, schott. Schriftsteller, *Edinburgh 15. 8. 1771, †Schloss Abbotsford (Scottish Borders) 21. 9. 1832; Rechtsanwalt, Sheriff der Grafschaft Selkirk und Richter in Edinburgh. Seine dichter. Tätigkeit begann mit Übersetzungen aus der dt. Literatur und der Sammlung schott. Volksballaden. Danach veröffentlichte er mehrere ep. Versromanzen, meist aus der schott. Geschichte (»Das Fräulein vom See«, 1810). Mit »Waverley« (3 Tle., 1814) begann er mit der (bis 1827 anonymen) Veröffentlichung spannungsreicher Geschichtsbilder, die ihn zum eigentl. Begründer des histor. Romans machten und die vor sorgfältig recherchiertem Hintergrund geschichtl. Ereignisse die Schicksale fiktiver »mittlerer Helden« darstellen. Die Schauplätze seiner Geschichtspanoramen sind u.a. das Schottland des 18. Jh. (»Waverley«), das engl. MA. (»Ivanhoe«, 3 Bde., 1820) und die Renaissance (»Kenilworth«, 3 Bde., 1821) sowie das Frankreich des 14. Jh. (»Quentin Durward«, 1823).

Walter Scott: Gemälde von Edwin Landseer (1824; London, National Portrait Gallery)

Robert F. Scott

📖 Lockhart, J. G.: *The life of S. W. S., 10 Bde. Edinburgh 1902–03, Nachdr. New York 1983.* – Goslee, N. M.: *S. The rhymer. Lexington, Ky., 1988.*

Scottish Borders [ˈskɔtɪʃ ˈbɔːdəz], Local Authority im SO von Schottland, an der Grenze zu England, 4734 km^2, (1993) 105300 Ew., Verw.sitz ist Newtown Saint Boswells.

Renata Scotto

Scotto, Renata, italien. Sängerin (Sopran), *Savona 24. 2. 1933; ist internat. bes. mit Partien aus italien. Opern hervorgetreten; seit Mitte der 80er-Jahre auch als Regisseurin tätig.

Scott-Schaltung, Schaltung zweier Transformatoren zur Übertragung elektr. Energie eines Dreiphasen-(Drehstrom-)Systems in ein Zweiphasensystem oder umgekehrt.

Scotus, 1) scholast. Theologe und Philosoph, →Johannes Scotus.

2) Johannes, scholast. Theologe und Philosoph, →Duns Scotus.

Scout [skaʊt; engl. »Späher«] *der,* engl. Bez. für →Pfadfinder.

Scrabble [skræbl, engl.] *das,* in den 1930er-Jahren von dem Amerikaner Alfred Butts entwickeltes Spiel, bei dem von den Spielern Buchstaben(steine) kreuzworträtselartig zu Wörtern zusammengefügt werden.

Scrapie [ˈskreɪpɪ, engl.], die →Traberkrankheit.

Screening [ˈskriːnɪŋ; engl. »Prüfung«, »Siebung«] *das,* **1)** *Medizin:* (Vortest, Siebtest, Suchtest) medizin. Untersuchungsmethode, die in bestimmten Bev.gruppen Menschen mit einer noch symptomfreien Erkrankung zu einem möglichst frühen Zeitpunkt erfasst, z.B. durch Reihenuntersuchung auf Diabetes mellitus oder Lungenerkrankungen. S. dient auch zur Identifizierung gefährl. Stoffe, z.B. karzinogener Substanzen.

2) *Technik:* systemat. Auswahlprüfung mithilfe geeigneter Testmethoden; z.B. in der Biotechnologie das systemat. Durchtesten von Mikroorganismen, das die Auswahl gewünschter Enzyme, Antibiotika u.a. ermöglicht.

Eugène Scribe

Madeleine de Scudéry (Ausschnitt aus einem zeitgenössischen Kupferstich)

Glenn T. Seaborg

Scribe [skri:b], Augustin Eugène, frz. Dramatiker, *Paris 24. 12. 1791, †ebd. 20. 2. 1861; schrieb (z. T. mit zahlr. Mitarbeitern) rd. 400 problemlose, gut gebaute, geistreiche Lustspiele (u. a. »Das Glas Wasser«, 1840) sowie Opernlibretti, u. a. zu »Fra Diavolo«, 1830, und »Die Stumme von Portici«, 1828, von D. F. E. Auber; »Robert der Teufel«, 1831, und »Die Hugenotten«, 1836, von G. Meyerbeer.

Scrub [skrʌb; engl. »Gestrüpp«] *der,* Bez. für Gebüschformationen Australiens.

SCR-Verfahren, →Rauchgasentstickung.

Scud B [skʌd-], mobiles Raketenwerfersystem, 1965 bei der sowjet. Armee als Weiterentwicklung der Scud A (ab 1961) eingeführt. Abgefeuert wird die als Trägermittel für Gefechtsköpfe aller Art dienende Rakete (Reichweite 280 km) von einem Lkw. Im 2. Golfkrieg wurden irak. S. B (mit auf 800 km gesteigerter Reichweite) eingesetzt.

Scudéry [skyde'ri], Madeleine de, frz. Schriftstellerin, *Le Havre 15. 10. 1607, †Paris 2. 6. 1701. Ihr Pariser Salon war Zentrum der →Précieuses, deren Verhaltens- und Sprachkodex sie in ihren pseudohistorisch-galanten (meist Schlüssel-)Romanen exemplarisch gestaltete (»Artamenes oder Der große Cyrus«, 10 Bde., 1649–53; »Clelia. Eine röm. Gesch.«, 10 Bde., 1654–60).

Scụdo [italien. »Schild«] *der,* zw. 1551 und 1856 Name italien. Silbertaler.

Scully ['skʌlɪ], Sean, irischer Maler, *Dublin 30. 6. 1945; steht mit seinen Kompositionen aus farbigen horizontalen und vertikalen Streifen in der Nachfolge der amerikan. Farbfeldmalerei.

scụlpsit [lat. »hat gestochen«], Abk. **sculps.** oder **sc.,** *bildende Kunst:* gestochen von (auf Kupferstichen vor oder hinter dem Namen des Stechers).

Scunthorpe ['skʌnθɔ:p], Stadt in der engl. Cty. Humberside, 66 400 Ew.; Museum; früher bed. Stahlindustrie.

Scuol ['ʃkuəl] (dt., bis 1943 amtlich, Schuls), Gemeinde im Kt. Graubünden, Schweiz, 1240 m ü. M., 1900 Ew.; Unterengadin-Museum; Teil des Fremdenverkehrszentrums **Scuol-Tarasp-Vulpera** mit Mineralquellen; Burgenmuseum auf Schloss Tarasp.

Scutẹllum [lat.] *das,* das →Schildchen.

Scụtum [lat.] *das,* das Sternbild →Schild.

SD, Abk. für **S**icherheits**d**ienst, →SS.

S. D., Abk. für den Bundesstaat **S**outh **D**akota, USA.

SDB, Abk. für **S**alesianer **D**on **B**oscos, →Salesianer.

SDI [esdi:'aɪ; Abk. für engl. **S**trategic **D**efense **I**nitiative, »Initiative zur strateg. Verteidigung«], von Präs. R. Reagan 1983 initiiertes Forschungsprogramm der USA zur Errichtung eines umfassenden, im Ggs. zu den →ABM-Systemen auch weltraumgestützten Abwehrsystems gegen ballist. Atomraketen (über 5500 km Reichweite). Der Kerngedanke ist, angreifende gegner. Raketen in jeder Flugphase mittels unterschiedl. Systemkomponenten (Boden-Luft-Raketen, Satelliten) zu bekämpfen. Die Auseinandersetzungen um das SDI-Programm entzündeten sich v. a. an den Fragen seiner techn. Realisierbarkeit, der Auswirkungen auf die Nuklearstrategie der USA sowie der Folgen für Rüstungswettlauf und Abrüstungsverhandlungen. Angesichts der veränderten Sicherheitslage verkündeten die USA 1991 ein »kleines SDI«, das Schutz vor atomaren Mittelstreckenraketen (bis 5500 km Reichweite) bieten sollte. 1992 beschlossen die USA und Russland, gemeinsam ein globales Raketenabwehrsystem zu schaffen. Zugunsten der Weiterentwicklung bodengestützter Abwehrsysteme gegen Raketen kurzer und mittlerer Reichweite verzichteten die USA 1993 auf die Fortführung von SDI.

SDS, 1) Abk. für **S**ocietas **D**ivini **S**alvatoris, →Salvatorianer.

2) Abk. für **S**ozialist. **D**eutscher **S**tudentenbund, →studentische Vereinigungen.

Se, chem. Symbol für →Selen.

Sean Scully: »Us« (1988; Privatbesitz)

Seaborg ['si:bɔ:g], Glenn Theodore, amerikanischer Chemiker, *Ishpeming (Mich.) 19. 4. 1912; bahnbrechende Arbeiten zur Kernphysik und -chemie; Mitentdecker der Transurane Plutonium (1940/41), Americium und Curium (1944/45), Berkelium und Californium (1950), Mendelevium (1955) sowie Nobelium (1958); erhielt 1951 mit E. M. McMillan den Nobelpreis für Chemie.

Seabọrgium [si:-; nach G. T. Seaborg], chem. Symbol **Sg,** künstlich hergestelltes chem. Element, ein →Transuran mit der Kernladungszahl 106; S. wurde im Juni 1974 von sowjet. Forschern und im September 1974 von amerikan. Wissenschaftlern entdeckt. Das Isotop ^{266}Sg hat mit 34 s die längste Halbwertszeit aller Sg-Isotope.

Seafloor-Spreading ['si:flɔ:sprediŋ, engl.] *das* (Oceanfloor-Spreading, Meeresbodenausbreitung, Meeresbodenspreizung), kontinuierl. Entstehung von Meeresboden durch magmat. Aktivität (Austritt von basalt. Lava) entlang den Zentralgräben des Mittelozean. Rückens. Aus dem Erdmantel wird ständig magmat. Material zugeführt und somit ozean. Kruste neu gebildet. Dabei dehnt sich der Ozeanboden ständig aus (bis 18 cm/Jahr), wird also mit zunehmender Entfernung vom Mittelozean. Rücken immer älter. Durch geophysikal. Untersuchungen wurde ein erdmagnet. Streifenmuster der Ozeanböden erkannt, das durch wiederholte Umpolungen des Erdmagnetfeldes bedingt ist (→ Paläomagnetismus) und aus dem sich die Geschwindigkeit des Auseinanderdriftens ableiten lässt. Durch Verschluckung ins Erdinnere (→ Subduktion) an den durch Tiefseegräben gekennzeichneten seismisch aktiven Zonen wird schließlich die ozean. Kruste wieder versenkt und aufgeschmolzen. Einzelne Bruchstücke werden gelegentlich auf die Kontinentalränder aufgeschoben (Ophiolithe). Die Erweiterung der Spreadinghypothese führte zur Theorie der → Plattentektonik, da durch den sich beiderseits ausbreitenden Meeresboden Großschollen (»Platten«) mitgeschleppt und allmählich verschoben werden.

Seal [si:l, engl.] *der* oder *das* (Sealskin), Fell der Bärenrobbe. Die Felle werden naturell oder tiefgeschoren und gefärbt sowie entgrannt und gefärbt zu Pelzwerk verarbeitet.

Sealsfield ['silzfi:ld], Charles, eigtl. Karl Anton Postl, österr. Schriftsteller, * Popice (Südmähr. Gebiet) 3. 3. 1793, † Gut unter den Tannen (bei Solothurn) 26. 5. 1864; trat in das Ordenshaus der Kreuzherren zu Prag ein (1814 Priesterweihe), floh 1823 nach Amerika, wo er den Namen S. annahm, der erst nach seinem Tod als Pseudonym enthüllt wurde. Seit 1832 lebte er in der Schweiz. S. gilt als erster bed. deutschsprachiger Schilderer der amerikan. Landschaft und Gesellschaft (»Der Legitime und die Republikaner«, 2 Bde., R., 1829; »Der Virey und die Aristokraten oder Mexiko im Jahre 1812«, 3 Bde., R., 1835; »Lebensbilder aus beiden Hemisphären«, 6 Bde., R., 1835–37; »Das Cajütenbuch oder nat. Charakteristiken«, 2 Bde., R., 1841).

📖 SCHÜPPEN, F.: *C. S. Karl Postl. Frankfurt am Main u. a. 1981.*

Séance [se'ɑ̃s, frz.] *die,* (bes. spiritist.) Sitzung.

Searle [sə:l], Ronald William Fordham, brit. Zeichner und Illustrator, * Cambridge 3. 3. 1920; gibt seinen polit. und sozialkrit. satirischen Zeichnungen durch einen skurril-nervösen Strich eine eigene Note.

Sears, Roebuck & Co. ['sɪəz, 'rəʊbʌk ənd 'kʌmpənɪ], amerikan. Einzelhandelskonzern mit Kauf- und Versandhäusern, gegr. 1886; Sitz: Chicago (Ill.); auch im Versicherungs-, Finanzierungs- und Immobiliengeschäft tätig.

Seattle: Das Stadtzentrum wird durch zahlreiche Verwaltungshochhäuser geprägt; der im Nordwesten gelegene 185 m hohe Aussichtsturm »Space Needle« wurde zur Weltausstellung 1962 erbaut und ist seitdem das Wahrzeichen der Stadt

SEATO, Abk. für engl. **S**outh **E**ast **A**sia **T**reaty **O**rganization (Südostasiatischer Sicherheitsvertrag, Südostasienpakt), 1955 in Kraft getretenes Verteidigungsbündnis zw. Australien, Frankreich, Großbritannien, Neuseeland, Pakistan, den Philippinen, Thailand und den USA; Sitz: Bangkok. In einem Zusatzprotokoll wurden Laos, Kambodscha und Süd-Vietnam im Falle eines Angriffs als zu verteidigende Interessengebiete genannt. Die SEATO sollte den bereits mit dem ANZUS-Pakt, dem Bagdadpakt und der NATO aufgebauten militär. Gürtel vervollständigen und diente v. a. den USA als Rahmen ihres militär. Eingreifens in den Vietnamkrieg. 1972 trat Pakistan, 1974 Frankreich aus; 1977 wurde die SEATO aufgelöst.

Charles Sealsfield (zeitgenössischer Stahlstich)

Seattle [sɪ'ætl], Stadt im Bundesstaat Washington, USA, zw. dem Pugetsund und dem Washingtonsee, mit 520 900 Ew. größte Stadt im NW der USA; Erzbischofssitz; University of Washington, zwei weitere Univ., Kunstgalerien und Museen; Handelsmittelpunkt und Sitz aller Unternehmungen der Alaskaschifffahrt und -fischerei, Luft- und Raumfahrtind., Maschinen-, Elektrogerätebau, Papierind., Schiffswerften; Sitz des bedeutendsten Software-Unternehmens (Microsoft); 1962 Weltausstellung; bed. Hafen für den Verkehr mit Alaska und Asien. – Im Mittelpunkt der Stadt City Hall und Verwaltungshochhäuser, im NW das S. Center mit dem 185 m hohen Aussichtsturm »Space Needle« und dem Pacific Science Center (1962, von Yamasaki Minoru). – 1851 von weißen Siedlern gegr. und nach Seattle (* 1786, † 1866), dem Häuptling der Suquamish- und Duwamish-Indianer benannt.

Seawright ['si:raɪt], James, amerikan. Künstler, *Jackson (Miss.) 22. 5. 1936; bekannt durch lichtkinet. Plastiken und Environments.

Sebạldus, Einsiedler, kam nach der Legende im 8. Jh. (oder 10./11. Jh.) in die Gegend von Nürnberg, wo er predigte; Schutzpatron von →Nürnberg (Grabmal ebd.); Heiliger, Tag: 19. 8.

Sebạste, ehem. Stadt in Palästina, →Samaria.

Sebạstian, röm. Märtyrer, *Mailand (?), †Rom im 3. oder 4. Jh.; nach der Legende röm. Offizier, Märtyrer in der Christenverfolgung durch Diokletian; Schutzpatron der Jäger und Schützen; wurde im MA. bei Pestgefahr (Pestpfeile) angerufen; Heiliger, Tag: 20. 1. – Die Marter des an einen Baum oder eine Säule gebundenen, von Pfeilen durchbohrten und nur mit einem Lendenschurz bekleideten S. wurde seit dem 15. Jh. oft dargestellt (u. a. von S. Botticelli, P. Perugino, A. Dürer, M. Grünewald, T. Riemenschneider). BILD Altdorfer

Jean Seberg

Sebạstian, König von Portugal (1557–78), *Lissabon 20. 1. 1554, †bei Ksar el-Kebir 4. 8. 1578. Von der Idee des christl. Glaubenskrieges gegen den Islam erfüllt, wollte S. die portugies. Machtstellung in Marokko erneuern; er griff das Heer des Sultans von Marokko an und fiel in der Schlacht bei Ksar el-Kebir. Das portugies. Volk glaubte nicht an seinen Tod und erwartete seine Wiederkehr **(Sebastianismus).**

Sebastiạno del Piọmbo, eigtl. Luciani, italien. Maler, *Venedig um 1485, †Rom 21. 6. 1547; malte in Venedig unter dem Einfluss G. Bellinis und Giorgiones (Altarbild in San Giovanni Crisostomo) und ging 1511 nach Rom, wo er zunächst von Raffael (Fresken in der Villa Farnesina in Rom, 1511), später von Michelangelo beeinflusst wurde (»Pietà«, um 1517, Viterbo, Museo Civico; »Auferweckung des Lazarus«, um 1519, London National Gallery). Später malte er v. a. Bildnisse, die zu den großartigsten der Renaissance gehören (»Klemens VII.«, um 1526, Neapel, Museo e Gallerie

Sebastiano del Piombo: »Pietà« (um 1517; Viterbo, Museo Civico)

Nazionali di Capodimonte). Den Beinamen Piombo (»Siegel«) erhielt er nach dem ihm 1531 verliehenen Amt als päpstl. Siegelbewahrer.

Sebạstopol, Stadt auf der Krim, →Sewastopol.

Sẹbcha [-xa] (Sebkha), im arabischsprachigen Raum Bez. für Salzpfanne und →Salztonebene.

Seberg ['si:bə:g], Jean, amerikan. Filmschauspielerin, *Marshalltown (Ia.) 13. 11. 1938, (†Selbstmord) Paris 30. 8. (?) 1979; bed. Darstellerin der Nouvelle Vague (»Saint Joan«, 1957; »Bonjour Tristesse«, 1958; »Außer Atem«, 1960; »Lilith«, 1964; »Westwärts zieht der Wind«, 1968).

Sẹbnitz, Stadt im Landkreis Sächsische Schweiz, Sachsen, im Grenzbereich zw. Lausitzer Bergland und Elbsandsteingebirge, an der Grenze zur Tschech. Rep., 9 900 Ew.; Kunstblumenherstellung (seit 1835 aus dem dt.-böhm. Raum übernommen). – Stadtkirche St. Petrus und Paulus (15. und 17. Jh.). – 1423 erstmals urkundlich als Stadt erwähnt; bis 1994 Kreisstadt.

Seborrhọ̈ [lat.-grch.] *die* (Schmerfluss, Talgfluss), anlagebedingte Funktionsstörung der Hauttalgdrüsen, die zu einer gesteigerten, krankhaft veränderten Talgabsonderung führt und verstärkt in den Phasen innersekretor. Umstellung (Pubertät, Wechseljahre) auftritt. Betroffen sind v. a. talgdrüsenreiche Hautabschnitte (behaarter Kopf, Stirn, Nase, Rücken). Die **fettige S. (Seborrhoea oleosa)** ist durch ölig flüssige Sekretbildung gekennzeichnet und führt zu fettiger Haut (»Salbengesicht«) und schneller Haarverfettung, die **trockene S. (Seborrhoea sicca)** v. a. an der Kopfhaut zu Schuppenbildung (Kopfschuppen) und

Sebastian

Woran starb der heilige Sebastian?

Durch Pfeile kam er nicht zu Tode. Der aus dem französischen Narbonne stammende Offizier war von Kaiser Diokletian zum Hauptmann der kaiserlichen Leibwache ernannt worden, hatte sich aber während der Christenverfolgungen mehrfach für seine Glaubensbrüder eingesetzt. So verurteilte ihn der Kaiser zur Hinrichtung durch seine mauretanischen Bogenschützen. Sebastian überlebte aber die Pfeile und wurde von einer Witwe namens Irene gesund gepflegt. Kaum genesen, ging er zum Kaiser und stritt sich mit ihm. Der konnte dergleichen nicht leiden und ließ ihn dieses Mal mit Keulen erschlagen und in die Cloaca Maxima werfen.

starkem Juckreiz. S. begünstigt Haarausfall, Ekzeme und tritt auch bei Rosacea auf; Behandlung mit Spezialshampoos sowie schwefel-, teer- und salicylsäurehaltigen Präparaten.

Sebou [sə'bu] *der,* Fluss in NW-Marokko, 458 km lang, entspringt im Mittleren Atlas, mündet bei Kénitra in den Atlant. Ozean; wichtigster Fluss Marokkos für die Bewässerungswirtschaft.

sec [sɛk, frz.], bei Schaumweinen: trocken, weniger trocken als die Stufe brut.

Secale ['ze:kale, ze'ka:lə, lat.], **1)** *Botanik:* →Roggen.

2) *Morphologie:* (S. cornutum) das →Mutterkorn.

SECAM [Abk. für frz. **s**ystème **e**n **c**ouleur **a**vec **m**émoire »Farbsystem mit Speicherung«], in Frankreich entwickeltes Farbfernsehsystem, bei dem die Signale für Farbton und Farbsättigung abwechselnd durch die gleiche Trägerwelle übertragen und vor dem Steuerungsvorgang jeweils kurzzeitig gespeichert werden; in Frankreich, in osteurop. und arab. Ländern angewendet. (→Fernsehen)

Secans hyperbolicus, eine →Hyperbelfunktion.

Secchi ['sekki], Angelo, italien. Astronom, *Reggio nell' Emilia 29. 6. 1818, †Rom 26. 2. 1878; Jesuit, einer der Pioniere der Astrophysik, bes. der Sonne sowie der Spektralanalyse der Fixsterne.

secco [italien. »trocken«], **1)** *Malerei:* →a secco.

2) *Musik:* (Seccorezitativ) das nur vom Cembalo begleitete →Rezitativ.

Secessio plebis [lat. »Absonderung der Plebs«] *die,* der Auszug der Plebejer aus Rom zur Durchsetzung ihrer Forderungen. Die 1. S.p. soll 494, die 2. S.p. 449 v.Chr. stattgefunden haben. Historisch gesichert ist die 3. S.p. 287 v.Chr., durch die die Plebejer die Gleichstellung ihrer Plebiszite mit den vom Gesamtvolk erlassenen Gesetzen durchsetzten.

sech, Funktionszeichen für Hyperbelsekans, →Hyperbelfunktion.

sechs, als Ziffer: **6,** die kleinste →vollkommene Zahl. Als Zahl der Tage des Schöpfungswerks ist die Sechs ein Symbol für übermenschliche Kraft (z.B. sechsstrahlige Davidstern); besonderer Bezug zu Christus (sechsstrahliges Christusmonogramm, sechs Werke der Barmherzigkeit); als **666** in der Offenbarung des Johannes die Zahl des erwarteten Antichristen, die höchste negative Macht.

Sechs|eck (Hexagon), ein Vieleck mit sechs Ecken. Im regelmäßigen S. ist jeder Innenwinkel gleich 120°, die Seitenlänge ist gleich dem Radius des Umkreises.

Sechseläuten, alljährlich in Zürich am 3. Montag im April gefeiertes Frühlingsfest mit Umzug der Zünfte in histor. Trachten, mit Verbrennung des **Böög** (Symbolfigur des Winters).

Sechskampf, →Turnen.

Sechstagefahrt, *Motorsport:* schwerste internat. Geländefahrt für Motorräder; Mannschaftsweltmeisterschaften seit 1972 (»Trophy«). Es fahren sechs Sportler auf Maschinen in drei Hubraumklassen.

Sechstagekrieg, →Nahostkonflikt.

Sechstagerennen, *Radsport:* auf Hallenbahnen von Berufsradfahrern ausgetragenes Rennen über rd. 50, früher über 144 Stunden Fahrzeit, mit Punktwertungen. Die beiden (auch drei) Fahrer einer Mannschaft müssen sich ablösen. Amateure fahren zwölf Stunden. Das erste S. in Dtl. fand 1909 statt.

Seckau, Marktgemeinde in der Steiermark, Österreich, am S-Fuß der Seckauer Alpen, 1400 Ew.; Fremdenverkehr. – Entstand bei dem seit 1142 ansässigen Augustinerchorherrenstift, das 1782 aufgehoben und 1883 neu besiedelt wurde. Roman. Basilika Mariä Himmelfahrt (1142–64, 1259 nach Brand erneuert, erhielt 1480–1510 spätgotisches Sternrippengewölbe, 1619–57 z.T. barock umgebaut, Querschiff, Dreiapsidenschluss und W-Türme 1891–1893 geändert), Spätrenaissance-Mausoleum (1587–1612) für Erzherzog Karl II.

Seckau: Das spätgotische, 1480–1510 entstandene Sternrippengewölbe in der Basilika Mariä Himmelfahrt gehört zu den schönsten in der Steiermark

Seckendorff, Veit Ludwig von, Staatsmann und Gelehrter, *Herzogenaurach 20. 12. 1626, †Halle (Saale) 18. 12. 1692; u.a. Kanzler Herzog Ernsts I., des Frommen, von Sachsen-Gotha-Altenburg, 1692 Gründungskanzler der Univ. Halle; mit seinem Hauptwerk (»Teutscher Fürstenstaat«, 1656) Vertreter des Kameralismus; es beeinflusste die staatswiss. Ausbildung an den Universitäten.

Veit Ludwig von Seckendorff (Ausschnitt eines zeitgenössischen Stichs)

Second Messengers ['sekənd 'mesɪndʒəz, engl.], niedermolekulare Verbindungen oder Ionen, z.B. zykl. Adenosinmonophosphat (cyclo-3',5'-AMP, cAMP), die als Informationsüberträger die Wirkung vieler Hormone vermitteln.

Secret Service ['siːkrɪt 'sɔːvɪs, engl.] *der,* der Geheimdienst in Großbritannien.

Secundus, Johannes, eigtl. Jan Nicolaas Everaerts, niederländ. Dichter, *Den Haag 23. 11. 1511, †Abtei Saint-Amand (bei Tournai) 3. 10. 1536; studierte die Rechte in Mecheln und Bourges; Sekretär u. a. von Karl V.; neulat. Lyriker, bekannt wurde v. a. die Sammlung von 19 Liebesgedichten »Basia« (1539).

Securitate *die,* Geheimpolizei im kommunist. Rumänien.

Securities and Exchange Commission [sɪˈkjʊərətɪz ənd ɪksˈtʃeɪndʒ kəˈmɪʃn], Abk. **SEC,** in den USA unabhängige Bundesbehörde, zuständig für Börsenzulassung von Wertpapieren amerikan. Firmen, ferner Bundesaufsichtsbehörde für den Wertpapierhandel.

SED, Abk. für →**S**ozialistische **E**inheitspartei **D**eutschlands.

Sedan [frz. səˈdã], Stadt im Dép. Ardennes, Frankreich, an der Maas, 22 400 Ew.; Stahlwerk, Textil-, Metall verarbeitende Ind., Brauerei. – Große Festung (Château-Fort, 15.–17. Jh.). – Zur Schlacht und Kapitulation von S. →Deutsch-Französischer Krieg 1870/71.

Sedan: Die Große Festung, das Château-Fort, geht bis auf das 15. Jh. zurück und erhielt im 17. Jh. seine jetzige Gestalt

Sedativa [lat.], die →Beruhigungsmittel.

Seddin, Ortsteil der Gemeinde Wolfshagen, Landkreis Prignitz, Brandenburg; Fundort eines Hügelgrabs von 85 m Durchmesser und 10 m Höhe aus der späten Bronzezeit (9./8. Jh. v. Chr.).

Hans Sedlmayr

Seder [hebr. »Ordnung«] *der, Judentum:* die häusl. Mahlfeier mit Rezitation der Passahhaggada (→Haggada) am ersten Abend des →Passahs **(Sederfeier).**

Sedez [zu lat. sedecim = »sechzehn«] *das,* Kurzzeichen 16°, ein viermal gefalzter Papierbogen; der Bogen enthält 16 Blätter = 32 Seiten.

Sedezimalsystem, das →Hexadezimalsystem.

Sediment [lat.] *das,* Bodensatz; abgelagertes oder abgeschiedenes Lockergestein. (→Ablagerung)

Sedimentation [lat.] *die,* das Absetzen von Feststoffteilchen in einer Trübe aufgrund der Schwerkraft oder durch Zentrifugieren. – In der Geologie die →Ablagerung.

Sedimentations|analyse, Verfahren zur Korngrößenbestimmung von Feststoffen durch Messen der Sinkgeschwindigkeit in einer geeigneten Aufschlämmung unter Berücksichtigung der Dichteunterschiede von Teilchen und Flüssigkeit sowie der Einflüsse der Viskosität. Die bestimmbaren Korngrößen liegen zw. 1 und 60 µm, bei Anwendung von Zentrifugalkräften können Teilchen bis zu 0,01 µm erfasst werden.

Sedimentgesteine (Sedimentite, Absatzgesteine), durch →Ablagerung oder biolog. Wachstum gebildete und durch →Diagenese verfestigte Gesteine. Den Hauptmineralbestand der S. liefert die →Verwitterung. Wegen des meist lagigen oder schichtigen Aufbaus werden S. auch **Schichtgesteine** genannt. S. bedecken 75 % der Festlandsfläche der Erde und den größten Teil des Meeresbodens. Das Gesamtvolumen wird auf 940 Mio. km³ geschätzt. – Nach dem Ablagerungsraum und der Transportart (→Fazies) lassen sich die S. in versch. Typen einteilen, z. B. marin (im Meer), limnisch (im Süßwasser), aquatisch (allg. im Wasser) oder terrestrisch (auf Landflächen). Petrographisch und genetisch werden klast. S. (Trümmer-S.), chem. und biogene S. unterschieden.

📖 TUCKER, M. E.: *Einführung in die Sedimentpetrologie A. d. Engl. Stuttgart 1985. – Sediment-Petrologie, Bd. 2: Sedimente u. S., hg. v.* H. FÜCHTBAUER. *Stuttgart ⁴1988.*

Sedisvakanz [lat.], der Zeitraum, während dessen der päpstl. oder ein bischöfl. Stuhl nicht besetzt ist.

Sedlmayr, Hans, österr. Kunsthistoriker, *Hornstein (Burgenland) 18. 1. 1896, †Salzburg 9. 7. 1984; Arbeiten über alle Epochen der europ. Kunstgeschichte, wurde bes. durch seine krit. Veröffentlichungen zur modernen Kunst bekannt. – *Schriften:* Österr. Barockarchitektur (1930); Verlust der Mitte (1948); Die Entstehung der Kathedrale (1950); Die Revolution der modernen Kunst (1955); Epochen und Werke (2 Bde., 1959/60); Das goldene Zeitalter, Eine Kindheit (hg. 1986).

Sedow, Leonid Iwanowitsch, russ. Mathematiker und Physiker, *Rostow am Don 14. 11. 1907; arbeitete über Strömungslehre, Gasdynamik, Festigkeitslehre, astrophysikal. Fragen. Unter seiner Leitung wurden die Sputniks gebaut.

Sedum, die Pflanzengattung →Fetthenne.

SED-Unrechtsbereinigungsgesetz, →Unrechtsbereinigungsgesetz.

See, größeres stehendes Binnengewässer, auch künstlich (durch eine Talsperre) geschaffenes Wasserbecken **(Stau-S.).** – Flache S. sind die (meist künstlich geschaffenen) Weiher und Teiche. Im allg. Sprachgebrauch heißen manche S. auch Meer

(Kasp. Meer, Totes Meer, Steinhuder Meer). Die Verteilung der S. über die Erdoberfläche hängt zusammen mit der Bildung der als S.-Becken dienenden Hohlformen: **Glazial-S.** (in Gebieten gegenwärtiger und ehem. Vereisung) treten gehäuft in

Die größten Seen der Erde

See	Fläche in km²
Kaspisches Meer (Westasien)	376 000
Oberer See (Nordamerika)	82 414
Victoriasee (Ostafrika)	68 000
Huronsee (Nordamerika)	59 596
Michigansee (Nordamerika)	58 016
Aralsee (westl. Mittelasien)	ca. 37 100*)
Tanganjikasee (Ostafrika)	34 000
Baikalsee (Südsibirien)	31 500
Großer Bärensee (Nordamerika)	31 153
Malawisee (Südostafrika)	30 800
Großer Sklavensee (Nordamerika)	28 570
Eriesee (Nordamerika)	25 745
Winnipegsee (Nordamerika)	24 390
Ontariosee (Nordamerika)	19 529
Ladogasee (Nordeuropa)	17 700
Balchaschsee (Mittelasien)	17 000 – 22 000
Tschadsee (Zentralafrika)	12 000 – 26 000

*) Stand 1991; ständiger Rückgang des Seespiegels seit 1960 (damals 64 100 km²)

S.-Platten auf (Kanada, Nord-Dtl., Russland, Finnland), sind meist nicht sehr tief und bilden (vielfach als **Grundwasser-S.**) im Moränengebiet **Sölle,** gelappte **Moränen-S.** und lange, oft perlschnurartig längs eines Flusses angeordnete, schmale **Rinnen-S.** Gleichfalls glazial sind die Alpenvorland-S.; im Gebirgsinnern finden sich **Kar-** und **Joch-S.** (Tatra), in Gletscherbetten **Tal-S.** und – abgedämmt durch Gletschereis, Moränen, Schuttkegel von Nebenflüssen, Bergstürze, andernorts auch durch Lavaströme – **Stau-** oder **Damm-S.** Die **tekton. S.** der Bruchzonen erfüllen oft Grabenbrüche (Graben-S.), sind meist tief und lang gestreckt (Tanganjika-S., Baikal-S., Totes Meer), während die **Wannen-S.** im Innern der Festländer vorwiegend groß und flach sind, einzeln auftreten (Victoria-S.) und, mit Trockenzonen zusammenfallend, →Salzseen bilden (Großer Salz-S., Aral-S.).

Die S. vulkan. Gebiete erscheinen u.a. als →Maare. **Schwemmland-S.** finden sich im Anschwemmungsgebiet der Ströme. In den Kalksteingebieten zeigen die **Karst-S.** besondere Eigenarten (stark schwankender Wasserspiegel). Oft liegt der S.-Boden, auch der S.-Spiegel, unter dem Meeresniveau. Die Gesamtfläche aller S. der Erde wird auf 2,5 Mio. km² (1,8 % der Landmasse) geschätzt.

📖 BURGIS, M. J. *u.* MORRIS, P.: *The natural history of lakes. Cambridge 1987.* – JUNG, G.: *Seen werden, Seen vergehen. Thun 1990.*

See|adler (Haliaeëtus), mit Ausnahme Südamerikas weltweit verbreitete Gattung mächtiger, bis 1,1 m langer Greifvögel; v.a. in gewässerreichen Landschaften und an Küsten; bauen Horste auf Bäumen oder Sträuchern. Der **Eurasiat. S.** (Haliaeëtus albicilla), bis zu 90 cm lang, maximale Spannweite 2,4 m; v.a. in Nord- und Ost-Dtl., Skandinavien und Osteuropa sowie in nördl. und gemäßigten Regionen Asiens; Gefieder einfarbig graubraun, mit weißem Schwanz; ist in Dtl. vom Aussterben bedroht.

Seeadler: Eurasiatischer Seeadler (Größe bis zu 90 cm; Spannweite bis zu 2,4 m)

Seealpen (Meeralpen, frz. Alpes Maritimes), Teil der Westalpen in Frankreich und Italien, zw. dem Golf von Genua und der Ubaye (linker Nebenfluss der Durance), in der Punta Argentera 3 297 m ü. M.

See|amt, aufgrund des »Gesetzes über die Untersuchung von Seeunfällen« vom 6. 12. 1985 gebildeter Ausschuss zur Untersuchung von Ursachen und Umständen von Seeunfällen, eingerichtet bei den Wasser- und Schifffahrtsdirektionen Nord und Nordwest. Das Untersuchungsverfahren gilt als Verwaltungsverfahren. Es findet eine öffentl. mündl. Verhandlung statt. Gegen den Spruch der S., der neben den Feststellungen auch Sanktionen enthalten kann, ist Berufung beim Bundesoberseeamt möglich.

See|anemonen, Korallentiere, →Aktinien.

Seebeben, eine Art des →Erdbebens.

Seebeck-Effekt [nach dem Physiker Thomas Johann Seebeck, *1770, †1831], ein 1821 entdeckter thermoelektr. Effekt: Hält man die beiden Verbindungsstellen zweier zu einem Leiterkreis geschlossener Stücke aus versch. Metallen (oder Halbleitern) auf unterschiedl. Temperatur, fließt wegen der unterschiedl. Thermospannung ein Thermostrom. Als Umkehrung des →Peltier-Effekts wird der S.-E. zur Temperaturmessung mit Thermoelementen und zur thermoelektr. Energiewandlung genutzt.

See-Berufsgenossenschaft, →See-Sozialversicherung.

Seeadler

Benjamin Franklin bemängelte 1782, als der so stolz aussehende Weißkopf-Seeadler Staatssymbol wurde, dass er zur Symbolisierung der amerikanischen Nation völlig ungeeignet sei: »Er ist ein Egoist, neigt zur Trägheit, lässt andere für sich arbeiten, geht auf Raub aus und ist doch ein verlauster armer Wicht.« Nicht schlecht beobachtet, denn der Vogel ist vor allem als Beutedieb aktiv. Natürlich ist er jederzeit in der Lage, selbst Fische zu fangen, bevorzugt es jedoch, sie Fischadlern wegzunehmen. Auch Geier bedrängt er so lange, bis sie das Aas wieder auswürgen. Ist der Geier dabei zu langsam, wird er bald selbst zur Beute. Aber um nicht ungerecht zu sein: Der Weißkopf-Seeadler beherrscht auch einzigartige direkte Jagdtechniken.

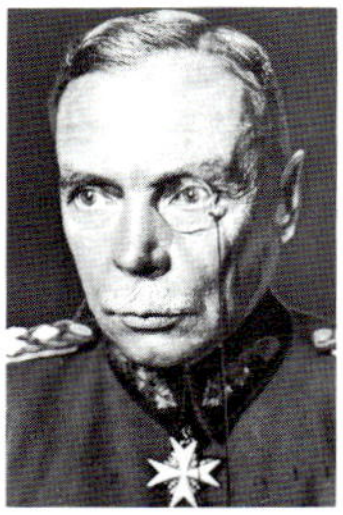

Hans von Seeckt

Seebrügge, dt. Name von →Zeebrugge.

Seebulle, Fisch, der →Seehase.

Seeckt, Hans von, Generaloberst, *Schleswig 22. 4. 1866, †Berlin 27. 12. 1936; im 1. Weltkrieg u. a. Generalstabschef der 11. Armee, 1917/18 des türk. Feldheeres; baute als Chef der Heeresleitung (1920–26) die Reichswehr auf, verhinderte jedoch ihre Integration in die Weimarer Rep. durch strikte Entpolitisierung bei Förderung monarchistisch-nationalist. Traditionen; setzte 1923 die Reichswehr gegen Gegner von links ein (Reichsexekutionen in Sachsen und Thüringen), verfolgte aber beim Hitlerputsch eine Hinhaltetaktik. 1923/24 von F. Ebert mit der vollziehenden Gewalt betraut; 1931 an der Bildung der Harzburger Front beteiligt. 1930–32 MdR (Dt. Volkspartei); 1934/35 militär. Berater Chiang Kai-sheks.

📖 GUSKE, C.: *Das polit. Denken des Generals von S. Lübeck 1971.*

Seedorn, die Pflanzengattung →Sanddorn.

Seedrachen: Seeratte (Länge bis etwa 1 m)

Seedrachen (Chimären, Holocephali), Unterklasse der Knorpelfische mit drei Familien: **Seekatzen** (Chimaeridae) mit der bis etwa 1 m langen, in europ. Gewässern in bis zu 1000 m Tiefe lebenden **Seeratte** (**Spöke,** Chimaera monstrosa), **Langnasenchimären** (Rhinochimaeridae), die in allen Meeren bis in 2600 m Tiefe leben und einen Giftstachel haben, und die **Elefantenchimären** (Callorhynchidae) in höchstens 180 m Tiefe um das südl. Afrika.

Irmgard Seefried

See-Elefanten, →Seehunde.

Seefahrtbuch, Ausweis, in den jede An- und Abmusterung eines Seemanns durch ein →Seemannsamt eingetragen wird; Nachweis für geleistete Seefahrtszeit.

Pete Seeger

Seefahrtschulen (Schifffahrtsschulen, Navigationsschulen), tradierte Bez. für die Studiengänge Schiffsbetriebstechnik und Nautik an Fachhochschulen, deren Abschlüsse für die Laufbahnen des techn. oder naut. Schiffsoffiziers in der Handelsschifffahrt und Hochseefischerei befähigen. – S. nehmen auch Prüfungen für den Erwerb des kleinen Küstenschiffer-Patents (AKü), zum Seefischer in kleiner Hochseefahrt (BKü) und für das Sportsee- und Sporthochseeschiffer-Zeugnis ab.

Seefeder (Federkorallen, Pennatularia), Ordnung zu den Achtstrahligen Korallen gehörender, stockbildender Korallentiere von oft federartigem Aussehen; z. T. mit Leuchtvermögen.

Seefeld in Tirol, Gemeinde in Tirol, Österreich, 2800 Ew., 1185 m ü. M., auf dem **Seefelder Sattel** zw. Karwendel- und Mieminger Gebirge; Fremdenverkehr (bes. Wintersportort); Austragungsort der Olymp. Winterspiele 1964 und 1976 (nord. Disziplinen). – Spätgot. Pfarr- und Wallfahrtskirche St. Oswald (1429 begonnen); barocke Seekirche Hl. Kreuz (1666 geweiht; oktogonaler Zentralbau).

Seefrachtvertrag, Frachtvertrag zur Güterbeförderung mit Seeschiffen. Er kann sich auf das ganze Schiff (Raumfracht- oder Chartervertrag), einen bestimmten Teil oder auf einzelne Güter (Stückgutvertrag) beziehen (§§556–663 b HGB, die u. a. Haftungsfragen regeln). I. d. R. wird der Inhalt des S. durch →Konnossement bestimmt.

Seefried, Irmgard, österr. Sängerin (Sopran), *Köngetried (heute zu Apfeltrach, Kr. Unterallgäu) 9. 10. 1919, †Wien 23. 11. 1988; v. a. Mozart- und Strauss-Interpretin.

Seegang, vom Wind erzeugte unregelmäßige Bewegung der Wasseroberfläche. Solange der S. unter dem direkten Einfluss des erzeugenden Windfeldes steht, wird er **Windsee,** andernfalls **Dünung** genannt. Die Wellenhöhen erreichen bis über 30 m, die Wellenlängen bis zu 1000 m.

Seeger ['si:gə], Pete (Peter R.), amerikan. Sänger und Liedermacher, *New York 3. 5. 1919; hatte wesentl. Anteil an der Wiederbelebung des amerikan. Folksongs; als einer der Ersten erfolgreich mit politisch engagierten Liedern (u. a. »We shall overcome«).

Seegras (Zostera), Gattung auf dem Meeresgrund wachsender Laichkrautgewächse mit grasartigen Blättern, z. B. das **Gemeine S.** (Zostera marina) in der Nord- und Ostsee; früher als Polstermaterial verwendet.

Seegurken, die →Seewalzen.

Seehandbücher (Küstenhandbücher, engl. Pilots), naut. Bücher, Beschreibungen der See- und Küstengebiete als Ergänzung der Seekarten.

Seehandlung, die →Preußische Staatsbank.

Seehase (Länge bis zu 50 cm)

Seehase (Meerhase, Lumpfisch, Seebulle, Cyclopterus lumpus), im N-Atlantik lebender, bis zu 50 cm langer Knochenfisch mit zu einer Saugscheibe verwachsenen Bauchflossen. Sein Rogen kommt, schwarz gefärbt, als Kaviarersatz (»Dt. Kaviar«) in den Handel.

Seehausen (Altmark), Stadt im Landkreis Stendal, Sa.-Anh., 4800 Ew. – Petrikirche mit doppeltürmigem Westbau (13. Jh.) und spätroman. Portal. – S. entstand in der 2. Hälfte des 12. Jh. im Schutz einer erstmals 1253 sicher bezeugten Burg.

Seehechte (Meerhechte, Merlucciidae), mit den Dorschen verwandte Familie bis über 1 m langer Knochenfische. Der an den europ. Küsten lebende, bis zu 1 m lange **Seehecht** (Merluccius merluccius) ist ein Speisefisch.

Seehechte: Merluccius merluccius (Länge bis zu 1 m)

Seeheim-Jugenheim, Gemeinde im Landkreis Darmstadt-Dieburg, Hessen, 16400 Ew., Luftkurort an der Bergstraße; Lufthansa-Schulungszentrum im Schloss Heiligenberg (1814–16); elektrotechn. Ind., Maschinenbau.

Seehofer, Horst, Politiker (CSU), *Ingolstadt 4. 7. 1949; Diplomverwaltungswirt; MdB seit 1980; 1989–92 parlamentar. Staatssekretär im Bundesministerium für Arbeit und Sozialordnung, 1992–98 Bundesmin. für Gesundheit.

Horst Seehofer

Seehöhe, Höhe eines Ortes über →Normalnull.

Seehunde (Phocinae), Unterfamilie etwa 1,2 bis über 3 m langer →Robben, v. a. an Meeresküsten der Nordhalbkugel. Am bekanntesten ist der die Küsten Eurasiens und Nordamerikas bewohnende **Gemeine S.** (**S.** i. e. S., Phoca vitulina); etwa 1,5–2 m lang, bis rd. 100 kg schwer; Fell der erwachsenen Tiere weißgrau bis dunkelgraubraun, kurzhaarig, glatt mit schwärzl. Flecken- oder Ringelzeichnung; ernährt sich v. a. von Fischen; nach einer Tragzeit von etwa elf Monaten wird ein Junges (seltener zwei) geboren mit granitfarben geflecktem, silberblauem Fell; bei der Geburt von zwei Jungen nimmt die Mutter nur ein Jungtier an, das andere (»Heuler«) geht zugrunde. Der S. gehört in Dtl. zwar zum jagdbaren Wild (Jagdzeit Sept./Okt.), wegen der stark zurückgegangenen Bestände werden jedoch meist nur kranke Tiere geschossen. Weitere Arten: **Bartrobbe** (Erignathus barbatus), bis 3 m lang, gelbbraun bis bräunlich grau; an den Küsten N-Europas, Asiens und Nordamerikas; Oberlippe mit Bart aus auffallend langen, hellen Haaren; **Kegelrobbe** (Halichoerus grypus), 2,2–3 m lang, Oberseite hell- bis dunkelgrau mit hellerer Scheckung, Unterseite lichter; im N-Atlantik; Schnauze kegelförmig lang gestreckt; **Mützenrobbe** (**Klappmütze,** Cystophora cristata), bis 3,8 m lang, über 400 kg schwer, blau- bis dunkelgrau, meist dunkel gefleckt; im N-Atlantik und Nordpolarmeer; mit bei Erregung aufblasbarem, mützenartigem Kopfaufsatz; **Sattelrobbe** (Pagophilus groenlandicus), bis 2,2 m lang, oberseits grau bis gelblich; an den Körperseiten mit dunkler, bandförmiger Zeichnung; im Treibeisgebiet der Arktis; zieht im Frühjahr in großen Herden nach S (Sankt-Lorenz-Strom, Neufundland), wo die Weibchen je ein weißfelliges Junges gebären; von Robbenjägern stark verfolgt. Die **Ringelrobben** (Pusa) sind eine Gattung kleiner, bis 1,4 m langer Robben mit drei Arten im Nordpolarmeer und in osteurop. und asiat. Binnenseen; Färbung variabel, mit Ringflecken am Rücken: **Eismeerringelrobbe** (Pusa hispida), **Kaspirobbe** (Pusa caspica, im Kasp. Meer) und **Baikalrobbe** (Pusa sibirica, v. a. im Baikalsee). – Eine andere Unterfamilie der Robben sind die Rüsselrobben (Cystophorinae) mit der Gattung See-Elefanten (Mirounga); der **Südl. See-Elefant** (**Elefantenrobbe,** Mirounga leonina) hat eine Kopf-Rumpf-Länge bis zu 6 m.

Seeigel (Echinoidea), seit etwa 500 Mio. Jahren bekannte, armlose, wenige Millimeter bis über 30 cm große →Stachelhäuter in allen Meeren (z. T. in Brackwässern), von den Küsten bis in über 5000 m Tiefe. Der meist apfel- oder scheibenförmige Körper ist völlig von Kalkskelettplatten umschlossen. Auf Höckern der Schalenplatten stehen bewegl. Stacheln zum Schutz, zur Fortbewegung

Seehunde: Gemeiner Seehund (Länge 1,5–2 m), darunter Kegelrobbe (Länge 2,2–3 m)

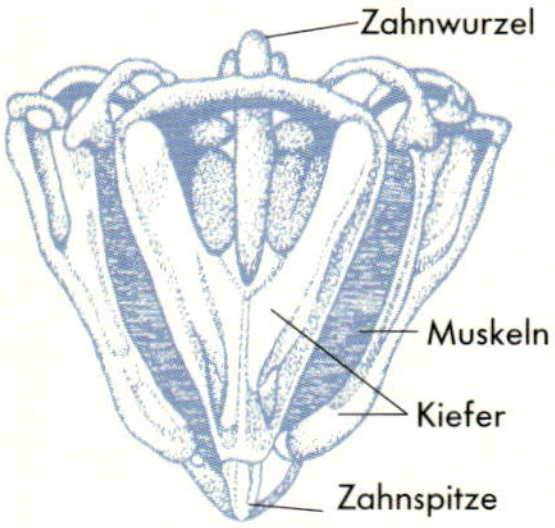

Seeigel: Essbarer Seeigel (Größe bis zu 18 cm) und schematische Darstellung des als Laterne des Aristoteles bezeichneten Kauapparats (rechts)

und zum Bohren; dazwischen, bes. um die Mundöffnung, kleine, meist dreiklappige Greifzangen **(Pedizellarien),** die (oft in Verbindung mit Giftdrüsen) der Abwehr, der Reinigung und der Nahrungsaufnahme dienen. Die Entwicklung erfolgt über eine zweiseitig-symmetr. Schwimmlarve **(Echinopluteus).** Man unterscheidet: 1) **Reguläre S.** (Regularia) mit radiärsymmetr. Körper, am Scheitel gegenüber der Mundöffnung gelegenem After und einem kräftigen, kompliziert gebauten Kauapparat (Laterne des Aristoteles), hierzu u.a. der bis zu 18 cm große **Essbare S.** (Echinus esculentus) auf Hartböden der Atlantikküsten und der Nordsee; 2) **Irreguläre S.** (Irregularia) mit zweiseitig-symmetr., oft abgeflachtem Körper ohne Stacheln und an der Unterseite in der Nähe der Mundöffnung gelegenem After, z.B. die Herzigel.

Seekadett, *Marine:* Dienstgrad eines Offiziersanwärters.

Seekanne: Radblättrige Seekanne (Höhe 80–150 cm)

Seekanne (Nymphoides), Gattung der Fieberkleegewächse, weltweit verbreitet; schwimmende Wasser- oder kriechende Sumpfpflanzen mit seerosenähnl. Blättern; in Dtl. kommt selten die geschützte **Radblättrige S.** (Nymphoides peltata) vor, mit ledrigen, runden, glänzenden Blättern.

Seekarte (nautische Karte, früher auch Admiralitätskarte), Karte für die Schifffahrt, hergestellt von Marineämtern oder zivilen Seeämtern, in Dtl. vom Dt. Hydrograph. Institut. Die S. enthält Angaben zu Fahrwasser (Tiefen, Untiefen, Watten, Sandbänke, Riffe, Klippen), zu Seezeichen (Leuchtfeuer, Baken u.a.) sowie zu zeitl. Hindernissen, Wracks u.a. Die Küste erscheint in einem schmalen, der Orientierung dienenden Streifen. Man unterscheidet: Ozeankarten (1:5 Mio. und kleiner), Übersichtskarten (1:1 Mio. bis 1:5 Mio.), Segelkarten (1:250 000 bis 1:1,6 Mio.), Küstenkarten (1:30 000 bis 1:250 000) und Sonderkarten in größeren Maßstäben für Flussmündungen und Häfen.

Seekasse, → See-Sozialversicherung.

Seekatz, Johann Conrad, Maler, *Grünstadt 4. 9. 1719, †Darmstadt 25. 8. 1768; dort seit 1753 Hofmaler, verkehrte in Frankfurt am Main mit Goethes Vater, malte kleinformatige religiöse, mytholog. und Historienbilder, auch realist. Genrebilder aus dem bürgerl. Milieu und Landschaften in niederländ. Art.

Seekatzen, Familie der → Seedrachen.

Seeklima (maritimes Klima, ozeanisches Klima), vom Meer beeinflusstes Klima, in gemäßigten Breiten mit geringen Temperaturunterschieden zw. Tag und Nacht, mildem Winter und kühlem Sommer sowie relativ starken, landwärts gerichteten Luftströmungen hoher Luftfeuchtigkeit.

Seekrankheit, Form der Bewegungskrankheit (→ Kinetose).

Seekreide, feinkristalline, tonarme Kalkablagerungen warmer stehender Gewässer, von Pflanzen durch Kohlensäureentzug aus dem Wasser gebildet, meist mit Molluskenschalen durchsetzt. – **Seemergel** ist tonreich.

Seekrieg, Kriegführung auf den Meeren (auch unter Wasser), seit dem 2. Weltkrieg unter Einbeziehung des Luftraumes über der See (Seeluftstreitkräfte); meist im Rahmen eines umfassenden Gesamtkrieges. Wesentl. Merkmal des S. sind die rasch wechselnden Szenarien auf einem prinzipiell unbegrenzten Kriegsschauplatz. Zur **Seestrategie** gehören im Kriegsfall der Schutz der eigenen Seeversorgungswege und des eigenen Territoriums, die Blockade gegner. Seeverbindungen, der Angriff auf gegner. Territorium und der Truppentransport über See zur Unterstützung der Landkriegführung. Die **Seetaktik** befasst sich mit allen Fragen, die die direkte Führung in See stehender Einheiten und Verbände bei Marsch und Gefecht betreffen.

Seekriegsrecht, die besonderen, neben dem → Kriegsrecht zu Land für die Kriegführung zur See geltenden Regeln des Völkerrechts (→ Blockade, → Prise). Parteien des Seekriegs sind die Kriegsmarinen, Kriegsgebiet sind die hohe See und die Territorialgewässer der Kriegführenden. Im Küstenmeer eines Neutralen ist jede Kriegshandlung verboten; ein Aufenthalt von Kriegsschiffen der Kriegführenden in neutralen Häfen ist nur befristet und nur zur Wiederherstellung der Seetüchtigkeit erlaubt (Gastrecht). – Die wichtigsten Grundlagen des S. sind die → Pariser Seerechtsdeklaration von 1856 und das Haager Abkommen von 1907 über die Behandlung feindl. Handelsschiffe bei Kriegsausbruch, die Umwandlung von Handelsschiffen in Kriegsschiffe, die Verlegung von Seeminen u.a. sowie das Zweite Genfer Abkommen von 1949 zur Verbesserung des Loses der Verwundeten im Seekrieg.

📖 OTTMÜLLER, R.: *Die Anwendung von S. in militär. Konflikten seit 1945. Hamburg 1978.*

Seekühe (Sirenen, Sirenia), Ordnung der Säugetiere mit vier rezenten, bis fast 8 m langen Arten; im Wasser lebende, sich von Wasserpflanzen ernährende Tiere mit flossenartigen Vorder- und rückgebildeten Hintergliedmaßen, zwei brustständigen Zitzen, hornigem Gaumen und mit mehr oder minder rückgebildetem Gebiss. Der **Dugong** (Dugong dugong), einziger rezenter Vertreter der **Gabelschwanz-S.** (Dugongidae) lebt im Roten Meer, im Ind. Ozean und westlichen Pazif. Ozean. Die **Stellersche Seekuh** (Rhytina gigas) ist bereits ausgestorben. Die **Rundschwanz-S.** (Manatis, Trichechidae) leben mit drei Arten in den Meeren und Flüssen W-Afrikas (Westafrikanische Rundschwanz-S., Trichechus senegalensis) sowie des östl. Nord- und Mittelamerika (Karibische Rundschwanz-S., Trichechus manatus) und in den Ober- und Mittelläufen der Flüsse des Orinoko- und Amazonassystems (Amazonas-Rundschwanz-S., Trichechus inunguis).

Seekühe: Karibische Rundschwanzseekuh (Länge 2,5–4,5 m)

Seelachs, Handelsbez. für den →Köhler.

Seeland, 1) (dän. Sjælland) größte Insel Dänemarks, zw. Öresund und Großem Belt, (ohne Nebeninseln) 7026 km², 2,14 Mio. Ew. einschließlich Kopenhagen. S. ist eine leicht gewellte fruchtbare Moränenlandschaft und wird landwirtschaftlich intensiv genutzt; im N wald- und seenreich; Haupthafen: Kopenhagen, internat. Flughafen: Kastrup (auf der Nebeninsel Amager).

2) (niederländ. Zeeland) Provinz der →Niederlande, liegt an der Nordsee im Mündungsgebiet der Schelde; es umfasst einen Teil von Flandern (Seeländisch-Flandern), die Inseln Schouwen-Duiveland, Walcheren, Nord- und Südbeveland sowie die Halbinseln Tholen und Sint-Philipsland.

Geschichte: Schon in röm. Zeit besiedelt; kam im 11. Jh. als Reichslehen an die Grafen von Flandern, die die Inseln zw. den Scheldearmen 1090 an die Grafen von Holland weiterverliehen (1323 Verzicht Flanderns auf die Lehnshoheit). Im Niederländ. Freiheitskampf gegen die Spanier war S. mit Holland Zentrum der Aufständischen (1579 Gründungsmitgl. der Utrechter Union) und schloss sich 1587 der Republik der Vereinigten Niederlande an. Der 1577 von den Niederländern eroberte (urspr. flandrische) Festlandsteil bildete 1648–1795 als Staatenflandern ein Generalitätsland, das danach von Frankreich annektiert wurde (1810 ganz S.). Seit 1814/15 war S. als Provinz Teil des Königreichs der Vereinigten Niederlande.

Seele, das allen Lebewesen zukommende (metaphys.) Prinzip des Lebens; in den versch. Kulturen, Religionen und philosoph. Systemen mit einer Vielzahl von Vorstellungen verbunden: Häufig als immateriell bzw. von luft- oder geistartiger Gestalt vorgestellt, wird sie v. a. mit den Bildern des Windes, Wehens, Hauches oder Atems beschrieben, woher sich in vielen Sprachen die Begriffe für S. ableiten (z. B. grch. »psyche«, »pneuma«, lat. »spiritus«, »anima«, »animus«, hebr. »ruach«, ind. »atman«).

In der *Philosophie* wird die S. von idealist. Richtungen überwiegend als unstoffl. Substanz, in materialist. Sicht als unselbstständige Eigenschaft des Körperlichen angesehen. Dagegen vertritt der Panpsychismus die These, dass das Körperliche nur Erscheinung der S. sei. – Platon entwickelte eine Psychologie, die als S.-Teile das Triebhaft-Begehrliche, das Muthafte sowie Geist und Vernunft unterschied. Für Aristoteles war die S. – analog zu Platons Lehre aus vegetativer S., Sinnen- und Geist-S. bestehend gedacht – das den Körper belebende Prinzip (→Entelechie); nur die Geist-S. (→Nus) ist nach ihm präexistent und unsterblich. Descartes setzte die S. (res cogitans) als nicht ausgedehnte Substanz dem Körper als der materiellen, ausgedehnten Substanz entgegen. Aus dem Problem der Weise des Zusammenwirkens beider entwickelte sich das noch heute diskutierte psychophysische Problem. L. Klages sah den Geist als Widersacher der S. an. Heute werden anstelle des stark zurückgetretenen Begriffs der S. häufig Termini wie »Person«, »Geist«, »Bewusstsein« verwendet.

In der modernen *Psychologie* sucht man den S.-Begriff möglichst auszuklammern, weil er auf unbeweisbaren Voraussetzungen beruhe. Die in ihm enthaltenen Aspekte der Kontinuität, Konstanz und Identität in den psych. Abläufen werden auf Begriffe wie »Person«, »Persönlichkeit« übertragen, wobei auch Momente des Körperlichen und der sozialen Umwelt berücksichtigt werden.

Religion: In frühen Kulturen und Naturreligionen ist S. die Lebenskraft (→Weltseele) schlechthin, als deren »Sitz« meist bestimmte Organe (Herz, Leber, Nieren) oder das Blut gelten und die im Moment des Todes den Menschen verlässt, z. B. in Gestalt eines **S.-Tieres** (so als Rabe, Taube, Eule); im Hinduismus, Buddhismus und Dschainismus das dem ewigen Kreislauf der Wiedergeburten unterworfene »Selbst« (→Selbst, →Atman); im Judentum, Christentum und Islam die dem Menschen von Gott »eingehauchte« (1. Mose 2,7)

»Wesenheit«, die als Körper und Geist seine unverwechselbare Individualität bestimmt und auch durch den Tod nicht aufgehoben wird.

📖 *Die S. Ihre Geschichte im Abendland, hg. v.* G. Jüttemann *u. a. Weinheim 1991.*

Seelenwanderung (Sanskrit Samsara, grch. Metempsychose oder Palingenese), die Vorstellung, dass die Seelen eine Reihe von Wiederverkörperungen (Reinkarnationen), d. h. Kreisläufe von Geburt (Verkörperung), Tod, Wiedergeburt und viele Existenzen in Pflanzen, Tieren, Menschen, manchmal auch Göttern, durchlaufen, bis sie zu ihrem endgültigen Ziel der Befreiung (Erlösung) gelangen. Der Glaube an die S. herrscht in Religionen Asiens (Hinduismus, Buddhismus, Dschainismus), aber auch im Platonismus und Phythagoreismus. – Über Anthroposophie, Spiritismus, Theosophie und Teile der New-Age-Bewegung fand der Gedanke der S. auch im europäisch-nordamerikan. Kulturkreis Verbreitung.

📖 Cullmann, O.: *Unsterblichkeit der Seele oder Auferstehung der Toten? Neuausg. Stuttgart 1986.* – Hummel, R.: *Reinkarnation. Mainz u. a. 1988.*

Seeler, Uwe, Fußballspieler, *Hamburg 5. 11. 1936; 72 Länderspiele, 43 Tore (1954–70), Ehrenspielführer der dt. Nationalmannschaft.

Seelililen, →Haarsterne.

seelische Krankheiten (psychische Krankheiten), Sammelname für psychisch, körperlich oder durch unbekannte Ursachen hervorgerufene Abweichungen des Verhaltens und Erlebens von der Norm. Die internat. Klassifikation der WHO unterscheidet exogene (symptomat., organ., körperlich begründbare) und endogene (ohne erkennbare organ. Ursache auftretende) Psychosen; außerdem Neurosen, Konfliktreaktionen und Psychopathien (mit unterschiedl. Abgrenzungen von der jeweiligen gesellschaftl. Norm); hinzugerechnet werden meist auch sexuelle Verhaltensabweichungen und Sucht (Abhängigkeit). Viele Begriffe zur Kennzeichnung s. K. werden uneinheitlich verwendet. Die Bez. **Geisteskrankheit** wird im Rahmen der Psychiatrie für krankhafte Störungen der psych. Funktion, i. e. S. für Psychose verwendet, im bürgerl. Recht für jeden Zustand krankhafter Störung der Geistestätigkeit. Die früher für die s. K. verwendete Bez. **Gemütskrankheiten** bezieht sich nur auf Depression und Psychose.

Rechtliches: Das bürgerl. Recht beschränkt zum Schutz seelisch Kranker deren →Geschäftsfähigkeit. Die bisher mögl. Entmündigung wegen Geisteskrankheit oder -schwäche ist zum 1. 1. 1992 abgeschafft und durch das Recht der →Betreuung ersetzt worden. – Strafrechtlich kann →Schuldunfähigkeit (§ 20 StGB) oder verminderte Schuldfähigkeit (§ 21) gegeben sein, wenn der Täter bei Begehung der Tat wegen einer s. K. oder einer anderen seel. Störung unfähig war, das Unrecht der Tat einzusehen oder nach dieser Einsicht zu handeln.

Seelow [-lo], Krst. des Landkreises Märkisch-Oderland, Brandenburg, am Oderbruch, 5 200 Ew.; Gemüseanbau und Gemüsekonservenherstellung. – 1252 erstmals erwähnt, seit 1278 als Flecken oder Städtchen bezeichnet. Im 2. Weltkrieg wurden die **Seelower Höhen** nach erbitterten Gefechten vom 16. bis 18. 4. 1945 von sowjet. Truppen erstürmt (Gedenkstätte).

Seelöwe, →Robben.

Seelsorge (in der kath. Kirche auch Pastoral), in den christl. Kirchen die geistl. Betreuung und Lebenshilfe für den Einzelnen und die Gemeinde durch dafür ausgebildete und beauftragte Mitarbeiter (neben den Geistlichen z. B. Diakone, Diakonissen, Pastoralassistenten, -assistentinnen).

Seelze, Stadt im Landkreis Hannover, Ndsachs., an der Leine und am Mittellandkanal, 32 900 Ew.; chem., Druckindustrie.

Seemacht, ein Staat, dessen Macht zu einem wesentl. Teil auf seinem maritimen Potenzial, insbesondere der Kriegsmarine, beruht. Die Stellung einer S. im Verhältnis zu anderen hängt ab von der Stärke der jeweiligen Kriegsflotte, von deren Präsenz auf den Weltmeeren und von der seestrateg. Position des betreffenden Staates. – Im Altertum waren bed. S. Kreta, Athen (»Att. Seebund«), Karthago und Rom, im MA. dominierte Venedig. Führende S. der Neuzeit war v. a. Großbritannien, das nach Ausschaltung der Konkurrenten Spanien, Niederlande und Frankreich zu Beginn des 19. Jh. (Seeschlacht von Trafalgar 1805) eine hegemoniale Stellung erlangte. Der Erwerb überseeischer Gebiete durch Russland, die USA, Japan und Dtl. konnte diese Vorrangstellung zunächst nicht erschüttern, erst nach 1918 stiegen die USA und Japan zu bed. S. auf. Im 2. Weltkrieg erlangten die USA die führende Position und verfügten nach 1945 weltweit über zahlr. Stützpunkte. In den 1970er-Jahren baute die Sowjetunion aufgrund der Erfahrungen mit der Kubakrise ihre Flotte global aus. Auf die vermeintl. sowjet. Bedrohung reagierten die USA mit forciertem Ausbau ihrer Marinestreitkräfte, der nach Beendigung des Kalten Krieges und dem Zerfall der Sowjetunion Anfang der 90er-Jahre jedoch eingestellt wurde.

📖 Pemsel, H.: *Biograph. Lexikon zur Seekriegsgeschichte. Koblenz 1985.* – Potter, E. B. *u.* Nimitz, C. W.: *S. Eine Seekriegsgeschichte von der Antike bis zur Gegenwart. A. d. Engl. Neuausg. Herrsching 1986.*

Seemann, in einem →Heuerverhältnis auf einem Seehandelsschiff stehender Arbeitnehmer. Die Rechtsverhältnisse sind im S.-Gesetz geregelt.

Seemannsamt, staatl. Behörde zur Beaufsichtigung der Arbeitsverhältnisse von Seeleuten und der Schiffsmannschaft; Aufgaben: Ausfertigung der Seefahrtbücher, An- und Abmusterung (Heuerverhältnis), Schlichtung von Streitigkeiten zw. Kapitän und Mannschaft, Ahndung bestimmter Ordnungswidrigkeiten.

Seemannssprache, eine →Standessprache.

Seemeile (Internationale Seemeile, engl. Nautical Mile), Einheitenzeichen **sm,** Längeneinheit in der See- und Luftfahrt. 1 sm = 1,852 km (ca. $^1/_{60}$ eines Breitengrades).

Seemoos, Handelsbez. für die zierl., an Pflanzen erinnernden Stöcke einiger mariner Hydroidpolypen; werden getrocknet und gefärbt für Blumengebinde u.a. verwendet.

Seenadeln, Gattungsgruppe der Büschelkiemer, die mit den Seepferdchen eine Familie (Syngnathidae) bildet; die S. haben eine rüsselförmige Schnauze; sie schwimmen durch Wellenbewegungen der Rückenflosse. Das Männchen trägt Eier und Junge in einer Vertiefung oder in einer Hautfalte am Bauch. Die 45 cm lange **Große S.** (Syngnathus acus) ist im östl. Atlantik und in der Nordsee heimisch.

Seenelke, Korallentier, →Aktinien.

Seenkunde, Zweig der Gewässerkunde; befasst sich mit der Erforschung der Seen, insbesondere mit ihrem Wasser-, Energie- und Stoffhaushalt. Urspr. mit der →Limnologie (Binnengewässerkunde) gleichgesetzt, wird sie heute als deren Teil betrachtet.

Seenot, Gefahrensituation für ein Schiff, die fremde Hilfe notwendig macht (z.B. Feuer im Schiff); in diesem Fall gibt der Kapitän →Notsignal.

Seenotrettung, Gesamtheit aller Maßnahmen zur Rettung aus Notlagen auf See, Teil des →SAR-Dienstes. In Dtl. ist die S. der Dt. Ges. zur Rettung Schiffbrüchiger übertragen. S.-Mittel sind u.a. S.-Kreuzer, die auf den Schiffen mitgeführten Rettungsboote, -inseln, -ringe, -kragen und -westen.

See|ohren (Meerohren, Ohrschnecken, Haliotidae), Familie zu den Vorderkiemern gehörender Meeresschnecken mit ohrmuschelförmiger Perlmutterschale.

Seeon-Seebruck, Gemeinde im Landkreis Traunstein, Oberbayern, 4300 Ew.; ehem. Benediktinerkloster (994–1803) mit urspr. roman. Kirche (im 15. Jh. umgebaut), Klostergebäude (17. Jh.). In Seebruck am Chiemsee befindet sich ein Römermuseum.

Seepatent, Befähigungsnachweis zum Führen eines Schiffes, für die Seeschifffahrt das Kapitänspatent (→Kapitän), für die Binnenschifffahrt das →Schifferpatent.

Seepferdchen (Hippocampus), Gattung der →Seenadeln; marine Fische, Kopf und Vorderkörper pferdeähnlich, mit Greifschwanz ohne Schwanzflosse. Das **Langschnauzige S.** (Hippocampus guttulatus), bis zu 16 cm groß, lebt im Mittelmeer, selten bis zur Nordsee verbreitet. BILD S. 434

Seepocken (Balanus), Gattung fest sitzender Rankenfußkrebse (Rankenfüßer) mit kraterförmigen, 1 bis 2 cm großen Kalkgehäusen und Deckelapparat; bilden Kolonien an Felsen und Pfählen der Brandungszone, einige leben parasitisch auf Walen und Meeresschildkröten. Bekannteste Art ist die **Gemeine Seepocke** (Balanus balanoides).

Seequappen, Gattungsgruppe der Dorsche. In europ. Meeren lebt z.B. die bis 45 cm lange **Fünfbärtelige S.** (Ciliata mustella).

Seeräuberei, →Piraterie.

Seepocken:
Gemeine Seepocke

Seenotrettungsdienst

Einsatzgebiet und Stationen der Rettungsflotte der Deutschen Gesellschaft zur Rettung Schiffbrüchiger

Seepferdchen: Langschnauziges Seepferdchen (Größe bis zu 16 cm)

Seerecht, die für das Seewesen und die Schifffahrt geltenden Normen des Privatrechts und des öffentl. Rechts.

Privatrecht: Das dt. private S. besteht bes. aus dem Seehandelsrecht (§§ 476–905 HGB), das die Rechtsverhältnisse der Reederei, das Frachtgeschäft und die Versicherung regelt, und dem im Seemannsgesetz enthaltenen Seearbeitsrecht.

Seerose: Weiße Seerose (Durchmesser der Blätter 10–30 cm)

Öffentl. Recht: In Dtl. gehört der Erlass seerechtl. Vorschriften in die konkurrierende Gesetzgebungszuständigkeit des Bundes (Art. 74 Nr. 21 GG). Nach dem Seeaufgabengesetz i. d. F. v. 27. 9. 1994 obliegen dem Bund insbesondere die Förderung der dt. Handelsflotte, die Schifffahrtspolizei für alle die Bundesflagge führenden Schiffe sowie die Überwachung und Unterstützung der Fischerei. Wichtige Teile des öffentl. S. sind das Seestaats- und Seeverwaltungsrecht (Flaggenrecht, Schiffsregistrierung, Seestraßen- und Seehäfenordnung, Seeunfallrecht).

Völkerrecht: Das völkerrechtl. S. gliedert sich in das Seekriegsrecht und, als S. i. e. S., das Seefriedensrecht. Bis ins 20. Jh. hinein war das S. unkodifiziertes Gewohnheitsrecht. Erste Kodifikationen brachte die Genfer S.-Konferenz von 1958 mit vier Konventionen hervor. Eine neue, umfassende S.-Konvention geht auf die S.-Konferenz der Vereinten Nationen (»United Nations Conference on the Law of the Sea«, UNCLOS) zurück, die von 1973 bis 1982 an versch. Orten tagte. Diese S.-Konvention wurde am 10. 12. 1982 von 119 Staaten unterzeichnet und trat am 16. 12. 1994 nach Ratifizierung durch 60 Staaten in Kraft.

Sie bestätigt den Grundsatz der Meeresfreiheit (→ Freiheit der Meere), normiert aber auch Pflichten der Staaten, die das Meer zu den versch. Zwecken (Schifffahrt, Fischerei, Meeresbergbau, Abfallbeseitigung usw.) nutzen oder Teile desselben als Staatsgebiet besitzen. Für die Breite der Küstengewässer ist eine Höchstgrenze von zwölf Seemeilen festgesetzt worden. Spezialkapitel betreffen die Benutzung der Meerengen, die Inselstaaten, die ausschließl. Wirtschaftszone (die zwar außerhalb der Küstengewässer liegt, in der aber der Küstenstaat bestimmte Vorrechte genießt), den Festlandsockel (Schelf), die Binnenmeere, die Rechte der Binnenstaaten und v. a. den Umweltschutz. Hier werden die Staaten verpflichtet, die Meeresverschmutzung zu verhindern, zu reduzieren und zu kontrollieren. Für die Beilegung von Streitigkeiten, die aus der S.-Konvention entstehen, wurde in Hamburg der → Internationale Seegerichtshof errichtet.

📖 HAFNER, G.: *Die seerechtl. Verteilung von Nutzungsrechten. Wien u. a. 1986. – Internat. S., Textausg., hg. v.* R. PLATZÖDER *u. a. München 1990.*

Seerose (Nymphaea), Gattung der Familie Seerosengewächse (Nymphaeaceae) mit kriechendem Wurzelstock, lang gestielten, lederigen Schwimmblättern und lang gestielten Blüten. In Dtl. kommen vor: **Weiße S.** (Nymphaea alba), in stehenden oder langsam fließenden Gewässern; **Glänzende S.** (Nymphaea candida), mit weißen, nur halb geöffneten Blüten; beide Arten sind geschützt. Warmwasserbeckenpflanzen sind u. a.: Blaue Lotosblume der Ägypter, Weiße Lotosblume der Ägypter, Rote S. und Blaue Lotosblume von Indien.

Seerosen, → Aktinien.

Seescheiden (Ascidiacea), Klasse fest sitzender weißer, roter oder brauner Manteltiere, schlauch-, knollen- oder fadenförmig; Mantel gelatinös oder lederig. S. leben einzeln, wie die durchsichtigen Arten der Gattung **Ciona** im Mittelmeer, z. B. die bis zu 20 cm große Schlauchascidie (Ciona intestinalis), oder in Kolonien, so die **Botryllus-Arten** der Nordsee, die sich auch durch Sprossung fortpflanzen.

Seeschifffahrt, die → Schifffahrt auf See außerhalb der Binnengewässer. (→ Seerecht)

Seeschlangen (Hydrophiidae), Familie meeresbewohnender, selten über 2 m langer Giftschlangen des Ind. und Pazif. Ozeans, mit seitlich abgeflachtem Ruderschwanz; einige Arten legen ihre Eier auf dem Land ab. – Die S. der Sage und des Volksglaubens, schlangenartige Meeresungeheuer, sind nicht mit den S. identisch.

Seeschmetterling (Blennius ocellaris), bis 15 cm langer Schleimfisch, mit schwarzem Fleck auf der vorderen hohen Rückenflosse; lebt im Mittelmeer und Ostatlantik, im N bis zum Ärmelkanal verbreitet.

Seeschwalben: Flussseeschwalbe (Größe 35 cm)

Seeschwalben (Sterninae), Unterfamilie der Möwen mit schlankem, spitzem Schnabel, schmalen Flügeln und kleinen Füßen; im mitteleurop. Binnenland auf verlandenden Seen die fast schwarze, amselgroße **Trauer-S.** (Chlidonias niger); an Binnengewässern und an der Küste die **Fluss-S.** (Sterna hirundo) mit rotem Schnabel und schwarzer Schnabelspitze. Ähnlich ist die **Küsten-S.** (Sterna paradisaea), kleiner die **Zwerg-S.** (Sterna albifrons).

Seesen, Stadt im Landkreis Goslar, Ndsachs., am NW-Fuß des Harzes, 22500 Ew.; Wilhelm-Busch-Museum; Blechwaren-, Nahrungsmittelind., Abbau von Kalkstein.

Seeskorpion (Seeteufel, Myoxocephalus scorpius), im N-Atlantik, vom Nordpolarmeer bis zur O-Küste der USA, lebende Art der Groppen ohne Schwimmblase.

See-Sozialversicherung, die unter einheitl. Verw. zusammengefasste Kranken-, Unfall- und Rentenversicherung der Seeleute; Träger: 1) die 1887 errichtete **See-Berufsgenossenschaft** (See-BG) für die See-Unfallversicherung; 2) die 1907 als Sonderanstalt der See-BG errichtete **Seekasse** für die Arbeiterrentenversicherung der Seeleute, zugleich Generalbevollmächtigte der Bundesversicherungsanstalt für Angestellte für die gesetzl. Angestelltenversicherung der Seeleute und Trägerin der **See-Pflegekasse** zur Durchführung der sozialen Pflegeversicherung; 3) die 1928 als Abteilung der Seekasse errichtete **See-Krankenkasse** für die Krankenversicherung; 4) die 1974 von der See-BG errichtete **Seemannskasse** für die Gewährung von Überbrückungsgeld an vorzeitig aus dem Beruf ausscheidende Seeleute.

Seesterne (Asteroidea), Klasse der Stachelhäuter, deren Körper meist aus einer zentralen Scheibe und fünf oder mehr Armen besteht (Spannweite wenige cm bis knapp 1 m). Die Scheibe enthält den Darm (mit Mundöffnung auf der Unter- und After auf der Oberseite) und die Geschlechtsdrüsen. Die Arme, deren Skelett aus wirbelartig verbundenen Kalkstücken besteht, tragen Stacheln, Greifzangen (Pedizellarien) und Ambulakralfüßchen (muskulöse Schläuche mit Saugscheiben), die an das Wassergefäßsystem angeschlossen sind. Aus den Eiern der meist getrenntgeschlechtigen S. entwickeln sich zunächst frei schwimmende Larven. Nahrung sind Muscheln, Korallen u.a. Meerestiere. Der **Kamm-S.** (Astropecten irregularis) ist in allen europ. Meeren verbreitet.

Seesterne: Kammseestern (Durchmesser bis zu 30 cm)

Seestraßen|ordnung, internat. Regeln zur Verhütung von Zusammenstößen auf See. Sie sind durch das Londoner Übereinkommen vom 20. 10. 1972 neu festgelegt und in der Bundesrep. Dtl. 1977 in Kraft gesetzt worden. Die S. bezieht sich auf alle Seefahrzeuge v.a. auf hoher See und bestimmt die Ausweich- und Fahrregeln, die Führung von Lichtern und Signalkörpern sowie die Abgabe von Schall- und Lichtsignalen. Verstöße gegen die S. stellen Ordnungswidrigkeiten dar.

Seestück: Willem van de Velde d. J., »Der Hafen von Amsterdam« (1686; Amsterdam, Rijksmuseum)

Seestück (Marinemalerei), Gattung von Bildern, die See, Meer und Flüsse, Küsten und Häfen darstellen. Zu einer selbstständigen Bildgattung entwickelte sich das S. in der 2. Hälfte des 16. Jh. in den Niederlanden und erreichte eine Blütezeit im 17. Jh. (J. Porcellis, S. de Vlieger, H. J. Dubbels, L. Backhuysen, W. van de Velde). Seither fand es seine bedeutendsten Anhänger unter den nord. Künstlern, gelangte noch einmal in der Romantik (W. Turner, C. D. Friedrich, T. Géricault, J. C. Dahl) und im Impressionismus (C. Monet, A. Sisley, P. Signac u.a.) zu Höhepunkten.

Seetaler Alpen, Gebirgszug der Ostalpen südlich der Mur, in der Steiermark und in Kärnten, Österreich, im Zirbitzkogel 2396 m ü.M.

Seetang, großwüchsige Formen der Braun- und Rotalgen.

Seetaucher (Gaviiformes), Ordnung bis etwa 90 cm langer Wasservögel mit Schwimmhäuten und weit hinten angesetzten Beinen; tauchen bis 70 m tief. In Mitteleuropa tritt der **Prachttaucher** (Gavia arctica) im Winterkleid mit dunklem Rücken und weißem Vorderhals auf; im Sommerkleid ist der Rücken weiß getupft. Seltenere Wintergäste sind **Sterntaucher** (Gavia stellata) und **Eistaucher** (Gavia immer).

Seetaucher: Sterntaucher im Sommerkleid (53–58 cm)

Seevermessung, die Vermessung des Meeresbodens (Tiefenmessung), der Ufer- und Hafenbereiche, der Seezeichen und der Gefahrenstellen zur Herstellung von →Seekarten; wird durch Vermessungsschiffe ausgeführt.

Seeversicherung (Seeassekuranz), Versicherung bes. von Schiff, Ladung, Fracht gegen die Seegefahren wie Untergang, Strandung, Verschollenheit, Zusammenstoß, Leckage, Seeraub, Brand, Explosion; geregelt in §§778–900 HGB, dem jedoch i.d.R. die Allg. Dt. S.-Bedingungen von 1919 vorgehen; die Seekriegsgefahr ist i.Allg. ausgeschlossen.

Seevetal, Gemeinde im Landkreis Harburg, Ndsachs., südlich von Hamburg, 38800 Ew.; Spielbank im Ortsteil Hittfeld; großer Rangierbahnhof im Ortsteil Maschen.

Seevölker, Gruppe von Völkern aus der Ägäis und vielleicht auch aus anderen Teilen des Mittelmeerraumes, die Ende des 13.–12. Jh. v.Chr. von See her in das Nildelta sowie nach Syrien und Palästina vordrangen. S. werden in den Briefen von Amarna als ägypt. Besatzungstruppe in Byblos erwähnt. Unter Ramses II. (1290–1224 v.Chr.) traten die S. auf ägypt. und hethit. Seite als Hilfstruppen auf. Um 1200 v.Chr. drangen sie in das Hethiterreich ein, bedrohten danach erneut Ägypten, wurden aber 1175 v.Chr. von Ramses III. besiegt.

Seewald, Richard, schweizer. Maler, Grafiker, Schriftsteller dt. Herkunft, *Arnswalde (heute Choszczno, Wwschaft Gorzów) 4.5.1889, †München 29.10.1976; näherte sich in seinen Gemälden der Neuen Sachlichkeit. Bekannt wurden v.a. seine Illustrationen zu eigenen Schriften und zu Werken anderer Autoren.

Seewalzen (Seegurken, Holothurien, Holothuroidea), Klasse der Stachelhäuter mit wurmförmig gestrecktem Körper. Das Skelett ist auf kleine Kalkkörperchen in der lederartigen Haut und einen den Schlund umgreifenden Kalkring beschränkt. Der Mund hat einziehbare Fühler; in die Kloake münden zwei verästelte Schläuche, die Wasserlungen. Die Entwicklung verläuft meist über eine frei schwimmende bilaterale Larve.

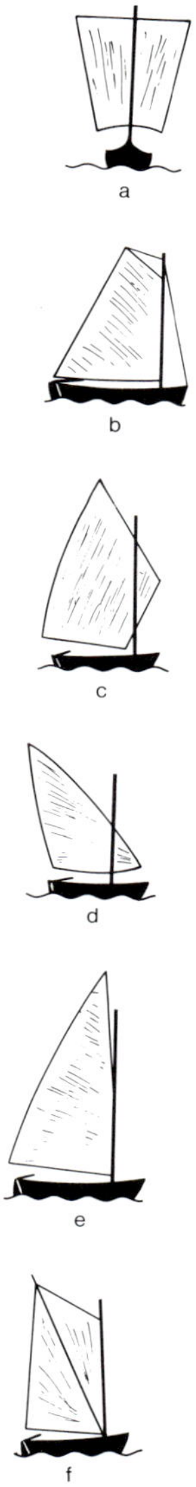

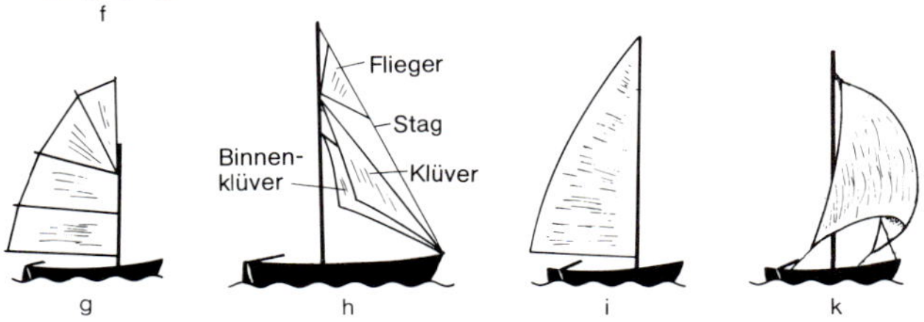

Segel 2): verschiedene Segeltypen und ihre Benennung; a Rahsegel, b Gaffelsegel, c Luggersegel, d Lateinersegel, e Spitzsegel, f Sprietsegel, g Fledermaussegel, h Stagsegel, i Hochsegel, k Ballonsegel

Seewarte (Deutsche S.), einer der Vorläufer des →Deutschen Hydrographischen Instituts.

Seewölfe (Anarrhichadidae), Familie der Schleimfischähnlichen mit plumpem Kopf und großen Mahlzähnen, u.a. der **Gestreifte S.** (**Katfisch,** Anarrhichas lupus), bis zu 1,5 m lang, lebt an den Küsten des N-Atlantik und des Nordpolarmeers. S. sind Speisefische; aus den Häuten wird Leder hergestellt.

Seewölfe: Gestreifter Seewolf (Länge bis zu 1,5 m)

Seezeichen, international geltende Zeichen für die Schifffahrt zur Kennzeichnung von Fahrwassern und als Wegweiser. Die S. sind teils landfest (Leuchttürme, Baken, Dalben, Stangen, Pricken), teils schwimmend (Feuerschiffe, Tonnen, Bojen, die z.T. Toppzeichen und Aufschriften besitzen). Als →Leuchtfeuer dienen sie zur Orientierung auch bei Nacht und schlechter Sicht. Kardinale S. (Kardinalsystem) kennzeichnen Untiefen, Schifffahrtshindernisse und Sperrgebiete, laterale S. (Lateralsystem) die seitl. Fahrrinnenbegrenzung. Länger gleich bleibende Kurse werden durch Leitfeuer oder Richtbaken festgelegt, starke Kursänderungen durch Quermarkenfeuer. Wichtige S. erhalten zur besseren Kennzeichnung Radarreflektoren. – Das internat. S.-System wurde in der Bundesrep. Dtl. 1952/53 eingeführt. Seit 1977 gilt das »Internat. Betonnungssystem -A-« zur Markierung der Schifffahrtsstraßen.

Seezollgrenze, gesetzlich bestimmte Linie an der Meeresküste gegen die freie See (Zollausland), in Dtl. die Strandlinie. **Seezollhäfen** liegen hinter der Seezollgrenze.

Seezungen, Fische, →Plattfische.

Sefer [hebr.] *der,* jüd. Bez. für Buch, urspr. »Buchrolle«, z.B. **S.-Thora** »Thorarolle« (→Thora).

Seferis, Giorgos, eigtl. G. Seferiadis, neugrch. Lyriker, *Smyrna (heute İzmir) 19.2.1900, †Athen 20.9.1971; Diplomat; schrieb klare, unpathet. Verse und gilt als Begründer der modernen Lyrik in Griechenland (»Wende«, 1931; »Logbuch I«, 1940; »Logbuch II«, 1944; »Gedichte 1924–1946«, 1950; »Sechzehn Haikus«, dt. Ausw., 1968). 1963 erhielt er den Nobelpreis für Literatur.

Segal ['si:gəl], **1)** Erich Wolf, amerikan. Philologe und Schriftsteller, *New York 16.6.1937. Sein Roman »Love story« (1970) errang einen Welterfolg (Fortsetzung »Oliver's story«, 1977); außerdem u.a. »... und sie wollten die Welt verändern« (R., 1985), »Die Gottesmänner« (R., 1992).

2) George, amerikan. Bildhauer und Grafiker, *New York 26. 11. 1924; begann als Maler; gestaltet Environments mit in Gips abgeformten Modellen von Menschen bei der alltägl. Arbeit und verdeutlicht so die Anonymität des Individuums in der Gesellschaft; auch Pastelle und Zeichnungen.

Segall, Lasar, brasilian. Maler, Grafiker und Bildhauer russisch-litauischer Herkunft, *Vilnius 8. 7. 1891, †São Paulo 2. 8. 1957; gilt als Mitbegründer und Anreger der modernen brasilian. Kunst. Seine Bilder sind nachhaltig vom Frühwerk M. Chagalls beeinflusst.

Segantini, Giovanni, italien. Maler, *Arco (Prov. Trient) 15. 1. 1858, †bei Pontresina 28. 9. 1899; verwendete nach naturalist. Anfängen seit 1886 pointillist. Mittel für seine Landschaftsbilder mit Bauern, Hirten und Weidetieren; später symbolist. Werke.

Segeberg, Kreis in Schlesw.-Holstein, 1344 km², (1996) 239 700 Ew.; Krst. ist →Bad Segeberg.

Segel, 1) *Astronomie:* Sternbild, →Segel des Schiffes.

2) *Schifffahrt:* aus Segeltuch oder Kunstfaserstoffen hergestellte Tuchfläche drei- oder viereckigen Zuschnitts, die bei Segelschiffen oder -booten u.a. an Mast, Rah, Gaffel und Baum mit Tauen oder Ösen befestigt ist und, ausgespannt durch Winddruck, ein Fahrzeug vorwärts bewegt. Man unterscheidet die S. nach Art und Ort der Anbringung sowie nach Form und Art der Takelung.

Segelboot, mit Segeln versehenes und vom Wind getriebenes kleineres Wasserfahrzeug, v.a. als Freizeit- und Sportboot. S. sind aus Kunststoff, Glas- und Kohlenstofffasern, Aluminium und

Richard Seewald: »Das Manna«, Illustration aus der »Kleinen Kinderbibel« (1968)

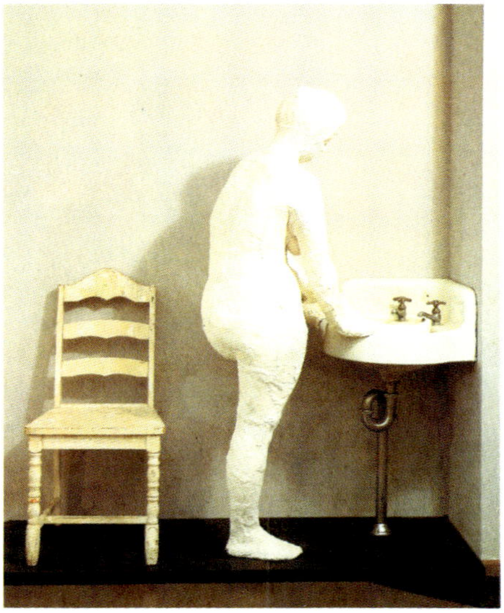

George Segal: »Frau wäscht ihre Füße in einem Waschbecken« (1964/65; Köln, Museum Ludwig)

Holz hergestellt und unterscheiden sich durch die Takelung und die Konstruktion. Es gibt kenterbare Schwertboote (Jollen, Jollenkreuzer), unkenterbare Kielboote (mit einem mit Ballast versehenen Flossenkiel) und unkenterbare Kielschwertboote (Kompromiss zw. Schwert- und Kielboot). Große gedeckte S. mit Kajüte heißen Kreuzer, seetüchtige S. Seekreuzer oder Segeljachten i.e.S. Des Weiteren unterscheidet man einmastige Katboote oder Slups, anderthalbmastige Ketsch und Yawls sowie zwei- und mehrmastige Schoner. S. sind mit Schratsegeln getakelt, die als aerodynam. Profil arbeiten, wodurch S. v.a. bei »Am-Wind-Kursen« bessere Segeleigenschaften als →Segelschiffe mit Rahsegeln haben. – In den internat. Wettsegelbestimmungen wird jedes S. (seit 1985 einschl. der Segelbretter) als Jacht (Segeljacht) bezeichnet. Für Wettkämpfe werden S. in Klassen eingeteilt.

Segelbrett (Surfbrett), Segelsportgerät mit brettähnl. Bootskörper, Steckschwert, Stabilisierungsflosse und frei bewegl. Mast. Das S. wird stehend von einem oder zwei Athleten gesegelt.

Segel des Schiffes (Segel, Vela), in der Milchstraße gelegenes Sternbild des südl. Himmels, Teil des früheren Sternbildes Schiff Argo.

Segelfalter (Iphiclides podalirius), Art der Ritterfalter mit gelben, schwarz gestreiften Flügeln, Spannweite bis 70 mm; die Raupe lebt bes. an Schlehen. Der S. steht unter Naturschutz. BILD Schmetterlinge

Segelflosser (Skalar, Blattfisch, Pterophyllum scalare), im Amazonasgebiet lebende, 12–15 cm lange Art der Buntbarsche, mit 20–26 cm hohem,

Giorgos Seferis

seitlich abgeplattetem Körper und dunklen Querbinden, großer Rücken- und Afterflosse; Aquarienfisch.

Segelflosser
(Länge 12–15 cm)

Segelflug, das Fliegen mit motorlosen Flugzeugen unter Nutzung atmosphär. Luftbewegungen zum Höhengewinn; flugmechanisch ein →Gleitflug in aufwärts bewegten Luftmassen (»Aufwinde«). Die zum Einfliegen in ein Aufwindgebiet erforderliche Ausgangshöhe wird im Schlepp eines Motorflugzeugs (Flugzeugschleppstart), am Schleppseil einer am Boden befindl. Motorschleppwinde (Windenschleppstart) oder im Eigenstart mittels eingebauten Hilfsmotors (Motorsegler) erreicht. **Segelflugzeuge** werden in ein- oder zweisitzige Schul- und Übungsflugzeuge für die S.-Ausbildung sowie Leistungs- und Hochleistungsflugzeuge für sportl. Wettbewerbe eingeteilt. Sie bestehen heute überwiegend aus faserverstärkten Kunststoffen (überwiegend Aramid- und Kohlenstofffasern). Ihre Flugleistungen und -eigenschaften werden durch Minderung des induzierten Widerstands durch Flügel besonders großer Streckung, laminare Umströmung durch Oberflächen höchster Formtreue und geringster Welligkeit und Rauheit sowie Anpassung der Flächenbelastung an die Wetterbedingungen durch Flügel mit veränderl. Flügelfläche ständig verbessert. Bisher wurden Strecken von über 2000 km, Höhen von fast 15000 m und Geschwindigkeiten von knapp 200 km/h über eine 100-km-Dreiecksstrecke erreicht.

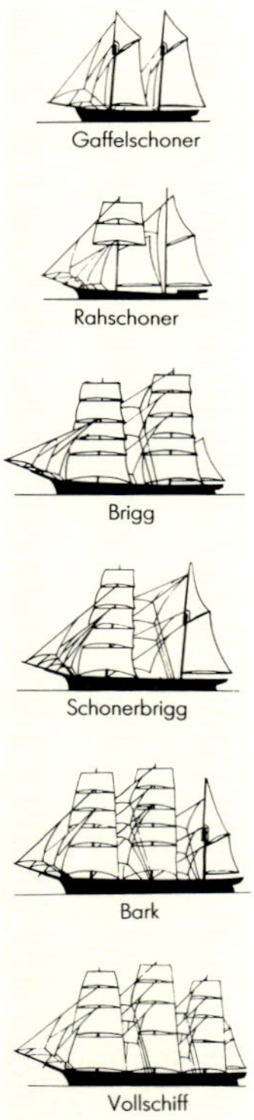

Segelschiff: verschiedene Bautypen

Segelkarte, eine →Seekarte.

Segeln, Fortbewegung eines Bootes oder Schiffes durch Wind und Segel. Der Wind löst um die Segel Strömungen aus. Die Strömungsgeschwindigkeit der Luft auf der gewölbten Außenseite des Segels ist größer als auf der Innenseite, d. h., es entsteht auf der Innenfläche ein Unterdruck und auf der Außenfläche ein Überdruck, wodurch, ähnlich wie am Tragflügel eines Flugzeuges, eine Auftriebskraft entsteht, die etwa 90° zur Segelstellung wirkt (Segelschub). Sie lässt sich in eine Komponente in Längsrichtung (Vortrieb) des Schiffes und in eine Querkomponente (Abdrift) zerlegen. Entscheidend für die Segelstellung ist der sog. scheinbare Wind, der die Resultierende von wahrem Wind und Fahrtwind ist. Am besten wird die Segelfläche »vor dem Wind« ausgenutzt, d. h., wenn der Wind genau in der Fahrtrichtung weht. Soll das Fahrzeug an den Wind gehen (anluven), müssen die Segel »angeholt« werden; es segelt dann mit dem »raumen Wind«. Wind schräg von achtern heißt »Backstagsbrise«, senkrecht zur Fahrtlinie »halber Wind«. Weht der Wind direkt von vorn, muss das Boot kreuzen. Kiel oder Schwert wirken dem seitl. Abdriften des Schiffes unter dem Einfluss der Querkomponente der Windkraft in Leerichtung entgegen. Unter dem seitl. Druck des Windes neigt sich (krängt) das Fahrzeug nach Lee. Die Größe der vor und hinter dem Drehpunkt des Fahrzeugs befindl. Segelflächen bestimmt die Neigung des Schiffes, in den Wind oder von ihm fortzudrehen (anzuluven oder abzufallen). Kursänderungen, nach denen der Wind von der anderen Seite kommt, erfordern ein Wenden (Bug dreht durch den Wind) bzw. ein Halsen (Heck geht durch den Wind).

Segelsport: Wettkämpfe von Sportsegelbooten finden in Form von Regatten statt. Der olymp. Regattakurs ist ein Kreis von 1–2 sm Durchmesser, auf dem Bojen ausgelegt sind. Eine Segelregatta besteht aus mehreren (maximal sieben) Wettfahrten; die Bewertung erfolgt nach Punkten gemäß Platzierung je Wettfahrt (1. Platz = 0 Punkte; 2. = 3; 3. = 5,7; 4. = 8; 5. = 10; 6. = 11,7; ab dem 7. Platz werden zum erreichten Rang 6 Punkte zugezählt) und Addition der Punkte; die schlechteste Wettfahrt jedes Teilnehmers wird bei mehr als vier Wettfahrten je Regatta gestrichen. Im Geschwindigkeitswettbewerb ergibt sich die Platzierung aus der Reihenfolge des Zieleinlaufs.

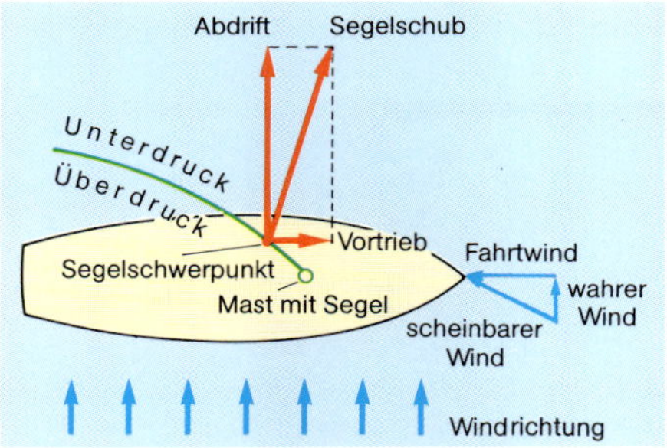

Segeln: Die durch den scheinbaren Wind am Segel erzeugte Druckdifferenz bewirkt den Segelschub, der in den Vortrieb und die vom Bootskörper aufzufangende Abdrift zerlegt werden kann

Segelschiff, größeres Wasserfahrzeug mit Segeln, das durch Windkraft fortbewegt wird. Den Typ des S. bestimmen die Bauart des Schiffskörpers, die Anzahl der Masten sowie Form und Anordnung der Segel. Diese sind entweder Rahsegel (Quersegel), die mit ihrer Oberkante an den querschiffs an den Masten angebrachten Rahen befestigt sind, oder Schratsegel, deren Vorkante in der Mittschiffsebene steht und deren Hinterende durch eine Schot eingestellt wird; zu ihnen zählen die Hoch-, Gaffel- und Stagsegel. Die Segel eines voll getakelten Mastes sind von unten: Untersegel (Fock-, Groß- u.a. Segel), Unter-, Obermarssegel, Unter-, Oberbramsegel, Royal und – bei sehr großen S. – Skysegel. Vom Fockmast nach vorn zum Klüverbaum und zw. den Masten werden meist noch dreieckige Stagsegel gesetzt. S. mit voll getakelten Masten heißen Vollschiff. Zu den **Rahschiffen** zählen (Fünf-, Vier-, Dreimast-)Vollschiffe, Briggen (Zweimastvollschiffe) und Barken (Dreimastsegler; hinterster Mast trägt Schratsegel, die anderen Rahsegel). **Schoner** haben nur Schratsegel.

Geschichte: In Altkreta und Phönikien sind die ältesten S. im 2. Jt. v. Chr. nachzuweisen, in Nordeuropa um 400 n. Chr. Das reine Hochsee-S. ist eine Erfindung der Hanse (→Kogge); es war gleichzeitig Handels- und Kriegsschiff. Im 15. Jh. kamen die Dreimaster auf (→Karavelle). Mit dem 17. Jh. trennte sich der Bau von Handels- und Kriegsschiffen. Im 19. Jh. wurden S. gebaut, die bis zu sieben Segel an einem Mast hatten; als Schnellsegler kamen die →Klipper auf. 1875 entstand das erste eiserne Viermastvollschiff. Ende des 19. Jh. begannen die Dampfschiffe die großen S. zu verdrängen.

📖 *Die letzten großen S.e, bearb. v.* O. SCHÄUFFELEN. *Bielefeld* [7]*1990. – Der S.e große Zeit, hg. v.* J. JOBÉ. *A. d. Frz. Bielefeld* [8]*1991.*

Segelschlitten, →Eissegeln.

Segelsurfen [-sə:fən], Segeln mit Surfboard, →Surfen.

Segen [von (kirchen)lat. signare »mit einem Zeichen versehen«], in den Religionen ein Wort **(Segensformel),** durch das dem Gesegneten das Heil, der Schutz und/oder der Beistand der von ihm verehrten Gottheit bzw. Götter zugesprochen wird; wie sein Ggs., der →Fluch, urspr. ein Zauberwort. Die S.-Erteilung erfolgt durch autorisierte Personen (Priester, Stammes- und Familienoberhäupter, Medizinmänner) im Namen Gottes oder der Götter, oft in festen liturg. Formen (z.B. durch Handauflegung). Neben Menschen können auch Tiere, Gebäude und Gegenstände gesegnet werden. Die christl. Kirchen verstehen den S. als an Gott gerichtete Bitte, das Leben der Gesegneten unter seine Heilszusagen zu stellen.

Segerkegel [nach dem Keramiker Hermann Seger, *1839, †1893], Abk. **SK,** etwa 6 cm hohe pyramidenförmige keram. Schmelzkörper mit versch. Schmelzpunkten (von 600 bis etwa 2000 °C); dienen zur Bestimmung der Garbrandtemperatur beim Brennen keram. Erzeugnisse.

Segerstam [-stam], Leif, finn. Dirigent, *Vaasa 2. 3. 1944; war 1975–82 Chefdirigent des ORF-Symphonieorchesters in Wien, 1977–87 Musikdirektor des Finn. Radio-Symphonieorchesters Helsinki, wurde 1983 Chefdirigent der Staatsphilharmonie Rheinland-Pfalz und leitete 1989–95 das Nat. Sinfonieorchester des Dän. Rundfunks in Kopenhagen; seit 1995 Chefdirigent des Philharmon. Orchesters Helsinki; trat mit dem Ballett »Pandora« (1967), Orchesterwerken, Kammer- und Vokalmusik auch als Komponist hervor.

Segesta (grch. Egesta), Stadt des Altertums im NW Siziliens, eine Gründung der Elymer (vorgrch. Bev. W-Siziliens), die politisch in Gegensatz zu den grch. Städten der Insel standen. Erhalten blieben ein unvollendeter dor. Ringhallentempel (um 420 v. Chr.) und ein in den Fels gehauenes hellenist. Theater (um 200 v. Chr.).

Segesta: Der unvollendete dorische Ringhallentempel (Peripteros) entstand um 420 v. Chr. und liegt westlich der Stadt auf einem flachen Höhenrücken

Segge (Carex), Gattung der Riedgräser mit weltweiter Verbreitung; überwiegend ausdauernde Pflanzen mit oft deutlich dreieckigen Stängeln. S. sind oft bestandbildend, z.B. in Ufer- und Sumpfgebieten. Häufig sind u.a.: **Sand-S.** (Carex arenaria), Blätter starr und rau, Ährchen in einer dichten, bis etwa 6 cm langen, ährenartigen Rispe; v.a. auf Dünen der Küstengebiete; **Wald-S.** (Carex silvatica), 30–60 cm hoch, Ährchen lang gestielt, hängend; verbreitet in Laubwäldern.

Anna Seghers

Seghers, 1) ['ze:gərs] Anna, eigtl. Netty Radványi, geb. Reiling, Schriftstellerin, *Mainz 19. 11. 1900, †Berlin (Ost) 1. 6. 1983; emigrierte 1933 über Frankreich und Spanien nach Mexiko, seit 1947 in Berlin (Ost); 1952–78 Präs. des Schriftstellerverbandes der DDR. Ihre Werke, beginnend mit der Erzählung »Der Aufstand der Fischer von St. Barbara« (1928, Kleist-Preis), sind geprägt von Engagement für sozial Deklassierte und Unterdrückte. Die Sicht auf zeitgeschichtl. Stoffe ist beeinflusst von ihrer Bindung an die KPD und der Doktrin des sozialist. Realismus (»Die Gefährten«, R., 1932). Bed. Werke dt. Exilliteratur sind »Das siebte

Kreuz« (R., engl. 1942, dt. 1946) und »Transit« (R., engl. 1944, dt. 1948). Nach der Rückkehr wurde S. zu einer Leitfigur der Literatur der DDR und

Anna Seghers: Linolschnitt (1979)

stellte ihre Kunst in den Dienst des Prozesses der »sozialist. Bewusstseinsbildung« (»Die Entscheidung«, R., 1959). Ihre persönl. Schwierigkeiten damit belegt das Fragment »Der gerechte Richter« (entstanden 1957, veröff. 1990). Die Fähigkeit zu äußerster Konzentration der Handlung zeigen v.a. die Erzählungen (u.a. »Sagen von Artemis«, 1938; »Sonderbare Begegnungen«, 1973). 1947 erhielt sie den Georg-Büchner-Preis.

Antonio Segni

📖 NEUGEBAUER, H.: *A. S. Leben u. Werk. Berlin* [3]*1988.* – BRANDES, U.: *A. S. Berlin 1992.*

2) ['zeːxərs], Hercules Pietersz., auch H. P. Segers, niederländ. Maler und Radierer, *Haarlem 1589 oder 1590, †Den Haag (?) zw. 1635 und 1639; malte einsame (Fluss-)Landschaften, in denen er Realistisches und Fantastisches miteinander verband; bed. Radierungen.

Segovia 2) Stadwappen

Segler (Apodidae), Familie der Seglerartigen, schwalbenähnl. Vögel. In europ. Städten ist von Mai bis August der **Mauer-S.** (Apus apus) verbreitet, schwarzbraun mit heller Kehle, etwa 16,5 cm lang; er nistet im Dachstuhl hoher Bauten, wo er Federn und Halme mit Speichel zu einem Nest verklebt.

Hercules Seghers: »Blick auf Brüssel vom Nordosten« (um 1625; Köln, Wallraf-Richartz-Museum)

Im Alpengebiet lebt der größere **Alpen-S.** (Apus melba), oben braun, unten weiß, mit braunem Kropfband. Zu den S. gehören die →Salanganen.

Segment [lat.] *das,* **1)** *Datenverarbeitung:* →Segmentierung.

2) *Mathematik:* Abschnitt eines →Kreises **(Kreis-S.)** oder einer →Kugel **(Kugelsegment).**

3) *Zoologie:* →Metamerie.

Segmentierung, 1) *Datenverarbeitung:* die Aufteilung eines Programms in logisch zusammengehörende, aber voneinander weitgehend unabhängige Teile **(Segmente),** z.B. Datenbereiche, von denen jeweils nur die aktuell benötigten in den Arbeitsspeicher eines Computers geladen werden.

2) *Sprachwiss.:* Zerlegung komplexer sprachl. Einheiten in die sie konstituierenden Elemente **(Segmente);** diese werden mittels versch. Methoden isoliert, um sie zu klassifizieren (in Phoneme, Morpheme, Konstituentenklassen).

Segment|therapie, Behandlungsmethode zur reflektor. Beeinflussung innerer Organe über Reizwirkungen auf die zugeordneten Hautsegmente mithilfe von Segmentmassage, Akupunktur, Wärme- und Kälteanwendungen sowie Injektionsbehandlung.

Segni ['sɛɲɲi], Antonio, italien. Politiker, *Sassari 2. 2. 1891, †Rom 1. 12. 1972; gehörte zu den Gründern der Democrazia Cristiana und den Schöpfern des Autonomieges. für Sardinien; wiederholt Min., 1955–57 und 1959–60 MinPräs., 1962–64 Staatspräs.; erhielt 1964 den Internat. Karlspreis der Stadt Aachen.

Segno ['seɲɲo, italien.] *das,* Abk. **S,** Zeichen 𝄋 oder ⊕, §, Anweisung in der Notenschrift, ein Musikstück vom Zeichen **(dal segno)** an zu wiederholen oder bis zum Zeichen **(al segno),** nicht bis zum Schluss zu spielen.

Ségou [se'gu] (Segu), Regionshptst. in SW-Mali, am Niger, 99 000 Ew. (v.a. Bambara); Handelszentrum, Fischerei; Flusshafen, Flugplatz. – Im 17. und 18. Jh. Zentrum des Bambarareiches.

Segovia [se'ɣoβia], **1)** Prov. in der Region Kastilien und Léon, Spanien, 6 922 km^2, (1991) 147 200 Einwohner.

2) Hptst. von 1), 1000 m ü.M., am S-Rand der Hochfläche Altkastiliens, 55 200 Ew.; Militärakademie; Elektro-, Textil-, chem., Holzind., traditionelles Kunsthandwerk; Fremdenverkehr. – Gut erhaltener, 17 km langer röm. Aquädukt (wie die Altstadt UNESCO-Weltkulturerbe), Burg (Alcázar, urspr. 11. Jh., im 13. Jh. neu erbaut, im 15./16. Jh. erweitert); zahlr. roman. Kirchen, unter den Klöstern bed. San Antonio el Real (1445 gegr.) und El Parral (1447 gestiftet), Kathedrale (16. Jh.); roman. Bürgerhäuser, Paläste mit Türmen und Fassaden im Mudéjarstil. – S., von den Iberern gegr., war unter den Römern bed. Militärstützpunkt, im

14.–16. Jh. bevorzugte Residenz der kastil. Könige. BILD Alcázar

Segovia [se'ɣoβia], Andrés, span. Gitarrist, *Linares (Prov. Jaén) 21. 2. 1893, †Madrid 2. 6. 1987; einer der großen Gitarristen des 20. Jahrhunderts.

Andrés Segovia

Segre ['seɣre] *der,* linker Nebenfluss des Ebro in Spanien, 261 km lang, entspringt in den frz. O-Pyrenäen, speist im Ebrobecken Bewässerungskanäle, mündet in ein Staubecken.

Segrè [se'grɛ], Emilio Gino, amerikan. Physiker italien. Herkunft, *Tivoli 1. 2. 1905, †Lafayette (Calif.) 22. 4. 1989; Prof. in Rom, Palermo, ab 1938 in Berkeley (Calif.), 1943–46 Gruppenleiter am Kernforschungslabor in Los Alamos (Atombombenentwicklung). 1955 wies er mit O. Chamberlain u. a. die Existenz des Antiprotons nach, wofür beide 1959 den Nobelpreis für Physik erhielten.

Emilio G. Segrè

Segregation [lat. »Absonderung«] *die,* **1)** *Genetik:* die Aufspaltung der Gene während der Reifeteilung der Geschlechtszellen.

2) *Soziologie:* die räuml. Trennung von Personen mit gleichen sozialen Merkmalen zur Vermeidung oder Verhinderung von Kontakten mit anderen Personen oder Gruppen; auch Bez. für den Prozess, der zu dieser Trennung führt. S. kann freiwillig angestrebt oder durch diskriminierende Maßnahmen (Verweigerung freier Berufsausübung, Einschränkung von Wahlrechten, Abschiebung in Gettos u. a.) erzwungen werden. – I. e. S. Bez. für die (verbotene) Rassentrennung in den USA.

Seguidilla [seɣi'ðiʎa; span., zu seguir »folgen«] *die,* span. Tanzlied im Tripeltakt. Jeder Strophe wurden meist vier Takte des charakterist. Kastagnettenrhythmus vorangestellt. Dazu wurde ein Paartanz getanzt; in dieser volkstüml. Form in die Kunstmusik eingeführt (z. B. von G. Bizet in »Carmen«, 1875).

Segura [se'ɣura] *der,* Fluss in SO-Spanien, 325 km lang, entspringt in der Sierra de Segura (Betische Kordillere), speist das Bewässerungsland von Murcia und Orihuela, mündet (nahezu wasserlos) in den Golf von Alicante.

Sehen, Fähigkeit des Lichtsinns bzw. Gesichtssinns (einschl. des Farbensehens) zur Wahrnehmung elektromagnet. Wellen zw. 400 und 700 nm Wellenlänge und der durch sie vermittelten Abbildung der Umweltobjekte auf der Netzhaut; kommt durch das Zusammenwirken opt., biochem., nervl. und psycholog. Prozesse zustande und wird auch vom Sehobjekt selbst und dem den Raum zw. diesem und dem Lichtsinnesorgan einnehmenden Medium beeinflusst. Durch die brechenden Flächen und Medien des Auges (Hornhaut, Kammerwasser, Linse, Glaskörper) werden scharfe Abbildungen auf der Netzhaut von unterschiedlich entfernten Objekten erzeugt. Die Reizempfängerzellen (Zapfen, Stäbchen) geben ihre Erregung zu den Sehzentren weiter. In den darüber liegenden Schichten der Netzhaut folgen zunächst die Horizontalzellen, die Bipolarzellen und die Amakrine. Die oberste Schicht bilden die Ganglienzellen; sie übertragen über zentrale Schaltstellen die visuelle Information in das Gehirn. Das menschl. Sehsystem ist in der Lage, seine Empfindlichkeit in erhebl. Umfang den sich ändernden Beleuchtungen anzupassen, d. h. zu adaptieren. Für diesen Adaptionsprozess sind zwei unterschiedl. Rezeptorsysteme verantwortlich: Die Stäbchen der menschl. Netzhaut ermöglichen das S. in der Dämmerung und in der Nacht **(skotopisches S., Dämmerungssehen),** die Zapfen hingegen fungieren als die Photorezeptoren für das S. unter Be-

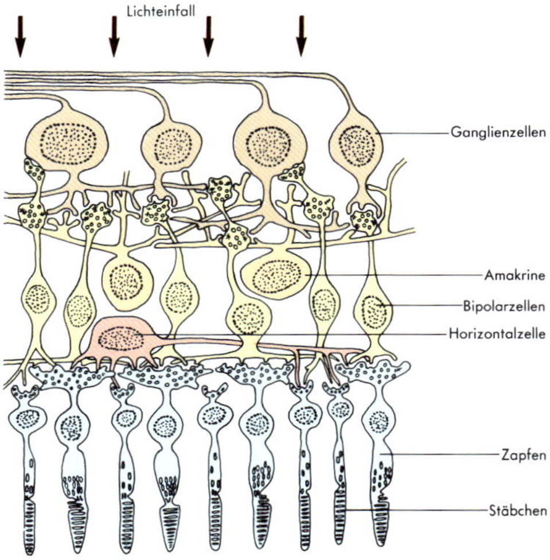

Sehen: schematische Darstellung der Lage der Nervenzellen sowie ihrer synaptischen Kontakte in der Netzhaut der Primaten

leuchtungsbedingungen des Tages **(photopisches S.).** – Die Psychologie untersucht bei der Verarbeitung von Informationen aus der Außenwelt mittels des Auges v. a. das Zusammenwirken der biolog. und physiolog. Komponenten mit psychophys. und kognitiven Momenten der Wahrnehmung sowie mit äußeren Bedingungen (Wahrnehmungsfeld, Lebensumwelt). Die Umsetzung der neurophysiolog. Vorgänge in Handlungsabläufe und Prozesse des Bewusstwerdens, Erkennens und Verstehens ist dabei noch weitgehend ungeklärt. Bed. Beiträge zur Erkenntnis, wie auf der Grundlage opt. Signale und physiolog. Prozesse Informationen über die reale Welt zustande kommen, liefert die Gestaltpsychologie: Es werden nicht unabhängige Reizelemente nachträglich zu einer Sinneinheit verarbeitet, sondern von vornherein ganzheitl. Gestalten gesehen.

📖 *Wahrnehmung u. visuelles System, mit einer Einführung v.* M. Ritter. *Heidelberg ²1987.* – Hubel, D. H.: *Auge u. Gehirn. Neurobiologie des S. Aus dem Amerikan. Heidelberg 1989.*

Seher, *Jägersprache:* Auge (bei Hasen, Kaninchen, Murmeltieren).

Sehfarbstoffe (Sehpigmente), die in den Sehzellen des Auges lokalisierten Farbstoffe, v. a. Chromoproteide aus Retinal und dem Protein Opsin (z. B. →Rhodopsin), die bei Belichtung mit unterschiedl. Lichtwellenlängen (Farbe) und unterschiedlich großen Lichtintensitäten zerfallen und dadurch eine Erregung in den Sehzellen auslösen.

Seh|loch, die Pupille (→Auge).

Sehne, **1)** *Anatomie:* (Flechse, Tendo) bei Mensch und Wirbeltieren aus zugfesten Bindegewebsfasern bestehende Verbindung zw. Muskel und Knochen.

2) *Geometrie:* eine Strecke, die zwei Punkte einer Kurve (speziell eines Kreises) verbindet.

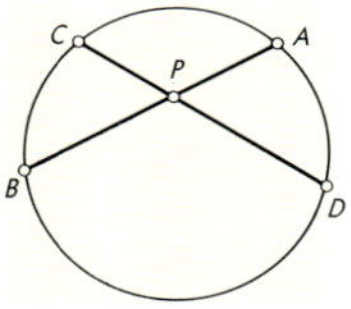

Sehnensatz

Sehnensatz, Lehrsatz der Geometrie: Wenn zwei durch einen innerhalb eines Kreises gelegenen Punkt P gehende Geraden den Kreis in den Punkten A und B bzw. C und D schneiden, so gilt für die Abschnitte $\overline{PA}:\overline{PC} = \overline{PD}:\overline{PB}$ bzw. $\overline{PA}\cdot\overline{PB} = \overline{PC}\cdot\overline{PD}$.

Sehnenscheide, bindegewebige Hülle, in der Sehnen gleiten; die innere Schicht der S. sondert eine Flüssigkeit ab, die das reibungslose Gleiten ermöglicht.

Sehnenscheiden|entzündung (Tendovaginitis), nach Überanstrengung auftretende Abscheidung von Fibrin an den Innenwänden der Sehnenscheiden bes. in Handgelenknähe; löst bei Bewegungsversuchen ein schmerzhaftes Reiben der betroffenen Sehne aus. Die Behandlung umfasst Kühlung, Ruhigstellung und Corticosteroidgaben.

Seh|nerv, zweiter (paariger) Hirnnerv (→Auge, →Gehirn).

Sehpurpur, das →Rhodopsin.

Sehrohr, das →Periskop.

Sehschärfe (Visus), das Auflösungsvermögen des Auges, d. h. die Fähigkeit der Netzhaut, zwei dicht nebeneinander liegende Punkte an der Stelle des schärfsten Sehens (Sehgrube) eben noch als getrennt wahrzunehmen. Bei der S.-Bestimmung wird die Trennschärfe für genormte Objekte (Zahlen, Buchstaben, geometr. Figuren), die unter definiertem Winkel erscheinen, geprüft.

Sehschwäche, →Asthenopie, →Schwachsichtigkeit.

Sehtest, Bestimmung der Sehschärfe durch Erkennen der auf einer Sehtafel (heute meist durch Projektion) dargebotenen Ziffern-, Buchstaben- oder Figurenfolgen abnehmender Größe; erforderlich für den Erwerb eines Führerscheins.

Sehweite, →deutliche Sehweite.

Sehwinkel, individuell wahrgenommener Winkel, unter dem dem Auge die lineare Ausdehnung eines Objekts erscheint; er kann durch opt. Hilfsmittel (Lupe u. a.) verändert werden.

Sehzellen, Lichtreize aufnehmende Zellen (z. B. Stäbchen, Zapfen) in den Lichtsinnesorganen (→Auge), in denen bei Lichteinwirkung durch photochem. Abbau eines Sehfarbstoffs Nervenimpulse ausgelöst werden.

Seibold, Eugen, Geologe, *Stuttgart 11. 5. 1918; Prof. in Tübingen und Kiel, 1980–85 Präs. der Dt. Forschungsgemeinschaft, 1985–91 Präs. der European Science Foundation (Straßburg); Arbeiten zur Meereskunde, Expeditionsleiter auf mehreren Reisen der Forschungsschiffe »Meteor« und »Valdivia«, wiss. Leiter der Forschungsfahrt des Tiefseebohrschiffs »Glomar Challenger« (1975).

Seicento [sei'tʃɛnto; italien., eigtl. »600«, kurz für 1600] *das,* Bez. für das 17. Jh.; Stilbegriff der Kunstgeschichte für die Epoche des italien. Barock.

Seiches [sɛːʃ, frz.] (Schaukelwellen), freie Schwingungen ganz oder teilweise abgeschlossener Wassermassen; treten z. B. in Seen und Meeresbuchten als stehende Wellen infolge von Luftdruckschwankungen und windbedingtem Wasserstau auf.

Seide, aus den Gespinsten mehrerer Tierarten gewonnene Faser (**Natur-S.** aus Proteinen im Ggs. zu **Kunst-S.** auf Cellulosebasis); Textilrohstoff. Große Bedeutung haben die von Seidenspinnern beim Spinnen der Puppenkokons erzeugten Raupen-S. und unter diesen v. a. die vom Maulbeerseidenspinner gewonnene Maulbeerseide.

Der beim Verpuppen der Raupen als Drüsensekret entstehende Faden ist etwa 4000 m lang. Der aus dem Faden gebildete Kokon besteht aus drei Fadenschichten: Die äußere, wirre Fadenschicht liefert Flock-S., die nächste Schicht etwa 700–1000 m gleichmäßigen Faden, die innere Schicht keinen gleichmäßigen Faden. Zur Gewinnung des S.-Fadens werden die Puppen durch Erhitzen der Kokons auf etwa 60 °C abgetötet, die Kokons in Wasser von 70–100 °C eingeweicht und durch Bürsten von der Flock-S. befreit. Hierauf wird der S.-Faden abgehaspelt. In der Regel werden 3–8 Kokonfäden zusammengenommen, ge-

Seide

Als Erfinderin der Kunst der Seidenraupenzucht, der Verarbeitung der Seide und des Webens gilt Leizu, die Gemahlin des dritten (mythischen) Urkaisers Huangdi (= Gelber Kaiser) aus Xiling.

Die Tätigkeiten rund um die Erzeugung und Verarbeitung des kostbaren Produkts wurden traditionell von Frauen ausgeübt. Jedes Seidenarbeitsjahr wurde von der amtierenden Kaiserin mit ihrem Hofstaat zeremoniell eröffnet.

Seide: Die chinesischen Illustrationen aus dem 17. Jahrhundert zeigen die Arbeitsvorgänge bei der Seidenraupenaufzucht und der Seidenherstellung: das Sammeln der Maulbeerblätter zum Füttern der Raupen (links) sowie das Sortieren der Kokons; auf den Tafeln darunter wird das Abhaspeln der Seidenkokons (links) sowie das Entbasten und Färben des Seidenfadens gezeigt

kreuzt und auf einem Haspelrahmen aufgehaspelt. Die so gewonnene **Roh-S.** kommt als Strang in Zopfform in den Handel. Auf 1 kg Roh-S. rechnet man ungefähr 7–9 kg getrocknete Kokons. – Der Rohseidenfaden (Grège, Bast-S.) besteht aus zwei schwach abgeplatteten Kernfäden (aus Fibroin), die von einer gemeinsamen Hülle (dem S.-Leim, S.-Bast oder Sericin) umgeben sind. Die Dicke des Fibroinfadens beträgt 8–15 µm. – Zur Weiterverarbeitung wird die gelbl., schwach glänzende Roh-S. durch Kochen in einer Seifenlösung vom S.-Leim befreit (entbastet, degummiert); hierdurch erhält sie reinweiße Farbe, weichen Griff und schönen Glanz. Eine noch nicht entbastete Roh-S. wird **Ecru-S.** genannt, unvollständig entbastete S. heißt **Souple-S.**, ganz entbastete **Cuite-S.** Beim Zwirnen werden mehrere Fäden zusammengedreht zu Organsin, einer stark gezwirnten S., die bes. in der Weberei als Kette verwendet wird, und zu Trame-S., schwächer gedreht, als Schuss benutzt. – Die bei der Gewinnung der Roh-S. anfallenden Abfälle werden zu **Florett-** oder **Schappe-S.**, die in der Florettspinnerei ausgekämmten kurzen Fasern zu **Bourrette-S.** versponnen. S. ist ein schlechter Wärme- und Elektrizitätsleiter. Darauf beruht ihre vielseitige Verwendbarkeit für Bekleidung. Warme, verdünnte Säuren greifen S. nicht an, dagegen heiße (selbst verdünnte) Alkalien; daher dürfen S.-Stoffe nur in kalten Lösungen gewaschen werden.

Als **Wild-S.** werden Gespinste von wild lebenden Schmetterlingsarten Asiens und Afrikas bezeichnet. Der Kokon ist meist schlecht abhaspelbar, der Einzelfaden weniger gut als der echte S.-Faden. Die wichtigste Wild-S. ist die Tussah-S. des Tussahspinners (China) und des Eichenspinners (Japan), die zu Florgarn für Velours, Plüsche und zu Näh-S. verarbeitet wird; außerdem die Eria-S. des Rizinusspinners (Ostasien). – Die S.-Industrie gliedert sich in die Rohseidenherstellung und in die verarbeitende Ind. (Haspelei, Spinnerei und Weberei). Roh-S. erzeugen hauptsächlich China, Japan, Korea, Nachfolgestaaten der UdSSR in Asien, Indien, Brasilien.

Geschichtliches: Die Heimat der Seidenraupenzucht ist China, wo diese Kunst jahrtausendelang als Geheimnis gehütet wurde. Noch vor der Zeitenwende verbreitete sich die S. über Korea nach

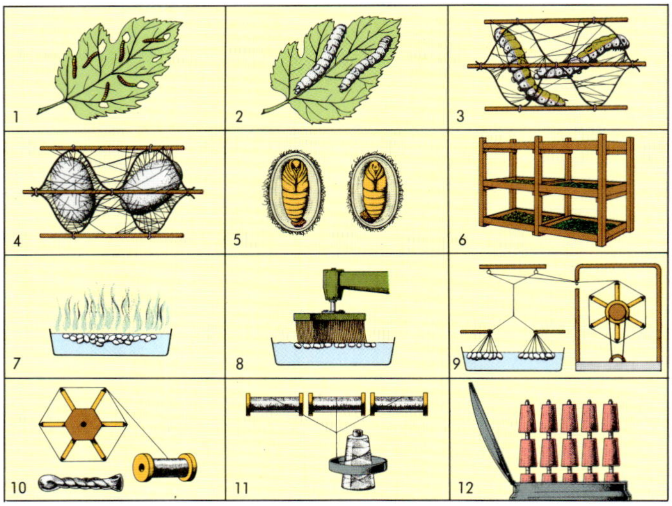

Seide: schematische Darstellung der Seidenentstehung; die Raupen des Seidenspinners ernähren sich von den Blättern des Maulbeerbaumes (1); nach der fünften Altersstufe (2) umspinnt (3) sich die Raupe mit einem Kokon (4), in dem sie sich zur Puppe entwickelt (5); in der Seidenraupenzucht werden die Raupen in besonderen Stellagen (6) gefüttert; die Kokons werden in Heißwasserbädern erweicht (7) und mit Bürsten abgehaspelt; mehrere Fäden werden zum Grègefaden vereint und je zwei Grègefäden zu Seidensträngen verzwirnt (9); diese werden aufgewickelt (10), zu festeren Fäden verzwirnt (11) und dann gefärbt (12)

Japan; auch in Indien gab es schon um 300 v. Chr. S.-Kulturen. Chines. S. wurde weit exportiert, nach dem W über die →Seidenstraßen. Große Bedeutung erlangte die S.-Weberei in Byzanz, bes. seit Justinian. Von hier aus verbreitete sich der S.-Bau nach Spanien, Italien und Frankreich.

📖 *S. Zur Geschichte eines edlen Gewebes, hg. v.* B. E. MESSERLI. *Neuausg. Hannover 1986.*

Seide (Cuscuta), Gattung der Windengewächse, Schmarotzer ohne Wurzeln, Blätter und Blattgrün, mit fadenförmigem, windendem, saugwarzenbesetztem Stängel und büschelig stehenden kleinen Blüten. Mitteleurop. Arten sind **Klee-S.** (**Fein-S.,** Cuscuta trifolii), mit rötl. Blüten, auf Klee, Luzerne; **Flachs-S.** (**Lein-S.,** Cuscuta epilinum), mit gelblich weißen Blüten, bes. auf Flachs.

Seidenspinner: Metamorphose eines Maulbeerseidenspinners von der Raupe nach der dritten Häutung über die Puppe im Kokon zum Schmetterling (von links)

Seidel (Seitel) [von lat. situla »Weinkrug«, »Eimer«], **1)** Bierglas.

2) altes Flüssigkeitsmaß, in Bayern 0,535 l, in Österreich 0,354 l.

Seidel, 1) Hanns, Politiker, *Schweinheim (heute zu Aschaffenburg) 12. 10. 1901, †München 5. 8. 1961; war 1947–55 Wirtschaftsmin., 1957–60 Min.Präs. in Bayern, 1955–61 Vors. der CSU.

2) Heinrich, Schriftsteller, *Perlin (Kr. Nordwestmecklenburg) 25. 6. 1842, †Groß-Lichterfelde (heute zu Berlin) 7. 11. 1906; schilderte humorvoll die zeitfernen Idyllen kleinbürgerl. Lebens: »Leberecht Hühnchen« (1882, Fortsetzung 1888–1890).

3) Ina, Schriftstellerin, *Halle/Saale 15. 9. 1885, †Schäftlarn 2. 10. 1974; zunächst religiös-empfindsame Lyrik; in ihrer Prosa kennzeichnet idealist. Schicksalsgläubigkeit die Anlehnung an einen Romantizismus, der rückständige Geschichtsinterpretation konserviert (»Das Labyrinth«, R., 1922; »Unser Freund Peregrin«, Erz., 1940; »Das unverwesl. Erbe«, R., 1954). Bekannt wurde S. mit »Das Wunschkind« (R., 1930); Verharmlosung des Faschismus kommt v. a. im Roman »Michaela« (1959) zum Ausdruck.

Seidelbast [zu mhd. zidel »Honig«] (Daphne), Gattung der Spatzenzungengewächse (Thymelaeaceae); in Mitteleuropa u. a. **Gemeiner S.** (**Kellerhals,** Daphne mezereum) mit rosaroten oder lilafarbenen Blüten und scharlachroten, giftigen Früchten, in schattigen Gehölzen, geschützt; **Rosmarin-S.** (Daphne cneorum), Zwergstrauch mit roten, filzigen Blüten und rötlich braunen, lederigen Beeren, auf Matten, in lichten Gehölzen; **Gestreifter S.** (Daphne striata) mit fein längsstreifigen Blüten und orangefarbenen Beeren, auf steinigen Matten der Alpen. – In allen Pflanzenteilen des S . ist das harzartige Mezerein, in Rinde, Blatt und Blüte das Glykosid Daphnin enthalten.

Seidengras (Erianthus), Grasgattung in wärmeren Gebieten; das bis 1,5 m hohe **Ravennagras** (Erianthus ravennae) ist Zierpflanze.

Seidenpapier, sehr dünnes, holzfreies oder -haltiges Papier unter 25 g/m² Flächengewicht (Massebelag); Verpackungs- und Dekorationsmaterial.

Seidenraupe, die Raupe der →Seidenspinner.

Seidenschwänze (Bombycillidae), Familie bis 24 cm langer, Insekten und Beeren fressender Singvögel, v. a. auf der N-Halbkugel; **Europ. Seidenschwanz** (Bombycilla garrulus), 18 cm lang, v. a. in Nadelwäldern; Zugvogel.

Seidenspinner (Bombycidae), Familie der Schmetterlinge, v. a. in den Tropen, deren Raupen **(Seidenraupen)** wirtschaftlich verwertbare Seide

Die Seidenstraße in Zentralasien

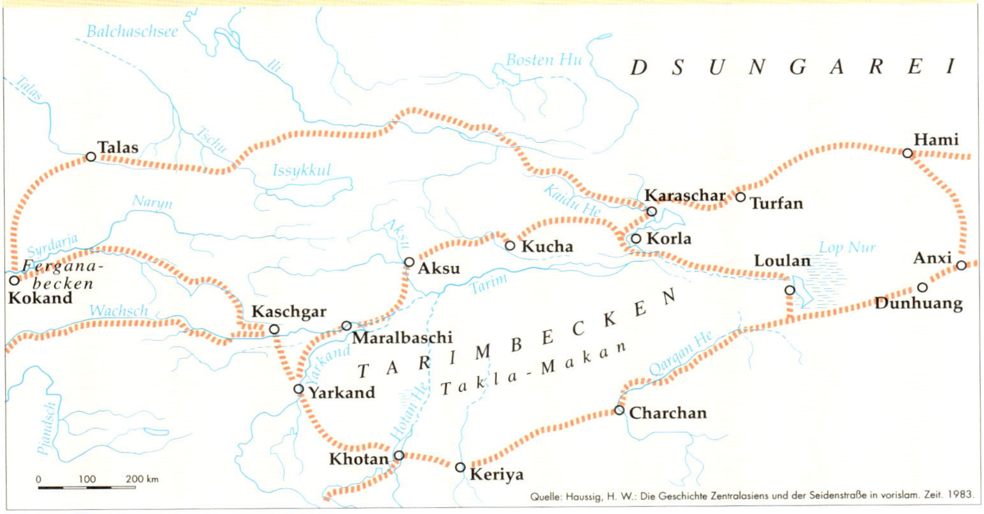

Quelle: Haussig, H. W.: Die Geschichte Zentralasiens und der Seidenstraße in vorislam. Zeit. 1983.

durch ihre Puppenkokons liefern. Die für die Seidenproduktion wichtigsten Arten werden in Asien gehalten (Maulbeer- und Eichenseidenspinner).

Seidenstraßen, spätestens seit dem 2. Jh. v. Chr. benutztes Netz von Karawanenstraßen, die von China durch Zentralasien an die Küste des Mittelmeeres und des Schwarzen Meeres führten und auf der u. a. chines. Seide befördert wurde. Die berühmteste Route umging die Wüste O-Turkestans in zwei Zügen, einem südlichen (später aufgegeben) und einem nördlichen.

🕮 *Kunst u. Kultur entlang der Seidenstraße, hg. v.* H. G. FRANZ. *Graz* [2]*1987.* – KLIMKEIT, H.-J.: *Die Seidenstraße. Köln 1988.* – HAUSSIG, W.: *Die Geschichte Zentralasiens u. der Seidenstraße in vorislam. Zeit. Neuausg. Darmstadt* [2]*1992.* – HAUSSIG, H.: *Die Geschichte Zentralasiens u. der Seidenstraße in islam. Zeit. Darmstadt* [2]*1994.*

Seidl, Gabriel von (seit 1900), Architekt, * München 9. 12. 1848, † Bad Tölz 27. 4. 1913; schuf in historisierenden Stilformen öffentl. und private Bauten, in München die Villa Lenbach (1881–91), das Bayer. Nationalmuseum (1894–99) und das Dt. Museum (1906 ff.), dessen Bau sein Bruder Emanuel von S. (* 1856, † 1919) fortsetzte.

Seifen, 1) *Chemie:* Gemische fester oder halbfester, in Wasser lösl. Alkalisalze höherer Fettsäuren mit vorwiegend 8–18 Kohlenstoffatomen. S. sind die klass. anionenaktiven → Tenside, die heute v. a. zur Körperreinigung verwendet werden. Wegen ihrer Empfindlichkeit gegenüber den Härtebildnern des Wassers (Ausfällung von **Kalk-S.,** → Wasserhärte) werden S. in Waschmitteln kaum noch verwendet. Zur Herstellung von **Grund-S.** werden Fette (z. B. Rindertalg, Kokosöl) bei 80–100 °C mit Natronlauge (für pastöse Schmier-S. mit Kalilauge) verseift (Neutralölverseifung) oder destillierte Fettsäuren mit Natronlauge oder Sodalösung neutralisiert (Fettsäureverseifung). Die bei der Verseifung entstehende homogene Masse **(S.-Leim)** wird durch Zusatz von Kochsalz in einen

Seidenstraßen

Eine der längsten und ältesten Handelsrouten ist die Seidenstraße; sie stellt die Verbindung zwischen dem Fernen Osten und den Mittelmeerländern her. Neben der (namengebenden) Seide, die schon in vorchristlicher Zeit von China dem Westen zugeführt wurde, wurden auch zahlreiche andere Handelsgüter auf diesem Wege transportiert, so etwa Glas, Edelmetalle und andere Luxuswaren (von Westen nach Osten) oder Gold (von Osten nach Westen). Die Oasen Zentralasiens entwickelten sich dadurch zu bedeutenden Handelsumschlagplätzen. Die Seidenstraßen dienten jedoch nicht nur dem Handel, sondern auch der Verbindung unterschiedlichster Kulturen. Auf diesem Wegenetz verbreiteten sich zum Beispiel Buddhismus, Manichäismus und Christentum, wie sich etwa an Zeugnissen aus Kunst und Literatur und an Textfunden in den verschiedensten Sprachen und Schriften erkennen lässt. Der im 10. Jahrhundert einsetzende Einfluss des Islam hat die alte, vielschichtige Kultur der Seidenstraßen jedoch für einige Jahrhunderte in Vergessenheit geraten lassen.

Die moderne Erforschung der Seidenstraße setzte im 19. Jahrhundert ein. Zeitweise wurde sie fast wie ein wissenschaftlicher Wettstreit zahlreicher Nationen (Großbritannien, Schweden, Russland, Deutschland, Frankreich, Japan) ausgefochten. Bis heute ist sie nicht abgeschlossen; russische Archäologen in ihrem westlichen und chinesische in ihrem östlichen Teil entdecken immer neue Kulturdenkmäler.

S.-Kern geringerer Dichte und eine wässrige Lösung von Kochsalz, Natronlauge und – bei der Neutralöl-Verseifung – Glycerin (Unterlauge) ge-

Seifen

Vor etwa 4 000 Jahren reinigten die Hethiter in Kleinasien ihre Hände mit der in Wasser gelösten Asche des Seifenkrauts. Die Phöniker kochten Ziegentalg, Wasser und kaliumhaltige Asche und ließen die Emulsion zu fester Seife eindampfen. Bei der Verdampfung spalten sich die Fette oder Öle in der Seife in Fettsäuren und Glycerin. Diese Bestandteile lösen Schmutz und sorgen für die Rückfettung der Haut.
Das Schicksal der Seife war in der Geschichte stark mit den jeweils herrschenden hygienischen und religiösen Vorstellungen verknüpft. Im Mittelalter galt es unter dem Einfluss der katholischen Kirche als unschicklich, den unverhüllten Körper zu waschen, sodass Seife kaum noch hergestellt wurde. Als die Wissenschaft den Zusammenhang zwischen Infektionen und mangelnder Reinlichkeit erkannte, nahm die Nachfrage sprunghaft wieder zu. Im Prinzip handelt es sich bei unserer heutigen Seife, abgesehen von Farb- und Duftstoffbeimischungen, noch um das gleiche Produkt, das die Phöniker benutzten.

spalten. Der flüssige S.-Kern wird mit Kochsalzlösung gewaschen und durch »Schleifen« mit Kochsalz, Natronlauge und Wasser gereinigt und getrocknet. Zur Herstellung von **Fein-S. (Toiletten-S.)** wird helle, geruchsneutrale Grund-S. auf einen Fettsäuregehalt von 78–80 % getrocknet und mit Antioxidantien, Parfümölen, Farbstoffen, Rückfettern und/oder Deodorantien versetzt. **Kern-S.** werden aus Fetten geringerer Qualität mit einem Fettsäuregehalt von 72–75 % hergestellt. (→Metallseifen)

2) *Geologie:* Sande und/oder Geröll mit einem abbauwürdigen Mineralgehalt, z. B. von Gold, Platin, Diamanten, Zinn.

Seifenbaum 1)

Seifenbaum, 1) (Chilenischer S., Quillaja saponaria) südamerikan. Baum der Rosengewächse mit lederigen Blättern, Rispen weißer Blüten und sternförmigen Früchten. Die saponinhaltige Rinde **(Seifen-, Panama-, Quillajarinde)** wurde in Form von Spänen als Waschmittel, in Extraktform als Hustenmittel verwendet.

2) die Pflanzengattung →Seifennuss.

Seifenkistenrennen, bis 1973 Rennwettbewerb für Jugendliche in selbst gefertigtem, motorlosem Kleinfahrzeug (heute Minicar mit geregelter Gesamtlänge, Radstand und Gewicht) auf abfallender Strecke.

Seifenkraut (Saponaria), staudige Gattung der Nelkengewächse. Das **Gemeine S. (Echtes S.,** Saponaria officinalis), bis zu 70 cm hoch, mit ausläuferähnl. Wurzelstock und rosaweißen, duftenden Blüten, wächst an Ufern und Wegrändern Mittel- und S-Europas, N- und Ostasiens.

Seifenkraut: Gemeines Seifenkraut

Seifennuss (Seifenbaum, Sapindus), zweikeimblättrige Pflanzengattung mit gefiederten bis dreiteiligen Blättern, Rispen strahliger Blüten und fleischigen Spaltfrüchten **(Seifenbeeren),** die bei trop. asiat. und amerikan. Arten Saponin enthalten.

Seifen|oper [nach engl. soap opera (wohl weil dieses Genre häufig von Waschmittelherstellern gesponsort wurde)], melodramat. TV-Serie mit vielen Folgen.

Seifenrinde (Quillajarinde), →Seifenbaum.

Seifert, Jaroslav, tschech. Lyriker, *Prag 23. 9. 1901, †ebd. 10. 1. 1986; bekannte sich in seinem Frühwerk zur proletar. Dichtung; war Mitbegründer der dem Futurismus nahe stehenden advantgardist. Künstlergruppe Devětsil und Vertreter der Dichtung des (dem Surrealismus verwandten) Poetismus. In gefühlvoller, lebendiger Stimmungslyrik schlug er z. T. melanchol. Töne an und verwendete knappe, liedhafte Versformen; schrieb auch Reportagen, Feuilletons und Kinderbücher (»Was einmal Liebe war«, 1954; »Der Halleysche Komet«, 1967; »Im Spiegel hat er das Dunkel«, dt. und tschech. Ausw., 1982; »Gewitter der Welt«, 1983); war auch als Übersetzer tätig. S. wandte sich 1968 gegen die Invasion seines Landes und war Mitunterzeichner der »Charta 77«; in den 70er-Jahren erhielt er u. a. deshalb Publikationsverbot; Nobelpreis für Literatur 1984.

Seiffen/Erzgeb., Kurort im Mittleren Erzgebirgskreis, Sachsen, im Osterzgebirge, 640 m ü. M., am Fuß des Schwartenbergs (788 m ü. M.), 3 000 Ew.; Spielzeugmuseum; bed. Spielwarenherstellung (v. a. Schnitzkunst) mit Schauwerkstatt, Fertigung von Möbeln; Fremdenverkehr.

Seifhennersdorf, Stadt im Landkreis Löbau-Zittau, Sachsen, in der Oberlausitz, im Lausitzer Bergland, 5 700 Ew.; Herstellung techn. Federn, Pianofabrik, Maschinenbau, Schuhind., ehem. bed. Textilind. – Im 13. Jh. entstanden, seit 1974 Stadt.

Jaroslav Seifert (1984)

Seigerung, *Werkstofftechnik:* in aus Mischphasen aufgebauten Körpern die Ausbildung mikro- und makroskop. Zusammensetzungsunterschiede, die z.B. durch unterschiedl. Erstarrung entstehen, v.a. bei der Erstarrung von Gussstücken.

Seignette-Elektrizität [zɛnˈjɛt-, frz.], →Ferroelektrizität.

Seignettesalz [zɛnˈjɛt-; nach dem frz. Apotheker Pierre Seignette, *1660, †1719], →Weinsäure.

Seigneur [sɛˈɲœːr; frz., aus lat. senior »älter«], kurz **Sieur,** in Frankreich bis 1789 der Lehnsherr (im Ggs. zum Vasallen) oder der Grundherr (im Ggs. zum Hintersassen). Die Kurzform **Sire** wurde zur Anrede souveräner Fürsten.

Seikantunnel, Eisenbahntunnel in Japan, verläuft unter der Tsugarustraße, verbindet die Inseln Honshū und Hokkaidō; insgesamt 53,85 km lang, davon 23,3 km unter Wasser (bis 240 m u. M.); erbaut 1971–88. Gegenüber dem Fährverkehr verkürzt sich die Reisezeit der Züge zw. Tokio und Sapporo von 22 auf 15 Stunden.

Seil, durch Zusammendrehen (Zwirnen) und Verseilen (Seilerei) oder durch Verflechten von Fasern oder Drähten hergestelltes Faser- oder Drahterzeugnis (→Drahtseil). **Faser-S.** bestehen aus Hartfasern (Manilafaser, Sisal o.Ä.), Hanf, Baumwolle oder Synthesefasern (bes. reißfest); Verwendung z.B. als Förder-, Treib-, Berg-, Kletter-, Abschlepp-S. Breite Flach-S. (Band-S.) entstehen durch Zusammennähen mehrerer nebeneinander gelegter Rund- oder Quadrat-S. Ohne scharfe Abgrenzung heißen dünne S. **Schnüre** oder **Leinen,** dicke S. **Taue** oder **Trossen.**

Seilbahn, Beförderungseinrichtung für Personen und Güter, deren Wagen oder Gehänge an einem Zugseil fortbewegt werden; ausgeführt als Stand-S. oder Seilschwebebahn (Drahtseilbahn).

Seilschaft, *Bergsteigen:* durch Sicherungsseil verbundene Personen, vorwiegend als Zweier-S. im Fels und Dreier-S. auf Gletschern; danach *übertragen:* Gruppe von Personen, die (z.B. in Politik und Verwaltung) sich gegenseitig begünstigen.

Seilscheibe, Rad mit einer oder mehreren Seilrillen zur Führung von Seilen, z.B. in der Spitze eines Fördergerüstes über einem Schacht (Bergbau) oder bei Seilbahnen.

Seiltrieb (Seilgetriebe), ein Zugmittelgetriebe, bei dem die Kraftübertragung mittels eines Seils erfolgt, z.B. bei Aufzügen.

Sein, *Philosophie:* das, was Seiendes zu Seiendem macht; auch: das Bleibende, Dauernde, unbedingt Beharrende (die →Substanz), sofern nicht Sein und Nichts dialektisch in einem Prozess des Werdens und Vergehens verbunden gedacht werden (Hegel). – S. ist der allgemeinste Begriff des menschl. Denkens, Gegenstand der →Ontologie und →Metaphysik (Aristoteles), der philosoph. Theologie (Thomas von Aquin, Meister Eckart) sowie u.a. der Existenzphilosophie. Die idealist. oder materialist. Auslegung des Begriffs bestimmt die philosoph. Hauptsysteme. Die Differenz von S. und Seiendem (ontolog. Differenz) wurde bes. von Heidegger hervorgehoben.

📖 HARTMANN, N.: *Zur Grundlegung der Ontologie. Berlin* ^{4}*1965.* – HEIDEGGER, M.: *Was ist Metaphysik? Frankfurt am Main* ^{14}*1992.* – LÉVINAS, E.: *Jenseits des S. oder anders als S. geschieht. A.d.Frz. Freiburg im Breisgau u.a. 1992.*

Seine [sɛn] *die,* Fluss in N-Frankreich, 776 km lang, entspringt auf dem Plateau von Langres, durchfließt das Pariser Becken und mündet in einem Trichter bei Le Havre in den Ärmelkanal. Die S. wird unterhalb von Troyes schiffbar und hat durch ihre Kanalverbindungen mit allen frz. Flusssystemen große Bedeutung für den Verkehr. Sie ist bis Rouen für Seeschiffe (9,50 m Tiefgang) befahrbar. Die wichtigsten Nebenflüsse sind von links Yonne und Eure, von rechts Aube, Marne und Oise.

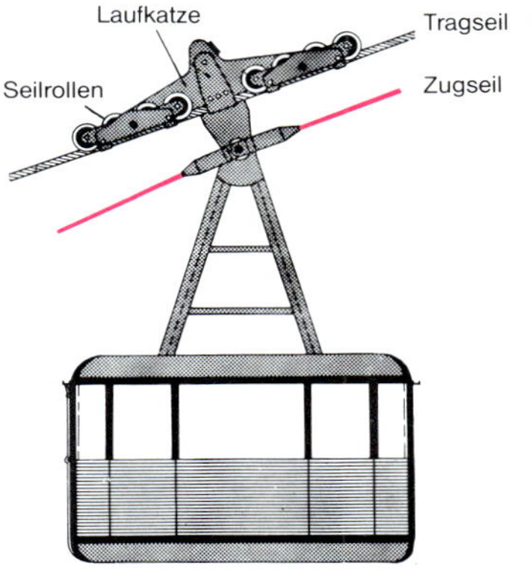

Seilbahn: Kabine einer Zweiseilschwebebahn

Seinebecken [ˈsɛn-], das →Pariser Becken.

Seine-et-Marne [sɛneˈmarn], Dép. in Frankreich, im Pariser Becken, 5915 km^2, (1995) 1,22 Mio. Ew.; Hptst. ist Melun.

Seine-Maritime [sɛnmariˈtim], Dép. in NW-Frankreich, im Mündungsgebiet der Seine, 6278 km^2, (1995) 1,23 Mio. Ew.; Hptst. ist Rouen.

Seine-Saint-Denis [sɛnsɛ̃ˈdni], Dép. in Frankreich, im Pariser Becken, 236 km^2, (1995) 1,41 Mio. Ew.; Hptst. ist Bobigny.

Seipel, Ignaz, österr. Politiker, *Wien 19. 7. 1876, †Pernitz (Bez. Wiener Neustadt) 2. 8. 1932; kath. Priester, seit 1909 Prof. für Moraltheologie, seit 1921 Prälat; 1921–29 Obmann der Christlichsozialen Partei; erwirkte als Bundeskanzler (1922–24, 1926–29) gegen die Zusage eines Verzichts Österreichs auf »Anschluss« an das Dt. Reich eine Völkerbundsanleihe, mit deren Hilfe er die Staatsfinanzen sanierte; am 1. 6. 1924 durch Attentat schwer verletzt; förderte nach 1927 die Heimwehrbewegung, um die Sozialdemokratie zurückzudrängen; 30. 9.–29. 11. 1930 Außenminister.

Ignaz Seipel

Seisenegger (Zeysznegger), Jakob, Maler, *1505, †Linz 1567; ab 1531 Hofmaler Ferdinands I.; geschätzter Porträtist, dessen Bildnisse den Einfluss der Donauschule zeigen. Sein Bildnis Kaiser Karls V. benutzte Tizian (BILD Karl V.) als Vorlage für ein eigenes Porträt des Kaisers.

Seiser Alm (italien. Alpe di Siusi), Hochfläche der Südtiroler Dolomiten, Italien, südlich vom Grödner Tal, 1800–2100 m ü. M.; Erholungs- und Wintersportgebiet; der S-Teil gehört zum Nationalpark Schlern.

Seismik [zu grch. seismós »Erschütterung«] *die, Geowissenschaften:* **1)** (Erdbebenkunde, Seismologie) Wiss. von der Entstehung, Ausbreitung und Auswirkung von Erdbeben.

2) (angewandte S.) geophysikal. Verfahren zur Untersuchung des geolog. Aufbaus der Erdkruste, der Lagerstätten und des Baugrundes, meist mithilfe von künstlich hervorgerufenen seism. Wellen, die an geolog. Schichtgrenzen gebrochen oder zurückgeworfen und mittels spezieller Seismographen aufgezeichnet werden **(Refraktions-** und **Reflexionsseismik).**

Jakob Seisenegger: »Kaiser Karl V. mit Hund« (1532; Wien, Kunsthistorisches Museum)

seismische Wellen (Erdbebenwellen), elast. Wellen, die von Sprengungen oder sonstigen Erschütterungen im Gestein, v. a. aber von →Erdbeben erzeugt werden.

Seismizität *die,* Erdbebentätigkeit, ihre räuml., zeitl. und energet. Verteilung; quantitativ angegeben durch Anzahl oder Energie der Beben pro Flächen- und Zeiteinheit.

seismo... [grch.], erdbeben...

Seismograph [grch.] *der* (Seismometer), Gerät zur fortlaufenden Aufzeichnung von Erdbebenwellen in Form von **Seismogrammen,** aus denen Laufzeit, Form und Stärke der Bodenbewegungen entnommen werden können. **Seismoskope** zeigen nur an, dass ein Beben stattgefunden hat. Bei den S. ist ein Körper mit großer träger Masse so leicht beweglich aufgehängt, dass er gegenüber den Bodenbewegungen annähernd in Ruhe bleibt. Seine relativen Bewegungen gegenüber dem Erdboden werden vergrößert (z. B. durch elektron. Verstärkung) aufgezeichnet.

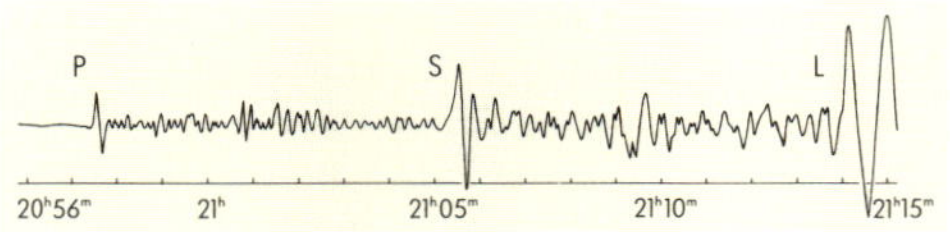

Seismograph: Seismogramm eines Erdbebens auf dem Mittelatlantischen Rücken, registriert in Stuttgart am 17. 3. 1962; gegen 21 Uhr Einsatz der P-Wellen, danach S-Wellen, gefolgt von den Oberflächen- oder L-Wellen

Seismophon [grch.] *das,* →Geophon.

Seismoreaktion [grch.], verändertes Verhalten (Unruhe bis Flucht) von Tieren bereits Stunden vor einem Erdbeben.

Seite, Berndt, Politiker (CDU), *Hahnswalde (heute Kokotów, bei Trzebnica) 22. 4. 1944; Tierarzt; im Herbst 1989 im Neuen Forum aktiv, schloss sich 1990 der CDU an; 1991–92 Gen.-Sekr. seiner Partei in Meckl.-Vorp., seit 1992 MinPräs. in Mecklenburg-Vorpommern.

Berndt Seite

Seitengewehr, kurze Hieb- und Stichwaffe, wie das →Bajonett benutzt.

Seitenhalbierende, beim Dreieck die Verbindungslinie einer Ecke mit der Mitte der gegenüberliegenden Seite. Die drei S. schneiden sich im Schwerpunkt des Dreiecks.

Seitenkanal, Binnenschifffahrtskanal als Umgehungskanal einer Flussstrecke (z. B. Elbeseitenkanal).

Seitenlini|en|organe, Hautsinnesorgane bei Fischen und im Wasser lebenden Lurchen oder deren Larven zur Wahrnehmung von Geschwindigkeit und Richtung von Wasserströmungen; liegen linienartig auf beiden Körperseiten.

Seitenriss, *Geometrie:* zeichner. Darstellung der Seitenansicht eines Gegenstandes.

Seitenschiff, *Kirchenbau:* ein Teil des Langhauses; bei mehrschiffigen Bauten wird das Mittelschiff von je einem oder je zwei beiderseits parallel laufenden S. begleitet, die bei der Basilika niedriger als das Mittelschiff, bei der Hallenkirche von zumindest annähernd gleicher Höhe sind.

Seitenstechen, bei starker körperl. Belastung (z. B. Dauerlauf) bes. bei Jugendlichen auftretende stechende Schmerzen hinter dem linken Rippenbogen; Ursache ist eine Milzkapselkontraktion zur Kompensation des veränderten Sauerstoff- und Blutbedarfs.

Seitenwagen (Beiwagen), beim Kraftrad ein am Rahmen seitlich angebrachtes, als Wanne oder Kasten ausgebildetes Zusatzfahrzeug mit einer nichtangetriebenen, bremsbaren Achse.

Seiters, Rudolf, Politiker (CDU), *Osnabrück 13. 10. 1937; seit 1969 MdB, 1984–89 1. Parlamentar. Fraktionsgeschäftsführer, war 1989–91 Bundesmin. im Bundeskanzleramt und 1991–93 Bundesmin. des Innern.

Seitz, 1) Gustav, Bildhauer und Zeichner, *Mannheim 11. 9. 1906, †Hamburg 26. 10. 1969; seit 1947 Prof. in Berlin, 1958 in Hamburg; schuf v. a. Aktdarstellungen (meist als Torso) und Porträts (u. a. von B. Brecht, O. Kokoschka, M. Heidegger).

2) Karl, österr. Politiker, *Wien 4. 9. 1869, †ebd. 3. 2. 1950; 1901–18 Abg. des österr. Reichsrats; 1919/20 als erster Präs. der Konstituierenden Nationalversammlung provisor. Staatsoberhaupt; 1920–34 Obmann der SPÖ; 1923–34 (durch die Reg. Dollfuß abgesetzt) Bürgermeister von Wien und Landeshauptmann; 1944/45 im KZ Ravensbrück; 1945–50 Ehrenvors. der SPÖ.

Seiwal, Säugetier, eine Art der →Furchenwale.

Seja *die,* linker Nebenfluss des Amur, Russland, 1242 km, entspringt im östl. Stanowoigebirge, mündet bei Blagoweschtschensk; schiffbar ab dem S.-Stausee (225 km lang, 25 km breit; Wasserkraftwerk 1290 MW).

Sejan (lat. Seianus), Lucius Aelius, röm. Prätorianerpräfekt, *Volsinii (Etrurien) 20/16 v. Chr., †Rom 18. 10. 31 n. Chr.; regierte, auf das Vertrauen des Tiberius gestützt, fast unumschränkt, wurde dann aber von diesem des Hochverrats bezichtigt, vom Senat verurteilt und hingerichtet.

Sejm [poln. »Versammlung«] *der,* der poln. Reichstag, seit 1493 oberstes gesetzgebendes Organ; setzte sich aus den Vertretern der Landtage (Landbotenstube) und hohen Kron- und Landesbeamten sowie den Bischöfen (Oberhaus) zusammen. – In der Rep. Polen (1918/19–39) war der S. 1919–22 das Parlament mit einer Kammer und bildete (entsprechend der Märzverf. von 1921) ab 1922 die 2. Kammer neben dem Senat; nach den Wahlen 1947 als Einkammerparlament errichtet. Seit 1989 besteht das Parlament erneut aus S. und Senat.

Sekante [lat.] *die, Geometrie:* Gerade, die eine Kurve, insbesondere einen Kreis, oder eine gekrümmte Fläche in mindestens zwei Punkten schneidet. Der zw. den Schnittpunkten liegende Teil der S. wird als **Sehne** bezeichnet.

Sekantensatz, Lehrsatz der Geometrie: Wenn zwei durch einen außerhalb eines Kreises gelegenen Punkt P gehende Geraden den Kreis in den Punkten A und B bzw. C und D schneiden, so gilt für die Abschnitte: $\overline{PA}:\overline{PC} = \overline{PD}:\overline{PB}$ (→Sehnensatz).

Sekondi-Takoradi, Regionshptst. in Ghana, am Golf von Guinea, 103 600 Ew.; kath. Bischofssitz; Technikum; Zement, Textilien, Nahrungsmittel, Holz-, Tabakind.; wichtigster Exporthafen des Landes, Flugplatz.

Sékou Touré [sekutu're], afrikan. Politiker, →Touré.

Sekretär: Der Greifvogel lebt südlich der Sahara in den afrikanischen Steppen (Standhöhe etwa 1 m, Spannweite bis zu 2 m)

Sekretär *der* (Sagittarius serpentarius), hochbeiniger, im Stand etwa 1 m hoher, bis zu 2 m spannender, vorwiegend grauer Greifvogel der afrikan. Steppen südlich der Sahara mit schwarzen Schmuckfedern am Hinterkopf; erbeutet bodenlebende Kleintiere, bes. Reptilien.

Sekretär [zu lat. secretus »geheim«] *der,* 1) *Beamtenrecht:* Beamter (Stufen: S., Ober-S., Haupt-S.) des mittleren Dienstes bei Bund, Ländern und Gemeinden.

2) *freie Wirtschaft:* qualifizierter Angestellter, der alle vorkommenden Büro- und Verwaltungsarbeiten erledigt. Vorbereitung in öffentl. oder privaten Schulen (Prüfungen vor der IHK); Ausbildungszweige u. a.: staatlich geprüfter S. (4–22 Monate), S. im Gesundheitswesen (2 Jahre), staatlich geprüfter Fremdsprachen-S. (1–2 Jahre), Europa-S. (mindestens eine zusätzl. Fremdsprache).

3) *Verbände und Organisationen:* leitender Funktionär einer Partei, Gewerkschaft oder einer anderen Organisation.

4) *Wohnkultur:* Schreibschrank.

Sekrete [lat.], die bei der Sekretion v. a. von Drüsen oder einzelnen Drüsenzellen (Sekretzellen), aber auch z. B. von Epidermiszellen oder von Neurohormone bildenden Nervenzellen (Neurosekretion) abgesonderten Produkte. Die S. erfüllen, im Unterschied zu den Exkreten (→Exkretion), i. d. R. noch bestimmte Aufgaben für das Lebewesen. Sekrete i. e. S. sind u. a. Hormone (Inkrete), Verdauungsenzyme, Schutz-, Abwehr-, Duft- und Farbstoffe, Schleimstoffe, Nährsubstanzen (z. B. die Milch aus den Milchdrüsen), der pflanzl. Nektar, die Wuchsstoffe.

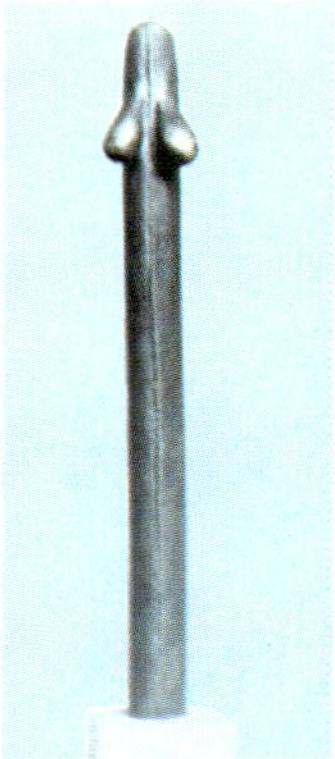

Gustav Seitz: »Liebesidol«, Bronze (1969; Mannheim, Städtische Kunsthalle)

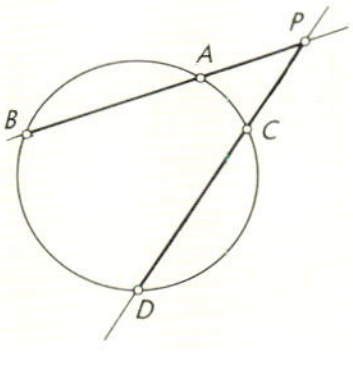

Sekantensatz

Sekretin [lat.] *das,* in der Schleimhaut des Zwölffingerdarms gebildetes Peptidhormon, das bei Übertritt des sauren Mageninhalts in den Darm ausgeschüttet wird und u.a. die Sekretion der Bauchspeicheldrüse anregt; synthetisch herstellbar.

Sekretion [lat.] *die,* **1)** *Geologie:* mineral. Ausfüllung von Hohlräumen im Gestein durch Stoffabsatz aus Lösungen (z.B. Drusen, Gänge).

2) *Physiologie:* (Absonderung) Fähigkeit von Drüsenzellen, Substanzen mit spezif. Eigenschaften und Funktionen (Sekrete) zu bilden und nach außen oder in das Körperinnere abzugeben.

Sekt [aus frz. vin sec »trockener Wein«] *der,* → Schaumwein.

Sekte [lat. secta, zu sequi »nachfolgen«] *die,* meist abwertende Bez. für eine religiöse Gemeinschaft (oder eine ihr gleichgestellte Weltanschauungsgemeinschaft), die sich von ihrer Muttergemeinschaft abgespalten hat, in Teilen deren Lehre verwirft oder durch Sonderoffenbarungen ergänzt, der Autorität besonderer (»auserwählter«) Lehrer- und Führerpersönlichkeiten folgt und eigene, von ihrer Herkunftsgemeinschaft unterschiedene Organisations-, Lebens- und Frömmigkeitsformen entwickelt; in der Religionswiss. als **religiöse Sondergemeinschaft** bezeichnet. Als klass. Land solcher Gemeinschaften gelten die USA mit über 2000 S. (→ neue Religionen)

Sektion [lat.] *die,* **1)** *allg.:* Gruppe, Abteilung.

2) *Medizin:* (Autopsie, Leichenöffnung, Obduktion, Nekropsie) Öffnung einer Leiche zur Krankheits- und Todesursachenfeststellung sowie zu wiss. und Ausbildungszwecken. Die S. erfordert grundsätzlich die Einwilligung des Verstorbenen oder seiner Hinterbliebenen. Sie ist gesetzlich vorgeschrieben auf richterl. Veranlassung, wenn die Todesursache bei Verdacht eines nichtnatürl. Todes nicht durch bloße Leichenschau festgestellt werden kann. Nach § 87 StPO wird die S. von zwei Ärzten, von denen einer Gerichtsarzt sein muss, vorgenommen. Staatsanwaltschaft und Richter können an der S. teilnehmen. – Ähnl. Bestimmungen gelten in *Österreich* (§§ 127 ff. StPO) und in den kantonalen Strafprozess-Ges. der *Schweiz.*

3) in *Österreich* Bez. einer Abteilung v.a. in Ministerien und im Bundeskanzleramt.

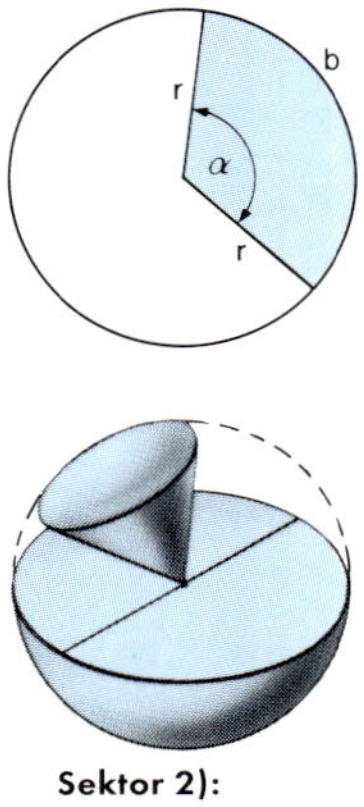

Sektor 2): Kreissektor (b Kreisbogen, r Radius, α Winkel) und Kugelsektor (von oben)

Sektor [lat.] *der,* **1)** *Datenverarbeitung:* der Teil einer Spur eines Magnetplattenspeichers, der bei festem Einteilungsformat jeweils als kleinste Einheit adressiert und bearbeitet (gelesen oder beschrieben) werden kann; die Einteilung in auf allen Spuren gleich große S. erfolgt durch Formatieren.

2) *Mathematik:* a) von zwei Strahlen und einem Kurvenbogen begrenztes ebenes Flächenstück (z.B. der Kreis-S.); b) Raumteil, der von einem Kegelmantel und einer gekrümmten Fläche begrenzt ist (z.B. der Kugelsektor).

Sekunda [lat. »die zweite«] *die,* frühere, von der obersten Klasse (Prima) aus vorgenommene Klassenzählung in Gymnasien, schon früh unterteilt in Unter- und Obersekunda, entsprach der 6., nach Unterteilung der 6. und 7. Klasse des Gymnasiums; heute wird ab Einschulung gezählt (also 10. und 11. Klasse).

Sekund|akkord, *Musik:* dritte Umkehrung des → Septimenakkords mit der Septime im Bass.

Sekundant [lat.] *der,* Helfer, Beistand, Zeuge beim Zweikampf (→ Mensur).

sekundär [lat.], **1)** *allg.:* zweitrangig, abhängig.

2) *Chemie:* Abk. **sek.-**, seltener **s.-**, Adjektiv zur Kennzeichnung chem. Verbindungen: **s. Kohlenstoff-** und **s. Stickstoffatome** sind im Molekül mit zwei weiteren Kohlenstoffatomen verbunden, z.B. bei Propan $CH_3–CH_2–CH_2$ und Dimethylamin $CH_3–NH–CH_2$; **s. Salze** werden diejenigen Salze von mehrbasigen Säuren genannt, in denen zwei Wasserstoffionen der Säure durch andere Kationen besetzt sind, z.B. Natriumhydrogenphosphat Na_2HPO_4.

Sekundär|elektronen, beim Beschuss eines Festkörpers mit Elektronen **(Primärelektronen)** unter Überwindung der Austrittsarbeit aus diesem ausgelöste Elektronen **(S.-Emission).**

Sekundär|elektronenvervielfacher (Photovervielfacher, engl. Photomultiplier, Multiplier), Abk. **SEV,** Vakuumphotozelle mit Photokathode, Anode und zusätzl. Elektroden (Dynoden), an denen durch die auftreffenden Elektronen, die durch ein elektr. Feld zw. den Dynoden beschleunigt werden, Sekundärelektronen erzeugt werden. Bei 10–14 hintereinander angeordneten Dynoden erreichen die S. eine $10^6–10^8$fache rauscharme Verstärkung des urspr. Photostroms, der durch Einfall von Lichtquanten auf die Photokathode ausgelöst worden ist; u.a. in Spektralphotometern zum Nachweis und zur Messung schwacher Lichtströme sowie in Verbindung mit Szintillations- und Tscherenkow-Zählern zur Messung schwächster radioaktiver u.a. Strahlung verwendet.

Sekundär|element, → Akkumulator.

Sekundär|energie, → Energie.

sekundärer Sektor, → Wirtschaftssektoren.

sekundäres Dickenwachstum, meist zeitlebens anhaltendes Dickenwachstum der Sprossachsen und Wurzeln der Gehölze.

Sekundärliteratur, wiss. Untersuchungen und Kommentare zu Werken aus allen Gebieten des literar. Schaffens **(Primärliteratur),** auch zu histor. u.a. Quellen.

Sekundarschule, auf der Primarschule aufbauende Schulart, je nach Organisation des staatl. Bildungswesens von sehr unterschiedl. Charakter. In einigen neuen Bundesländern bezeichnet S.

eine Haupt- und Realschule zusammenfassende neue Schulart (→integrierte Klassen für Haupt- und Realschüler). In der *Schweiz* sind S. weiterführende Schulen nach dem 5./6. Schuljahr. – Für den Zeitraum von der 5. bis zur 10. Schulklasse (alle Schularten) hat sich die Bez. **Sekundarstufe I,** für die Oberstufe des allg. und berufl. Bildungswesens **Sekundarstufe II** durchgesetzt.

Sekundärstruktur, zusammenfassende Bez. für Strukturmerkmale von Polymeren, die über die Reihenfolge der Atome in der Molekülkette (Primärstruktur) hinausgehen. Zur S. gehören Kettenlänge (wichtig für die Beschaffenheit von Kunststoffen), Kettenform (z.B. schraubenförmige Anordnung von Proteinmolekülen) und Kettenbeweglichkeit.

Sekundärwicklung, bei Transformatoren die Wicklung (Ausgangswicklung), die die elektr. Energie abgibt. Sie kann sowohl Oberspannungs- als auch Unterspannungswicklung sein.

Sekundärzelle, →Akkumulator.

Sekunde [lat.] *die,* **1)** *Musik:* der zweite Ton der diaton. Tonleiter, das Intervall im Abstand von zwei Stufen. Die S. kann als großes (Ganzton, z.B. c–d), kleines (Halbton, z.B. e–f), übermäßiges (z.B. c–dis) und vermindertes (z.B. h–ces) Intervall auftreten.

2) *Winkelmessung:* (Bogen-S., früher auch Alt-S.) Einheitenzeichen ″, gesetzl. SI-fremde Einheit des ebenen Winkels, 60. Teil einer Bogenminute: $1'' = 1'/60 = 1°/3600 = (\pi/648\,000)$ rad.

3) *Zeitrechnung:* SI-Einheit der Zeit, Einheitenzeichen **s,** bei astronom. Zeitangaben auch hochgestellt (^{s}), urspr. definiert als der 86 400. Teil des mittleren Sonnentages. Seit 1967 wird die S. als das 9 192 631 770fache der Periodendauer der Strahlung eines Cäsiumatoms des Isotops ^{133}Cs definiert, die dem Übergang zw. den beiden Hyperfeinstrukturniveaus des Grundzustands entspricht **(Atomsekunde).**

Sekundogenitur [zu lat. secundo »zweitens« und genitura »Geburt«] *die,* in fürstl. Häusern eine den Zweitgeborenen zustehende Erb- oder Vermögensfolge sowie deren Anwartschaft auf bestimmte Herrschafts- oder Amtsstellungen (→Primogenitur). Die Anwartschaft der Drittgeborenen heißt **Tertiogenitur.**

SELA, Abk. für **S**istema **E**conómico **L**atino**a**mericano, →Lateinamerikanisches Wirtschaftssystem.

Seladon ['ze:ladɔn, 'zɛ-, zela'dɔ̃; wohl nach dem graugrünen Gewand des Céladon in einem Schäferroman] *das,* ostasiat. Porzellan mit olivgrüner, wegen ihrer Ähnlichkeit mit Jade bes. beliebter Glasur, die durch Reduktion von Eisenoxid während des Brennens entsteht. Das seit dem 3. Jh. in der Prov. Zhejiang im chines. Staat Yue hergestellte Yue Yao gilt als Proto-S. In der Songzeit (960–1279) erlebte das S. künstler. Höhepunkte.

Seladon: Gefäß aus Südchina (13. Jh.)

Seladonit [nach Seladon] *der* (Grünerde), glimmerartiges monoklines Mineral, grün, feinerdig, dicht und derb, dient als lichtechter Farbstoff **(Veroneser Grün, Böhmische Erde).**

Selaginella [lat.] *die,* →Moosfarn.

Selb, Stadt (Große Kreisstadt) im Landkreis Wunsiedel i. Fichtelgebirge, Bayern, im östl. Fichtelgebirge, 19 400 Ew.; ein Mittelpunkt der dt. Porzellanind. (Rosenthal, Hutschenreuther, Heinrich), staatl. Fachschule für Porzellan; elektron. Ind., Maschinen- und Gerätebau. – Seit 1426 Stadt.

Selbst, der Kern bzw. zentrale Bereich der Persönlichkeit, im →Selbstbewusstsein als eigene Identität, Kontinuität und Einheit erlebt. Am S. lassen sich ein Subjektaspekt (Ich) und ein Objektaspekt (Mich) unterscheiden. Wie das »Mich« inhaltlich bestimmt ist, hängt vom philosoph. und religiösen Hintergrund des Subjektbegriffs ab: So verstehen die meisten westl. Philosophien die je eigene Individualität als das wahre S., während die östl. Religionen und die Mystik (Meister Eckart) diese als Persönlichkeitsmaske werten und im Absoluten das wahre S. erblicken.

selbst|ähnlich, →fraktale Geometrie.

Selbständige Evangelisch-Lutherische Kirche, Abk. **SELK,** Zusammenschluss luth. Freikirchen in Dtl. unter einer gemeinsamen Grundordnung und einem Bischof; 1972 hervorgegangen aus der Vereinigung der »Evang.-luth. (altluth.) Kirche«, der »Selbständigen Evang.-Luth. Kirche« und der »Evang.-Luth. Freikirche«. 1976 trat die »Evang.-Luth. Bekenntniskirche«, 1991 die »Evang.-luth. (altluth.) Kirche« in der ehem. DDR der SELK bei. Sitz ist Hannover, Ausbildungsstätte die Luth. Theolog. Hochschule in Oberursel (Taunus).

Selbst|anzeige, *Steuerstrafrecht:* eine Form tätiger Reue, die auch bei vollendeter Tat (Steuerhinterziehung oder -verkürzung) Straffreiheit verschaffen kann, wenn als Folge der S. die richtige Steuer festgesetzt und fristgerecht bezahlt wird.

Straffreiheit tritt nicht ein, wenn bereits Prüfungs- oder Ermittlungspersonen erschienen waren oder bekannt war, dass Straf- oder Bußgeldverfahren eingeleitet worden waren oder die Tat entdeckt war und der Täter dies wusste oder damit hätte rechnen müssen (§§ 370 f. Abgabenordnung).

Selbst|auslöser, Vorrichtung an fotograf. Kameras, durch die der Verschluss mittels eines einstellbaren Vorlaufwerks erst einige Sekunden nach Betätigung ausgelöst wird.

Selbstbefreiung, → Gefangenenbefreiung.

Selbstbefriedigung, → Masturbation.

Selbstbefruchtung, Folge der Selbstbestäubung, Vereinigung der männl. und weibl. Geschlechtszellen derselben Pflanze.

Selbstbehalt, die → Selbstbeteiligung.

Selbstbeobachtung, Wahrnehmung und systemat. Verfolgung eigener Gedanken, Affekte, Emotionen, Stimmungen und Antriebe sowie des Verhaltens; als psycholog. Methode die erste Quelle aller Erfahrungen über das Psychische.

Selbstbeschränkungs|abkommen, Form des Handelsabkommens zw. Ein- und Ausfuhrländern: Der Exporteur erklärt sich bereit, die Ausfuhr bestimmter Produkte in das Bestimmungsland zu reduzieren oder nur in einem festgelegten Ausmaß zu steigern. Die S. sind zwar formal freiwillige Vereinbarungen und durch GATT und das Welthandelsabkommen nicht ausdrücklich untersagt, kommen aber i. d. R. nur unter massivem Druck des Importlandes zustande. S. spielen in den internat. Handelsbeziehungen als nichttarifäre Handelshemmnisse eine beträchtl. Rolle und existieren zw. Ind.ländern (z. B. Export japan. Autos in die USA) und zw. Ind.- und Entwicklungsländern (z. B. Export von Textilien in die EU).

Selbstbestäubung, *Botanik:* Bestäubung der Narbe durch Pollen derselben Blüte.

Selbstbestimmungsrecht, *Verfassungsrecht:* **1)** das Recht des Einzelnen auf frei gewählte, eigenverantwortl. Daseinsgestaltung. Art. 2 Abs. 1 GG garantiert das Recht eines jeden Menschen »auf die freie Entfaltung seiner Persönlichkeit, soweit er nicht die Rechte anderer verletzt und nicht gegen die verfassungsmäßige Ordnung oder das Sittengesetz verstößt«. Mithilfe dieser Formel versucht das GG, wie jede andere freiheitlich-rechtsstaatl. Verfassung, die Spannung zw. individueller Autonomie und äußeren Bindungen zu lösen. Das Ringen um diese Problemlösung steht aber schon seit dem 19. Jh. nicht mehr unter dem Zeichen eines »individuellen S.«, sondern unter demjenigen des → Persönlichkeitsrechts. Erst in jüngster Zeit ist der Ausdruck »S.« erneut auch im Bereich der individuellen Grundrechte verwendet worden, und zwar im Begriff des Rechts auf → informationelle Selbstbestimmung.

2) *Völkerrecht:* das Recht der Völker und Volksgruppen, frei über ihren polit. Status zu bestimmen und frei ihre wirtsch., gesellschaftl. und kulturelle Entwicklung zu verfolgen. Die Verwirklichung des S. schließt die Errichtung eines souveränen und unabhängigen Staates, die freie Vereinigung oder Verschmelzung mit einem unabhängigen Staat oder den Übergang zu irgendeinem anderen, vom Volk frei bestimmten polit. Status ein. Das S. kann jedoch nicht in ein Recht auf Sezession münden, solange in einem Vielvölkerstaat das S. der Völker beachtet wird und das Verlangen eines Volkes nach Autonomie oder Selbstregierung im Rahmen eines Föderalismus oder Regionalismus nicht gewaltsam unterdrückt oder aber eine formell gewährte Autonomie oder Föderalismusstruktur von der Zentralreg. nicht unterlaufen wird. Die Charta der UN bezeichnet das S. der Völker als eine Grundlage der Beziehungen zw. den Staaten.

📖 WENGLER, W.: *Das S. der Völker als Menschenrecht. Saarbrücken [24]1986.* – KIMMINICH, O.: *Das S. der Völker. Köln 1992.*

Selbstbeteiligung (Selbstbehalt), *Versicherungswesen:* beim Versicherungsnehmer verbleibender Teil eines Risikos, i. d. R. mit Prämiennachlass verbunden. Formen: 1) Festlegung von Entschädigungshöchstgrenzen, 2) proportionale S., 3) Festlegung von Beträgen, bis zu denen der Versicherungsnehmer Schäden selbst trägt (Franchise). In der gesetzl. → Krankenversicherung gibt es eine S. in Form der Zuzahlungen.

Selbstbewusstsein, im allg. Sprachgebrauch die Überzeugung vom Wert der eigenen Person; in der *Philosophie* das Wissen um innere Zustände der eigenen Seele (Kant: »empir. S.«), aber auch das Wissen um die eigene einheitstiftende geistige Instanz (»Ich«, »Selbst«; Kant: »das reine S.«), die aller Erfahrung als Möglichkeitsbedingung zugrunde liegt. – Für Hegel, Fichte und die → dialogische Philosophie bildet der Bezug zu anderem S. und die Anerkennung durch dieses eine notwendige Bedingung für das Entstehen eines S. – Wie S. zu verstehen ist, hängt davon ab, wie das → Selbst bestimmt ist.

Selbstbildnis (Selbstporträt), Selbstdarstellung eines Künstlers in Bildhauerkunst, Malerei, Zeichnung, Druckgrafik und Fotografie. Literarisch bezeugt für Antike und Hellenismus, scheint das S. schon dort in einem engen Zusammenhang mit dem Werk des Künstlers (Phidias auf dem Schild seiner Athena Parthenos, 438 v. Chr. geweiht), vergleichbar der Signatur und – v. a. in Italien – häufig mit Inschrift, aufzutreten. Bis zur Renaissance stellt sich der Künstler dann meist typisiert innerhalb einer Devotionsformel dar, mit der er sich der göttl. oder weltl. Hierarchie anempfiehlt, gekenn-

Selbstbildnis

1

2

3

4

| **1** Max Beckmann, Selbstbildnis von 1944 | **2** André Ampère zugeschriebenes Selbstbildnis | **3** undatiertes Selbstbildnis von E. T. A. Hoffmann | **4** Oskar Kokoschka »Bildnis eines entarteten Künstlers« (1937; Privatbesitz)

zeichnet durch sein Arbeitsgerät, unter Anspielung auf antike Vorbilder oder seit dem 13./14. Jh. in Gestalt des Schutzpatrons der jeweiligen Zunft (hl. Lukas für Maler). Bei Zunahme individualisierender Tendenzen bleibt das S. durch Format und Demutsgeste noch lange ohne besonderen Anspruch.

Nach der Emanzipation des S. als Bildthema dient die Verkleidung einer bewussten, anspielungsreichen Identifikation (Michelangelo, Caravaggio). Mit der Hebung des sozialen Ansehens des Künstlers in der Renaissance setzt sich das ganz aus sich selbst motivierte S. durch (J. Fouquet, um 1450; Paris, Louvre). Es entstanden von nun an auch Doppel- oder Gruppenporträts, die den Künstler mit seiner Frau, mit einem Modell, im Kreis seiner Familie oder mit Freunden zeigen. V.a. bei A. Dürer bekommt das S., den Lebenslauf begleitend, den Charakter verbindl. Selbstaussage (ähnlich später u.a. bei Rembrandt, P. Cézanne, M. Beckmann). Typisch für die gesellschaftl. Bezogenheit des barocken S. ist eine Fülle literar. Anspielungen, eine bühnenhafte Selbstinszenierung (P. P. Rubens, D. Velázquez). Auch im 19. und 20. Jh. blieb das S. über sein Anliegen der Persönlichkeitsaussage hinaus gesellschaftlich motiviert (E. Delacroix, A. Böcklin, V. van Gogh, O. Dix).

📖 *Selbstbild u. Selbstfindung, hg. v.* H. SANDTNER. *Frankfurt am Main u. a. 1984. – Das Selbstportrait im Zeitalter der Photographie, hg. v.* E. BILLETER, *Ausst.-Kat. Musée Cantonal des Beaux-Arts, Lausanne. Stuttgart 1985.*

Selbstbindung der Verwaltung, die bei behördl. Ermessensentscheidungen zu beachtende Auswirkung des Gebots der Rechtsanwendungsgleichheit. Eine Behörde darf von einer mehrmals in gleicher Weise ausgeübten Ermessenshandhabung nur abweichen, wenn sie für die versch. Behandlung einen sachl. Grund vorweisen kann. Dies ist z.B. dann der Fall, wenn die bisherige Praxis rechtswidrig war (keine Gleichheit im Unrecht) oder wenn sich die Rechtslage geändert hat.

Selbst|eintritt, 1) *Handelsrecht:* im Kommissionshandel die Lieferung der zu kaufenden oder die Übernahme der zu verkaufenden Waren oder Wertpapiere durch den Kommissionär selbst (§§ 400 ff. HGB); auch beim Handelsmakler möglich.

2) *Verwaltungsrecht:* (Eintrittsrecht) das Recht einer vorgesetzten Behörde, Angelegenheiten, für die die nachgeordnete Behörde gesetzlich zuständig ist, an sich zu ziehen und zu entscheiden.

Selbst|energie, Energie, die der Wechselwirkung eines Teilchens mit dem von ihm selbst erzeugten Feld entspricht, z.B. die S. eines Elektrons in dem durch seine Ladung verursachten elektrostat. Feld.

Selbst|entzündung, Entflammung (Entzündung) eines brennfähigen Stoffes ohne Wärmezufuhr von außen durch spontane chem. Reaktionen oder physikal. Vorgänge (z.B. Reibung, elektrostat. Aufladung), die in oder an der Oberfläche der Brandstoffe die erforderl. Wärmeenergie erzeugen. Selbstentzündl. Stoffe sind z.B. weißer Phosphor, Gemische aus brennbarem Material und starken Oxidationsmitteln wie Perchlorat, feuchtes Heu. S. tritt ein, sobald die **S.-Temperatur** überschritten wird. (→ Selbstzündung)

Selbst|erhaltungstrieb, Gesamtheit der Antriebe, die für die Lebenserhaltung eines Individuums zweckmäßig sind (z.B. Nahrungs-, Schutz-, Verteidigungstrieb).

Selbst|erkenntnis, allg. das Kennenlernen der eigenen Person, seiner Eigenschaften, Abhängigkeiten und Charakterstruktur; in der *Philosophie* die erkenntniskrit. Rückwendung auf das eigene Ich als Teil des universellen method. Zweifels (Descartes), um eine Grundlage für wahres Wissen zu gewinnen; in vielen Religionen der notwendige Schritt auf dem Weg zum Absoluten: zu Gott bzw. der Gottheit (Mystik; Meister Eckart), zum wahren → Selbst (Brahmanismus, Dschainismus, Samkhya, Buddhismus) jenseits der individuellen Person.

Selbst|erregung, Aufbau des Magnetfeldes in Gleichstromgeneratoren durch Selbstinduktion (dynamoelektr. Prinzip); auch bei einer Asynchronmaschine bei kapazitiver Belastung möglich, die dann als selbstständiger Generator arbeitet.

Selbstfinanzierung, Finanzierung durch einbehaltene Gewinne (Gewinnthesaurierung); Teil der Innenfinanzierung. Bei Einzelunternehmen und Personengesellschaften durch Ansammlung von Gewinnen auf dem Kapitalkonto, bei Kapitalgesellschaften durch Bildung von Gewinnrücklagen **(offene S.);** auch die Finanzierung durch Unterbewertung von Vermögensgegenständen **(stille Selbstfinanzierung).**

Selbsthilfe, 1) *Recht:* eigenmächtiger Eingriff in einen fremden Rechtsbereich zur Sicherung oder Durchsetzung eines Anspruchs. Im bürgerl. Recht (§ 229 BGB) ist die S., insbesondere die Wegnahme, Beschädigung oder Zerstörung einer fremden Sache, die Festnahme eines fluchtverdächtigen Schuldners, dann nicht widerrechtlich, wenn Hilfe der Behörden oder Gerichte nicht rechtzeitig zu erlangen ist und ohne sofortiges Eingreifen die Gefahr besteht, dass die Verwirklichung des Anspruchs vereitelt oder wesentlich erschwert wird. Die S. darf nicht weiter gehen, als zur Abwendung der Gefahr erforderlich ist. S.-Recht ist auch das Recht des Besitzers, eine weggenommene bewegl. Sache dem verfolgten Täter wieder abzunehmen (§ 859 BGB), ferner das Recht des Grundstücksvermieters (-verpächters) und des Gastwirtes, die Entfernung der ihrem gesetzl. Pfandrecht unterliegenden Sachen zu verhindern (§§ 561, 581, 704 BGB). – Über die Bedeutung der S. im Strafrecht → Notwehr, → Notstand. – Ähnlich ist das S.-Recht in *Österreich* (§§ 19, 344 ABGB) und in der *Schweiz* (Art. 52, Abs. 3 OR; Art. 926 ZGB) geregelt.

2) *Sozialpolitik:* vielschichtiger sozialwissenschaftl. Begriff, der die Eigeninitiative von Personengruppen zur Verbesserung der wirtsch. oder sozialen Lage im Ggs. zur staatl. Hilfe »von oben« in den Vordergrund rückt. S. ist geprägt durch die Merkmale Autonomie (Aktivitäten werden nicht von einer Organisationszentrale geleitet, sondern selbstbestimmt), Selbstgestaltung und Solidarität. Es wird unterscheiden zw. privater S. unter Menschen, die ausschließlich sich selbst helfen, z. B. auf wirtschaftl. (Eigenheimbau) oder nachbarschaftl. Ebene, und sozialer S., bei der die Aktivität der S.-Gruppe über den eigenen Kreis der Betroffenen hinausgeht.

📖 RUNGE, B. *u.* VILMAR, F.: *Handbuch S. Neuausg. Frankfurt am Main 1988.*

Selbsthilfegruppen, freiwillige Zusammenschlüsse von Menschen, die gleich gelagerte Probleme haben (Drogenabhängigkeit, psych. Probleme, Krankheit, Tod, Behinderung, soziale Benachteiligung) und sich gegenseitig ohne professionell geschulte Kräfte (Psychologen, Ärzte u. a.) helfen und/oder öffentl. Problembewusstsein erzeugen wollen. Eine zentrale Einrichtung ist die »Nationale Kontakt- und Informationsstelle zur Anregung und Unterstützung von S.-Gruppen (NAKOS)« in Berlin.

Selbsthilfeverkauf (Notverkauf), der Verkauf geschuldeter bewegl. Sachen für Rechnung des Gläubigers durch öffentl. Versteigerung (z. T. auch freihändiger Verkauf) und die Hinterlegung des Erlöses. Der S. ist für den Schuldner bes. im Falle des Gläubigerverzugs – nach vorheriger Androhung – zulässig, wenn die geschuldete Sache zur Hinterlegung nicht geeignet ist (§§ 383 ff. BGB, § 373 HGB).

Selbst|induktion, → Induktion.

Selbst|induktionsko|effizi|ent, → Induktivität.

Selbstkosten, Summe der Kosten, die in einem Unternehmen durch Herstellung und Vertrieb von Erzeugnissen anfallen. Die S. umfassen Material-, Fertigungs-, Verwaltungs- und Vertriebskosten. Die S. werden in der Kostenrechnung durch die Kalkulation errechnet.

Selbstkritik, die krit. Beurteilung des eigenen Denkens und Handelns. Sie ist in konstruktiver Form ein wichtiges Mittel zur geistigen und sittl. Vervollkommnung der Persönlichkeit. Im Sinne der philosoph. Wahrheitssuche entspricht die S. der Forderung nach Selbsterkenntnis.

Selbstlader, halbautomat. Waffe, bei der der Schütze nur zielt und abfeuert, die Waffe aber automatisch geladen wird.

Selbstlaut, der → Vokal.

Selbstmedikation, Anwendung von Arzneimitteln ohne ärztl. Rat oder Verordnung.

Selbstmord (Selbsttötung, Suizid, Freitod), die selbst herbeigeführte Beendigung des eigenen Lebens. Die Motive für den S. liegen meist in einer für unüberwindbar gehaltenen Diskrepanz zw. Lebensanspruch und Realität, in einem subjektiven und objektiven Scheitern oder einem schicksalhaft als unerträglich eingeschätzten Leidensdruck. Die Intention, die mit einer S.-Handlung verbunden ist, kann unterschiedlich sein, z. B. der Wunsch nach Ruhe, das Ausweichen vor einer drohenden Katastrophe, Rache für eine massive Kränkung. In unterschiedl. Anteilen sind dabei der Appell an die Umwelt, der Wunsch nach einer entlastenden Ruhepause und der Abbau von Aggression am Zustandekommen der S.-Handlung beteiligt. Bilanz-S., die nach eingehender distanzierter Abwägung (meist unter geplantem Ausschluss jegl. Rettungsmöglichkeiten) geschehen, sind relativ selten. Bei den meisten S. und S.-Versuchen handelt es sich um eine kurzschlussartige Handlung mit stark affektivem Charakter; häufig werden dabei Rettungsmöglichkeiten offen gelassen, sodass die Tat letztlich als Appell um Hilfe verstanden werden kann (bei etwa 90 % aller S.-Versuche). 10–20 % aller Suizidenten werden jedoch nach erfolgter Rettung rückfällig, bes. wenn sie nach dem meist kurzen Klinikaufenthalt in ihre alten, unveränderten Lebensverhältnisse zurückkehren. Nachfolgende S.-Versuche haben zunehmend ernsthafteren Charakter. – In Dtl. sterben jährlich fast 14 000 Menschen durch S. (d. h. 20 S. je 100 000 Ew.); um das 10- bis 20fache höher liegt die Zahl der S.-Versuche. Ein gesteigertes S.-Risiko besteht bei bestimmten psych. Erkrankungen (z. B. Psychose, Depression), unheilbar kranken und sozial isolierten Menschen, Suchtmittelabhängigen, Geschiedenen, Arbeitslosen, aber auch Jugendlichen

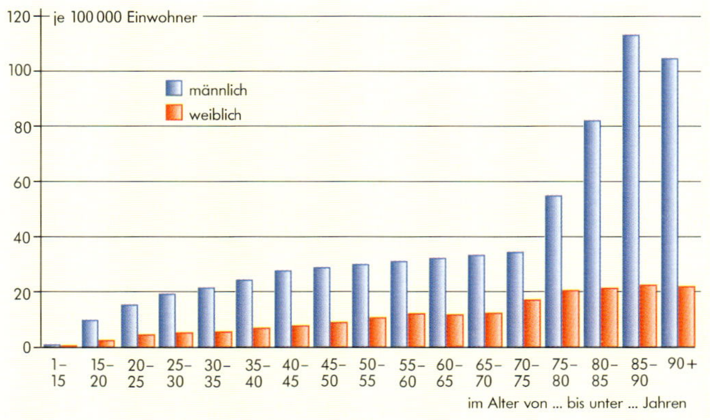

Selbstmord: Suizidraten 1996 in der Bundesrepublik Deutschland je 100 000 Einwohner in den verschiedenen Altersgruppen

(in den Altersgruppen zw. 10 und 25 Jahren ist der S. die zweithäufigste Todesursache). – Die beste **Suizidprävention** (S.-Vorbeugung) von Anfang an sowie nach erfolgtem Versuch ist die Herstellung tragfähiger sozialer Beziehungen. Neben Maßnahmen zur Verbesserung der gesellschaftl. Strukturen müssen gemeindenahe Beratungseinrichtungen treten, z.B. Suizidverhütungszentren (wie die Dt. Ges. für Suizidprävention, Telefonseelsorge, psychotherapeut. ambulante Dienste).

Die eth. Bewertung des S. hat zw. schärfster Verurteilung und sittl. Rechtfertigung oder sogar Verherrlichung geschwankt (z.B. →Harakiri in Japan). Die Stoiker und Epikureer bejahten den S. in bestimmten Fällen. Im alten Rom wurde S. aus edlen Beweggründen als Kennzeichen seel. Größe empfunden. Das Christentum verwarf ihn von Anfang an als sündhaften Eingriff in die Schöpfungsordnung. Im MA. war daher der S. nach kirchl. und weltl. Recht strafbar, der Selbstmörder verfiel unehrenhaftem Begräbnis.

Im dt. Strafrecht ist der S. straflos, ebenso der S.-Versuch sowie die Anstiftung und Beihilfe zum Selbstmord. Dagegen kann die Bestimmung eines Willenlosen zum S. als mittelbare Tötung strafbar sein. – In *Österreich* wird die Mitwirkung am S. mit Freiheitsstrafe zw. sechs Monaten und fünf Jahren bestraft (§ 78 StGB). Das *schweizer.* StGB (Art. 115) bedroht den, der aus selbstsüchtigen Beweggründen jemanden zum S. verleitet oder ihm dazu Hilfe leistet, wenn der S. ausgeführt oder versucht wird, mit Zuchthaus bis zu fünf Jahren oder mit Gefängnis.

📖 *S. Ergebnisse u. Therapie, hg. v.* C. Reimer. *Berlin u. a. 1982. – Selbstmordverhütung, hg. v.* E. Ringel. *Eschborn [4]1987.* – Lindner-Braun, C.: *Soziologie des S. Opladen 1990.* – Orbach, I.: *Kinder, die nicht leben wollen. A. d. Hebr. Göttingen 1990.* – Améry, J.: *Hand an sich legen. Stuttgart [5]1991.* – Dorrmann, W.: *Suizid. Therapeut. Interventionen bei Selbsttötungsabsichten. München 1991.*

Selbst|organisation, das spontane Entstehen neuer Strukturen in dynam. Systemen, das auf das kooperative Wirken von Teilsystemen zurückgeht. S. tritt in offenen physikal. Systemen fern vom thermodynam. Gleichgewicht auf, denen aus der Umgebung Energie zugeführt wird. Die nichtlineare innere Systemdynamik nutzt diese Energie in irreversiblen Prozessen zur Ausbildung komplexerer, räumlich und/oder zeitlich geordneter Strukturen. Beispiele für solche S. finden sich in atmosphär. Vorgängen (z.B. period. Wolkenanordnungen), bei chem. Reaktionen (z.B. Musterbildung in flüssigen Kristallen und Micellen), beim Strahlungsfeld eines Lasers oder bei der spontanen Umorganisation von Zellen lebender Organismen. Zu den versch. theoret. Konzepten der S. gehören die Theorie der →dissipativen Strukturen, die sich auf Entropiekriterien stützt, und die →Synergetik. – Das Erklärungsprinzip der S. wird auch in den Sozialwiss. und in der Wirtschaftswiss. angewendet, um Sozialstrukturen und kooperative Phänomene wie die Entstehung von wirtsch. Zyklen qualitativ zu erfassen. In den Geisteswiss. ergeben sich z.T. neue erkenntnistheoret. Betrachtungsweisen, etwa in der Frage nach der Möglichkeit von Selbstbewusstsein.

📖 Maturana, H. *u.* Varela, F.: *Der Baum der Erkenntnis. Bern 1987.* – Ebeling, W.: *Chaos – Ordnung – Information. Frankfurt am Main u. a. [2]1991.* – Jantsch, E.: *Die S. des Universums. Neuausg. München u. a. 1992.*

Selbstporträt [-trɛː, auch -trɛːt], →Selbstbildnis.

Selbstreinigung, Abbau toter organ. Materie in Gewässern (vorwiegend durch Algen und Bakterien). Das **S.-Vermögen** bezeichnet die Möglichkeiten des Ökosystems »Gewässer« zur Eigenregulierung seines internen Gleichgewichts bei äußeren Störungen, z.B. bei Verschmutzungen durch organ. Substanzen (→Eutrophierung).

Selbstschuldner, Bürge, der bei Fälligkeit der Schuld vom Gläubiger ohne vorherige Klage gegen den Hauptschuldner in Anspruch genommen werden kann (§ 773 Abs. 1 BGB; →Bürgschaft).

Selbstständige, in der amtl. Statistik Erwerbstätige, die einen Betrieb oder eine Arbeitsstätte gewerbl. oder landwirtsch. Art wirtsch. und organisatorisch als Eigentümer oder Pächter leiten sowie alle freiberufl. Tätigen und Hausgewerbetreibenden. Die Anzahl der S. in der Bundesrep. Dtl. betrug (1996) 3,41 Mio. (9,5 % aller Erwerbstätigen). – In jüngster Zeit markiert der Begriff der **Schein-S.** ein sozial- und gesellschaftspolitisches Thema; bei dieser Gruppe handelt es sich um Personen, die formal betrachtet keine unselbstständige Arbeit verrichten, wirtschaftlich aber so abhängig von einzelnen Unternehmen sind, dass sie diesen gegenüber eine arbeitnehmerähnl. Stellung haben. Teilweise handelt es sich um ehemalige Arbeitnehmer ihres Hauptauftraggebers, die aufgrund innerbetriebl. Rationalisierungsmaßnahmen in die Selbstständigkeit abgedrängt wurden.

Selbststeuerung, 1) *Luftfahrt:* →Flugregler.

2) *Schifffahrt:* Selbststeueranlage zum Innehalten eines vorgewählten Kurses, die z.B. durch einen Kreiselkompass automatisch kontrolliert wird.

Selbsttötung, →Selbstmord.

Selbstung, Erzeugung von Samen durch →Selbstbefruchtung.

Selbstvergiftung, →Autointoxikation.

Selbstverlag, Verlag, bei dem die Funktion des berufsmäßigen Verlegers und Buchhändlers durch den Autor oder eine Autorengemeinschaft übernommen wird. (→Samisdat)

Selbstverstümmelung, die Beschädigung des eigenen Körpers. S. kommt vor z.B. bei Haftpsychose, abnormen seel. Entwicklungen, Schizophrenie und schwerer endogener Depression.

Strafrecht: Grundsätzlich ist die S. straflos, es sei denn, der Täter hat die Absicht, einen Versicherungsbetrug zu begehen oder sich wehrdienstuntauglich zu machen. Im letzteren Fall werden Wehrpflichtige nach § 109 StGB, Soldaten nach § 17 Wehrstraf-Ges. regelmäßig mit einer Freiheitsstrafe bis zu fünf Jahren bedroht. – Ähnl. Bestimmungen gelten in *Österreich* (§ 10 Militärstraf-Ges. 1970), wobei der Versicherungsmissbrauch durch S. – im Ggs. zum dt. Recht – in § 151 StGB speziell erfasst ist; in der *Schweiz* ist Art. 95 Militär-StGB 1927 einschlägig.

Selbstverteidigung, allg. die rechtlich erlaubte unmittelbare Abwehr eines rechtswidrigen Angriffs oder einer drohenden Gefahr (→ Notwehr, → Notstand). Als **waffenlose S.** bildeten sich v.a. in O-Asien Formen der körperl. Verteidigung aus, die heute auch in Europa als Sportarten betrieben werden. (→ Jujutsu, → Budo, → Kung-Fu)

Selbstverwaltung, allg. die (meist ehrenamtl.) Mitwirkung der Bürger bei der Wahrnehmung öffentl. Aufgaben; im jurist. Sinne die im Ggs. zur Auftragsverwaltung (→ Auftragsangelegenheiten) eigenverantwortl. Verw. öffentl. Aufgaben durch öffentlich-rechtl. Körperschaften (S.-Körperschaften), insbesondere durch Gemeinden und Gemeindeverbände **(Kommunalverw.),** denen das Recht auf S. im eigenen Wirkungskreis verfassungsrechtlich (Art. 28 Abs. 2 GG) garantiert ist. Weitere S.-Körperschaften sind u.a. die Univ., die Sozialversicherungsträger, bestimmte Berufskammern (z.B. Ärztekammern). Das Gesetz kann es dem Träger der S. freistellen, ob er einzelne Aufgaben der Verw. wahrnehmen will (freiwillige S.-Angelegenheiten), oder ihn dazu verpflichten (Pflichtaufgaben). Die Wahrnehmung der S.-Angelegenheiten ist weitgehend weisungsfrei und unterliegt nur insoweit der Staatsaufsicht, als die Rechtmäßigkeit (nicht die Zweckmäßigkeit) des Handelns überprüft wird. Die Bedeutung der S. liegt v.a. in der größeren Sach-, Orts- und Bürgernähe sowie der Dezentralisierung der Verw., was eine unmittelbare Bürgerbeteiligung und autonome Selbstreg. beinhaltet. – In *Österreich* gilt im Wesentlichen dem dt. Recht Entsprechendes (v.a. Art. 116–119a Bundesverfassungs-Ges.). In der *Schweiz* setzt die Bundesverf. die S. voraus, ohne sie im Einzelnen zu regeln.

📖 HENDLER, R.: *S. als Ordnungsprinzip. Köln u.a. 1984.*

Selbstverwirklichung, die erstrebte Entfaltung und Ausschöpfung persönl. Möglichkeiten; Begriff, der den Menschen in seinem Selbstverständnis und seiner Zielorientierung im Hinblick auf seine Individualität bezeichnet, v.a. hinsichtlich der Erweiterung des individuellen Entfaltungsspielraums. Die damit verbundenen Vorstellungen ordnen sich ein in die neuzeitl. Bewegung der Individualisierung und des mit ihr korrespondierenden Strebens nach Emanzipation von Abhängigkeiten natürl., ökonom., moral. sowie metaphysisch-religiöser Art. Daneben formuliert ein zur Modeformel verkürzter Begriff S. häufig einen subjektiven Anspruch, der betont einseitig die Rechte des Einzelnen hervorhebt.

📖 *S. Chancen, Grenzen, Wege, hg. v.* K. HILPERT. *Mainz 1987.* – ROGERS, C. R.: *Entwicklung der Persönlichkeit. A. d. Engl. Stuttgart* [10]*1994.*

Selbstzündung, Eigenschaft von Treibstoffgemischen, sich bei Erreichen eines bestimmten Energiezustandes (Druck, Temperatur) selbst zu entzünden.

Hubert Selby

Selby [ˈselbɪ], Hubert, amerikan. Schriftsteller, * New York 23. 7. 1928; wurde mit dem Roman »Letzte Ausfahrt Brooklyn« (1964, verfilmt), einer Schilderung des Alltags in den Slums von Brooklyn, international bekannt; »Mauern« (R., 1971), »Lied vom stillen Schnee« (Erzn., 1986).

Seldschụken, alttürk. Herrschergeschlecht in Vorderasien (1040–1157, in Anatolien bis 1308), das von **Seldschuk** (um 1000 n.Chr.), einem Häuptling der Ogusen, abstammt; dehnte seine Herrschaft über Persien, Mesopotamien, Syrien und Kleinasien aus; das **Reich der Groß-S.** (größte Ausdehnung 1063–92) zerfiel nach 1092; ein Zweig der S. in Kleinasien gründete das **Sultanat der anatol. S.** oder **Rum-S.** (Hptst.: Konya; größte Ausdehnung 1219–36); sie legten den Grund zur Turkisierung Anatoliens; 1243–1308 mongol. Vasallen.

📖 STROHMEIER, M.: *Seldschuk. Geschichte u. türk. Geschichtswissenschaft. Berlin 1984.*

Sẹldte, Franz, Politiker, * Magdeburg 29. 6. 1882, † (in amerikan. Haft) Fürth 1. 4. 1947; Fabrikant, gründete 1918 den → Stahlhelm, dessen Bundesführer er bis zur Eingliederung in die SA 1933 war; 1933–45 Reichsarbeitsminister.

Selected Areas [sɪˈlektɪd ˈeərɪəz; engl. »ausgewählte Gebiete«], *Astronomie:* die → Eichfelder.

Selektio̲n [lat.] *die,* **1)** *Biologie:* → Auslese, → Darwinismus.

2) *Funktechnik:* Fähigkeit eines Empfängers, den gewünschten Sender bei Unterdrückung unerwünschter, frequenzmäßig benachbarter Sender in angemessener Qualität zu empfangen. Ein Maß der S. ist die **Trennschärfe (Selektivität),** allg. in Dezibel (dB) angegeben.

Sele̲n [zu grch. selḗnē »Mond«] *das,* chem. Symbol **Se,** Element aus der sechsten Hauptgruppe des → Periodensystems der chemischen Elemente; Ordnungszahl 34, relative Atommasse 78,96, Dichte 4,82 g/cm³, Schmelzpunkt 220,5 °C, Siedepunkt 684,8 °C. S. bildet mehrere allotrope Modifikationen. Die stabilste Form ist das **graue (metallische) S.** Es ist ein Halbleiter, dessen elektr. Leitfähigkeit bei Belichtung auf etwa das Tausendfache zunimmt. Die drei **roten kristallinen** Modifikationen (α-, β-, γ-S.) und das **rote amorphe S.** bestehen aus Se_8-Molekülen; sie leiten den elektr. Strom nicht. Das **schwarze, glasartige S.** zeigt ab etwa 50 °C Kautschukelastizität und wird bei noch höherer Temperatur plastisch. Alle Modifikationen gehen beim Erhitzen in die stabile graue Form über. – S. kommt in der Natur nur sehr selten in Form reiner Selenidminerale vor, z. B. als Kupferselenid. Daneben finden sich Selenide in vielen sulfid. Schwermetallerzen; das S. reichert sich daher bei deren Verarbeitung an, u. a. in Flugstäuben, im Bleikammerschlamm sowie bes. in dem bei der Erzeugung von Elektrolytkupfer (→Kupfer) anfallenden Anodenschlamm. Zur Isolierung aus dem Anodenschlamm wird das in Form von Seleniden vorliegende S. zunächst z. B. durch Erwärmen mit Salpetersäure zu seleniger Säure, H_2SeO_3, oxidiert und dann durch Einleiten von Schwefeldioxid, SO_2, wieder zu elementarem S. reduziert. – Techn. Verwendung findet S. wegen seiner Halbleitereigenschaften zur Herstellung von Photozellen, Gleichrichtern, photoelektr. Belichtungsmessern und elektron. Bauteilen. In der Glas- und Keramikind. werden S. und S.-Verbindungen als Färbemittel verwendet. Als Spurenelement hat S. eine wesentliche Bedeutung für die Gesundheit bei Mensch und Tier. S.-Mangel führt zu Wachstumsstörungen an Muskeln und Knochen. – Selen tritt in seinen Verbindungen v. a. mit den Oxidationszahlen −2, +2, +4 und +6 auf; formal sind die S. den entsprechenden Schwefelverbindungen sehr ähnlich.

Selene: römische Kopie einer griechischen Statue (4. Jh. v. Chr.; Florenz, Uffizien)

Selene, *grch. Mythos:* Mondgöttin, Schwester des Helios und der Eos, Geliebte des →Endymion; bei den Römern entspricht ihr Luna.

Selenga *die,* Fluss in der Mongolei und in Burjatien (Russ. Föderation), 1024 km lang, entsteht aus den Quellflüssen Iderin und Delger; mündet in den Baikalsee.

Selenicereus [lat.], von Texas bis Argentinien verbreitete Kakteengatt. (→Königin der Nacht).

Selenit [grch.] *der,* Mineral, internat. wiss. Name für →Gips.

Selenograd, Stadt nordwestlich von Moskau, Russland, 158 000 Ew.; Moskauer Hochschule für Elektronik; Zentrum der Mikroelektronik (Forschungsinstitut, Produktionsstätten). – Ab 1958 erbaut.

Selenogradsk (dt. Cranz), Stadt im Gebiet Kaliningrad (Königsberg), Russland, im SW der Kur. Nehrung; Fischfang, Fischverarbeitung; früher das größte Seebad in Ostpreußen.

Selenographie [grch.] *die,* physikal. und topograph. Beschreibung der Mondoberfläche.

Selenologie [grch.] *die* (Mondgeologie), Erforschung des Mondes mit geolog. Methoden, bes. seit der Entwicklung der Raumfahrt.

Selentschukskaja, astrophysikal. Observatorium der Russ. Akademie der Wiss. im nördl. Großen Kaukasus mit dem derzeit weltweit größten opt. Einzelspiegelteleskop (∅ 6 m) und dem ringförmigen Radioteleskop »Ratan-600« (∅ 600 m) mit rd. 900 Reflektoren.

Selenzelle, ein →Photoelement mit einer p-leitenden Halbleiterschicht aus Selen.

Sélestat [selɛs'ta], frz. Name von →Schlettstadt.

Seleukeia (lat. Seleucia), Name mehrerer durch Seleukos I. Nikator gegr. antiker Städte:

1) S. am Tigris (heute Tall Umar), 60 km nordöstlich von Babylon, um 312/311 v. Chr. gegr.; bis 293 Hptst. des Seleukidenreiches. Ausgrabungen 1928 (Grundriss von Wohnvierteln).

2) S. Pieria, um 300 v. Chr. gegr. Handelsstadt in der nordsyr. Landschaft Pierien, Hafen von Antiochia am Orontes.

Seleukiden, die von Seleukos I. Nikator begründete hellenist. Herrscherdynastie in Syrien, die von 312 bis 64 v. Chr. regierte. Ihr Reich umfasste beim Tod Seleukos' I. fast ganz Vorderasien bis zum Indus; schon im 3. Jh. v. Chr. gingen jedoch große Gebiete im O verloren. **Antiochos III., d. Gr.** (223–187 v. Chr.), stellte noch einmal den alten Umfang des Reiches her; mit seinem Krieg gegen Rom begann der Niedergang (Schlacht bei Magnesia, 190 v. Chr.). Den letzten S., **Philipp II.** (65/64 v. Chr.), setzte Pompeius ab, Syrien wurde zur röm. Provinz.

Seleukos I. Nikator: römische Kopie einer griechischen Herme (um 300 v. Chr.; Neapel, Museo Archeologico Nazionale)

Seleukos I. Nikator, Begründer und König (305/304–281 v. Chr.) der Dynastie der Seleukiden und ihres Reichs, *um 358 v. Chr., †(ermordet) 281 v. Chr.; makedon. Feldherr Alexanders d. Gr., einer der bedeutendsten Diadochen; erhielt 321 die Satrapie Babylon, aus der nach 312 das Seleukidenreich entstand. 305/304 v. Chr. nahm S. den Königstitel an.

Selffulfilling Prophecy ['selffʊlfɪlɪŋ 'prɔfɪsɪ, engl.] *die,* nach R. K. Merton eine sozialwiss. Prognose, welche nach ihrem Bekanntwerden die vorhergesagte Entwicklung beschleunigt und bestärkt. Die **Selfdefeating Prophecy** erzeugt ein der Vorhersage entgegenwirkendes Verhalten.

Selfgovernment [-'gʌvənmənt, engl.] *das,* seit dem 14. Jh. in England ausgebildete Selbstverwaltung in Gemeinde, Kirche, Schule u. a.; von den brit. Dominions und den USA übernommen.

Selige, *kath. Kirche:* Christen, die durch →Seligsprechung als herausragende Glaubenszeugen gelten, ihre amtl. Verehrung ist im Unterschied zu den →Heiligen auf bestimmte Orte, Regionen, kirchl. Gemeinschaften und Formen beschränkt.

Seligenstadt, Stadt im Landkreis Offenbach, Hessen, am Main, 18 700 Ew.; Museum; Metall-, elektrotechn., Leder- und Textilind., Brauereien. – Karoling. (»Einhards«-)Basilika (um 831–840) mit barocker Ausstattung, Abteigebäude (meist Ende 17. Jh.); Ruine der Kaiserpfalz (um 1235); roman. (um 1200) und got. (15. Jh.) Steinhaus. – Bei der von Einhard 828 gegr. Benediktinerabtei (bis 1803) entstand eine Siedlung, seit 1175 als Stadt bezeugt.

Seligkeit, nach kath. Glaubenslehre die Existenzweise der sündlos Gestorbenen und jener, die ihre Sündenstrafen im Fegefeuer verbüßt haben, im Jenseits; nach evang. Verständnis der durch die Rechtfertigung erreichte Zustand des Glaubenden.

Seligpreisungen, *N. T.:* die eschatolog. Verheißungen der Bergpredigt (Makarismen) (Mt. 5, 3–11; Lk. 6, 20–22).

Seligsprechung (Beatifikation), *kath. Kirchenrecht:* die feierl. päpstl. Erklärung, dass ein verstorbener Christ von Gott unter die →Seligen aufgenommen worden ist; eine der Voraussetzungen für die →Heiligsprechung.

Selim I. Yavuz [-ja'vuz, »der Strenge«], türk. Sultan (1512 bis 1520), *Amasya 1467 oder 1470, †bei Çorlu (bei Tekirdağ) 22. 9. 1520; zwang die iran. Safawiden 1514 zur Abtretung eines Teils von Aserbaidschan, unterwarf das Zweistromland, Syrien, Palästina und Ägypten (1517). S. war auch Dichter (in pers. Sprache).

Selinko, Annemarie, österr.-dän. Schriftstellerin, *Wien 1. 9. 1914, †Kopenhagen 28. 7. 1986; seit 1938 in Dänemark; war 1956–64 Vorstandsmitgl. der dän. Autorenvereinigung und des dän. PEN-Clubs; schrieb den Roman »Désirée« (1951).

Selinunt (italien. Selinunte), in der Antike als **Selinus** die westlichste grch. Kolonie an der S-Küste Siziliens, 628 (651?) v. Chr. von Dorern

Selinunt: Der um 450 v. Chr. erbaute und rund 200 Jahre später von den Karthagern zerstörte Tempel E war vermutlich der griechischen Göttin Hera geweiht

Seligenstadt: Die um 1700 weitgehend barock umgestaltete Benediktinerabtei mit der karolingischen »Einhardsbasilika« (um 831 – 840) geht auf eine Gründung Einhards aus dem Jahr 828 zurück

gegr., 409 v. Chr. von den Karthagern zerstört und 250 v. Chr. endgültig vernichtet. Ruinenstätte in der Nähe von Castelvetrano mit Überresten von zwölf Tempeln aus dem 6. und 5. Jh. v. Chr. Der Tempel E (um 450 v. Chr.) wurde wieder aufgerichtet und restauriert als dor. Peripteros (6×15 Säulen). Er steht über zwei Vorgängerbauten und war vermutlich Hera geweiht. Bauplastik, Vasen und Terrakotten aus dem vor der Stadt gelegenen archaischen Heiligtum und der Nekropole befinden sich im Nationalmuseum von Palermo.

Selkirk ['selkɔ:k], Alexander, schott. Seemann, *Largo Ward (Fife) 1676, †(auf See) 12. 12. 1721. Seine Erlebnisse gaben D. Defoe die Anregung zu dem Roman →Robinson Crusoe.

Sellagruppe, Bergstock in den Südtiroler Dolomiten, Italien, nördlich der Marmolada, zw. Grödner- (2 121 m ü. M.) und Pordoijoch (2 239 m ü. M.); in der Boèspitze (Piz di Boè) 3 151 m ü. M.

Sellars ['seləz], Peter, amerikan. Regisseur, *Pittsburgh (Pa.) 27. 9. 1957; war Theaterleiter u. a. in Boston, Washington; mit provozierenden Inszenierungen internat. erfolgreich.

Sellerie [frz. aus grch.] (Eppich, Apium graveolens), Art der Doldenblütler, Gemüse- und Gewürzpflanze, mit kantig-gefurchten Stängeln, breitfiedrigen, glänzenden Blättern, weißen Blütendolden; wird gezüchtet als **Knollen-** oder **Wurzel-S.** (mit dicker, essbarer Wurzel), **Stiel-, Stängel-** oder **Bleich-S.** (mit magerer Wurzel, doch kräftigen Blattstielen) und **Schnitt-S.** (nur die Blätter werden verwendet).

Sellers ['seləz], Peter, brit. Filmschauspieler, *Southsea (heute zu Portsmouth) 8. 9. 1925, †London 24. 7. 1980; wandlungsfähiger Komiker (»Der rosarote Panther«, 1963).

Sellerie: Bleichsellerie und Knollensellerie (von oben)

Gustav Rudolf Sellner

Reinhard Selten

Sellner, Gustav Rudolf, Regisseur und Theaterleiter, *Traunstein 25. 5. 1905, †Königsfeld im Schwarzwald 8. 5. 1990; 1951–61 Intendant in Darmstadt; 1961–63 Intendant, dann bis 1972 Generalintendant der Dt. Oper Berlin.

Selm, Stadt im Kr. Unna, NRW, 26 400 Ew.; Papiererzeugung und -verarbeitung, Magnettechnik, Elektro-, Textil- u. a. Ind. – Im Ortsteil Cappenberg ehem. Prämonstratenserkloster (1122–1802; mit bed. Austattung) und Schloss (früher Propstei) mit Freiherr-vom-Stein-Archiv und Museum.

Selten, Reinhard, Mathematiker und Volkswirtschaftler, *Breslau 5. 10. 1930; Prof. für Volkswirtschaftslehre in Berlin, Bielefeld und Bonn; Arbeiten zur Spieltheorie und experimentellen Wirtschaftsforschung. S. erhielt 1994 als erster Deutscher zus. mit J. F. Nash und J. C. Harsanyi den Nobelpreis für Wirtschaftswissenschaften.

seltene Erden (Seltenerden), histor., aber irreführende Bez. für die Seltenerdmetalle; heute i. e. S. Bez. für deren Oxide.

Selten|erdmetalle, Bez. für die chem. Elemente Scandium, Yttrium und Lanthan, die in der dritten Nebengruppe des →Periodensystems der chemischen Elemente stehen, sowie die auf das Lanthan (in der Reihe der Lanthanoide) folgenden Elemente Cer bis Lutetium. In der Natur kommen diese Metalle in Form ihrer Oxide, der seltenen Erden, stets vergesellschaftet vor; sie wurden zunächst in einigen seltenen Mineralen entdeckt und deshalb selbst als selten angesehen, gehören jedoch nicht zu den seltenen chem. Elementen.

Selters (Taunus), Gemeinde im Kr. Limburg-Weilburg, Hessen, im hinteren Taunus, 8 000 Ew.; Förderung und Versand des **Selterswassers** (alkalisch-kochsalzhaltiger Säuerling) in Niederselters.

seltsame Teilchen (engl. Strange Particles), Elementarteilchen mit der **Seltsamkeit** (→Strangeness) ungleich null, wie Kaonen, Hyperonen.

Selvagens, Ilhas [ˈiʎaʃ sɛlˈvaʒãiʃ], unbewohnte Vulkaninseln im Atlant. Ozean, bis 157 m ü. M.; gehören zum portugies. Distrikt Funchal (Madeira).

Selvas [portugies.; span. ˈselβas], trop. Regenwälder im Amazonasbecken.

Selye [ˈzɛljə], Hans, österr.-kanad. Mediziner, *Wien 26. 1. 1907, †Montreal 16. 10. 1982; begründete im Rahmen von Hormonforschungen die Lehre vom Anpassungs- oder Adaptationssyndrom für durch →Stress hervorgerufene Reaktionen des Körpers und gab der allg. Pathologie neue Impulse.

Sem [von grch. sēma »Zeichen«, »Merkmal«] *das, Sprachwiss.:* kleinste semant. Einheit, in die ein sprachl. Zeichen zerlegt werden kann, z. B. enthält »Kater« die S. »konkret«, »belebt«, »männlich«.

Sem, Gestalt des A. T.; der älteste Sohn Noahs; gilt als Ahnherr der Semiten (1. Mose 10, 21 ff.).

Semang, kleinwüchsiges, zu den →Negritos gehörendes Volk auf der Malaiischen Halbinsel, mit austroasiat. Sprache; etwa 2300 Angehörige. Die S. lebten früher als Sammler und Jäger, heute sind sie vielfach zum Anbau (Reis, Mais u. a.) übergegangen.

Semantik [grch. »Zeichenlehre«] *die* (Bedeutungslehre), die Lehre von den Bedeutungen, von der Beziehung der Zeichen zum gemeinten Gegenstand; Teilgebiet der →Semiotik, auch synonym zu ihr verwendet. – Als Disziplin der Sprachwissenschaft untersucht die S. die Beziehungen zw. einem Zeichen und dem Bezeichneten und die Bedeutung von Wörtern, Sätzen und Texten. – In der Psycholinguistik werden Bedeutungen als Ähnlichkeitsrelationen interpretiert und mithilfe eines →Polaritätsprofils oder »semant. Differenzials« quantifiziert. – In der Logik versteht man unter S. die Theorie der Auslegung (Interpretation) axiomat. Theorien bzw. formalisierter Sprachen, für die es wesentlich ist, welche Bedeutung die vorkommenden Zeichen bekommen.

🕮 LYONS, J.: *S. A. d. Engl. 2 Bde. München 1980–83.* – SIMON, J.: *Sprachphilosophie. Freiburg im Breisgau u. a. 1981.* – FREUNDLICH, R.: *Einführung in die S. Darmstadt ²1988.* – BREKLE, H. E.: *S. Eine Einführung in die sprachwiss. Bedeutungslehre. München ³1991.* – *S. Ein internat. Handbuch der zeitgenöss. Forschung, hg. v.* A. VON STECHOW. *Berlin u. a. 1991.*

Semarang, Provinz-Hptst. und Hafen an der N-Küste Javas, Indonesien, 1,027 Mio. Ew., Erzbischofssitz; Univ.; Werft, Textil-, Tabak- u. a. Ind., Maschinenbau.

Semasiologie [zu grch. semāsía »das Bezeichnen«] *die,* sprachwiss. Disziplin, die, vom Wort ausgehend, den Aufbau des Wortschatzes, die Beziehungen zw. seinen Elementen, ihre Bedeutungen und ihre bedeutungsmäßigen Beziehungen sowie (histor.) Veränderungen untersucht.

Sembène [sɑ̃ˈbɛːn], Ousmane, senegales. Schriftsteller und Filmemacher, *Ziguinchor 8. 1. 1923. Seine in frz. Sprache geschriebenen, sozial engagierten Romane und Erzählungen sowie seine Filme (später in seiner Muttersprache Wolof) behandeln v. a. Rassismus, Ausbeutung, Arbeitskämpfe in der Kolonialzeit und Probleme der modernen Welt, wie sie sich nach der staatl. Unabhängigkeit darstellten (»Gottes kleine Holzstücke«, R., 1960; »Chala«, R., 1973, verfilmt; »Das Camp der Verlorenen«, Film, 1987; »Guelwaar«, Film, 1992).

🕮 *O. S. u. die senegales. Erzählliteratur, Beiträge v.* PAPA SAMBA DIOP *u. a. München 1994.*

Semei, Stadt in Kasachstan, →Semipalatinsk.

Semele, *grch. Mythos:* Tochter des Kadmos aus Theben; Geliebte des Zeus, Mutter des Dionysos.

Semen [lat.] *das,* der →Samen.

Semendria, Stadt in Serbien, →Smederevo.

Semeru *der,* Vulkan und höchster Berg (3676 m ü. M.) auf Java, Indonesien.

Semester [lat.] *das,* akadem. Studienhalbjahr.

Semgallen (lett. Zemgale), histor. Landschaft in Lettland, südlich der Düna. – Das nach den ostbalt. **Semgalen** (Semgaller) benannte Gebiet war Teil des alten Livland; im 13. Jh. vom Dt. Orden unterworfen; kam 1561 zum Herzogtum Kurland, mit diesem ab 1795 in russ. Besitz; bildete nach der Entstehung der Republik Lettland bis 1940 die gleichnamige südl. Provinz des Landes mit der Hptst. Jelgava (Mitau).

semi... [lat.], halb...

Semikolon [grch.] *das,* Strichpunkt (;), ÜBERSICHT Satzzeichen.

Seminar [lat. »Pflanzschule«] *das,* **1)** *christl. Kirchen:* in der lat. Kirche Ausbildungsstätte des Weltklerus (an einer staatl. Univ. mit katholisch-theolog. Fakultät oder an philosophisch-theolog. Hochschulen); die abschließende Ausbildung und Vorbereitung auf die Priesterweihe findet in einem **Priester-S.** statt; in den evang. Kirchen →Predigerseminar, in den orth. Kirchen **geistliches Seminar.**

2) *Hochschulwesen:* Lehrveranstaltung, in der die Studierenden sich an der Diskussion beteiligen, Referate anfertigen und z. T. Klausuren schreiben; i. d. R. **Pro-S.** für Studienanfänger, **Mittel-** und **Haupt-S.** als Examensvoraussetzung und **Ober-** bzw. **Doktorandenseminar.**

3) *Lehrerbildung:* (Studien-S.) Lehrgang für Studienreferendare, die sich auf das 2. Staatsexamen vorbereiten; in der Schweiz **Lehrer-S.** für Primarschullehrer (fünf Jahre).

Seminolen, nordamerikan. Indianerstamm, entstand im 18. Jh., als Creek nach N-Florida eindrangen und sich mit den dort ansässigen Ethnien mischten. Die S. führten (1817/18, 1835–42 und 1855–58) die drei **S.-Kriege** gegen die USA; Restgruppen in Florida (1300) sowie Oklahoma (3000).

Semiotik [zu grch. sēma »Zeichen«] *die,* die Lehre von den →Zeichen, i. Allg. gegliedert in Syntaktik (Lehre von den Beziehungen der Zeichen zueinander), Semantik (Beziehungen zw. Bezeichnetem und Zeichen) und Pragmatik (Beziehungen zw. Zeichen, Bezeichnetem und Benutzer). Semiot. Forschung betreiben v. a. Sprachwiss. und Philosophie.

📖 Eco, U.: *Einführung in die S. Aus dem Italien. München* [8]*1994.*

Semipalatinsk (kasach. Semei), Hptst. des Gebiets S., Kasachstan, am Irtysch (Hafen) und an der Turkestanisch-Sibir. Eisenbahn, 344 700 Ew.; vier Hochschulen, Museen und Theater; Nahrungsmittel-, Leder-, Textilind., Armaturen- und Kabelwerk; Wasserkraftwerk (1350 MW). Durch Kernwaffenversuche (1949–91) in und um S. hohe gesundheitsschädigende radioaktive Verstrahlung.

semipermeabel [lat.], halbdurchlässig, z. B. semipermeable Membranen (→Osmose).

Semiramis, sagenhafte Königin von Assyrien; regierte nach dem Tod ihres Gatten Ninos allein und soll viele Länder unterworfen und Städte gegründet haben. Ihr werden die →Hängenden Gärten in Babylon zugeschrieben. – In dem Namen S. lebt die Erinnerung an die assyr. Königin Sammu-Ramat, Gattin des Assyrerkönigs Schamschi-Adad V., fort, die starken Einfluss auf die Reg. ihres Sohnes Adad-Nerari III. (810–782 v. Chr.) nahm.

Semiten, im 18. Jh. entstandener Begriff, der aufgrund der »Völkertafel« in 1. Mos. 10 eine Reihe von Völkern als Träger einer gemeinsamen Sprache (»Semitisch«) bezeichnet. Danach gingen von →Sem 26 Völker aus, u. a. Elamiter, Assyrer, Babylonier und Aramäer. Die Völkertafel ist aber im Wesentlichen geographisch orientiert (das Siedlungsgebiet der S. reicht hier von Westanatolien bis Persien und von Armenien bis zum Roten Meer), und die in ihr genannten Völker bilden keine geschlossene Gruppe im Sinn der Völkerkunde. Der Begriff ist daher ethnographisch untauglich und zudem durch seinen wertenden Missbrauch in Rassentheorien des 19. und 20. Jh. (→Antisemitismus, →Rassismus) diskreditiert; er kann nur sprachwissenschaftlich und eingeschränkt auf die semit. Sprachfamilie angewandt werden.

semitische Sprachen, zu den hamitosemit. Sprachen gehörige Sprachen in N- und NO-Afrika und SW-Asien. Zum Südwestsemitischen gehören das Nordarabische und das Südarabische samt dem Äthiopischen, ostsemitisch ist das Akkadische, Nordwestsemitisch umfasst Aramäisch und Syrisch, Amoritisch-Ugaritisch und die Gruppe des Kanaanäisch-Hebräisch-Moabitisch-Phönikisch-Punischen sowie des Eblischen. Eigentümlich sind den s. S. der Reichtum an Kehllauten und emphat. (am Gaumen gebildeten) Lauten, dreikonsonantische Wurzeln, aus denen durch vokal. Veränderungen und Prä-, In- und Suffixe Nomina und Verben gebildet werden sowie die Konsonantenschrift ohne Vokalbezeichnung.

Semitistik *die,* Zweig der Orientalistik, der sich mit Philologie und Linguistik der semit. Sprachen beschäftigt. Ursprüngl. Disziplinen der S. haben sich z. T. verselbstständigt, wie etwa die Arabistik und die Hebraistik.

Nikolai Semjonow

Semjonow, Nikolai Nikolajewitsch, sowjet. Chemiker, *Saratow 15. 4. 1896, †Moskau 25. 9. 1986; seit 1944 Direktor des physikalisch-chem. Instituts der Akademie der Wiss. in Moskau; arbeitete über die Vorgänge bei der Oxidation des Phosphors und klärte den Verlauf von Kettenreaktio-

Ignaz Philipp Semmelweis (Ausschnitt einer zeitgenössischen Lithographie)

nen bei Verbrennungsvorgängen auf. 1956 erhielt er mit C. N. Hinshelwood den Nobelpreis für Chemie.

Semjonow-Tjan-Schanski, Pjotr Petrowitsch, bis 1906 P. P. Semjonow, russ. Geograph und Asienreisender, *Urussowo (Gebiet Lipezk) 14. 1. 1827, †Sankt Petersburg 11. 3. 1914; erforschte 1856/57 als Erster den Tienschan (russ. Tjan-Schan); leitete 1897 die erste Volkszählung in Russland.

Semler, 1) Christoph, Pfarrer und Schulgründer, *Halle (Saale) 2. 10. 1669, †ebd. 8. 3. 1740; gründete in Halle die erste dt. Realschule (1706–08, erneut 1738).

2) Johann Salomo, evang. Theologe, *Saalfeld/Saale 18. 12. 1725, †Halle (Saale) 14. 3. 1791; seit 1752 Prof. in Halle, untersuchte erstmals in Dtl. die Bibel und ihre Entstehung nach histor. Gesichtspunkten und wirkte damit bahnbrechend für die Entwicklung der historisch-krit. Exegese und der bibl. Hermeneutik.

Gottfried Semper: Zeichnung der Fassade des 1838–41 erbauten und 1869 abgebrannten Opernhauses in Dresden (Dresden, Kupferstichkabinett); darunter das nach seiner Zerstörung im Frühjahr 1945 in den Jahren 1976–85 wieder aufgebaute Opernhaus am Theaterplatz mit einem Reiterstandbild von König Johann

Semliki *der,* Fluss im Zentralafrikan. Graben, rd. 250 km lang, entfließt dem Edwardsee, umfließt den Ruwenzori, mündet in den Albertsee; bildet teilweise die Grenze zw. der Demokrat. Rep. Kongo und Uganda.

Semmelweis, Ignaz Philipp, ungar. Geburtshelfer, *Ofen (heute als Pest zu Budapest) 1. 7. 1818, †Döbling (heute zu Wien) 13. 8. 1865; erkannte die Kontaktinfektion als Ursache des Wochenbettfiebers und setzte sich für seine Verhütung durch Desinfektion ein.

Semmering *der,* Pass in den Ostalpen, Österreich (ÜBERSICHT Alpenstraßen). Auf der Nordseite des Passes liegt **S.-Kurort,** 1000 m ü. M., 840 Ew., Sommerfrische und Wintersportplatz. – Die 1854 erbaute Gebirgsbahn über den S. wurde zum UNESCO-Weltkulturerbe erklärt.

Semnonen, zu den →Sweben gehörender elbgerman. Stamm; siedelte zw. mittlerer Elbe und Oder (im heutigen Brandenburg und südl. Mecklenburg). Auf ihrem Gebiet lag das Hauptheiligtum der Sweben, ein hl. Hain. Im 3./4. Jh. wanderten Teile der S. nach SW ab und gingen in den Alemannen auf.

Sempach, Gemeinde im Kt. Luzern, Schweiz, 3200 Ew., am **Sempacher See** (14,5 km², bis 87 m tief); Sitz der schweizer. Vogelwarte. – Um 1230 gegründet. – Am 9. 7. 1386 siegte hier (im Rahmen des oberdt. Städtekrieges) ein eidgenöss. Bauernheer (→Winkelried) über Herzog Leopold III. von Österreich, wodurch das Ende der Habsburgerherrschaft in der Schweiz eingeleitet wurde.

Semper, Gottfried, Baumeister und Kunsttheoretiker, *Hamburg 29. 11. 1803, †Rom 15. 5. 1879; seit 1834 Prof. in Dresden. 1849 emigrierte er nach Paris, dann nach London; 1855 ans Polytechnikum Zürich berufen, 1870 als kaiserl. Architekt nach Wien. Neben K. F. Schinkel war S. ein bed. dt. Baumeister des 19. Jh. An die Stelle der klassizist. Antikenrezeption setzte er den Stil der italien. Renaissance. Sein Hauptwerk ist das Dresdner Opernhaus (1838–41, 1869 abgebrannt; 1871–78 Neuaufbau, 1945 ausgebrannt, 1976–85 rekonstruiert). Eine freiere und stärker barocke Gliederung und Fassadengestaltung kennzeichnen seine Werke in Wien (Zusammenarbeit mit C. von Hasenauer): Neubau der Hofburg (Ausführung 1881–94), Naturhistor. und Kunsthistor. Museum (1872–91) und Burgtheater (1874–88). Von Einfluss bis ins 20. Jh. blieben seine kunsttheoret. Schriften. Weitere BILDER Burgtheater, Neurenaissance

📖 *Die Semperoper, bearb. v.* W. HÄNSCH. *Berlin* ³*1990.* – FRÖHLICH, M.: *G. S. Zürich 1991.*

Sempervivum [lat.] *das,* die →Hauswurz.

Sempione, italien. Name des →Simplon.

sempre [italien. »immer«], Teil von musikal. Vortragsbez., z. B. **s. legato,** immer gebunden.

Semprún [span.] (frz. Semprun), Jorge, Pseud. Federico Sánchez, spanisch-frz. Schriftsteller, * Madrid 10. 12. 1923; lebt seit dem Span. Bürgerkrieg meist in Frankreich; 1943 als frz. Widerstandskämpfer ins KZ Buchenwald deportiert; Mitgl. der span. Exil-KP (Austritt 1964), 1988–91 span. Kulturminister. Sein schriftsteller. Werk (z. T. in frz. Sprache) ist stark autobiographisch geprägt: »Der zweite Tod des Ramón Mercader« (R., 1969), »Federico Sánchez. Eine Autobiogr.« (1977). Außerdem setzen sich seine Werke mit der Zeitgeschichte auseinander, u. a. »Der weiße Berg« (1986) und »Netschajew kehrt zurück« (1987); erfolgreicher Drehbuchautor (»Der Krieg ist vorbei«, 1966; »Z«, 1968). S. erhielt 1994 den Friedenspreis des Dt. Buchhandels.

Weitere Werke: Was für ein schöner Tag (Bericht, 1980); Federico Sánchez verabschiedet sich (Autobiogr. 1993); Schreiben oder Leben (Autobiogr. 1994).

Jorge Semprún

Semstwo *das,* die 1864–1917 in Russland bestehende ständ. Selbstverwaltung auf Kreis- und Gouvernementsebene durch Vertreter der Großgrundbesitzer, der Stadtbev. und der Bauern; den Vorsitz führte ein Adelsmarschall.

Sen, Mrinal, indischer Filmregisseur, * Faridpur (Bangladesh) 14. 5. 1923; drehte (ab 1955) realistische sozialpolit. Filme, u. a. »Chorus« (1974), »Ein ganz gewöhnl. Tag« (1980), »Genesis« (1986), »Mahaprithivi – Innenwelt, Außenwelt« (1992).

sen., Abk. für → **sen**ior.

Senancour [sənɑ̃ˈkuːr], Étienne Pivert de, frz. Schriftsteller, * Paris 5. oder 6. 11. 1770, † Saint-Cloud 10. 1. 1846. Sein autobiographisch beeinflusster Briefroman »Obermann« (1804) ist eines der wichtigsten Werke der frz. Frühromantik.

Senar [lat. senarius »Sechsfüßler«] *der,* lat. Versmaß, entspricht dem grch. jambischen → Trimeter.

Senat [lat. senatus »Rat der Alten«] *der,* **1)** im *antiken Rom* offizielles Beratungsgremium des röm. Staates. Der S. bestand in der Königszeit aus den Häuptern der patriz. Geschlechter (patres, Patrizier), wohl vom 5. Jh. v. Chr. an kamen angesehene Plebejer (conscripti, Eingeschriebene) dazu. Die Zahl der Mitgl. betrug seitdem 300 (unter Sulla 600, Cäsar 900, Augustus 600); in frührepublikan. Zeit von den Konsuln, wohl ab 312 v. Chr. von den Zensoren berufen; seit dem 2./1. Jh. hatten ehem. Magistrate Anspruch auf Aufnahme; Zugehörigkeit zum S. war lebenslänglich. Die **Senatoren** durften Italien nicht ohne Genehmigung verlassen und keinen Handel treiben (seit 218 v. Chr.). Die S.-Beschlüsse waren bindend. Eine wichtige Rolle spielte der S. bei der Vorbereitung der Gesetzesvorschläge, bei Kriegserklärung, Friedensschlüssen, Empfang und Entsendung von Gesandtschaften, Einrichtung von Provinzen, Aufstellung des Heeres sowie Bewilligung von Triumphen. Dazu kamen die Aufsicht über die Beamten, über die Finanzen und die Verhängung des Ausnahmezustandes. – In der Kaiserzeit bestimmte der Kaiser Funktion und Zusammensetzung des Senats.

🕮 MEYER, ERNST: *Röm. Staat u. Staatsgedanke. Zürich* [4]*1975.*

2) *Gerichtsverfassung:* die kollegialen Spruchkörper höherer Gerichte, z. B. beim Bundesverfassungsgericht, den Obersten Gerichtshöfen des Bundes und bei den Oberlandesgerichten.

3) *Hochschulwesen:* bei Rektoratsverfassung oberstes kollegiales Selbstverwaltungsorgan der wiss. Hochschule (Mitgl. sind der Rektor, sein Stellvertreter, die Dekane oder Leiter der Abteilungen, Vertreter anderer Gruppen); ähnlich in der Schweiz. Bei Präsidialverfassung gibt es einen **Hochschulkonvent** oder ein Hochschulkonzil, in Österreich die **Universitätsversammlung.**

4) *Recht:* im Staatsrecht die Landesregierung in den Stadtstaaten Hamburg, Bremen und Berlin; im Verfassungsrecht einiger Staaten mit Zweikammersystem eine Kammer des Parlaments (z. B. Belgien, Frankreich, Italien, USA).

Senatus Populusque Romanus [lat. »Senat und Volk von Rom«], in der Abk. **SPQR** offizielle Bez. der röm. Republik und des frühen Prinzipats.

Senckenbergische Naturforschende Gesellschaft, gegr. 1817 in Frankfurt am Main. Die S. N. G. richtete 1820/21 das heutige **Forschungsinstitut und Naturmuseum Senckenberg,** die **Senckenberg-Bibliothek** (ebd., heute über 1 Mio. Bände) und die **Forschungsanstalt für Meeresgeologie und Meeresbiologie Senckenberg** (1929, in Wilhelmshaven) ein; ben. nach dem Arzt Johann Christian Senckenberg (* 1707, † 1772), der 1763 die **Senckenbergische Stiftung** gründete.

Sendai, Hauptstadt der Präfektur Miyagi, Japan, im N der Insel Honshū, 950 900 Ew.; kulturel-

Sendai: Das 1607 erbaute Hauptgebäude des Osaki-Hachimangū-Schreins weist eine mausoleumsartige Architektur auf

Ramón José Sender

SFB

Sender Freies Berlin

Alois Senefelder (Ausschnitt einer zeitgenössischen Lithographie)

les Zentrum mit zwei Univ., Museen, archäolog. Sammlung; Nahrungsmittel-, Metall-, Holzwaren- und chem. Industrie; Fremdenverkehr, jährl. Prozessionen. – 4 km nordwestlich liegt der bed. Osaki-Hachimangū-Schrein (Hauptgebäude von 1607). – Die 1602 erbaute ehem. Burgstadt wurde im 2. Weltkrieg vollständig zerstört.

Sendelbinde, nach dem Seidenstoff Zendel benanntes Stoffband, das in der 1. Hälfte des 15. Jh. seitlich von der turbanartigen Kopfbedeckung der Männer herabhing und um Kopf und Kinn gewickelt werden konnte.

Sender, Anlage zur Erzeugung, Modulation und Verstärkung hoch- und höchstfrequenter elektromagnet. Schwingungen zur Abstrahlung als elektromagnet. Wellen über Antennen. (→ Rundfunk)

Sender [sen'dɛr], Ramón José, span. Schriftsteller, *Alcolea de Cinca (Prov. Huesca) 3. 2. 1902, †San Diego (Calif.) 16. 1. 1982; nahm am Span. Bürgerkrieg auf republikan. Seite teil, ab 1939 im Exil in Mexiko, ab 1942 in den USA. Sein vielfältiges Werk, in dem er sich gegen jede Art von Unterdrückung und Ausbeutung wendet, ist vom mag. Realismus der lateinamerikan. Literatur beeinflusst: »Die Brautnacht des schwarzen Trinidad« (Erz.n, 1942), »Requiem für einen span. Landmann« (Nov., 1953) u.a.; auch Dramen, Biographien, Essays und Lyrik.

Sender Freies Berlin, Abk. **SFB,** Rundfunkanstalt öffentl. Rechts (gegr. 1946 als »Funkhaus Berlin« des Nordwestdt. Rundfunks), Mitgl. der ARD, sendet seit 1955 Programmbeiträge für das Dt. Fernsehen. (→ Rundfunk)

Sendero Luminoso [span.] (Leuchtender Pfad), Guerillaorganisation in Peru, gegr. um 1980 im Zeichen radikaler maoist. Ideologie von dem Philosophieprof. Abimael Guzmán; gewann v.a. in den armen Andendörfern viele Anhänger (bis 1992 etwa 25 000). Ziel des S. L. ist die Weltrevolution, die mit brutalen Terroranschlägen vorangebracht werden soll (bis 1992 etwa 25 000 Opfer). Die Verhaftung und Verurteilung Guzmáns 1992 hat die Organisation geschwächt, aber nicht zerschlagen.

Seneca

Der Tragiker Seneca galt als Meister der Grausamkeit, der Affektdarstellung und einer wuchernden, doch brillanten Rhetorik. Er bearbeitete die grausigsten Stoffe der griechischen Tragiker (darunter Medea, Oedipus, Phaedra, Hercules furens) und beutete deren Grässlichkeiten ungehemmt aus. Nervenerschütternde Schauer und kalter Angstschweiß sollten den Betrachter befallen. Tyrannen und sterbende Dulder standen sich gegenüber. Wie man den Dramatiker Seneca mit dem Weisheitslehrer in Einklang bringen sollte, bereitete den Seneca-Philologen des 16. Jahrhunderts noch erhebliches Kopfzerbrechen.

Sendgericht (Send), kirchl. Sittengericht, das öffentl. Verstöße von Laien gegen kirchl. Gesetze mit Kirchenstrafen ahndete; entstand im 9. Jh. und existierte z.T. bis Anfang des 19. Jh.

Sendgrafen, → Königsboten.

Sendungsbewusstsein, die in einer Person, einem sozialen, religiösen oder polit. Verband ausgebildete Überzeugung, dass die eigenen Wertvorstellungen, Lehren oder politisch-sozialen Ordnungen auch für andere Menschen, Gruppen oder Völker verbindlich sein sollten. S. ist oft ein konstitutiver Bestandteil einer Ideologie und dient vielfach als Rechtfertigungsgrund für Expansionsbestrebungen polit., religiöser, kultureller, wirtsch. und militär. Art.

Seneca, nordamerikan. Indianerstamm, ein bedeutendes Mitglied des Irokesenbundes (→ Irokesen).

Lucius Annaeus Seneca: Die Doppelherme zeigt den stoischen Philosophen zusammen mit Sokrates (3. Jh.; Berlin, Antikensammlung)

Seneca, Lucius Annaeus, röm. Dichter und philosoph. Schriftsteller, *Corduba (heute Córdoba) um 4 v.Chr., †(Selbstmord) Rom April 65 n.Chr.; Erzieher und (bis 59 n.Chr.) erster Berater des Kaisers Nero. Später fiel er in Ungnade und wurde gezwungen, sich selbst zu töten. S. suchte in zahlr. Schriften in allgemein verständl. Form v.a. die sittl. Gedanken der stoischen Philosophie zu verbreiten. Ferner verfasste er unter Benutzung grch. Stoffe Tragödien über die verhängnisvolle Wirkung menschl. Leidenschaften und zeigte das Verhalten der menschl. Seele in Grenzsituationen (u.a. »Hercules furens«, »Phaedra«, »Oedipus«). Die Dramen haben seit der Renaissance die Entwicklung des abendländ. Schauspiels, insbesondere in Frankreich, stark beeinflusst.

📖 MAURACH, G.: *S. Darmstadt 1991.*

Senecio, Pflanzengattung, → Kreuzkraut.

Senefelder, Alois, Erfinder, *Prag 6. 11. 1771, †München 26. 2. 1834; entdeckte bei Vervielfältigungsversuchen 1797–99, dass Solnhofener Kalkschiefer nur an mit Fettfarbe versehenen Stellen Druckfarbe annimmt; erfand damit die → Lithographie; baute 1797 eine Steindruckpresse und 1817 eine kleine Metallhandpresse.

Senegal

Fläche: 196 192 km²
Einwohner: (1995) 8,31 Mio.
Hauptstadt: Dakar
Verwaltungsgliederung: 10 Regionen
Amtssprache: Französisch, Wolof ist Nationalsprache
Nationalfeiertag: 4. 4.
Währung: 1 CFA-Franc = 100 Centimes (c)
Zeitzone: WEZ

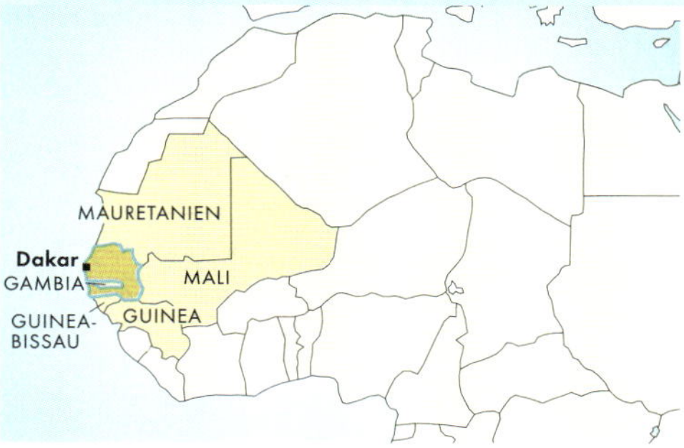

Senegal *der,* Fluss in W-Afrika, entsteht in Mali durch den Zusammenfluss von **Bafing** und **Bakoy,** bildet z.T. die Grenze zw. Mauretanien und Senegal, mündet bei Saint-Louis in den Atlantik, 1430 km lang (mit Bafing); ab Podor ganzjährig schiffbar; mehrere Staudämme. Das Senegalbecken ist ein wichtiges Landwirtschaftsgebiet.

Senegal (amtlich frz. République du Sénégal), Staat in Westafrika, grenzt im W an den Atlantik, im N und NO an Mauretanien, im O an Mali, im S an Guinea und Guinea-Bissau. S. umschließt im südl. Landesteil den Staat Gambia, der sich beiderseits des Flusses Gambia erstreckt.

Staat und Recht: Nach der Verf. von 1963 (mehrfach revidiert) ist S. eine präsidiale Republik. Staatsoberhaupt, oberster Inhaber der Exekutive und Oberbefehlshaber der Streitkräfte ist der auf sieben Jahre direkt gewählte Präsident. Er ernennt die Mitgl. des Kabinetts unter Vorsitz des Premiermin. und hat das Recht, das Parlament aufzulösen. Die Legislative liegt bei der Nationalversammlung (120 Abg., auf fünf Jahre gewählt); der Präs. verfügt über weitgehende Befugnisse im Gesetzgebungsverfahren. Die Errichtung einer zweiten Kammer (Senat) als Vertretung der Regionen ist geplant. Einflussreichste Parteien: Sozialist. Partei S. (PSS), Demokrat. Partei S. (PDS).

Landesnatur: S. liegt in der Sudan- und (im N und NO) in der Sahelzone. Es umfasst den Großteil des Küstentieflandes an den Flüssen Senegal und Gambia, das landeinwärts bis 40 m ü.M. ansteigt. Im SO (bis 400 m ü.M.) reichen Ausläufer des Tafelgebirgslandes Fouta-Djalon nach S. hinein. Die rd. 500 km lange Küste ist flach und z.T. versumpft. Im S herrscht randtrop. Klima mit einer langen sommerl. Regenzeit; die Niederschläge nehmen von S nach N ab. Im S wächst Feuchtwald, nördlich folgt Feuchtsavanne, im Innern Trocken-, im N Dornstrauchsavanne.

Bevölkerung: In S. leben überwiegend sudanide Stämme; größte ethn. Gruppe sind die Wolof, gefolgt von Serer, Fulbe und Tukulor, daneben lebt eine Minderheit von Nichtafrikanern (bes. Franzosen und Libanesen) im Land. Großstädte sind Dakar, Thiès, Kaolack, Rufisque und Saint-Louis. – Es besteht allg. Schulpflicht; die Analphabetenquote liegt trotzdem bei 62%; es gibt Univ. in Dakar (gegr. 1949, seit 1957 Univ.status) und Sanar bei Saint-Louis (gegr. 1985). – Über 90% der Bev. sind Muslime, die Übrigen Christen und Anhänger von Naturreligionen.

Wirtschaft, Verkehr: Bed. Erwerbszweig ist die Landwirtschaft; Ackerbau und Weidewirtschaft nutzen 55,5% der Landesfläche. Angebaut werden v.a. Erdnüsse und Baumwolle (für den Export), ferner Hirse, Zuckerrohr, Reis, Mais, Maniok, Gemüse und Früchte. Viehhaltung von Rindern, Schafen, Ziegen bes. im N und NO durch Nomaden. Große Bedeutung haben Küstenfischerei und Phosphatbergbau. Wichtigste Ind.zweige sind Nahrungsmittel-, Textil-, Metall-, chem. Industrie. Der Fremdenverkehr spielt v.a. an der Küste und in den fünf Nationalparks eine Rolle. Ausfuhr von Fisch, Erdnüssen und Baumwolle sowie deren Verarbeitungsprodukten, Phosphaten; Haupthandelspartner ist Frankreich. – Das Eisen-

Senegal

Staatswappen

SN

Internationales Kfz-Kennzeichen

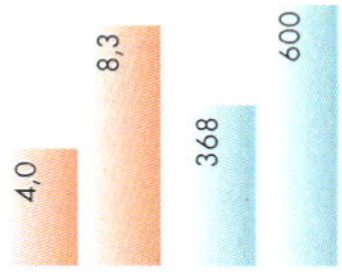

Bevölkerung (in Mio.)
Bruttosozialprodukt je Ew. (in US-$)

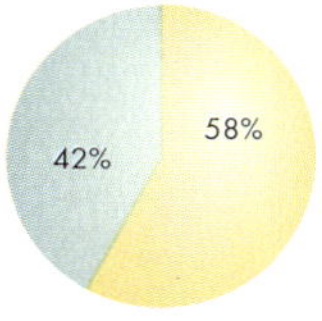

Stadt
Land

Bevölkerungsverteilung 1995

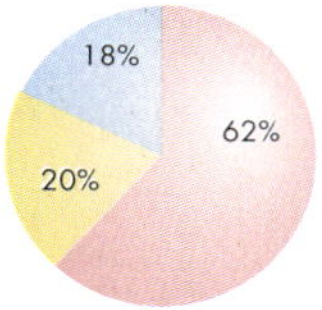

Industrie
Landwirtschaft
Dienstleistung

Bruttoinlandsprodukt 1995

Senegal (Geschichte): Abdou Diouf

bahnnetz ist 904 km, das Straßennetz 13850 km lang (davon 3900 km asphaltiert). Wichtigste Seehäfen sind in Dakar (einer der größten Häfen Westafrikas), Saint-Louis, Kaolack und Ziguinchor; internat. Flughafen Yoff bei Dakar.

Geschichte: Das Gebiet an der Senegalmündung lag im Einflussbereich der afrikan. Reiche Gana und Mali. 1444 errichteten Portugiesen, im 16. Jh. Niederländer Handelsniederlassungen. Seit dem 17. Jh. ließen sich Franzosen im Gebiet des heutigen S. nieder. 1895 wurde die Kolonie Teil von Frz.-Westafrika. Die 1958 gegr. autonome Rep. innerhalb der Frz. Gemeinschaft bildete 1959/60 mit Frz.-Sudan die Mali-Föderation. 1960 wurde das Land unter Präs. L. S. Senghor unabhängig. Dieser bildete S. zu einer präsidialen Rep. mit Einheitspartei um. Zeichen für die vorsichtige Rückkehr zum demokrat. Pluralismus waren die Freilassung polit. Gegner und die Zulassung weiterer Parteien seit 1974. 1980 trat Senghor zurück; Nachfolger wurde der bisherige MinPräs. A. Diouf (Wiederwahl 1988, 1993, 1998). 1982–89 waren S. und Gambia zur Konföderation Senegambia zusammengeschlossen. Konflikte mit Mauretanien brachen 1989 aus (→Mauretanien, Geschichte). In dem seit Beginn der 1980er-Jahre latent andauernden, ethnisch fundierten Konflikt hinsichtlich der Unabhängigkeit der Südprovinz Casamance kam es seit 1990 zu bürgerkriegsähnl. Unruhen. Trotz mehrerer Waffenstillstände harrt der Konflikt noch einer polit. Lösung; 1996 scheiterten Friedensgespräche.

Ludwig Senfl

📖 KRINGS, T.: *Sahel. S., Mauretanien, Mali, Niger. Köln ^{5}1990.* – WODTCKE, A. *u. a.: S., Gambia. Nürnberg 1993.* – WIESE, B.: *S., Gambia. Länder der Sahel-Sudan-Zone. Gotha 1995.*

Dieter Senghaas

Seneschall [von ahd. senescalh »ältester Diener«] *der* (frz. Sénéchal), Hofbeamter im merowing. Reich, später in Frankreich, der das königl. Hauswesen besorgte (entsprechend dem dt. →Truchsess) und auch richterl. Befugnis hatte.

Seneszenz [lat.] *die,* durch Altern bedingter Leistungsabfall.

Senf: Schwarzer Senf (Höhe 0,5 - 1,5 m)

Senf [lat.-grch. sinapi] *der,* Bez. für versch. gelb blühende Kreuzblütler. Der **Schwarze S.** (Brassica nigra) hat dem Stempel anliegende Schoten und schwarze Samen; der **Weiße S.** (Sinapis alba) besitzt abstehende Schoten und gelbl. Samen, aus denen **Speise-S.** (**Mostrich,** Würzpaste aus gemahlenen S.-Körnern und Essig) hergestellt wird; auch Grünfutterpflanze; ein verbreitetes Unkraut ist der **Acker-S.** (Sinapis arvensis). Aus den Samen des Schwarzen und des Weißen S. wird S.-Öl gewonnen.

Senfgas (Lost), das →Dichlordiäthylsulfid.

Senfkorngarten, eines der frühesten chines. Lehrbücher der Malerei mit Farbdrucken; von Wang Gai (tätig etwa zw. 1677 und 1705) und seinen Brüdern zusammengestellte Sammlung klass. Maltheorien aller Zeiten mit Bildvorlagen und Erklärungen der Maltechniken.

Senfl, Ludwig, dt.-schweizer. Komponist, *Basel um 1486, †München zw. 2. 12. 1542 und 10. 8. 1543; Mitgl. der Hofkapelle Kaiser Maximilians I., trat 1523 in die Münchner Hofkapelle Herzog Wilhelms IV. ein; bed. Meister der dt. Vokalpolyphonie der 1. Hälfte des 16. Jh.; schrieb etwa 250 mehrstimmige dt. Lieder, 240 geistliche lat. Motetten und sieben Messen.

Senf|öle, 1) *Chemie:* äther. Öle mit stechendem Geruch und scharfem, senfähnl. Geschmack; chemisch Isothiocyanate (Ester der Isothiocyansäure, →Thiocyansäure) mit der allgemeinen Formel R–N=C=S (R organ. Rest). S. kommen in vielen Kreuzblütlern v. a. der Gattungen Senf (z. B. im Weißen Senf) und Kohl (u. a. im Schwarzen Senf und Raps) sowie in Kaperngewächsen vor.

2) *Lebensmittel:* (Senfkörneröle) fette Öle, die aus den Samen des Schwarzen und Weißen Senfs gewonnen werden, dienen u. a. als Speiseöle.

Senftenberg (sorb. Zły Komorow), Kreisstadt des Landkreises Oberspreewald-Lausitz, Brandenburg, an der Schwarzen Elster, 26600 Ew.; FH, Kreismuseum (im Schloss), Theater; Mittelpunkt des Niederlausitzer Braunkohlenbergbaus. – Am südl. Stadtrand 13 km^2 großer Tagebausee (Erholungsgebiet). – Spätgot. Pfarrkirche (um 1440). – Im Anschluss an eine dt. Burg des 12. Jh. (im 16./17. Jh. zu einem befestigten Schloss ausgebaut) entstanden; 1279 Stadtrecht.

Senghaas, Dieter, Politikwissenschaftler, *Geislingen an der Steige 27. 8. 1940; seit 1972 Prof. in Frankfurt am Main, seit 1978 in Bremen; betreibt Friedens- und Konfliktforschung; zeitweise Kritiker der westl. Entwicklungspolitik.

Werke: Gewalt – Konflikt – Frieden (1974); Weltwirtschaftsordnung und Entwicklungspolitik (1977); Europa 2000 (1990).

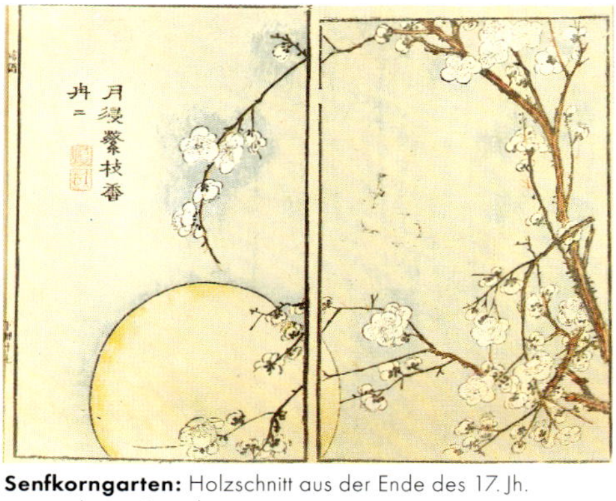

Senfkorngarten: Holzschnitt aus der Ende des 17. Jh. entstandenen Sammlung

Senghor [sɛ̃'gɔːr, sã'gɔːr], Léopold Sédar, senegales. Politiker und Schriftsteller frz. Sprache, *Joal (W-Senegal) 15. 8. 1906; 1946–59 Abg. in der frz. Nationalversammlung, war 1960–80 Staatspräs. von Senegal. – Als Schriftsteller trat S. v. a. als Lyriker hervor, der in Reaktion auf die persönl. und allgemeine kulturelle Entwurzelung Menschen und Landschaften Afrikas und die Eigenart seiner Kulturen besang; die Sprache integriert Elemente afrikan. Oraldichtung in ein subtil nuanciertes Französisch. In der Essaysammlung »Liberté« (5 Bde., 1964–93; Bd. 1 dt. u. d. T. »Négritude und Humanismus«) plädiert S. für eine Verbindung der europ. und afrikan. kulturellen Werte (→Négritude); seit 1983 als erster Afrikaner Mitgl. der Académie française; 1968 Friedenspreis des Dt. Buchhandels.

Léopold Sédar Senghor (1982)

Sengsen|gebirge, Gebirgszug in den Nördl. Kalkalpen, Oberösterreich, im Hohen Nock 1963 m ü. M.; bewaldet; früher Sensenherstellung.

Senhor [sɪ'ɲor, portugies.], Herr; **Senhora,** Dame, Frau; **Senhorita,** Fräulein.

Seni, Giovanni Battista, italien. Astrologe, *Padua 1600, †Genua 1656; Sterndeuter Wallensteins (1629–34).

Senigallia (Sinigallia), Hafenstadt und Seebad in der Prov. Ancona, am Adriat. Meer, Italien, 41 100 Ew.; kath. Bischofssitz; Fischerei; Textil-, Nahrungsmittel- u. a. Industrie. – Im Altertum als **Sena Gallica** ein Hauptort der kelt. →Senonen, seit 283 v. Chr. röm. Bürgerkolonie.

senior [lat.], Abk. **sen.,** der Ältere (hinter Namen).

Senior *der,* **1)** *allg.:* älterer Mensch (im Rentenalter); der Älteste (einer Versammlung, eines Kreises); älterer Geschäftspartner oder Teilhaber (Ggs.: Junior).

2) *Sport:* in einigen Sportarten Altersklasse, z. T. im Höchstleistungsalter.

Senior ['sɪnjə], Nassau William, engl. Nationalökonom, *Uffington (Cty. Berkshire) 26. 9. 1790, †Kensington (heute zu London) 4. 6. 1864; Prof. in Oxford (1825–30, 1847–52); Vertreter der klass. Nationalökonomie und Gegner des Malthusianismus; wurde v. a. durch seine Abstinenztheorie des Zinses sowie eine originelle Preistheorie bekannt.

Seniorat [lat.] *das, Rechtsgeschichte:* mehrschichtiger Begriff, bes. für das nach Klosterrecht errichtete Kollegium erfahrener Mönche; auch eine Erbfolgeordnung bei Familiengütern, bei der das älteste Mitgl. der Familie ohne Rücksicht auf Linie und Verwandtschaftsgrad nachfolgt; Ggs.: →Jüngstenrecht. (→Majorat, →Primogenitur)

Seniorenheim, das →Altenheim.

Seniorenkonvent, der →Ältestenrat.

Senior Experten Service [-'səːvɪs], Abk. **SES,** gemeinnützige Gesellschaft, die pensionierte Fachkräfte (Techniker, Kaufleute, Verwaltungspersonal) zu ehrenamtl. Tätigkeit in Entwicklungsländer sowie seit 1990 in die osteurop. Staaten und die neuen Bundesländer entsendet; gegr. 1983, Sitz: Bonn. Finanzielle Unterstützung erhält der SES u. a. von der Bundesregierung, einzelnen Unternehmen, dem DIHT und dem BDI.

Senkblei (Senklot), in der Bautechnik verwendetes →Lot.

Senke, *Physik:* Ort in einem →Feld, in dem die Feldlinien enden.

Senken, *Fertigungstechnik:* spanendes Fertigungsverfahren der Hauptgruppe Trennen mit mehrschneidigem Werkzeug **(Senker);** dient zur Nachbearbeitung von Bohrungen. Man unterscheidet **Einsenken** zum Versenken von Schrauben- oder Nietköpfen (z. B. mit Kopfsenker oder kegeligem Spitzsenker), **Ansenken** zum Erzeugen ebener Auflageflächen für Schrauben (z. B. mit Flachsenker) und **Aufsenken** zum Vergrößern von Bohrungen (z. B. mit Spiral- oder Aufstecksenker).

Senkfuß, →Fußdeformitäten.

senkrecht (orthogonal), *Geometrie:* im Winkel von 90° aufeinander stehend, z. B. zwei Geraden oder Ebenen.

Senkrechtstarter (Senkrechtstartflugzeug, Vertikalstartflugzeug, VTOL-Flugzeug, von engl. **v**ertical **t**ake-**o**ff and **l**anding), Flugzeug, das ohne Anrollstrecke senkrecht vom Boden abheben und aus dem horizontalen Flug heraus zur senkrechten Landung ansetzen kann. Die nach oben gerichtete Schubkomponente wird durch überdimensionierte und in eine horizontale Drehrichtung gebrachte Luftschrauben sowie durch Strahltriebwerke erzeugt. Bauarten sind u. a. Drehflügler, →Hubstrahler und Kippflügelflugzeuge (gesamter Tragflügel einschl. der Triebwerke und der Luftschrauben kippbar). Dem Vorteil der S. (Verzicht auf Start- und Landebahnen) stehen als Nachteile u. a. hohe Kosten, großer Kraftstoffverbrauch beim Start und starke Lärmentwicklung gegenüber.

📖 Rogers, M.: *VTOL-S.-Flugzeuge. A. d. Engl. Stuttgart 1992.*

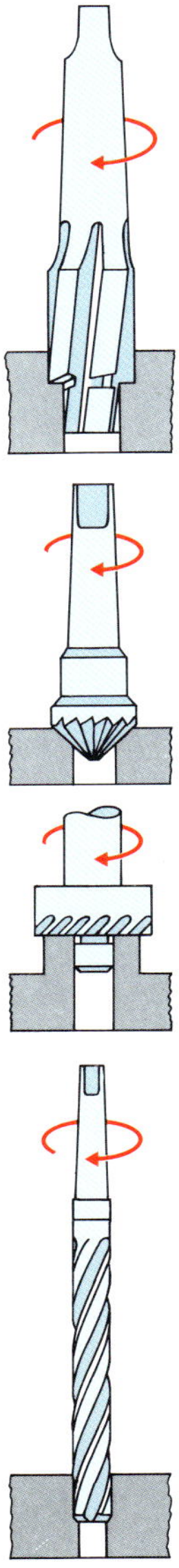

Senken (von oben): Einsenken mit Kopfsenker und mit Spitzsenker, Ansenken mit Flachsenker und Aufsenken mit Spiralsenker

Senkung, 1) *Geologie:* Niveauveränderungen von Erdkrustenteilen (→Hebung).

2) *Metrik:* die unbetonte Silbe des Verses (ÜBERSICHT Metrik).

Senkwaage (Senkspindel), das →Aräometer.

Senlis [sã'lis], Stadt in der Picardie, Frankreich, im Dép. Oise, 15200 Ew.; technolog. Forschungsinst.; Maschinenbau, Holzindustrie. – Reste eines röm. Amphitheaters, weitgehend erhaltene galloröm. Befestigung; frühgot. Kathedrale (12. Jh.).

Sennar (Sannar), Stadt in der Rep. Sudan, am Blauen Nil, etwa 10000 Ew.; Zuckerfabrik, Nahrungsmittelind.; Verkehrsknoten, Flugplatz. Der nahe gelegene **S.-Staudamm** (mit Kraftwerk) dient der Bewässerung des Gebiets von →Gesira.

Senne *die,* aus aufgewehten Sanden bestehende Landschaft am S-Rand des Teutoburger Waldes, im N der Truppenübungsplatz Sennelager.

Sennenhunde, urspr. in der Schweiz beim Almauftrieb und -abtrieb der Viehherden sowie zum Hüten auf den Almen eingesetzte Treibhunde; hierher gehören: **Großer Schweizer S.** (Stockhaar; Widerristhöhe 60–70 cm), **Berner S.** (Langhaar; Widerristhöhe 60–65 cm), **Entlebucher S.** (Kurzhaar; Widerristhöhe 44–48 cm), **Appenzeller S.** (Kurzhaar; Widerristhöhe 48–58 cm).

Sennesblätter, die Blätter einiger Arten der Gattung →Kassie.

Senoi (früher [abwertend] Sakai), weddide (→Wedda) Bevölkerungsgruppen im Zentrum der Malaiischen Halbinsel, früher Wildbeuter, betreiben heute meist Brandrodungsfeldbau; sprechen eine austroasiat. Sprache.

Senonen (lat. Senones), kelt. Volksstamm an der oberen Seine (Hauptort **Agedincum,** heute Sens), von Cäsar 54–52 v. Chr. unterworfen. Ein Teil zog um 400 v. Chr. nach Oberitalien in die

Sennenhunde: Berner Sennenhund (Widerristhöhe 60–65 cm)

Gegend zw. Rimini und Ancona; 283 v. Chr. wurde dieses Gebiet von den Römern besetzt und durch eine Bürgerkolonie (→Senigallia) gesichert.

Señor [se'ɲor, span.], Herr; **Señora,** Frau; **Señorita,** Fräulein.

Sens: Die Glasmalereien in der bis auf das Jahr 1140 zurückgehenden Kathedrale Saint-Étienne stammen aus dem 12.–17. Jahrhundert

Sens [sãs], Stadt im Dép. Yonne, Frankreich, westlich von Troyes, 27800 Ew.; Erzbischofssitz; Museen; Gerbereien, Elektro-, Metall verarbeitende u. a. Industrie. – Röm. Baureste (Stadtmauer, Theater, Bäder). Die frühgot. Kathedrale Saint-Étienne (um 1140 begonnen) besitzt mit den teilweise erhaltenen Portalskulpturen der W-Fassade bedeutende Zeugnisse frz. Bildhauerkunst des späten 12. Jh.; ihre Glasfenster stammen aus dem 12.–17. Jh. – S. war als **Agedincum** Hauptort der →Senonen, nach denen die Stadt seit der Römerzeit heißt; erhielt 1189 Stadtrecht.

Sensal [italien.] *der,* der Kursmakler, →Makler.

Sensburg, Stadt in Polen, →Mrągowo.

Sense, landwirtsch. Handgerät (heute auch mit Motor) zum Mähen; besteht aus einem etwa armlangen, leicht gebogenen Stahlmesser (Blatt) und langem Stiel (S.-Baum) mit Handgriffen. Die Getreide-S. trägt zum Beiseiteraffen der Halme noch den Korb (Gestell, Reff). – Die S. ist ein Symbol der Landwirtschaft, in der christl. Kunst das Attribut des Todes (der Tod als **Sensenmann**).

sensibel [lat.], **1)** *allg.:* empfindsam, feinfühlig, empfindlich.

2) *Physiologie:* Reize aufnehmend oder weiterleitend; reizempfindlich.

Sensibilisierung, 1) *Fotografie:* Erhöhung der Empfindlichkeit fotograf. Schichten. Die Steigerung der Allgemeinempfindlichkeit (chem. S.) erfolgt durch Zusatz von Reifungsgelatine und bestimmten Fremdsubstanzen bei der Emulsionierung. Dabei werden v. a. Ionen von Schwermetallen (z. B. Gold, Silber, Quecksilber) in die Silberhalogenidkristalle eingebaut, was zur Ausbildung von Gitterfehlstellen führt. Die Erhöhung der Farbempfindlichkeit (opt. S.) erreicht man durch Zugabe von Stoffen, die fotograf. Emulsionen für längerwellige Spektralbereiche empfindlich machen, ohne am photomechan. Prozess beteiligt zu sein. Hyper-S. ist eine spezielle Behandlung des Fotomaterials vor der Aufnahme (z. B. Quecksilberdampfeinwirkung).

2) *Medizin:* durch ein Antigen ausgelöste Immunreaktion, die zu einer verstärkten Antigenbildung bei erneutem Kontakt mit demselben Antigen führt; ggf. eine Überempfindlichkeitsreaktion (→Allergie).

Sensibilität [von spätlat. sensibilitas »Empfindsamkeit«] *die, Physiologie:* die Fähigkeit, Sinnesreize zu empfangen und zu verarbeiten. Hierbei wird zw. einer **Oberflächen-S.** (Berührungs-, Druck-, Temperatur-, Schmerzempfindung) und einer **Tiefen-S.** (Empfindung der Lage, Bewegung, Muskelspannung) unterschieden.

Sensitivitätstraining (Sensitivitytraining), eine Form der psychotherapeut. →Gruppentherapie, die durch offenen Austausch die Selbst- und Fremdwahrnehmung vertiefen und die Kommunikation verbessern soll.

Sensitivity [sensɪˈtɪvətɪ; engl. »Empfindlichkeit«] *die,* →Oktanzahlen.

Sensitometrie [lat.-grch.] *die,* urspr. ausschließlich die Untersuchung der Beziehungen zw. Belichtung und entstandener Schwärzung in fotograf. Schichten; heute Messung aller fotograf. Eigenschaften der Schwarzweiß- und Farbmaterialien.

Sensomotorik [lat.] (Sensumotorik), die Gesamtheit der Nervenprozesse, bei denen sowohl sensor. (sensible, afferente, »aufnehmende«) als auch motor. (efferente, »bewirkende«, Bewegungs-)Fasern aktiviert sind.

Sensor [lat.] *der,* allg. ein Funktions- oder Bauelement, das mittels physikal. oder chem. Effekte zur Erfassung physikal., chem. oder elektrochem. Größen und deren Umwandlung in elektr. Signale dient; in diesem Sinn ist der S. ein Messgrößenaufnehmer (Messfühler). I. e. S. unterscheidet man S. von Messgrößenaufnehmern nach Baugröße und Fertigungstechnik sowie nach Einsatz- und Verwendungszweck. S. sind dann kleine bis miniaturisierte Funktions- oder Bauelemente, die nach Verfahren der Mikroelektronik und Mikrosystemtechnik hergestellt und v. a. zu Steuerungs- und Regelungszwecken eingesetzt werden. Zu den Anwendungen gehören u. a. Bewegungsmelder zur Überwachung und Sicherheit, Temperaturregler sowie komplexe Systeme, in denen eine Vielzahl von S. eingesetzt werden, deren Daten in EDV-Anlagen weiterverarbeitet werden.

Zu den Anforderungen, die an S. gestellt werden, gehören ein großer Dynamikbereich, Reproduzierbarkeit und Linearität der von ihnen gelieferten Signale, kurze Messzeit, geringer Leistungsbedarf, Stabilität, Zuverlässigkeit, lange Lebensdauer und Störsicherheit, d. h. Unabhängigkeit von unerwünschten Umgebungseinflüssen wie Temperatur, Strahlung und Erschütterung, sowie eine leichte Austauschbarkeit. Die Vielfalt der S. erschwert eine systemat. Einteilung. Von Bedeutung sind z. B. **taktile S.** mit mechanisch berührender Ankopplung an den Prozess; **opt. S.,** die mithilfe opt. Strahlung bestimmte Parameter messen; **faseropt. S.,** die über dämpfungsarme Glasfasern die Energie leiten; **integrierte S.,** die als zusätzl. Bauelement einer integrierten Schaltung eingefügt und zus. mit dieser gefertigt werden; **intelligente S.,** die Eigenfunktionstests, Analog-digital-Wandlungen u. a. vornehmen. Als Messgrößen werden v. a. die Temperatur und geometr. Größen erfasst; die meisten dieser S. steuern lediglich eine Ein-aus-Funktion. Darüber hinaus registrieren S. Druck, Geschwindigkeit und Beschleunigung, Magnetfelder, chem. und opt. Größen sowie allg. elektromagnet. Strahlung. Die Ausführungen und Leistungen von S. sind hier sehr unterschiedlich und reichen z. B. bis zu einem Druck-S., dem eine mikroelektron. Schaltung integriert ist, die das entstandene Signal mit einer Temperaturkompensation versieht und digitalisiert. Anwendungsgebiete: v. a. in Kraftfahrzeugen, elektr. Geräten, Maschinenbau, Unterhaltungselektronik, Büro-, Daten- sowie Medizintechnik.

Sensorik *die* (Sensortechnik), wiss.-techn. Disziplin, die sich mit Entwicklung und Einsatz von →Sensoren befasst.

sensorisch (sensoriell), die Sinnesorgane oder die Aufnahme von Sinneswahrnehmungen und -empfindungen betreffend.

Sensorium [lat.] *das,* Sinnesapparat, bestehend aus Nervensystem und Sinnesorganen; i. e. S. die Großhirnrinde als Sitz der Sinnesempfindungen und des Bewusstseins.

Sensortaste (Berührtaste), Bedienelement elektron. Geräte, das durch Berühren einer Kontaktfläche Schaltfunktionen auslöst.

Sensualismus [lat.] *der, Philosophie:* erkenntnistheoret. Richtung, die alle Erkenntnis auf Sinneswahrnehmung – letztlich auf physiolog. Reize – zurückführen will. Sensualistisch orientiert sind in der Antike z. B. die Kyniker und die Kyrenaiker, in der Neuzeit z. B. empirist. Positionen in der Philosophie der Aufklärung (J. Locke, G. Berkeley).

Senta (ungar. Zenta), Stadt in der Wojwodina, Jugoslawien, in der Batschka, an der Theiß, 31 000 Ew.; Marktzentrum; Textil-, Möbel- und Nahrungsmittelindustrie. – 1216 erstmals erwähnt, seit 1516 Freistadt. – Bei S. siegte Prinz Eugen von Savoyen am 11. 9. 1697 über ein osman. Heer.

Sentenz [lat.] *die,* treffend formulierter Ausspruch, Sinnspruch; seit dem 8. Jh. zu philosophisch-theolog. Lehrzwecken aus der Bibel, den Kirchenvätern, Kirchenschriftstellern und Konzilsentscheidungen entnommen; in der Frühscholastik systematisch zu Lehrbüchern **(S.-Büchern)** geordnet; am bekanntesten das des →Petrus Lombardus; in der Literatur meist sehr bekannter, dem Sprichwort nahe stehender Ausspruch (→Aphorismus, →Gnome).

Sentimentalität *die,* eine gesteigerte Gefühlsansprechbarkeit. Im Sinne von →Empfindsamkeit ist der Begriff in Dtl. seit dem 18. Jh. gebräuchlich.

Senufo (Sene, Eigenbez. Syenamana), Volk der Sudaniden im N der Rep. Elfenbeinküste (1,2 Mio.), im SW von Burkina Faso (480 000) und in S-Mali (1,1 Mio.); betreiben Feldbau in der Savanne, daneben Viehhaltung; wohnen in von Lehmmauern und Palisaden umgebenen lehmburgartigen Dörfern. Ihre Sprache, das Senufo, gehört zu den Gursprachen.

Senussi (arab. Snussi, Sanusi), islam. Orden, der sich für die Erneuerung des Islam und seine Befreiung vom europ. Einfluss einsetzte; 1833 von Mohammed Ibn Ali as-Senussi (* um 1791, † 1859) in Mekka gegr.; leistete der italien. Kolonialmacht in Libyen heftigen Widerstand, wurde von ihr aber 1923 besiegt.

Seo de Urgel ['seo ðe ur'xɛl], Stadt in Spanien, →Seu d'Urgell, La.

Seoul [se'ul, engl. səʊl] (korean. Sŏul), Hauptstadt von Süd-Korea, am Hangang, nahe der W-Küste, im Rang einer Prov. mit 605 km² Fläche und 10,8 Mio. Ew.; kulturelles und wirtsch. Zentrum des Landes; kath. Erzbischofssitz; mehrere Univ. und Colleges; Nationalakademie der Künste und der Wiss., Nationalmuseum, Nationalbibliothek; Textilind., Metallverarbeitung, elektrotechn., elektron., chem., Glas- und Nahrungsmittelind., Druckereien und Verlage; Hafen von S. ist Inch'ŏn; U-Bahn, internat. Flughafen; 1988 Austragungsort der XXIV. Olymp. Spiele. – Paläste aus dem 14. und 15. Jh., Tore aus dem 14.–16. Jh. Die Palastanlage Changdŏk mit Landschaftsgarten wurde zum UNESCO-Welterbe erklärt. – S. wurde 1394 Hptst. der Yi-Dynastie (1392–1910); 1592 durch die Japaner schwer zerstört; nach der Annexion Koreas durch Japan 1910–45 Sitz des japan. Generalgouverneurs; seit 1948 Hptst. von Süd-Korea.

Seoul: Das heutige Stadtbild wird von modernen Hochhäusern und Verwaltungsgebäuden geprägt

Sepalen [lat.], die Kelchblätter (→Blüte).

Separatfriede, →Friedensvertrag.

Separation [lat.] *die,* **1)** *allg.:* Absonderung, Trennung.

2) *Agrargeschichte:* Auflösung der genossenschaftl. Wirtschaftsweise, in Dtl. im 18. und frühen 19. Jh. bes. die Aufteilung der Allmende an die bisherigen Nutzungsberechtigten.

Separatismus [lat.] *der,* Bez. für Bestrebungen nach Loslösung von einer vorgegebenen Institution oder Abspaltung eines bestimmten Gebiets aus einem bestehenden Staatsverband. (→Regionalismus)

Separator [lat. »Trenner«] *der,* →Zentrifuge.

Sephardim (Sefardim), die Juden, die ab 1492 aus Spanien vertrieben worden waren, und ihre Nachkommen; ben. nach dem bibl. Ortsnamen Sefarat (Ob. 20; im MA. mit der Iber. Halbinsel gleichgesetzt); heute zur Unterscheidung von den →Aschkenasim geläufige, aber irreführende Bez. für alle oriental. Juden.

Sepia [lat., von grch. sēpía »Tintenfisch«] *die,* Gattung der zehnarmigen Kopffüßer mit ovalem, abgeflachtem Körper und waagerechtem Flossensaum. Die vom Mantel überwachsene Schale (Schulp) ist kalkig. Bei Gefahr wird aus einer Enddarmdrüse (Tintenbeutel) ein Sekret, der S.-Farbstoff, ausgestoßen, der das Wasser trübt. Die **Gemeine Tintenschnecke (Tintenfisch,** Sepia officinalis), bis zu 65 cm lang, lebt im Mittelmeer und im Ostatlantik.

Sepik *der,* größter Fluss in NO-Neuguinea, 1 127 km lang, entspringt im westl. Zentralgebirge auf indones. Gebiet, mündet in die Bismarcksee.

Sepiolith [von Sepia] *der,* der →Meerschaum.

Sepoy ['si:pɔɪ; engl., aus pers. sipahi »Reitersoldat«] *der,* der einheim. Soldat der früheren brit. Kolonialarmee in Indien. Die S. lösten den großen ind. Aufstand von 1857/58 aus (Sepoy-Aufstand).

Seppuku *das,* →Harakiri.

Sepsis [grch. »Fäulnis«] *die* (umgangssprachlich Blutvergiftung), Allgemeininfektion, die durch laufende oder periodische Einschwemmung von

Krankheitserregern aus einem Infektionsherd im Körper in die Blutbahn hervorgerufen wird. Häufigste Erreger sind Staphylokokken, Escherichia coli u.a. Enterobakterien, Pseudomonas, Streptokokken und Pneumokokken. Die Symptome bestehen in rasch ansteigendem, intermittierendem hohem Fieber mit Schüttelfrost, starker Beeinträchtigung des Allgemeinbefindens mit graublasser Hautverfärbung, Milz- und Leberschwellung. Entstehen Tochterherde (sept. Metastasen) in Gehirn, Lunge, Gelenken, Knochenmark, besteht die Gefahr eines septisch-tox. Schocks. – *Behandlung:* rascher, gezielter Einsatz von Antibiotika; u.U. chirurg. Maßnahmen.

Sept|akkord, *Musik:* →Septimenakkord.

September [lat.], Abk. **Sept.,** der 9. Monat des Jahres, mit 30 Tagen, im alten röm. Kalender der 7.; frühere dt. Namen: **Herbstmond,** da am 23. S. der Herbst beginnt, **Scheiding.**

Sepia: Die Gemeine Tintenschnecke ist bis zu 65 cm lang

Septett [italien.] *das,* Musikstück für sieben Gesangsolostimmen oder sieben Soloinstrumente (meist Bläser und Streicher); auch Bez. für die Gruppe der Ausführenden.

Sept-Îles, Les [lɛ sɛ'ti:l; frz. »die sieben Inseln«], Inselgruppe vor der N-Küste der Bretagne, Frankreich; Vogelreservat.

Septime [lat.] *die,* die 7. Stufe der diaton. Tonleiter und das Intervall, das sechs diaton. Tonschritte enthält. Man unterscheidet große (z.B. c–h) und kleine (c–b), übermäßige (c–his) und verminderte S. (cis–b).

Septimen|akkord (Septakkord), dissonanter Vierklang aus Grundton, Terz, Quinte und Septime. Besondere Bedeutung für die klassisch-romant. Harmonik hat der **Dominantseptakkord** (in C-Dur: g-h-d-f), v.a. in der →Kadenz. Umkehrungen des S.: **Quintsextakkord, Terzquartakkord, Sekundakkord.** Septakkordparallelen markieren v.a. im Impressionismus die Loslösung von der funktionalen Tonalität. In der harmon. Stufentheorie des Jazz bilden die leitereigenen S. jeder Stufe die Ausgangsklänge für die gesamte Jazzharmonik.

Septimer *der,* Pass in den Graubündner Alpen, Schweiz, 2311 m ü.M., verbindet die Täler Oberhalbstein (Bivio) und Bergell (Casaccia); war im MA. einer der wichtigsten Alpenpässe; heute ohne Fahrstraße.

Septimius Severus: Kopf einer Porträtbüste aus Marmor (zwischen 193 und 203; Neapel, Museo Archeologico)

Septimius Severus, eigtl. Lucius S. S. Pertinax, röm. Kaiser (193–211), *Leptis Magna 11. 4. 146, †Eburacum (heute York) 4. 2. 211; 193 von den Truppen zum Kaiser ausgerufen (erster Soldatenkaiser). S. S. eroberte 198 im Kampf gegen die Parther Ktesiphon und richtete die Prov. Mesopotamia ein. In Rom ersetzte er die Prätorianerkohorten durch eine Garde aus Elitesoldaten der Provinzialtruppen; das privilegierte Heer wurde zum entscheidenden Machtfaktor. Die Provinzialaristokratie wurde zum zentralisierten Verw.dienst herangezogen, der Senat verlor an Bedeutung. S. S. erneuerte die Rechtspflege; zog 208 nach Britannien.

septisch, die →Sepsis betreffend, auf Sepsis beruhend; mit Keimen behaftet; Ggs.: aseptisch.

Septuagesima [lat. »die Siebzigste«] *die,* der 3. Sonntag vor Aschermittwoch, 70 Tage vor Ostern; der **Sonntag S.** in den evang. Kirchen; in der kath. Kirche als Bez. im Zuge der Liturgiereform 1969 aufgegeben.

Septuaginta [lat. »die Siebzig«] *die,* wiss. Abk. **LXX** (»70« in röm. Ziffern), die älteste und wichtigste grch. Übersetzung des A. T. (3.–1. Jh. v. Chr.); wurde nach einer Legende unter Ptolemaios II. Philadelphos in Alexandria von 72 jüd. Gelehrten innerhalb von 72 Tagen erstellt.

Sequaner, kelt. Stamm zw. Saône und Schweizer Jura mit dem stark befestigten Hauptort Vesontio (heute Besançon).

Sequenz [lat. sequentia »Folge«] *die,* **1)** *Biochemie:* Aufeinanderfolge der zahlr. gleichartigen Bausteine in biolog. Makromolekülen, z.B. die **Aminosäuren-S.** in Proteinmolekülen. Die **S.-Analyse** ist ein wichtiges Mittel der Konstitutionsaufklärung bes. von Proteinen und Nucleinsäuren.

2) *lat. Liturgie:* liturg. Chorgesang, der im 9. Jh. entstand; in der röm. Messliturgie dem Alleluja folgend. Aus der reimlosen S. (z.B. von Notker Balbulus) entstand seit dem 12. Jh. die metr. und Reimsequenz. Neben dem Hymnus (→Hymne) war die S. von entscheidendem Einfluss auf die latein. und volkssprachl. Lyrik des Mittelalters.

3) *Musik:* Bez. für die auf- oder absteigende Wiederholung einer Tonfolge auf einer anderen Tonstufe.

Septimenakkord (von links): Dominantseptakkord in C-Dur (g-h-d-f) mit Umkehrung und leitereigene Septimenakkorde der Jazzharmonik auf dem Ton c (I.–VII. Stufe mit Akkordsymbolen)

Sequenz|analyse (Verlaufsanalyse), Methode der dynam. Wirtschaftstheorie zur Darstellung und Erklärung zeitabhängiger ökonom. Vorgänge. Untersucht werden die zeitlich verzögerten Beziehungen (Lags) zw. den Variablen.

sequenzieller Zugriff, *Datenverarbeitung:* in Verbindung mit Datenträgern und Datenstrukturen die Eigenschaft, dass Daten nur in der Reihenfolge gelesen werden können, in der sie aufgezeichnet wurden.

Sequester [zu lat. sequestrare »absondern«] *das,* abgestorbenes Gewebestück, z. B. ein bei Knochenmarkentzündung abgestorbenes Knochenstück.

Sequestration *die,* die gerichtlich angeordnete Übergabe einer Sache an einen Dritten **(Sequester)** zu einstweiliger treuhänder. Verwaltung oder Verwahrung, z. B. die Zwangsverwaltung von Grundstücken (§§ 848, 855 ZPO). – Im Staats- und Völkerrecht heißt S. auch die Zwangsverwaltung eines Staats oder eines Staatsteiles, dessen Reg. ihrer Funktion enthoben ist.

Sequoia [indian.] *die,* →Mammutbaum.

Sequoia National Park [sɪˈkwɔɪə ˈnæʃnl ˈpɑːk], 1629 km² großer Nationalpark der USA, in der Sierra Nevada Mittelkaliforniens, 1890 gegr.; seenreiche Hochgebirgslandschaft mit Mammutbaumwäldern.

Šěrachow [ˈʃyraxɔf], sorb. Name der Stadt →Schirgiswalde.

Séracs [seˈraks; frz., eigtl. mundartlich »fester, weißer Käse«] (Seraks, Serracs), Eis- und Firnzacken, -nadeln oder -türme, bes. an Gletscherbrüchen (→Gletscher).

Serail [zeˈrai(l), seˈraːj; pers.-türk.-frz.], *das,* i. w. S. (großes, mehrräumiges) Haus, Unterkunft, Lager-, Wohnhaus, i. e. S. Palast, z. B. der osman. Sultanspalast (Topkapı-S. in Istanbul), der auch Reg.- und Verwaltungssitz war.

Seraing [səˈrɛ̃], Stadt in der Prov. Lüttich, Belgien, an der Maas, 61 400 Ew.; Inst. für Arbeitsmedizin; Eisenhüttenwerk, Maschinen-, Motorenbau, Glashütte, Herstellung von Rüstungsbedarf.

Seram (Ceram), größte der Molukkeninseln, Indonesien, mit Nebeninseln rd. 18 600 km²; von einer bis 3019 m (Gunung Binaiya) hohen Gebirgskette durchzogen; Produktion von Sago, Kokosnüssen, Gewürznelken, Reis, Tabak, Kakao, Erdöl (Erdölraffinerie in Bula); Hauptort ist Masohi an der Südwestküste.

Matilde Serao

Serao, Matilde, italien. Schriftstellerin, * Patras (Griechenland) 7. 3. 1856, † Neapel 25. 7. 1927; Journalistin; schrieb realist. Romane und Novellen aus dem neapolitan. Volksleben.

Serapeum *das* (grch. Serapeion), Tempelanlage für den ägypt. Gott Sarapis; als S. wird auch die Begräbnisstätte der hl. Apisstiere bezeichnet (z. B. in Sakkara).

Seraph [hebr. saraph »Schlange«] *der (Pl. Seraphim),* in der Berufungsvision des Propheten Jesaja (Jes. 6) ein himml. Wesen mit sechs Flügeln, Händen und einer menschl. Stimme, das den Thron Jahwes umschwebt; singt das →Trishagion.

Séraphine [seraˈfiːn], eigtl. S. Louis, frz. Malerin, * Arsy (Dép. Oise) 2. 9. 1864, † Clermont (Dép. Oise) 11. 12. 1942. Ihre mystisch-religiös bestimmten Bilder (meist Pflanzen) zeigen eine suggestive Fantastik; neben H. Rousseau einflussreichste Vertreterin der naiven Malerei in Frankreich.

Séraphine: »Der rote Baum« (um 1927/28; Paris, Musée National d'Art Moderne)

Serapionsbrüder, Gruppe russ. Schriftsteller, 1921 in Petrograd nach dem Vorbild der »S.« bei E. T. A. Hoffmann gebildet; trat für eine experimentierfreudige, neues Material in neuen Formen gestaltende, ideologisch nicht festgelegte Literatur ein und betonte die Kreativität des Künstlers. Später gehörten ihr u. a. M. M. Soschtschenko, K. A. Fedin, W. W. Iwanow und N. S. Tichonow an.

Serapis, ägypt. Gott, →Sarapis.

Serben (serbokroat. Srbi), südslaw. Volk, etwa 9 Mio., v. a. in Serbien (etwa 66 % der Bev.), daneben auch in Bosnien und Herzegowina (etwa 32 %), Kroatien (etwa 12 %), Montenegro (etwa 3 %), Makedonien (etwa 2 %) und Slowenien (etwa 1 %); überwiegend serbisch-orthodoxe Christen. – Die Urheimat der S. soll, nach Angabe byzantin. Schriftsteller, Ostgalizien gewesen sein. In die neue Heimat mit der Kernlandschaft Raszien (um das heutige Novi Pazar) gelangten die S. Anfang des 7. Jh. Die starke geograph. Gliederung bildete Sondergruppen heraus (z. B. Bosnier, Herzegowiner). Aus Flüchtlingsgruppen gingen Bunjewzen und Schokzen hervor.

Serbi|en (serb. Srbija), Gebiet in Südosteuropa, bildet (einschl. der Provinzen →Kosovo und

Serbien: Flagge

→Wojwodina) seit 27. 4. 1992 zus. mit Montenegro die Bundesrep. Jugoslawien, 88 361 km^2, (1993) 9,854 Mio. Ew. Die Bev. besteht zu rd. 66% aus Serben, zu 17% aus Albanern, ferner Ungarn und anderen Minderheiten; Hauptstadt ist Belgrad.

Landesnatur: S. hat im N Anteil am Großen Ungar. Tiefland (mit Batschka, Sirmien und westl. Banat), wird von der mittleren Donau und Theiß durchflossen. Südlich von Donau und Save schließen sich Hügel- und Gebirgsland an, mit Šumadija, Kopaonikgebirge sowie Ausläufern des Dinar. Gebirges und des Westl. Balkans; höchste Erhebung im Đaravica 2 656 m ü. M. an der Grenze zu Albanien. S. hat Anteil an der in N–S-Richtung verlaufenden Morava-Vardar-Furche, einer wichtigen Verkehrsachse. Im S liegen Beckenlandschaften wie Amselfeld und Metohija. Das Klima ist gemäßigt kontinental, im S mediterran geprägt. Etwa ein Drittel des Landes ist bewaldet.

Wirtschaft: Die wichtigsten Bereiche sind Landwirtschaft und Industrie. Hauptanbaugebiete sind Wojwodina und Moravatal, v. a. Weizen, Mais, Hackfrüchte, Sonnenblumen, Obstbau; Tabakanbau im S; im Moravatal und NO Weinbau. In den Ackerbaugebieten auch Rinder- und Schweinezucht, im Gebirge v. a. Schafzucht. S. ist reich an Bodenschätzen: Kohle, Eisenerz, Kupfer, Zink, Antimon; Erdölförderung nahe Belgrad. Die wichtigsten Ind.zweige sind Maschinen- und Fahrzeugbau, chem., elektrotechn. und elektron., Leder-, Textil- und Nahrungsmittelind.; Ind.zentrum ist Belgrad.

Geschichte: Nach S., das im Altertum von illyr., thrak. und kelt. Stämmen bewohnt war, wanderten (vermutlich) im 7. Jh. die südslaw. Serben ein, die vom 8. bis 12. Jh. unter bulgar. und byzantin. Oberhoheit standen. Erst Großfürst Stephan Nemanja (um 1166–96), Begründer der Nemanjiden-Dynastie, konnte um 1180 gegen Byzanz die Unabhängigkeit seines Fürstentums Raszien, das er mit Zeta (Montenegro) vereinigte, erkämpfen. Dieses altserb. Reich (seit 1217 Königreich) erreichte unter Stephan IV. Dušan Uroš (1331–55) seine größte Ausdehnung (u. a. Zugewinn von Makedonien, Thessalien, Albanien und Epirus), verfiel aber nach seinem Tod rasch. Nach der serb. Niederlage in der Schlacht auf dem →Amselfeld (1389) unterwarfen die Osmanen bis 1521 (Eroberung Belgrads) das ganze Gebiet. Ende des 17. Jh. wanderten viele Serben aufgrund osman. Repressalien nach S-Ungarn aus; in die frei gewordenen serb. Kerngebiete (Alt-S., Engeres S.) rückten Albaner nach (→Kosovo). 1804 kam es zu einer Erhebung gegen die Osmanen unter Karadjordje, 1815 zu einem 2. Aufstand unter Miloš Obrenović; beide Fürstenhäuser rivalisierten im 19. und Anfang des 20. Jh. um die Herrschaft in S., das 1830 als autonomes Erbfürstentum unter osman. Oberhoheit, 1878 (Berliner Kongress) als unabhängiger Staat anerkannt wurde (1882 Proklamation zum Königreich durch Milan I. Obrenović); nach der Ermordung von König Alexander I. Obrenović 1903 Berufung von Peter I. Karadjordjević und Einführung eines parlamentar. Regierungssystems mit der Radikalen Volkspartei unter N. Pašić als Hauptträger. Die Einverleibung Bosniens und der Herzegowina durch Österreich (1908) und die serb. Erfolge in den Balkankriegen 1912/13 (Zugewinn Makedoniens und des Kosovo) steigerten den österr.-serb. Gegensatz. Das Attentat von →Sarajevo (→Schwarze Hand) führte am 28. 7. 1914 zur Kriegserklärung Österreich-Ungarns an S. und damit zum Ausbruch des 1. Weltkriegs. 1915/16–18 war S. von den Mittelmächten besetzt. Am 1. 12. 1918 kam es zur Bildung eines S., Montenegro und alle südslaw. Gebiete Österreich-Ungarns umfassenden Königreichs der Serben, Kroaten und Slowenen (→Jugoslawien, Bundesstaat, Geschichte); 1941–44 dt. Besetzung. 1945/46 wurde S. (mit der Wojwodina und dem Kosovo) größte Teilrepublik Jugoslawiens. Mit den Unruhen in dem v. a. von muslim. Albanern bewohnten Kosovo 1981 begannen die Versuche nichtserb. Bev.gruppen, die serb. Vorherrschaft in Jugoslawien zu beenden; sie führten nach schweren Auseinandersetzungen (1989/90) zur Aufhebung der Autonomie im Kosovo und der Wojwodina (Juni 1990) durch die serb. Regierung. S., das sowohl das Staatspräsidium als auch die Bundesarmee dominierte, setzte den seit 1990 zunehmenden Bestrebungen von Kroatien und Slowenien nach nat. Selbstständigkeit wachsenden – auch militär. – Druck entgegen. Bei den Wahlen 1990 und 1993 siegte die Sozialist. Partei S.s (SPS; im Juli 1990 aus dem Bund der Kommunisten S.s hervorgegangen); sie stellt seit 1990 den Präs. (1989–97 S. Milošević) und die Regierung.

Slobodan Milošević

Nach der Selbstständigkeitserklärung von →Kroatien (25./26. 6. 1991) begann S. mit der Begründung, die serb. Siedlungsräume dort schützen zu müssen, einen blutigen Eroberungskrieg. Unter seinem Schutz bildete sich 1991 in der v. a. von Serben bewohnten →Krajina die Serb. Republik Krajina. Am 27. 4. 1992 proklamierte S. gemeinsam mit Montenegro eine neue Bundesrep. →Jugoslawien.

Als am 7. 4. 1992 die Serben in →Bosnien und Herzegowina eine Serb. Rep. Bosnien-Herzegowina (Hptst.: Banja Luka; Ziel: Anschluss an S.) ausriefen, begann dort Anfang April 1992 der 2. Krieg zur Vereinigung aller serb. Siedlungsräume. Gestützt auf die Hilfe der serb. Regierung, ließen die bosn. Serben zunächst versch. Pläne zur Lösung der ethn. Konflikte in Bosnien und Herzegowina scheitern. Nachdem S. seine panserb. Ziele zurückgestellt und Präs. Milošević für die bosn. Serben das Friedensabkommen von Dayton 1995 unterzeichnet hatte, lockerte sich der internat. Druck auf Jugoslawien bzw. Serbien.

Innerhalb S.s setzte der Präs. seinen autoritär geprägten Kurs fort. Die auf Antrag der SPS von Gerichten verfügte Annullierung von Kommunalwahlergebnissen, die im Nov. 1996 im ersten Wahlgang Kandidaten des Oppositionsbündnisses »Zajedno« (dt. »Gemeinsam«) in vielen Gemeinden die Mehrheit gebracht hatte, kam es 1996/97 zu großen gegen Milošević gerichteten Protesten. Nach den an zu geringer Wahlbeteiligung gescheiterten Wahlen vom Sept./Okt. 1997 wurde im Dez. 1997 Milan Milutinović neuer Präs. (Kandidat der SPS). Im zu 90% von Albanern bewohnten Kosovo eskalierten 1998 die nat. Gegensätze in bürgerkriegsähnl. Kämpfen.

Milan Milutinović

📖 JIREČEK, C.: *Staat u. Gesellschaft im mittelalterl. S., 4 Bde. Wien 1912–19, Nachdr. Leipzig 1974, 1 Bd.* – SUNDHAUSSEN, H.: *Geschichte Jugoslawiens 1918–80. Stuttgart u. a. 1982.*

serbische Kunst. Die s. K. begann mit der Christianisierung der Serben durch östl. Missionare (9. Jh.). Mitbestimmend wurde der Einfluss noch vorhandener frühchristl. und frühbyzantin. Denkmäler. Die Blütezeit der s. K. im MA. war bedingt durch die im O an Byzanz angrenzende, im W bis zur Adria reichende Lage des serb. Reiches und dessen staatl. Entwicklung. Sie erreichte wie der Staat ihren Höhepunkt im 14. Jahrhundert.

Seit der Unabhängigkeit von Byzanz 1180 begünstigte die Nemanjiden-Dynastie eine höf. und klösterl. Baukunst, in der zunächst westlich-roman. Einflüsse die vorherrschende byzantin. Tradition überlagerten. Stephan Nemanja, der Begründer des serb. Staates, ließ 1183–96 die Kirche und das Kloster in Studenica (UNESCO-Weltkulturerbe) erbauen. Die zunächst aus einem einschiffigen Langhaus mit einer Kuppel über quadrat. Tambour bestehenden Kirchen wurden schon in Raszien, dem serb. Kernland, weiter ausgebildet (Klosterkirchen in Žiča bei Kraljevo, 1208 geweiht; in Sopoćani, westlich von Novi Pazar, um 1265; in Dečani, 1327–35). Eine zweite Gruppe bilden die Kirchen in S-Serbien (Serbisch-Makedonien), dem Zentrum der Staatsverwaltung seit König Stephan Uroš II. Milutin (1282–1321). Bei ihnen verstärkte sich die byzantin. Komponente (Kirche des Klosters Gračanica bei Priština, gestiftet 1320; Kirche des Erzengels Michael in Lesnovo, um 1341). Den Kirchen der dritten Gruppe, im Moravatal (Moravaschule), im frühen 15. Jh. das letzte selbstständige serb. Gebiet, ist bei aller Verschiedenheit eine Dreikonchenanlage gemeinsam (Kirche des 1381 gegr. Klosters Ravanica bei Ćuprija; Kirche des Klosters Manasija in Resava, 1407–18).

Die serb. Malerei entwickelte sich unter dem dominierenden Einfluss der byzantin. Malerei. Noch rein byzantinisch sind die Fresken in Ohrid (v. a. Sophienkirche und Muttergotteskirche) und in Nerezi (Klosterkirche des hl. Pantaleon, 1164). Die ersten serb. Fresken mit großfigurigen Kompositionen entstanden 1208/09 in der Muttergotteskirche in Studenica. In der Folgezeit entwickelten sich zwei Malweisen, die in der Dreifaltigkeitskirche in Mileševo nebeneinander stehen: ein antikisierender, mit Goldgrund prunkender höf. und ein monast. Stil mit blauen Gründen. Ihren Höhepunkt erreichte die serb. Malerei in der Dreifaltigkeitskirche des Klosters Sopoćani (um 1265) mit großfigurigen freien Monumentalkompositionen. Die palaiolog. Renaissance fand durch die beiden Hofmaler König Milutins, Michail Astrapas und Eutychios, Eingang in die serb. Malerei. Ihr erzählender Stil gipfelt in den Wandmalereien der Klosterkirche von Gračanica (1321 vollendet). Unter der Osmanenherrschaft blühte die Malerei noch einmal auf (Kirchenvorhallen von Peć, 1561, und Studenica, 1568). Die Ikonenmalerei ist in der s. K. nur von untergeordneter Bedeutung. Die Miniaturmalerei wurde in den serb. Klöstern, bes. auf dem Athos, gepflegt, wo die Traditionen byzantin. Malerei bis heute weitergeführt werden. Im 18. Jh.

serbische Kunst: Apostelgruppe, Fragment aus einer Darstellung des Marientodes in der Dreifaltigkeitskirche des Klosters Sopoćani (um 1265)

breitete sich der europ. Barock aus. Im 19. Jh. entfaltete sich neben einer frühbürgerl. klassizist. Porträtmalerei die Historienmalerei mit nat. Thematik. In der Architektur, die seit dem 16. Jh. zahlr. Bauten nach türk. Vorbild hervorbrachte (u. a. Moscheen), entstanden seit Mitte des 19. Jh. Bauten im

Stil des Klassizismus und Historismus bes. Wiener Prägung, später spielte auch der Wiener Jugendstil eine Rolle. In der modernen Architektur und Kunst des 20. Jh. sind neben nat. Traditionen v.a. westeurop. Einflüsse wichtig geworden.

📖 *Kunstdenkmäler in Jugoslawien. Ein Bildhandbuch, hg. v.* L. TRIFUNOVIĆ, *2 Bde. A. d. Serbokroat. Leipzig 1981.* – MEDAKOVIĆ, D.: *Serb. Barock. Sakrale Kunst im Donauraum. A. d. Serbokroat. Wien 1991.*

serbische Literatur. Nach Anfängen im 12. Jh. wurden als eigenständige literar. Gattung altserb. Herrscherbiographien des 13. und 14. Jh. bedeutend, die hagiograph. und historiograph. Elemente vereinten; diese Tradition fand durch die osman. Eroberung Serbiens ihr Ende. Von den europ. Entwicklungen isoliert, schuf allein die Volksdichtung, insbesondere die Heldenepik, eine mündlich überlieferte, nat. bestimmte Tradition. Im 18. Jh. entstanden, bedingt durch den orth. Bildungseinfluss Russlands, v.a. histor. Schriften. Ende des 18. Jh. wurden westl. Strömungen wie Barock und Aufklärung (bes. durch D. Obradović) in Serbien wirksam. Eine moderne Lit. konnte sich erst nach der endgültigen Schaffung einer eigenen Schriftsprache (→serbokroatische Sprache) entfalten; populär waren die Romane von M. Vidaković und die Dramen von J. S. Popović. In der 1. Hälfte des 19. Jh. verband sich die Romantik mit der Bewegung der Nat. Wiedergeburt in SO-Europa. Die Bewegung des Illyrismus (1830–50) war vertreten durch die Lyriker B. Radičević und Peter II. Petrović Njegoš sowie den Sprachreformer V. S. Karadžić. In den 1870er-Jahren erfolgte unter dem Einfluss der russ. zeitgenöss. Literatur und unter Führung des serb. Sozialisten S. Marković die verstärkte Hinwendung zum Realismus, bes. deutlich in den Dorfnovellen von S. Ranković, auch bei M. Glišić, S. Sremac, S. Matavulj, L. K. Lazarević. Der frz. Symbolismus und die Suche nach neuen Formen führten um die Wende zum 20. Jh. zur Abkehr von den durch die Volksdichtung geprägten Mustern und zur Hinwendung zu einer symbolist., futurist. und expressionist. Lyrik (G. Dučić, A. Šantić, V. Petrović, M. Rakić, S. Pandurović). Überragender Autor der von literar. Experimenten und Konfrontationen und dem Aufblühen der s. L. in allen Gattungen (M. Crnjanski, M. Ristić, B. Kovačević, B. Nušić) geprägten Zwischenkriegszeit war I. Andrić. Nach dem 2. Weltkrieg orientierte sich die s. L. zeitweise an den Normen des sozialist. Realismus (u.a. Desanka Maksimović, B. Čopić). Nach dem Kominformkonflikt (1948) und dem Schriftstellerkongress in Ljubljana (1952) setzte jedoch bald – in Opposition zum sozialist. Realismus – eine eigenständige Entwicklung ein, deren Vertreter u.a. O. Davičo, V. Popa, M. Pavlović, B. V. Radičević und M. Lalić sowie die Montenegriner M. Djilas und B. Miljković waren. Die moderne serb. Prosa zeigte in den 50er- und 60er-Jahren bei M. Balatović Tendenzen zu ironisch-grotesker Darstellung, bei D. Ćosić krit. Hinwendung zur serb. Gesch.; Themen des Partisanenkrieges griffen Lalić und Ćopić auf. Bed. für die jüngere Prosa sind Romane von D. Kiš, R. Smiljanić, M. Kovač, dem Literaturwissenschaftler M. Pavić, B. Pekić und M. Selimović, dessen innovative Prosa in der bosn. Literatur – neben I. Andrić – einen herausragenden Platz einnimmt. Die serb. Poesie (S. Raičković, S. Tontić, M. Danojlić) ist von avantgardist. Experimenten geprägt, die der Tradition der »konkreten Poesie« verpflichtet sind. Die serb. Dramatik vertreten A. Popović, B. Crncević, der bosn. Serbe M. Zalica. – Im Zuge der nationalist. Welle in der s. L., die 1989 ihren Höhepunkt fand, engagierten sich eine Reihe von Autoren im polit. Raum (u.a. D. Ćosić, Crnčević, V. Drašković), während andere nach Ausbruch des serbisch-kroat. Krieges ins Exil gingen (B. Bogdanović, B. Ćosić, Kovać, A. Tišma). Die Teilung des Landes drückt sich auch in der Lit. aus: Während die nationalist. Autoren in die traditionellen Muster der patriot. Lit. zurückfallen, setzen die oppositionellen Schriftsteller (u.a. B. Ćosić, D. Velikić) die für die Postmoderne typ. Verfahren der Desillusonisierung und Verfremdung ein.

📖 BARAC, A.: *Gesch. der jugoslav. Literaturen von den Anfängen bis zur Gegenwart, hg. v. R.-D. Kluge. A. d. Serbokroat. Neuausg. Wiesbaden 1977.* – *BI-Lexikon Literaturen Ost- u. Südosteuropas, hg. v.* L. RICHTER *u. a. Leipzig 1990.*

serbische Sprache, offizielle Bez. der in der Bundesrep. Jugoslawien verwendeten Amts- und Standardsprache (→serbokroatische Sprache).

serbokroatische Sprache, dt. sprachwiss. Bez. für die Sprache, die in Serbien, Kroatien, Montenegro sowie in Bosnien und Herzegowina gesprochen wird; daneben (in modifizierter Form) von Kroaten in SO-Österreich, der Slowakei und Ungarn (burgenländ. Kroaten), in Rumänien (rumän. Banat), in der italien. Region Molise sowie von Serben in Ungarn und Rumänien. Zusammen mit der slowen. Sprache gehört die s. S. (im sprachwiss. Sinn) zur westl. Untergruppe der südslaw. Sprachen (→slawische Sprachen). – Die Schriftsprache verfügt über ein Phonemsystem von 25 Konsonanten und sechs Vokalphonemen. Die Orthographie folgt dem phonetisch-phonolog. Prinzip. Die Intonation ist fallend oder steigend, kurz oder lang. Es werden zwei Alphabete verwendet: die Serben benutzen die kyrill. Schrift (ćirilica), die Kroaten das durch diakrit. Zeichen (u.a. ˇ, ´) erweiterte latein. Alphabet (latinica). Es gibt drei Dialektgruppen, die nach der Form des Fragewor-

Ivo Andrić

Milovan Djilas

Danilo Kiš

Dobrica Ćosić

Aleksandar Tišma

tes »was?« (što, kaj, ča) eingeteilt werden: Štokavisch, Kajkavisch, Čakavisch. Ferner gibt es eine Einteilung in ekavische, (i)jekavische und ikavische Dialekte (je nachdem, ob das urslaw. ě als e, i(j) oder i gesprochen wird).

Serbokroatische Sprache

Kyrillisch	*Lateinisch*	*Aussprache*	*Kyrillisch*	*Lateinisch*	*Aussprache*
А а	A a	*a*	Н н	N n	*n*
Б б	B b	*b*	Њ њ	Nj nj	*ɲ*
В в	V v	*v*	О о	O o	*o*
Г г	G g	*g*	П п	P p	*p*
Д д	D d	*d*	Р р	R r	*r*
Ђ ђ	Đ đ	*dʑ*	С с	S s	*s*
Е е	E e	*e*	Т т	T t	*t*
Ж ж	Ž ž	*ʒ*	Ћ ћ	Ć ć	*tɕ*
З з	Z z	*z*	У у	U u	*u*
И и	I i	*i*	Ф ф	F f	*f*
Ј ј	J j	*j*	Х х	H h	*h*
К к	K k	*k*	Ц ц	C c	*ts*
Л л	L l	*l*	Ч ч	Č č	*tʃ*
Љ љ	Lj lj	*ʎ*	Џ џ	Dž dž	*dʒ*
М м	M m	*m*	Ш ш	Š š	*ʃ*

Die ersten Inschriften in glagolit. und kyrill. Schrift stammen aus dem 11.–12. Jh. Bei den Serben entwickelte sich eine religiöse und weltl. Lit. in einer kirchenslaw. Sprache serb. Redaktion, die in den 30er-Jahren des 18. Jh. durch eine am Russisch-Kirchenslawischen orientierte offizielle Kirchensprache abgelöst wurde. Daneben entstand aus einer Mischung aus Russisch-Kirchenslawisch und serb. Volkssprache das sog. Slawenoserbische. Erst Anfang des 19. Jh. wurde mit den Reformen V. S. Karadžićs die Volkssprache zur Schriftsprache erhoben und die Orthographie der gesprochenen Sprache angepasst.

Die Kroaten benutzten im kirchl. Bereich die glagolit. Schrift bis in 19. Jh. Daneben existierten die čakav. Lit.sprache Dalmatiens (15.–17. Jh.), die štokav. Sprache der ragusaischen Lit. (15.–17. Jh.) und eine kajkav. Lit.sprache (16.–19. Jh.) in Zagreb und N-Kroatien. In den 30er-Jahren des 19. Jh. wurde dann im Zuge des →Illyrismus v.a. durch L. Gaj der Versuch unternommen, eine einheitl. Lit.sprache aller Südslawen zu schaffen. Im Wiener Sprachabkommen 1850 einigten sich Serben und Kroaten auf den neuštokavisch-ijekav. Dialekt der O-Herzegowina als gemeinsame Schriftsprache. Seit der Vereinbarung von Novi Sad (1954) sprach man von einer bizentr. (Belgrad und Zagreb) serbokroat./kroatoserb. Standardsprache in zwei Varianten. In der Verf. der Sozialist. Rep. Kroatien von 1974 wurde nur noch von der kroat. Lit.sprache gesprochen (mit dem Zusatz »Standardsprache der Kroaten und Serben in Kroatien, die Kroatisch oder Serbisch genannt wird«). Die neuen Verf. der Rep. Kroatien und der Bundesrep. Jugoslawien bezeichnen ihre jeweilige Amtssprache als kroat. Sprache bzw. als serbische Sprache.

📖 Ivić, P.: *Die serbokroat. Dialekte. Den Haag 1958.* – Leskien, A.: *Grammatik der serbo-kroat. Sprache. Heidelberg* ²*1976.* – *Kontrastive Grammatik dt.-serbokroat., hg. v.* U. Engel *u. a., 2 Tle. München 1986.* – Jakić, B. *u.* Hurm, A.: *Kroat. oder serb.-dt. Wörterbuch. Zagreb* ⁵*1987.* – Jakić, B. *u.* Hurm, A.: *Dt.-kroat. oder serb. Wörterbuch. Zagreb* ⁸*1988.*

Serẹmban, Hptst. des Gliedstaats Negri Sembilan, West-Malaysia, 182 600 Ew.; Kautschukverarbeitung, Maschinenbau, Elektro-, Textil-, Holzindustrie.

Serenạde [frz., zu italien. sereno »heiter«] *die,* Komposition für kleinere instrumentale, vokale oder gemischte Besetzungen, oft mit Bläsern. Die Instrumental-S. des 18. Jh. besteht aus mehreren Sätzen, die häufig mit einem Marsch eingeleitet oder abgeschlossen werden.

Serengẹti, baumarme Savanne in N-Tansania, im Hochland östlich des Victoriasees, 1500–1800 m ü.M., Kerngebiet des wildreichen **S.-Nationalparks** (12 500 km²; UNESCO-Welterbe).

Sẹreth *der* (rumän. Siret), linker Nebenfluss der unteren Donau, 706 km lang, entspringt in den Waldkarpaten (Ukraine), durchfließt in Rumänien die Moldau und das Donautiefland, mündet bei Galați.

Serge [sɛrʒ, frz.] *die,* auch *der,* meist als Futterstoff verwendetes Gewebe in Köperbindung.

Sergeant [zɛrˈʒant, engl. ˈsɑːdʒənt] *der* (frz. Sergent), seit dem 17. Jh. Dienstgradbezeichnung für ältere Unteroffiziere, z.T. auch (untergeordneter) Polizeidienstgrad; in Dtl. 1921 abgeschafft.

Sẹrgel, Johan Tobias, schwedischer Bildhauer, * Stockholm 28. 8. 1740, † ebd. 26. 2. 1814; führender Vertreter des Klassizismus in Schweden. S. schuf auch meisterhafte, v.a. humoristisch-satirische Zeichnungen.

Sẹrgijew Possạd (1919–30 Sergijew, 1930–90 Sagorsk), Stadt im Gebiet Moskau, Russland, 115 000 Ew.; geistl. Zentrum der russisch-orth. Kirche (Geistl. Akademie, Priesterseminar); Spielwarenind.; Fremdenverkehr. Bei S. P. Pumpspeicherwerk (nach Ausbau 1200 MW). – Kloster Troize-Sergijewa Lawra (gegr. um 1340, im 15. Jh. ummauert, 1540–50 wurden die Befestigungen verstärkt) mit Dreifaltigkeitskirche (1422, mit Grab des hl. Sergius; Ikonostase mit Ikonen von A. Rubljow, 1425–27), Heiliggeistkirche (1476), Uspenskikathedrale (um 1555–85, mit Fresken von 1684; Ikonostase aus dem 18. Jh.; Grab des Zaren Boris Godunow), Glockenturm (1741–67, von B. F. Rastrelli) und Refektorium (1686–92). Bild russische Kunst

Sergipe [sɛrˈʒipə], Küstenstaat im nordöstl. →Brasilien; im fruchtbaren Küstentiefland z.T.

noch trop. Regenwald; das Hochland des Innern wird als Weideland genutzt; vor der Küste Erdöl- und Erdgasförderung; Hptst. ist Aracaju.

Sericin [lat. sericus »seiden«] *das* (Seidenbast, Seidenleim), leimartige Eiweißsubstanz aus wenigstens 12 Aminosäuren; umhüllt im Rohseidenfaden die beiden Fibroinfäden. S. wird verwendet für Bakteriennährböden oder Emulgatoren.

Sericit [lat. sericus »seiden«] *der* (Serizit), feinschuppiger, seidenglänzender, gelbl. oder ölgrüner Muskovit (→ Glimmer).

Serie [lat.] *die,* **1)** *allg.:* eine Reihe oder Gruppe gleichartiger Gegenstände oder Ereignisse.

2) *Geologie:* andere Bez. für Abteilung.

3) *Publizistik:* (regelmäßige) Folge von Veröffentlichungen; v.a. in Hörfunk und Fernsehen (→ Fernsehserie).

seriell, 1) *allg.:* in einer Serie erscheinend, herstellbar, gefertigt; Reihentechniken verwendend.

2) *Datenverarbeitung:* zeitlich nacheinander geordnete bzw. erfolgende Darstellung, Verarbeitung und Übertragung von Informationselementen.

serielle Kunst, Methode der zeitgenöss. Kunst, Strukturprogramme zu entwickeln, die in Form serienmäßiger Reihungen, Verdopplungen oder Wiederholungen und Variationen eine ästhet. Wirkung erzielen sowie mit modernen techn. Fertigungsmethoden realisiert werden können. Die Ursprünge liegen im Konstruktivismus und in der konkreten Kunst; das Prinzip findet häufig Anwendung in der Op-Art, Pop-Art, kinet. Kunst sowie der Minimalart.

serielle Musik, eine um 1950 entwickelte Kompositionstechnik innerhalb der Neuen Musik, bei der möglichst alle Strukturelemente (→ Parameter) eines Werkes durch die vorweg festgelegte Ordnung von Zahlen- oder Proportionsreihen bestimmt sein sollen. Eine äußerst extreme Form der s. M. ist die **punktuelle Musik,** bei der sich der Tonsatz aus den einmal gewählten Reihen gewissermaßen automatisch ergibt. In der freier konzipierten **statistischen s. M.** sind nur die Parameter von z.T. umfangreichen Gruppen (Gruppendauer, Tonumfang, Tonmenge, Dichte) festgelegt, sodass die Parameter der Einzeltöne beliebig gestaltbar werden. Die ersten Versuche serieller Komponisten (K. Stockhausen, P. Boulez, H. Pousseur, L. Nono) wurden angeregt durch das Klavierstück »Mode de valeurs et d'intensités« (1949) von O. Messiaen, das jeder Tonhöhe eine bestimmte Dauer, Stärke und Anschlagsart zuordnet. Historisch ist die s. M. eine konsequente Fortsetzung der Zwölftontechnik, damit auch ein Endpunkt der fortschreitenden Durchorganisation des musikal. Materials; zugleich aber ein Umschlagpunkt, da gänzlich determinierte Musik wie völlig undeterminierte klingt. Zufallsprinzipien (→ Aleatorik) lösten bald die Vorherrschaft s. M. ab.

serielle Musik: Pierre Boulez, »Structure I a« für zwei Klaviere (1952)

Johan Tobias Sergel: »Entflammtes Liebespaar« (undatiert; Stockholm, Nationalmuseum)

📖 EIMERT, H.: *Grundlagen der musikal. Reihentechnik. Wien 1964. – Die Musik der fünfziger Jahre, hg. v.* C. DAHLHAUS. *Mainz u. a. 1985.*

Seriema [indianisch-span.] *die* (Cariama cristata), etwa 70 cm großer, stelzbeiniger, südamerikan. Vogel, den Kranichen nahe stehend, mit borstigem Stirnschopf; lauftüchtiger Steppenbewohner.

Seriema (Standhöhe etwa 70 cm)

Serienfertigung (Serienproduktion), Art der industriellen Fertigung, bei der eine bestimmte Anzahl gleichartiger Erzeugnisse (Serie) gleichzeitig oder nacheinander hergestellt wird. Wenn die Serie groß ist, entspricht sie weitgehend der Massenproduktion, ist sie klein, der Einzelfertigung. Typisch ist die S. in der Automobilindustrie.

Serienschaltung, die → Reihenschaltung.

Serifen [niederländ. schreef »Strich«, von lat. scribere »schreiben«], bei den Antiquaschriften die kleinen Abschlussstriche an Fuß und Kopf der Buchstaben.

Serigraphie [lat.-grch.] *die,* der → Siebdruck.

Serin [lat.] *das,* nichtessenzielle Aminosäure, die am Aufbau von Proteinen beteiligt ist; wichtiges Zwischenprodukt im intermediären Stoffwechsel.

Rudolf Serkin

Serir [arab.] *die, Geomorphologie:* im arab. Sprachgebiet Bez. für eine weite flache Aufschüttungssenke (Ton, Sand, Kies) in den Wüsten.

Serkin ['sɔ:kɪn], Rudolf, amerikan. Pianist russ. Herkunft, *Eger (Böhmen) 28. 3. 1903, †Guildford (Vt.) 8. 5. 1991; trat v. a. als Interpret klass. und romant. Klaviermusik hervor; auch Triopartner von Adolf und Hermann Busch (Busch-S.-Trio); lehrte seit 1939 am Curtis Institute of Music in Philadelphia (Pa); 1968–76 dessen Direktor.

Serlio, Sebastiano, italien. Baumeister und Bühnenbildner, *Bologna 6. 9. 1475, †Fontainebleau oder Lyon 1554 oder 1555; seit 1541 am frz. Hof tätig; gewann durch seine architekturtheoret. Schriften (»L'architettura«, 6 Bde., 1537–51) Einfluss auf die Renaissancebaukunst. S. begründete das System der Renaissancebühne mit perspektivisch gegliedertem Bildaufbau.

Sermon [lat.] *der,* veraltet für: Rede, Predigt; heute: langatmiges, langweiliges Gerede.

Serner (bis 1909 Seligmann), Walter, österr. Schriftsteller, *Karlsbad 15. 1. 1889, †(nach Deportation aus dem Konzentrationslager Theresienstadt 20. 8.) 1942; gehörte zum Kreis der Züricher Dadaisten; verfasste Grotesken, erot. Erzählungen, Kriminalgeschichten.

Serocki [sɛ'rɔtski], Kazimierz, poln. Komponist, *Thorn 3. 3. 1922, †Warschau 9. 1. 1981; zählt zu den bed. Komponisten der poln. Avantgarde; war 1956 Mitbegründer des internat. Musikfestivals »Warschauer Herbst«.

Sebastiano Serlio: Entwurf eines Tores (1551), Holzschnitt aus »Tutte l'opere d'architettura et prospetiva (Venedig, 1619)

Serodiagnostik (Serumdiagnostik), Bez. für diagnost. Untersuchungen des Blutserums mit physikalisch-chem. (z. B. Elektrophorese) und immunolog. Methoden, v. a. für den Nachweis von Antikörpern zur Feststellung von Infektions- und Autoimmunkrankheiten oder zur Blutgruppenbestimmung.

Walter Serner: Holzschnitt von Christian Schad (1915)

Serologie [lat.-grch.] *die,* Teilgebiet der Immunologie; untersucht Abwehreigenschaften des Blutserums auf der Basis der Antigen-Antikörper-Reaktion; dient der Diagnostik zahlreicher Erkrankungen.

serös, a) auf Serum bezüglich; b) vorwiegend oder ganz aus Serum bestehend.

Serosa [lat.] *die,* die Körperhöhlen auskleidende und darin liegende Organe teilweise oder vollständig überziehende Haut (z. B. Brustfell, Bauchfell); kann (seröse) Flüssigkeit bilden.

Serotherapie, die →Serumtherapie.

Serotonin *das* (Enteramin, 5-Hydroxytryptamin), biogenes Amin und Gewebshormon, das bes. in der Darmschleimhaut und im Gehirn gebildet wird. Es wirkt stark kontrahierend auf die glatte Muskulatur der Blutgefäße, der Bronchien und des Uterus; verstärkt die Peristaltik des Darmes; ist Überträgersubstanz (Neurotransmitter) im Gehirn.

Serow, Walentin Alexandrowitsch, russ. Maler, *Sankt Petersburg 19. 1. 1865, †Moskau 5. 12. 1911; Schüler von I. Repin; entwickelte eine realist., zum Impressionismus tendierende Malweise; später großflächiger, dekorativer Stil; auch Theaterdekorationen, Illustrationen.

Serpens [lat.], das Sternbild →Schlange.

Serpent [frz. »Schlange«] *der,* Horninstrument in Basslage, bestehend aus einer schlangenförmig gewundenen, lederumwickelten Holzröhre mit sechs Grifflöchern und abgebogenem Anblasrohr aus Metall. Der S. wurde im 16. Jh. aus dem Zink entwickelt; war bis zum 19. Jh. gebräuchlich.

Serpentin [zu lat. serpens »Schlange«] *der,* **1)** monoklines, wasserhaltiges Magnesiumsilikat der chem. Zusammensetzung $Mg_6[(OH)_8Si_4O_{10}]$ mit

Spuren von Eisen, das sich durch hydrothermale Zersetzung olivinhaltiger Gesteine bildet **(Serpentinisierung).** Das gelb- bis dunkelgrüne Mineral tritt in zwei Strukturformen auf, als **Blätter-S. (Antigorit)** und als **Faser-S. (Chrysotil).** Letzterer bildet Serpentinasbest.

2) (Serpentinit, Serpentinschiefer) metamorphes Gestein, im Wesentlichen aus Serpentinmineralen bestehend. S. ist dichtkörnig, meist grün, leicht zu sägen und polierbar; Dekorationsgestein und Material für Kunstgegenstände.

Serpentine [lat.] *die,* in Kehren ansteigender Weg oder Straße.

Serpuchow, Stadt im Gebiet Moskau, Russland, an der Mündung der Nara in die Oka, 144 000 Ew.; Maschinen-, Motorenbau. Bei S. in **Protwino** ein Forschungsinst. für Hochenergiephysik, in **Puschtschino** radioastronom. Observatorium und ein Forschungsinst. für Biophysik. – 1339 erstmals erwähnt, 1341–1456 Zentrum des gleichnamigen Teilfürstentums, fiel 1462 an Moskau.

Serra *die,* portugies. für Gebirge; Einzelstichwörter suche man unter dem Eigennamen.

Serra ['serə], Richard Anthony, amerikan. Bildhauer, *San Francisco (Calif.) 2. 11. 1939; einer der bedeutendsten zeitgenöss. Bildhauer. Seine Skulpturen aus Stahl basieren auf der rauminterpretierenden Gruppierung geometr. Elemente.

Serradella [portugies.] *die* (Großer Vogelfuß, Ornithopus sativus), ein- bis mehrjähriger Schmetterlingsblütler mit schmalen gefiederten Blättern und blass rosafarbenen Blüten, 30-60 cm hoch; Futter- und Gründüngungspflanze.

Walentin Alexandrowitsch Serow: Porträt des Malers Konstantin A. Korowin (1891; Moskau, Tretjakow-Galerie)

Richard Anthony Serra »Prop« (1968; New York, Whitney Museum of American Art)

Serrai (Serrä, Serres), Hptst. des grch. VerwBez. (Nomos) S., in Zentralmakedonien, an der unteren Struma, 46 000 Ew.; Textil-, Tabak-, Zuckerindustrie.

Serrano Elias, Jorge, guatemaltek. Politiker, *26. 4. 1945; nahm ab 1982 am Demokratisierungsprozess in Guatemala teil und gründete 1986 die »Bewegung der Solidar. Aktion«; wurde 1991 zum Staatspräs. gewählt, Ende Mai 1993 jedoch von den Militärs gestürzt, nachdem er Kongress und Oberstes Gericht aufgelöst hatte.

Serreau [sɛ'ro], Jean-Marie, frz. Schauspieler, Theaterleiter und Regisseur, *Poitiers 28. 4. 1915, †Paris 22. 5. 1973; setzte sich für das Theater der Moderne ein; inszenierte u. a. B. Brecht, S. Beckett, J. Genet, E. Ionesco und A. Césaire.

Sert [span. und katalan. sert, engl. seət], José Luis, amerikan. Architekt und Stadtplaner katalan. Herkunft, *Barcelona 1. 7. 1902, †ebd. 16. 3. 1983; in Paris Mitarbeiter von Le Corbusier, emigrierte 1939 in die USA; 1953 an der Harvard University Nachfolger von W. Gropius. Seine bekanntesten Bauten sind der span. Pavillon für die Weltausstellung in Paris (1937), die Studentenwohnheime der Harvard University (1963–65) und die Gebäude der Fondación Joan Miró in Barcelona (1972–75). Er entwarf Bebauungspläne u. a. für Medellín (1949–51) und Havanna (1955–58). BILD S. 480

📖 BASTLUND, K.: *J. L. S. Zürich 1967.* – FREIXA, J.: *Josep L. Sert. A. d. Span. Zürich u. a.* ²*1984.*

Sertão [ser'tãu, portugies.], trop. Trockengebiet im NO Brasiliens; Trockenwald, Dornbuschvegetation, Sukkulentenwälder, z. T. auch Halbwüste.

Serpent: französische Arbeit ohne Mundstück (Brüssel, Musée Instrumental du Conservatoire Royal)

Jorge Serrano Elias

José Luis Sert: Die Gebäude der Fondaćion Joan Miró in Barcelona wurden in den Jahren 1972–75 erbaut

Sertürner, Friedrich Wilhelm, Apotheker, *Schloss Neuhaus (heute zu Paderborn) 19. 6. 1783, †Hameln 20. 2. 1841; stellte Morphin aus dem Opium rein dar. – Seit 1928 wird die **S.-Medaille** für Verdienste in der pharmazeut. Wiss. verliehen.

Friedrich Sertürner

Serum [lat.] *das,* Kurzbez. für Blutserum (→Blut).

Serumhepatitis, →Hepatitis.

Serumkrankheit, durch Injektion von tier. Heilserum, Arzneimitteln (z.B. Penicillin) oder anderen antigenen Substanzen hervorgerufene allerg. Reaktion des Körpers (Anaphylaxie) mit Nesselsucht, Fieber, Gelenkschmerzen u.a. Die *Behandlung* erfolgt medikamentös (Antihistaminika, Glucocorticoide).

Serumtherapie, Injektion spezif. Immunseren zur Behandlung von Infektionen oder Vergiftungen (z.B. bei Diphtherie, Wundstarrkrampf).

Sérusier [sery'zje], Paul, frz. Maler, *Paris 1864, †Morlaix (Dép. Finistère) 6. 10. 1927; sein Landschaftsbild »Talisman« hatte für die →Nabis programmat. Charakter. S. entwickelte einen Malstil, der auf die Ursprünglichkeit und symbolhafte Ausdruckskraft von Farbe und Fläche zielt.

Serval [portugies.] *der* (Leptailurus serval), gefleckte, hochbeinige, kurzschwänzige Katze in Savannen und lichten Wäldern Afrikas.

Servan-Schreiber [sɛrvɑ̃ʃrɛ'bɛ:r], Jean-Jacques, frz. Publizist und Politiker, *Paris 13. 2. 1924; Mitbegründer und bis 1970 Direktor der Ztschr. »L'Express«, war 1969–71 Gen.-Sekr., 1971–75 und 1977–79 Präs. der Radikalsozialist. Partei; schrieb u.a. »Die totale Herausforderung« (1980).

Jean-Jacques Servan-Schreiber

Servatius, †Maastricht 13. 5. 384, nach der Legende Bischof von Tongern (Belgien), einer der →Eisheiligen; Tag: 13. 5.

Server ['sə:və, engl.] *der,* Spezialrechner in einem Rechnernetz, der an einer Endbenutzerschnittstelle besondere Dienste zur Verfügung stellt; z.B. Datei-S. für die Verw. von Dateien.

Servet [ser'vɛ], Michel, eigtl. Miguel Serveto, span. Arzt und Theologe, *Villanueva de Sigena (Prov. Huesca) oder Tudela (Navarra) 29. 9. 1511 (?), †(verbrannt) Genf 27. 10. 1553; floh vor der Inquisition nach Frankreich; studierte dort Medizin und entdeckte den kleinen Blutkreislauf; kritisierte als →Antitrinitarier in seinem theolog. Hauptwerk »Die Wiederherstellung des Christentums« (1553) die Trinitätslehre; entkam, von der Inquisition angeklagt, nach Genf, wo er auf Veranlassung Calvins als Gotteslästerer hingerichtet wurde.

Service ['sə:vɪs, engl.] *der,* **1)** *allg.:* Kundendienst, Dienstleistung.

2) *Tennis- u. a. Rückschlagspiele:* Aufschlag.

servieren [frz., von lat. servire »Sklave sein«, »dienen«], **1)** *allg.:* Speisen und Getränke auftragen.

2) *Sport:* beim Fußball einem Mitspieler den Ball (zum Torschuss) genau zuspielen; beim Tennis den Aufschlag (Service) ausführen.

servil [lat.], unterwürfig, kriecherisch.

Serviten (lat. Ordo Servorum Mariae, Abk. OSM, Diener Mariens), kath. Orden, gegr. 1233 in Florenz, seit dem 13. Jh. auch ein weibl. Zweig **(Servitinnen);** v.a. in der Seelsorge tätig.

Servitut [lat.] *das,* →Dienstbarkeit. Im Völkerrecht die vertraglich übertragene und ausgeübte Gebietshoheit eines Staates über ein Teilgebiet eines anderen Staates.

Servius Tullius, der Sage nach der sechste röm. König (578–534 v. Chr.); soll die **Servianische Verf.** (Gliederung der Bürgerschaft nach Klassen und Zenturien aufgrund des Census) geschaffen und Rom ummauert haben **(Servianische Mauer).**

Servobremse, *Kraftfahrzeugtechnik:* Hilfskraftbremsanlage bei Trommelbremsen (nicht bei Scheibenbremsen) zur Unterstützung der Fußkraft mit Vakuum-, Pneumatik- oder Hydraulikverstärkern.

Serval (Körperlänge 0,7–1 m)

Servolenkung, Lenkung für Kraftwagen, bei der die Betätigungskraft hydraulisch über den von einer Pumpe erzeugten Öldruck unterstützt wird.

Servomotor, der →Stellmotor.

J. RIZZI